COMM. VALENCIENNE ET MURCIE
pages 232-253
ARAGON
pages 216-231
CATALOGNE
pages 196-215
Donostia (San Sebastián)
0
100 km
Iruña (Pamplona)
Zaragoza
Lleida
Barcelona
L'ESPAGNE ORIENTALE
BARCELONE
pages 132-185
LES BALÉARES
Cuenca
Palma de Mallorca
Valencia
Albacete
Alacant (Alicante)
Murcia
LES BALÉARES
pages 482-503
Almería
LES CANARIES
LES CANARIES
pages 504-527
Santa Cruz de Tenerife
Las Palmas de Gran Canaria
ANDALOUSIE
pages 434-477

GUIDES VOIR

ESPAGNE

Libre Expression
QUEBECOR MEDIA

Ce guide Voir a été établi par
John Ardagh, David Baird, Vicky Hayward, Adam Hopkins, Lindsay Hunt, Nick Inman, Paul Richardson, Martin Symington, Nigel Tisdall, Roger Williams

Direction
Cécile Boyer

Direction éditoriale
Catherine Marquet

Édition
Catherine Laussucq

Traduit et adapté de l'anglais par
Dominique Brotot et Marie-Hélène Alfonsi avec la collaboration de Stella Maris Changuitté et d'Yvan Rubinstein

Mise en page (PAO)
Maogani

DK

Publié pour la première fois en Grande-Bretagne en 1996, sous le titre :
Eyewitness Travel Guides : Spain

Aussi soigneusement qu'il ait été établi, ce guide n'est pas à l'abri des changements de dernière heure. Faites-nous part de vos remarques, informez-nous de vos découvertes personnelles : nous accordons la plus grande attention au courrier de nos lecteurs.

Imprimé et relié par South China Printing Co. Ltd (Chine).

Éditions Libre Expression
7, chemin Bates
Outremont (Québec) H2V 4V7

Dépôt légal : 1er trimestre 2003
ISBN : 2-7648-0026-6

Sommaire

Alphonse X le Sage

Pages précédentes : pèlerinage de la Vierge des Ponts à Belalcázar, près de Cordoue en Andalousie

GUIDES VOIR

ESPAGNE

Libre Expression
QUEBECOR MEDIA

Statue d'Alphonse XII, Madrid

D'immenses vignobles s'étendent dans la Manche

Église Santa María del Naranco dans les Asturies

COMMENT UTILISER CE GUIDE

Ce guide a pour but de vous aider à profiter au mieux de vos visites de l'Espagne. L'introduction, *Présentation de l'Espagne*, situe le pays dans son contexte historique et culturel. Dans les chapitres consacrés aux provinces espagnoles, et ceux décrivant *Barcelone*, *Madrid* et *Séville*, textes, plans et illustrations présentent en détail les principaux sites et monuments et apportent de nombreuses informations sur les fêtes, les vins ou les plages. Les *Bonnes adresses* conseillent hôtels et restaurants et les *Renseignements pratiques* vous aideront à régler, ou à éviter, les problèmes de la vie quotidienne.

BARCELONE, MADRID ET SÉVILLE

Nous avons divisé ces villes en quartiers. À chacun correspond un chapitre qui s'ouvre sur une liste des monuments présentés. Des numéros les situent clairement sur un plan. Ils correspondent à l'ordre dans lequel les monuments sont décrits en détail dans le corps du chapitre. Un chapitre spécial, *En dehors du centre*, est consacré à la périphérie de chacune de ces cités.

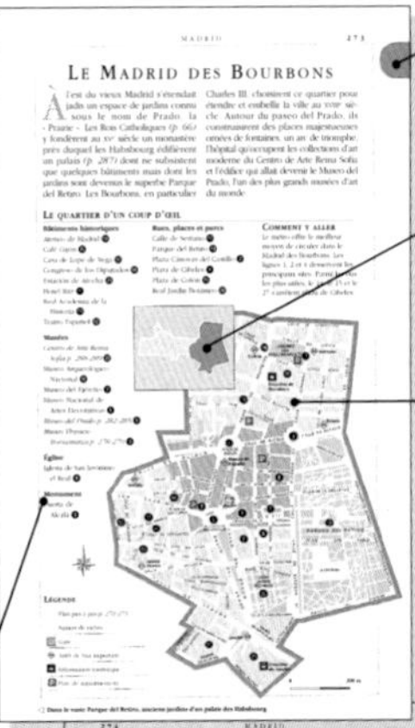

Un repère vert signale toutes les pages concernant Madrid. Ce repère est rose pour Barcelone et rouge pour Séville.

Une carte de localisation indique la situation du quartier dans la ville.

1 Plan général du quartier
Un numéro désigne sur ce plan les monuments et sites de chaque quartier. Ils apparaissent également sur les plans des Atlas des rues *de Barcelone* (p. 175-181), *Madrid* (p. 297-303) *et Séville* (p. 429-433).

Le quartier d'un coup d'œil donne une liste par catégories des centres d'intérêt : églises, musées, rues, places, édifices et jardins.

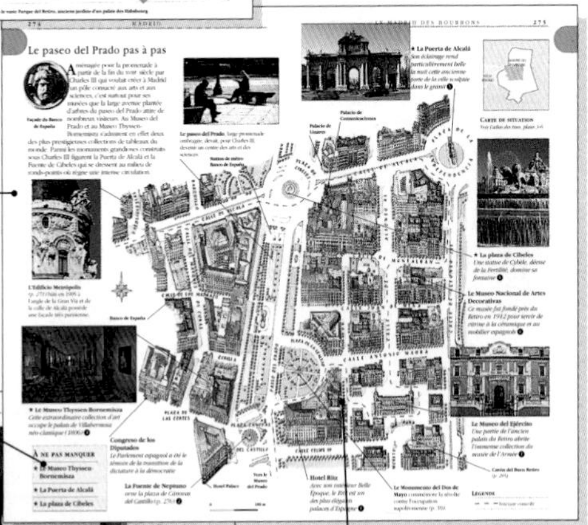

2 Plan du quartier pas à pas
Il offre une vue aérienne détaillée du quartier.

Des étoiles signalent les sites à ne pas manquer.

Le meilleur itinéraire de promenade apparaît en rouge.

3 Renseignements détaillés
Chaque site des trois villes principales a sa rubrique précisant notamment les informations pratiques telles qu'adresse, numéro de téléphone, heures d'ouverture, accès en fauteuil roulant ou dessertes par les transports publics.

1 Introduction

Elle présente les principaux attraits touristiques de chacune des régions du guide et décrit ses paysages et sa personnalité en montrant l'empreinte de l'histoire.

L'ESPAGNE RÉGION PAR RÉGION

Ce guide divise l'Espagne (hors Madrid, Barcelone et Séville) en douze régions, et donc en douze chapitres. Les localités et sites les plus intéressants ont été recensés sur une *Carte illustrée.*

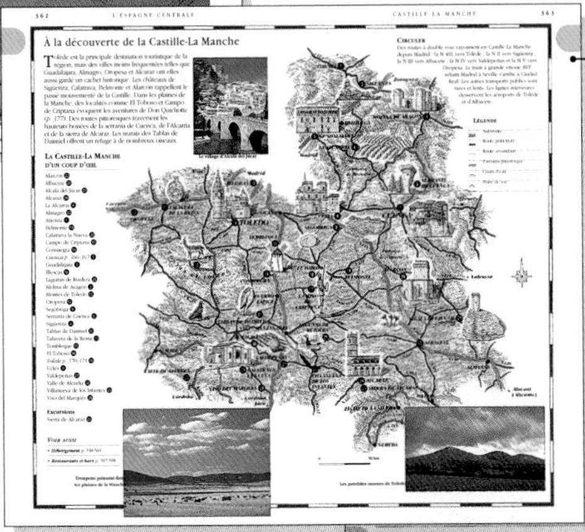

2 La carte illustrée

Elle offre une vue de toute la région et de son réseau routier. Les sites principaux sont répertoriés et numérotés. Des informations pour visiter la région en voiture, en car ou en train sont fournies.

Des encadrés sont consacrés aux fêtes traditionnelles de la région.

Un repère de couleur correspond à chaque région. Le premier rabat de couverture en donne la liste complète.

3 Renseignements détaillés

Les localités et sites importants sont décrits individuellement dans l'ordre de la numérotation de la carte illustrée. Les notices présentent en détail ce qu'il y a d'intéressant à visiter.

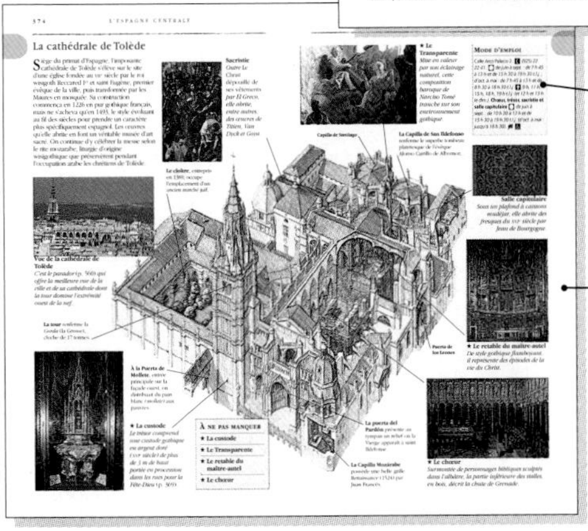

Un mode d'emploi vous aide à organiser votre visite. **La légende des symboles** figure sur le dernier rabat de couverture.

4 Les principaux sites

Deux pleines pages, ou plus, leur sont réservées. La représentation des édifices en dévoile l'intérieur. Des vues aériennes du cœur des villes les plus belles en détaillent les monuments.

Présentation de l'Espagne

L'Espagne dans son environnement

Au sud-ouest de l'Union européenne, dont elle est le deuxième pays par la superficie, l'Espagne occupe la majeure partie de la péninsule Ibérique et comprend deux groupes d'îles, les Baléares en Méditerranée et les Canaries dans l'Atlantique, ainsi que deux petits territoires en Afrique du Nord. Le détroit de Gibraltar qui sépare sa pointe sud du Maroc ne fait que 13 km de large.

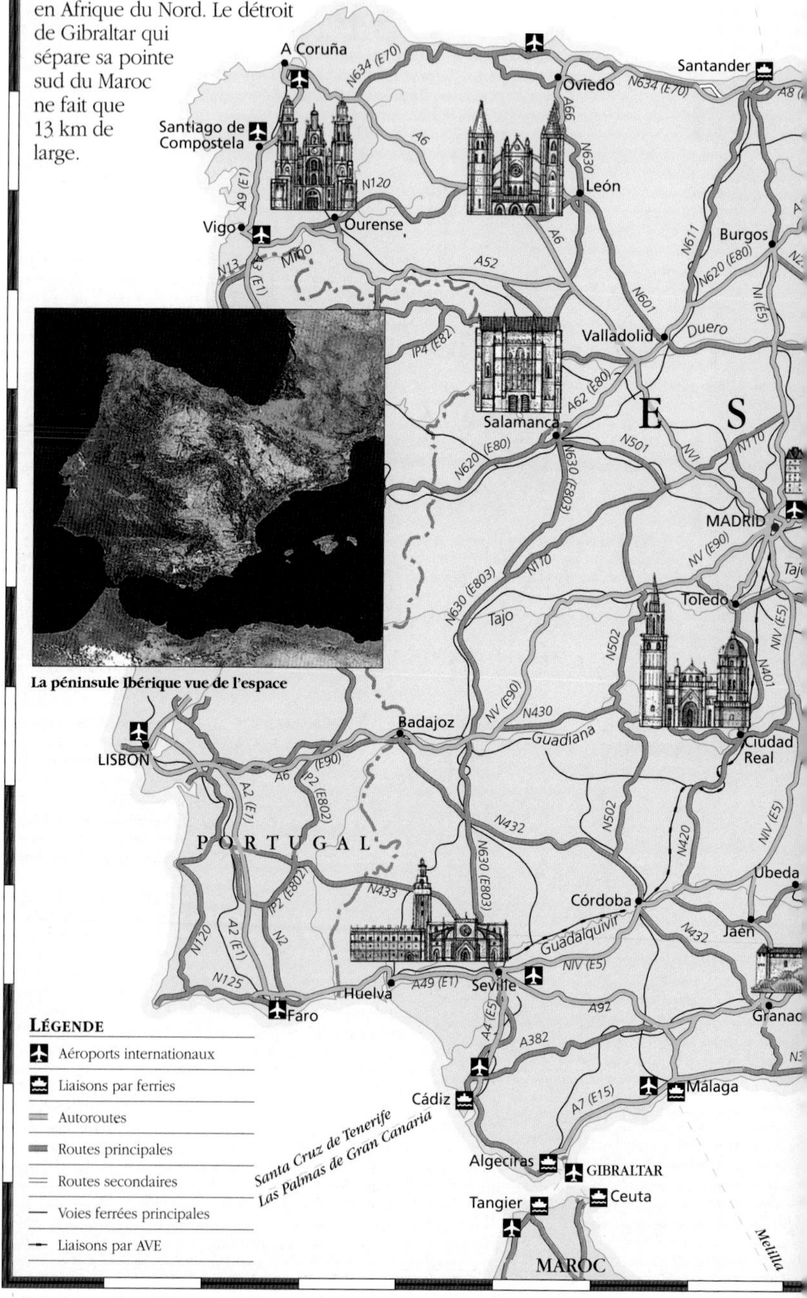

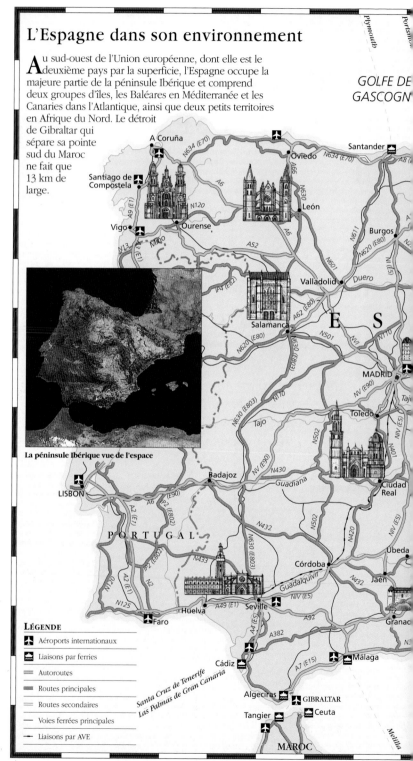

La péninsule Ibérique vue de l'espace

Toits, Fortna Lux, Majorque (1969) par Frederick Gore

Les Canaries

Situé dans l'Atlantique à 150 km du Maroc, cet archipel de sept îles se trouve à 1 150 km au sud-ouest de Cadix.

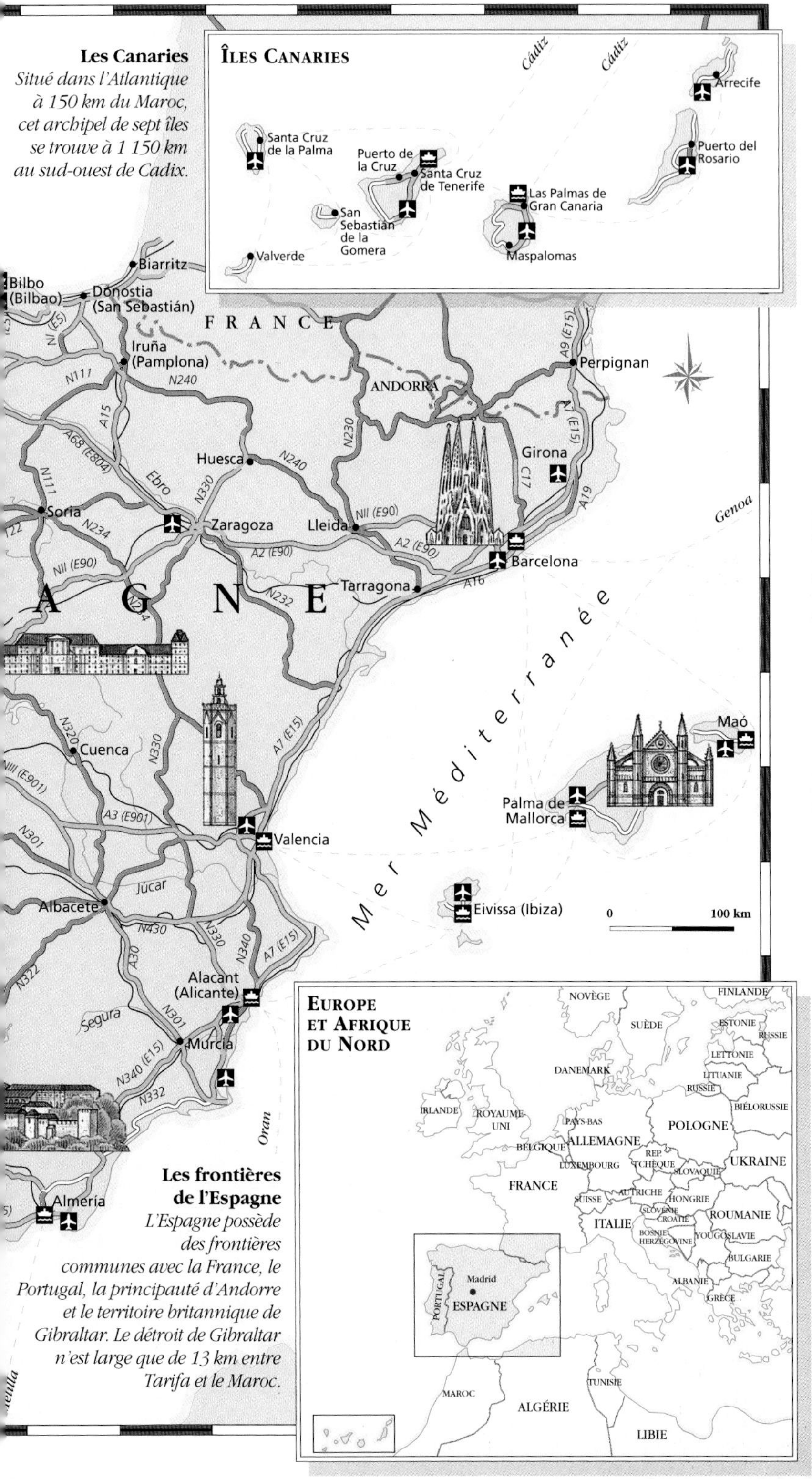

Les frontières de l'Espagne

L'Espagne possède des frontières communes avec la France, le Portugal, la principauté d'Andorre et le territoire britannique de Gibraltar. Le détroit de Gibraltar n'est large que de 13 km entre Tarifa et le Maroc.

L'Espagne et ses régions

D'une superficie de 504 782 km², l'Espagne a environ 40 millions d'habitants et reçoit plus de 57 millions de visiteurs chaque année. Dominé par un plateau central où naissent trois grands fleuves, le Duero, le Tage et le Guadania, le pays a pour capitale Madrid, la ville la plus importante avant Barcelone et Valence. Ce guide divise l'Espagne en 15 régions, mais elle compte officiellement 17 *comunidades autónomas* réunissant 52 provinces.

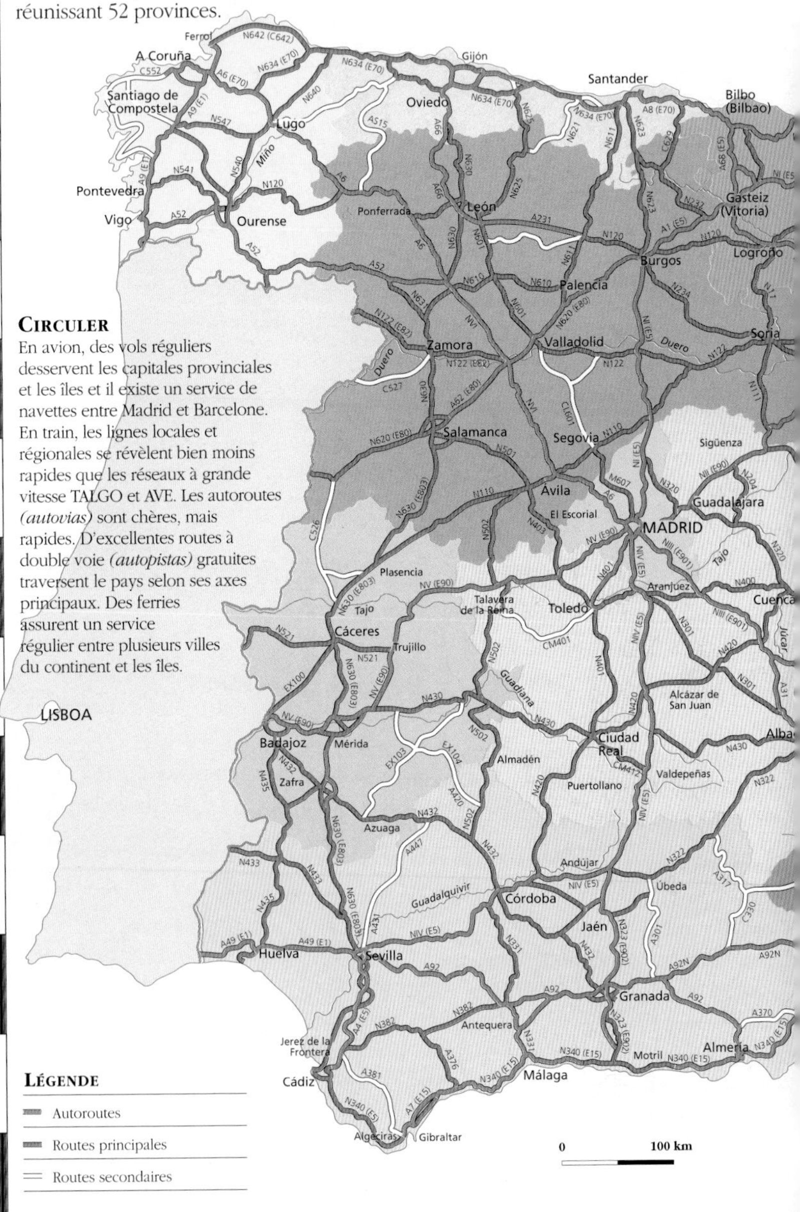

Circuler

En avion, des vols réguliers desservent les capitales provinciales et les îles et il existe un service de navettes entre Madrid et Barcelone. En train, les lignes locales et régionales se révèlent bien moins rapides que les réseaux à grande vitesse TALGO et AVE. Les autoroutes *(autovias)* sont chères, mais rapides. D'excellentes routes à double voie *(autopistas)* gratuites traversent le pays selon ses axes principaux. Des ferries assurent un service régulier entre plusieurs villes du continent et les îles.

Légende

Autoroutes

Routes principales

Routes secondaires

Les régions du guide Voir

Signalés, chacun, par un onglet de couleur, les chapitres qui leurs sont consacrés sont regroupés en cinq parties : l'Espagne du Nord, l'Espagne orientale, l'Espagne centrale, l'Espagne méridionale et les îles espagnoles. Madrid et Barcelone font l'objet de sections particulières.

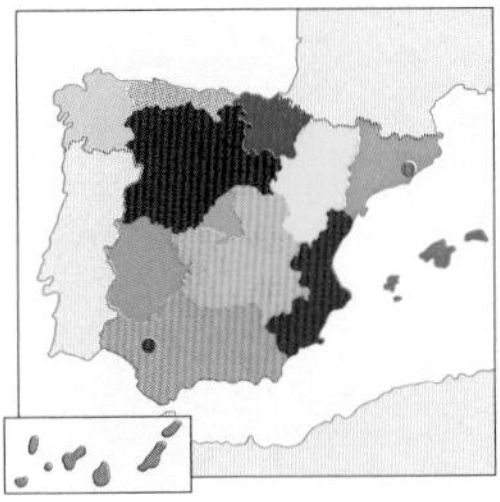

Les codes de couleur

L'Espagne du Nord

- Galice
- Asturies et Cantabrie
- Pays basque, Navarre et Rioja

L'Espagne orientale

- Barcelone
- Catalogne
- Aragon
- Comm. valencienne et Murcie

L'Espagne centrale

- Madrid
- Castille-León
- Castille-La Manche
- Estrémadure

L'Espagne méridionale

- Séville
- Andalousie

Les îles espagnoles

- Baléares
- Canaries

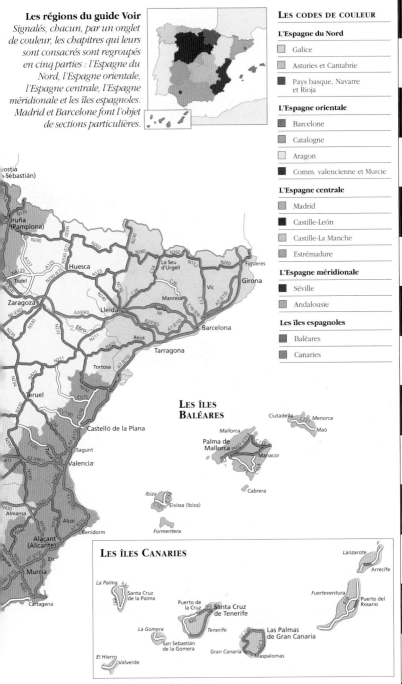

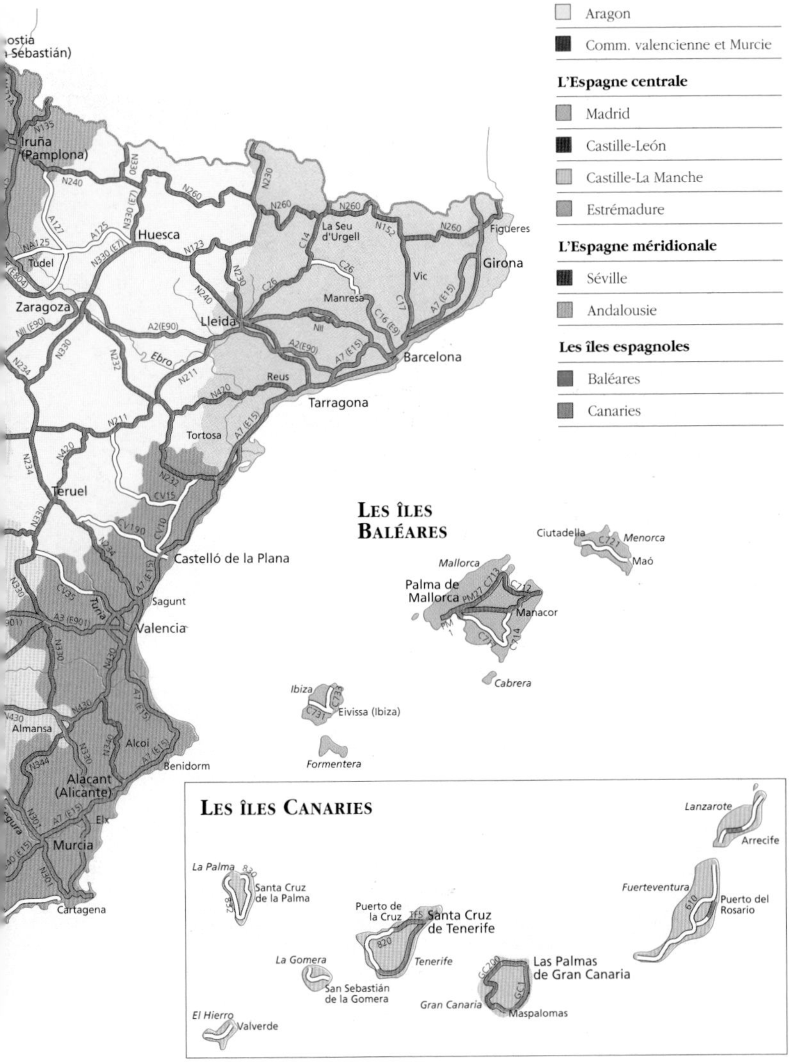

L'archipel de l'Atlantique

Bien que situées au large de l'Afrique, les îles Canaries appartiennent à l'Espagne depuis 1479. Décalage horaire d'une heure avec le pays.

UNE IMAGE DE L'ESPAGNE

Corrida, flamenco, bars à tapas... Derrière les clichés qui viennent tout d'abord à l'esprit quand on évoque l'Espagne se cache un pays complexe qui possède quatre langues officielles et des paysages plus contrastés qu'aucun autre État d'Europe. Ses habitants allient un sens aigu du tragique à un goût inégalé pour la fête, et un ardent désir de modernisme à un profond attachement à leurs traditions.

Entre Méditerranée et Atlantique, l'Espagne a une superficie légèrement inférieure à celle de la France. Des Pyrénées, où le pic d'Aneto s'élève à 3 404 m, à la cordillère Bétique que prolonge au sud le Rif marocain, elle est le pays d'Europe le plus montagneux après la Suisse. Soulevé par plusieurs plissements orientés du sud-ouest au nord-est, un haut plateau, la *meseta*, occupe tout le centre de la péninsule Ibérique, dont le point culminant, le Mulhacén (3 482 m), se trouve au sud de Grenade dans la Sierra Nevada.

Statue de Don Quichotte et Sancho Pança, Madrid

Ces reliefs ont de tout temps dressé un obstacle à la circulation, et jusqu'à la construction d'un réseau de voies ferrées, il restait plus facile d'envoyer depuis Barcelone des marchandises en Amérique du Sud qu'à Madrid. En isolant les peuples, ils ont marqué l'histoire de l'Espagne et ni les Romains, ni les musulmans venus d'Afrique du Nord qui s'emparèrent de la majorité de la péninsule au VIIIe siècle, ni même les rois chrétiens qui achevèrent la Reconquête au XVe siècle, n'ont réussi, au-delà de l'unité politique, à imposer une culture unique. Aujourd'hui, le Pays basque, la Catalogne et la Galice conservent ainsi chacun leur propre langue, tandis que Barcelone se pose en rivale de

Paysage caractéristique du plateau central, près d'Albacete en Castille-La Manche

◁ **Pendant le carnaval de Laza, en Galice, la rue appartient aux *peliqueiros***

Le château de Peñafiel (xe-xiiie siècles) dans la vallée du Duero, Castille-León

Madrid par sa puissance économique et commerciale, ainsi que par son rayonnement culturel et artistique.

L'art de vivre espagnol

S'il est une caractéristique que les Espagnols partagent malgré leurs différences, c'est le goût de la fête, et ils en organisent plus de 25 000 chaque année. Le formidable essor économique qu'a connu le pays ces quatre dernières décennies suffit à témoigner de la capacité de travail de ses habitants, mais ceux-ci ne laissent pas le labeur rythmer leur vie et le temps obéit en Espagne à des règles édictées par le climat et les relations sociales. Hors des zones touristiques, le déjeuner se prend à partir de 13 h 30 et le dîner commence à 21 h. La nuit dure longtemps, souvent jusqu'à la *madrugada*, l'aube, moment où les rues des villes restent souvent très animées. Rien de surprenant, donc, si l'Espagne compte plus de bars et de restaurants par habitant qu'aucun autre pays.

« Face de vinaigre » à la féria de Pampelune

La famille étendue demeure le fondement de l'organisation sociale. Trois générations vivent encore fréquemment sous le même toit, entretenant des relations étroites avec les tantes, oncles, cousins, parrains ou marraines. Malgré les progrès enregistrés ces vingt dernières années dans le domaine de la protection sociale, ce réseau de solidarité se révèle d'une importance cruciale dans un pays qui connaît un taux de chômage de plus de 20 %. De nombreux citadins gardent également un attachement profond pour le *pueblo* (village) dont leur famille est issue et où ils retournent chaque fois qu'ils le peuvent. L'ouverture au monde moderne, à ses contraintes et à ses tentations, est cependant en train de remettre en question ces valeurs et ce mode de vie. Beaucoup de jeunes couples hésitent aujourd'hui

Sur la Plaza Mayor à Madrid

à fonder de larges familles et l'Espagne, qui avait en 1975 un des taux de fécondité les plus élevés d'Europe avec 2,72 enfants par femme, possède aujourd'hui l'un des plus bas du monde (1,07 en 1999).

Moulins à vent au-dessus de Consuegra dans La Manche

Cette évolution reflète aussi en partie la perte d'influence de l'Église catholique sur la société depuis la fin du franquisme. Un quart seulement des Espagnols de moins de trente-cinq ans assiste encore régulièrement aux offices… Mais ils sont beaucoup plus nombreux à participer aux innombrables fêtes et célébrations d'origine religieuse qui représentent un lien vivant avec un passé et des traditions que même les incroyants refusent de sacrifier sur l'autel du progrès.

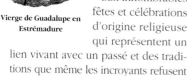

Vierge de Guadalupe en Estrémadure

Les arts et le sport

La création a connu une période noire en Espagne pendant la dictature de Franco. La guerre civile avait poussé à l'exil la majorité des artistes et des écrivains et le régime allait jusqu'à interdire les carnavals par peur de débordements. Avec l'instauration de la démocratie, toute une génération grandie après la guerre a enfin pu s'exprimer. C'est par le cinéma qu'elle s'est surtout fait connaître à l'étranger, grâce aux réalisateurs Pedro Almodóvar et Bigas Luna, mais elle comprend aussi de nombreux auteurs de littérature contemporaine, et ceux-ci touchent un public de plus en plus large, car aujourd'hui les Espagnols montrent globalement plus d'intérêt pour la lecture (bien qu'un sur dix seulement achète un quotidien).

Censure et manque d'infrastructure avaient également étouffé les arts vivants, mais gouvernement, régions et collectivités locales ont multiplié les

Un haut lieu de la corrida, la plaza de Toros de la Maestranza à Séville

Affiche d'un film de Pedro Almodóvar

investissements, permettant l'ouverture ou la modernisation de nombreuses salles de spectacle. Madrid devrait inaugurer en 1997 le Teatro Real, le grand opéra qu'attend depuis le début du siècle la capitale d'un pays d'où sont issus des chanteurs tels que Montserrat Caballé, Placido Domingo et José Carreras. Il suffit d'une visite aux magasins de décoration intérieure de Barcelone pour s'apercevoir que l'Espagne possède aussi d'excellents stylistes.

Les Espagnols sont les plus gros consommateurs de télévision d'Europe après les Britanniques et ils reçoivent seize chaînes publiques nationales, des chaînes privées et de nombreuses chaînes régionales. Le sport occupe une place de choix dans les programmes, en particulier le football, même si le tennis ou le cyclisme comptent de nombreux amateurs. Plus qu'un sport, la corrida est un rite, l'expression de l'attachement des Espagnols à leurs racines. Pour les étrangers que ne rebute pas la mise à mort du taureau, c'est également un spectacle haut en couleur où l'action se déroule autant sur les gradins que dans l'arène.

L'Espagne aujourd'hui

Aucun pays d'Europe occidentale n'a connu autant de changements ces quarante dernières années que l'Espagne. En 1950, moins de 40 % de la population habitait dans des villes de plus de 10 000 habitants. La proportion est actuellement de plus de 65 %. S'appuyant au début sur le tourisme et les revenus envoyés par les émigrés, l'économie du pays a commencé à se développer dans les années 1960, après que le gouvernement franquiste eut

Maïs séchant devant une ferme des collines d'Alicante

Plage de la Costa Brava près de Tossa de Mar

renoncé à imposer protectionnisme et autarcie. En dix ans, la proportion du nombre de propriétaires de voitures passa de 1 % à 10 % de la population. À partir de 1975, l'instauration de la démocratie, sous forme d'une monarchie constitutionnelle, a permis au pays de rejoindre le concert des États modernes. Pour beaucoup d'observateurs, son entrée dans le Marché commun en 1986 paraissait prématurée. Dix ans plus tard, le succès est indéniable, même si le taux de chômage (plus de 20 %) assombrit le tableau. En 1996, l'ONU a publié un rapport classant 174 nations selon un « indicateur de développement humain » qui évalue la qualité de vie de leurs ressortissants selon des critères tels qu'espérance de vie, accès à l'éducation, etc. Il plaçait l'Espagne au 10e rang (la France au 7e) alors qu'elle n'arrive qu'au 31e rang (la France au 14e) selon le seul critère du revenu par habitant. Cette utilisation efficace des fruits de la croissance peut être en partie attribuée aux gouvernements socialistes de Felipe González, Premier ministre de 1982 à 1996.

Le roi Juan Carlos Ier et la reine Sofia

Ceux-ci n'ont toutefois pas réussi à mettre un terme aux attentats de l'organisation indépendantiste basque ETA, et ce, malgré l'autonomie de gestion accordée en 1979 et 1983 aux dix-sept *comunidades autónomas* (communautés autonomes) espagnoles dont les gouvernements régionaux, élus au suffrage universel, possèdent un large pouvoir. Trois d'entre elles, la Catalogne, le Pays basque et la Galice, possèdent leur propre langue placée sur un plan d'égalité avec la langue nationale, le castillan.

En 1992, pour le 500e anniversaire du voyage de Christophe Colomb, l'Espagne, en organisant les Jeux olympiques de Barcelone et l'Exposition universelle de Séville, a prouvé qu'elle avait retrouvé une place de premier plan. La mise en valeur de ses richesses culturelles contribue à inciter de nombreux visiteurs à ne plus venir seulement y profiter du soleil et de la mer.

Manifestation pour l'indépendance de la Catalogne

L'architecture en Espagne

Les Espagnols ont de tout temps importé de l'étranger leurs styles architecturaux, mais ils ont toujours su donner des déclinaisons originales aux influences extérieures, qu'elles proviennent d'Afrique du Nord pour le style maure, de France pour le roman et le gothique, ou d'Italie à la Renaissance. Malgré de nombreux particularismes locaux, les bâtiments, même somptueusement décorés, gardent souvent des formes austères et s'ouvrent peu sur l'extérieur pour protéger leurs occupants de la canicule estivale. Beaucoup d'édifices civils s'organisent autour d'un patio entouré d'arcades.

La Casa de Conchas du XVe siècle à Salamanque *(p. 343)*

PRÉROMAN ET ROMAN (VIIIe-XIIIe SIÈCLES)

Un art original se développa au IXe siècle dans les Asturies *(p. 102)*, tandis que les chrétiens des territoires musulmans créaient le style mozarabe *(p. 335)*. Les églises romanes furent surtout bâties en Catalogne et sur le chemin de Saint-Jacques-de-Compostelle *(p. 79)*.

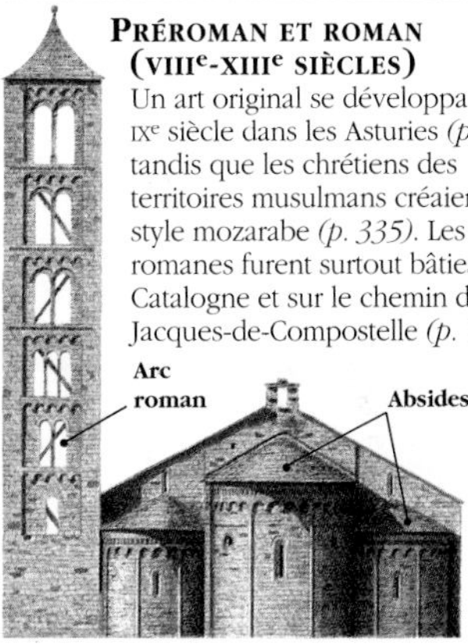

Sant Climent à Taüll *(p. 201)*

MAURE (VIIIe-XVe SIÈCLES)

Les plus beaux exemples d'architecture maure *(p. 404-405)* s'admirent dans le sud de l'Espagne. À des extérieurs dépouillés s'opposent de riches décorations intérieures, en stuc ou en carreaux de céramique appelés *azulejos*, où dominent les motifs géométriques, calligraphiques et végétaux. L'arc en fer à cheval est un héritage des Wisigoths *(p. 46-47)*.

***Le Salón de Embajadores** de l'Alhambra* (p. 466) *possède une décoration raffinée.*

GOTHIQUE (XIIe-XVIe SIÈCLES)

Fenêtre en ogive gothique

Importé de France au XIIIe siècle, le style gothique permit, grâce à la voûte en ogive et l'utilisation d'arcs-boutants, de construire des édifices aux nefs plus élevées. La décoration sculptée prit toute sa richesse à la fin du XVe siècle dans le cadre du gothique flamboyant. Après la chute de Grenade se développa le style isabelin, marqué d'influences flamandes, tandis que les artisans maures travaillant dans les territoires reconquis créaient l'art mudéjar *(p. 51)*, métissage de traditions chrétiennes et musulmanes.

***La nef** de la cathédrale de León* (p. 336-337), *bâtie au XIIIe siècle, possède une voûte à nervures et le plus bel ensemble de vitraux d'Espagne.*

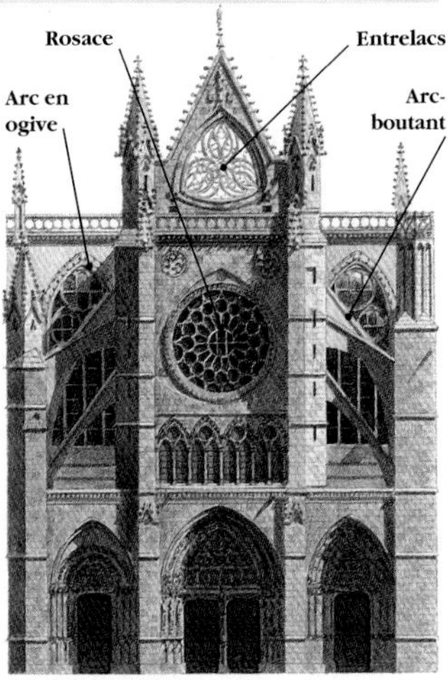

***La décoration sculptée**, au-dessus des portails de la façade sud de la cathédrale de León, illustre des épisodes de la Bible.*

RENAISSANCE (XVIe SIÈCLE)

À partir de 1500, les relations entretenues avec l'Italie facilitèrent l'importation du style inspiré de la Rome antique, et caractérisé par l'utilisation des canons classiques dans la quête d'une harmonie des proportions, qui s'était développé en Toscane. La première Renaissance prit en Espagne le nom de plateresque (de *platería*, argent repoussé) à cause de la finesse des décorations qui évoquait l'art des orfèvres.

***Le Palacio de las Cadenas** d'Ubeda* (p. 473) *présente une sévère façade classique.*

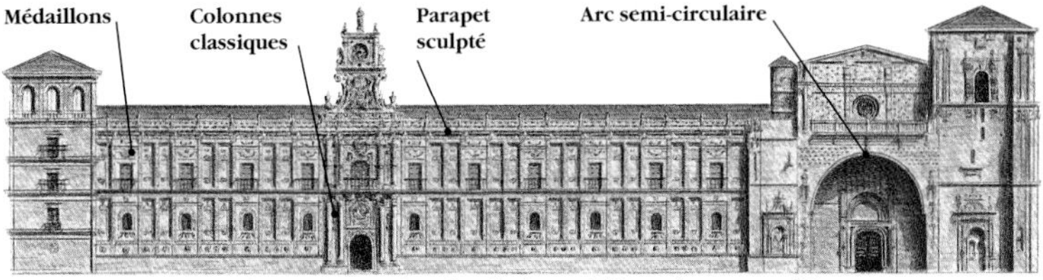

L'Hostal de San Marcos de León *(p. 335)*, l'un des plus beaux édifices plateresques d'Espagne

BAROQUE (XVIIe-XVIIIe SIÈCLES)

Marqué par une décoration exubérante et des façades rythmées par des jeux d'ombre et de lumière, le baroque évolua en Espagne en un style appelé churrigueresque, d'après la famille des Churriguera. Ils n'en furent toutefois pas les représentants les plus excessifs.

Détail de la façade du Museo Municipal de Madrid *(p. 294-295)*

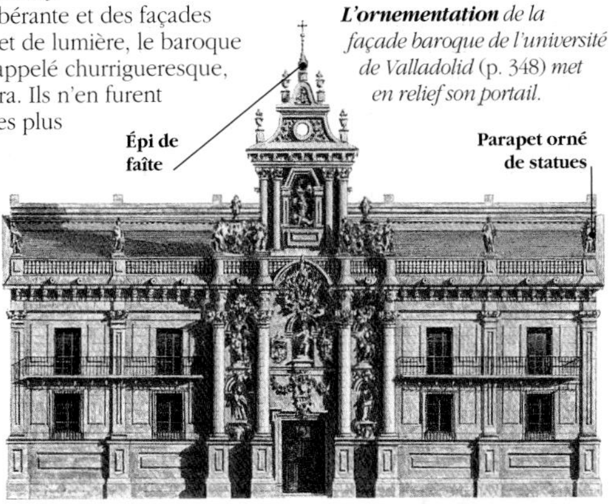

***L'ornementation** de la façade baroque de l'université de Valladolid* (p. 348) *met en relief son portail.*

MODERNE (À PARTIR DE LA FIN DU XIXe SIÈCLE)

Le Modernisme *(p. 136-137)* est une interprétation catalane de l'Art nouveau dont les plus beaux exemples s'admirent à Barcelone. Il a toutefois peu marqué l'architecture espagnole récente où le fonctionnalisme domine avec des édifices peu décorés et dont la forme reflète l'usage.

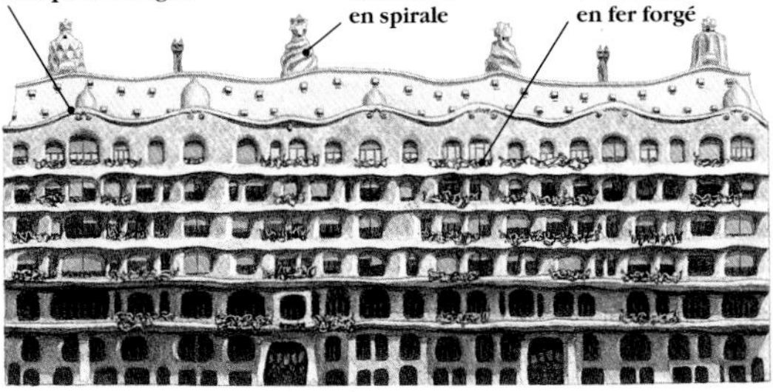

Torre de Picasso à Madrid

***La Casa Milà** de Barcelone* (p. 161), *aux lignes inspirées de la nature, est une œuvre (1910) du plus célèbre des représentants du Modernisme : Antoni Gaudí.*

Les architectures rurales

Fenêtre en Navarre

À côté des édifices de prestige tels que palais et cathédrales, il existe en Espagne de nombreux bâtiments pleins de charme élevés par des artisans anonymes pour remplir les besoins de communautés rurales. Plus que des styles ou des modes, ce sont les besoins de leurs habitants, les contraintes climatiques et les matériaux disponibles sur place qui déterminèrent leurs esthétiques. Les maisons présentées ci-dessous illustrent trois des architectures régionales les plus caractéristiques d'Espagne.

Église troglodytique à Artenara *(p. 521)*, sur Gran Canaria

Maison de pierre

Le climat est humide dans le Nord et les maisons, comme ici à Camona *(p. 107)* en Cantabrie, s'ouvrent au soleil et à la lumière par un balcon que protège de la pluie une avancée du toit.

Détail d'un mur

***Habitation et ferme** partagent souvent le même bâtiment, le rez-de-chaussée abritant animaux et matériel.*

Maison à colombage

Les arbres assez gros pour fournir du bois d'œuvre sont rares en Espagne, et il n'y a guère qu'en Castille-León que se découvrent des maisons à colombage ressemblant à celle-ci, bâtie à Covarrubias *(p. 352)*. Un mortier grossier de chaux et de sable ou des briques séchées au soleil remplissent les vides de la charpente.

Mur à pans de bois

***Les maisons de village**, grâce à leur portique, offrent autour des places un endroit ombragé où bavarder ou discuter affaires.*

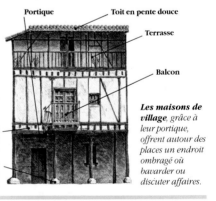

Maisons blanchies

Souvent faites d'argile, les maisons du sud de l'Espagne, en particulier celles des Pueblos Blancos d'Andalousie *(p. 444)*, reçoivent régulièrement un badigeon blanc qui réfléchit la lumière et la chaleur.

Tuiles romanes

***Les fenêtres**, petites et rares, sont profondément enfoncées pour préserver la fraîcheur de l'intérieur.*

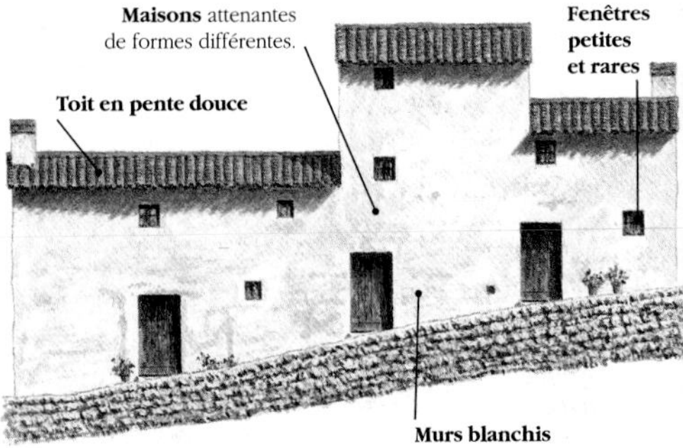

La Plaza Mayor

Quasiment tous les villages d'Espagne se serrent autour d'une grand-place comparable à celle de Pedraza de la Sierra *(p. 347)* près de Ségovie. Bordée par l'église, l'hôtel de ville, des boutiques, des bars et les demeures des familles aristocratiques, elle est le centre de la vie sociale et accueille le marché.

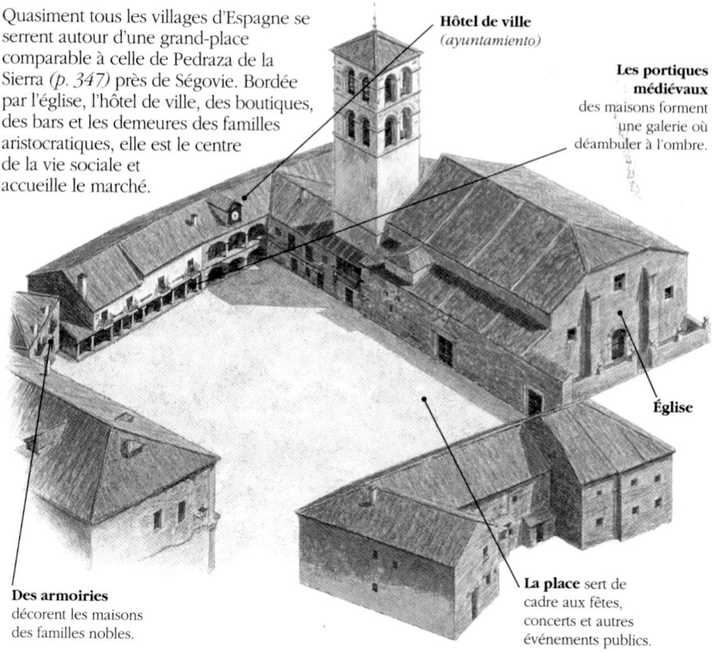
Hôtel de ville *(ayuntamiento)*
Les portiques médiévaux des maisons forment une galerie où déambuler à l'ombre.
Église
Des armoiries décorent les maisons des familles nobles.
La place sert de cadre aux fêtes, concerts et autres événements publics.

Bâtiments particuliers

La diversité des climats régnant en Espagne, ainsi que des possibilités et des besoins locaux, a conduit les paysans à trouver des solutions très variées à leurs problèmes. Dans les régions chaudes et sèches, et là où la roche est meuble, ils ont creusé des abris troglodytiques où ils se protégeaient des températures extrêmes. De nombreuses constructions utilitaires parsèment les champs, tels les *teitos* d'Asturies aux toits de chaume et les *hórreos*, greniers à grain supportés par des piliers pour protéger leur contenu des incursions des rats. Ils sont en pierre en Galice et en bois en Asturies. Des moulins à vent se dressent toujours dans les régions venteuses telles que la Manche et les Baléares. Partout en Espagne, les campagnes recèlent des *ermitas*, chapelles ou autels dédiés au saint local.

Maison troglodytique à Guadix près de Grenade *(p. 469)*

Teito de la valle de Teverga dans les Asturies *(p. 101)*

Hórreo dans les rías Baixas *(p. 91)* de Galice

Moulin au-dessus de Consuegra *(p. 376)* dans la Manche

Les campagnes espagnoles

Âne d'Estrémadure

De la Méditerranée à l'Atlantique et des Pyrénées au Maroc, les différences de climat, d'altitude et de nature du sol créent des paysages ruraux qui vont de gras pâturages évoquant la Normandie française à des terres arides et désertiques. Dans beaucoup de régions, les exploitations restent familiales bien que la mécanisation se développe. Si la vigne et l'olivier apprécient la sécheresse, agrumes, riz et légumes poussent en terrain irrigué *(regadío).*

***Les céréales**, blé sur les terres plus arrosées de l'Ouest, orge au Sud, constituent les principales cultures du vaste plateau* (meseta) *au centre de l'Espagne.*

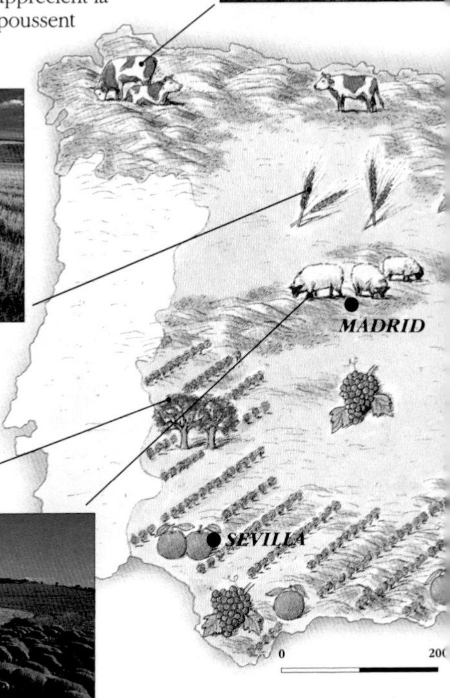

Des chênes-lièges poussent en Estrémadure et dans l'ouest de l'Andalousie.

***Le lait des brebis** broutant les pâturages arides de l'Espagne centrale sert à la fabrication de fromages tels que le* manchego *de la Manche* (p. 321).

L'année agricole

Juin-juil. Moisson en Espagne centrale

Sept. Récolte du riz en Espagne orientale. Vendanges

Oct. Récolte du maïs en Espagne du Nord

Oct.-nov. Récolte des olives de table

Déc.-mars Récolte des olives à huile

Printemps	Été	Automne	Hiver

Mars-avril Floraison des orangers sur la côte méditerranéenne

Juin-août Fenaison en Espagne du Nord

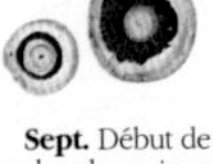

Sept. Début de la saison des champignons

Nov.-déc. Récolte des oranges

Déc. Abattage des cochons dans les fermes

Fév. Floraison des amandiers

***Dans le Nord**, une importante pluviométrie et des étés tempérés permettent l'élevage laitier. Les exploitations restent petites, en particulier en Galice, l'une des régions du pays où l'agriculture a le moins évolué.*

La Catalogne donne son meilleur mousseux à l'Espagne qui produit maints autres vins *(p. 576-577)*.

Le riz pousse principalement dans le delta de l'Ebre, dans le Marismas del Guadalquivir, autour de l'Albufera près de Valence et à Calasparra en Murcie.

***Les agrumes** sont cultivés dans les plaines irriguées bordant la Méditerranée. Valence est au cœur de la première région productrice d'oranges du pays.*

***Des oliveraies** s'étendent sur des collines entières en Andalousie, notamment dans la province de Jaén. L'Espagne est le premier producteur d'huile d'olive du monde.*

L'écorçage des chênes-lièges a lieu tous les dix ans

Les richesses des arbres

Si les amandiers, les orangers et les oliviers donnent ses paysages les plus caractéristiques à l'Espagne rurale, d'autres arbres jouent un rôle économique. Les chênes-lièges restent exploités pour les bouchons, des espèces comme l'avocat et la chirimoya (délicieux petit fruit peu connu hors d'Espagne) ont été introduites sur la Costa Tropical *(p. 459)* de l'Andalousie. Les bananes constituent une des principales cultures des Canaries. Figuier et caroubier, arbre dont les fruits servent de fourrage et de substitut au chocolat, poussent à l'état semi-sauvage.

***Les amandiers** prospèrent sur les coteaux arides. Leurs fruits servent à la préparation de nombreuses friandises, tel le* turrón *de Noël* (p. 191).

***Les oliviers** vivent plusieurs fois centenaires. Leurs fruits, en saumure ou pressés pour obtenir de l'huile, forment la base de la cuisine espagnole.*

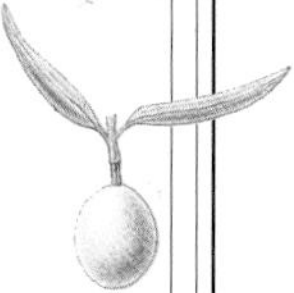

***Les orangers** poussent dans des vallées bien irriguées qu'ils embaument au printemps. Il existe aussi des orangers produisant des fruits amers plantés pour leurs fleurs, la décoration ou l'ombrage.*

Les parcs nationaux espagnols

Orchidée géante

Peu de pays d'Europe occidentale ont conservé autant de lieux restés sauvages que l'Espagne où survivent loups et ours bruns. Il s'agit toutefois du résultat d'une politique délibérée et plus de 200 réserves naturelles protègent une grande variété d'écosystèmes. Les douze parcs nationaux en sont les plus importantes, mais les *parques naturales* gérés par les gouvernements régionaux jouent également un rôle essentiel.

Torrent de montagne à Ordesa

Dans le parc des Picos de Europa

Montagnes

Les parcs des Picos de Europa, d'Ordesa et d'Augüestortes occupent une des parties les plus spectaculaires des Pyrénées. La Sierra Nevada est le domaine privilégié de la vie sauvage.

Les grands ducs, *reconnaissables aux aigrettes de leur tête, sont les plus grands rapaces nocturnes d'Europe.*

Les chamois *vivent par petits groupes et se nourrissent d'herbe et de lichen. Même sur les pentes les plus isolées, ils restent en alerte.*

Marécages

Qu'il s'agisse de marais d'eau douce ou, en bord de mer, de lagunes, les marécages offrent un milieu particulièrement propice à la vie et à la reproduction de nombreuses espèces d'animaux, en particulier d'oiseaux. Le plus beau parc où les admirer est celui de Doñana. Celui de Tablas de Daimiel, dans la Manche, est beaucoup plus petit.

Le lynx, *mis en danger par la chasse et la disparition de son habitat, survit à Doñana* (p. 440-441).

L'échasse blanche *se nourrit entre autres de petits crustacés d'eau douce.*

Laguna del Acebuche, Parque Nacional de Doñana

Archipel de Cabrera, dans les Baléares

Îles

Au large de Majorque, Cabrera offre un refuge à des oiseaux de mer, des reptiles et des plantes rares. Une flore et une faune marines importantes prospèrent dans ses eaux.

Les lézards *préfèrent les terrains rocheux et les falaises.*

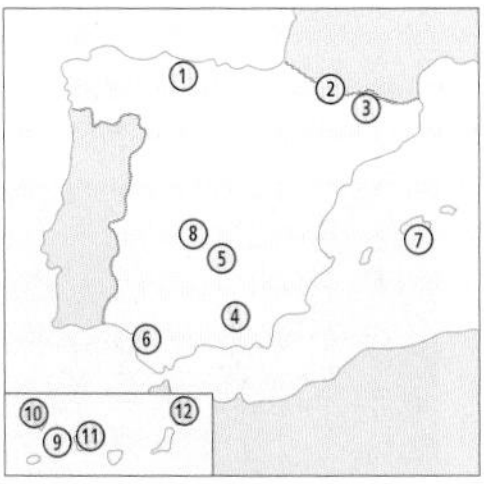

Parcs nationaux

① Montagnes

⑤ Marécages

⑦ Îles

⑧ Forêts

⑩ Paysages volcaniques

Montagnes

① Picos de Europa *p. 104-105*
② Ordesa y Monte Perdido *p. 222-223*
③ Aigüestortes y Estany de Sant Maurici *p. 201*
④ Sierra Nevada *p. 461*

Marécages

⑤ Tablas de Daimiel *p. 381*
⑥ Doñana *p. 440-441*

Îles

⑦ Archipiélago de Cabrera *p. 493*

Forêts

⑧ Cabañeros *p369*
⑨ Garajonay *p509*

Paysages volcaniques

⑩ Caldera de Taburiente *p. 508*
⑪ Teide *p. 514-515*
⑫ Timanfaya *p. 524-525*

Mode d'emploi

Tous les parcs sauf un sont gérés par le Ministerio de Medio Ambiente. ☎ *91 597 55 47. Le Parque Nacional d'Aigüestortes y Estany de Sant Maurici est géré par le département de l'Agriculture de Catalogne.* ☎ *973 62 40 36. Presque tous les parcs nationaux ont un centre d'information.*

Forêts

Le pin d'Alep et le pin d'Écosse sont les essences les plus répandues de la majorité des montagnes espagnoles, mais des bois de feuillus poussent au Nord-Ouest. Sur le plateau central, la *meseta*, le Parque Nacional de Cabañeros renferme des bois de chênes verts et de chênes-lièges. Sur Gomera, l'une des plus petites des îles Canaries, le Parque Nacional de Garajonay permet de découvrir la *laurasilva* dense et verdoyante.

Le vautour moine *est un charognard dont l'envergure peut atteindre 2,5 m.*

Les hérissons *se nourrissent des insectes et des vers qu'ils dénichent sous les feuilles.*

Parque Nacional de Garajonay

Paysages volcaniques

Trois parcs très différents protègent certains des sites les plus étonnants des Canaries. Sur La Palma, la Caldera de Taburiente est un cratère entouré de forêts ; sur Tenerife, le mont Teide abrite une flore alpine unique ; et sur Lanzarote, des champs de lave s'étendent à Timanfaya.

Les lapins*, très prolifiques, peuvent mettre en danger des écosystèmes délicats lorsqu'ils colonisent des lieux où ils n'ont pas de prédateurs.*

Espèces végétales s'implantant sur le mont Teide (Tenerife)

Le canari *au chant si mélodieux est un descendant domestique du serin des Canaries.*

L'art en Espagne

Trois peintres espagnols on marqué l'histoire de l'art occidental. *Les Ménines* offrent un aperçu du talent de coloriste et de l'art de la composition de Velázquez (1599-1660), portraitiste très apprécié à la cour. Francisco de Goya (1746-1828) sut décrire avec une grande force dramatique certaines des heures les plus tragiques que connut son pays. Pablo Picasso (1881-1973) est un des fondateurs de l'art moderne. À ces noms, il faut ajouter celui d'El Greco, né en Crête mais qui vécut en Espagne. Les œuvres de ces artistes, et de beaucoup d'autres, s'admirent dans des musées dont le plus prestigieux est celui du Prado *(p. 282-285)*.

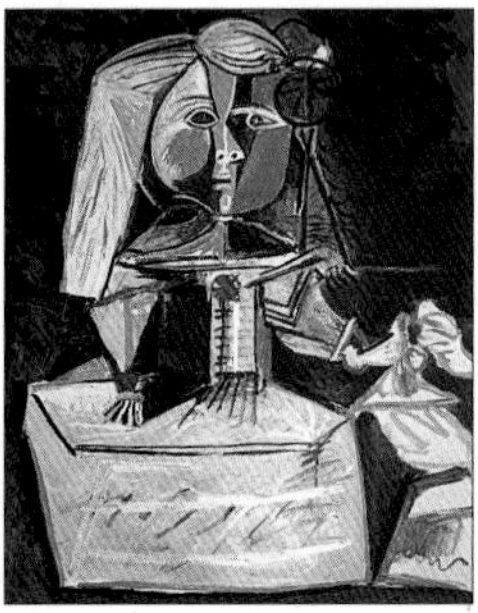

***Ce tableau par Pablo Picasso** fait partie de la série des* Ménines *(1957) que la composition de Velázquez lui inspira. Elle comprend 44 peintures visibles au Museu de Picasso de Barcelone* (p. 149).

Le roi et la reine, qui se reflètent dans un miroir, posaient peut-être pour leur portrait.

Autoportrait de Velázquez

LES MÉNINES *(1656)*

Velázquez a donné à ce portrait de l'Infante Marguerite et de sa suite une composition qui entraîne le regard vers le miroir où se reflète Philippe IV commanditaire de ce tableau visible au Prado *(p. 282-285)*.

L'ART SACRÉ EN ESPAGNE

L'influence de l'Église catholique en Espagne s'exprime notamment par l'importance des thèmes religieux dans l'art. Des retables romans, surtout visibles en Catalogne, aux compositions exaltées du baroque ornant maintes églises, cet art sacré suivit de grandes évolutions. Il trouva en El Greco *(p. 373)*, qui alliait un profond mysticisme à un style très personnel, l'un de ses plus grands représentants.

L'Enterrement du comte d'Orgaz* par El Greco *(p. 372)

CHRONOLOGIE DES GRANDS ARTISTES

1285-1348 Ferrer Bassá

1363-1395 Jaume Serra

1390-1410 Pere Nicolau

1428-1460 Luis Daimau

Le Sauveur *par José de Ribera*

1591-1652 José de Ribera

1598-1664 Francisco de Zurbarán

1300 — **1400** — **1500**

Vierge à l'Enfant *par Ferrer Bassá*

1388-1424 Luis Borrassa

1427-1452 Bernat Martorell

1450-1504 Pedro Berruguete

1474-1495 Bartolomé Bermejo

1541-1614 El Greco

1565-1628 Francisco Ribalta

1599-1660 Diego de Velázquez

José Nieto, le chambellan de la reine, se détache sur une tache claire qui accentue l'impression de profondeur.

Nain de cour

ART MODERNE

Artistes du début du XXe siècle, Joan Miró *(p. 168)*, Salvador Dalí *(p. 205)* et Pablo Picasso *(p. 148)* appartenaient tous trois à l'école de Paris. Parmi les créateurs plus récents figurent Antonio Saura et Antoni Tàpies *(p. 160)*. Les artistes contemporains jouissent d'un grand prestige en Espagne et leurs œuvres ornent places et édifices publics. À côté de collections prestigieuses telle celle du Centro de Reina Sofia de Madrid *(p. 288-289)*, de nombreuses villes possèdent un musée dédié à un peintre local.

***Colosse de Rhodes* (1954) par Salvador Dalí**

***Collage* (1934) par Joan Miró**

***La Famille du roi Charles IV** fut peinte en 1800 par Francisco de Goya* (p. 229), *près de 150 ans après* Les Ménines. *La composition frontale et l'inclusion d'un autoportrait rendent leur filiation manifeste.*

Les Enfants de la coquille *par Murillo*

1746-1828 Francisco de Goya

1893-1983 Joan Miró

1881-1973 Pablo Picasso

1863-1923 Joaquín Sorolla

1904-1989 Salvador Dalí

1923- Antoni Tàpies

1700 | **1800** | **1900**

1642-1693 Claudio Coello

1618-1682 Bartolomé Esteban Murillo

Garrafa y Periódico *(1916) par Juan Gris*

1887-1927 Juan Gris

1930-1998 Antonio Saura

La littérature espagnole

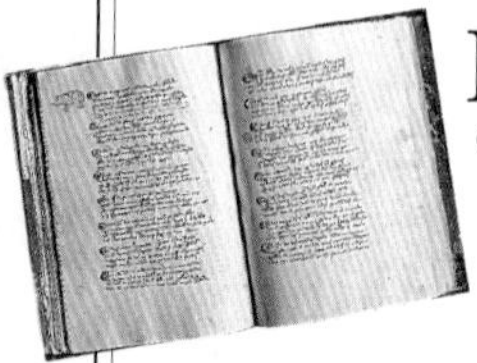

***El Libro de Buen Amor* (XIVe siècle)**

L'œuvre littéraire espagnole la plus célèbre, *Don Quichotte*, ne date que du début du XVIIe siècle, mais son auteur, Cervantes, avait eu d'illustres prédécesseurs puisque les Romains Sénèque, Lucain et Martial étaient nés dans la péninsule Ibérique où se développa au Moyen Âge, sous la domination maure, une littérature florissante. Si le castillan est devenu la langue nationale, de nombreux ouvrages de première importance ont été écrits en galicien ou en catalan. Issue d'une culture orale, la littérature basque ne se développe que depuis peu. Alexandre Dumas et Ernest Hemingway ont laissé le récit de leurs voyages en Espagne.

Moyen Âge

À la chute de l'Empire romain, le latin évolua en plusieurs langues romanes dont celle des Mozarabes, chrétiens vivant dans les territoires conquis par les musulmans, dans laquelle furent écrits les *jarchas*, fragments de poésies d'amour issus d'une tradition orale antérieure au Xe siècle.

Au XIIe siècle apparurent les premiers poèmes en castillan et, pendant les trois cents ans suivants, deux écoles distinctes s'épanouirent. Tandis que les troubadours chantaient des épopées chevaleresques, notamment le célèbre *El Cantar del Mío Cid*, qui relate les exploits héroïques du Cid Campeador *(p. 352)* pendant la Reconquête, des clercs puisaient dans la Bible l'inspiration d'une poésie religieuse, dont le *Milagros de Nuestra Señora* de Gonzalo de Berceo, récit de la vie de la Vierge, offre un bon exemple.

Au XIIIe siècle, Alphonse X le Sage fait du castillan la langue officielle du pays, mais, poète lui-même, écrit en roman galicien.

Un auteur domine le XIVe siècle, Juan Ruiz, appelé aussi l'Archiprêtre de Hita, qui jette un regard ironique sur son époque dans *El Libro de Buen Amor*. Avec le personnage de Trotaconventos, il crée dans ce poème le prototype de l'entremetteuse qui, à partir de *La Celestina*, premier chef-d'œuvre en prose de langue espagnole paru en 1499, deviendra un ressort essentiel du roman picaresque.

Alphonse X le Sage (1221-1284)

Le Siècle d'or

Félix Lope de Vega, prolifique dramaturge du Siècle d'or

Le XVIe siècle voit affluer dans les ports et les grandes villes espagnoles une foule d'aventuriers. Ce milieu sans pitié va fournir son inspiration réaliste au roman picaresque, genre littéraire dont *El Lazarillo de Tormes*, publié au milieu du siècle par un anonyme, dresse le modèle.

À cette description des travers de la société s'oppose toutefois la ferveur mystique des écrits de sainte Thérèse d'Avila et de son disciple saint Jean de la Croix.

Miguel de Cervantes Saavedra *(p. 315)* publie *Don Quichotte* en 1615 après avoir connu une vie aventureuse et difficile. Son œuvre en porte la marque. Parmi les autres grands auteurs de son époque figurent Francisco de Quevedo et Luis de Góngora.

Les *corrales* (théâtres publics) apparaissent au XVIIe siècle, offrant leurs scènes aux créations de Lope de Vega *(p. 280)* et Calderón de la Barca (1600-1681).

Les aventures de Don Quichotte peintes par José Moreno Carbonero

XVIIIe ET XIXe SIÈCLES

Influencée par l'esprit des Lumières français, la littérature du XVIIIe siècle se veut porteuse de savoir, une intention manifeste dans la comédie *El Sí de las Niñas* de Leandro Fernández de Moratín. Le journalisme se développe et l'essai devient une forme littéraire reconnue. La verve satirique de Larra lui donne ses lettres de noblesse au début du XIXe siècle.

Le romantisme dure peu en Espagne. José Zorilla en écrit l'œuvre la plus célèbre : la pièce *Don Juan Tenorio*.

José Zorilla (1817-1893)

Le roman se penche à la fin du siècle sur les problèmes d'un pays étouffé par son clergé et une monarchie traditionaliste. À côté d'écrivains tels que Juan Valera ou Clarín, auteur notamment de *La Regenta*, se détache Benito Pérez Galdós. Son œuvre, en particulier le cycle des *Episodios nacionales*, met en perspective les destins individuels par rapport au cours de l'histoire.

XXe SIÈCLE

Les écrivains du tournant du siècle, entre autres Pío Baroja *(p. 60)*, Miguel de Unamuno et Antonio Machado, décrivent une Espagne en train de prendre du retard sur le reste de l'Europe. Ramón María del Valle-Inclán ne voit d'autre moyen de décrire la société que par le grotesque. Il jette ainsi les fondements du théâtre moderne espagnol. La poésie de Juan Ramón Jiménez lui vaudra le prix Nobel en 1956.

Le groupe qui se donne pour nom « Génération de 1927 » associe dans ses recherches les démarches expérimentales européennes et les formes traditionnelles de la littérature espagnole. Son membre le plus célèbre, le poète et dramaturge Federico García Lorca, est exécuté par les troupes franquistes en 1936 *(p. 63)*.

La victoire du « Caudillo » pousse à l'exil de nombreux intellectuels. Le régime impose une censure tatillonne et favorise une culture de propagande ou de pure distraction. Avec le néo-réalisme, des auteurs comme Camilo José Cela, qui décrit dans *La Colmena* la vie quotidienne des Madrilènes après la guerre, trouvent cependant le moyen de contourner ces contraintes. Bien qu'à partir des années 1960, des écrivains tels que Juan Goytisolo, Joan Benet, Julio Llamazares, Antonio Munõz Molina, José Manuel Caballero Bonald et Juan Marsé aient apporté en Espagne un renouveau à la littérature, c'est l'Amérique latine qui a donné nombre des plus grands créateurs en langue espagnole, entre autres Jorge Luis Borges et Gabriel García Márquez.

Affiche d'une pièce de Lorca

Le prix Nobel Camilo José Cela peint par Alvaro Delgado

La tauromachie

Affiche de corrida

Issue des sacrifices rituels de taureaux pratiqués à l'époque païenne sur tout le pourtour de la Méditerranée, et des jeux qui les accompagnaient, la corrida reste, malgré les protestations des défenseurs des animaux, l'un des spectacles préférés des Espagnols. Elle obéit à des règles fixées au XVIIIe siècle, mais a toutefois évolué depuis lors, le farouche combat des origines cédant la place à des passes raffinées où l'élégance du mouvement compte plus que la violence de l'affrontement entre l'homme et l'animal. Les taureaux ont suivi cette évolution. Ils sont moins puissants et combattent plus jeunes que jadis.

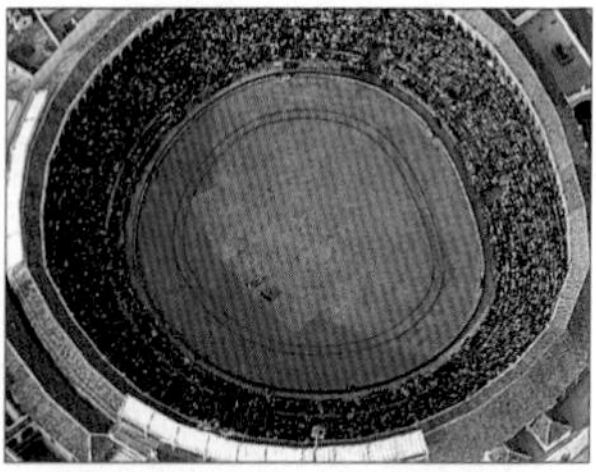

***La plaza de Toros de la Maestranza** de Séville est l'une des plus prestigieuses arènes d'Espagne avec celle de Las Ventas à Madrid.*

***Le toro bravo** (taureau de combat), sélectionné pour son courage et son agressivité, vit en semi-liberté dans son élevage. Comme le remarquent les aficionados pour défendre la corrida, il connaît une vie heureuse d'au moins quatre ans avant de combattre vingt minutes dans l'arène.*

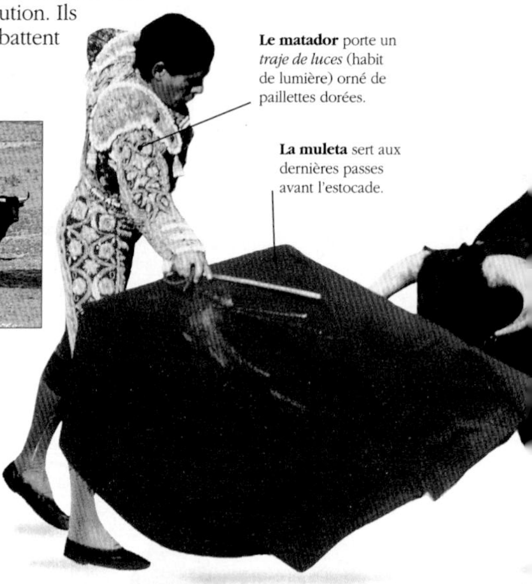
Le matador porte un *traje de luces* (habit de lumière) orné de paillettes dorées.
La muleta sert aux dernières passes avant l'estocade.

La corrida

La corrida se déroule en trois phases appelées *tercios*. Pendant la première, ou *tercio de varas*, le matador, les *picadores* (lanciers à cheval) et les *peones* (assistants) fatiguent le taureau avant que les *banderilleros* ne lui plantent trois paires de banderilles pendant le *tercio de banderillas*. L'*estocada*, mise à mort de l'animal, conclut le *tercio de muleta* où le matador effectue des passes avec la *muleta*.

***Le matador** excite le taureau avec sa* capa *pendant le* tercio de varas. *Les* peones *l'attirent ensuite vers les* picadores.

Les chevaux sont protégés.

***Les picadors** affaiblissent les muscles de la nuque du taureau avec leurs lances garnies d'une pointe d'acier.*

L'ARÈNE

Le public de la corrida prend place sur les *tendidos* (gradins) ou aux *palcos* (balcons) qui renferment la *presidencia* (loge du président). En face s'ouvrent l'*arrastre de toros* (sortie des taureaux) et la *puerta de cuadrillas* que franchissent le matador et ses aides pour entrer. Ils peuvent se réfugier dans le corridor appelé *callejón* ou derrière les *barreras* ou les *burladeros* (barrières). Les taureaux attendent dans les *corrales*.

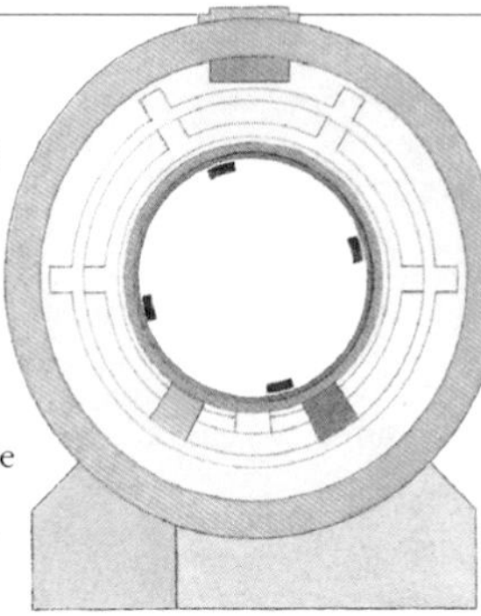

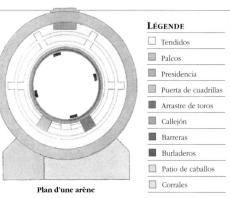

Plan d'une arène

LÉGENDE

- Tendidos
- Palcos
- Presidencia
- Puerta de cuadrillas
- Arrastre de toros
- Callejón
- Barreras
- Burladeros
- Patio de caballos
- Corrales

Les banderilles contribuent à affaiblir le taureau en lui faisant perdre son sang.

Le taureau, s'il combat avec courage, peut être épargné. Les spectateurs le demandent au président de la corrida en agitant des mouchoirs blancs.

***Manolete**, l'un des plus grands matadors de tous les temps, succomba en 1947 à Linares à un coup de corne du taureau Islero.*

***Joselito**, l'un des plus prestigieux toreros actuels, est célèbre par sa démarche puriste et son adresse avec la* capa *et la* muleta.

***Les banderilleros** provoquent l'animal blessé et plantent lors de leur esquive des banderilles dans ses épaules.*

Le taureau pèse environ 500 kg.

***Le matador** effectue des passes lors du dernier* tercio*, puis tue le taureau d'un coup d'épée.*

***L'estocada recibiendo** est une mise à mort difficile. Le matador attend la charge du taureau au lieu de s'approcher.*

Les fêtes en Espagne

La Passion, Semana Santa

Il ne se passe pas un jour sans que se déroule au moins une fête quelque part en Espagne car tous les prétextes sont bons, de l'hommage à la Vierge au solstice de printemps, pour briser le train-train de la vie quotidienne et fermer bureaux et magasins. Villes et villages possèdent tous leur saint patron, parfois célébré par une *romería*, pèlerinage jusqu'à un sanctuaire de campagne, et rivalisent tous d'énergie dans l'organisation de processions, corridas, feux d'artifice et reconstitutions de batailles ou de rites séculaires.

De nombreuses *romerías* ont lieu à travers la campagne pendant l'année

Printemps

La fin de l'hiver et le début du printemps se célèbrent à Valence par des feux, *las fallas* *(p. 245)*, où sont brûlés de grands mannequins de papier mâché, rituel symbolisant la destruction qu'impose toute résurrection.

D'innombrables fêtes commémorent les victoires de la Reconquête, mais les reconstitutions de batailles entre Maures et chrétiens organisées à Alcoy *(p. 245)* en avril sont les plus spectaculaires. À Séville, une grande foire *(p. 413)* conclut la semaine sainte.

Pour Los Mayos, le 30 avril et les jours suivants, on dresse dans certaines régions des croix décorées de fleurs.

Pâques

Pâques est la fête religieuse qui donne lieu aux cérémonies les plus solennelles dans presque toutes les localités d'Espagne. À Elche, le dimanche des Rameaux, les palmes coupées dans la plus vaste palmeraie d'Europe *(p. 251)* servent à tresser des sculptures délicates, tandis qu'à Séville *(p. 413)*, à Málaga, à Murcie et à Valladolid les processions de la Semana Santa, menées par des confréries portant les *pasos*, statues représentant la Vierge, le Christ ou des scènes de la Passion, s'accompagnent de cortèges de pénitents en cagoule ou de gens costumés en personnages bibliques. Dans certaines villes sont interprétés des mystères de la Passion, dans d'autres les pénitents portent de lourdes croix. Il arrive encore que certains défilent en se flagellant.

Confrérie de la Chandeleur à Séville pour la Semana Santa

Été

La première grande célébration de l'été se déroule à la Pentecôte, sept semaines après Pâques. Elle est particulièrement spectaculaire à El Rocío *(p. 439)*.

Le jour de la Fête-Dieu (fin mai ou début juin), des processions (les principales ont lieu à Valence, Tolède et Grenade) traversent de nombreuses villes en portant une hostie consacrée dans un ostensoir en argent.

Souvenir des rituels païens organisés pour fêter le solstice d'été, des feux de joie s'allument partout en Espagne la veille de la Saint-Jean (24 juin).

En juillet, pour la feria de Los Sanfermines *(p. 128)*,

Pampelune vit pendant dix jours au rythme des *encerrios*, lâchers de taureaux, le matin, qui permettent aux audacieux de prouver leur bravoure. La Vierge de Carmen est vénérée comme la patronne des pêcheurs dans beaucoup de ports le 16 juillet.

Le 15 août, la grande fête catholique de l'Assomption donne lieu à de nombreuses réjouissances et à des représentations de mystères.

Les perdants tombent dans le port de Dénia lors de la fête de juillet *(p. 245)*

Automne

Il y a peu de fêtes en automne hormis celles qui accompagnent les vendanges dans la plupart des régions vinicoles. L'abattage du cochon, qui se pratique à cette époque, est aussi devenu prétexte à des réjouissances publiques dans certains villages, notamment en Estrémadure.

Fleurir les tombes pour la fête des Morts reste une coutume très suivie.

Noël et jour de l'an

La période de Noël permet d'admirer de nombreuses crèches, ou *belenes*, et même des « crèches vivantes » mettant en scène des acteurs en costumes. Pour la *Nochebuena* (nuit de Noël), les familles se rassemblent autour d'un repas avant d'aller assister à la messe de minuit qui porte le nom de *misa del gallo* (messe du coq).

Le 28 décembre, le jour des Saints-Innocents est aussi celui des farces. Parfois, dans les rues, des personnages burlesques tournent le maire en ridicule ou se moquent des passants.

Pour le réveillon du jour de l'an *(Noche Vieja)*, une grande fête se tient à la Puerta del Sol *(p. 262)* de Madrid. Les jeunes mangent 12 raisins, chacun à chaque coups de minuit pour porter bonheur à la nouvelle année.

Les petits Espagnols ne reçoivent leurs cadeaux de Noël qu'à l'Épiphanie, le 6 janvier.

Hiver

Troupeaux et animaux domestiques reçoivent la bénédiction le 17 janvier, jour de la Saint-Antoine, leur protecteur. À la Sainte-Agathe (5 février), patronne des femmes mariées, maintes célébrations donnent pour une fois le premier rôle aux femmes. À Zamarramala (Ségovie), par exemple, deux d'entre elles jouissent des privilèges et des pouvoirs du maire pendant une journée *(p. 350)*.

La Saint-Antoine à Villanueva de Alcolea (province de Castellón)

Chorale costumée au carnaval de Cadix

Carnaval

Après avoir été interdit par le régime franquiste qui craignait qu'il prenne un tour politique, le carnaval offre de nouveau l'occasion d'échapper à ses soucis alors que s'achève l'hiver. Selon la date de Pâques, il se tient en février ou début mars et finit généralement le mercredi des Cendres, parfois par l'*Entierro de la Sardina* (Enterrement de la sardine) symbolisant la mort de l'hiver.

Les plus beaux carnavals d'Espagne ont lieu à Santa Cruz de Tenerife *(p. 512)* et à Cadix *(p. 439)*.

L'ESPAGNE AU JOUR LE JOUR

Réjouissances, manifestations culturelles et rencontres sportives offrent à tout moment en Espagne l'occasion de se distraire. Même dans les plus petits villages, le travail cesse pendant au moins une semaine *(p. 34-35)* lors de la fête patronale au profit des processions et des réjouissances. Maintes localités rurales ou côtières organisent en outre des fêtes gastronomiques permettant de découvrir les produits locaux, tandis que les grandes cités proposent des festivals de musique, de théâtre, de danse et de cinéma. Tous les principaux sports donnent lieu à des championnats nationaux et internationaux.

La corrida reste un spectacle très apprécié

Les dates de certaines manifestations variant selon les années, mieux vaut en demander confirmation sur place.

PRINTEMPS

Avec l'arrivée des beaux jours, les terrasses des cafés se remplissent, tandis que les fleurs sauvages donnent à la campagne ses plus beaux atours avant la chaleur de l'été. L'eau court dans les canaux irriguant les plantations et de grandes cérémonies ponctuent la célébration de Pâques dans tout le pays.

Feria del Caballo (Fête des chevaux) à Jerez de la Frontera

MARS

Rallye international de voitures anciennes *(1er dim.)* de Barcelone à Sitges.
Las Fallas *(autour du 19 mars)*, Valence *(p. 245)*. Une grande fête marque le début de la saison tauromachique *(p. 32-33)*.
Semaine de la musique sacrée, Cuenca.

AVRIL

Trofeo Conde de Godó *(mi-avril)*, Barcelone. Premier championnat international de tennis d'Espagne.
Moros y Cristianos *(3e sem.)*, Alcoy *(p. 249)*. Célébration costumée d'une victoire contre les Maures en 1276.
Fête d'avril *(2 sem. après Pâques)*, Séville. L'occasion de danser la *sevillana* *(p. 413)*.
Feria Nacional del Queso *(fin avril-début mai)*, Trujillo (Cáceres). Fête nationale du fromage *(p. 389)*.

Fin d'étape sur le parcours de la Vuelta Ciclista a España ***(p. 38)***

MAI

Feria del Caballo *(1re sem.)*, Jerez de la Frontera. Spectacles hippiques et Andalouses en robes traditionnelles lors d'une grande fête du cheval.
Grand Prix motocycliste d'Espagne *(6-8 mai)*, circuit de Jerez de la Frontera.
Fiesta de San Isidro *(8-15 mai)*, Madrid *(p. 280)*. Corridas prestigieuses dans l'arène de Las Ventas.
Concours national de flamenco *(mi-mai, une année sur trois : 1998, 2001)*, Cordoue.
Peugeot Open de España *(mi-mai)*, Club de Campo, Madrid. Tournoi de golf.
Grand Prix de Formule 1 d'Espagne *(fin mai-début juin)*, circuit de Montmeló, Barcelone.
A Rapa das Bestas *(mai et juin)*, Pontevedra (Galice). Les éleveurs de chevaux font preuve de leur savoir-faire *(p. 94)*.

Saint-Sébastien, station balnéaire très fréquentée de la côte nord

ÉTÉ

Août reste en Espagne le principal mois des vacances, celui où les cités se vident au profit du bord de mer et des résidences de campagne. Aux touristes espagnols s'ajoutent des millions d'étrangers, et plages et campings sont souvent bondés. Il règne une telle chaleur dans le Sud et le centre que manifestations et distractions attendent les heures plus fraîches de la soirée. La période des récoltes donne lieu à des fêtes gastronomiques offrant l'occasion de découvrir un large éventail de spécialités, du cidre des Asturies aux saucisses des Baléares.

Servir et goûter le cidre est un art dans les Asturies

JUIN

Festival international de musique et de danse *(mi-juin-début juil.)*, Grenade : musique classique et ballets à l'Alhambra ou au Generalife.
Festival du GREC *(juin-août)*, Barcelone. Festival international de théâtre, musique et danse.
Copa del Rey *(avril-juin)*. Finale de la coupe de football.

JUILLET

Festival de théâtre classique *(juil.-août)*, Mérida. Dans le théâtre et l'amphithéâtre romains *(p. 392)*.
Festival de guitare *(2 prem. sem.)*, Cordoue. Du classique au flamenco *(p. 406-407)*.
Festival international de théâtre classique d'Almagro *(4-28 juil.)*. Pièces du répertoire classique dans l'un des plus vieux théâtres d'Europe *(p. 381)*.
Fête du cidre *(2e samedi des années paires)*, Nava (Asturies). Dégustation et concours d'adresse.
Festival international de Santander *(juil.-août)*. Musique, danse et théâtre.
Festival de folklore pyrénéen *(fin juil.-début août, années impaires)*, Jaca (Aragon). Danses, musiques et costumes traditionnels.
Festivals internationaux de jazz de Saint-Sébastien *(3e sem.)*, Getxo *(1re sem.)* et Vitoria *(mi-juil.)*.

AOÛT

Certamen Internacional de Habaneras y Polifonia *(fin juil.-début août)*, Torrevieja (Alicante). Concours de chants de marins du XIXe siècle.
HM the King's International Cup *(1re sem.)*, Palma de Majorque. Régate à laquelle le roi participe.
Descente du río Sella *(1er sam.)*. Course de kayaks d'Arriondas à Ribadasella dans les Asturies *(p. 103)*.
Assomption *(15 août)*. Célébrations dans tout le pays, en particulier à Elche (Alicante) et La Alberca (Salamanque).
Semanas Grandes *(début à mi-août)*, Bilbao et Saint-Sébastien. « Grandes semaines » sportives et culturelles.
Misteri d'Elx *(14-15 août)*, Elche *(p. 251)*. Dans une église, drame chanté à la gloire de la Vierge avec effets spéciaux spectaculaires.

Participants à la descente en kayak du río Sella

L'automne à Larouco, village de la région viticole de Valdeorras en Galice *(p. 74)*

AUTOMNE

Après la chaleur de l'été, les premières pluies d'automne permettent à la nature de reverdir, alors qu'avec la fin de la haute saison touristique de nombreuses stations balnéaires se transforment en villes fantômes. Les vendanges offrent le prétexte à de grandes fêtes. Le premier vin pressé est béni et, dans certains endroits, la production locale servie gratuitement.

Champignons

C'est le début de la saison musicale et théâtrale dans les grandes cités. À la campagne, les champignons apparaissent sur la carte des restaurants. La saison de la chasse dure de la mi-octobre au mois de février.

SEPTEMBRE

Gala international de folklore *(fin août-début sept.)*, Ronda (Málaga). Musique et danses.
Fête des vendanges *(1re sem.)*, Jerez de la Frontera.
Vuelta Ciclista a España. Le tour d'Espagne cycliste.
Festival d'automne de Madrid *(mi-sept.-mi-nov.)*. Danse, théâtre et musiques classique et moderne.
Festival du film de Saint-Sébastien *(2 der. sem.)*. Découverte d'inédits du monde entier *(p. 119)*.
Bienal de Arte Flamenco *(2 der. sem., années paires)*, Séville. Le meilleur du flamenco.

OCTOBRE

Dia de la Hispanidad *(12 oct.)*. La fête nationale espagnole célèbre la découverte du Nouveau Monde en 1492. Les réjouissances les plus exubérantes ont lieu à Saragosse pour le Día del Pilar *(p. 229)* qui marque la fin de la saison tauromachique.

Un concurrent du Volvo Masters Golf Championship

IBERFLORA *(mi-oct.)*, Valence. Exposition florale.
Fête du safran *(fin oct.)*, Consuegra (Tolède).
Volvo Masters Golf Championship *(fin oct.)*, Valderrama (Cadix).

NOVEMBRE

Toussaint *(1er nov.)*. Début de la *matanza* (abattage du porc) dans les campagnes espagnoles.
Os Magostos *(11 nov.)*. Fêtes de la châtaigne dans plusieurs villes de Galice.
Festival du film latino-américain *(2 der. sem.)*, Huelva *(p. 438)*.

L'actrice Lana Turner au festival du film de Saint-Sébastien

Le jour de l'Assomption à La Alberca

Jours fériés

Aux jours fériés nationaux s'ajoutent celui de la fête de chaque région *(communidad autónoma)* et celui de la fête du saint patron de chaque ville ou village. La pratique du « pont » reste largement répandue lorsque le jour férié correspond à un mardi ou un jeudi. Boutiques, bureaux et monuments restent alors fermés quatre jours.

Año Nuevo *(nouvel an)* (1er jan.)
Día de los Reyes *(Épiphanie)* (6 jan.)
Jueves Santo *(jeudi saint)* (mars-avril)
Viernes Santo *(vendredi saint)* (mars-avril)
Día de Pascua *(dimanche de Pâques)* (mars-avril)
Día del Trabajo *(Fête du Travail)* (1er mai)
Asunción *(Assomption)* (15 août)
Día de la Hispanidad *(Fête nationale)* (12 oct.)
Todos los Santos *(Toussaint)* (1er nov.)
Día de la Constitución *(Fête de la Constitution)* (6 déc.)
Immaculada Concepción *(Immaculée Conception)* (8 déc.)
Navidad *(Noël)* (25 déc.)

Hiver

L'hiver accentue les différences entre les régions d'Espagne. Alors que dans les montagnes, les skieurs dévalent les pistes enneigées, au bord de la Méditerranée, on récolte les olives et les agrumes. Un froid vif règne sur les hauteurs du centre du pays, mais en Andalousie, sur la côte orientale et dans les Baléares, le soleil maintient des températures tempérées. Il fait chaud aux Canaries. À Noël, les familles se réunissent pour le dîner traditionnel qui précède la messe de minuit.

Tirage d'« El Gordo », le plus gros lot de la loterie nationale

Sur les pentes de la sierra de Guadarrama au nord de Madrid *(p. 311)*

Décembre

El Gordo *(22 déc.)*. Tirage du plus gros lot de la loterie nationale espagnole *(p. 622)*.
Noche Buena *(24 déc.)*. La veille de Noël se passe en famille et se conclut par la messe de minuit *(p. 35)*.
Santos Innocentes *(28 déc.)*, le jour des farces, équivalent de notre 1er avril.
Noche Vieja *(31 déc.)*. Grande fête du nouvel an à la Puerta del Sol de Madrid.

Janvier

Festival international de musique des Canaries *(jan.-fév.)*. Concerts classiques à la Palma et Tenerife.
Saison d'opéra *(jan.-avr.)*, Teatro Coliseo, Bilbao.
Festival de vidéo de Vigo *(der. sem.)*. Tous les aspects de la création en vidéo.

Février

Festival de musique ancienne *(fév.-mars)*, Séville. Musique et instruments d'antan.
ARCO *(mi-fév.)*, Madrid. Cette foire internationale d'art contemporain réunit artistes et galeries du monde entier.
Pasarela Cibeles (semaine de la mode) *(mi-fév.)*, Madrid. Défilés de mode masculine et féminine.
Carnaval *(fév.-mars)*. Une grande fête colorée avant le carême. Les carnavals de Santa Cruz de Tenerife et de Cadix font partie des plus beaux.

Les climats de l'Espagne

Des Pyrénées à Gibraltar, l'Espagne possède une grande variété de climats. Sur le vaste plateau intérieur, des hivers glacés succèdent à des étés torrides. L'influence de la Méditerranée adoucit les hivers sur le littoral oriental et méridional ainsi que dans les Baléares. L'Atlantique donne aux régions côtières du Nord un climat plus humide que celui du reste du pays.

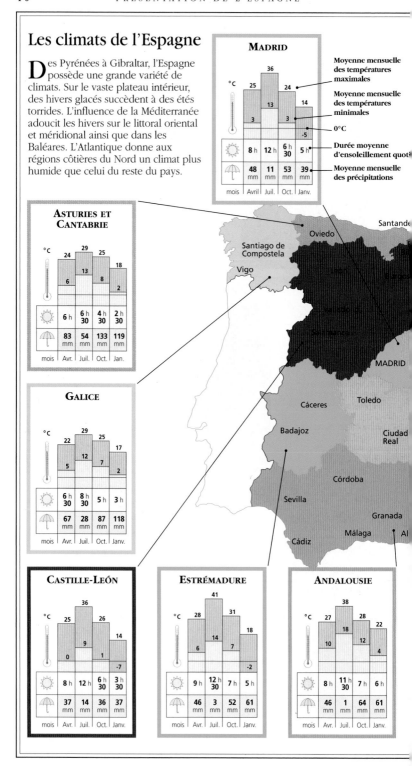

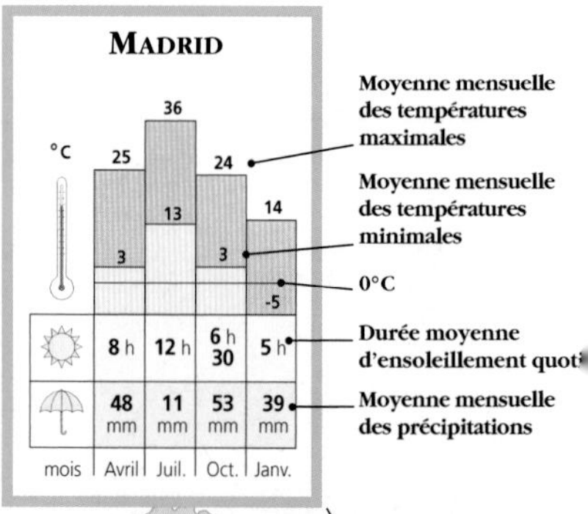

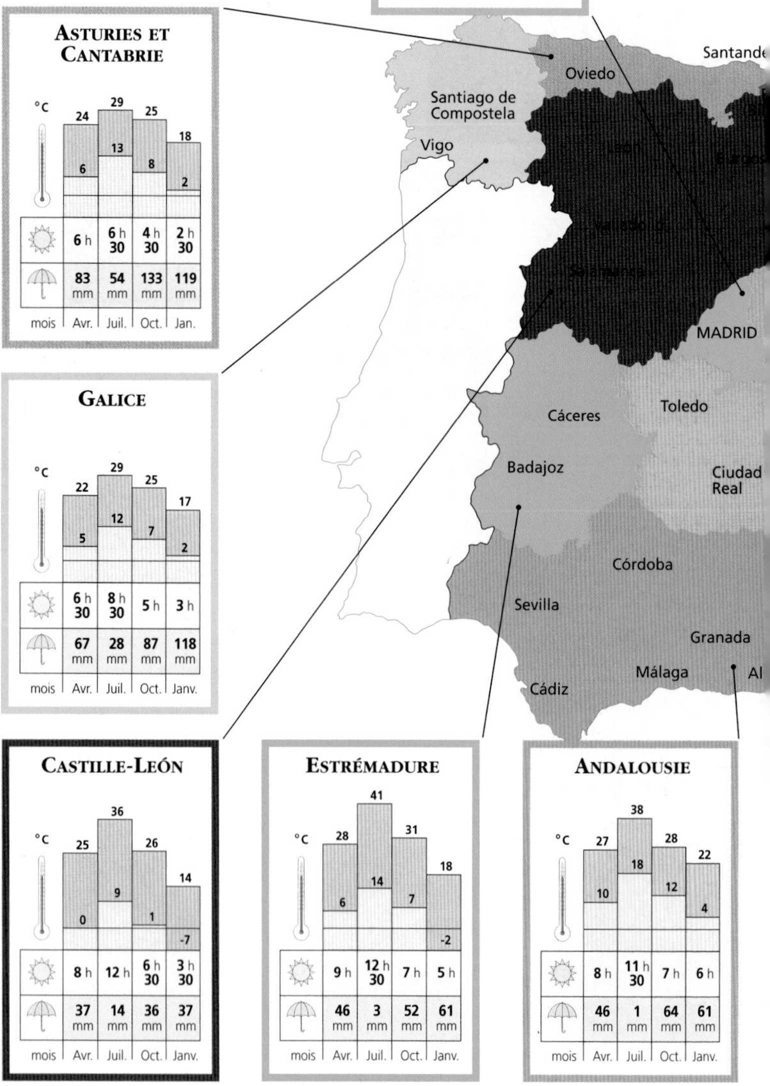

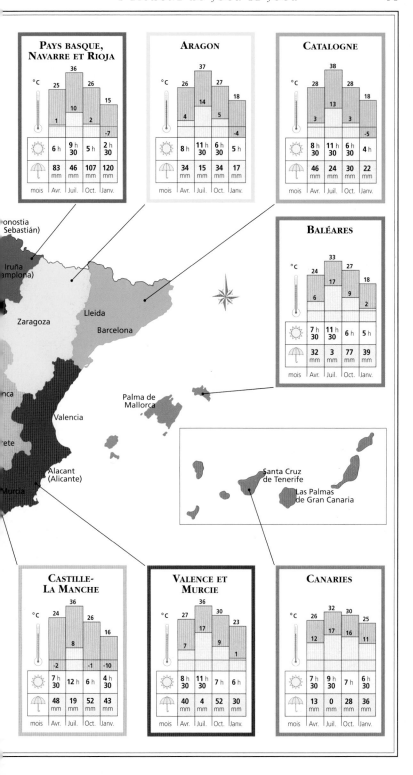

Pays basque, Navarre et Rioja

mois	Avr.	Juil.	Oct.	Janv.
°C	25	36	26	15
	1	10	2	-7
	6 h	9 h 30	5 h	2 h 30
	83 mm	46 mm	107 mm	120 mm

Aragon

mois	Avr.	Juil.	Oct.	Janv.
°C	26	37	27	18
	4	14	5	-4
	8 h	11 h 30	6 h 30	5 h
	34 mm	15 mm	34 mm	17 mm

Catalogne

mois	Avr.	Juil.	Oct.	Janv.
°C	28	38	28	18
	3	13	3	-5
	8 h 30	11 h 30	6 h 30	4 h
	46 mm	24 mm	30 mm	22 mm

Baléares

mois	Avr.	Juil.	Oct.	Janv.
°C	24	33	27	18
	6	17	9	2
	7 h 30	11 h 30	6 h	5 h
	32 mm	3 mm	77 mm	39 mm

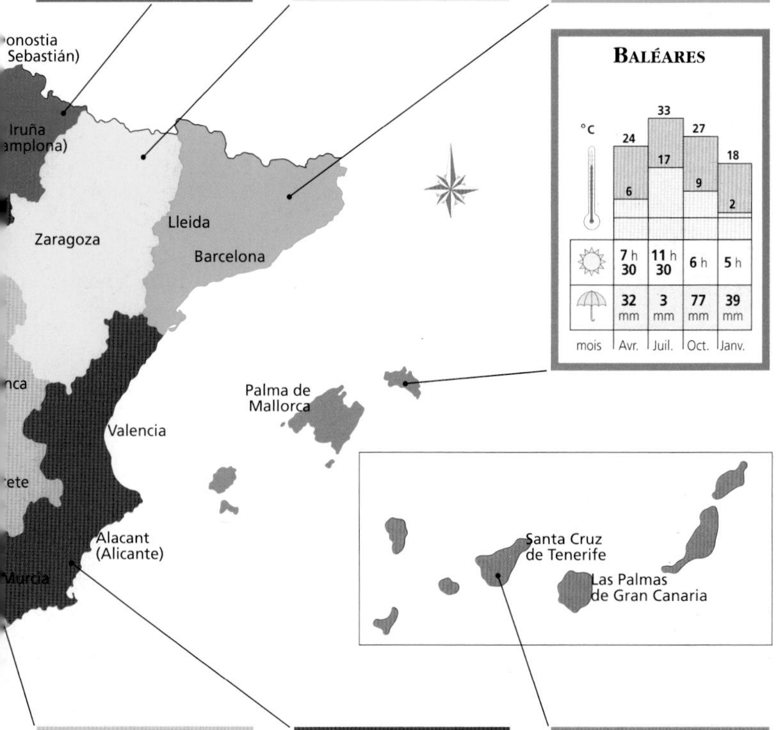

Castille-La Manche

mois	Avr.	Juil.	Oct.	Janv.
°C	24	36	26	16
	-2	8	-1	-10
	7 h 30	12 h	6 h	4 h 30
	48 mm	19 mm	52 mm	43 mm

Valence et Murcie

mois	Avr.	Juil.	Oct.	Janv.
°C	27	36	30	23
	7	17	9	1
	8 h 30	11 h 30	7 h	6 h
	40 mm	4 mm	52 mm	30 mm

Canaries

mois	Avr.	Juil.	Oct.	Janv.
°C	26	32	30	25
	12	17	16	11
	7 h 30	9 h 30	7 h	6 h 30
	13 mm	0 mm	28 mm	36 mm

HISTOIRE DE L'ESPAGNE

Habitée depuis 800 000 ans, la péninsule Ibérique voit les Phéniciens puis les Grecs et les Carthaginois s'implanter à partir du XIe siècle av. J.-C. sur son littoral oriental, tandis que plusieurs ethnies, notamment des Celtes, des Ibères et des Basques, se partagent l'intérieur et l'ouest. Les Romains arrivent en 218 av. J.-C. pour combattre les Carthaginois qui viennent de déclencher la deuxième guerre punique. Leurs principaux ennemis vaincus, il leur faut encore deux siècles pour soumettre la totalité du territoire.

Statue aztèque en or

Les premières vagues barbares déferlent en 264 et 276 et les Wisigoths imposent leur domination au début du Ve siècle. Leurs luttes intestines favorisent cependant en 711 une invasion par des Berbères. Ces « Maures » contrôlent bientôt presque toute la péninsule où s'épanouit la brillante culture d'Al Andalus qui fait de Cordoue la cité la plus raffinée d'Europe aux IXe et Xe siècles.

À partir du petit royaume des Asturies, les chrétiens ont toutefois entrepris la *Reconquista* dès 722 et, en 1469, le mariage de Ferdinand d'Aragon et Isabelle de Castille, les « Rois Catholiques », donne son unité à l'Espagne. En 1492, le dernier bastion maure, Grenade, tombe l'année où Christophe Colomb découvre l'Amérique. Le royaume passe aux Habsbourg, et Charles Quint et ses successeurs dépensent sur les champs de bataille de l'Europe les fabuleuses richesses arrachées au Nouveau Monde. Au XVIIe siècle, l'Espagne perd le Portugal, le Roussillon et les Pays-Bas. L'économie entre en déclin.

Les Bourbons montent sur le trône en 1700 et engagent une politique de réformes qui permet au pays de se redresser au XVIIIe siècle, mais son annexion par Napoléon en 1808 marque pour l'Espagne le début d'une longue période d'instabilité. Ses colonies prennent leur indépendance et plusieurs guerres de succession ôtent sa crédibilité à la monarchie. En 1936 éclate la guerre civile qui oppose les républicains aux nationalistes d'extrême droite du général Franco. Celui-ci l'emporte et sa dictature étouffe tout esprit d'initiative jusqu'à l'instauration de la démocratie en 1975.

Course de taureaux sur la Plaza Mayor de Madrid au XVIIe siècle

◁ Maures rendant hommage à Ferdinand et Isabelle, les Rois Catholiques

L'Espagne préhistorique

Casque d'un guerrier celtibère

À partir du VIe millénaire av. J.-C, les chasseurs-cueilleurs qui habitaient la péninsule Ibérique depuis environ 800 000 ans se voient supplantés par des agriculteurs néolithiques. Les Phéniciens arrivent en 1100 av. J.-C., suivis des Grecs et des Carthaginois. Franchissant les Pyrénées, des Celtes se mêlent au peuple autochtone des Ibères. Les tribus celtibères offriront pendant deux siècles une formidable résistance aux Romains.

L'Espagne en 5000 av. J.-C.

☐ *Colonies agricoles du néolihtique*

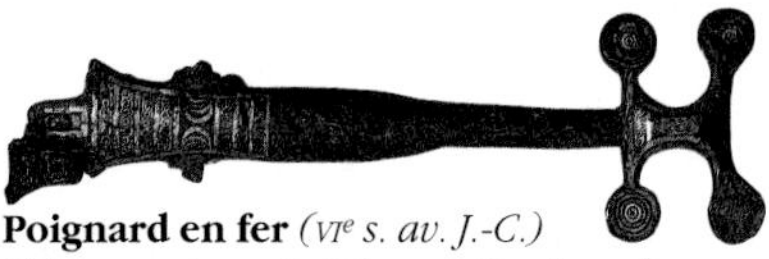

Poignard en fer *(VIe s. av. J.-C.)*
Cette arme trouvée à Burgos témoigne de la maîtrise acquise dans le travail du fer, connu dans la péninsule Ibérique à partir du VIIIe siècle av. J.-C.

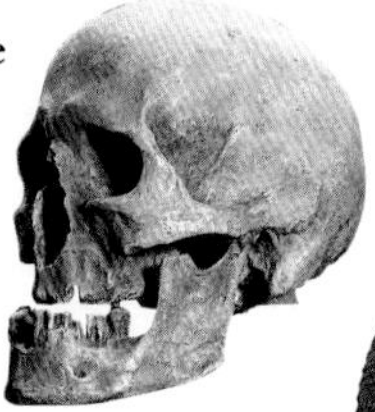

Crâne de l'âge de la pierre
Ce crâne appartenait à un homme qui chassait au paléolithique avec des armes en bois et en pierre.

Les 28 bracelets sont ornés de perforations et de reliefs.

Petite bouteille en argent

Motifs géométriques

La Dame d'Elche
Bel exemple d'art ibère, cette statue du IVe siècle révèle une légère influence grecque.

Le trésor de Villena

Découverts en 1963 lors de travaux à Villena *(p. 250)* près d'Alicante, ces 66 objets fabriqués, pour la plupart en or, vers 1000 av. J.-C. offrent un superbe aperçu de l'artisanat de l'âge du bronze.

Chronologie

800 000 av. J.-C. L'*Homo erectus* atteint la péninsule Ibérique

300 000 av. J.-C. Des tribus d'*Homo erectus* établissent des camps de chasse à Soria et Madrid

35 000 av. J.-C. L'homme de Cro-Magnon en Espagne

2500 av. J.-C. Des artisans du cuivre croyant à une vie après la mort habitent Los Millares *(p. 477)*

1800-1100 av. J.-C. La civilisation agraire d'El Argar s'épanouit dans le sud-est de l'Espagne

800 000 av. J.-C. | 2500 | 2000

500 000 av. J.-C. Des hominidés (probablement l'*Homo erectus*) utilisent des pierres comme outils

100 000-40 000 av. J.-C. L'homme de Néanderthal à Gibraltar

5000 av. J.-C. Début de l'agriculture dans la péninsule Ibérique

18 000-14 000 av. J.-C. Peintures rupestres à Altamira (Cantabrie), près de Ribadesella (Asturies) et à Nerja (Andalousie)

Peinture rupestre d'un bison, Altamira

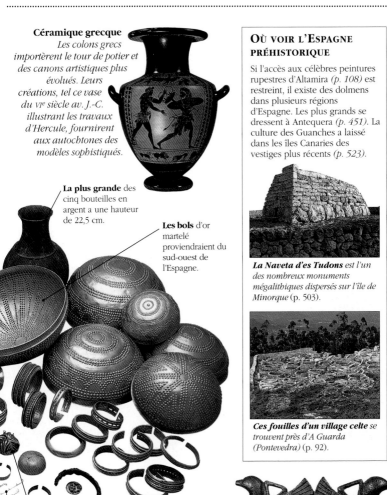

Céramique grecque
Les colons grecs importèrent le tour de potier et des canons artistiques plus évolués. Leurs créations, tel ce vase du VIe siècle av. J.-C. illustrant les travaux d'Hercule, fournirent aux autochtones des modèles sophistiqués.

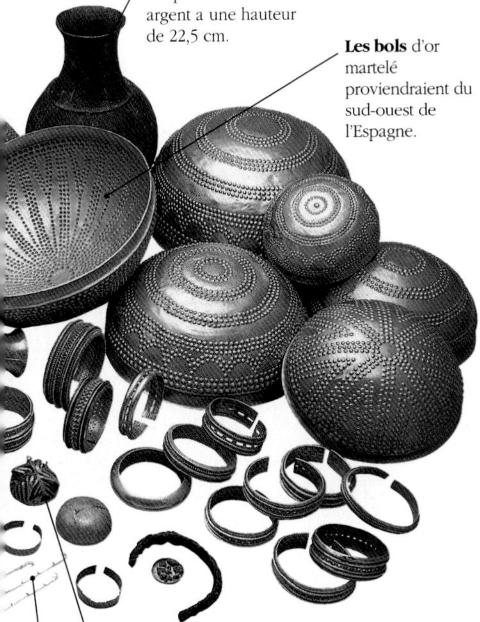

La plus grande des cinq bouteilles en argent a une hauteur de 22,5 cm.

Les bols d'or martelé proviendraient du sud-ouest de l'Espagne.

Broche aux agrafes indépendantes

Objets à l'usage inconnu.

OÙ VOIR L'ESPAGNE PRÉHISTORIQUE

Si l'accès aux célèbres peintures rupestres d'Altamira *(p. 108)* est restreint, il existe des dolmens dans plusieurs régions d'Espagne. Les plus grands se dressent à Antequera *(p. 451)*. La culture des Guanches a laissé dans les îles Canaries des vestiges plus récents *(p. 523)*.

***La Naveta d'es Tudons** est l'un des nombreux monuments mégalithiques dispersés sur l'île de Minorque* (p. 503).

***Ces fouilles d'un village celte** se trouvent près d'A Guarda (Pontevedra)* (p. 92).

Ashtar *(VIIIe siècle av. J.-C.)*
Les religions locales adoptèrent des divinités phéniciennes, notamment Ashtar (l'Astarté grecque), déesse de la fertilité sur ce bronze du royaume de Tartessos.

Bijou d'or phénicien

1100 av. J.-C. Des Phéniciens fondent l'actuelle Cadix

600 av. J.-C. Des colons grecs s'installent sur la côte du nord-est

228 av. J.-C. Les Carthaginois occupent le sud-est de l'Espagne

1500 — 1000 — 500

1200 av. J.-C. La culture « talaïotique » de Minorque érige trois sortes de monuments mégalithiques sans équivalent : les *taulas*, les *talaiots* et les *navetas*

Taula *de Minorque*

775 av. J.-C. Colonies phéniciennes sur le littoral près de Málaga

v. 300 av. J.-C. Sculpture de la Dame d'Elche *(p. 286)*

700 av. J.-C. Le royaume mal connu de Tartessos atteint son apogée

Collier en verre carthaginois

Romains et Wisigoths

Vase romain

Venus sur la péninsule Ibérique pour combattre les Carthaginois, les Romains ne résistèrent pas à la tentation de s'emparer de ses richesses minérales et d'étendre leur empire. La conquête leur prit toutefois 200 ans. Partagée en trois provinces, la Tarraconaise, la Lusitanie et la Bétique, l'Espagne romaine, l'Hispania, connut plusieurs siècles de prospérité avant de tomber aux mains des Wisigoths au Ve siècle. Désunis, ceux-ci ne purent résister aux envahisseurs maures débarqués d'Afrique du Nord.

L'Hispania en l'an 5 av. J.-C.

- *Tarraconaise*
- *Lusitanie*
- *Bétique*

Trajan *(53-117)*
Premier empereur romain (98-117) né en Hispania, Trajan agrandit l'Empire et améliora son administration.

Sénèque *(4 av. J.-C.- 65 apr. J.-C.)*
Né à Cordoue, ce philosophe fut le précepteur de Néron.

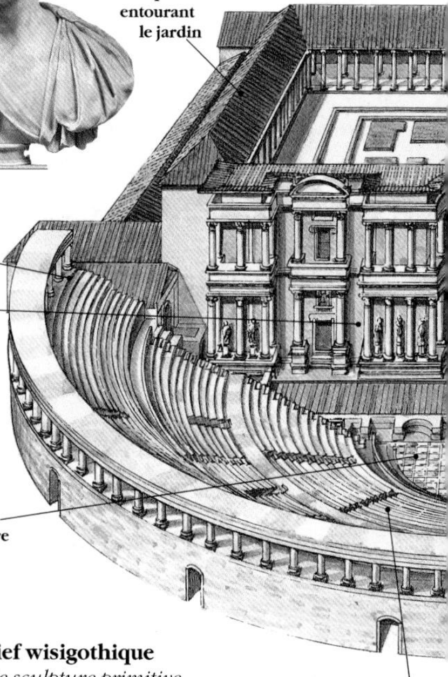
Portique entourant le jardin
L'acoustique était partout excellente
La façade servait de décor aux tragédies. Les comédies exigeaient d'autres éléments.
L'*orchestra* semi-circulaire abritait le chœur
5 000 spectateurs, placés selon leur position sociale, tenaient sur les gradins.

Relief wisigothique
Cette sculpture primitive inspirée d'un relief romain orne l'église du VIIe siècle de Quintanilla de las Viñas, près de Burgos (p. 352).

Chronologie

218 av. J.-C. Scipion l'Africain débarque à Emporion *(p. 206)* avec une armée romaine. Début de la 2e guerre punique

v. 200 av. J.-C. Les Romains atteignent l'actuelle Cadix après avoir chassé les Carthaginois d'Hispania

155 av. J.-C. Début des guerres lusitaniennes. Les Romains envahissent le Portugal

26 av. J.-C. Fondation d'Emeritana Augusta (Mérida) qui devient la capitale de la Lusitanie

19 av. J.-C. Fin de 200 ans de guerre avec la conquête par Auguste de la Cantabrie et des Asturies

200 av. J.-C. | 100 | **1 apr. J.-C.** | **100 apr.**

219 av. J.-C. Le Carthaginois Hannibal prend Sagonte *(p. 239)*

Hannibal

133 av. J.-C. Les Celtibères de Numantia, près de Soria *(p. 359)*, brûlent leur propre ville

61 av. J.-C. Jules César, gouverneur de l'Hispania Ulterior, commence la conquête finale de la Galice et du nord du Portugal

82-72 av. J.-C. Guerre civile à Rome. Pompée fonde Pompaelo (Pampelune) en 75 av. J.-C.

74 L'empereur Vespasien accorde aux villes d'Hispania le statut de cités romaines

Mosaïque
Sur cette mosaïque du IVe siècle, des vignettes indiquent les noms des gladiateurs en action et précisent s'ils sont vivants ou morts.

Où voir l'Espagne romaine

D'importants vestiges romains subsistent à Mérida, à Tarragone *(p. 214)* et à Italica *(p. 452)*. En Galice, Lugo *(p. 95)* a conservé une superbe enceinte fortifiée. Le pont construit sous Trajan au-dessus du Tage à Alcántara *(p. 392)* porte un temple.

***D'Emporion**, cité romaine fondée au IIIe siècle av. J.-C. près d'une ancienne colonie grecque, ont été dégagées les ruines de villas et du forum* (p. 206).

L'aqueduc de Ségovie (p. 347) *est un immense ouvrage d'art de la fin du Ier siècle. Il compte 163 arches.*

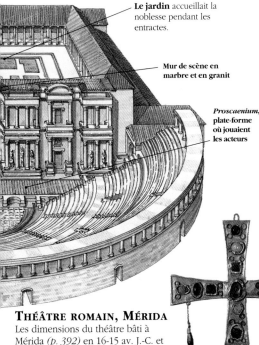

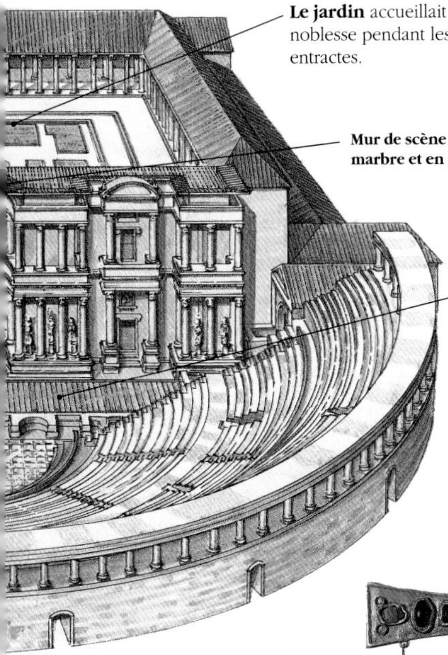
Le jardin accueillait la noblesse pendant les entractes.
Mur de scène en marbre et en granit
***Proscaenium*, plate-forme où jouaient les acteurs**

Croix wisigothique
L'art et l'architecture chrétiens prirent un grand essor sous les rois wisigoths.

Théâtre romain, Mérida

Les dimensions du théâtre bâti à Mérida *(p. 392)* en 16-15 av. J.-C. et reconstitué sur ce dessin montrent la popularité de cet art en Hispania.

Mosaïque de Mérida

409 Les Vandales et leurs alliés pénètrent en Tarraconaise

415 Les Wisigoths installent leur cour à Barcelone

446 Tentative romaine de reconquête de l'Hispania

476 Fin de l'Empire romain d'Occident avec le renversement de Romulus Augustule

200 | 300 | 400 | 500

258 Les Francs franchissent les Pyrénées et pillent Tarragone

313 L'empereur Constantin reconnaît le christianisme

Enluminure chrétienne du Codex Vigilianus

589 Arien, le roi wisigoth Reccared Ier se convertit au catholicisme au 3e concile de Tolède

Al Andalus : l'Espagne islamique

Vase de l'Alhambra *(p. 467)*

Les Arabes et leurs alliés berbères qui envahirent la péninsule en 711 donnèrent naissance à la plus brillante civilisation d'Europe au haut Moyen Âge. Unifié par les émirs de Cordoue, capitale où les arts et les sciences s'épanouissent, le territoire contrôlé par les « Maures » prend le nom d'Al Andalus. Il devient un califat en 929, mais finit par se diviser en petits royaumes incapables de résister à la Reconquête menée depuis les territoires chrétiens du nord.

L'Espagne en 750

☐ *Limite de la conquête maure*

Noria
Les techniques d'irrigation des Maures permirent l'introduction de nouvelles cultures comme le riz et les agrumes.

Astrolabe
Les Arabes mirent au point vers l'an 800 cet instrument utilisé par les navigateurs et les astronomes.

Bassins et jardins entouraient le palais du XIe siècle.

Vestige d'un amphithéâtre romain

Entrée fortifiée

Enceinte extérieure

Cassette d'Hisham II
Cette cassette en argent témoigne du raffinement de l'artisanat qui s'épanouit dans le califat de Cordoue.

Chronologie

711 Conduits par Tarik, des Berbères battent les Wisigoths à Guadalete

732 Charles Martel arrête à Poitiers l'avance des Maures en France

778 Les Basques vainquent l'arrière-garde de Charlemagne à Roncevaux *(p. 130)*

785 La grande mosquée de Cordoue est entreprise

Charlemagne (742-814)

750 — 800 — 850

722 Victoire à Covadonga des chrétiens conduits par Pélage *(p. 105)*

Pélage (718-737)

744 Le roi chrétien Alphonse Ier des Asturies conquiert le León

756 Abd al-Rahman Ier établit un émirat indépendant à Cordoue

v. 800 Le tombeau de saint Jacques est « découvert » à Saint-Jacques-de-Compostelle

822 Début du règne d'Abd al-Rahman II, grand patron des arts et des sciences

Puerta de Sabbath, Mezquita de Cordoue
La calligraphie est un élément décoratif essentiel de l'art islamique, en particulier dans les mosquées, comme ici celle de Cordoue (p. 456-457).

OÙ VOIR L'ESPAGNE ISLAMIQUE

C'est en Andalousie, en particulier dans les villes de Cordoue *(p. 454-457)* et Grenade *(p. 462-468)*, que s'admirent les plus beaux édifices islamiques. À Almería *(p. 477)* subsistent les ruines d'un *alcazaba* et Jaén *(p. 469)* a conservé des bains. Saragosse renferme le palais de La Aljafériá *(p. 227)*.

Medina az Zahara (p. 453), *pillée au XIe siècle mais en partie restaurée, fut le dernier palais des califes de Cordoue.*

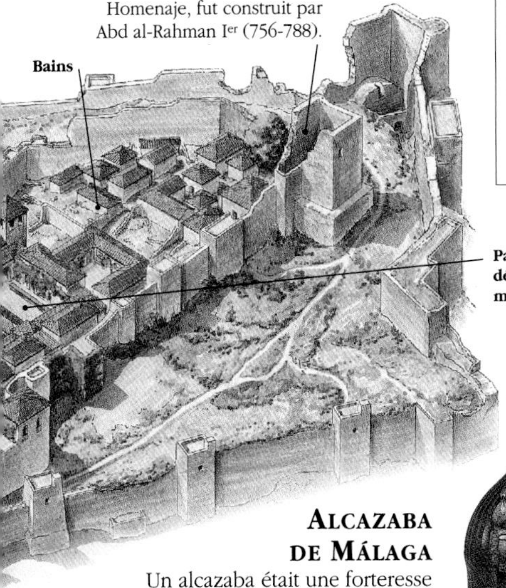
Le donjon, la torre del Homenaje, fut construit par Abd al-Rahman Ier (756-788).
Bains
Patio à la décoration maure

ALCAZABA DE MÁLAGA

Un alcazaba était une forteresse intégrée aux remparts d'une cité maure. Bâti du VIIIe au XIe siècle sur le site d'une place forte romaine, celui de Málaga *(p. 450)*, le principal port du royaume de Grenade, a conservé d'importants vestiges de sa double enceinte ponctuée de tours de défense et de portes.

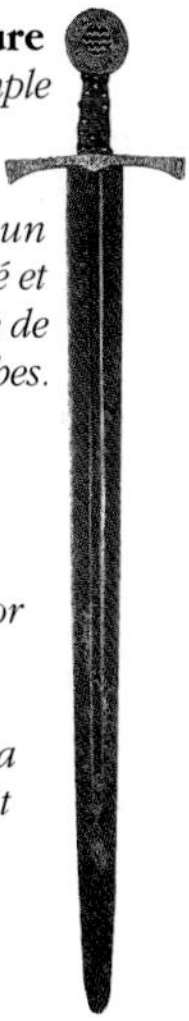

Épée maure
Bel exemple d'artisanat islamique, cette épée a un pommeau doré et une lame gravée de caractères arabes.

Casque de guerrier
Mariant fer, or et argent, ce casque d'un membre de la noblesse avait une fonction ornementale autant que guerrière.

905 Sanche Ier fait de la Navarre un royaume chrétien

913 La capitale chrétienne s'établit à León

936 Le palais de Medina az Zahara est entrepris près de Cordoue

976 Le dictateur militaire Al Mansour ravage Barcelone. Achèvement de la Mezquita de Cordoue

1010 Des Berbères ravagent Medina az Zahara

1013 Abolition du califat de Cordoue qui se fractionne en petits royaumes dit de *taifas*

900 | 950 | 1000

Cerf en bronze de Medina az Zahara

La Reconquête

Croix des chevaliers de Saint-Jacques

Les jeunes royaumes chrétiens du Nord, León, Castille, Navarre, Aragon et Catalogne, s'étendirent vers le Sud au XIe siècle, menant une guerre sainte qui conduisit les Maures, après la chute de Tolède en 1085, à appeler en renfort des fanatiques musulmans d'Afrique du Nord : les Almoravides puis les Almohades. Ceux-ci prirent le contrôle d'Al Andalus au XIIe siècle. Ils ne purent toutefois arrêter l'avance chrétienne et le royaume de Grenade resta bientôt seul sous domination islamique.

L'Espagne en 1173

- ☐ *Royaumes chrétiens*
- ▩ *Al Andalus*

Ferdinand Ier
Il fonda la première puissance militaire chrétienne d'importance en unissant en 1037 la Castille et le León.

Gobelet en or
Le gobelet (1063) de Doña Urraca, fille d'Alphonse VI, montre la qualité de l'artisanat des royaumes chrétiens.

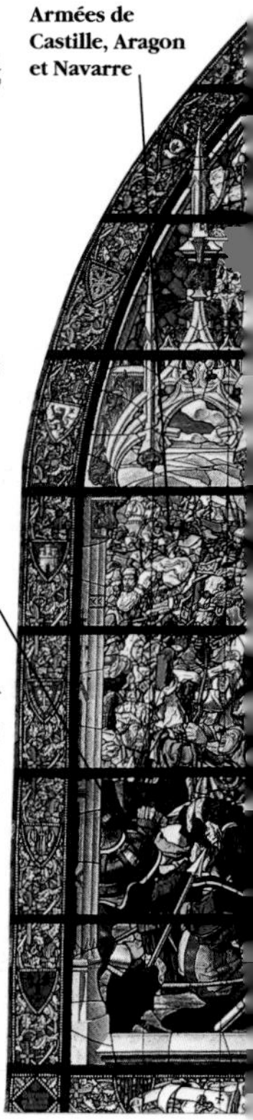

Armées de Castille, Aragon et Navarre

Les Almohades combattent jusqu'à la dernière extrémité.

L'Alhambra, palais des Nasrides
L'art et l'architecture restèrent florissants dans le royaume nasride de Grenade. Le superbe palais de l'Alhambra (p. 466-467) *en est le fleuron.*

Las Navas de Tolosa

Pour une fois réunies, les troupes de Sanche VII de Navarre, Pierre II d'Aragon et Alphonse VIII de Castille écrasèrent en 1212, à Las Navas de Tolosa, l'armée almohade commandée par Muhammad II al Nasir. À Roncevaux *(p. 130)*, un vitrail dépeint cette bataille dont l'Espagne maure ne se releva pas.

Chronologie

1037 Ferdinand Ier unit la Castille et le León

1065 La mort de Ferdinand Ier conduit à une guerre fratricide entre ses fils

1086 Venus du Maroc, les Almoravides prennent le contrôle d'Al Andalus

Uniformes d'ordres de chevalerie

1158 Fondation de l'ordre de Calatrava, premier ordre de chevalerie d'Espagne

1050 — 1100 — 1150 — 12

Le Cid

1085 Alphonse VI de Castille prend Tolède

1094 Le Cid Campeador *(p. 352)* s'empare de Valence

1137 Raimond Bérenger IV, comte de Barcelone, épouse Pétronille d'Aragon. Leur fils Alphonse II unira les deux États

1143 Le Portugal devient un royaume indépendant

1147 Maîtres d'Al Andalus, les Almohades font de Séville leur capitale

1212 Unies les troupe chrétienne défont le Almohades à Las Navas de Tolos

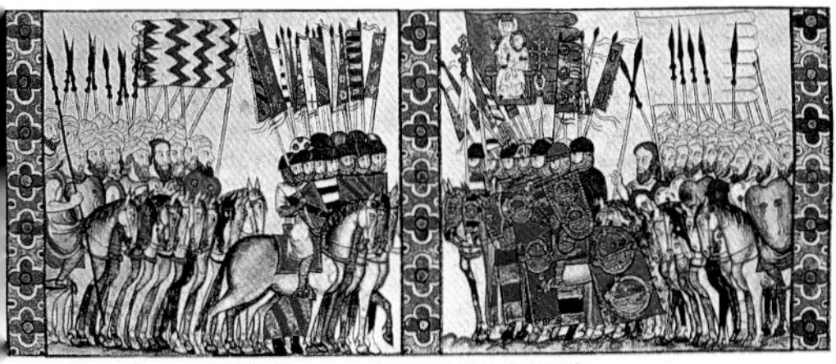

Cantigas d'Alphonse X *(1252-1284)*
Ce détail d'un manuscrit par Alphonse X le Sage montre face à face les cavaleries musulmane et chrétienne. Ce roi érudit encouragea l'étude de la culture arabe et la traduction des textes grecs transmis par les Maures.

Sanche VII de Navarre conduit les troupes chrétiennes.

Saint Jacques
Surnommé le Tueur de Maure (Matamoros), *le saint patron de l'Espagne serait intervenu de façon miraculeuse à la bataille de Clavijo en 844.*

OÙ VOIR L'ESPAGNE MUDÉJARE

Musulmans demeurés dans les territoires conquis par les chrétiens, les Mudéjars développèrent un style architectural caractérisé par une riche ornementation en brique, stuc et céramique. Certaines de leurs œuvres les plus remarquables s'admirent en Aragon, notamment à Saragosse *(p. 226-227)* et Teruel *(p. 230-231)*, mais c'est l'Alcázar de Séville *(p. 422-423)* qui offre le plus bel exemple de leur art.

***Le clocher mudéjar** de la cathédrale de Teruel présente une élégante décoration mariant briques et céramique.*

Santa Maria la Blanca (p. 373), *à Tolède, est une ancienne synagogue transformée en église.*

215 Fondation de université de Salamanque

1230 Ferdinand III réunit la Castille et le León

Blason de la Castille et du León

1232 Grenade devient la capitale du futur royaume nasride. Le palais de l'Alhambra est entrepris

1250 À l'instigation d'Alphonse X le Sage, Tolède est un grand centre de traduction et d'érudition

1250 | 1300 | 1350 | 1400

Alphonse X

1385 Cherchant à s'emparer du Portugal, Jean Ier de Castille est vaincu à Aljubarrota

1386 Invasion de la Galice par les Anglais. Le traité de Bayonne y met fin

1388-1389 Fin de la participation de l'Espagne à la guerre de Cent Ans

1401 À Séville est entreprise la plus grande cathédrale gothique de l'époque

Les Rois Catholiques

Ferdinand d'Aragon

En unissant leurs royaumes en 1479, Isabelle Ire de Castille et Ferdinand II d'Aragon *(p. 66)*, les « Rois Catholiques », jettent les fondements de l'État espagnol. Ils achèvent la Reconquête en prenant Grenade à Boabdil, puis instaurent l'Inquisition et obligent les juifs et les Maures à se convertir au christianisme ou à s'exiler. Le soutien qu'ils apportent à Christophe Colomb permet la découverte du Nouveau Monde.

L'EXPLORATION PAR L'ESPAGNE DU NOUVEAU MONDE

— *Trajet de Christophe Colomb*

Tombe d'el Doncel *(XVe siècle)*
Page d'Isabelle la Catholique, le commandeur Martin Vázquez, dit el Doncel, périt devant Grenade en 1486.

L'Inquisition
Isabelle instaura l'Inquisition (p. 264) *en 1478 en Castille. Ce membre de la Confrérie de la Mort accompagnait les condamnés au bûcher.*

Alhambra
Boabdil s'approche avec les clés

LA CHUTE DE GRENADE *(1492)*
Cette interprétation romantique de l'événement par Francisco Padrilla (1846-1921) montre la conclusion d'une guerre d'usure de dix ans : Boabdil remettant les clés du dernier royaume maure d'Espagne aux Rois Catholiques Ferdinand et Isabelle.

Baptême de juifs
Les conversos, *juifs qui avaient préféré le baptême à l'exil, restèrent suspects aux yeux de l'Inquisition et des catholiques.*

CHRONOLOGIE

1450 — **1460** — **1470** — **1480**

1451 Naissance d'Isabelle de Castille

1454 Henri IV, demi-frère d'Isabelle, monte sur le trône de Castille

Ferdinand et Isabelle sur une pièce du XVe siècle

1465 Guerre civile en Castille

1469 Mariage à Valladolid d'Isabelle de Castille et de Ferdinand d'Aragon

1474 Mort d'Henri IV. Sa fille, Jeanne la Beltraneja, dispute le trône à Isabelle qui l'emporte

Torquemada

1478 Une bulle papale instaure l'Inquisition en Castille. Tomás de Torquemada en sera le 1er inquisiteur général.

1479 Ferdinand devient roi d'Aragon

Arrivée de Christophe Colomb en Amérique
Les Rois Catholiques financèrent l'expédition de Christophe Colomb dans l'espoir d'ouvrir une nouvelle route commerciale avec l'Orient.

Boabdil
Selon la légende, sa mère lui aurait dit : « Ne pleure pas comme un enfant ce que tu n'as pas su défendre comme un homme. »

Ferdinand d'Aragon

Isabelle de Castille est entourée d'une cour brillante.

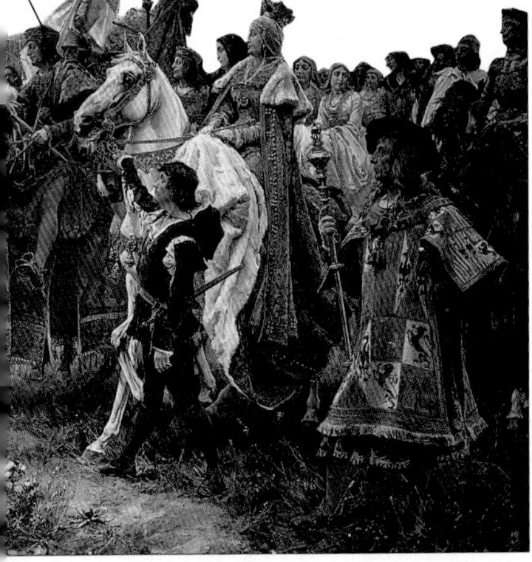

Où voir l'Espagne gothique

Parmi les grandes cathédrales gothiques figurent celles de Séville *(p. 418-419)*, de Burgos *(p. 354-355)*, de Barcelone *(p. 144-145)*, de Tolède *(p. 374-375)* et de Palma de Majorque *(p. 496-497)*. Il existe aussi des édifices profanes comme La Lonja de Valence *(p. 241)* ou de nombreux châteaux *(p. 326-327)*.

La cathédrale de León (p. 336-337) *présente une riche décoration sculptée. Le Christ préside ici au Jugement dernier.*

Couronne d'Isabelle
La couronne portée par Isabelle à la reddition de Boabdil s'admire à la Capilla Real de Grenade (p. 462).

1494 Le traité de Tordesillas divise les territoires du Nouveau Monde entre Espagne et Portugal

1496 Fondation de Saint-Domingue, première ville espagnole du Nouveau Monde

1509 Les troupes du cardinal Cisneros attaquent Oran et l'occupent temporairement

Le cardinal Cisneros

1490 | 1500 | 1510

1492 Chute de Grenade. Christophe Colomb découvre l'Amérique. Expulsion des juifs

La Santa Maria de Christophe Colomb

1502 Expulsion des musulmans non convertis

1504 Mort d'Isabelle, Jeanne la Folle devient reine de Castille et Ferdinand régent

1516 Mort de Ferdinand

1512 L'annexion de la Navarre achève l'unification de l'Espagne

L'âge des découvertes

Dieu aztèque (v. 1540)

La découverte par Christophe Colomb des Antilles en 1492 ouvre la voie aux conquistadors qui s'emparent du Mexique (1519), du Pérou (1532) et du Chili (1541), détruisant par avidité les brillantes civilisations indiennes. Avec les richesses qu'ils arrachent au continent, Charles Ier (l'empereur Charles Quint) et son fils Philippe II s'efforcent d'accroître leur puissance en Europe et de contenir l'empire turc des Ottomans.

L'EMPIRE ESPAGNOL EN 1580

☐ *Territoires de Philippe II*

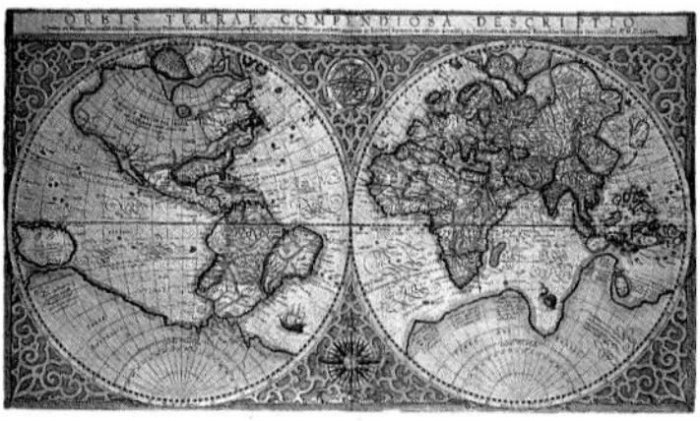
ORBIS TERRAE COMPENDIOSA DESCRIPTIO

Le monde s'agrandit *Cette carte allemande du XVIe siècle n'aurait pu être tracée avant l'époque des conquistadors.*

Masque aztèque *L'ignorance et l'avidité des conquérants espagnols détruisirent au Mexique la civilisation des Aztèques, et au Pérou celle des Incas.*

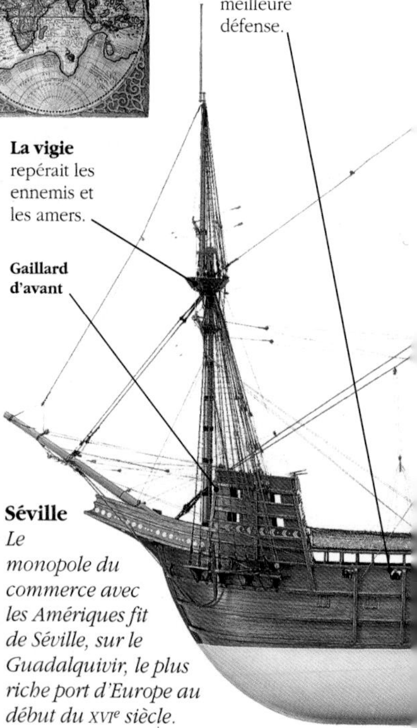
Leurs canons offraient aux galions leur meilleure défense.
La vigie repérait les ennemis et les amers.
Gaillard d'avant

Séville *Le monopole du commerce avec les Amériques fit de Séville, sur le Guadalquivir, le plus riche port d'Europe au début du XVIe siècle.*

CHRONOLOGIE

1519 L'Espagne finance la tentative de tour du monde du Portugais Magellan

1520-1521 Charles Ier nomme Adrien d'Utrecht régent. Les villes castillanes se révoltent

1532 Pizarro s'empare du Pérou et détruit l'empire inca avec 180 hommes

Pizarro

1554 Le mariage du futur Philippe II et de Marie Tudor d'Angleterre conduit à la guerre avec la France

1520 | 1530 | 1540 | 1550

Le conquistador Hernán Cortés

1519 Conquête du Mexique par Cortés. Charles Ier devient l'empereur Charles Quint

1540 Le père Bartolomé de Las Casas dénonce l'oppression des Indiens

Bartolomé de Las Casas

Défaite de l'Invincible Armada
La flotte de 133 vaisseaux armée par Philippe II pour envahir l'Angleterre connut un échec désastreux en 1588.

Les plantes du Nouveau Monde

Plant de cacao

L'exploitation du Nouveau Monde n'apporta pas que de l'or et de l'argent, mais également la richesse des plantes. Certaines, comme le maïs et la pomme de terre, furent acclimatées en Espagne. D'autres, tels le tabac et le cacao, restèrent principalement cultivées sur place mais leur consommation se répandit en Europe.

Présentation exotique d'un fruit

Armure de Philippe II
Brillant administrateur, Philippe II (1556-1598) prétendait diriger le monde davantage par la plume que par les armes.

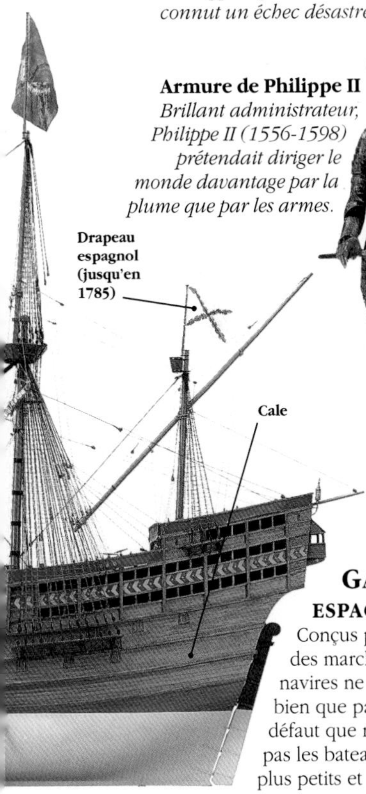

Galion espagnol

Conçus pour le transport des marchandises, ces navires ne manœuvraient bien que par vent arrière, un défaut que ne possédaient pas les bateaux des pirates, plus petits et plus élancés.

Charles Ier *(1516-1556)*
Tout au long de son règne, l'empereur Charles Quint chercha à réduire par la force le protestantisme.

1557 Première banqueroute partielle de l'Espagne

1561 L'Escorial est entrepris près de Madrid

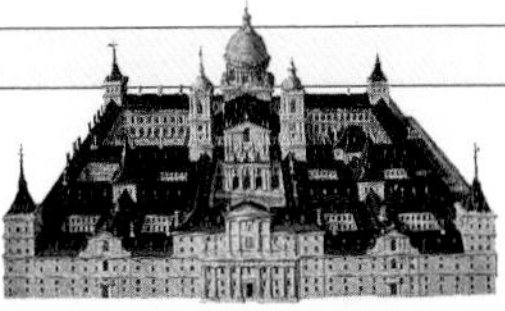

L'Escorial (p. 312-313)

1588 Échec de l'Invincible Armada

1560 | **1570** | **1580** | **1590**

1561 Madrid devient capitale de l'Espagne

1568 Révolte des Morisques (musulmans convertis) dans les Alpujarras (Grenade)

1571 Victoire navale de Lépante sur les Turcs

1569 Première bible publiée en castillan

1580 Le Portugal et l'Espagne sont unifiés pour 60 ans

Le Siècle d'or

Au XVIe siècle et au début du XVIIe siècle, art et culture espagnols connaissent une période brillante avec des peintres comme El Greco et Velázquez *(p. 28-29)*, des dramaturges tels que Lope de Vega et Calderón de la Barca, et la publication du *Don Quichotte* de Cervantes. L'économie, toutefois, se détériore, les guerres avec les Pays-Bas et la France ruinent le pays qui perd de l'influence en Europe, alors que la dynastie des Habsbourg entre en déclin.

L'EMPIRE ESPAGNOL EN EUROPE EN 1647

☐ *Territoires espagnols*

Don Quichotte et Sancho Pança
L'œuvre de Cervantès opposant les folles aspirations de Don Quichotte au réalisme de son valet ouvrit la voie au roman moderne.

Le duc de Lerma
Ce Premier ministre de Philippe III (1598-1618) fut responsable de l'expulsion des Morisques.

Une horloge évoque l'inévitable écoulement du temps.

Le chevalier porte des vêtements du milieu du XVIIe siècle.

L'argent représente l'opulence d'ici-bas.

LE RÊVE DU CHEVALIER *(1650)*
Ce tableau attribué à Antonio de Perda développe un des thèmes favoris du Siècle d'or : la vanité de l'existence. Un jeune homme dort à côté d'objets symbolisant la richesse, le pouvoir ou le savoir, mais le crâne rappelle que les plaisirs de la vie n'ont pas plus de réalité qu'un songe.

CHRONOLOGIE

Philippe III

1600 Valladolid est temporairement capitale

1609 Philippe III expulse les Morisques

1619 Construction de la Plaza Mayor, Madrid

1621 La guerre des Pays-Bas reprend après 12 ans de trêve

1625 Prise de Breda après un an de siège

1643 Grave défaite face à la France à Rocroi. Disgrâce du comte-duc d'Olivares

1600 | 1610 | 1620 | 1630 | 1640

1605 Publication de la première partie de *Don Quichotte*

1609 Lope de Vega publie un poème sur l'art de la comédie

Lope de Vega (1562-1635)

1622 Velázquez s'installe à Madrid et devient peintre de la cour l'année suivante

1640 Sécession du Portugal uni à l'Espagne depuis 1580

Fête sur la Plaza Mayor de Madrid
Sur cette célèbre place (p. 263) *avaient lieu cérémonies royales, courses de taureaux et exécutions capitales.*

L'École de Séville

Enrichie par le commerce avec le Nouveau Monde, Séville devint le plus grand centre artistique d'Espagne après la cour royale. Velázquez y naquit et y suivit la formation de Pacheco. Le Museo de Bella Artes *(p. 412)* expose les œuvres de grands peintres et sculpteurs tels que Martínez Montañés, Zurbarán et Murillo.

***San Diego de Alcalá nourrissant les pauvres* (v. 1646) par Murillo**

Un ange prévient que la mort est proche.

Le ruban dit : « Elle (la mort) perce sans cesse, vole vite et tue. »

Un masque symbolise les arts.

Des armes représentent le pouvoir.

e crâne sur le livre appelle que la mort iomphe du savoir.

Expulsion des Morisques
Les Maures convertis au christianisme furent contraints à l'exil en 1609.

La Reddition de Breda
La ville hollandaise se rendit le 5 juin 1625 après un an de siège, un événement peint en 1634-1635 par Velázquez.

1652 L'Espagne reprend la Catalogne à la France

Calderón de la Barca

1669 Publication de la dernière œuvre de Calderón de la Barca : *La Estátua de Prometeo*

1683-1684 Louis XIV attaque la Catalogne et les Pays-Bas espagnols

1650 | 1660 | 1670 | 1680 | 1690 | 1700

1648 Les traités de Westphalie entérinent l'indépendance des Provinces-Unies et mettent fin à la guerre de Trente Ans

1659 Paix des Pyrénées avec la France. Louis XIV épouse Marie-Thérèse, fille de Philippe IV

Pièce du règne de Philippe IV

1700 Mort de Charles II. Lui succède un Bourbon, Philippe V, petit-fils de Louis XIV

Des Bourbons à la Ire République

Isabelle II

La guerre de Succession d'Espagne s'achève en 1714 par le triomphe des Bourbons. Ils font du pays un État centralisé, et le despote éclairé Charles III engage des réformes salutaires. L'invasion menée par Napoléon déclenche en 1808 la guerre d'indépendance. Les conflits de succession qui suivent le rétablissement de Ferdinand VII en 1814 conduisent à l'éphémère première République.

L'Espagne en 1714

☐ *Découpage du traité d'Utrecht*

Les Lumières
La philosophie des Lumières ouvrit de nouveaux horizons. Cette montgolfière s'éleva au-dessus de Madrid le 5 juillet 1784.

La reine Marie-Louise
Peinte ici par Goya, cette femme autoritaire força en 1792 son mari Charles IV à nommer Premier ministre son amant Manuel Godoy.

La posture du condamné évoque la Crucifixion.

Un franciscain fait partie des victimes.

Des civils périrent par centaines, la répression durant plusieurs jours.

Bataille de Trafalgar
En écrasant en 1805 la flotte franco-espagnole au large du cap de Trafalgar, l'amiral Nelson mit fin à la puissance navale de l'Espagne.

Chronologie

1702-1714 Guerre de Succession d'Espagne. L'Espagne perd des provinces des Pays-Bas et Gibraltar au traité d'Utrecht

1724 Louis Ier, couronné à l'abdication de son père Philippe V, meurt dans l'année. Son père reprend son trône

1767 Charles III expulse les jésuites d'Espagne et des colonies

1700 | 1720 | 1740 | 1760 | 1

1714 Siège et conquête de Barcelone par Philippe V

Philippe V, premier Bourbon roi d'Espagne (1700-1724)

Comte de Floridablanca (1728-1808)

1762-1763 L'Angleterre dispute à l'Espagne ses colonies d'Amérique

1782 Le comte de Floridablanca participe à la reconquête de Minorque

Le départ de Naples de Charles III
Ferdinand VI mourut sans héritier en 1759, et son demi-frère, Charles VII de Naples, devint le roi d'Espagne Charles III. Il fonda les Académies des sciences et des arts et libéralisa le commerce.

Le général Prim *(1814-1870)*
Cet officier joua un rôle essentiel au XIXe siècle. Il contraignit Isabelle II à l'abdication et mena une politique libérale jusqu'à son assassinat à Madrid.

Les soldats français obéissaient aux ordres du maréchal Murat.
Casque de l'infanterie française

LE TROIS MAI 1808 PAR GOYA *(1814)*

Le 2 mai 1808, le peuple de Madrid se souleva contre les forces d'occupation napoléoniennes. Le lendemain, l'armée française exerça une répression féroce, exécutant des centaines de civils, manifestants comme simples passants. Cet événement déclencha la guerre d'indépendance.

Magnificence baroque
Le baroque fut en Espagne d'une somptuosité inégalée en Europe comme en témoigne la sacristie de la chartreuse de Grenade.

1805 Bataille de Trafalgar. Nelson bat la flotte franco-espagnole

1809 Les troupes de Wellington se joignent aux Espagnols pour battre les Français à Talavera

Duc de Wellington

1841-1843 À la suite de Marie-Christine, le général Espartero fait fonction de régent d'Isabelle II

1868 Le général Prim contraint Isabelle II à l'exil. Amédée Ier règne jusqu'en 1870

1800 — **1820** — **1840** — **1860**

1808-1814 Règne de Joseph Bonaparte. Guerre d'indépendance

1812 La promulgation d'une constitution libérale à Cadix traîne un soulèvement militaire

1821 Le Pérou et le Mexique proclament leur indépendance

1833-1839 Première guerre carliste

1836 Mendizábal confisque les biens monastiques

1847-1849 Deuxième guerre carliste

Soldats carlistes

Républicains et anarchistes

Primo de Rivera

En 1873, quatre présidents se succèdent à la tête de la Ire République espagnole qui ne dure pourtant qu'une année. La perte de Cuba en 1898 marque le point culminant d'une période de déclin qui voit l'anarchisme se développer en réaction à la corruption des politiques. Alphonse XIII exerce le pouvoir à partir de 1902, mais le pays ne retrouve un peu de stabilité qu'au début de la dictature de Primo de Rivera. Celui-ci est toutefois contraint de s'exiler et, en 1931, les partis de gauche remportent les élections dans les villes. La IIe République est instaurée.

L'HÉRITAGE DE LA COLONISATION EN 1900

☐ *Pays de langue espagnole*

Propagande anarchiste *L'anarchisme trouva un formidable écho en Espagne, notamment dans le Sud. L'affiche proclame : « Les livres anarchistes sont des armes contre le fascisme. »*

Les travailleurs réclament des réformes radicales.

Pio Baroja *(1872-1956) Romancier parmi les plus talentueux de son époque, il resta trop original pour rejoindre les écrivains de la « Génération de 1898 » qui aspiraient à une renaissance nationale après la perte des colonies.*

Le pouvoir au peuple

Le mécontentement social et politique prend de multiples formes pendant la IIe République. Aux aspirations séparatistes de régions comme la Catalogne s'ajoutent les revendications des ouvriers, ici une manifestation au Pays basque en 1932. Socialistes, communistes et anarchistes jouissent d'un important soutien populaire, mais l'armée se rapproche des mouvements fascistes.

Chronologie

1873 La Ire République ne dure qu'un an

Emilio Castelar (1832-1899), dernier président de la Ire République

1888 Le parc de la Ciutadella, entre autres, est construit à Barcelone pour l'Exposition universelle

1897 Un anarchiste italien assassine le Premier ministre Cánovas del Castillo

1870 | 1880 | 1890 | 1900

1870-1875 Troisième guerre carliste

1875 Restauration des Bourbons avec Alphonse XII

Alphonse XII et la reine María

1893 Une bombe anarchiste explose à l'opéra de Barcelone

1898 L'Espagne perd Cuba et les Philippines soutenus par les États-Unis

La semaine tragique
En 1909, des manifestants protestant contre une conscription tiennent pendant une semaine les rues de Barcelone. La répression est brutale.

Expositions internationales
Les grandes expositions organisées en 1929 à Séville et Barcelone transformèrent ces deux villes.

La bannière appelle à un front unitaire.

Picasso
Né à Málaga en 1881, Pablo Picasso passa ses années de formation à Barcelone (p. 148) *avant de s'installer à Paris en 1904.*

Guerre d'indépendance cubaine
À l'instigation de patriotes comme Natonio Maceo, Cuba se révolte en 1895. La campagne est désastreuse pour l'Espagne qui perd 50 000 soldats et sa flotte.

Le garrot
Ce mode d'exécution servit à tuer par strangulation des milliers de républicains.

1912 Des anarchistes tue le Premier ministre José Canalejas à Madrid

1921 Terrible défaite à Anual, au Maroc

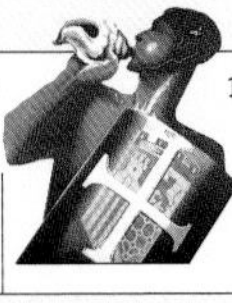

Affiche électorale

1931 Proclamation de la IIe République dirigée pendant deux ans par une coalition de gauche

1933 Gouvernement de droite après des élections générales

1910 — 1920 — 1930

1909 Semana Trágica à Barcelone. L'armée écrase la révolte d'ouvriers protestant contre l'envoi de troupes au Maroc

1923 Coup d'État de Primo de Rivera entériné par Alphonse XIII

1930 Primo de Rivera perd le soutien de l'armée et démissionne

1931 Alphonse XIII s'exile après la victoire des républicains aux élections municipales

1934 Franco dirige la répression d'une révolte de mineurs dans les Asturies

La guerre civile et l'ère franquiste

Franco

La victoire du front populaire aux élections de 1936 déclenche une insurrection des troupes stationnées au Maroc sous les ordres du général Franco. Le mouvement s'étend, mais les républicains résistent, notamment à Madrid. Aidés en sous-main par Hitler et Mussolini, les nationalistes finissent par prendre la capitale en 1939. La répression est sanglante, toute l'élite intellectuelle prend la route de l'exil. L'Espagne reste à l'écart de la Deuxième Guerre mondiale et la dictature étouffe tout esprit d'initiative.

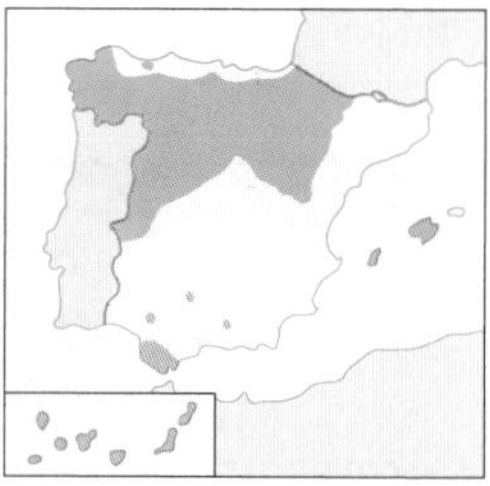

L'Espagne le 31 juillet 1936

☐ *Territoires tenus par les républicains*

▪ *Territoires occupés par les nationalistes*

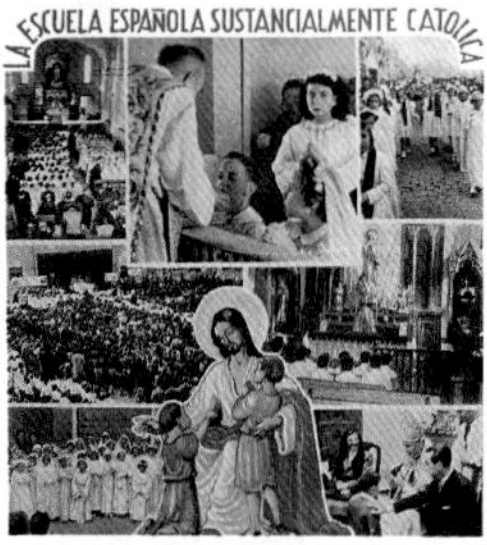

L'idéal franquiste
Sous Franco, l'Église reprit le contrôle de la société et de l'éducation.

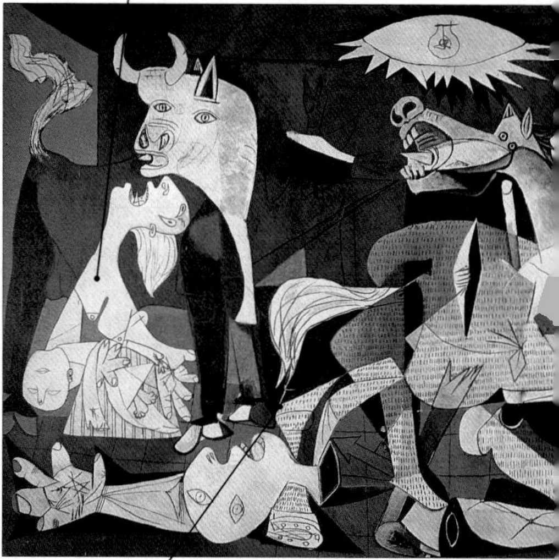

Mère serrant son enfant mort

La composition évoque violence et chaos

Guernica *(1937)*
À la demande des nationalistes, les avions de la légion nazie Condor bombardèrent la ville basque de Gernika *(p. 114)* le 26 avril 1937, un jour de marché. C'était le premier raid aérien prenant en Europe des civils pour cible. Ce massacre inspira à Picasso son célèbre tableau *(p. 289)* peint pour une exposition organisée à Paris afin de soutenir les républicains.

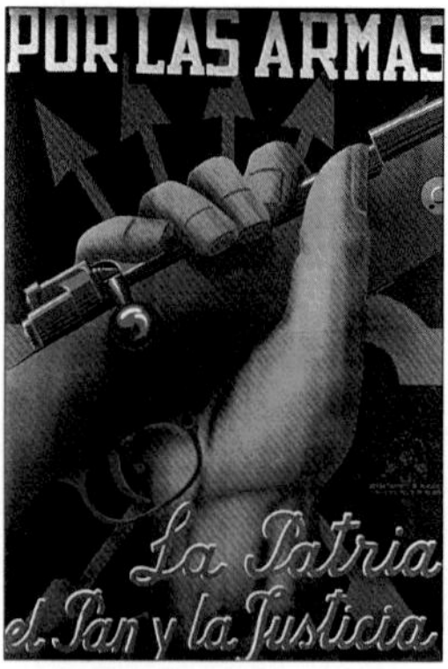

Affiche nationaliste
Sous le faisceau, symbole de la Phalange, elle invite à lutter « pour la patrie, le pain et la justice ».

Chronologie

1936 Le front populaire remporte les élections du 16 janvier. Le 17 juillet, Franco déclenche l'insurrection depuis le Maroc

1936 Franco déclaré chef de l'État le 29 septembre

1937 L'aviation nazie bombarde la ville basque de Gernika le 26 avril

1938 Les républicains perdent la bataille de Teruel le 8 janvier

1938 Les nationalistes bombardent Barcelone le 23 décembre

1939 En mars, les troupes de Franco prennent Madrid, Valence et Alicante

1939 Le 1er avril, Franco réclame une reddition inconditionnelle des républicains

1935 — 1940 — 1945 — 1950

1945 À la fin de la guerre, l'Espagne se retrouve politiquement et diplomatiquement isolée

1947 La constitution restaure la monarchie, mais institue Franco régent

1953 Les États-Unis échangent leur aide contre des bases militaires

Reddition de combattants républicains

Scène de *Noces de sang*

García Lorca

Federico García Lorca (1899-1936) fut le plus brillant des poètes et dramaturges espagnols des années 1920 et 1930. Son homosexualité et ses rapports avec la gauche en faisaient toutefois une cible de choix pour les nationalistes qui le fusillèrent près de Grenade.

Affiche anarchiste
Malgré l'hostilité des communistes, les anarchistes jouèrent un rôle majeur dans la défense de la République.

Un cheval blessé symbolise le peuple espagnol

Les témoins du massacre restent hébétés.

Geste de crucifiement

La fleur représente l'espoir prêt à renaître malgré tout.

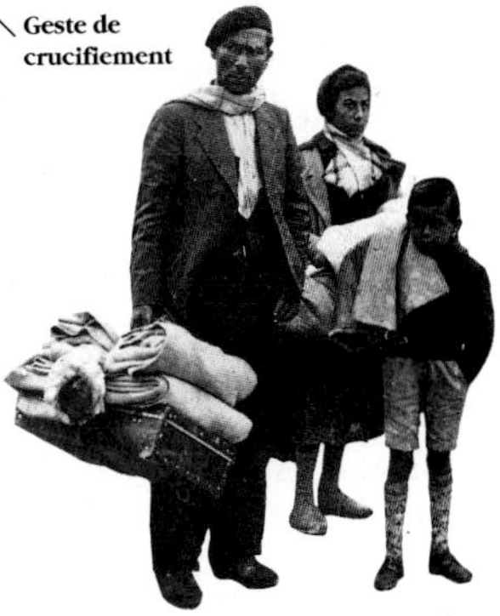

Réfugiés espagnols
À l'approche de la victoire nationaliste, des milliers de républicains, notamment des artistes et des intellectuels, fuirent l'Espagne.

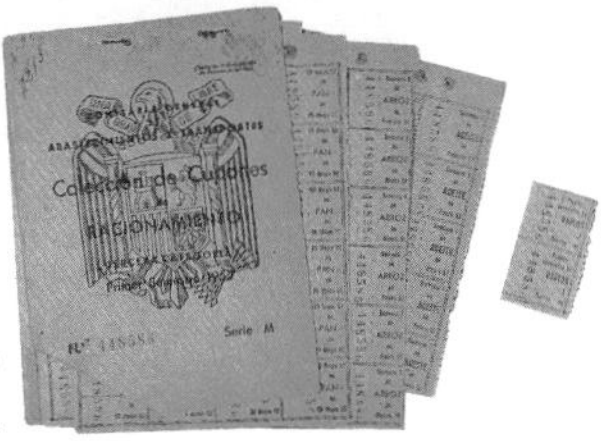

Les années affamées
Ces cartes de rationnement datent de l'après-guerre où l'Espagne connut une situation économique désastreuse jusqu'aux accords hispano-américains de 1953.

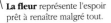

Bain de soleil

1962 Un changement de politique économique favorise le développement du tourisme

1969 Franco choisit le prince Juan Carlos comme successeur

1973 L'ETA abat le Premier ministre, l'amiral Carrero Blanco

1955 | 1960 | 1965 | 1970 | 1975

1959 Création de l'organisation séparatiste basque ETA

1955 L'Espagne entre à l'ONU

Funérailles de Franco le 23 novembre 1975

1970 Procès expéditif d'opposants à Burgos

1975 Mort de Franco. Le roi Juan Carlos assure la transition vers un régime démocratique

L'Espagne moderne

L'élégance espagnole d'aujourd'hui

Après la mort de Franco, et malgré une tentative de coup d'État militaire en 1981, l'Espagne s'ouvre remarquablement vite à la démocratie grâce, notamment, à la fermeté et à l'habileté du roi Juan Carlos. En 1982, le parti socialiste (PSOE) de Felipe González remporte une victoire électorale écrasante et entreprend les dernières grandes réformes nécessaires à l'entrée du pays dans le monde moderne. Si l'autonomie accordée aux régions ne suffit pas à désarmer le terrorisme basque, l'ouverture des frontières et un formidable élan économique permettent à l'Espagne d'entrer dans le Marché commun en 1986 et de devenir un des piliers de l'Union européenne.

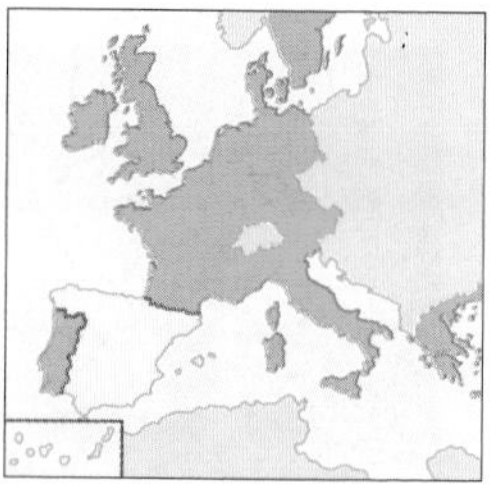

L'Espagne aujourd'hui

- *Espagne*
- *Autres pays de l'Union européenne*

Le coup d'État du 23 février 1981
Le colonel Antonio Tejero retint le Parlement en otage pendant plusieurs heures. Juan Carlos sauva la démocratie en refusant son soutien aux conjurés.

Le pavillon de Castille-León était l'un des 150 construits pour l'exposition.

Expo '92

Plus de cent pays participèrent à l'Exposition universelle organisée à Séville en 1992, année où Madrid était capitale culturelle de la Communauté européenne et où Barcelone accueillait les Jeux olympiques.

Manifestation contre l'OTAN
L'adhésion à l'Alliance atlantique en 1982 divisa une population qui se souvenait du soutien américain au régime de Franco.

Chronologie

1977 Légalisation des partis politiques. Les premières élections libres portent le centriste Adolfo Suárez au pouvoir

1981 Échec d'un coup d'État militaire

1982 L'Espagne rejoint l'OTAN et accueille la coupe du monde de football

Felipe González

1980

1985

Famille royale espagnole

1982 Le parti socialiste de Felipe González remporte une victoire électorale écrasante

1983 Le Parlement accorde un semi-statut d'autonomie au Pays Basque et à la Catalogne

1986 L'Espagne entre dans la Communauté européenne

1989 L'Espagne préside la Communauté européenne

Élection de Felipe González
Vainqueur des élections de 1982, le parti socialiste espagnol de Felipe González conservera le pouvoir pendant 13 ans.

Tourisme
Entre 1959 et 1973, le nombre de visiteurs se rendant en Espagne chaque année passa de 3 millions à 34 millions.

Ana Belén
La place et le rôle des femmes ont profondément évolué en Espagne depuis 1975. Selon un sondage des années 1980, la chanteuse et actrice Ana Belén était la femme que les Espagnoles admiraient le plus.

Cette tour penchée domine le pavillon de l'Andalousie.

Un monorail transportait les visiteurs.

EL PAIS

EPOCA

El País
Fondé à Madrid en 1976, ce quotidien est le plus vendu en Espagne. Pendant la transition vers la démocratie, il eut une grande influence sur l'opinion publique.

Jeux olympiques de Barcelone
La cérémonie d'inauguration offrit une vitrine mondiale au dynamisme créatif de l'Espagne moderne.

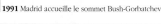

1992 500ᵉ anniversaire du voyage de Christophe Colomb

1993 González est élu pour la 3ᵉ fois

1994-1995 Des affaires de corruption affaiblissent le gouvernement

1996 Une coalition menée par Aznar remporte les élections

1998 L'ETA, groupe terroriste separatiste basque, annonce un cessez-le-feu qui durera un an.

1990 — **1995** — **2000**

1992 Les Jeux olympiques de Barcelone et l'Exposition universelle de Séville témoignent du modernisme de l'Espagne

1991 Madrid accueille le sommet Bush-Gorbatchev

Cobi, mascotte des jeux de Barcelone

2000 L'Espagne célèbre 25 ans de démocratie et de règne pour Juan Carlos Iᵉʳ

Les souverains espagnols

Prémisse de l'unification des deux royaumes, c'est le mariage d'Isabelle de Castille et de Ferdinand d'Aragon en 1469 qui établit les fondements de l'État espagnol. Avec Charles Ier, petit-fils d'Isabelle, la dynastie des Habsbourg en prend les rênes en 1516, mais, en 1700, Charles II meurt sans laisser d'héritier direct. Après la guerre de Succession d'Espagne, c'est un petit-fils de Louis XIV, Philippe V de Bourbon, qui monte sur le trône. Le roi actuel, Juan Carlos Ier, est un de ses descendants. Souverain d'une monarchie constitutionnelle, il a joué un rôle essentiel dans l'instauration de la démocratie.

1665-1700 Charles II

1474-1504 Isabelle, reine de Castille

1479-1516 Ferdinand, roi d'Aragon

1516-1556 Charles Ier d'Espagne (empereur Charles Quint)

1598-1621 Philippe III

1400	1450	1500	1550	1600	1650
ROYAUMES INDÉPENDANTS		HABSBOURG			
1400	1450	1500	1550	1600	1650

1469 Mariage de Ferdinand d'Aragon et Isabelle de Castille

1504-1516 Jeanne la Folle (Ferdinand est régent)

1621-1665 Philippe IV

1556-1598 Philippe II

Ferdinand et Isabelle, les Rois Catholiques

L'unification de l'Espagne

Le mariage en 1469 d'Isabelle et Ferdinand, les « Rois Catholiques », ouvrait la voie à l'union des deux plus importants royaumes chrétiens de la péninsule Ibérique : la Castille, principale puissance militaire, et l'Aragon, qui comprenait Barcelone et la Sicile péninsulaire. Les deux souverains menèrent une politique déterminée qui conduisit à la conquête, en 1492, du royaume nasride de Grenade, contrôlé par les Maures *(p. 52-53)*. En s'emparant de la Navarre en 1512, Ferdinand unit l'Espagne.

1843-1868 Règne d'Isabelle II après les régences de sa mère Marie-Christine (1833-1841) et d'Espartero (1841-1843)

1814-1833 Première restauration des Bourbons : Ferdinand VII

1871-1873 Amédée Ier de Savoie

1939-1975 Dictature du général Franco

1724 Louis Ier après l'abdication de Philippe V

1931-1939 Deuxième République

1759-1788 Charles III

1875-1885 Deuxième restauration des Bourbons : Alphonse XII

700	1750	1800	1850	1900	1950
BOURBONS		BOURBONS	BOURBONS		
700	1750	1800	1850	1900	1950

1746-1759 Ferdinand VI

1808-1813 Joseph Bonaparte

1788-1808 Charles IV

1724-1746 Philippe V reprend le trône après la mort de son fils Louis Ier

1902-1931 Alphonse XIII

1886-1902 Marie-Christine de Habsbourg, régente durant la minorité d'Alphonse XIII

700-1724 hilippe V

1873-1874 Première République

1868-1870 Coup d'État du général Prim

1975 Troisième restauration des Bourbons : Juan Carlos Ier

L'ESPAGNE DU NORD

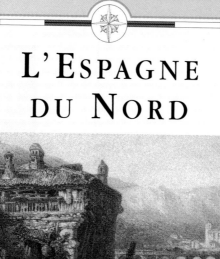

Présentation de l'Espagne du Nord

Délaissant la Méditerranée, de plus en plus de visiteurs découvrent les rochers déchiquetés et les plages de sable du littoral atlantique de l'Espagne du Nord, particulièrement beau en Galice où de nombreuses *rías* le creusent. Conséquence d'un climat doux et humide, à l'intérieur des terres s'étendent des forêts d'arbres à feuilles caduques et de gras pâturages. Au plaisir d'admirer les églises préromanes des Asturies ou les sanctuaires romans jalonnant le chemin du célèbre pèlerinage de Saint-Jacques-de-Compostelle, s'ajouteront ceux offerts à table par les produits de la mer, les fromages, ainsi que les superbes vins rouges de la Rioja.

À Oviedo (p. 102) *s'admirent une belle cathédrale gothique et plusieurs églises préromanes, dont la gracieuse Santa María del Naranco.*

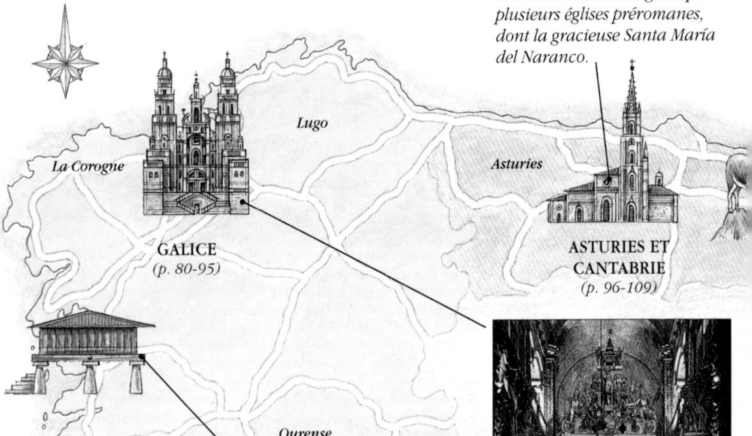

Saint-Jacques-de-Compostelle (p. 86-89) *attire chaque année dans sa cathédrale entreprise en 1074 des milliers de pèlerins et de touristes.*

Les Rías Baixas (p. 91) *forment une des plus jolies côtes d'Espagne. Dans les champs se dressent encore des greniers à grains surélevés appelés* hórreos.

Les Picos de Europa (p. 104-105) *dominent de leurs cimes majestueuses les Asturies et la Cantabrie. Les nombreux sentiers qui les parcourent permettent de découvrir de superbes paysages.*

0 50 km

◁ **La côte galicienne au sud du cabo Fisterra**

Santillana del Mar (p. 108) *est l'une des villes anciennes les mieux préservées d'Espagne. Le Convento de Regina Coeli abrite un petit musée d'art religieux qui présente notamment des statues de bois peintes.*

Saint-Sébastien (p. 118), *la plus élégante station balnéaire du Pays basque, propose dans une baie magnifique d'importantes manifestations culturelles, dont le plus important festival du film d'Espagne.*

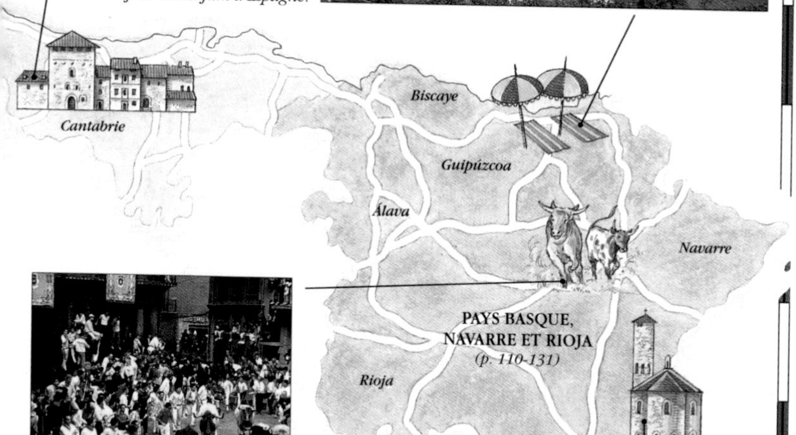

Pampelune (p. 128-129), *capitale de la Navarre depuis le* IXᵉ *siècle, ne vit que pour la fête pendant la féria de Los Sanfermines. Tous les matins, les amateurs les plus courageux courent devant les taureaux lâchés dans les rues pour l'*encierro.

Le Monasterio de Leyre (p. 131) *offrait déjà refuge aux pèlerins au* IXᵉ *siècle. Entreprise au* XIᵉ *siècle, l'église abrite les tombeaux de plusieurs rois de Navarre. Sa crypte est un des plus beaux exemples d'architecture romane primitive d'Espagne.*

Les spécialités de l'Espagne du Nord

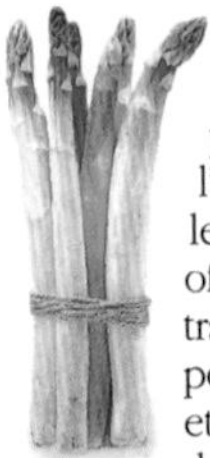

Asperges blanches

La cuisine de l'Espagne du Nord se distingue par le rôle qu'y jouent le poisson et les fruits de mer pêchés dans l'Atlantique. Ils n'en constituent toutefois pas les seuls ingrédients, les hauteurs de l'intérieur offrant truites, saumons, gibier et charcuterie traditionnelle, tandis que l'humidité du climat permet la production de nombreux fromages et la culture de légumes tels que les choux ou le maïs. Si les spécialités galiciennes tendent à privilégier la simplicité, le Pays basque, où les gourmets s'assemblent en sociétés gastronomiques, est réputé pour la sophistication de certains de ses plats. La morue s'y prépare selon des recettes très variées et souvent originales. Le cidre reste fabriqué artisanalement aux Asturies, tandis que la Navarre exporte ses asperges blanches dans le monde entier et fournit l'Espagne en *pimiento piquillo* (petit poivron).

***Le txangurro relleno**, spécialité basque, est de l'araignée de mer gratinée dans sa carapace.*

***Les baricots** jouent un rôle essentiel dans la cuisine du Nord et il en existe de nombreuses variétés. Cultivés aux Asturies, les baricots de La Granja sont sans doute les meilleurs du monde, mais ils coûtent deux fois plus cher que l'agneau. Très réputés également, ceux de Tolosa, dans le Pays basque, sont rouges et noirs.*

***Le revuelto**, brouillade d'œufs servie sur toute la côte nord, se garnit parfois de crevettes et d'asperges.*

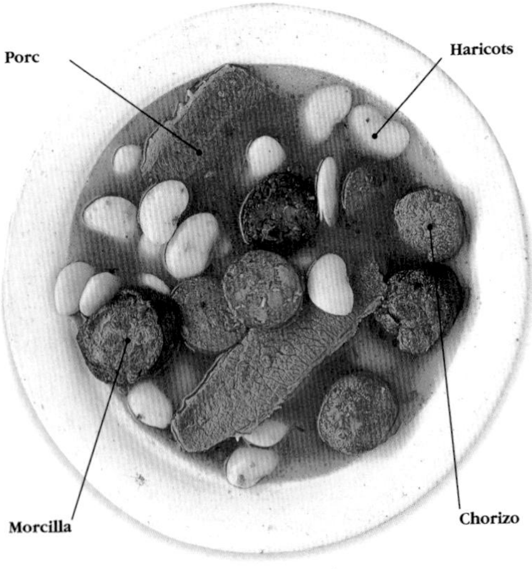

***La fabada**, spécialité des Asturies, se prépare traditionnellement avec des baricots, du porc salé, une saucisse appelée* morcilla *et du* chorizo. *Certains cuisiniers utilisent cependant aussi du bœuf, du gibier ou des fruits de mer pour proposer des fabadas plus sophistiquées.*

***L'empanada**, tourte galicienne, peut avoir une farce à la morue, au thon, aux coquillages ou au porc.*

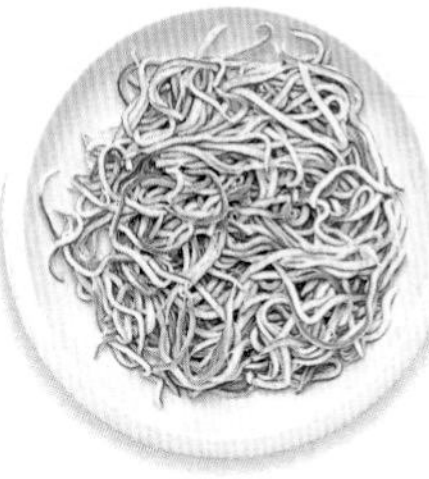

***Les angulas** (civelles), plat de luxe du Pays basque, se dégustent à peine saisies avec de l'ail et du piment.*

***Les pimientos rellenos**, poivrons farcis au poisson, aux fruits de mer ou à la viande, se dégustent en Navarre.*

***La trucha à la Navarra**, truite de montagne désossée et farcie au jambon cru, se sert grillée ou frite.*

***Les vieras de Santiago** (coquilles Saint-Jacques) se préparent avec une sauce à la tomate et à l'eau-de-vie.*

***Le lacón con grelos**, à base de lard, de saucisse et de fanes de navets, est le plat national galicien.*

***Le chilindrón de cordero**, ragoût de mouton mijoté avec des poivrons frais ou séchés, se cuisine en Navarre.*

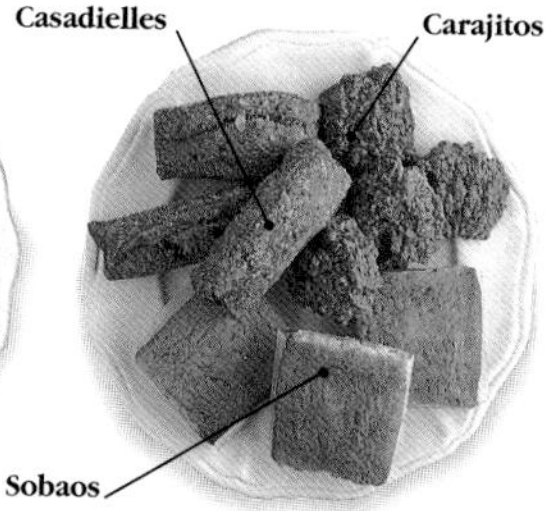

***Les pâtisseries** comprennent les* sobaos *de Cantabrie, les* carajitos *aux noisettes et les* casadielles *à la crème de marrons.*

LES FROMAGES

Les montagnes d'Asturie produisent le *picón* et le *cabralesa*. Les fromages galiciens comme la *tetilla* sont plus doux. À recommander également : le *roncal* et l'*idiazábal* (un fromage fumé) basques et le *san simón*.

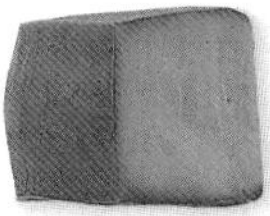

Idiazábal

Cabrales

Tetilla

PRODUITS DE LA MER

Parmi les fruits de mer pêchés sur la côte nord figurent les moules, les huîtres, les coquilles Saint-Jacques, les homards, les araignées de mer, les tourteaux, les langoustes et les langoustines. Le poulpe est une spécialité très appréciée. Anchois et thon se consomment souvent en conserve, tandis que les Basques vont jusqu'en mer d'Islande pêcher le cabillaud qui donnera la morue *(bacalao)*.

Thon

Coquille Saint-Jacques

Moules

Morue

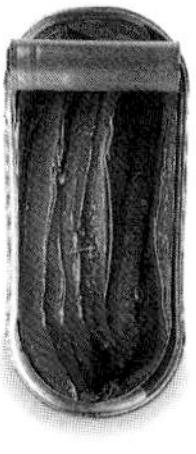

Anchois

Araignée de mer

Les vins de l'Espagne du Nord

La région viticole la plus prestigieuse d'Espagne, la Rioja, est particulièrement réputée pour ses rouges mis au point au XIXe siècle en collaboration avec des viticulteurs du Bordelais, mais produit aussi de bons crus blancs et rosés. En Navarre, un programme gouvernemental a permis aux rouges et à quelques blancs de connaître récemment une grande amélioration. Tiré en faible quantité de vignes peu ensoleillées, le *txakoli (chacolí)* basque a un goût piquant. Les meilleurs vins de Galice sont des blancs bien charpentés.

Réparation de fûts à Haro, en Rioja

***Le ribeiro**, vin galicien de consommation courante légèrement pétillant, se sert souvent à la tasse.*

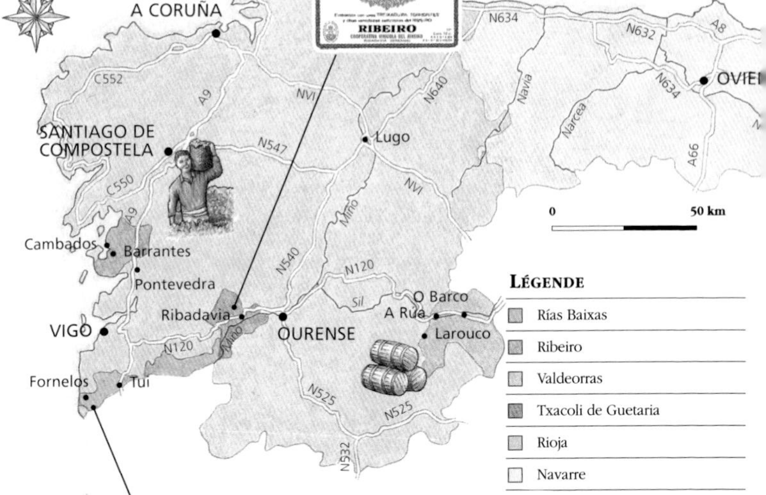

***Le lagar de cervera** provient des Rías Baixas où le cépage albariño produit les blancs les plus en vogue d'Espagne.*

LES RÉGIONS VITICOLES

Les régions viticoles de l'Espagne du Nord forment des ensembles dispersés. Au pied des Pyrénées à l'intérieur des terres, l'Ebre divise la Rioja en Rioja Alavesa, Rioja Alta et Rioja Baja. C'est aussi près du fleuve que s'étendent les vignes de Navarre. Au nord, le Pays basque ne possède qu'une minuscule région de production, le Txacoli de Guetaria, tandis qu'à l'ouest, il en existe quatre en Galice : les Rías Baixas, le Ribeiro, les Valdeorras et la Ribera Sacra de création récente.

Village viticole d'El Villar de Álava en Rioja Alta

Vendanges traditionnelles en Navarre

***Remelluri**, l'un des « châteaux » de la Rioja, propose des crus bien équilibrés en tanin.*

***Le chivite**, vinifié à partir de raisin tempranillo et vieilli en fût dans une exploitation familiale navarraise, s'apparente à un rioja.*

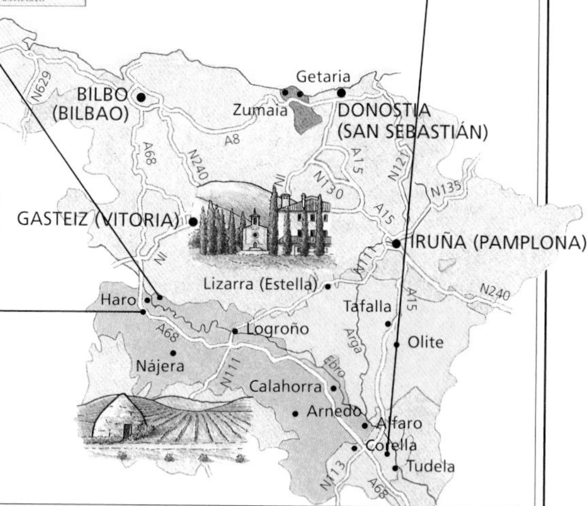

***Le viña ardanza**, comme beaucoup de rouges de la Rioja, est un mélange vieilli, pour les meilleurs crus, de 2 à 3 ans en fût de chêne.*

Ce qu'il faut savoir sur les vins d'Espagne du Nord

Sol et climat

Partout sauf dans la plaine de l'Ebre, la vigne pousse sur des sols pauvres et pierreux. La Rioja et la Navarre subissent toutes deux des influences climatiques atlantiques, dans les collines du nord-ouest plus humides, et méditerranéennes, dans la plaine de l'Ebre. Une forte pluviosité caractérise les régions viticoles du Pays basque et de la Galice.

Cépages

En Rioja comme en Navarre, le tempranillo est le grand cépage des vins rouges. Les viticulteurs de la Rioja le complètent, en plus faibles quantités, de guarnacha, de graciano et de mazuelo, tandis qu'il se marie à merveille avec le cabernet sauvignon en Navarre, où le guarnacha donne d'excellents rosés *(rosados)*. Dans les deux régions, les blancs sont principalement issus du viura. Parmi les cépages galiciens figurent l'albariño, le loureira et le treixadura qui remplace de plus en plus le palomino de qualité inférieure.

Quelques producteurs réputés

Rías Baixas : Fillaboa, Lagar de Fornelos, Morgadío, Santiago Ruiz. ***Ribeiro :*** Cooperativa Vinícola del Ribeiro. ***Rioja :*** Bodegas Riojanas (Canchales, Monte Real), CVNE (Imperial, Viña Real Oro), Faustino Martínez, Federico Paternina, Marqués de Cáceres, Marqués de Murrieta, Martínez Bujanda, Remelluri, La Rioja Alta (Viña Ardanza). ***Navarre :*** Bodega de Sarría, Guelbenzu, Julián Chivite (Gran Feudo), Magaña, Ochoa, Príncipe de Viana.

Les forêts du Nord

Grand mars

La forêt s'étendait jadis sur la majeure partie de la péninsule Ibérique, mais il ne reste qu'un dixième de ce couvert boisé, principalement dans les montagnes du nord aux précipitations élevées et aux pentes trop raides pour l'agriculture. En particulier en Cantabrie et au Pays basque, les feuillus y dominent, en majorité des hêtres, des chênes et des châtaigniers, auxquels se mêlent quelques frênes et tilleuls. De nombreuses espèces d'insectes, de mammifères et d'oiseaux vivent dans les sous-bois où subsistent les derniers ours bruns d'Espagne *(p. 100)*.

Forêt au nord de l'Espagne en automne

La forêt et son équilibre

Amanites tue-mouches

Moisissures, bactéries et insectes sont indispensables au cycle écologique d'une forêt car ce sont eux qui fournissent aux plantes les éléments nutritifs nécessaires à leur croissance en décomposant des matériaux tels qu'excréments ou feuilles mortes.

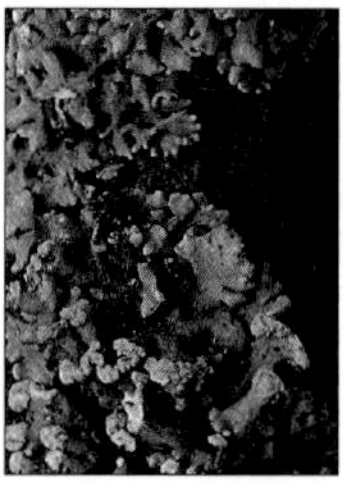

***Les lichens**, sensibles à la pollution, sont de bons indicateurs de l'état de santé d'une forêt.*

***Les lucanes** ne présentent aucun danger pour l'homme malgré l'aspect menaçant des mandibules du mâle.*

Le sol, un habitat vivant

Forêt de hêtres

Feuilles et faîne

Essence dominante sur les sols bien drainés des montagnes de Cantabrie et des Pyrénées, le hêtre garde parfois tout l'hiver des feuilles cuivrées. Ses faînes servent à l'alimentation des porcs.

Le feuillage dense freine la croissance du sous-bois.

Longs bourgeons orange

***Les loriots**, difficiles à apercevoir car ils se tiennent le plus souvent à couvert dans le sous-bois, font partie des oiseaux les plus colorés d'Europe. Femelles et jeunes sont plus ternes et possèdent une queue brune.*

***La fouine** dort pendant la journée dans un tronc creux ou le terrier abandonné par un autre animal et se nourrit la nuit de fruits, d'oiseaux et de petits mammifères.*

Répartition des forêts de feuillus

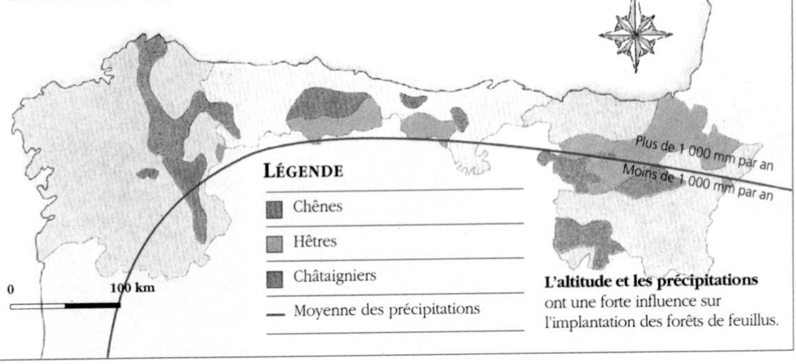

L'altitude et les précipitations ont une forte influence sur l'implantation des forêts de feuillus.

Forêt de châtaigniers

Feuilles et châtaigne

Les châtaigniers poussent sur des sols acides et bien drainés. Leurs fines fleurs jaunes donnent des fruits qui nourrissent loirs, écureuils et sangliers. Bien que dur et résistant, leur bois se fend facilement.

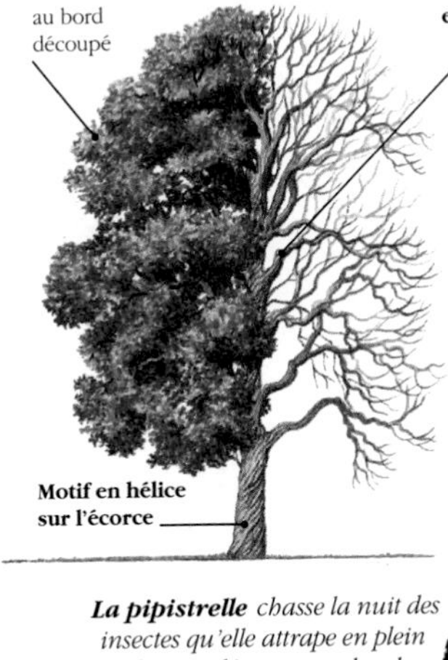

Forêt de chênes

Feuilles et gland

Chênes rouvres, chênes verts et chênes des Pyrénées nourrissent dans les vieilles forêts d'Espagne du Nord plus de trois cents espèces d'animaux telles que sangliers, écureuils et sittelles.

La pipistrelle *chasse la nuit des insectes qu'elle attrape en plein vol, mais dévore, pour les plus gros, sur un perchoir. Cette chauve-souris hiberne dans un tronc creux ou une grotte.*

Le geai, *membre de la famille des oiseaux couronnés, est une espèce des bois commune dont on entend le cri rauque mais que l'on voit peu. On l'identifie en vol grâce à sa queue noire et surtout à l'éclatante couleur bleue de ses ailes.*

La mésange bleue *trouve l'essentiel de sa nourriture au sein des feuillages et descend rarement jusqu'au sol. Le mâle et la femelle possèdent le même plumage caractéristique qui se hérisse derrière la tête en signe d'alerte.*

L'écureuil roux *n'hiberne pas et, pour se nourrir en hiver, il enterre de grandes quantités de glands. Oubliés, nombre d'entre eux germent au printemps.*

Sur le chemin de Compostelle

Saint Jacques Matamore

Selon la tradition, le corps de saint Jacques le Majeur fut rapporté en Galice, où il aurait prêché, après son martyre à Jérusalem en 44. En 813, une étoile indique l'emplacement de sa sépulture et Alphonse II y fait élever une cathédrale *(p. 88-89)*. Au Moyen Âge, un demi-million de pèlerins franchissaient chaque année les Pyrénées à Roncevaux *(p. 130)* ou au col de Somport *(p. 220)* pour venir s'y recueillir. Ils portaient le plus souvent la coquille Saint-Jacques, devenue le symbole du saint, après qu'il s'en fut servi pour sauver de la noyade un seigneur chrétien poursuivi par des Maures.

Représentation (XIXe s.) du Portico da Gloria de la cathédrale de Saint-Jacque

CAPITULUM hujus Almae Apostolicae et Metropolitanae Ecclesiae Compostellanae sigilli Altaris Beati Jacobi Apostoli custos, ut omnibus Fidelibus et Peregrinis ex toto terrarum Orbe, devotionis affectu vel voti causa, ad limina Apostoli Nostri Hispaniarum Patroni ac Tutelaris **SANCTI JACOBI** convenientibus, authenticas visitationis litteras expediat, omnibus et singulis praesentes inspecturis, notum facio: Dnum Franciscum García hoc sacratissimum Templum pietatis causa devote visitasse. In quorum fidem praesentes litteras, sigilo ejusdem Sanctae Ecclesiae munitas, ei confero.

Datum Compostellae die 26 mensis Augusti anno Dei 1995.

Secretarius Capitularis

***Un certificat** est délivré aux pèlerins qui parcourent au moins 100 km à pied, à vélo ou à cheval.*

***Astorga** (p. 334), ancienne cité romaine, devint une étape importante sur le chemin du pèlerinage. Sa cathédrale abrite un musée qui présente notamment un reliquaire du XIIIe siècle en filigrane d'or et d'argent.*

***León** était une des principales étapes du pèlerinage. Sa cathédrale (p. 336-337) renferme de superbes vitraux.*

O Cebreiro *(p. 95)* renferme une église du IXe siècle et des *pallozas*, cabanes celtes primitives.

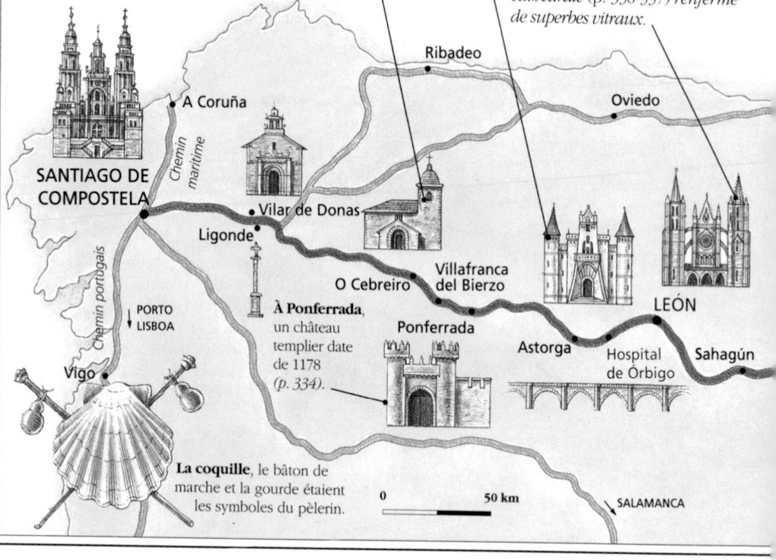

À Ponferrada, un château templier date de 1178 *(p. 334)*.

La coquille, le bâton de marche et la gourde étaient les symboles du pèlerin.

L'ARCHITECTURE ROMANE

Chapiteau

Aux xe et xie siècles, l'architecture romane *(p. 20)* se répandit en Espagne depuis la France et, le long des routes empruntées par les pèlerins de Saint-Jacques-de-Compostelle, de nombreux édifices religieux furent bâtis dans ce style caractérisé par des arcs semi-circulaires, des murs massifs percés de peu de fenêtres et une décoration sobre.

Façade

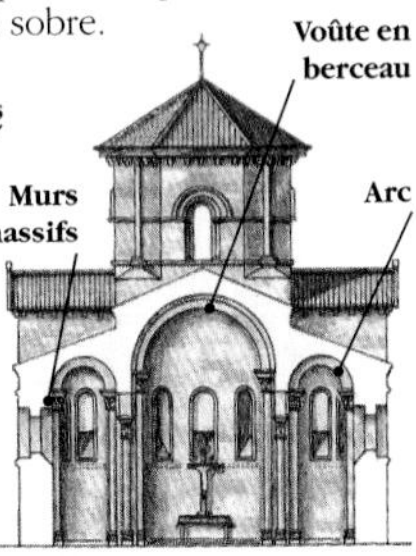

Coupe

San Martín de Frómista (p. 350), *bâtie au xie siècle, est l'exemple le plus pur d'architecture romane de « pèlerinage » avec ses nefs de hauteurs proches et ses trois absides partageant le même axe.*

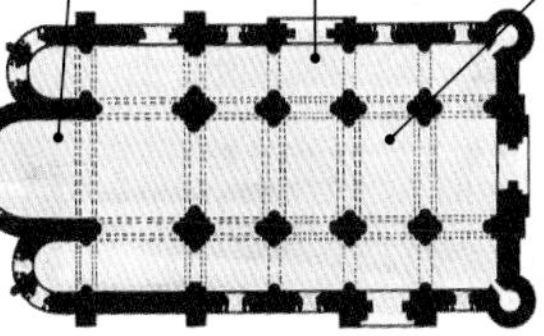

Plan

À Pampelune (p. 128), *les pèlerins purent se recueillir dans la cathédrale gothique à partir du xve siècle.*

Puente la Reina (p. 127) *doit son nom à son pont* (puente) *bâti au xie siècle et toujours emprunté par les piétons.*

À Santo Domingo de la Calzada *(p. 124)*, un parador occupe l'ancien hospice.

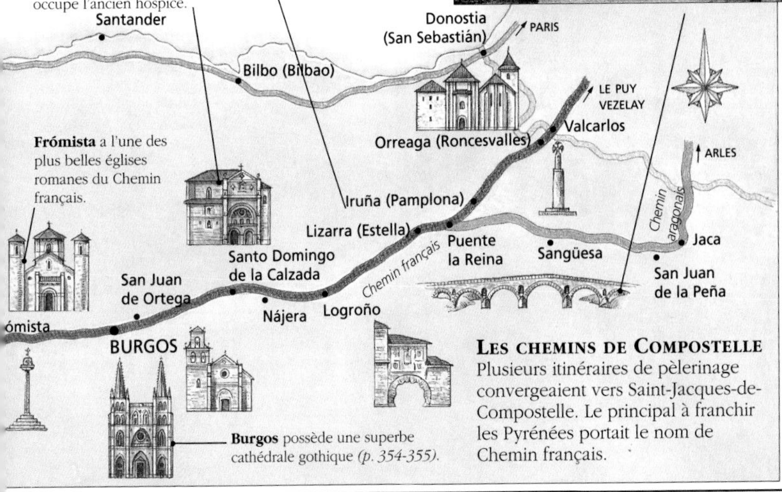

Frómista a l'une des plus belles églises romanes du Chemin français.

Burgos possède une superbe cathédrale gothique *(p. 354-355)*.

LES CHEMINS DE COMPOSTELLE

Plusieurs itinéraires de pèlerinage convergeaient vers Saint-Jacques-de-Compostelle. Le principal à franchir les Pyrénées portait le nom de Chemin français.

GALICE

LUGO · LA COROGNE · PONTEVEDRA · OURENSE

À l'angle nord-ouest du trapèze formé par la péninsule Ibérique, la Galice est la région la plus verte d'Espagne. De souche celte, sa population défend avec fierté son langage et sa culture. La mer joue un grand rôle dans sa vie économique et les rías *qui creusent la côte déchiquetée abritent de nombreux ports. Dans les collines de l'intérieur, l'agriculture reste souvent traditionnelle.*

La Galice ne commence que depuis peu à sortir de l'isolement imposé par ses reliefs et le visiteur éprouve parfois l'impression d'y remonter dans le temps. Au sein de paysages émeraude, villages aux pierres taillées dans le granit, anciennes demeures seigneuriales appelées *pazos* et greniers à grain sur pilotis *(hórreos)* prennent un aspect magique quand l'Atlantique les nimbe d'un voile de brume.

L'Océan offre depuis des siècles d'autres richesses aux Galiciens et leur cuisine réputée accorde une large place aux produits de la mer. Le premier port de pêche d'Espagne, Vigo, s'abrite dans l'une des superbes Rías Baixas, golfes profonds qui découpent la côte occidentale. Saint-Jacques-de-Compostelle, où l'on aurait découvert les reliques de saint Jacques le Majeur au IXe siècle, fut au Moyen Âge le plus grand centre de pèlerinage d'Europe après Rome. Il a perdu de son importance, mais la foi des Galiciens reste forte, à l'instar de leur attachement à leurs traditions et à leur langue, le *gallego*, proche du portugais. C'est toujours au son de la cornemuse que l'on danse pendant les *romerías*, fêtes patronales qui se déroulent souvent près d'un sanctuaire isolé dans la campagne.

Les maigres terres de Galice, ici près du cabo Fisterra, exigent un dur travail des hommes qu'elles nourrissent

◁ **La façade ouest de la cathédrale de Saint-Jacques-de-Compostelle domine la praza do Obradoiro**

À la découverte de la Galice

Principal centre d'intérêt touristique de la Galice, et superbe cité ancienne, Saint-Jacques-de-Compostelle occupe le cœur d'une région riche en jolies villes telles que Betanzos, Mondoñedo, Lugo et Pontevedra. Au nord, des collines boisées dominent les stations balnéaires des Rías Altas. Les Rías Baixas forment le sud de la côte occidentale et abritent ports de pêche et plages de sable. L'intérieur des terres, où la vie semble avoir peu changé depuis des siècles, offre un cadre idéal à des vacances paisibles dans une atmosphère rurale.

Orchestre d'étudiants en costumes traditionnels à Pontevedra

La Galice d'un coup d'œil

Baiona 11
Betanzos 3
O Cebreiro 21
Celanova 14
La Corogne 4
Costa da Morte 5
A Guarda 12
Lugo 20
Monasterio de Oseira 18
Monasterio de Ribas de Sil 17
Mondoñedo 2
Ourense 16
Padrón 7
Pontevedra 9
Rías Altas 1
Saint-Jacques-de-Compostelle p. 86-87 6
A Toxa 8
Tui 13
Verín 15
Vigo 10
Vilar de Donas 19

Monastère de Ribas de Sil

Voir aussi

- ***Hébergement*** p. 536-538
- ***Restaurants et bars*** p. 578-579

Circuler

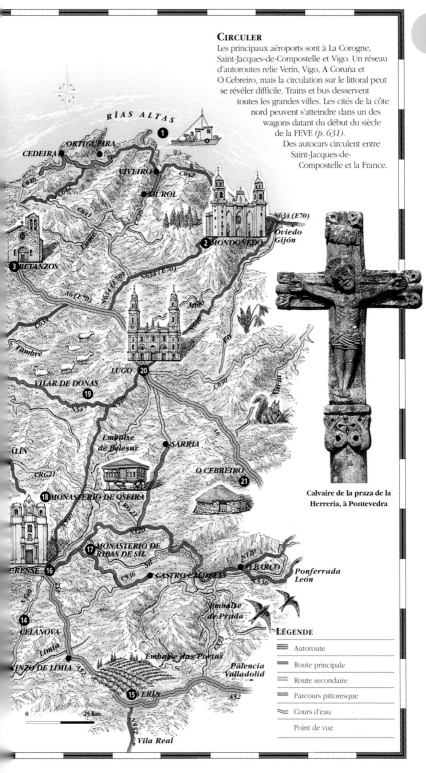

Les principaux aéroports sont à La Corogne, Saint-Jacques-de-Compostelle et Vigo. Un réseau d'autoroutes relie Verín, Vigo, A Coruña et O Cebreiro, mais la circulation sur le littoral peut se révéler difficile. Trains et bus desservent toutes les grandes villes. Les cités de la côte nord peuvent s'atteindre dans un des wagons datant du début du siècle de la FEVE *(p. 631)*. Des autocars circulent entre Saint-Jacques-de-Compostelle et la France.

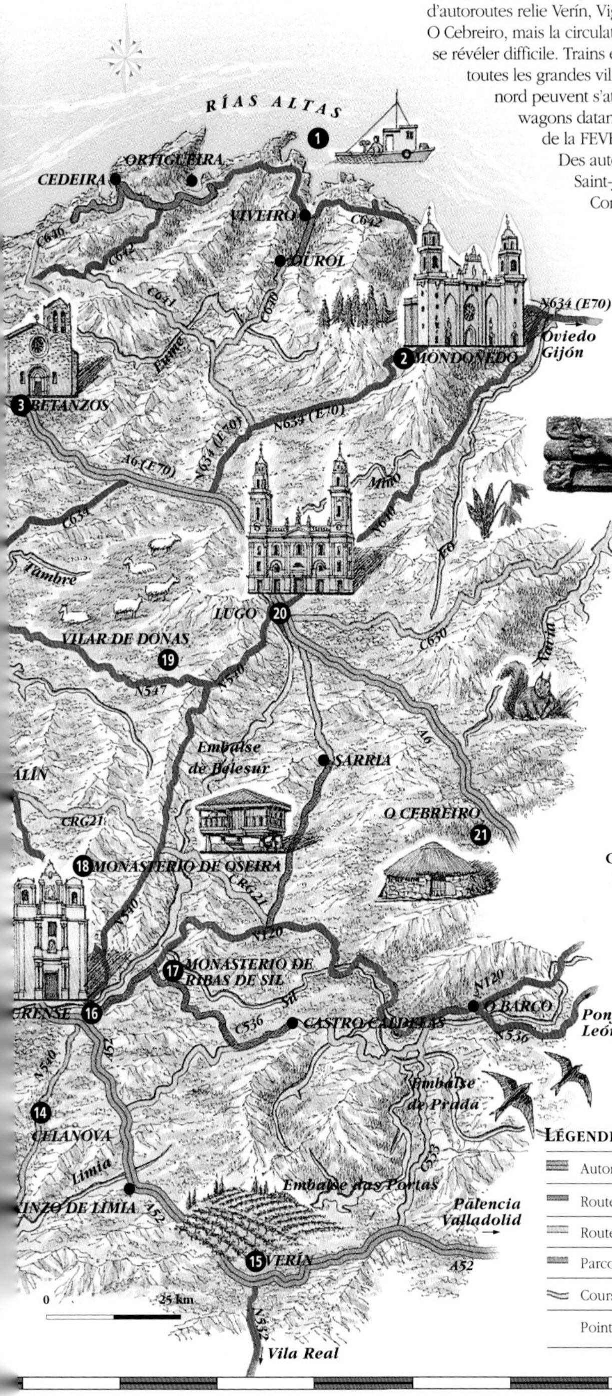

Calvaire de la praza de la Herreria, à Pontevedra

Armoiries sculptées d'une façade de Mondoñedo

Rías Altas ❶

Lugo et A Coruña. Ribadeo. Viveiro. Foz, 982 14 06 75. mar.

L'Atlantique a creusé les roches anciennes de la côte galicienne de golfes étroits appelés *rías*, notamment dans la région de collines boisées de pins et d'eucalyptus qui s'étend au nord entre Ribadeo et La Corogne.

Embouchure du rio Eo, la ravissante **ría de Ribadeo** forme la frontière avec les Asturies. À l'ouest, le petit port de pêche de **Foz** possède deux belles plages. Non loin, l'église San Martín de Mondoñedo se dresse, isolée, sur une hauteur. Datant du Xe siècle, elle abrite au transept des chapiteaux sculptés de scènes bibliques. Remarquez l'histoire de Lazare.

Station balnéaire animée, **Viveiro** a conservé, derrière une porte Renaissance, un agréable quartier ancien aux rues dominées par des *galerías*, galeries vitrées typiques de la Galice. L'église romane date du XIe siècle. Au nord du pittoresque petit village de pêche d'El Barquero s'étend le cap de la Estaca de Bares.

En continuant vers l'ouest sur la côte, on atteint une autre belle ville aux maisons blanches : **Ortigueira**. Dans la *ría* où elle s'abrite s'étendent de nombreuses plages préservées.

De hautes falaises tombent dans la mer près de **San Andrés de Teixido** dont l'église devient, chaque 8 septembre, un important lieu de pèlerinage. Selon une légende, ceux qui omettent de s'y rendre de leur vivant y viendront sous forme animale après leur mort. Au creux d'une baie protégée, **Cedeira** est une station balnéaire prospère.

Mondoñedo ❷

Lugo. 5 100. Praza do Concello 1, 982 52 40 03 (avr.-sept. : 982 50 71 77). jeu. et dim. San Lucas (18 oct.).

Dans une vallée fertile à l'intérieur des terres, cette ancienne capitale provinciale a gardé beaucoup de charme avec ses maisons patriciennes ornées d'armoiries et de *galerías*. Sur la grand-place, la **cathédrale** entreprise en pierres dorées en 1219 a conservé un portail et un intérieur de style roman, mais ses tours sont baroques et sa rosace fut restaurée au XVIe siècle. Des fresques du XIVe siècle représentant le massacre des saints Innocents ornent l'intérieur. Une des chapelles renferme la statue de Nuestra Señora la Inglesa provenant de la cathédrale Saint-Paul de Londres. Le **Museo Diocesano** présente, entre autres, des œuvres de l'école de Zurbarán et d'El Greco.

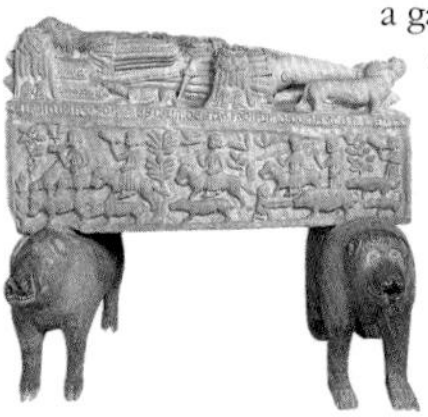

Tombeau de Fernán Pérez de Andrade à Betanzos

Museo Diocesano
Plaza de la Catedral. *982 52 19 48.*
toute l'année.

Betanzos ❸

A Coruña. 14 000. Plaza Constitución 1, 981 77 29 08. mar., jeu. et sam. San Roque (du 14 au 24 août).

Cernées de collines au fond d'une *ría*, Betanzos a conservé dans les rues étroites de sa vieille ville d'élégantes maisons seigneuriales et d'intéressantes églises gothiques. Reconstruite au XVe siècle par la corporation des tailleurs, l'**Iglesia de Santiago** présente au portail une statue de saint Jacques Matamore (tueur de Maures). L'**Iglesia de San Francisco** date de 1387. Ornée de belles sculptures, elle renferme le tombeau du comte Fernán Pérez de Andrade, posé sur un sanglier et un ours, emblèmes de la puissante famille des Andrade.

Aux environs
À 15 km au nord, **Pontedeume** a gardé son charme et le pont médiéval qui lui donna son nom. La route qui l'emprunte conduit à **Ferrol**, grand port de guerre depuis la fondation d'un arsenal au début du XVIIIe siècle. Plusieurs édifices néo-classiques datent de cette époque, en particulier la cathédrale. Sur la praza de España, une imposante statue équestre rappelle que le général Franco *(p. 62-63)* est né à Ferrol en 1892.

Terrasses de cafés sur la plaza de García Hermanos à Betanzos

Sur la Costa do Morte, une croix rappelle les dangers créés par les rochers

La Corogne ❹

A Coruña. 200 000. *Dársena de la Marina, 981 22 18 22.* *Fiestas de María Pita (août).* www.turismocoruna.com.

Port actif fondé par des Ibères, A Coruña (La Coruña) a joué dans l'histoire navale espagnole un rôle important mais pas toujours heureux puisque c'est là que Philippe II rassembla son Invincible Armada *(p. 55)* en 1588. Il faut aujourd'hui traverser de vastes faubourgs industriels avant d'atteindre le quartier chic qui s'est développé sur l'isthme conduisant au promontoire où s'élève la **Torre de Hércules**. Bâti par les Romains et reconstruit au XVIIIe siècle, c'est le plus ancien phare en service d'Europe. Gravir ses 242 marches permet de découvrir un large panorama de la baie.

Au sud, la vieille ville le sépare du port. Elle renferme deux églises romanes entreprises au XIIe siècle : l'**Iglesia de Santiago** ornée, au-dessus du portail principal, d'un relief de saint Jacques à cheval, et l'**Iglesia de Santa María**, au tympan sculpté d'une Adoration des Mages. La façade gothique du **Convento de Santa Bárbara** porte un relief du Jugement dernier. Elle borde une place minuscule mais ravissante. Derrière l'église baroque de **Santo Domingo**, le paisible jardin de San Carlos offre une belle vue sur la mer.

Élégant édifice du début du siècle, l'*ayuntamiento* (hôtel de ville) domine la praza María Pita, grand-place entourée d'arcades. Les *galerías* surplombant la promenade de **La Marina** ont valu à La Corogne le surnom de « cité de verre ».

La Torre de Hércules, phare d'origine romaine à La Corogne

Costa da Morte ❺

A Coruña. *A Coruña, Malpica, Santiago de Compostela.* *A Coruña, 981 22 18 22.*

Entre Malpica et Fisterra, à l'ouest de La Corogne, s'étend un littoral sauvage où les tempêtes ont envoyé tant de navires se déchirer sur les rochers qu'il a pris le nom de « côte de la Mort ». Aucune ville ne s'y est développée et il n'existe que des villages de pêcheurs au fond de ses *rías* que dominent des collines couvertes de forêts de pins et d'eucalyptus.

À **Malpica** se découvrent une longue plage de sable, un sanctuaire pour les oiseaux de mer et les panoramas offerts par le cabo de San Adrián. Laxe propose une plage longue de plus d'un kilomètre. **Camariñas** est un agréable village aux murs blanchis où les femmes continuent à fabriquer des dentelles traditionnelles dans la rue. Sur le cabo Vilán, des éoliennes futuristes forment un tableau étonnant près du phare.

Au sud, Corcubión a conservé une élégance fanée. Vers l'ouest, il n'y a plus ensuite que Fisterra et le **cabo Fisterra**, pointe la plus occidentale de l'Europe et lieu idéal où venir admirer le soleil se couchant sur l'Atlantique.

Saint-Jacques-de-Compostelle pas à pas ❻

Sur le marché de Saint-Jacques

Sur le « champ de l'étoile » *(campus stellae)* où, selon la légende, un ermite découvrit la sépulture de saint Jacques, Santiago de Compostela devint au Moyen Âge un haut lieu de pèlerinage *(p. 78-79)*. La praza do Obradoiro en constitue le cœur et les majestueux édifices qui la bordent forment un ensemble d'une grande harmonie malgré la diversité des styles architecturaux. Compact, le centre historique qui entoure la place se visite aisément à pied. Deux monuments justifient toutefois d'en sortir, à l'est : le Convento de Santo Domingo, qui abrite le musée du Peuple galicien, et l'église romane de la Colegiata del Sar.

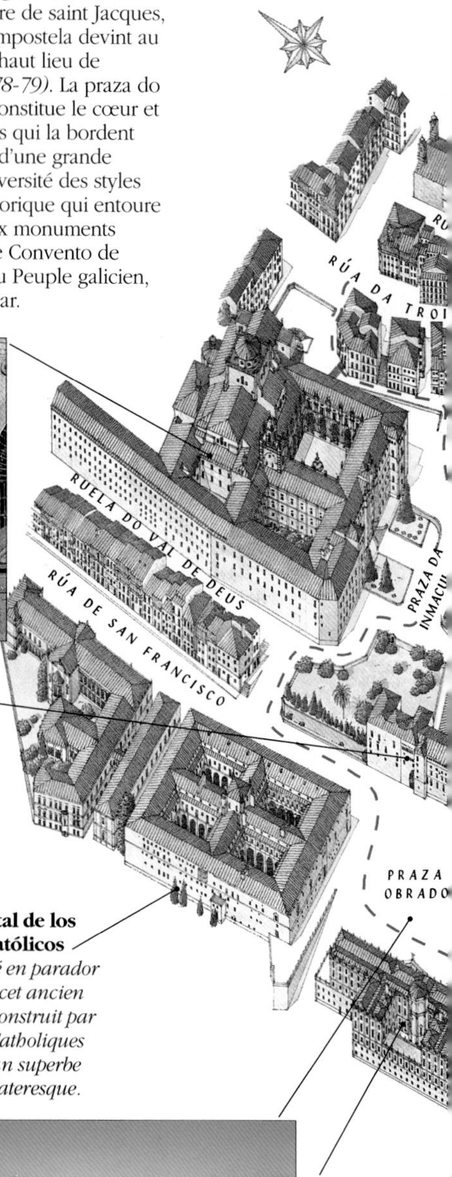

★ Le Convento de San Martiño Pinario
Son église abrite, derrière une façade au foisonnant décor plateresque, une somptueuse décoration baroque.

Pazo de Xelmírez

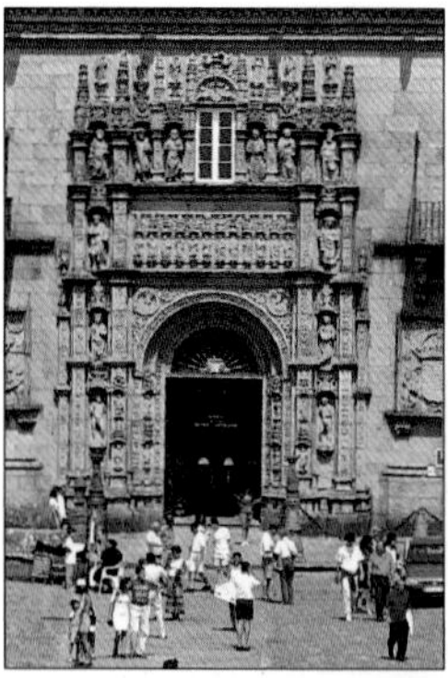

★ L'Hostal de los Reyes Católicos
Aménagé en parador (p. 537), *cet ancien hospice construit par les Rois Catholiques possède un superbe portail plateresque.*

Praza do Obradoiro
Dominée par la façade baroque de la cathédrale, l'une des plus belles places du monde offre un cadre majestueux aux rassemblements de pèlerins.

Le Pazo de Raxoi (Palacio de Rajoy) bâti en 1772 abrite la mairie.

Convento de San Paio de Antealtares
Fondé au IXe siècle pour abriter les reliques de saint Jacques désormais à la cathédrale, c'est un des plus vieux monastères de la ville.

MODE D'EMPLOI

A Coruña. 100 000. 10 km au nord. Calle Hórreo, 75a, 902 24 02 02. Avenida Rodríguez de Viguri, 981 58 77 00. Calle Rúa do Villar 43, 981 58 40 81. sam. Semana Santa (semaine de Pâques).
www.santiagodecompostela.org

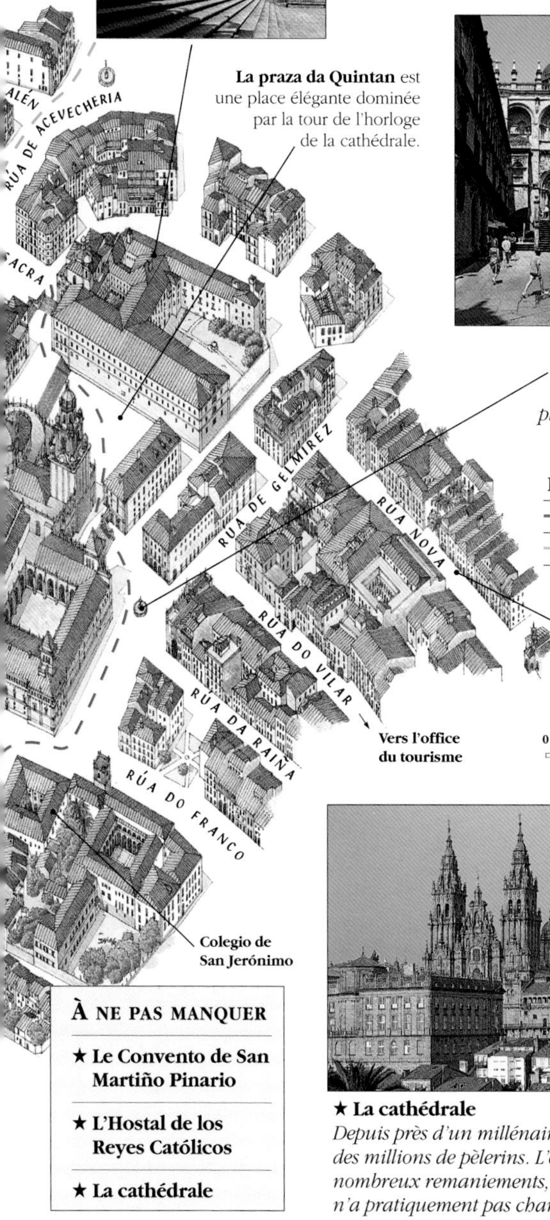

La praza da Quintan est une place élégante dominée par la tour de l'horloge de la cathédrale.

Praza das Praterias
Le Portail des Orfèvres de la cathédrale ouvre sur cette place charmante ornée d'une fontaine du XVIIe siècle.

LÉGENDE

- – – Itinéraire conseillé
- – – Itinéraire des pèlerins

La rúa Nova bordée de galeries conduit de la cathédrale aux quartiers plus récents.

Vers l'office du tourisme

0 100 m

Colegio de San Jerónimo

À NE PAS MANQUER

- ★ **Le Convento de San Martiño Pinario**
- ★ **L'Hostal de los Reyes Católicos**
- ★ **La cathédrale**

★ La cathédrale
Depuis près d'un millénaire, ce sanctuaire a accueilli des millions de pèlerins. L'extérieur a connu de nombreux remaniements, mais le cœur de l'édifice n'a pratiquement pas changé depuis le XIe siècle.

La cathédrale de Saint-Jacques-de-Compostelle

Le **botafumeiro,** encensoir géant

Bâti à partir de 1074 à l'emplacement de la basilique fondée au IXe siècle par Alphonse II, cet édifice majestueux, l'un des principaux sanctuaires de la chrétienté, présente sur la praza do Obradoiro une façade baroque conçue à l'image d'un immense retable. Chef-d'œuvre de l'art roman, le Pórtico da Gloria qu'elle encadre ouvre toujours sur l'intérieur dépouillé où venaient se recueillir les pèlerins du Moyen Âge.

Document attestant un pèlerinage

★ La façade ouest
De style churrigueresque (p. 21), *elle date du XVIIIe siècle.*

★ Le Pórtico da Gloria
Orné de statues d'apôtres et de prophètes, le Portique de la Gloire remonte au XIIe siècle.

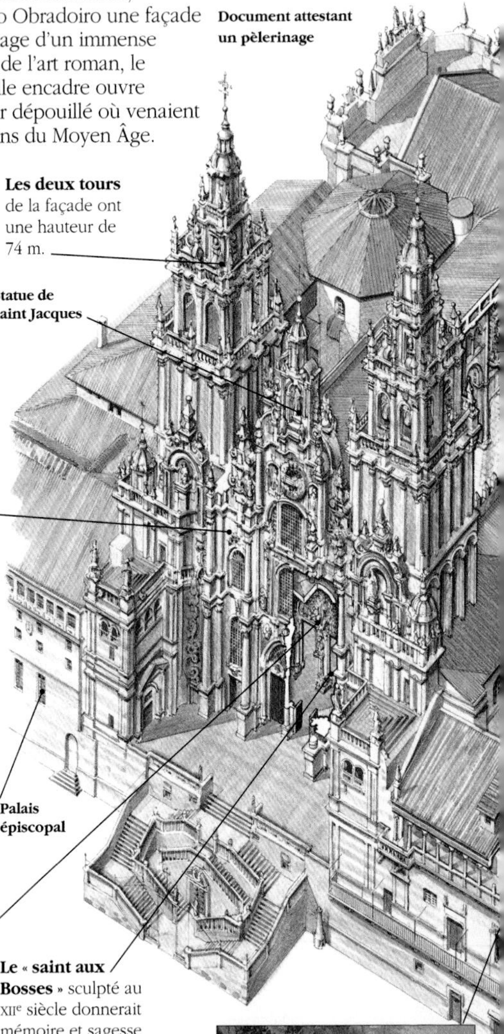

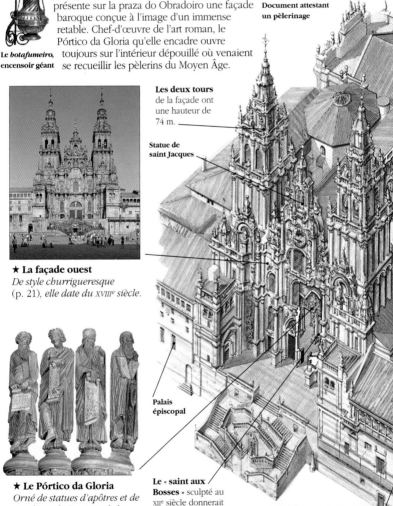

Les deux tours de la façade ont une hauteur de 74 m.

Statue de saint Jacques

Palais épiscopal

Le « saint aux Bosses » sculpté au XIIe siècle donnerait mémoire et sagesse aux étudiants qui le frappent du front.

Musée des Tapisseries
Ses collections comprennent des tapisseries (les plus anciennes datent du début du XVIe siècle), et des tapis orientaux des XIIIe et XIVe siècles.

À NE PAS MANQUER

- ★ **La façade ouest**
- ★ **Le Pórtico da Gloria**
- ★ **La Porta das Praterias**

Le *botafumeiro* est balancé par huit hommes grâce à un système de poulies pendant les cérémonies importantes.
La chapelle Mondragon (1521) possède de belles grilles en fer forgé.
Tour de l'horloge
Cloître
Salle capitulaire

Mode d'emploi

Praza do Obradoiro. 📞 981 58 35 48. ◯ *de 7 h à 21 h t.l.j.* ✝ *aux heures habituelles pendant la journée.* ♿ **Musée** 📞 *981 56 05 27.* ◯ *de juin à sept. : de 10 h 30 à 13 h 30 et de 16 h à 18 h 30 t.l.j. ; d'oct. à mai : de 11 h à 13 h et de 14 h à 18 h t.l.j.*

Maître-autel
Il faut passer derrière le maître-autel pour embrasser la pèlerine de la statue de saint Jacques (XIIIe siècle).

★ La Porta das Praterias
Le Portail des Orfèvres présente à l'extérieur un superbe décor sculpté au XIIe siècle.

Crypte
Les reliques de saint Jacques se trouveraient sous l'autel de la crypte, dans des fondations du IXe siècle.

Padrón 7

A Coruña. 10 700. *Avenida Compostela 27, 981 81 13 29.* *dim.* *Santiago (24-25 juil.).*

Cette ville paisible réputée pour ses poivrons verts fut un port maritime actif avant que l'estuaire de l'Ulla ne s'envase. Selon la légende, le bateau qui rapportait la dépouille de saint Jacques *(p. 78)* y accosta. La pierre *(padrón)* à laquelle il aurait été amarré se trouve sous l'autel de l'église bâtie près du pont.

L'un des plus grands auteurs de Galice, Rosalia de Castro (1837-1885), évoqua dans ses poèmes l'avenue ombragée qui longe le sanctuaire. Sa maison, à la sortie de la ville, est devenue un musée.

Aux environs

À 20 km à l'ouest sur la côte, à Noia (Noya), l'église gothique San Martiño possède un magnifique portail sculpté. À l'est de Padrón, des jardins agrémentés d'un lac entourent le manoir du Pazo de Oca.

Museo Rosalia de Castro

La Matanza. 981 81 12 04. *du mar. au sam.*

Les jardins et le lac originaux du Pazo de Oca

A Toxa 8

Près de O Grove. *Ayuntamiento, O Grove, 986 73 14 15.* *ven.*

Accessible par un pont, la petite île couverte de pins d'A Toxa (La Toja) est, avec son palace Belle Époque *(p. 537)* et ses luxueuses villas, l'un des centres de villégiature les plus élégants de Galice. Les coquilles Saint-Jacques qui la couvrent donnent un aspect pittoresque à sa petite église. De l'autre côté du pont, O Grove (El Grove) allie les atouts d'un port de pêche réputé pour sa cuisine et d'une station balnéaire aux plages splendides.

Le pittoresque toit de l'église d'A Toxa

Pontevedra 9

Pontevedra. 65 000. *Calle General Mola 1, 986 85 08 14.* *sam.* *Fiestas de la Peregrina (2e semaine d'août).*

Au fond d'une *ría* entourée de collines verdoyantes, Pontevedra a conservé une vieille ville au cachet typiquement galicien avec ses ruelles et ses placettes pavées bordées d'arcades, de balcons fleuris et de bars à tapas.

Au sud du centre, les vestiges gothiques du **Convento de Santo Domingo** abritent un musée lapidaire qui présente des stèles romaines, des tombeaux et des armoiries sculptées. À l'ouest, l'**Iglesia de Santa María la Mayor** bâtie au XVIe siècle possède une façade plateresque *(p. 21)* dont le décor rappelle que le sanctuaire fut fondé par la confrérie des mariniers.

Sur la **praza de la Leña**, deux demeures patriciennes du XVIIIe siècle forment le **Museo de Pontevedra**, l'un des plus intéressants musées de Galice. Ses collections comprennent des bijoux celtes découverts dans la région et, parmi les peintures, des œuvres de primitifs espagnols du XVe siècle et des tableaux par Zurbarán et Murillo. Au dernier étage, une large place est accordée aux dessins et peintures d'Alfonso Castelao, caricaturiste galicien du XXe siècle.

Museo de Pontevedra

Calle Pasanteria 10. 986 85 14 55. *de juin à sept. : de 10 h à 14 h 15 et de 17 h à 20 h 45 ; d'oct. à mai : de 10 h à 13 h 30 et de 16 h 30 à 20 h ; du mar. au sam. ; le dim. de 11 h à 14 h.*

Rías Baixas

Quatre vastes *rías* enserrées dans des collines couvertes de pinèdes découpent la partie sud de la côte occidentale de la Galice. Elles abritent de belles plages où la baignade est sûre et jouissent d'un climat plus doux que le littoral septentrional plus sauvage. Bien que des villes comme Vilagarcía de Arousa et Panxón soient devenues des stations balnéaires très fréquentées, une grande partie de la côte reste préservée, notamment entre Muros et Noia. La pêche demeure une activité importante des Rías Baixas (Rías Bajas) ; leurs eaux poissonneuses et leurs parcs à coquillages alimentent en produits de la mer les tables des restaurants.

De Muros à Noia, de belles plages s'insèrent entre des avancées rocheuses.

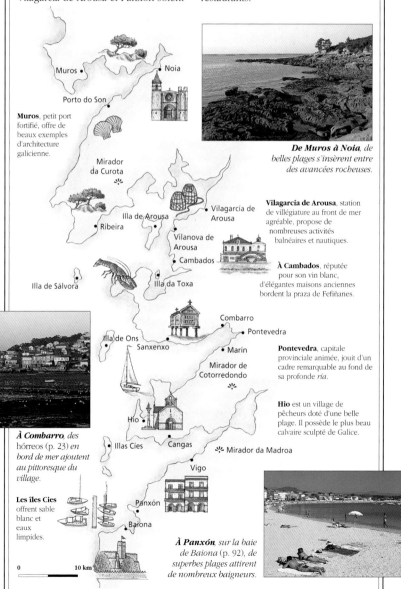

Muros, petit port fortifié, offre de beaux exemples d'architecture galicienne.

Vilagarcía de Arousa, station de villégiature au front de mer agréable, propose de nombreuses activités balnéaires et nautiques.

À Cambados, réputée pour son vin blanc, d'élégantes maisons anciennes bordent la praza de Fefiñanes.

***À Combarro**, des* hórreos (p. 23) *en bord de mer ajoutent au pittoresque du village.*

Pontevedra, capitale provinciale animée, jouit d'un cadre remarquable au fond de sa profonde *ría*.

Hio est un village de pêcheurs doté d'une belle plage. Il possède le plus beau calvaire sculpté de Galice.

Les îles Cies offrent sable blanc et eaux limpides.

***À Panxón**, sur la baie de Baiona* (p. 92), *de superbes plages attirent de nombreux baigneurs.*

Canons sur les remparts de la forteresse de Monterreal, Baiona

Vigo ⓾

Pontevedra. 300 000. Cánovas del Castillo 22, 986 43 05 77. dim. Cristo de los Afligidos (juil.).

Plus grande ville de Galice et premier port de pêche d'Espagne, Vigo occupe un site magnifique sur la rive sud d'une profonde *ría* que franchit un pont suspendu. Près du port s'étend le vieux quartier, le barrio del Berbès, où une joyeuse animation règne en soirée dans les ruelles pavées. Les bars à tapas, souvent excellents, y servent surtout des spécialités à base de produits de la mer. Les étals du mercado de la Piedra proposent à des prix raisonnables une grande variété de poissons et de coquillages, notamment des huîtres. Si Vigo possède peu de monuments remarquables, plusieurs sculptures modernes ornent la ville, en particulier, sur la praza de España, une œuvre en bronze de Juan José Oliveira, un artiste local.

Les chevaux de bronze d'Oliveira sur la praza de España de Vigo

Baiona ⓫

Pontevedra. 10 000. Calle Ventura Misa 17, 986 38 50 55. lun. Santa Marina (18 juil.).

C'est dans ce petit port situé à l'embouchure de la *ría* de Vigo que la *Pinta*, l'une des caravelles de la flotte de Christophe Colomb, apporta le 10 mars 1493 la nouvelle de la découverte du Nouveau Monde. Baiona est aujourd'hui une station balnéaire animée où bateaux de pêche et de plaisance voisinent dans le port. Son quartier ancien a toutefois gardé son cachet.

De style romano-gothique, la **collégiale** porte aux arcs les emblèmes – couteaux, ciseaux ou haches – des corporations qui aidèrent à sa construction aux XIIe et XIIIe siècles.

Au nord de la ville se dressent sur le promontoire de Monterreal les murailles d'une ancienne forteresse royale bâtie au début du XVIe siècle. Un luxueux parador *(p. 536)* l'occupe, mais il reste possible d'accéder aux remparts, toujours gardés par de vieux canons, pour admirer les splendides vues qu'ils offrent sur la baie.

À 3 km plus au sud sur la côte, l'immense statue en granit de la **Virgen de la Roca** fait face aux îles Cies. Pendant les grandes fêtes religieuses, les visiteurs peuvent grimper à l'intérieur jusqu'à l'embarcation qu'elle porte.

A Guarda ⓬

Pontevedra. 10 000. Praza de Reló, 986 61 00 00. sam. Monte de Santa Tecla (2e sem. d'août).

Le petit port de pêche d'A Guarda (La Guardia) est particulièrement réputé pour la saveur de ses langoustes.

Sur le flanc du monte de Santa Tecla se visitent les vestiges d'un village celtique dont les habitants bâtirent près d'un millier de maisons circulaires entre 600 et 200 av. J.-C. Au sommet d'une colline voisine, le **Museo de Monte de Santa Tecla** présente une partie des objets découverts sur le site.

Aux environs

À quelque 10 km au nord, le petit **Monasterio de Santa María** se dresse près d'une plage à Oia, village où se déroule en mai et juin une fête où les éleveurs de chevaux font preuve de leur adresse *(p. 94)*.

Fondations circulaires de maisons celtiques à A Guarda

Museo de Monte de Santa Tecla

A Guarda. 986 61 00 00.
mars - déc. t.l.j.

Tui ⓭

Pontevedra. 16 400. Calle Colon, 986 60 17 89. jeu. San Telmo (lun. après Pâques), descente du Miño (août).

Principale ville frontière avec le Portugal, Tui (Tuy) domine le Miño depuis une haute colline que ses ruelles anciennes escaladent en

Déchargement à Vigo, premier port de pêche d'Espagne

La pêche en Espagne

Les Espagnols sont en Europe les plus gros mangeurs de produits de la mer après les Portugais et c'est la flotte galicienne qui fournit la moitié de la consommation nationale. Quelque 90 000 pêcheurs à bord de 20 000 bateaux rapportent chaque année plus d'un million de tonnes de poisson et de fruits de mer. Bien que très poissonneuses, les eaux espagnoles souffrent d'une surexploitation et les chalutiers doivent partir pour le Canada ou l'Islande.

sinuant jusqu'à la **cathédrale**. Bâti aux XIIe et XIIIe siècles, le sanctuaire a gardé ses tours et ses créneaux. Un riche décor sculpté orne son portail ouest, de style gothique à l'instar du cloître.

Non loin, l'**Iglesia de San Telmo** dédiée au saint patron des pêcheurs possède une décoration baroque marquée d'influences portugaises. En contrebas de la cathédrale, un pont construit par Gustave Eiffel en 1884, le **Puente Internacional**, franchit le fleuve jusqu'à Valença do Minho de l'autre côté de la frontière.

Située près du Parque de la Alameda et dominant le rio Miño, l'**Iglesia de Santo Domingo** mêle styles roman, gothique et baroque et comprend un joli cloître.

Celanova ⓮

Ourense. 6 200. Plaza Mayor 1, 988 43 22 01. jeu. San Roque (15 août).

La masse imposante du **Monasterio de San Rosendo** domine la place principale de cette petite ville. Ce monastère bénédictin fondé en 936 et reconstruit entre le XVIe et le XVIIIe siècle comprend deux superbes cloîtres et une vaste église qui abrite de beaux retables et de superbes stalles sculptées.

Pavement en céramique de l'Iglesia de San Miguel

Dans le jardin se dresse l'**Iglesia de San Miguel** (Xe siècle), sanctuaire mozarabe très bien conservé.

Aux environs

À 26 km au sud, à **Santa Comba de Bande**, s'admire une petite église encore plus ancienne. Caractéristique du style wisigothique *(p. 46-47)* avec un arc en fer à cheval porté par des piliers en marbre sculpté, elle date du VIIe siècle.

Verín ⓯

Ourense. 11 500. Avenida San Lazaro 26-28, 988 41 16 14. les 3, 11 et 23 du mois. Santa María la Mayor (15 août).

Ce bourg agricole entouré de vignobles a gardé beaucoup de cachet avec ses maisons du XVIIe siècle dotées d'arcades. Ses sources thermales ont donné naissance à une dynamique industrie d'embouteillage. L'austère silhouette du **Castillo de Monterrei** couronne à l'ouest une éminence rocheuse. Bâtie pendant les guerres avec le Portugal, cette forteresse renferme un donjon carré du XVe siècle, un ancien hôpital de pèlerins de style romano-gothique et une église du XIIIe siècle.

Le Castillo de Monterrei domine la ville de Verín

FÊTES GALICIENNES

Os Peliqueiros *(Carnaval, fév.-mars)*, Laza (Ourense). Vêtus de costumes grotesques et portant des masques grimaçants et des clarines accrochées à la ceinture, *Os Peliqueiros* prennent possession des rues le dimanche du carnaval. De leur badine, ils cinglent les passants qui n'ont pas le droit de répliquer. Le lendemain matin, farine, eau et fourmis vivantes volent au cours d'une grande bataille. Le mardi, le carnaval de Laza s'achève par la lecture du « testament de l'âne » puis l'embrasement d'une effigie.

Les costumes grotesques d'*Os Peliqueiros* à Laza

A Rapa das Bestas *(mai et juin)*, Oia (Pontevedra). Les éleveurs locaux rassemblent des chevaux laissés en liberté pour leur couper crinières et queues. Ce qui était jadis un travail est devenu une fête.
Tapis de fleurs *(Fête-Dieu, mai-juin)*, Pontearas (Pontevedra). Dans les rues de la ville empruntées par la procession de la Fête-Dieu, des pétales de fleurs dessinent sur le sol des motifs élaborés aux couleurs éclatantes.
Fête de la Saint-Jacques *(25 juil.)*, Saint-Jacques-de-Compostelle. Le 24 au soir, un feu d'artifice embrase la praza do Obradoiro. Les célébrations sont intenses quand le 25 juillet tombe un dimanche.

Ourense ⓰

Ourense. 100 000. *Rua do Progreso, 988 37 20 20.* *les 7 et 17 du mois.* *Os Maios (3 mai), San Martin (11 nov.).*

Le vieux quartier d'Ourense (Orense) s'est construit autour des sources thermales de Las Burgas dont les eaux chaudes (plus de 65° C) jaillissent de trois fontaines.

Non loin, près de la Plaza Mayor entourée d'arcades, s'élève la **cathédrale** fondée en 572 et reconstruite aux XIIe et XIIIe siècles. Elle abrite un grand retable attribué à Cornelis de Holanda et, dans le vestibule, un triple portail intérieur dont le splendide décor sculpté polychrome évoque le Pórtico da Gloria de Saint-Jacques-de-Compostelle *(p. 88)*. De l'autre côté de la jolie plaza del Trigo se trouve le **Claustro de San Francisco**, élégant cloître gothique du XIVe siècle.

Le **Puente Romano** franchit le Miño au nord de la ville. Bâti en 1230 et restauré en 1449, il repose sur des fondations romaines.

Aux environs
Allariz, à 25 km au sud, et Ribadavia, à l'ouest, ont conservé d'anciens quartiers juifs renfermant des églises romanes.

Réputée pour ses crus de ribeiro *(p. 74)*, un blanc sec et un rouge liquoreux, Ribadavia possède un musée du vin.

Retable gothique ornant la cathédrale d'Ourense

Monasterio de Ribas de Sil ⓱

Ribas de Sil. *San Esteban de Sil.* *depuis Ourense.* 988 20 11 27 *(hôtel de ville)* *du mer. au dim.*

Avant de se jeter dans le Miño, le río Sil creuse dans le granit de profondes gorges. Accessible par une route en lacet, un monastère fondé au début du Xe siècle par des bénédictins les domine depuis un à-pic. En partie en ruine, il conserve derrière une façade baroque une église romano-gothique ornée au chevet d'intéressantes gargouilles. Deux cloîtres sont de style Renaissance.

Les gorges du Sil

Le cadre créé par les forêts de la valle de Arenteiro ajoute à la majesté du Monasterio de Oseira

Monasterio de Oseira ⑱

Oseira. 🚌 🚉 *depuis Ourense.* ☎ *988 28 20 04.* ◯ *de 9 h 30 à 12 h du lun. au sam. ; de 15 h 30 à 17 h 30 t. l. j.* 📷

Près du village d'Oseira qui tire son nom des ours *(osos)* qui vivaient dans la région, ce monastère isolé dans une vallée boisée est un corps de bâtiments en granit gris dont la façade baroque date de 1708. Sa fondation remonte toutefois au XIIᵉ siècle et l'église a gardé son dépouillement cistercien. Construits entre le XVᵉ et le XVIIIᵉ siècle, les cloîtres et la salle capitulaire sont spectaculaires.

Fresque d'une *dona* dans l'église de Vilar de Donas

Vilar de Donas ⑲

Lugo. 🏠 *80.* ℹ *Ctra de Santiago 28, 982 38 00 01.* 🎉 *San Antonio (13 juin), San Salvador (6 août).*

Dans ce hameau sur le chemin de Saint-Jacques-de-Compostelle *(p. 78-79),* à quelques pas de la grand-route, une petite église au portail roman abrite les tombeaux de chevaliers de l'ordre de Santiago et des

peintures murales (XVᵉ siècle). L'église n'est ouverte que durant les offices, mais on peut la visiter en prenant rendez-vous au 982 37 41 31.

Au nord-ouest, le **Monasterio Sobrado de los Monjes**, fondé au Xᵉ siècle, a conservé, malgré une reconstruction baroque, une cuisine et une salle capitulaire médiévales.

Lugo ⑳

Lugo. 🏠 *80 000.* 🚌 🚉 ℹ *Praza de España 27-29, 982 23 13 61.* 🛒 *mar. et ven.* 🎉 *San Froilán (4 au 12 oct.).*

Capitale de la plus vaste des provinces galiciennes, Lugo était un centre stratégique à l'époque des Romains qui élevèrent la plus belle **enceinte romaine** à avoir subsisté en Espagne. Larges d'environ six mètres et hauts de onze, les remparts comportent dix portes dont six possèdent un escalier menant au chemin de ronde et aux jolies vues qu'il offre sur la ville.

À l'intérieur des murs, dans un angle de la plaza de España, la **cathédrale** d'origine romane s'inspire de celle de Saint-Jacques-de-Compostelle. Son cloître et la chapelle de Nuestra Señora de los Ojos Grandes (Vierge aux grands yeux) sont deux splendides réalisations du baroque galicien.

Le cloître de l'église San Francisco abrite le **Museo Provincial** dont les collections comprennent des torques celtiques en or, des objets romains, la

reconstitution de la cuisine d'une ferme, des peintures modernes d'artistes galiciens et une curieuse statue représentant une paysanne agenouillée tenant un moine miniature.

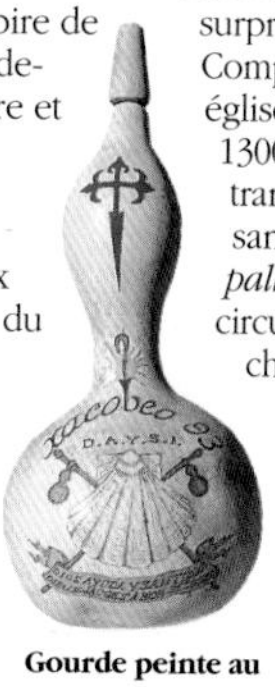

Aux environs
À 11 km à l'ouest de Lugo, a été mis au jour en 1924 sous le hameau de **Santa Eulalia de Bóveda** un curieux édifice : une sorte de petit temple voûté orné de peintures murales représentant des branchages, des fleurs et des oiseaux. Il pourrait s'agir d'un nymphée romain du IIIᵉ siècle transformé en lieu de culte paléochrétien.

🏛 Museo Provincial
Plaza de la Soledad. ☎ *982 24 21 12.* ◯ *t.l.j.* ● *dim. en août* ♿

O Cebreiro ㉑

Lugo. 🏠 *16.* 🚌 ℹ *982 36 70 25.* 🎉 *Santo Milagro (8 sept.).*

Dans les collines situées à l'est de la Galice, près de la frontière avec le León, O Cebreiro (El Cebrero) est l'un des villages les plus surprenants du chemin de Compostelle. Près de son église du IXᵉ siècle où, en 1300, une hostie se serait transformée en chair et en sang, se dressent plusieurs *pallozas,* cabanes circulaires au toit de chaume d'origine celte. L'une d'elles abrite un musée consacré aux traditions locales.

Gourde peinte au musée d'O Cebreiro

🏛 Museo Etnográfico
O Cebreiro. ◯ *du mer. au dim.*

ASTURIES ET CANTABRIE

ASTURIES · CANTABRIE

Les Asturies et la Cantabrie partagent le majestueux massif des Picos de Europa où, dans les villages de vallées de montagne, les habitants continuent de pratiquer des artisanats traditionnels. Sur la côte se découvrent de jolis ports de pêche et des villes historiques. Des peintures rupestres, telles celles d'Altamira, témoignent d'une présence humaine il y a environ 25 000 ans.

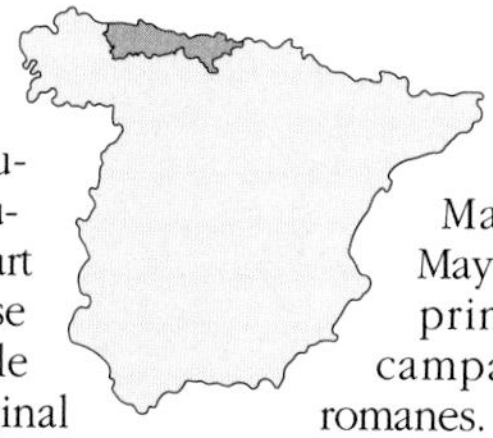

En 722, Pélage triompha d'une armée maure à Covadonga, dans les Asturies, et fonda un petit royaume chrétien. Point de départ de la Reconquête, celui-ci se para d'églises au VIIIe siècle et un style préroman original s'y développa. Il en existe encore quelques exemples dans l'ancienne capitale, Oviedo, et sa périphérie. Les activités économiques de la région se sont aujourd'hui concentrées sur la côte. Les habitants de l'arrière-pays rural préservent la richesse de leur folklore, continuant à fabriquer leur cidre et, pour certains, à parler le dialecte appelé *bable.*

Si sa capitale, Santander, a beaucoup souffert d'un incendie en 1941, la Cantabrie compte plusieurs belles villes anciennes telles que Santillana del Mar, Carmona et Bárcena Mayor. L'élevage bovin reste la principale ressource des campagnes, riches en églises romanes.

La montagne couvre plus de la moitié de la superficie des deux régions, offrant aux randonneurs de superbes paysages, notamment dans les forêts de feuillus où survivent les derniers ours bruns d'Espagne. Truites et saumons abondent dans les rivières. Jalonné de criques et de plages de sable, le littoral attire en été de très nombreux touristes qu'accueillent d'agréables ports de pêche et des stations balnéaires comme Castro Urdiales, Ribadesella et Comillas.

Pâturage près du lago de la Ercina dans le massif des Picos de Europa

◁ **Santillana del Mar, en Cantabrie, est restée superbement préservée**

À la découverte des Asturies et de la Cantabrie

Culminant à 2 648 m et creusé d'impressionnants défilés, le massif des Picos de Europa constitue sans nul doute la partie la plus belle de la région. Bien que plusieurs routes y pénètrent, permettant de découvrir en voiture ou à vélo des paysages superbes, il offre aux randonneurs et aux alpinistes un vaste territoire sauvage à explorer. Parmi les innombrables villages plein de charme dispersés dans les campagnes et sur la côte, Santillana del Mar séduira tous les amateurs d'architecture ancienne, qui ne manqueront pas non plus les églises préromanes de la périphérie d'Oviedo. Cette ville universitaire possède, à l'instar de Santander, une vie culturelle animée. Pour ceux qui préfèrent le soleil et la mer, le littoral propose criques pittoresques et belles plages de sable.

Balcon fleuri typique dans le village de Bárcena Mayor

Sur la playa del Camello à Santander

La région d'un coup d'œil

L'agriculture reste souvent archaïque en Cantabrie

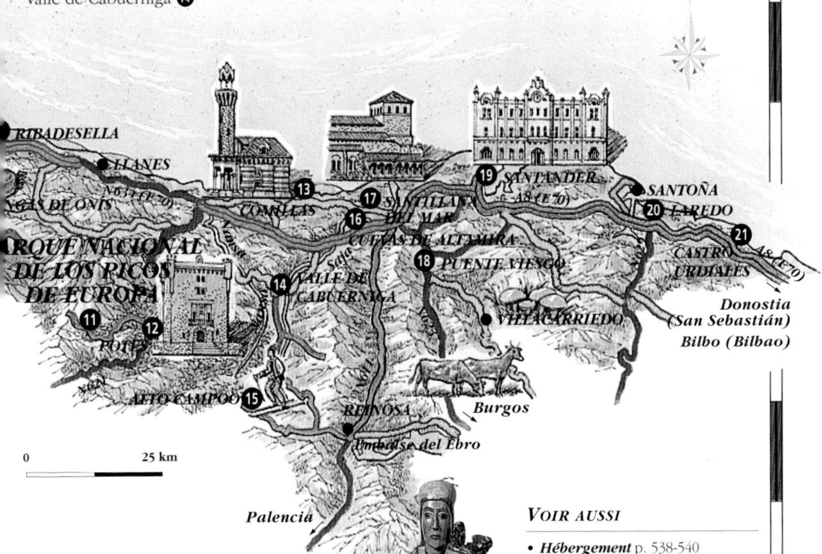

Circuler

Il existe dans les Asturies un petit aéroport international près d'Avilés, mais la majeure partie de la Cantabrie est plus proche de l'aéroport de Bilbao. Depuis cette ville, la ligne de chemin de fer privée de la FEVE longe la côte jusqu'en Galice. Elle est à la fois pratique et pittoresque. Principale route à traverser la région, la N 634, souvent encombrée de camions, reste étroite et sinueuse par endroits. Les autres routes importantes suivent en général des vallées orientées nord-sud. Le réseau secondaire est bien entretenu.

Sculpture du Convento de Regina Coeli, Santillana del Mar

Voir aussi

- ***Hébergement*** p. 538-540
- ***Restaurants et bars*** p. 580-581

Légende

- Autoroute
- Route principale
- Route secondaire
- Parcours pittoresque
- Cours d'eau
- Point de vue

Fabrication artisanale de lames de couteaux dans une forge de Taramundi

Taramundi ❶

Asturias. 1 000. Plaza del Poyo, 985 64 67 02 (week-end : 985 64 68 77). Día del Turista (der. dim. de juillet) www.taramundi.net.

Situé dans une région isolée, Los Oscos, ce petit village possède un centre de tourisme rural qui propose de nombreux hébergements et organise des excursions en forêt à bord de véhicules tout terrain. Les Romains extrayaient déjà du minerai de fer près de Taramundi et deux douzaines de forges produisent toujours des couteaux façonnés à la main.

Aux environs

À quelque 20 km à l'est, **San Martín de Oscos** renferme un palais du XVIIIe siècle. À **Grandas de Salime**, 10 km plus loin au sud-ouest, le Museo Etnográfico propose une exposition sur l'artisanat local et les modes de vie traditionnels.

Museo Etnográfico

Calle el Ferreiro 17. 98 562 72 43. du mar. au dim.

Castro de Coaña ❷

Asturias. 5 km depuis Navia. 985 62 84 01. du mar. au dim.

Ce village fondé à l'âge du fer sur une colline de la vallée de la Navia fut, avant de passer sous contrôle romain, une des plus importantes colonies celtes d'Espagne. Il en subsiste les fortifications, les rues, le système d'écoulement des eaux et les fondations de plusieurs habitations circulaires. Les pierres creuses que l'on remarque dans les murs servaient probablement soit d'urnes funéraires, soit de meules à grain.

Un musée présente une partie des objets découverts lors des fouillles sur le site. Parmi les plus intéressants figurent des poteries, des outils et des pièces de monnaie romaines.

Fondations d'une maison circulaire du Castro de Coaña

Costa Verde ❸

Asturias. Avilés. Oviedo, Gijón. Aviles, Calle Ruiz Gomez 21, 985 54 43 25.

Succession d'accueillantes plages de sable et de falaises majestueuses creusées de profonds estuaires, cette portion du littoral doit son nom de « Côte Verte » aux pâturages et aux forêts de pins et d'eucalyptus qui s'étendent entre l'Atlantique et les montagnes de l'intérieur. Elle reste une des côtes les moins abîmées d'Espagne et les stations balnéaires, comme les hôtels, tendent à y garder des dimensions modestes.

Sur la rive orientale de la ría de Ribadeo formant frontière avec la Galice, **Castropol** et **Figueras** sont deux jolis ports de pêcheurs, à l'instar de Tapia de Casariego et d'Ortiguera situés plus à l'est. À l'embouchure du río Negro, **Luarca** étage ses maisons à toits d'ardoises en contrebas de l'église paroissiale et un cimetière dominant la mer. Une vingtaine de kilomètres avant Avilès, **Cudillero** possède encore plus de charme avec ses terrasses de cafés et ses restaurants de poissons qui se serrent au fond d'une crique sur la petite place bordant le port.

Au nord-est d'Avilès s'étend le cabo de Peñas, cap rocheux où le village de pêcheurs de **Candas** organise des courses de taureaux sur sa belle plage de sable. À l'est de Gijón, **Lastres** occupe un site remarquable et la station balnéaire de **Isla** attire en été

L'ours brun

Il restait encore quelque 1 000 ours bruns *(Ursus arctos)* en Espagne au début du XXe siècle. Les chasseurs et la destruction des forêts formant leur habitat naturel ont fait chuter leur population à moins de 100 aujourd'hui. La création de réserves naturelles telle celle de Somiedo et la promulgation de lois instaurant leur protection devraient toutefois permettre d'éviter la disparition de ces superbes plantigrades.

L'un des derniers ours des forêts des Asturies

L'église et le cimetière de Luarca sur la Costa Verde

de nombreux touristes. Après Ribadesella, **Llanes** a conservé au pied de la sierra de Cuera une vieille ville pittoresque où subsistent les vestiges de fortifications du XIIIe siècle.

Teverga ❹

Asturias. La Plaza. Plaza del Ayuntamiento, La Plaza, 985 76 42 02.

Riche en gibier, cette belle région boisée au sud-ouest d'Oviedo recèle quelques églises anciennes telle l'Iglesia de San Pedro, sanctuaire préroman asturien *(p. 102)* entrepris au XIIe siècle à **La Plaza**, ville située près de l'extrémité sud des étroites gorges de Teverga.

À l'ouest de La Plaza, **Villanueva** abrite l'Iglesia de Santa María de style roman. À l'est s'étend la pittoresque vallée du Quirós.

Aux environs

À la frontière avec le León, le vaste **Parque Natural de Somiedo** s'étend sur des montagnes creusées de dix-huit lacs glaciaires et parsemées de *teitos (p. 23)*, abris de bergers traditionnels. Dans des forêts de feuillus, il offre un refuge à des animaux tels que le loup, l'ours brun ou le coq de bruyère. Des espèces rares de fleurs sauvages y prospèrent.

Avilès ❺

Asturias. 88 000. Calle Ruiz Gomez 21, 985 54 43 25. lun. San Agustín (28 août).

Malgré les usines installées à sa périphérie, Avilès, qui devint la capitale asturienne de l'industrie métallurgique au XIXe siècle, a conservé un centre ancien non dénué d'intérêt, en particulier autour de la plaza de España, quartier où de nombreux bars s'ouvrent dans les rues bordées d'arcades. L'**Iglesia de San Francisco**, ornée de fresques, possède un cloître Renaissance. L'**Iglesia de San Nicolás** abrite une jolie chapelle du XIVe siècle et le tombeau de Don Pedro Menéndez, premier gouverneur de Floride.

À quelques kilomètres de la ville se trouve le petit aéroport international des Asturies.

Gijón ❻

Asturias. 260 000. Calle Marqués de San Esteban 1, 985 34 60 46. dim. San Antonio (13 juin), La Virgen de Begoña (15 août).

Ce grand port industriel a connu une importante reconstruction après avoir été bombardé par la flotte nationaliste pendant la guerre civile. Son vieux quartier de pêcheurs, Cimadevilla, s'étend sur un petit isthme et un promontoire autour de la Plaza Mayor entourée d'arcades. Au bout du port, à côté de la Colegiata bâtie en 1702, s'élève le **Palacio de Revillagigedo** remanié dans le style baroque à la fin du XVIIe siècle.

Une longue plage de sable s'étend au nord de la ville.

Palacio de Revillagigedo

Plaza del Marqués. 985 34 69 21. pour les expo. jours fériés.

La gracieuse Iglesia de San Pedro (XIIe siècle) de La Plaza

Oviedo ❼

Asturias. 180 000. Plaza de Alfonso II el Casto 6, 985 21 33 85. jeu. et dim. San Mateo (21 sept.).

Ville universitaire et capitale culturelle et commerciale de la région, Oviedo est au cœur d'une plaine fertile un important centre industriel. Fondée au milieu du VIIIe siècle, elle devint en 810 la capitale du petit royaume des Asturies, seule enclave chrétienne dans la péninsule Ibérique. Ses souverains firent édifier vers 850 un palais d'été sur le monte Naranco. Il en subsiste deux des plus beaux édifices que nous a laissés l'art préroman asturien.

En ville, la Cámara Santa remonte aussi au IXe siècle. Devenue une chapelle de la **cathédrale**, au centre du quartier historique, elle en abrite le trésor, notamment deux croix asturiennes. Entreprise en 1388, la cathédrale elle-même est de style gothique flamboyant. Sa haute tour et sa façade asymétrique dominent la plaza Alfonso II bordée d'élégants palais anciens.

L'**Iglesia de San Tirso** se dresse également sur la place. Après une reconstruction au XVIIe siècle, le sanctuaire actuel n'a gardé de l'édifice original, bâti au IXe siècle, que la fenêtre du chevet.

Croix des Anges du trésor de la cathédrale d'Oviedo

Derrière la cathédrale, le **Museo Arqueológico** occupe le Convento de San Vincente dont Juan de Badajoz commença au XVIe siècle le beau cloître. Ses collections comprennent des objets préhistoriques, romains, préromans, romans et gothiques.

Le palais baroque de Velarde abrite le **Museo de Bellas Artes** qui présente d'intéressantes peintures asturiennes et espagnoles, notamment un portrait de Charles II par Juan Carreño *(p. 66)* et des œuvres modernes de Nicanor Piñole.

Au nord de la ville, le monte Naranco culmine à plus de 1 200 m. Son flanc sud porte les deux édifices préromans, aujourd'hui des églises, qui appartenaient jadis au palais d'été des rois des Asturies. Érigée vers 850, **Santa María del Naranco** comprend une

Santa María del Naranco

Construite au IXe siècle pour servir de résidence ou de salle de justice à Ramiro Ier et transformée en église en 905, Santa María del Naranco, bâtiment étroit dont la décoration reste marquée par l'art wisigoth, offre un exemple caractéristique de l'architecture préromane asturienne.

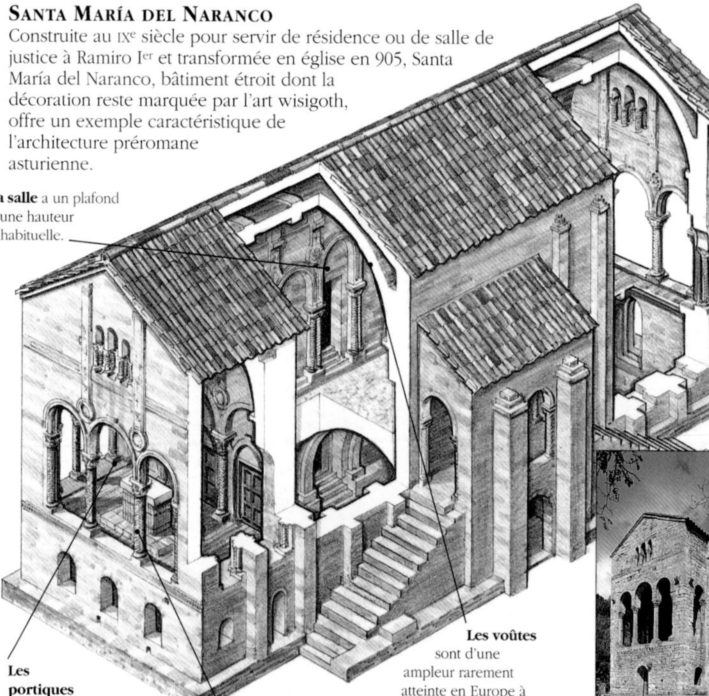

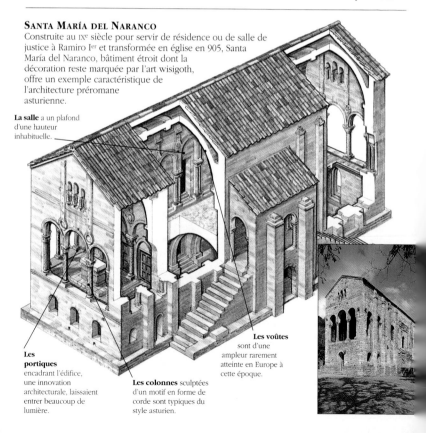

La salle a un plafond d'une hauteur inhabituelle.

Les portiques encadrant l'édifice, une innovation architecturale, laissaient entrer beaucoup de lumière.

Les colonnes sculptées d'un motif en forme de corde sont typiques du style asturien.

Les voûtes sont d'une ampleur rarement atteinte en Europe à cette époque.

Chapelle dominant la mer à Ribadesella

grande salle voûtée encadrée de deux portiques aux colonnes coiffées de chapiteaux sculptés. Un peu plus haut, **San Miguel de Lillo** possède des montants de portes représentant des dignitaires romains assistant aux jeux du cirque.

La plus grande des églises préromanes à avoir subsisté borde la route sortant d'Oviedo au nord-est. Construite au début du IXe siècle, **San Julián de los Prados** est réputée pour les fresques qui recouvraient jadis tous ses murs intérieurs.

Museo Arqueológico
Calle San Vicente 5. 985 21 54 05.
du mar. au dim.

Museo de Bellas Artes
Calle Santa Ana 1. 985 21 30 61.
du mar. au dim.

Valdediós 8

Asturias. *150.* *Villaviciosa, 985 89 23 24.*

Dans un enclos proche de ce hameau se dresse l'**Iglesia de San Salvador** (IXe siècle), petit joyau de l'art préroman au plafond décoré de fresques asturiennes et aux chapiteaux influencés par le style mozarabe. Le monastère voisin comprend une église cistercienne du XIIIe siècle et un cloître entrepris au XVe siècle.

Aux environs

À 11 km au nord, de belles maisons seigneuriales dominent les ruelles de **Villaviciosa**, jolie station balnéaire entourée de vergers de pommiers. Non loin, à **Amandi**, l'Iglesia de San Juan construite sur une hauteur a conservé un élégant portail roman.

L'Iglesia de San Salvador (IXe siècle), Valdediós

Ribadesella 9

Asturias. *6 400.* *Plaza Reina María Cristina 1, 985 86 00 38.* *mer.* *descente du Sella (1er sam. d'août).*

Cette charmante petite ville borde une large *ría*. D'un côté de l'estuaire, une église domine la falaise, le vieux port et ses bars à tapas. Sur l'autre rive s'étend une station balnéaire. Le premier samedi d'août, l'arrivée des kayaks descendant la Sella depuis Arriondas donne lieu à des défilés et des concours de danse.

À la périphérie de la ville, la **cueva de Tito Bustillo** présente un double intérêt : ses concrétions calcaires et les peintures préhistoriques, notamment de cerfs et de chevaux, qu'on y a découvertes en 1968. Elles ont environ 20 000 ans. Pour les protéger, les autorités ne laissent entrer que 375 visiteurs par jour. Des tickets numérotés sont distribués à partir de 9 h 30.

Cueva de Tito Bustillo
Ribadesella. 985 86 11 20. *du mer. au dim.* *d'oct. à avril.*

Cangas de Onís 10

Asturias. *3 300.* *Calle Carcel 5, 985 84 80 05.* *dim.* *Fiesta del Pastor (25 juil.).*

Cangas de Onís est l'une des portes des Picos de Europa *(p. 104-105)* et la ville où le Wisigoth Pélage, héros de la bataille de Covadonga *(p. 48)*, installa sa cour au VIIIe siècle. Le pont roman date du XIIIe siècle. La crypte de la chapelle de la Santa Cruz abrite les vestiges, gravés, d'un dolmen de l'âge du bronze.

Aux environs

À 5 km à l'est se visite la **cueva del Buxu** aux parois ornées de peintures et de gravures vieilles de plus de 10 000 ans. La visite n'est autorisée qu'à 25 personnes par jour, par groupes de 5.

Cueva del Buxu
985 94 00 54. *du mer. au dim.*

Parque Nacional de los Picos de Europa ⓫

Satyre de Lefebvre

Selon la tradition, ces superbes montagnes doivent leur nom de « pics d'Europe » aux marins pour qui elles étaient le premier signe qu'ils approchaient de la terre natale. Devenu la plus grande réserve naturelle d'Europe, le massif s'étend sur trois régions, les Asturies, la Cantabrie et la Castille-León, et présente des paysages variés. De profondes gorges ajoutent à la majesté de ses cimes calcaires, tandis que dans les vallées, prés et vergers créent un décor verdoyant. C'est là qu'est fabriqué le *cabrales* *(p. 73)*, fromage de chèvre évoquant le roquefort. De bonnes routes, et de nombreux hôtels et refuges, facilitent la découverte des richesses de la faune et de la flore.

Covadonga
Une basilique néo-romane fut construite entre 1886 et 1901 sur le site de la victoire historique de Pélage.

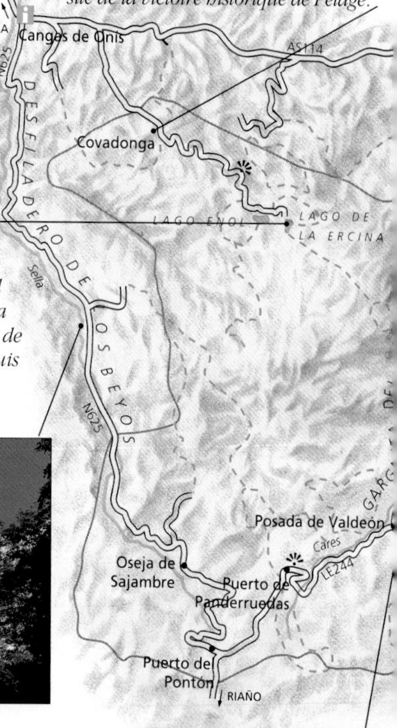

Lago de la Ercina
Avec le lago Enol voisin, ce lac offre au pied de la Peña Santa un agréable but de promenade depuis Covadonga.

Desfiladero de los Beyos
Longé par la route principale entre Cangas de Onís et Riaño, le río Sella a creusé ces gorges spectaculaires longues de dix kilomètres.

Légende

- Route principale
- Route secondaire
- Chemin
- Limites du parc national
- Information touristique
- Point de vue

Desfiladero del río Cares
Le chemin de randonnée qui permet de découvrir les gorges du Cares emprunte des tunnels et des ponts dont le plus haut domine la rivière de 1 000 mètres.

s Picos de Europa offrent de nombreux panoramas extraordinaires

Mode d'emploi

Cangas de Onís, 985 84 80 05. d'Oviedo à Cangas de Onís. **Téléphé. du Fuente Dé** 942 73 66 10. juil.-sept. : 9 h-20 h t.l.j., oct.-juin : 10 h-18 h t.l.j. 25 déc.-fév.

Pélage

Une statue de ce noble Wisigoth qui devint roi des Asturies monte la garde à la basilique de Covadonga construite près du site où Pélage et ses 300 guerriers réussirent à surprendre et à vaincre une force maure supérieure en nombre. Cette victoire marqua le début de la reconquête de la péninsule par les chrétiens *(p. 48-51)*. La grotte qui abrite son tombeau est devenue une chapelle dédiée à la Vierge.

Statue de Pélage

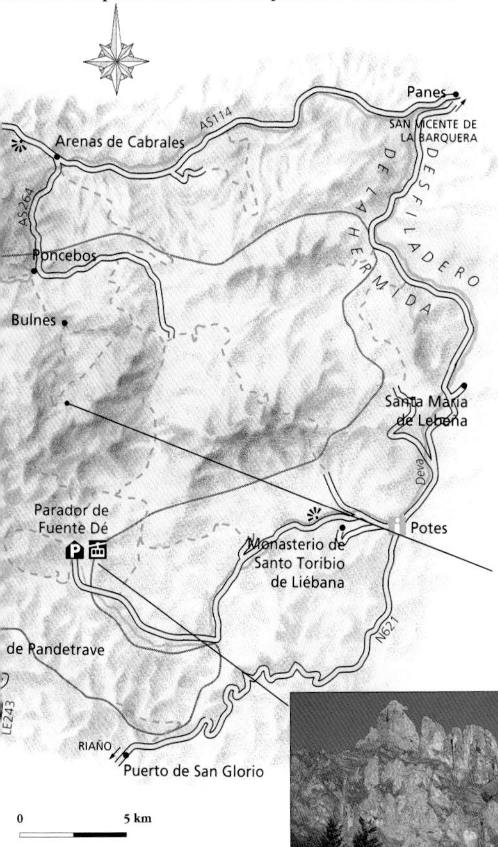

Le Naranjo de Bulnes culmine à 2 519 m et forme avec sa crête déchiquetée le cœur du massif.

Téléphérique du Fuente Dé

Depuis le cirque du Fuente Dé, il conduit à un plateau, 900 m plus haut, d'où se découvre un panorama exceptionnel des pics et des vallées du massif.

Procession de la Folía à San Vicente de la Barquera

Fêtes des Asturies et de la Cantabrie

La Folía *(avril)*, San Vicente de la Barquera (Cantabrie). Tous les ans, vers la fin avril, à une date dépendant des horaires des marées, on porte en procession dans un bateau de pêche la Virgen de la Barquera, statue qui serait miraculeusement arrivée à San Vicente sur une barque sans voiles et sans équipage. Sur la plage, des groupes de jeunes filles appelés *picayos* interprètent des chants traditionnels en l'honneur de la Vierge.

Fiesta del Pastor *(25 juil.)*, près de Cangas de Onís (Asturies). Dans le parc national des Picos de Europa, chants et danses folkloriques au bord du lac Enol *(p. 104)* pour la fête des bergers.

Bataille de fleurs *(der. ven. d'août)*, Laredo, Cantabrie. Derrière un défilé de chars fleuris, la bataille fait rage dans cette petite station balnéaire.

Nuestra Señora de Covadonga *(8 sept.)*, Picos de Europa (Asturies). Une foule immense se rassemble au sanctuaire de Covadonga *(p. 104)* pour célébrer la protectrice des Asturies.

Potes ⓬

Cantabria. *1 500.* *Calle de la Independencia 12, 942 73 07 87.* *lun.* *Santísima Cruz (15 sept.).*

Dans la large vallée de Liébana dont les sols fertiles se prêtent à la culture des noyers, des cerisiers et de la vigne, cette petite ville ancienne où subsistent de belles maisons à blasons sculptés et une puissante tour du XVe siècle, la **Torre del Infantado**, est la principale localité de la partie orientale des Picos de Europa. Spécialité locale, l'eau-de-vie appelée *orujo* est particulièrement forte.

Aux environs

Entre Potes et le littoral court le **desfiladero de la Hermida**. À mi-chemin, **Santa María de Lebeña** (Xe siècle) possède des arcs en fer à cheval et une galerie extérieure caractéristiques de l'architecture mozarabe.

À l'ouest de Potes, le monastère de **Santo Toribio de Liébana**, fondé au VIIe siècle et désormais occupé par des franciscains, conserverait dans un reliquaire en argent un gros fragment de la vraie croix. Dans la chapelle qui l'abrite se trouvent aussi les *Commentaires de l'Apocalypse* écrits en 786 par le moine Beatus et maintes fois recopiés et enluminés. Reconstruite au XIIIe siècle dans le style gothique, l'église du monastère incorpore deux portails romans plus anciens.

Comillas ⓭

Cantabria. *2 500.* *Calle la Aldea 6, 942 72 07 68.* *ven.* *El Cristo (16 juil.).* **Palacio** *de juin à sept. : t.l.j.; d'oct. à mai : du mer. au dim.* **Université** *t.l.j.*

Cette jolie station balnéaire présente la particularité de renfermer plusieurs édifices dessinés par des architectes modernistes catalans *(p. 136-137)*. Joan Martorell réalisa ainsi en 1881 pour Antonio

Pont de pierre et maisons anciennes à Potes

Ruines de la ville romaine de Juliobriga près de Reinosa

López y López, armateur qui devint le premier marquis de Comillas, le **Palacio Sobrellano** néo-gothique. Il construisit également, sur des plans de Domènech i Montaner *(p. 136)*, l'**Universidad Pontifica** qui domine la mer depuis une colline. Le monument le plus remarquable de la ville demeure toutefois une œuvre d'Antoni Gaudí *(p. 160)* : **El Capricho**. Un restaurant *(p. 580)* occupe désormais ce pavillon d'inspiration mudéjare où s'exprime toute la fantaisie du célèbre architecte.

Carreau de la façade d'El Capricho à Comillas

Aux environs

Le port de pêche de **San Vicente de la Barquera** recèle des rues à arcades et une église romano-gothique : Nuestra Señora de los Angeles.

Valle de Cabuérniga ⓮

Cantabria. *Bárcena Mayor.* *Ayuntamiento, Ruente, 942 70 91 04 (l'été seulement).*

La vallée de la Cabuérniga renferme deux villages au cachet exceptionnel. Une route a sorti **Bárcena Mayor** de son isolement et boutiques et restaurants de spécialités régionales bordent ses rues pavées dominées par les balcons de maisons aux rez-de-chaussée occupés par des étables.

À environ 20 km au nord-ouest, les solides demeures en pierre de **Carmona** offrent un exemple caractéristique d'architecture rurale cantabrique *(p. 22)* avec leurs toits à pannes et leurs balcons en bois. Leurs habitants continuent de pratiquer la sculpture sur bois, artisanat traditionnel de la région, et les hommes s'installent dehors pour fabriquer bols, *albarcas* (sabots) ou sièges. Au centre du village, le Palacio de los Mier, maison seigneuriale du XIIIe siècle, abrite un hôtel depuis sa restauration.

La vaste forêt de **Saja** est devenue une réserve naturelle et cerfs et coqs de bruyère peuplent ses bois de chênes verts et de feuillus.

Maisons traditionnelles à balcons en bois à Bárcena Mayor

Alto Campóo ⓯

Cantabria. *1 900.* *Estación de Montaña 942 77 92 22 (matin seulement).* *Nuestra Señora de las Nieves (5 août), San Roque (16 août).*

Les dix pistes de cette petite station de sports d'hiver offrent un domaine skiable de dix-sept kilomètres. Le pico de Tres Mares (2 175 m) qui la domine doit son nom de « pic des Trois Mers » aux fleuves qui y prennent naissance et se jettent l'un dans la Méditerranée, l'autre dans le golfe de Gascogne et le troisième dans l'Atlantique. Son sommet, qui s'atteint par la route ou en télésiège, offre une vue exceptionnelle sur les montagnes de la Cantabrie. À Fontibre, l'Ebre prend sa source dans un très joli cadre.

Aux environs

À quelque 26 km à l'est d'Alto Campóo, **Reinosa** est une élégante ville de marché aux rues à arcades bordées de vieilles maisons. Un peu plus loin au sud-ouest, près du hameau de Retortillo, s'étendent les ruines de **Juliobriga**, cité fondée par les Romains pour contenir les tribus des montagnes de la Cantabrie.

Au sud de Reinosa, la route principale conduit à **Cervatos** dont la collégiale romano-gothique possède de magnifiques chapiteaux et présente en façade, juste sous le toit, des sculptures érotiques.

Arroyuelo et **Cadalso**, au sud-est, recèlent deux églises des IXe et Xe siècles inscrites dans des parois rocheuses.

L'un des nombreux bisons dessinés dans les grottes d'Altamira

Cuevas de Altamira ⓰

Cantabria. ☎ 942 81 80 05. 🚌 *Santillana del Mar.* **Grottes** ◯ *sur rendez-vous, voir ci-dessous.* **Musée** ◯ *du mar. au dim.* ● *24, 25, 31 déc. et 1er jan.*

Découvertes en 1879, les grottes d'Altamira abritent certaines des plus belles peintures préhistoriques. Les plus anciennes datent d'environ 18 000 av. J.-C., mais les plus célèbres, des fresques polychromes utilisant les reliefs de la roche pour créer des effets de volume, furent exécutées vers 13 000 av. J.-C. Un musée en explique l'importance et le sens. L'entrée dans les grottes est limitée à 25 personnes par jour. À ce jour, les places sont réservées pour les trois prochaines années. En cas de désistement, l'entrée est proposée à l'un des 15 premiers visiteurs du musée.

Santillana del Mar ⓱

Cantabria. 👥 *4 000.* 🚌 ℹ *Calle Jesus Otero 22, 942 81 88 12.* 🎉 *Santa Juliana (28 juin).*

Située malgré son nom à quelques kilomètres à l'intérieur des terres, Santillana del Mar doit au charme que lui donnent ses maisons bâties du XVe au XVIIIe siècle d'être devenue très touristique. En dépit des boutiques de souvenirs, découvrir, à pied, ses rues pavées bordées de demeures seigneuriales blasonnées ou agrémentées de balcons en bois garde toutefois la saveur d'un voyage dans le passé.

La ville s'est développée au haut Moyen Âge autour d'un monastère à l'emplacement duquel s'élève aujourd'hui la **Colegiata** bâtie au XIIe siècle. Ce majestueux édifice roman abrite le tombeau gothique de sainte Julienne, un retable de 1453 et un devant d'autel en argent du XVIIe siècle. Achevé peu de temps après l'église, le cloître recèle de beaux chapiteaux.

Christ exposé au Convento de Regina Coeli

Sur la superbe **Plaza Mayor**, un parador *(p. 540)* occupe l'élégante Casa de los Barredo Bracho (XVIIe siècle). À l'est du centre, le **Museo Diocesano** aménagé dans le Convento de Regina Coeli présente une collection d'art religieux.

🏛 Museo Diocesano
Avenida Le Dorat 2. ☎ *942 81 80 04.* ◯ *du jeu. au mar.* ● *fév.*

Puente Viesgo ⓲

Cantabria. 👥 *2 500.* 🚌 ℹ *Calle Manuel Pérez Mazo 2, 942 31 07 08.* 🎉 *San Miguel (28-29 sept.).*

Cette petite station thermale s'étend au pied d'une colline calcaire creusée de plusieurs grottes décorées de dessins préhistoriques. Utilisées, pense-t-on, comme sanctuaires par des chasseurs du paléolithique, elles renferment de nombreuses représentations polychromes de taureaux, de cerfs, de chevaux et de bisons, ainsi que des empreintes de mains (presque toujours la gauche). La visite la plus intéressante est celle de la **cueva de El Castillo**.

Aux environs

Dans la verdoyante vallée du Pas, au sud-est de Puente Viesgo, le peuple des vachers *Pasiegos* entretient des traditions différentes de celles de la région. Vous pourrez goûter à **Vega de Pas**, la principale localité, les gâteaux appelés *sobaos (p. 73)* et les *quesadas*, tartes à l'anis et à la cannelle. À **Villacariedo**, les deux façades baroques (XVIIIe siècle) du palais de Juan Antonio Diaz cachent une tour médiévale.

Cueva de El Castillo
Puente Viesgo. ☎ *942 59 84 25.* ● *lun.*

Façade principale de la Colegiata de Santillana del Mar

Le Palacio de la Magdalena à El Sardinero

Santander ⓳

Cantabria. 200 000.
Plaza de Velarde 5, 942 31 07 08.
jeu. – mar. Santiago (25 juil.).
www.ayto-santander.es

La capitale de la Cantabrie jouit d'une superbe situation à l'embouchure d'une baie profonde. Un incendie ravagea en 1941 son centre historique qui dut être entièrement rebâti, notamment la **cathédrale**, reconstruite dans le style gothique. Elle conserve cependant une crypte du XIIe siècle. Les collections du **Museo de Bellas Artes**, bien que riches surtout en peintures d'artistes locaux, comprennent des tableaux par Goya, Zurbarán et Mengs. Le **Museo de Prehistoria e Arqueología** expose des objets préhistoriques, des stèles païennes et des vestiges romains. Le **Museo Marítimo** présente des squelettes de baleines et 350 espèces de poissons.

Sur la península de la Magdalena, un parc entoure le **Palacio de la Magdalena**, palais d'été construit pour Alphonse XIII en 1912.

Au nord de la presqu'île s'étendent deux superbes plages que séparent des jardins plantés sur un promontoire rocheux. Le casino Belle Époque de l'élégante station balnéaire d'**El Sardinero** fait face à l'une d'elles. Près du port, une ambiance plus populaire règne au **barrio Pesquero**, le quartier des pêcheurs.

Museo de Bellas Artes
Calle Rubio 6. 942 23 94 85. *du lun. au sam.*

Museo de Prehistoria y Arqueología
Calle Casimiro Saenz 4. *942 20 71 05.* *du mar. au dim.*

Museo Marítimo
Promontorio de San Martín. *942 27 49 62.* *jusqu'en juin 2003*

Laredo ⓴

Cantabria. *14 000.* *Calle Lopez Seña, 942 61 10 96.* *Batalla de Flores (der. ven. d'août), San Martín (11 nov.).*

Une plage longue de 5 km a fait de cet ancien village de pêcheurs une station balnéaire très fréquentée mais aux immeubles modernes dénués de charme. Dans le quartier ancien, plus typique, l'**Iglesia de la Asunción**, construite au XIIIe siècle et mainte fois remaniée, abrite deux grands lutrins de bronze offerts par Charles Quint. En été, une grande bataille de fleurs *(p. 106)* a lieu à Laredo.

Castro Urdiales ㉑

Cantabria. *15 500.* *Avenida de la Constitución 1, 942 87 15 12.* *jeu.* *Coso Blanco (27 juin), Santa Ana (26 juil.).*
Église *de 16 h à 18 h, t.l.j.*

Port de pêche animé et plaisante station balnéaire, Castro Urdiales étend son quartier ancien sur une péninsule rocheuse que domine le plus grand sanctuaire gothique de Cantabrie, l'**Iglesia de Santa María**. Partiellement en ruine, le château édifié à proximité par des Templiers a été aménagé en phare. De belles maisons à galeries vitrées bordent la promenade.

Les plages les plus vastes, telle la playa de Ostende, se trouvent à l'ouest de la ville.

Aux environs
Près du village de **Ramales de la Victoria**, à 20 km au sud, une route de montagne grimpe jusqu'à des grottes décorées de dessins et de gravures préhistoriques.

L'Iglesia de Santa María domine le port de Castro Urdiales

PAYS BASQUE, NAVARRE ET RIOJA

BISCAYE · GUIPÚZCOA · ÁLAVA · RIOJA · NAVARRE

Dans les vertes collines qui dominent l'Atlantique au Pays basque vit un peuple tourné vers la mer, mais qui a su préserver sa culture depuis des millénaires. Des Pyrénées à la vallée de l'Èbre, la Navarre offre de beaux paysages ruraux ponctués de petites villes anciennes. Au sud, la Rioja produit certains des meilleurs vins d'Espagne.

Si l'origine des Basques commence désormais à être connue – ils descendraient de tribus installées dans les Pyrénées depuis la préhistoire –, celle de leur langue, l'*euskera*, reste plus mystérieuse. Leur culture a résisté à toutes les invasions qu'a connues la péninsule Ibérique. Son originalité se manifeste notamment dans la cuisine, considérée comme la meilleure d'Espagne. Les produits de la mer y jouent un grand rôle, car la pêche fut pendant des siècles l'activité principale des habitants du littoral. L'industrie est aujourd'hui devenue la première ressource de la région, mais elle demeure concentrée autour de quelques villes.

Le Pays basque (Euskadi) comprend officiellement trois provinces jouissant d'une grande autonomie politique et administrative, la Biscaye, le Guipúzcoa et l'Álava, mais l'*euskera* reste aussi parlée dans une partie de la Navarre qui fut au Moyen Âge un puissant royaume indépendant. Des villes comme Olite et Estella, et des monuments tels que le monastère de Leyre, entretiennent le souvenir de sa grandeur d'antan. En juillet, la fête prend le pouvoir à Pampelune, sa capitale, pour *los San Fermines*.

Réputée pour ses vins, la Rioja recèle aussi de beaux édifices historiques, tels les monastères de Yuso et de San Millán de la Cogolla et la cathédrale de Santo Domingo de la Calzadal.

Ferme basque près de Gernika-Lumo

◁ **Ruelle du village de Roncal, sur les contreforts des Pyrénées navarraises**

À la découverte du Pays basque, de la Navarre et de la Rioja

Ces vertes régions offrent de nombreuses possibilités aux visiteurs. Les Pyrénées navarraises permettent en hiver la pratique du ski et, en été, celle de l'escalade, de la spéléologie ou du canoë. Dans le Pays basque, criques et larges baies aux plages de sable fin creusent la côte rocheuse. Dans l'arrière-pays, des routes de campagne sinuent au creux de vallées paisibles et de gorges ponctuées de châteaux et de manoirs isolés. En Rioja, elles relient à travers des vignobles des villes et villages serrés autour d'églises et de monastères séculaires.

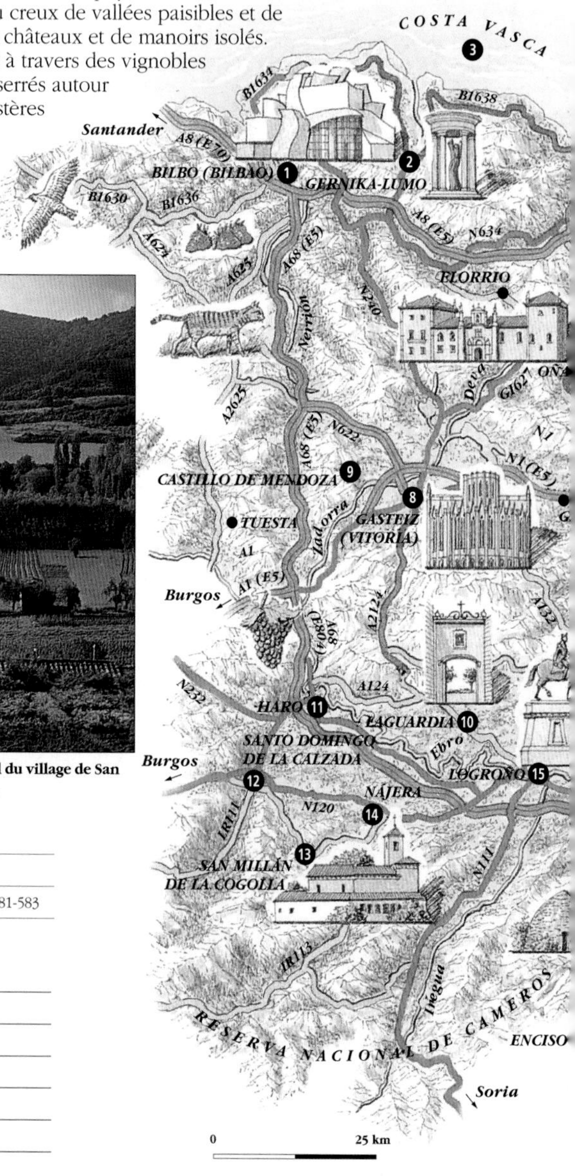

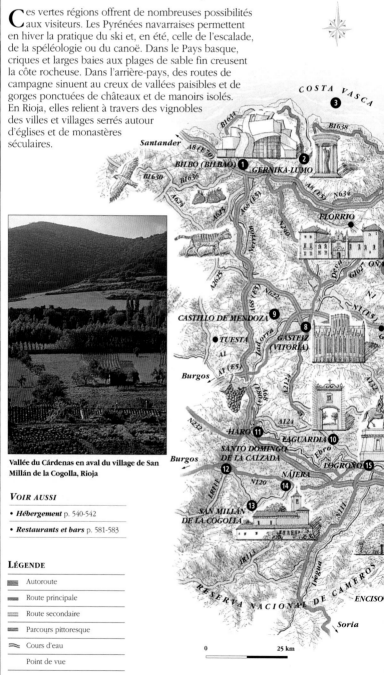

Vallée du Cárdenas en aval du village de San Millán de la Cogolla, Rioja

VOIR AUSSI

- ***Hébergement*** p. 540-542
- ***Restaurants et bars*** p. 581-583

LÉGENDE

- Autoroute
- Route principale
- Route secondaire
- Parcours pittoresque
- Cours d'eau
- Point de vue

LE PAYS BASQUE, LA NAVARRE ET LA RIOJA D'UN COUP D'ŒIL

Bilbao (Bilbo) 1
Castillo de Javier 29
Las Cinco Villas de la Montaña 24
Castillo de Mendoza 9
Costa Vasca 3
Donostia (Saint-Sébastien) 4
Elizondo 25
Enciso 16
Gasteiz (Vitoria) 8
Gernika-Lumo 2
Haro 11
Hondarribia (Fuenterrabía) 5
Pampelune (Iruña, Pamplona) 23
Laguardia 10
Lizarra (Estella) 22
Logroño 15
Monasterio de Leyre 28
Monasterio de La Oliva 18
Nájera 14
Olite 20
Oñati 7
Orreaga (Roncevaux) 26
Puente la Reina 21
Sangüesa 30
San Millán de la Cogolla 13
Santo Domingo de la Calzada 12
Santuario de Loiola 6
Tudela 17
Ujué 19
Valle de Roncal 27

CIRCULER

Depuis Bilbao, qui possède un aéroport international, l'autoroute A 8 (E8) rejoint Biarritz en France, et l'A 68 (E8) suit la vallée de l'Èbre jusqu'à Saragosse. Les routes sont souvent encombrées, hormis dans les zones très rurales. Le train dessert toutes les localités principales, et les autres peuvent en général s'atteindre en car.

L'élégante playa de Ondarreta, l'une des trois plages de Saint-Sébastien

Bilbao s'est développée sur les rives du río Nervión

Bilbao ❶

Vizcaya. 375 000.
Paseo del Arenal 1, 944 79 57 60.
Santiago (25 juil.), San Ignacio (31 juil.), La Asunción (15 août), Semana Grande (mi-août). www.bilbao.net

Premier port commercial d'Espagne et plus grande ville du Pays basque, Bilbao (Bilbo) est au pied de collines dénudées le cœur d'une zone industrielle qui s'étend sur 16 km le long du Nervión (Nerbioi) et de son estuaire. Entre la banlieue résidentielle de Las Arenas et Portugalete, le fleuve peut se franchir sur le **puente Colgante**, pont transbordeur haut de plus de 60 m construit en 1893.

Fondée en 1300, Bilbao a commencé à prendre son importance actuelle pendant la deuxième moitié du XIXe siècle grâce à l'exploitation des mines de fer de Somorrostro, au nord-ouest. Son développement industriel lui a valu de connaître des problèmes de pollution qui se sont aujourd'hui atténués. Malgré sa prospérité, ce n'est pas une belle cité, mais le *casco viejo* (quartier ancien) forme sur la rive droite du Nervión un réseau de ruelles pittoresques et animées autour de la plaza Nueva entourée d'arcades et de la **Catedral Basílica de Santiago**.

Non loin, le **Museo Arqueológico, Etnográfico e Histórico Vasco** propose, entre autres, des tableaux vivants illustrant des modes de vie traditionnels basques. Son cloître abrite l'Idole de Mikeldi, forme animale sculptée vers 200 av. J.-C.

Dans la partie plus récente de la ville, de l'autre côté du fleuve, le **Museo de Bellas Artes** présente une des plus belles collections d'art d'Espagne, allant de peintures catalanes du XIIe siècle aux tableaux d'artistes modernes tels que Vasarely, Kokoschka, Bacon, Delaunay et Léger. Plusieurs salles sont consacrées aux peintres basques.

Le joyau de cette ville est le **Museo Guggenheim Bilbao** *(p. 116-117)* qui a ouvert en 1997. Il fait partie d'un développement de la ville qui comprend l'extension du port et un nouveau métro futuriste dessiné par Norman Foster. Le nouveau **Palacio de la Música y Congresos Euskalduna** a été dessiné sur la forme d'un navire. Il a un auditorium de 2 200 places et abrite l'orchestre symphonique de Bilbao.

À l'ouest de la ville, le village de La Reineta s'atteint par la route ou en funiculaire. Il offre une large vue sur les anciens docks. Sur la rive orientale de l'estuaire, Algorta est une station balnéaire aux élégantes résidences de villégiature.

***Condesa Mathieu de Noailles* (1913) par Zuloaga**

Museo Arqueológico, Etnográfico e Histórico Vasco
Plaza Miguel Unamuno 4. 94 415 54 23. du mar. au dim. jours fériés.

Museo de Bellas Artes
Plaza del Museo 2. 94 439 60 60. du mar. au dim. jours fériés.

Palacio de la Música y Congresos Euskalduna
Ave. Abandoibarra 4. 94 403 50 00. pour les concerts.

Gernika-Lumo ❷

Vizcaya. 15 400.
Artekalea 8, 94 625 58 92.
lun. Aniversario del Bombardeo de Guernica (26 avril).

La petite ville de Gernika-Lumo a pour les Basques une grande importance symbolique. Pendant des siècles, les rois de Biscaye vinrent en effet y prêter serment de respecter les institutions garantissant l'autonomie de la région : les *fueros*. Le 26 avril 1937, elle fut la cible du premier bombardement visant des populations civiles. Mené par les nazis de la Légion Condor à la demande du général Franco, il fit plus de 2 000 victimes et inspira à Picasso le tableau poignant *(p. 62-63)* exposé à Madrid *(p. 289)*.

Reconstruite, Guernica offre peu d'intérêt architectural, mais conserve dans un jardin le tronc du *Gernikako Arbola*, chêne sous lequel se sont tenues pendant des siècles les assemblées des représentants du peuple basque. Un nouvel arbre a été planté à côté de l'ancien en 1860.

Pêcheurs basques sur le vitrail de la Casa de Juntas à Guernica

Depuis 1979, les réunions du Parlement de la Biscaye ont lieu à proximité dans la **Casa de Juntas**, une ancienne chapelle. Au plafond d'une des salles, un vitrail représente une assemblée traditionnelle sous le Chêne de Gernika.

Des sculptures par Henry Moore et Eduardo Chillida célèbrent la paix dans le parc voisin.

Aux environs

À 5 km au nord-est de Guernica, près de Kortézubi (Cortézubi), se trouvent les **cuevas de Santimamiñe**, l'un des nombreux dédales, pour la plupart fermés au public, creusés par les eaux dans cette région montagneuse. Leur visite, guidée, permet d'admirer dans une petite salle souterraine des peintures rupestres d'animaux tels qu'ours et bisons exécutées vers 11 000 av. J.-C. et découvertes en 1917. On s'enfonce ensuite dans la Longue Galerie, tunnel où stalactites et stalagmites composent un décor étrange.

Casa de Juntas
C/ Allende Salazar. ☎ *946 25 11 38.* ○ *t.l.j.* ● *15 août et 25 déc.* ♿

Cuevas de Santimamiñe
Barrio Basondo, Kortézubi. ☎ *946 25 58 92.* ○ *du lun. au ven.* ● *jours fériés.*

Costa Vasca ❸

Vizcaya & Guipúzcoa. 🚉 *Bilbao.* 🚌 *Bilbao.* ℹ *Getxo, 94 491 08 00.*

Entre océan et collines boisées, les hautes falaises creusées de criques de la côte basque offrent sur 176 km des paysages contrastés. Certains des villages de pêcheurs qui jalonnent le littoral ont perdu de leur charme ces dernières années, mais l'arrière-pays reste préservé.

À proximité de Bilbao, de belles plages s'étendent au nord d'Algorta et, plus à l'est, à Plentzia, station balnéaire dotée d'un port de plaisance, et à Bakio. La BI 3101 devient ensuite une impressionnante route de corniche qui sinue au-dessus de la mer, dépassant le petit ermitage de San Juan de Gaztelugaxte établi sur un îlot et le phare de Matxitxaco. Elle atteint Bermeo, port où se visite le **Museo del Pescador** (musée du Pêcheur), puis Mundaka, rendez-vous de surfeurs. La paisible ría de Guernica propose deux plages de sable à Laida et Laga.

Pêcheurs à Lekeitio, port de la Costa Vasca

Plus à l'est, dans le port de pêche de **Lekeitio**, des demeures anciennes bordent un front de mer agréable au-dessous de l'église Santa María (xve siècle). Une longue plage de sable s'étend de part et d'autre de **Saturrarán** et d'**Ondarroa**, port de pêche où subsistent de pittoresques maisons à balcon de bois. **Zumaia** a gardé un quartier ancien. Installé dans l'ancienne demeure d'un peintre basque mort en 1945, le **Museo de Ignacio Zuloaga** présente une collection d'art remarquable. À **Getaria**, le port recèle de nombreux restaurants animés. Sa vaste plage a fait de **Zarautz** une importante station balnéaire.

Museo del Pescador
Plaza Torrontero 1. ☎ *946 88 11 71.* ○ *du mar. au dim.* ● *jours fériés.* ♿

Museo de Ignacio Zuloaga
Casa Santiago Zumaya, Carretera de San Sebastián. ☎ *943 86 23 41.* ○ *de jan. à sept. : du mer. au dim.*

Bilbao : le musée Guggenheim

Le musée Guggenheim est le joyau de la couronne culturelle de Bilbao. L'édifice, conçu par l'architecte américain Frank Gehry, est à lui seul une attraction majeure : un surprenant alignement de courbes argentées rappelant la forme d'un navire ou celle d'une fleur. La collection du musée Guggenheim représente un large éventail d'œuvres d'art contemporain et moderne, dont celles d'impressionnistes abstraits tels que Willem de Kooning et Mark Rothko. La plupart des pièces sont exposées successivement au biais d'expositions temporaires et de rétrospectives majeures. Tournantes, elles permettent d'exposer les œuvres dans les autres musées Guggenheim à New York, Venise et Berlin.

Les toîts
Ayant l'aspect d'une proue et construit avec des matériaux métalliques, le Guggenheim évoque la silhouette d'un bateau.

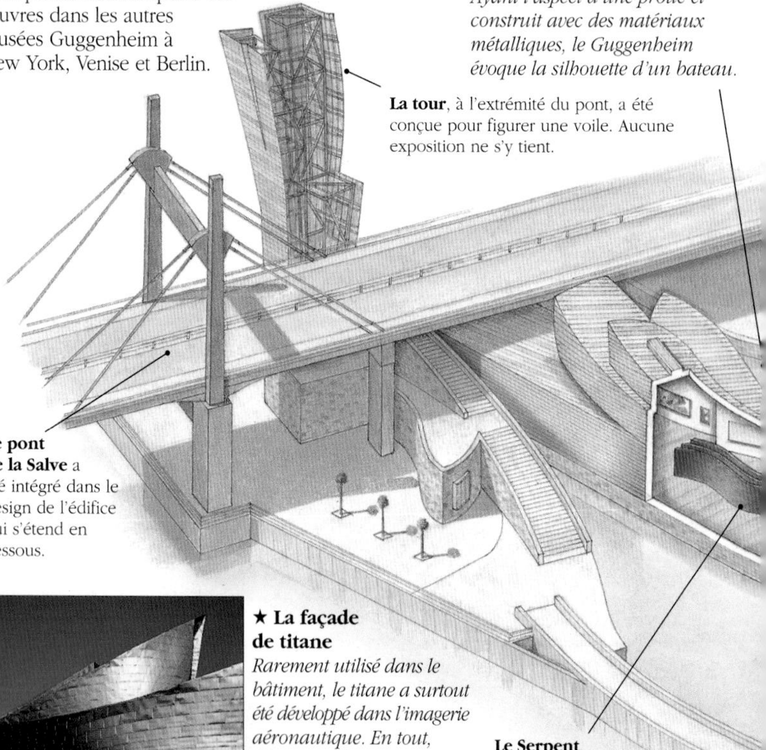

La tour, à l'extrémité du pont, a été conçue pour figurer une voile. Aucune exposition ne s'y tient.

Le pont de la Salve a été intégré dans le design de l'édifice qui s'étend en dessous.

Le Serpent, de Richard Serra, est en acier laminé. Il mesure plus de 30 m de long.

★ La façade de titane
Rarement utilisé dans le bâtiment, le titane a surtout été développé dans l'imagerie aéronautique. En tout, 60 tonnes de titane ont été nécessaires, mais la couche a seulement 3 mm d'épaisseur.

La galerie au Poisson
Dominée par le Serpent de Richard Serra, la galerie est la pièce la plus vaste du musée. Le motif de poisson représenté ici est l'un de ceux que Frank Gehry préfère.

★ L'atrium
L'espace qui fait office de vestibule au musée est l'extraordinaire atrium de 60 m de haut. Il sert de point d'orientation et sa hauteur en fait une scène grandiose pour l'exposition d'œuvres de grandes dimensions.

MODE D'EMPLOI

Avenida Abandoibarra. *944 35 90 80. Moyua. 1, 10, 11, 13, 18, 27, 38, 46, 48, 71. 10 h-20 h. lun. de sept. à juin, jours fériés.* *www.guggenheim-bilbao.es*

Puppy, de l'artiste américain Jeff Kooas, porte un manteau de fleur irrigué par un système interne. À l'origine destinée à être temporaire, la sculpture a gagné sa place définitive ici grâce à sa popularité auprès du public de Bilbao.

Balcon du 2e étage

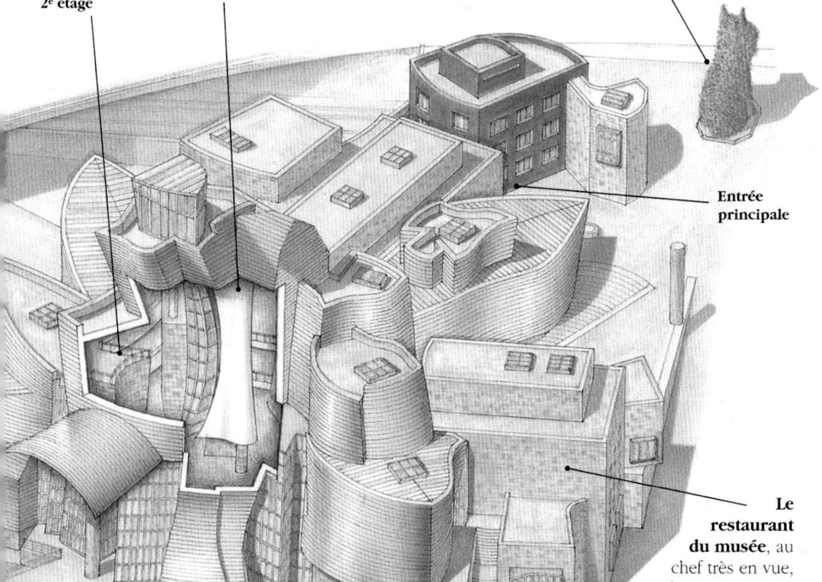

Entrée principale

Le restaurant du musée, au chef très en vue, le Basque Martin Berastegui, sert des spécialités locales.

Jardin d'eau jouxtant la rivière Nervión

À NE PAS MANQUER

★ La façade en titane

★ L'atrium

Au cœur de la ville
Depuis la calle de Iparraguirre, on découvre le « Guggen » comme l'appellent les habitants, s'élevant en contraste au milieu des bâtiments traditionnels.

La playa de Ondarreta à Saint-Sébastien

Saint-Sébastien ❹

Guipúzcoa. 180 000. Reina Regente 3, 943 48 11 66. dim. San Sebastián (20 jan.), Semana Grande (mi-août).
www.sansebastianturismo.com

La plus élégante et la plus animée des cités balnéaires espagnoles occupe un site magnifique, la Bahía de la Concha (baie de la Coquille) enclose entre deux collines couronnées d'une tour : le monte Urgull à l'est et le monte Igueldo à l'ouest. Au milieu de l'anse, la petite île de Santa Clara assure des eaux paisibles aux deux principales plages de sable.

Saint-Sébastien (Donostia, San Sebastián) acquit sa renommée à la fin du XIXe siècle quand la reine Marie-Christine de Habsbourg y établit sa résidence d'été. Bien qu'elle reste prisée de l'aristocratie et abrite toujours de nombreuses boutiques de luxe et l'un des plus prestigieux palaces du pays, le María Cristina *(p. 542)*, la station balnéaire attire désormais une clientèle plus familiale.

Elle est réputée pour ses manifestations estivales : un festival de jazz en juillet ; la Semana Grande, prétexte à des animations très variées ; un festival de musique classique à la fin du mois d'août ; et le festival du Film en septembre.

Les gourmets apprécieront également les spécialités basques proposées dans une ville qui compte de nombreux clubs gastronomiques.

La vieille ville

Située entre la Bahía de la Concha et le río Urumea, la Parte Vieja de Saint-Sébastien a gardé beaucoup de cachet. Une intense animation règne la nuit dans ses ruelles bordées de restaurants et de bars à tapas. Un grand marché au poisson, témoigne de l'importance accordée aux produits de la mer dans l'excellente cuisine locale.

Cœur du quartier, la **plaza de la Constitución** est une belle place entourée d'arcades et de maisons aux volets bleus et orange. Les nombres portés par les balcons datent de l'époque où elle servait de cadre à des courses de taureaux. À quelques pas au nord, l'église **Santa Maria del Coro** possède un portail baroque.

Couronné par le **Castillo de Santa Cruz de la Mota**, le **monte Urgull** domine la vieille ville. Il offre un superbe panorama de la baie.

Les plages

Les deux principales plages de Saint-Sébastien occupent le fond de la Bahía de la Concha jusqu'au **monte Igueldo**. La plus chic est la **playa de Ondarreta**, la plus étendue, la **playa de la Concha**. Au sommet se dresse le **Palacio Miramar** construit en 1889 par José Goicoa sur des dessins de l'architecte anglais Selden Wornum. Ancienne résidence d'été de la reine Marie-Christine, le palais appartient désormais à la ville qui y organise à l'occasion des manifestations. Son jardin est ouvert au public. Au bord de l'eau, près de la playa de Ondarreta, s'admire le *Peigne des vents*, sculpture moderne par Eduardo Chillida. Un parc d'attractions occupe le sommet du monte Igueldo, accessible par la route ou en funiculaire.

À l'est de la playa de la Concha, le **monte Ulía** domine la **playa de la Zurriola**, la préférée des surfeurs .

Aquaruim

Plaza Carlos Blasco de Imaz. *943 44 00 99* *de sept. à juin : de 10 h à 20 h ; en juil. et août : de 10 h à 22 h t.l.j.* *25 déc. et 1er janv.*
Un tunnel aménagé sous l'eau permet d'observer quelques 5 000 poissons, dont deux requins. Billets d'entrée valables aussi pour le **Musée naval** où est présentée l'histoire maritime du Pays basque.

Le Peigne des vents **par Eduardo Chillida**

◁ **Harmonie des couleurs au sud du río Oyarzun, dans la province basque de Guipúzcoa**

Peinture de José María Sert dans l'église du Museo de San Telmo

Kursaal
Playa de la Zurriola. *943 00 30 00*
Créés par Rafael Moneo, ces cubes géants abritent de vastes auditoriums.

Museo de San Telmo
Plaza Zuloaga. *943 42 49 70.* *du mar. au dim.*
Installé dans un monastère Renaissance édifié au XVIe siècle au pied du monte Urgull, il présente dans le cloître, un ensemble rare de pierres tombales circulaires basques datant du XIVe au XVIIe siècle.

Riche en œuvres d'artistes locaux tels qu'Antonio Ortiz Echagüe et Ignacio Zuloaga *(p. 115)*, l'exposition de peintures comprend aussi des tableaux par El Greco, le Tintoret ou Vicente López. Dans l'église, 16 panneaux muraux or et sépia exécutés en 1930-1932 par le Catalan José María Sert illustrent les talents et l'histoire du peuple basque.

Chillida-Leku
Caserío Zabalaga, B° Jáuregui 66, Hernani. *943 33 60 06.* *mar.*
www.eduardo-chillida.com
Installé dans une demeure du XVIe siecle entourée de jardins, ce musée présente une collection de 40 sculptures de l'artiste basque Eduardo Chillida.

Aux environs
À 5 km à l'est de Saint-Sébastien, le pittoresque village de pêcheurs de **Pasaia Donibane** (Pasajes de San Juan) serre ses maisons à balcons peints autour d'une grand-rue bordée de quelques bons restaurants de poisson.

Hondarribia ❺

Guipúzcoa. *14 000.* *Calle Javier Ugarte 6, 943 64 54 58.* *La Kutxa Entrega (25 juil.), Alarde (6-8 sept.).*

Front de mer du petit village de pêche de Pasaia Donibane

Balcons fleuris dans la ville haute de Hondarribia

Sur l'estuaire de la Bidassoa, Hondarribia (Fuenterrabia) subit au cours de son histoire de nombreux assauts menés par les Français et la ville haute reste protégée par des remparts du XVe siècle. On les franchit par la **puerta de Santa María** pour découvrir ses ruelles bordées de maisons blasonnées. Elles s'organisent autour de l'église **Santa María de la Asunción**. Édifice gothique remanié dans le style Renaissance et doté d'une haute tour baroque, elle abrite un retable en or.

Au terme de la calle Mayor, sur la plaza de Armas, le **palais** fondé au Xe siècle et reconstruit aux XVe et XVIe siècles est devenu un parador *(p. 541)*.

Dans le quartier des pêcheurs, La Marina, une joyeuse animation règne dans les cafés en bord de mer. Une station balnéaire s'est développée le long des plages qui s'étendent au nord.

Aux environs
Une route grimpe à l'ouest jusqu'au sanctuaire de la Vierge de Guadalupe. Elle offre plus loin de jolies vues. À 9 km au sud, l'**Ermita de San Marcial** domine depuis une colline la plaine de la Bidassoa et la frontière, aisée à situer : les villes françaises sont plus blanches.

LE FESTIVAL DU FILM DE SAINT-SÉBASTIEN

Fondé en 1953, c'est l'un des cinq plus grands festivals internationaux de cinéma organisés en Europe et il attire chaque année plus de 100 000 spectateurs qui viennent découvrir des productions du monde entier. *Sueurs froides*, d'Alfred Hitchcock, y fut un des premiers films primés. Un prix spécial, le prix Donostia, rend également hommage à l'ensemble de l'œuvre d'un acteur ou d'un metteur en scène. Le site web du festival est www.sansebastianfestival.ya.com

Lauren Bacall à Saint-Sébastien

Façade Renaissance de l'université d'Oñati

Santuario de Loiola ❻

Loiola (Guipúzcoa). *943 81 65 08.* *t.l.j.*

Vers 1490, saint Ignace de Loyola, fondateur de l'ordre des jésuites, naquit près d'Azpeitia dans la demeure seigneuriale de sa famille, incorporée, sous le nom de Santa Casa, au sanctuaire actuel. Une chapelle a été aménagée dans la pièce de la maison où le jeune noble, blessé à la jambe, se convertit pendant sa convalescence. Un diorama illustre les principaux épisodes de sa vie : sa décision, au monastère de Montserrat *(p. 208-209)*, de vouer sa vie au Christ ; sa retraite dans une grotte de Manresa où il écrivit les *Exercices spirituels* ; son emprisonnement par l'Inquisition et son pèlerinage en Terre Sainte.

Édifiée entre 1681 et 1738, la basilique coiffée d'une coupole churriguerresque est de plan circulaire. Elle possède une très riche décoration polychrome de style baroque.

Oñati ❼

Guipúzcoa. *10 000.* *Plaza de los Fueros 4, 943 78 34 53.* *sam.* *Corpus Christi (mai/juin), San Miguel (29 sept.).*

Dans la vallée de l'Udana, la ville historique d'Oñati (Oñate) fut entre 1833 et 1839, pendant la première guerre carliste *(p. 59)*, le siège de la cour de Don Carlos, frère de Ferdinand VII à qui il disputait le trône. Fondée vers 1540, son **université** resta pendant des siècles la seule du Pays basque. Derrière sa façade Renaissance ornée de statues de saints s'ouvre une élégante cour intérieure.

Sur la plaza de los Fueros, l'**hôtel de ville** *(ayuntamiento)* baroque fait face à l'**Iglesia de San Miguel**, sanctuaire gothique dont le cloître de style plateresque renferme le tombeau de l'évêque Zuázola d'Avila, fondateur de l'université.

Aux environs

Une route de montagne grimpe jusqu'au **Santuario de Arantzazu** fondé dans un paysage sauvage à l'endroit où un berger aurait eu une vision de la Vierge en 1469. L'église est un bel exemple d'architecture religieuse moderne.

Universidad de Sancti Spiritus

Avenida de la Universidad Vasca. *943 78 34 53.* *visites guidées du lun. au ven. (s'inscrire par tél.).*

L'imposant Santuario de Loiola et sa coupole baroque

La fondation de l'ordre des jésuites

Ignace de Loyola fonda en 1539 la Compagnie de Jésus dont il devint le supérieur général après l'approbation de l'ordre par le pape Paul III en 1540. La vocation missionnaire des jésuites les amena à devenir le fer de lance de la Contre-Réforme menée par l'Église catholique face au protestantisme, puis à créer des collèges dans le monde entier. Ils sont aujourd'hui environ 24 000, présents dans 110 pays. L'enseignement reste leur première activité.

Saint Ignace de Loyola

La culture basque

Certains anthropologues estiment que les Basques pourraient descendre directement d'hommes de Cro-Magnon qui vivaient dans les Pyrénées il y a 40 000 ans. Ils formeraient ainsi le plus vieux peuple d'Europe. Un peuple qui a préservé jusqu'à aujourd'hui une identité génétique, culturelle et linguistique unique.

Les *fueros* ont longtemps été l'expression politique de cette identité. L'abolition, en 1867, de ces lois en accord avec les traditions basques, puis la répression par le gouvernement franquiste de tout particularisme, ont entraîné la naissance d'un mouvement nationaliste prêt à la violence. Le statut d'autonomie accordé au Pays basque en 1979 n'a pas réglé toutes les contradictions entre aspirations indépendantistes et contraintes imposées par le fonctionnement d'un pays moderne.

Policier basque

Le Pays basque

Territoire de culture basque

La Ikurriña, *le drapeau basque, porte une croix blanche symbolisant le christianisme et la croix de saint André verte qui commémore une victoire remportée le jour de sa fête.*

Les bertsolaris *sont des bardes qui improvisent, souvent dans le cadre de joutes, des vers inspirés par l'actualité ou des légendes. La tradition orale a joué un rôle essentiel dans la préservation de la langue basque et la transmission des mythes et de l'histoire, les premiers textes écrits en euskera ne datant que du XVIe siècle.*

L'économie basque *a longtemps reposé sur la pêche et l'agriculture, puis s'est tournée au XIXe siècle vers l'industrie, en particulier la métallurgie et la construction navale.*

Les sports traditionnels *sont, avec les danses, une des grandes formes d'expression de la spécificité basque. Outre la pelote, il existe de nombreux sports mettant en valeur la force ou l'habileté au travail.*

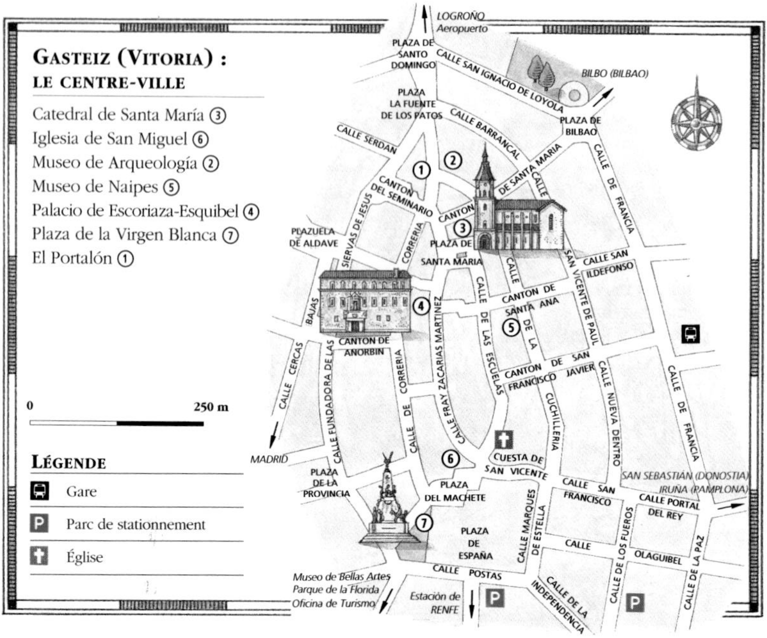

Gasteiz (Vitoria) ❽

Álava. *210 000.* *Avenida de Gasteiz, 945 16 15 98.* *jeu.* *Romería de San Prudencio (28 avril), Fiestas de la Virgen Blanca (du 4 au 9 août).* www.vitoria-gasteiz.org

Bâtie au sommet d'une colline, le point le plus haut de la province, Gasteiz (Vitoria), la capitale administrative du Pays basque, s'est enrichie à partir du XVe siècle grâce au commerce.

On pénètre dans la vieille ville par la **plaza de la Virgen Blanca** bordée de maisons anciennes dont les *miradores* (galeries vitrées) dominent un monument qui commémore la victoire remportée en 1813 par les troupes anglaises du duc de Wellington sur une armée napoléonienne. Au-dessus de la place se dresse l'**Iglesia de San Miguel** entreprise au XIVe siècle. Une niche dans le mur extérieur abrite la Vierge blanche, protectrice de la ville. Une grande fête en son honneur *(p. 128)* commence le 4 août. Depuis la belle **plaza de la Machete**, la calle Fray Zacarias Martínez mène à l'une des deux cathédrales de Gasteiz, la **Catedral de Santa María** gothique au portail ouest richement sculpté. Avant de l'atteindre, la rue longe, au nº 72, l'un des plus beaux palais Renaissance de Vitoria : le **Palacio de Escoriaza-Esquibel** (XVIe siècle) à la façade et à la cour intérieure plateresques *(p. 21)*. Sur la calle Correría, **El Portalón**, ravissante maison en bois du XVe siècle, abrite désormais un restaurant. De très nombreux bars bordent la calle de la Cuchirellía, très animée en soirée. Au nº 22, la **Casa del Cordón** date du XVe siècle et accueille des expositions temporaires. La rue conduit au bel ensemble formé par **Los Arquillos** et la **plaza de España** aménagés à la fin du XVIIIe siècle pour servir de liaison entre la vieille ville et les nouveaux quartiers alors en cours de construction. La **plaza de los Fueros** est une réalisation résolument moderne inaugurée en 1981. Au sud-ouest, près des jardines de La Florida, la **Catedral de María Immaculata**, entreprise dans le style néo-gothique en 1907, est restée inachevée.

La plaza de España au centre de Gasteiz (Vitoria)

Museo de Arqueología

Calle Correría 116. *945 18 19 22.* *du mar. au dim.*

Dans une maison à colombage du XVIe siècle, ce musée présente des dolmens érigés il y a plus de 4 000 ans, des sculptures romaines, des objets du Moyen Âge, etc.

Le portail ouest, gothique, de la Catedral de Santa María à Gasteiz

Museo de Naipes

Palacio de Bendaña, C/ Cuchillería 54. (94) 518 19 20. du mar. au dim.

En 1868, Heraclio Fournier fonda à Gasteiz une fabrique de cartes à jouer. Aujourd'hui, son petit-fils présente une collection de plus de 6 000 pièces allant de cartes italiennes de la fin du XIVe siècle à des tarots dessinés par Salvador Dalí.

Museo de Armería

Paseo Fray Francisco 3. 945 18 19 25. du mar. au dim.

Ce musée retrace l'histoire des armes depuis la préhistoire, mais son principal intérêt réside dans ses collections du Moyen Âge et de la Renaissance. Une exposition est consacrée à la bataille de Vitoria (1813).

Musée diocésain d'art sacré

Catedral de la Immaculada. 945 18 19 18. de 10 h à 14 h et de 16 h à 18 h 30, du mar. au ven. ; de 10 h à 14 h le sam. ; de 11 h à 14 h le dim. et j. fériés.

Le bâtiment qui abrite le musée se confond avec la cathédrale. À l'intérieur, les objets d'art religieux sont présentés en fonction de leur technique : œuvres de pierre, de bois ou d'argenterie.

Castillo de Mendoza 9

Mendoza (Álava). 945 18 16 17. du mar. au dim.

Au centre du village de Mendoza, à 8 km à l'ouest de Gasteiz, se dresse cette petite forteresse très restaurée, ancienne résidence ducale qui remonte au XIIIe siècle. Les sommets de ses quatre tours ménagent de superbes vues et elle abrite le **Museo Heráldica** où sont exposées les armoiries de familles de la noblesse basque.

Aux environs

Sur l'A 2622 qui relie Pobes et Tuesta, les **Salinas de Añana** produisent du sel par évaporation sur des terrasses en escalier inondées par des sources. Le village voisin de **Tuesta** possède une église romane au portail sculpté qui abrite des chapiteaux ornés de scènes historiques.

Laguardia 10

Álava. 1 500. Plaza San Juan, 945 60 08 45. mar. San Juan et San Pedro (24 juin).

Dans le sud de la province de l'Álava, cette petite ville domine la Rioja Alavesa réputée pour ses vins *(p. 74-75)*. De hautes collines s'élèvent au nord de la plaine et la route qui grimpe jusqu'au col de Herrera offre de belles vues.

Vierge à l'Enfant à Laguardia

Laguardia a conservé son enceinte médiévale dont les tours et les portes fortifiées s'aperçoivent de loin. Les nombreuses **bodegas** (caves) ouvrant sur ses ruelles pavées bordées de maisons anciennes proposent tout au long de l'année dégustations et visites.

Gothique, l'**Iglesia de Santa María de los Reyes** possède une façade austère percée d'un portail avec des sculptures polychromes. Elle abrite un retable du XVIIe siècle et une délicate Vierge à l'Enfant.

Vignobles près de Laguardia en Rioja Alavesa

Haro ⓫

La Rioja. 9 000. Plaza Monseñor Florentino Rodriguez, 941 30 33 66. mar. et sam. Bataille du vin (29 juin), Virgen de la Vega (8 sept.).

Jolie ville au bord de l'Èbre, Haro possède un vieux quartier animé riche en demeures anciennes, notamment sur la calle del Castillo bordée de maisons gothiques. Gothique également, l'**Iglesia de San Tomás**, au sommet de la colline, présente en façade un superbe portail plateresque *(p. 21)*.

Au cœur de la Rioja Alta, plus fraîche que la Rioja Baja *(p. 74-75)*, mais elle aussi protégée des vents du nord par une *sierra*, Haro est un grand centre vinicole et de nombreuses *bodegas* proposent dégustations et visites guidées de leurs caves. Il faut généralement s'inscrire à l'avance, sur place ou à l'office du tourisme. Les cafés de la grand-place servent aussi les crus locaux, dans une atmosphère particulièrement conviviale le soir. Une bataille du vin conclut la fête patronale

Des vignobles couvrent les collines proches de Haro en Rioja

Tombeau de saint Dominique, cathédrale de Santo Domingo de la Calzada

Santo Domingo de la Calzada ⓬

La Rioja. 5 800. Calle Mayor 70, 941 34 12 30. sam. Día del Patron (12 mai), San Jerónimo Hermosilla (19 sept.).

Cette ville ceinte de remparts du XIVe siècle sur le chemin de Saint-Jacques-de-Compostelle *(p. 78-79)* porte le nom du saint ermite qui la fonda au XIe siècle et qui entretenait pour les pèlerins les ponts et les routes *(calzadas)*. Il édifia également un hôpital aujourd'hui transformé en parador *(p. 542)*.

Il repose dans la **cathédrale** romano-gothique dotée d'un clocher baroque et d'un portail néo-classique. Les reliefs de son tombeau évoquent, à l'instar des peintures murales du chœur, les miracles qui lui sont attribués. L'un d'eux *(voir ci-dessous)* est à l'origine du somptueux poulailler qui fait face au mausolée. La dernière œuvre de Damià Forment, un majestueux retable en noyer doré (1541), décore le maître-autel.

LE COQ ET LA POULE DE SAINT DOMINIQUE

Depuis des siècles, un coq et une poule vivants (sacrifiés et remplacés chaque 12 mai) commémorent dans la cathédrale de Santo Domingo de la Calzada un miracle attribué à saint Dominique. Selon une version de la légende, les parents d'un innocent condamné à la pendaison le retrouvèrent en vie sur le gibet. Ils se précipitèrent chez le juge qui refusa de les croire. Pour lui, leur fils ne pouvait qu'être aussi mort que le coq et la poule en train de cuire dans sa cuisine. Les volailles se mirent aussitôt à chanter.

Le poulailler gothique de la cathédrale

San Millán de la Cogolla ⓭

La Rioja. 300. Calle Mayor 50, 941 37 30 35. Traslación de las Reliquias (26 sept.), San Millán (12 nov.).

Sur le chemin de Compostelle, ce village s'est développé autour de deux monastères. Édifié au xe siècle, le **Monasterio de San Millán de Suso** occupe contre une falaise le site où San Millán avait réuni une communauté d'ermites en 537. En partie creusée dans le calcaire, l'église marie des traits mozarabes et romans. Elle contient le sarcophage sculpté dans l'albâtre du saint et le tombeau de Gonzalo de Berceo *(p. 30)*, moine et écrivain du XIIIe siècle.

En contrebas, dans la vallée du Cárdenas, le **Monasterio de San Millán de Yuso**, fondé en 1050, a connu une complète reconstruction et ses bâtiments datent du XVIe au XVIIIe siècle. Entreprise en 1504, l'église est marquée d'influences Renaissance et possède des portes dorées baroques et une sacristie rococo ornée de peintures du XVIIe siècle.

Dans le trésor s'admirent les plaques d'ivoire sculptées qui faisaient partie de deux reliquaires du XIe siècle et la reproduction d'un des premiers textes connus rédigés en roman castillan : le commentaire d'un ouvrage de San Cesáreo d'Arles, les *Glosas Emilianenses*, écrit par un moine de Suso au xe siècle.

Le Monasterio de San Millán de Yuso dans la vallée du Cárdenas

Cloître du Monasterio de Santa María la Real, Nájera

Nájera ⓮

La Rioja. 7 200. Calle Constantino 1, 941 36 00 41. jeu. Fiestas de Nájera (24 juin), Santa María la Real (16 et 17 sept.).

Cette petite ville ancienne à l'ouest de Logroño fut la capitale de la Navarre et de la Rioja jusqu'en 1076, et le **Monasterio de Santa María la Real** renferme les tombeaux de plusieurs membres des familles royales de Navarre et du León, notamment le splendide mausolée roman de Blanche de Navarre, épouse de Sanche III, morte en 1155.

Sous les stalles sculptées du chœur, une petite grotte abrite une Vierge à l'Enfant gothique. La découverte, dans cette grotte, d'un portrait de la Vierge, entraîna la fondation du monastère au XIe siècle.

Monasterio de Santa María la Real
Nájera. 941 36 36 50. du mar. au dim. jours fériés.

Logroño ⓯

La Rioja. 130 000. Paseo del Espolon, Principe de Vergara 1, 941 29 12 60. San Bernabé (11 juin), Vendanges (21 sept.).

Pôle commercial d'une vallée fertile, la capitale de la Rioja, cité animée percée de larges boulevards, doit sa prospérité au négoce du vin. Au bord de l'Èbre, son vieux quartier renferme une **cathédrale** gothique aux tours et à la façade baroques. Non loin, une immense statue équestre de Saint Jacques Matamore *(p. 51)* domine le portail sud de l'**Iglesia de Santiago el Real**.

Aux environs
À une cinquantaine de kilomètres au sud de Logroño, la N 111 s'enfonce dans la **vallée de l'Iregua**, où gorges étroites et rochers aux formes torturées offrent des paysages spectaculaires, avant de gravir les pentes de la sierra de Cameros.

Portail baroque de la façade ouest de la cathédrale de Logroño

Enciso ⓰

La Rioja. 220. depuis Logroño. Plaza Mayor, 941 39 60 05. San Roque (16 août).

Près de ce petit village perché à l'ouest de Calahorra, des panneaux conduisent aux *huellas de dinosaurios*, empreintes de dinosaures, dont certaines longues de 30 cm, gravées dans des rochers dominant un ruisseau. Les géants qui les ont laissées, ainsi que dans d'autres endroits de la région, vivaient il y a 150 millions d'années, époque où la mer occupait l'actuelle vallée de l'Èbre.

Aux environs
À 10 km au nord, **Arnedillo** est une station thermale fréquentée pour ses bains. À **Autol**, à l'est, se dressent deux pics calcaires aux formes inhabituelles.

Détail du Jugement dernier, portail de la cathédrale de Tudela

Tudela ⓱

Navarra. 25 600. Plaza Vieja 1, 948 84 80 58. sam. Santa Ana (26 juil.).

La deuxième ville de Navarre est le principal centre commercial de la Ribera, vaste espace agricole de la vallée de l'Èbre. Malgré l'importance de ses quartiers modernes, elle a des origines très anciennes et d'importantes communautés juive et musulmane y prospérèrent jusqu'à la fin du XVe siècle. Sur la route arrivant de Pampelune, un pont du XIIIe siècle jette dix-sept arches au-dessus du fleuve.

Pleine de charme avec ses balcons en fer forgé, la grand-place de la vieille ville, la **plaza de los Fueros**, servait jadis de cadre à des courses de taureaux comme le rappellent ses façades peintes. Entreprise en 1194, la **cathédrale** de style gothique primitif présente au portail ouest une magnifique illustration sculptée du Jugement dernier. Son cloître roman incorpore les vestiges d'une mosquée du IXe siècle et une chapelle mudéjare.

Aux environs
Au nord se dressent les rochers déchiquetés des **Bárdenas Reales**. À 20 km à l'ouest de Tudela, la station thermale de **Fitero** renferme le Monasterio de Santa María (XIIe siècle).

Monasterio de La Oliva ⓲

Carcastillo (Navarra). 948 72 50 06. depuis Pampelune. t.l.j.

Des cisterciens venus de Gascogne fondèrent en 1149 ce petit monastère. Au dépouillement de l'église en croix latine répondent l'harmonieuse sobriété de la salle capitulaire construite au XIIIe siècle et l'élégance du cloître gothique du XVe siècle.

Cloître gothique du Monasterio de La Oliva

Longtemps abandonné, le monastère abrite de nouveau une communauté cistercienne qui vend son miel, son fromage et son vin et accepte des hôtes payants *(p. 532)*.

Ujué ⓳

Navarra. 280. Plaza Municipal, 948 73 81 85. Virgen de Ujué (8 sept.).

Village perché sur un haut promontoire au terme d'une route sinueuse, Ujué a gardé beaucoup d'authenticité avec ses façades inégales, ses ruelles pavées et ses escaliers. L'**Iglesia de Santa María**, aux absides romanes, mais à la nef gothique, abrite la statue de la Vierge d'Ujué à qui viennent rendre hommage, chaque 25 avril, des pèlerins en cape noire.

Le sanctuaire domine une forteresse en ruine dont la terrasse offre un superbe panorama des Pyrénées.

Olite ⓴

Navarra. 3 000. Calle Mayor 3, 948 74 17 03. mer. Exaltación de la Santa Cruz (du 14 au 20 sept.).

Ancienne résidence des rois de Navarre, Olite, l'*Oligocus* romaine, a conservé des vestiges de ses remparts. À l'intérieur des murs, ruelles pentues et placettes forment un charmant dédale où se

Le royaume de Navarre

Le royaume chrétien de Navarre assure son indépendance au Xe siècle après que Sanche Ier Garcés est devenu roi de Pampelune. Les conquêtes de Sanche III el Mayor (v. 994-1035) l'étendent de Ribagorza, en Aragon, à Valladolid. Sanche VI le Sage règne de 1150 à 1194 et reconnaît les *fueros*, droits traditionnels, de nombreuses villes. Sanche VII meurt sans héritier et c'est une dynastie française qui monte sur le trône en 1234. Charles III le Noble (1381-1425) fait construire le château d'Olite. Son petit-fils, Carlos de Viana, écrit en 1455 *Les Chroniques des rois de Navarre*. Annexée en 1512 par Ferdinand le Catholique, la Navarre gardera ses propres lois jusqu'au XIXe siècle.

Carlos de Viana, petit-fils de Charles III

niche le **Monasterio de las Clarisas** entrepris au XIIIe siècle. Des maisons construites du XVIe au XVIIIe siècle bordent la rúa Cerco de Fuera et la rúa Mayor.

Édifié au début du XVe siècle pour Charles III, le **Palacio Real de Olite** a valu à la ville son surnom de « cité gothique ». Puissamment fortifié, il possédait néanmoins une brillante décoration de style mudéjar associant *azulejos* (carreaux de céramique) et plafonds marquetés. Ses jardins suspendus plantés de vigne et d'orangers comprenaient une volière et une fosse aux lions. Les rois de Navarre assistaient aux tournois depuis la tour des Quatre Vents.

Incendié par ses défenseurs en 1813 pour empêcher qu'il tombe aux mains des Français, puis mis à sac par les carlistes *(p. 58-59)*, il a connu une importante restauration, mais n'a pas retrouvé toute sa splendeur d'origine. Un parador *(p. 541)* en occupe une partie.

Élevée au XIIIe siècle, l'ancienne chapelle du château, l'**Iglesia de Santa Maria la Real**, possède un portail gothique sculpté de scènes de la vie de la Vierge. Celui de l'**Iglesia San Pedro**, sur la place du même nom, offre un bel exemple d'art roman.

Palacio Real de Olite

Plaza de Carlos III. *948 74 00 35.*

t.l.j.

Tours et courtine du Palacio Real de Olite

Pont en dos d'âne du XIe siècle de Puente la Reina

Puente la Reina ㉑

Navarra. *2 200.* *Plaza de Mena 1, 948 34 08 45.* *sam.* *Santiago (25 juil.).*

Peu de villes du chemin de Compostelle évoquent aussi intensément le passé que Puente la Reina, bourg agricole qui doit son nom à son pont en dos d'âne construit au XIe siècle pour permettre aux pèlerins de franchir le río Arga.

Dans la rue principale, l'**Iglesia de Santiago**, de style roman, est ornée au portail ouest d'une statue dorée représentant saint Jacques en pèlerin.

Édifiée au XIIe siècle par les chevaliers du Temple à la périphérie de la ville, et remaniée dans le style gothique au XIVe siècle, l'**Iglesia del Crucifijo** abrite un crucifix offert par un pèlerin allemand vers 1400.

Crucifix de l'Iglesia del Crucifijo

Aux environs

Au milieu des champs, à quelque 5 km à l'est de Puente la Reina, l'**Iglesia de Santa María de Eunate** est un remarquable édifice du XIe siècle de plan octogonal. Les dépouilles qu'on y a mis au jour révèlent que ce sanctuaire entouré d'un cloître en forme de portique servait d'ossuaire sur le chemin de Compostelle. À l'ouest de Puente la Reina, le village perché de **Cirauqui**, bien que très restauré, garde beaucoup de charme avec ses élégantes petites maisons à balcons dominant des ruelles sinueuses reliées par des escaliers. L'Iglesia de San Román qui se dresse au sommet de la colline possède un portail sculpté.

Fiestas du Pays basque, de la Navarre et de la Rioja

Los Sanfermines *(6-14 juil.)*, Pampelune, Navarre. Une fête qu'Ernest Hemingway rendit célèbre dans *Le soleil se lève aussi.* Pendant une semaine, défilés, concerts et bals populaires entretiennent jour et nuit une ambiance exaltée partout dans la ville. Le vin coule à flots et, chaque matin, pour l'*encierro*, six taureaux de la corrida de l'après-midi sont lâchés dans les rues étroites du centre menant à la Plaza de Toros.

***Encierro* de Pampelune, une course devant des taureaux**

Bataille du vin *(29 juin)*, Haro, la Rioja. Habillés de blanc, les participants s'aspergent de vin avec des gourdes en cuir.

Danza de los Zancos *(22 juil. et dernier sam. de sept.)*, Anguiano, la Rioja. Juchés sur des échasses, des danseurs en jupes jaunes et gilets chatoyants descendent en tournoyant la ruelle pentue qui relie l'église à la grand-place.

La Virgen Blanca *(4 août)*, Vitoria, Álava. Un mannequin portant un parapluie (le *celedón*) est descendu de l'église San Miguel jusqu'à une maison d'où sort un homme vêtu à l'identique. Le maire allume une fusée et les spectateurs des cigares.

Devant la fontaine à vin près du monastère d'Irache

Lizarra ㉒

Navarra. 13 000. Calle de San Nicolás 3, 948 55 63 01. jeu. San Andrés (début août).

Résidence des rois de Navarre au Moyen Âge et importante étape sur le chemin de Compostelle *(p. 78-79)*, Lizarra (Estella) devint au XIXe siècle une place forte des carlistes *(p. 59)*.

Ses principaux monuments se dressent à la périphérie du centre, de l'autre côté du pont franchissant le río Ega. Sur la plaza de San Martín, entourée d'arcades, le **Palacio de los Reyes de Navarra** offre un exemple rare d'édifice civil de style roman. Remarquez sur sa façade le chapiteau où Roland affronte en combat singulier le Sarrasin Ferragut.

Depuis la place, une longue volée de marches conduit à l'**Iglesia de San Pedro de la Rúa** dont l'harmonieuse façade date du XIIe siècle. Endommagé en 1592 par la destruction d'un château dominant l'église, son cloître roman, restauré, comprend deux galeries aux chapiteaux délicatement historiés.

Dans le centre-ville, l'**Iglesia de San Juan Bautista**, sur la plaza de los Fueros, possède un portail roman. L'**Iglesia de San Miguel** s'atteint par la rue Ruiz de Alda. Des sculptures romanes représentant entre autres saint Michel terrassant le dragon ornent son portail nord, mais l'intérieur est gothique.

Aux environs

À 3 km au sud-ouest d'Estella, le **Monasterio de Nuestra Señora de Irache** fut construit au XIe siècle par des moines cisterciens pour offrir un abri aux pèlerins sur le chemin de Compostelle. Principalement gothique, l'église possède des absides romanes et un cloître plateresque. Un robinet dans le mur d'une bodega permet aux visiteurs de se servir du vin.

Au nord d'Estella, une petite route s'écarte de la NA 120 et sinue dans une gorge boisée avant d'atteindre le **Monasterio de Iranzu** construit au XIIe siècle. Son église possède toute la sobriété du style cistercien.

Sur la NA 120, le col du Lizarraga offre un panorama intéressant.

Pampelune ㉓

Navarra. 183 000. C/ Eslava 1, 948 20 65 40. Sanfermines (du 6 au 14 juil.), San Saturnino (29 nov.).
www.pamplona.net

Fondée, selon la tradition, par Pompée au Ier siècle av. J.-C., Pampelune (Iruña, Pamplona) devint au IXe siècle la capitale de la Navarre. Tous les ans, le 6 juillet, elle semble basculer dans la folie pour la célèbre fiesta de Los Sanfermines.

Le chemin de ronde des **remparts** *(murallas)* offre de belles vues de la cité. La **cathédrale** s'élève près des fortifications. Édifiée sur les fondations d'un sanctuaire

L'intérieur fastueux du Palacio de Navarra, Pampelune

Entrelacs gothiques du cloître de la cathédrale de Pampelune

roman, elle possède, derrière une façade néo-classique, une haute nef gothique très dépouillée qui contient le magnifique tombeau en albâtre de Charles III (1361-1425) et de son épouse, Éléonore de Castille. D'une grande élégance, le cloître (1286-1472) s'ouvre au sud par la Puerta de la Preciosa ornée de sculptures rendant hommage à la Vierge.

Le Museo Diocesano (fermé pour restauration) occupe la cuisine et le réfectoire (XIVe siècle) des chanoines. Ses collections comprennent des sculptures gothiques, des statues en bois peint venant de toute la Navarre et le reliquaire du Saint-Sépulcre offert par Saint Louis en 1258.

À l'ouest de la cathédrale s'étend la vieille ville où le **Palacio de Navarra**, ou Diputación Foral de Navarra, se dresse non loin de la place principale, la plaza del Castillo. Un portrait de Ferdinand VII par Goya décore la salle du trône. Devant l'édifice, un monument financé en 1903 par une souscription représente une reine symbolique tenant les *fueros* de Navarre. Au nord de la place, l'**hôtel de ville** *(ayuntamiento)* baroque ne se trouve qu'à quelques pas de l'**Iglesia de San Saturnino** érigée sur le site où saint Saturnin aurait baptisé 40 000 païens.

Hommage au toro bravo à Pampelune

Sous le mur d'enceinte, le **Museo de Navarra** occupe un hôpital du XVIe siècle au portail plateresque. Musée régional d'archéologie, d'histoire et d'art, il présente, entre autres, des mosaïques romaines, un coffre en ivoire musulman exécuté à Cordoue au début du XIe siècle, des fresques provenant de diverses églises et du réfectoire de la cathédrale, un portrait par Goya et des peintures d'artistes basques.

Au sud-est de la ville, la **Ciudadela** comprend cinq bastions disposés en étoile. Érigée au XVIe siècle par Philippe II, elle accueille désormais des expositions temporaires et des manifestations culturelles. Elle domine les larges boulevards de la ville moderne et le campus de l'université.

Museo de Navarra
Calle Santo Domingo. 948 42 64 92. *du mar. au dim.*

Palacio de Navarra
Avenida Carlos III 2. 948 42 71 27. *sur rendez-vous.*

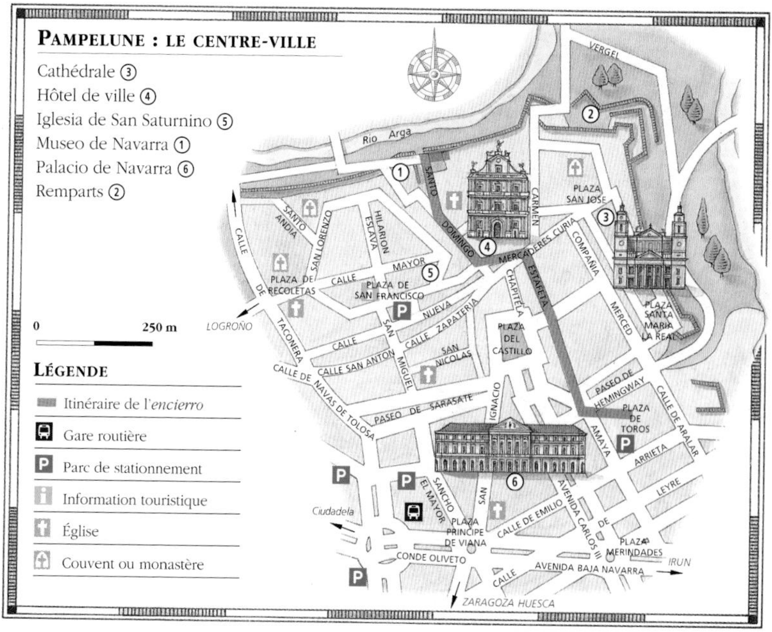

Maisons basques typiques à Etxalar, Regata de Bidasoa

Las Cinco Villas de la Montaña ㉔

Navarra. *Pamplona, San Sebastián.* *Oieregi, 948 59 23 86.* www. cfnavarra.es

Dans la vallée de la Bidasoa, cinq jolis villages basques méritent une visite. Le plus au nord, **Bera** (Vera), est aussi le plus important. **Lesaka**, où de larges avant-toits protègent les balcons en bois, et **Igantzi** (Yanci), aux maisons à colombage rouges et blanches, sont aussi très pittoresques. **Arantza** occupe un site spectaculaire et **Etxalar**, où la palombe se chasse au filet depuis le XIIe siècle, a beaucoup de cachet au fond d'une gorge étroite. Le sommet de la Rhune, à la frontière française, offre un large panorama des Pyrénées.

Elizondo ㉕

Navarra. 3 000. *Baztandaren Ibiltzarra, 948 59 23 86 130-1316.* *jeu.* *Santiago (25 juil.), Feria (fin oct.).*

Principale localité de la splendide vallée du Baztán, Elizondo dresse au bord de la rivière des demeures blasonnées. Plus haut dans la vallée, **Arizkun** a conservé des maisons fortifiées et un couvent du XVIIe siècle. Près de Zugarramurdi, la **Cueva de Brujas** aurait jadis servi de rendez-vous de sorcières.

Campagne boisée près de Roncevaux

La Vierge de Roncevaux sous son dais, Colegiata Real

Roncevaux ㉖

Navarra. *20.* *Roncesvalles, 948 76 03 01.* *Día de la Virgen de Roncesvalles (8 sept.).*

La Chanson de Roland, poème épique écrit au XIIe siècle et inspiré d'une bataille qui opposa les Basques à l'arrière-garde de Charlemagne en 778, a rendu célèbre le col de Roncevaux (Orreaga, Roncesvalles). Sans le monastère fondé à sa sortie en 1130, de nombreux pèlerins franchissant les Pyrénées vers Compostelle *(p. 78-79)* y auraient eux aussi perdu la vie.

Dans la **Colegiata Real** (XIIIe siècle) de style gothique, pierres et métaux précieux parent une Vierge à l'Enfant sous un dais en argent. Le cloître mène à la salle capitulaire qui abrite le tombeau de Sanche VII le Fort (1154-1234) sous un vitrail décrivant sa victoire à la bataille de Las Navas de Tolosa *(p. 50-51)*. Le trésor de l'église comprend un triptyque attribué à Jérôme Bosch et de nombreux objets précieux, notamment un reliquaire émaillé surnommé « l'Échiquier de Charlemagne ».

Valle de Roncal ㉗

Navarra. *depuis Pampelune.* *Roncal, 948 47 52 56.*

Au cœur des Pyrénées, près de la frontière avec l'Aragon, l'élevage reste une activité importante dans cette vallée de montagne, dont les habitants continuent à porter leurs costumes régionaux les jours de fête et le village de **Roncal** est réputé pour son fromage. Quelques kilomètres plus au nord, la station de vacances d'**Isaba** propose un musée consacré à l'histoire et aux traditions locales. Une route spectaculaire sinue entre Isaba et le village d'Ochagavia dans la **Valle de Salazar**. Au nord, le **Bosque d'Irati**, l'une des plus vastes forêts d'Europe, s'étend jusqu'en France sous le sommet enneigé du monte Ori (2 017 m).

Balcons fleuris dans le village de Roncal

Monasterio de Leyre 28

Yesa (Navarra). *948 88 41 50.* *Yesa.* *t.l.j.*

Au pied de falaises calcaires, le monastère San Salvador de Leyre domine un paysage grandiose au-dessus d'un lac artificiel. Sanche III (v. 992-1035) et ses successeurs en firent un panthéon des rois de Navarre, mais il entra en déclin au XIIe siècle et fut abandonné au XIXe siècle. Des bénédictins ont entrepris sa restauration en 1954 et transformé une partie de l'abbaye en hôtel aux prix modiques *(p. 542)*. Ils proposent des visites guidées, seul moyen de découvrir le monument, le matin et l'après-midi.

Construite sur un sanctuaire antérieur, l'église a conservé des absides romanes du XIe siècle, mais possède une nef gothique. Son portail ouest présente une riche décoration sculptée. Des colonnes trapues coiffées de larges chapiteaux donnent à la crypte une majesté rustique. Les moines interprètent pendant les offices des chants grégoriens *(p. 358)* d'une grande beauté.

Castillo de Javier 29

Javier (Navarra). *948 88 40 00.* *depuis Pampelune.* *t.l.j.*

Saint François Xavier, patron de la Navarre et fondateur, avec Ignace de Loyola, de la Compagnie de Jésus *(p. 120)*, naquit en 1506 dans ce château à l'enceinte crénelée du XIIIe siècle. Démantelé en 1516, mais entièrement restauré, il abrite aujourd'hui un collège jésuite. Les visiteurs peuvent découvrir la chambre du saint et le musée aménagé dans le donjon. Un Christ polychrome du XIIIe siècle et une *Danse macabre* du XVe siècle ornent l'oratoire.

Dans la crypte du Monasterio de Leyre

Crucifix ornant l'oratoire du Castillo de Javier

Sangüesa 30

Navarra. *4 500.* *Calle Mayor 2, 948 87 14 11.* *ven.* *San Sebastián (11 sept.).*

Les pèlerins aragonais qui y faisaient étape sur le chemin de Compostelle *(p. 78-79)* ont fondé au Moyen Âge la prospérité de cette petite ville établie près d'un pont franchissant le río Aragón. L'**Iglesia de Santa María la Real** s'ouvre au sud par un portail dont le décor sculpté est un chef-d'œuvre de l'art roman : anges, musiciens, soldats, artisans, motifs géométriques et animaux mythiques encadrent une représentation au tympan du Jugement dernier.

L'**Iglesia de Santiago**, romane, et l'**Iglesia de San Francisco**, gothique, méritent également une visite. Dans la rue principale, l'**hôtel de ville** *(ayuntamiento)* occupe l'ancien palais des princes de Viana, l'une des résidences des rois de Navarre. Il est fermé au public, mais présente des façades gothique et baroque.

Aux environs

Deux gorges étroites et profondes creusent le rocher au nord de Sangüesa. La NA 178 offre au nord de Domeño un beau point de vue sur la plus spectaculaire, l'**Hoz de Arbayún**, peuplée de vautours. L'**Hoz de Lumbier** se contemple depuis la N 240.

Barcelone

Présentation de Barcelone

Barcelone est plus que la capitale d'une région espagnole. Port actif de la Méditerranée, grande rivale économique de Madrid, elle est un pôle culturel à la créativité bouillonnante et une cité qui se tourne vers l'Europe pour affirmer et défendre l'identité catalane. Le succès des Jeux olympiques organisés en 1992 dans le parc de Montjuïc a prouvé le dynamisme et l'efficacité de ses habitants. Attachés à leurs racines, ils ont aussi le goût de la modernité comme en témoignent la statuaire des espaces publics, la décoration et l'atmosphère des bars, jusque dans la vieille ville riche en monuments historiques, et les immeubles dont le Modernisme *(p. 136-137)* a paré vers 1900 le quartier d'Eixample.

La Casa Milá (p. 161) *est l'immeuble le plus avant-gardiste d'Antoni Gaudí* (p. 160). *Aucune ville ne possède autant d'édifices Art nouveau que Barcelone.*

Le Palau Nacional (p. 168), *sur la colline de Montjuïc, domine l'avenue ornée de fontaines et les pavillons monumentaux construits pour l'Exposition internationale de 1929. Il abrite le Museu Nacional d'Art de Catalunya, collection exceptionnelle d'art gothique et roman.*

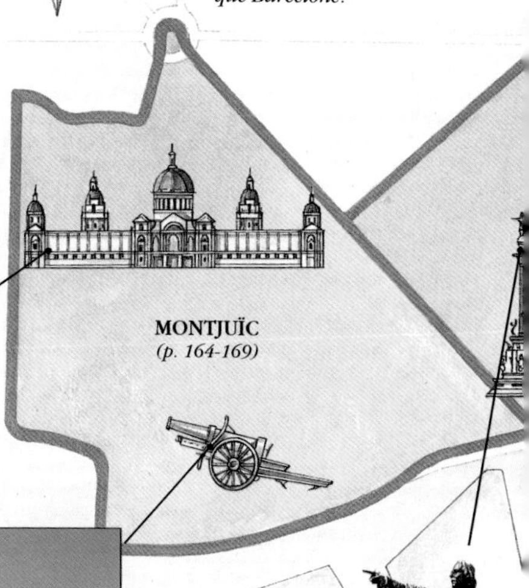

Le château de Montjuïc (p. 169), *forteresse massive du XVIIe siècle, crée au sommet de la colline de Montjuïc un contraste frappant avec les installations ultramodernes des Jeux olympiques de 1992. Il ménage une vue panoramique de la ville et du port.*

Christophe Colomb *surveille le front de mer depuis une colonne de 60 m* (p. 152) *érigée sur le Port Vell (vieux port). Depuis son sommet se découvrent les quais et les promenades aménagés pour les Jeux olympiques de 1992.*

0 1 km

◁ **Les Ramblas et la vieille ville derrière le monument de Christophe Colomb**

La Sagrada Família (p. 162-163), *chef-d'œuvre inachevé entrepris à Eixample en 1882, est caractéristique du génie de Gaudí avec ses formes inspirées de la nature et ses mosaïques de céramique.*

La cathédrale de Barcelone (p. 144-145), *superbe édifice du XIVe siècle dans le Barri Gòtic (quartier gothique), comprend 28 chapelles latérales, dont certaines sont décorées de superbes retables baroques. Les oies blanches du cloître sont une tradition séculaire.*

Le parc de la Ciutadella (p. 150), *entre la vieille ville et la Vila Olímpica, a quelque chose à offrir à chacun : jardins parés d'une riche statuaire ; lac où canoter ; zoo et musées d'art, de géologie et de zoologie.*

Las Ramblas (p. 146-147), *la plus célèbre avenue d'Espagne, vit de jour comme de nuit. Découvrir, en la suivant jusqu'à la mer, ses boutiques, ses cafés et ses vendeurs à la sauvette offre une parfaite introduction à la vie barcelonaise.*

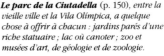

Gaudí et le Modernisme

Cheminée, Casa Vicens

À la fin du XIXe siècle, l'Art nouveau révolutionna en Europe les rapports entre architecture et arts décoratifs. Il prit à Barcelone une forme originale portée par l'aspiration nationaliste catalane : le Modernisme. Parmi ses principaux représentants figurent Josep Puig i Cadafalch, Lluís Domènech i Montaner et, surtout, Antoni Gaudí i Cornet *(p. 160)*. La création du quartier d'Eixample *(p. 154-163)* offrit un vaste terrain vierge à leur fièvre créatrice.

La décoration *et l'architecture étaient intimement liées dans le Modernisme. Cette porte et son entourage de céramique se trouvent dans la Casa Battló* (p. 160).

Une coupole *au sommet conique couvre la salle centrale qui s'étage sur trois niveaux. Elle est percée de petits oculi d'inspiration islamique évoquant un ciel étoilé.*

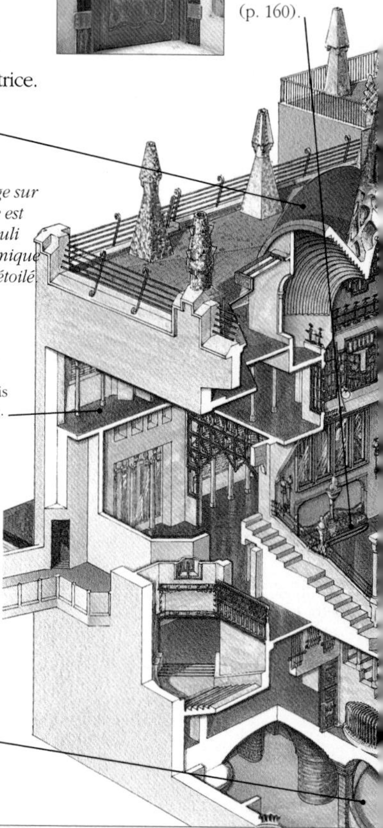

Les galeries supérieures ont une riche décoration de bois sculpté et de pisé.

La rampe en hélice *des écuries témoigne de la prédilection de Gaudí pour les courbes, un goût qui s'exprime avec force et brio dans l'étonnante façade de la Casa Milá* (p. 161).

L'Évolution du Modernisme

1850 – 1865 – 1880 – 1895 – 1910 – 1925

1859 L'ingénieur civil Ildefons Cerdà i Sunyer soumet un projet d'expansion de Barcelone

1878 Gaudí diplômé d'architecture

1883 La continuation de la Sagrada Familia *(p. 162-163)* est confiée à Gaudí

1888 L'Exposition universelle de Barcelone donne son élan au Modernisme

1900 Josep Puig i Cadafalch construit la Casa Amatller *(p. 160)*

1903 Lluis Domènech i Montaner construit l'Hospital de la Santa Creu i de San Pau *(p. 161)*

1905 Casa Lleó Morera *(p. 160)* de Lluis Domènech i Montaner. Casa Terrades *(p. 161)* de Josep Puig i Cadalfach

1910 Achèvement de la Casa Milá

1926 Mort de Gaudí

Détail de l'hôpital

Détail de la Sagrada Familia

__Les cheminées__ prirent des formes échevelées dans les dernières œuvres de Gaudí, comme ici sur le toit de la Casa Batlló.

Des lampes en fer forgé éclairent la grande salle.

Des carreaux de céramique ornent les cheminées.

Les matériaux de Gaudí

Gaudí concevait la décoration de ses constructions en même temps qu'il en créait les plans, associant matériaux bruts tels que bois, pierre taillée, mortier et brique à des éléments ouvragés comme le fer forgé, le vitrail ou les carreaux et mosaïques de céramique.

Vitrail de la Sagrada Familia

Mosaïque de céramique, Parc Güell *(p. 174)*

Détail d'un portail, Casa Vicens *(p. 160)*

Carreaux de céramique d'El Capricho *(p. 107)*

__Les arcs paraboliques__, que Gaudí commença à utiliser dans le Palau Güell, dérivent de l'architecture gothique (p. 20). *Ce corridor appartient au Col legio Teresiano, école religieuse à l'ouest de Barcelone.*

L'écusson s'inspire des armoiries catalanes.

Palau Güell *(1889)*

Le premier édifice majeur que Gaudí construisit dans le centre-ville *(p. 147)* établit la réputation internationale de cet architecte d'une exceptionnelle originalité. Commandée par son principal mécène, l'industriel Eusebi Güell, l'ancienne demeure borde une ruelle, ce qui rend sa façade difficile à contempler. Le jeu des volumes intérieurs, la décoration et le mobilier rendent sa visite fascinante.

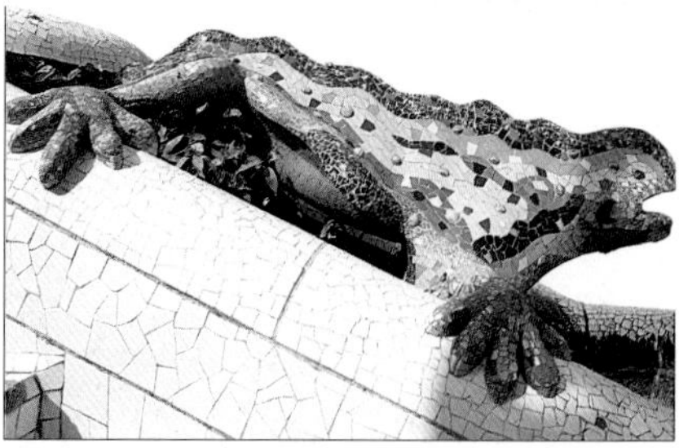

__Les fers forgés__ du portail, caractéristiques du travail de Gaudí, s'inspirent de formes organiques, comme ce dragon couvert de fragments de carreaux polychromes qui garde l'escalier du Parc Güell.

VIEILLE VILLE

Traversée par la célèbre avenue des Ramblas, la Ciutat Vella de Barcelone est l'un des centres-villes médiévaux les plus étendus et les plus harmonieux d'Europe. Le Barri Gòtic (quartier gothique) renferme la cathédrale et l'ancien palais royal. De l'autre côté de la via Laetiana, la Ribera est riche en demeures du XIVe siècle. L'une d'elles abrite le Museu Picasso. À l'ouest, dans le magnifique Parc de la Ciutadella, se visitent le Museu d'Art Modern et le zoo. Récemment réaménagé, le front de mer propose plusieurs kilomètres de plages entre le village olympique et le vieux port, bordé d'une promenade, où un musée maritime occupe d'anciens arsenaux.

LE QUARTIER D'UN COUP D'ŒIL

Musées
- Museu d'Art Modern 20
- Museu Frederic Marès 2
- Museu de Geologia 18
- Museu d'Història de la Ciutat 4
- Museu Marítim et Drassanes 27
- Museu Picasso 13
- Museu de Zoologia 17

Rues et quartiers
- Barceloneta 23
- Carrer Montcada 12
- Las Ramblas 9
- El Raval 8

Sites portuaires
- Golondrinas 26
- Port Vell 24

Églises
- Basílica de Santa Maria del Mar 11
- *Cathédrale (p. 144-145)* 7

Bâtiments historiques
- Casa de l'Ardiaca 1
- Casa de la Ciutat 5
- La Llotja 10
- Palau de la Generalitat 6
- Palau de la Música Catalana 14
- Palau Reial Major 3

Architecture moderne
- Vila Olímpica 22

Monuments
- Arc del Triomf 15
- Homenatge a Picasso 19
- Monument a Colom 25

Parcs
- Parc de la Ciutadella 16
- Parc Zoològic 21

COMMENT Y ALLER

Les lignes 1, 3 et 4 du métro desservent le quartier et la station Jaume I est au cœur du Barri Gòtic. Des bus passent par la plaça de Catalunya, centre de la ville moderne.

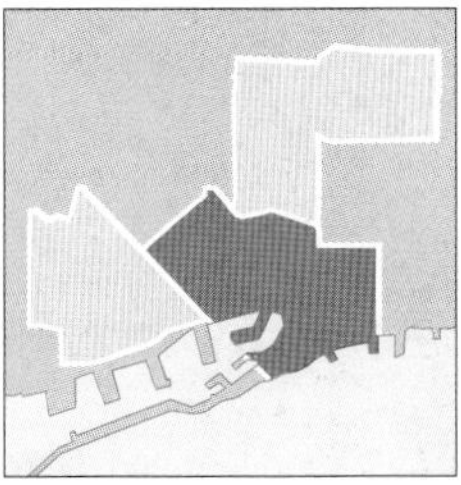

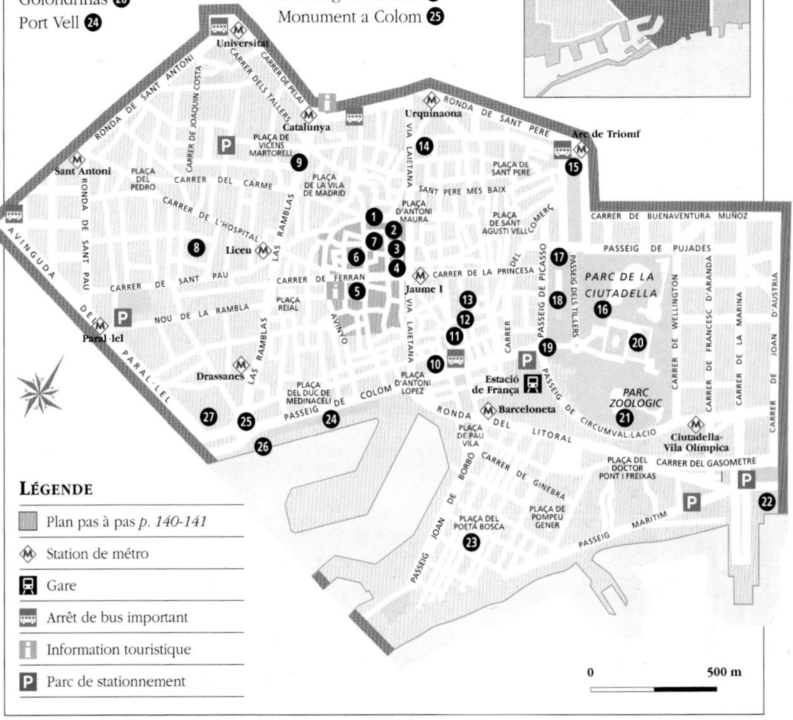

LÉGENDE
- Plan pas à pas *p. 140-141*
- Station de métro
- Gare
- Arrêt de bus important
- Information touristique
- Parc de stationnement

◁ **Colonnes ornées de motifs floraux du Palau de la Música Catalana de Domènech i Montaner**

Le Barri Gòtic pas à pas

Bougie, Cereria Subirà

Partie la plus ancienne de Barcelone, le quartier gothique s'étend sur le site choisi par les Romains sous le règne d'Auguste (27 av. J.-C.– 14 apr. J.-C.) pour fonder une nouvelle colonie et où se trouvent depuis lors les bâtiments administratifs de la ville. Les deux axes de la cité antique se croisaient à l'emplacement de la plaça de Sant Jaume où se font face le Palau de la Generalitat médiéval, siège du Parlement catalan, et la Casa de la Ciutat, hôtel de ville. Tout près se dressent la cathédrale gothique et le palais royal où, en 1492, les Rois Catholiques reçurent Christophe Colomb à son retour des Amériques *(p. 53)*.

Casa de l'Ardiaca
Bâtie sur l'enceinte romaine, cette ancienne demeure gothique et Renaissance abrite les archives historiques de Barcelone (1)

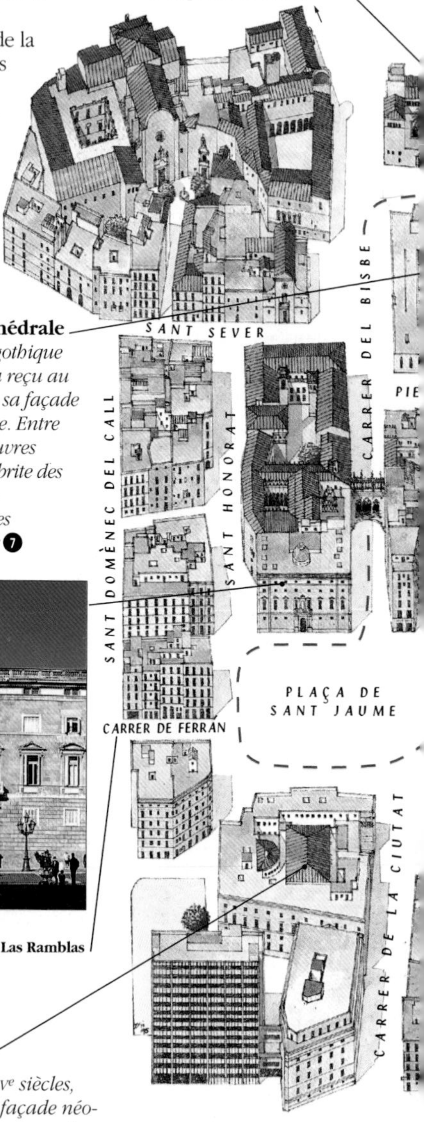

★ La cathédrale
L'édifice gothique original a reçu au XIXe siècle sa façade et la flèche. Entre autres œuvres d'art, il abrite des peintures médiévales catalanes (7)

Palau de la Generalitat
Le parlement catalan a conservé de beaux éléments gothiques, notamment une chapelle et un escalier extérieur menant à une galerie d'arcades (6)

Casa de la Ciutat
Construit aux XIVe et XVe siècles, l'hôtel de ville reçut sa façade néo-classique en 1840. Une œuvre de Joan Rebull (1899-1981), Trois jeunes Gitans, *copie (1976) d'une sculpture de 1946, orne l'entrée* (5)

LÉGENDE

— — — Itinéraire conseillé

Museu Frederic Marès
Ce portail médiéval fait partie de la riche collection de sculptures espagnoles qui constitue le clou de ce musée extraordinairement éclectique ❷

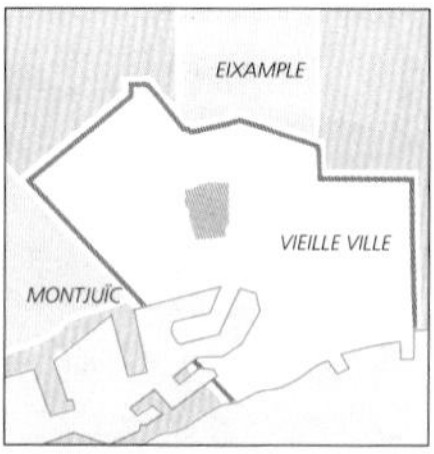

CARTE DE SITUATION
Voir l'atlas des rues, plan 5

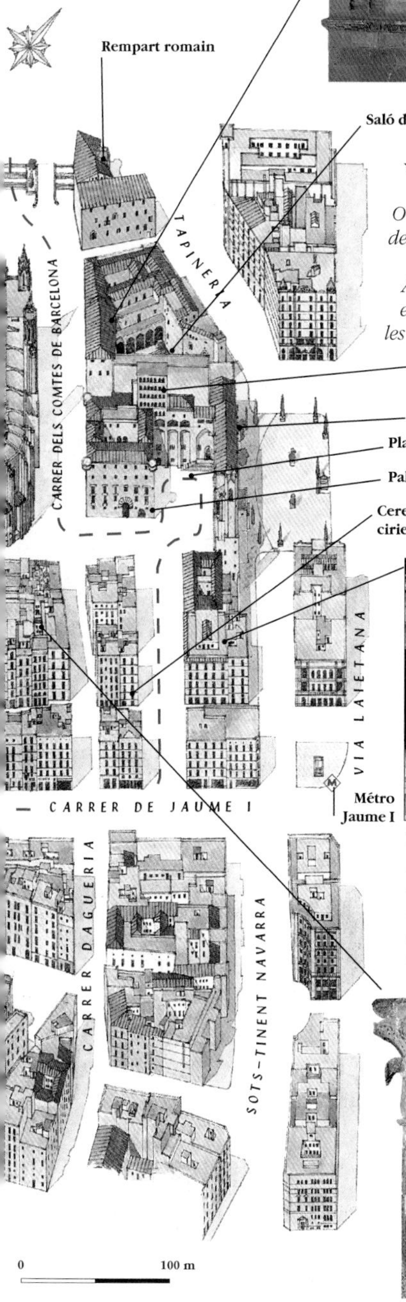

★ Le Palau Reial Major
Ornée d'un retable de 1466, la Capella Reial de Santa Àgata (XIVe siècle) est une des parties les mieux préservées du palais ❸

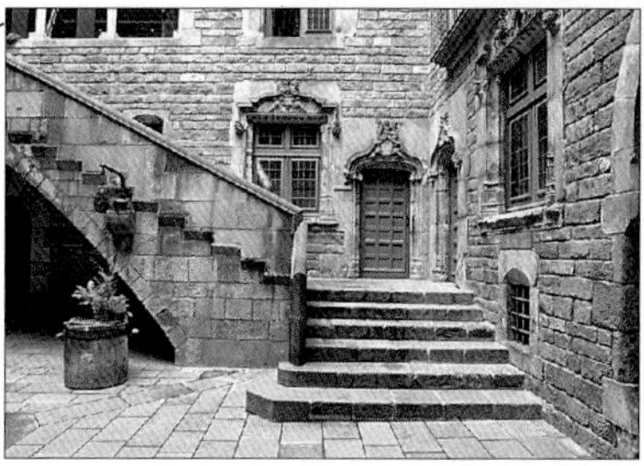

Museu d'Història de la Ciutat
Installé dans une demeure du XIVe siècle déplacée de la carrer dels Mercaders en 1931, il illustre l'histoire et le développement de la ville depuis le Moyen Âge ❹

Le Centre Excursionista de Catalunya renferme, dans sa cour, quatre colonnes romaines du temple d'Auguste. Dans la rue, une borne indique l'ancien emplacement du sanctuaire.

À NE PAS MANQUER

★ La cathédrale

★ Le Palau Reial Major

Boîte aux lettres moderniste, Casa de l'Ardiaca

Casa de l'Ardiaca ❶

Carrer de Santa Llúcia 1. **Plan** 5 B2. *933 18 11 95.* *Jaume I.* *de 9 h à 21 h du lun. au ven., de 9 h à 13 h le sam.* *jours fériés.* www.bcn.es/arxiu/arxiuhistoric

Construite au XIIe siècle près de ce qui était à l'origine la porte de l'Evêque percée dans l'enceinte romaine, la maison de l'Archidiacre doit son apparence actuelle à un remaniement vers 1500. La colonnade élevée en cette occasion fut étendue en 1870 pour former, autour d'une fontaine, un patio de style gothique flamboyant. À côté du portail Renaissance se remarque une boîte aux lettres en marbre conçue par l'architecte moderniste Domènech i Montaner (1850-1923). L'Institut municipal d'histoire se trouve à l'étage.

Museu Frederic Marès ❷

Plaça de Sant Iu 5. **Plan** 5 B2. *933 10 58 00.* *Jaume I.* *de10 h à 17 h du mar. au sam., de 10 h à 19 h le mer., le ven. et le sam., de 10 h à 15 h le dim.* *jours fériés.* *gratuit le 1er dim. de chaque mois et le mer. après-midi.* *sur rendez-vous*

Installé dans un bâtiment qui faisait partie du palais royal, ce musée est un monument à l'éclectisme et à la passion de la collection et des voyages du sculpteur Frederic Marès i Deulovol (1893-1991).

Les antiquités s'admirent au fond du patio. Au rez-de-chaussée, les salles d'art roman abritent plus de 400 sculptures sur bois peintes. La crypte renferme les sculptures sur pierre, notamment deux portails romans, tandis que le premier étage offre un large aperçu de la sculpture espagnole du Moyen Âge au XIXe siècle. Le « Musée sentimental » occupe les deux niveaux supérieurs. Il présente, réunis par thèmes, un ensemble exceptionnel d'objets du monde entier tels que montres, pendules, crucifix, bas de femme, bijoux, pipes, pots à tabac, cannes, cartes postales ou jouets.

Vierge, Museu Frederic Marès

Palau Reial Major ❸

Plaça del Rei. **Plan** 5 B2. *933 15 11 11.* *Jaume I.* *de juin à sept. : de 10 h à 20 h du mar. au sam., de 10 h à 14 h le dim. ; d'oct. à mai : de 16 h à 20 h du mar. au sam., de 10 h à 14 h le dim.* *1er jan., 25 et 26 déc.*

Fondée à la fin du Xe siècle, mais datant en majeure partie du XIVe siècle, l'ancienne résidence des comtes, puis des rois de Barcelone s'organise autour du Saló del Tinell (1359-1362). C'est dans cette salle de banquet longue de plus de 30 m sous des arcs en plein cintre d'une portée de 17 m que les Rois Catholiques *(p. 66)* reçurent Christophe Colomb à son retour des Amériques en 1493. Dans l'antichambre, des fresques d'époque illustrent la vie de la noblesse vers 1300.

Nef gothique de la Capella de Santa Àgata, Palau Reial

L'ANCIENNE COMMUNAUTÉ JUIVE DE BARCELONE

Tablette en hébreu

Du XIe au XIIIe siècle, les juifs, qui donnaient à la ville ses médecins et fondèrent le premier établissement éducatif, dominèrent la vie commerciale et culturelle de Barcelone. En 1243, une violente crise d'antisémitisme conduisit à leur enfermement dans un ghetto, El Call, qui ne possédait qu'une seule entrée donnant sur la plaça Sant Jaume. Malgré de lourdes taxes imposées par le roi, qui les considérait comme des « serfs royaux », les juifs conservèrent le contrôle de la majeure partie du négoce entre la Catalogne et l'Afrique du Nord. Les persécutions, officielles ou populaires, finirent toutefois par entraîner la disparition du ghetto en 1401, près d'un siècle avant que ne soit interdite la pratique du judaïsme en Espagne *(p. 53)*.
La principale synagogue (il y en avait trois) bordait la carrer Sant Domènec del Call. Il n'en reste que les fondations. Au no 1 de la carrer de Marlet, une tablette en hébreu du XIVe siècle dit : « Sainte fondation de Rabbi Samuel Hassardi, pour qui la vie ne finit jamais ».

Construite dans le rempart romain, la Capella de Santa Àgata abrite le retable du connétable Pierre de Portugal achevé en 1466 par Jaume Huguet. À droite de l'autel, des escaliers mènent au **Mirador del Rei Martí**. Formée de cinq étages de galeries, cette tour du XVIe siècle porte le nom du dernier souverain catalan, Martin Ier l'Humain, qui régna de 1396 à 1410. Du sommet, jolie vue sur le palais.

Museu d'Història de la Ciutat ❹

Plaça del Rei. **Plan** 5 B2. ☎ *933 15 11 11.* Ⓜ *Jaume I.* ○ *de 10 h à 14 h, de 16 h à 20 h du mar. au sam., de 10 h à 14 h le dim. et les jours fériés.* ● *1er jan., 25 et 26 déc.* ▨

Le musée d'histoire de Barcelone occupe la Casa Clariana-Padellàs, édifice gothique construit sur la carrer del Mercaders et transporté pierre par pierre en 1931 jusqu'à son emplacement actuel où des fouilles mirent au jour les vestiges, notamment, de thermes romains et d'une basilique paléochrétienne. Une galerie souterraine permet de les découvrir. Une courte portion de la muraille romaine s'atteint depuis les étages dont l'exposition illustre le développement de la ville.

Casa de la Ciutat ❺

Plaça de Sant Jaume. **Plan** 5 A2. ☎ *93 402 70 00.* Ⓜ *Jaume 1, Liceu.* ○ *de 10 h à 14 h le dim. et les jours fériés ; de 10 à 20 h le 12 fév. (St Eulàlia) et le 23 avr. (St Jordi).* ♿ ▨

L'hôtel de ville *(ajuntament)* de Barcelone dresse en face du Palau de la Generalitat une façade néo-classique datant de 1840, mais il a conservé son aspect gothique d'origine sur la carrer de la Ciutat.

Au premier étage, un portail Renaissance ouvre sur le Saló de Cent, majestueuse salle inaugurée en 1373, à la décoration baroque. Commandé à l'occasion de l'Exposition internationale de 1929, le Saló de Flor est orné de peintures murales par José Marià Sert. Elles évoquent l'expédition en Orient, au début du XIVe siècle, de troupes catalanes commandées par Roger de Flor.

Palau de la Generalitat ❻

Plaça de Sant Jaume. **Plan** 5 A2. ☎ *934 02 46 00.* Ⓜ *Jaume I.* ○ *23 avr. (St Jordi), le 2e et le 4e dim. du mois ; tous les sam. et dim. (demander l'autorisation par écrit).* ♿ ▨

Siège du gouvernement catalan depuis 1403, la Generalitat présente une façade Renaissance ornée, au-dessus du portail, d'une statue du saint patron de la Catalogne, Sant Jordi (saint Georges), terrassant le dragon.

Façade Renaissance du Palau de la Generalitat

Marc Safont dessina au début du XVe siècle le bel escalier gothique menant, depuis la cour, jusqu'à la Capella de Sant Jordi qu'il édifia de 1432 à 1436. Elle fut remaniée vers 1620. Œuvre de Pere Blai, le Saló de Sant Jordi est de style classique. Il ouvre sur le *Pati dels Tarongers* (patio des Orangers) par Pau Mateu. Le clocher qui le domine date de 1568. Le Saló Daurat (salon doré) possède un beau plafond peint.

Un pont de style gothique construit en 1928 au-dessus de la carrer del Bisbe relie le palais à la Casa del Canonges (maison des chanoines.)

Le Saló de Cent, grande salle du conseil à la Casa de la Ciutat

La cathédrale de Barcelone ❼

Sainte Eulalie

Entreprise en 1298 sur un site qu'avaient occupé un temple romain et une église wisigothique, la construction de cette harmonieuse cathédrale gothique flanquée d'un beau cloître et d'une chapelle romane ne s'acheva qu'au XIXe siècle. La clôture du chœur, sculptée au XVIe siècle, évoque le martyre de sainte Eulàlia, patronne de Barcelone. Près des fonts baptismaux, une plaque commémore le baptême de six Indiens des Caraïbes ramenés par Colomb en 1493.

Les deux tours octogonales datent de 1386-1393. Celle-ci reçut ses cloches en 1545.

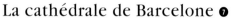

La façade principale, achevée en 1899, fut construite d'après les plans dessinés en 1408 par l'architecte français Charles Galters.

Nef
De style gothique catalan, l'intérieur ne comprend qu'une seule et large nef haute de 26 m et bordée de 28 chapelles latérales.

★ Les stalles du chœur
Sculptées au XVe siècle, elles présentent dans leur partie supérieure les blasons (1518) des chevaliers de la Toison d'or.

Capella del Santíssim Sagrament
Cette petite chapelle abrite le Christ de Lépante (XVIe siècle).

Capella de Sant Benet
Dédiée à saint Benoît, patron de l'Europe et fondateur de l'ordre des bénédictins, elle abrite le splendide retable de la Transfiguration *(1452) par Bernat Martorell.*

Mode d'emploi

Plaça de la Seu. **Plan** 5 A2. *933 15 15 54.* *Jaume I.* *17, 19, 45.* *de 8 h à 13 h 30, de 16 h à 19 h 30 du lun. au ven., 19 h le sam. et le dim.* **Musée de la sacristie** *de 11 h à 13 h t.l.j.* **Chœur** *de 9 h à 13 h, de 16 h à 19 h du lun. au ven., de 9 h à 13 h le sam.* *9 h, 10 h, 11 h, 12 h, 19 h t.l.j.*

★ La crypte
Sous le chœur s'admire le sarcophage en albâtre (1339) de sainte Eulàlia martyrisée à Mérida vers l'an 300.

★ Le cloître
Une statue de saint Georges orne la fontaine du cloître gothique planté de palmiers.

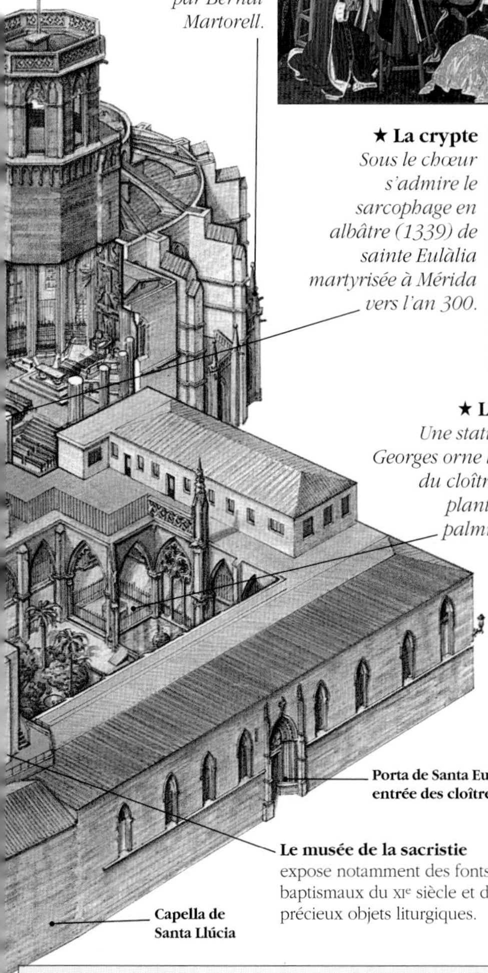

Porta de Santa Eulàlia, entrée des cloîtres

Le musée de la sacristie expose notamment des fonts baptismaux du XIe siècle et de précieux objets liturgiques.

Capella de Santa Llúcia

À ne pas manquer

- ★ Les stalles du chœur
- ★ La crypte
- ★ Le cloître

Chronologie

- **IVe siècle** Construction d'une basilique paléochrétienne
- **559** Basilique dédiée à sainte Eulàlia et à la Sainte Croix
- **877** Translation dans la cathédrale des reliques de sainte Eulàlia
- **985** Les Maures détruisent l'église
- **1046-1058** Raymond Bérenger Ier fait bâtir une église romane
- **1257-1268** Construction de la Capella de Santa Llúcia romane
- **1298** Jacques II entreprend la cathédrale gothique
- **1339** Transfert des reliques de sainte Eulàlia dans un sarcophage en albâtre
- **1493** Baptême d'Amérindiens venus avec Colomb
- **1889** Achèvement de la façade d'après les plans (1408) de Charles Galters
- **1913** Achèvement de la flèche centrale

400 | 700 | 1000 | 1300 | 1600 | 1900

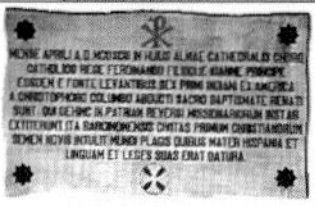

Plaque du baptême des Indiens

L'ancien amphithéâtre de dissection du vieil Hospital de la Santa Creu

El Raval ❽

Plan 2 E3. Ⓜ *Catalunya, Universitat.* **Museu d'Art Contemporani** Pl dels Angels 1. ☎ *934 12 08 10.* ○ *de 11 h à 19 h 30 du lun. au ven., de 10 h à 15 h le dim.* ● *25 déc., 1er janv..* W www.macba.es

Au sud des Ramblas s'étendent les quartiers d'El Raval et du Barri Xinès, ou Barrio Chino, qui, s'étant développés hors des murs, ne partagent pas la richesse architecturale du Barri Gòtic. Ils possèdent néanmoins beaucoup d'atmosphère et de superbes monuments.

L'immense Casa de la Caritat bâtie au XIVe siècle abrite désormais un centre culturel. À côté s'élève l'étonnant Museu d'Art Contemporani inauguré en 1995. Non loin, plusieurs institutions, dont la Bibliothèque nationale de Catalogne, occupent l'Hospital de la Santa Creu entrepris en 1401. Il s'atteint par la carrer de l'Hospital bordée de boutiques.

Le Barri Xinès, vers le port, est le quartier chaud de Barcelone. Il n'a de chinois que le nom que ses rues étroites et ses enseignes criardes inspirèrent dans les années 1920 à un journaliste qui venait de voir un film sur le Chinatown de San Francisco.

Sur la carrer Nou de la Rambla se dressent le Palau Güell *(p. 137)* de Gaudí, l'Hotel Espanya *(p. 543)* au superbe intérieur moderniste par Domènech i Montaner et l'église Sant Paul del Camp.

Las Ramblas ❾

De belles maisons et des édifices tels que l'opéra du Gran Teatre del Liceu et l'immense marché de la Boqueria bordent l'avenue historique de Las Ramblas (Les Rambles en catalan) jalonnée de cafés, de kiosques à journaux et de marchands de fleurs, mais c'est son animation continuelle, encore plus intense le soir et les week-ends, qui en constitue le principal intérêt.

Histoire de Las Ramblas
Le nom de cette longue avenue, parfois simplement appelée La Rambla, vient du mot arabe *ramla* qui désigne un torrent cessant de couler en saison sèche. L'enceinte fortifiée de Barcelone suivait au XIIIe siècle la rive gauche d'un tel cours d'eau, canalisé à partir de 1366. Des monastères et l'université s'établirent au XVIe siècle sur la rive opposée. Le souvenir de ce torrent et de ces édifices demeure dans les noms des cinq Ramblas (de Canaletes, dels Estudis, de Sant Josep, dels Caputxins et de Santa Monica) qui forment la prestigieuse avenue actuelle entre la plaça de Catalunya et le Port Vell (vieux port).

Palau Güell C/ Nou de la Rambla 3-5. **Plan** 2 F3. ☎ *933 17 39 74.* Ⓜ *Liceu.* ○ *de 10 h à 13 h, de 16 h à 19 h du lun. au sam.* ● *jours fériés.*
Museu de Cera Pg de la Banca 7. **Plan** 2 F4. ☎ *93 317 26 49.* Ⓜ *Drassanes.* ○ *de juil à sept. : de 10 h à 22 h t.l.j. ; d'oct. à juin : de 10 h à 13 h 30, de 16 h à 19 h 30 du lun. au ven., de 11 h à 14 h, de 16 h 30 à 20 h 30 les sam., dim. et jours fériés.*

Le monument à Christophe Colomb au terme des Ramblas

Font de Canaletes ①
Ceux qui boivent l'eau de cette fontaine du XIXe siècle, dit-on, reviennent à Barcelone.

Reial Acadèmia de Ciències i Arts ②
Ce théâtre (depuis 1910) possède la première horloge publique officielle de Barcelone.

Palau de la Virreina ④
Ce palais (1778) eut pour première occupante la veuve du vice-roi *(virreina)* d'Espagne au Pérou.

Mercat de Sant Josep ⑤
Appelé « La Boqueria », c'est le marché d'alimentation le plus coloré de Barcelone.

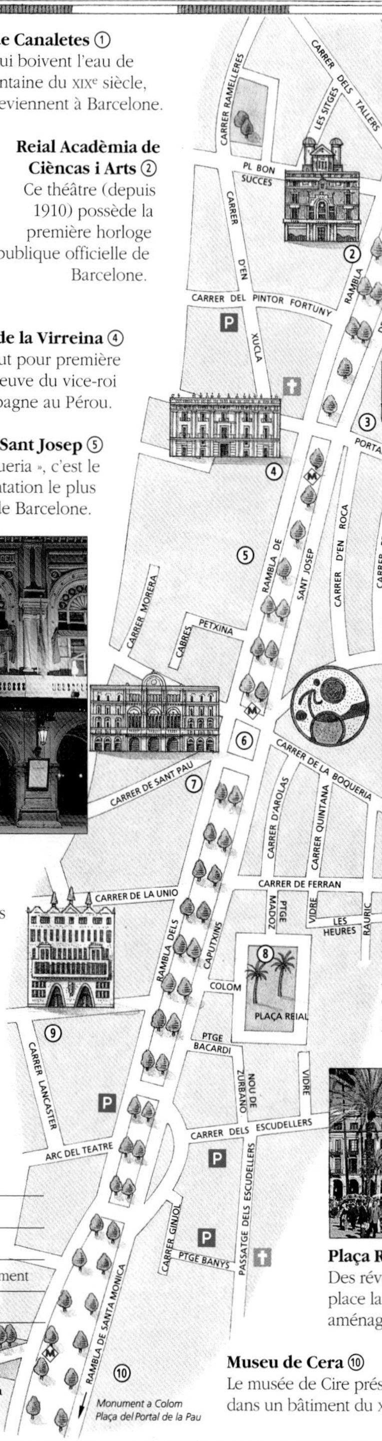

Palau Moja ③
Le grand salon baroque de cet édifice néo-classique (1790) accueille des expositions.

Gran Teatre del Liceu ⑦
L'opéra a gardé sa grandeur malgré les incendies de 1861 et 1994.

Plaça de la Boqueria ⑥
Un pavement en mosaïque par Miró (1976) et un dragon Art déco destiné à une boutique de parapluies ornent cette place.

Palau Güell ⑨
C'est l'une des œuvres majeures d'Antoni Gaudí *(p. 137)*.

Plaça Reial ⑧
Des réverbères par Gaudí décorent la place la plus vivante de Barcelone, aménagée entre 1848 et 1859.

LÉGENDE

- Gare FGC
- Station de métro
- Parc de stationnement
- Église

0 100 m

Museu de Cera ⑩
Le musée de Cire présente plus de 300 mannequins dans un bâtiment du XIXe siècle plein d'atmosphère.

Statue de Poséidon dans la cour de la Llotja

Llotja ⑩

Carrer de Consolat de Mar 2. **Plan** 5 B3. *Jaume I. pour rénovation*

Installée dans d'anciens magasins portuaires bâtis au XIVe siècle, l'ancienne Bourse de Barcelone jusqu'en 1994 doit son aspect néo-classique à une reconstruction effectuée en 1771. Dans le Saló de Contractació, qui s'aperçoit au travers des grandes vitres du rez-de-chaussée, les opérations se font toutefois dans trois nefs gothiques magnifiquement préservées.

L'académie catalane des Beaux-Arts occupa les étages supérieurs entre 1849 et 1970. Elle eut pour élève Picasso *(p. 28)* et Joan Miró *(p. 168)*. La Llotja abrite aujourd'hui une librairie et des bureaux administratifs.

Basílica de Santa Maria del Mar ⑪

Plaza Sta maria. **Plan** 5 B3. *933 10 23 90. Jaume I. de 9 h à 13 h 30 et de 16 h 30 à 20 h t.l.j. ; 10 h le dim.*

Ce superbe édifice entrepris en 1328 offre le seul exemple d'église bâtie entièrement dans le style gothique catalan, une unité esthétique due à la rapidité de sa construction : 55 ans. Par la qualité de son acoustique, il se prête merveilleusement à l'organisation de concerts. Plusieurs beaux vitraux, notamment un *Couronnement de la Vierge* du XVe siècle à la rosace ouest, éclairent la large nef centrale et les deux hauts collatéraux. L'intérieur a retrouvé son dépouillement original après la destruction, pendant la guerre civile *(p. 63)*, de sa décoration et de son mobilier baroques.

Carrer Montcada ⑫

Plan 5 B3. *Jaume I.* **Museu Tèxtil i de la Indumentària** *933 10 45 16. de 10 h à 18 h du mar. au sam., de 10 h à 15 h les dim. et jours fériés. 1er et 5 jan., ven. saint, 1er mai, 24 juin, 25 et 26 déc. sur rendez-vous.*

Les palais gothiques aux superbes cours intérieures qui dominent de leurs gargouilles et de leurs avant-toits la rue la plus authentiquement médiévale de Barcelone furent entrepris pendant la période d'expansion que connut la Catalogne au XIIIe siècle. Rare exemple d'art roman séculier, la peinture murale relatant la conquête de Majorque qui ornait le Palau Berenguer d'Aguilar (XIIIe-XVe siècle), aujourd'hui occupé par le musée Picasso, s'admire au Museu Nacional d'Art de Catalunya *(p. 168)*.

Mariage dans la basilique gothique Santa Maria del Mar

***Autoportrait* au fusain (1899-1900) par Pablo Picasso**

Pablo Picasso à Barcelone

Né à Málaga, Picasso (1881-1973) avait près de 14 ans quand il s'installa à Barcelone où son père, professeur de dessin, avait trouvé un emploi à l'académie des Beaux-Arts. Génie précoce, son fils en suivit les cours. Il exposa au Els Quatre Gats, café d'artistes de la carrer Montsió, et à la galerie Sala Parks, sur la carrer Petritxol. Tous deux existent toujours. Sa famille habitait carrer Mercé, mais il avait un atelier carrer Nou de la Rambla. Ce furent les prostituées de la carrer d'Avinyò qui nourrirent l'inspiration des célèbres *Demoiselles d'Avignon* (Museum of Modern Art de New York), tableau qui marqua en 1907 le début du cubisme. Après son déménagement à Paris en 1904, Picasso revint plusieurs fois à Barcelone, jusqu'à ce que la guerre civile et son opposition à Franco le tiennent éloigné de l'Espagne. En 1962, il conçut cependant des frises pour le collège des Architectes de la plaça Nova et se laissa convaincre d'autoriser la ville à ouvrir un musée consacré à son œuvre. L'inauguration eut lieu l'année suivante.

Au nº 12, le Palau dels Marquesos de Llió abrite le **Museu Tèxtil i de la Indumentària** dont les collections de tissus et de vêtements comptent plus de 4 000 pièces remontant pour les plus anciennes au IVe siècle. Au nº 25 se dresse la Casa Cervelló-Guidice, unique immeuble de la rue à avoir conservé sa façade originale. El Xampanyet *(p. 185)* est le plus connu des bars à champagne de la ville.

Museu Picasso ⓭

Carrer Montcada 15-23. **Plan** 5 B1. *933 19 63 10. Jaume I. de 10 h à 19 h 30 du mar. au sam. et jours fériés, de 10 h à 14 h 30 le dim. 1er janv., ven. saint, 1er mai, 24 juin, 25 et 26 déc.* www.museopicasso.bcn.es

Trois palais de la carrer Montcada, datant du Moyen Âge, abritent le musée Picasso inauguré en 1963 : le Palau Berenguer d'Aguilar, le Palau Baró de Castellet qui connut un remaniement néo-classique et le Palau Meca.

Le fond de la collection riche de 3 000 pièces est constitué de la donation faite en 1960 par Jaime Sabartes, ami intime du peintre, d'œuvres, notamment de jeunesse, offertes par Picasso lui-même en 1968, de dessins et de gravures qu'il légua à sa mort et de 141 céramiques données par sa veuve Jacqueline.

Organisée en trois départements : peintures et dessins, gravures et céramiques, l'exposition permet en particulier de découvrir les premiers travaux d'un artiste dont le génie s'affirme dès l'adolescence dans des toiles pourtant académiques comme la *Première communion* (1896) et *Science et Charité* (1897). La série des *Ménines* (1957) comprend 44 tableaux d'après le chef-d'œuvre de Velázquez *(p. 28)*.

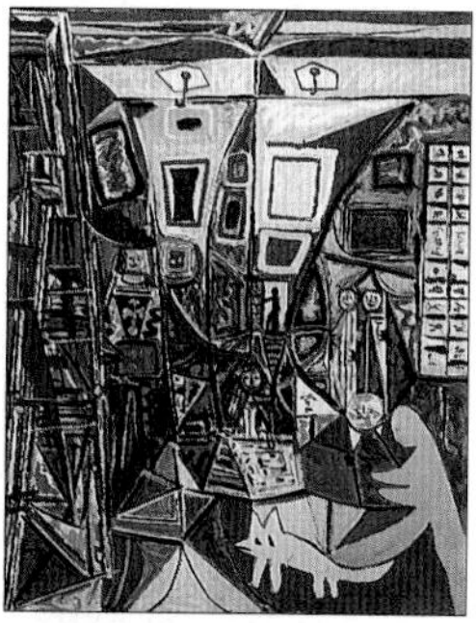

Une des *Ménines* (1957) par Picasso, Museu Picasso

Coupole renversée en vitrail du Palau de la Música Catalana

Palau de la Música Catalana ⓮

Carrer de Sant Francesc de Paula 2. **Plan** 5 B1. *932 95 72 00. Urquinaona. de sept. à juin : de 10 h à 15 h 30 ; en juill. de 10 h à 18 h t.l.j. août. t.l. 1/2 h.* www.palaumusica.org

Achevé en 1908 sur le site d'un monastère fermé au XIXe siècle, l'étonnant palais de la Musique catalane dessiné par l'architecte moderniste Lluís Domènech i Montaner possède la seule salle de concert d'Europe qu'éclaire la lumière naturelle. Difficile à apprécier pleinement dans une rue étroite, la façade au parement de briques rouges est agrémentée de colonnes couvertes de mosaïque portant les bustes de Palestrina, Bach et Beethoven. Au coin du bâtiment, un groupe sculpté par Miquel Blay rend hommage à la chanson populaire catalane.

L'intérieur présente une décoration d'une richesse extraordinaire. Les vitraux y jouent un rôle important, en particulier dans la grande salle du premier étage couverte d'une immense coupole renversée. Deux sculptures dessinées par Domènech, mais achevées par Pau Gargallo, ornent l'arc de l'avant-scène. *Wagner* symbolise la musique internationale, *Clavé* la musique catalane. Grâce à son travail de promotion de la chanson catalane, Josep Anselm Clavé (1824-1874) a en effet ouvert la voie à la création, en 1891, de l'Orfeó Català, le précurseur du palais de la Musique actuel.

Façade de l'Arc del Triomf, portail érigé à la fin du XIXe siècle

Arc del Triomf ⓯

Passeig Lluís Companys. **Plan** 5 C1. Ⓜ *Arc de Triomf.*

Josep Vilaseca i Casanovas s'est inspiré du style mudéjar *(p. 51)* pour dessiner le portail principal de l'Exposition universelle organisée en 1888 dans le Parc de la Ciutadella. Sur la façade principale de cet arc de triomphe en brique, une frise de Josep Reynés représente la ville de Barcelone accueillant les visiteurs étrangers. La frise de la façade arrière, par le paysagiste Josep Llimona, montre une cérémonie de remise de prix.

Parc de la Ciutadella ⓰

Avda del Marqués de l'Argentera. **Plan** 6 D2. Ⓜ *Barceloneta, Ciutadella-Vila Olímpica.* *de mai à août : de 10 h à 21 h t.l.j. ; en mars et avr. et sept. et oct. : de 10 h à 19 h ou 20 h ; de nov. à fév. : de 10 à 18 h.*

Ce parc de 30 ha planté d'orangers et peuplé de perroquets offre aux promeneurs des allées bordées de palmiers et un petit lac où canoter. Il s'étend sur le site d'une citadelle pentagonale construite entre 1715 et 1720 par Prosper Verboom pour Philippe V, le premier des Bourbons d'Espagne *(p. 58)*, qui n'avait pu entrer dans Barcelone qu'au terme de treize mois de siège. Transformée en prison, la forteresse acquit une sinistre réputation pendant l'occupation napoléonienne *(p. 59)* et la répression des mouvements nationalistes du XIXe siècle. Elle devint pour les Catalans le symbole haï des dominations étrangères. Le général Prim la démantela et offrit le terrain à la ville en 1868. Sa statue équestre se dresse au milieu du parc ouvert au public en 1882 et réaménagé en 1888 pour l'Exposition universelle.

Trois bâtiments de l'ouvrage militaire subsistent néanmoins. Remanié et agrandi, l'ancien arsenal (aussi appelé Palau Reial) devint en 1932 le siège du Parlement catalan. Il abrite également aujourd'hui le Museu d'Art Modern. De l'autre côté de la plaça de Armes s'élèvent le palais du gouverneur, devenu une école, et la chapelle. C'est le Français Jean Forestier qui créa les jardins. Ils s'organisent autour d'une fontaine monumentale de style néo-classique, œuvre de l'architecte Josep Fonseré. Antoni Gaudí, qui était alors étudiant, participa à sa décoration.

Le Museu de Zoologia occupe un bâtiment dessiné par Montaner

Museu de Zoologia ⓱

Passeig de Picasso esquina pujadas. **Plan** 5 C2. 933 19 69 12. Ⓜ *Arc de Triomf, Jaume I.* *de 10 h à 14 h mar. et mer., du ven. au dim. et jours fériés ; de 10 h à 18 h 30 le jeu.* *sur rendez-vous.* www.museuzoologia.bcn.es

Pour l'Exposition universelle de 1888, Lluís Domènech i Montaner édifia à l'entrée du Parc de la Ciutadella le Castell dels Tres Dragons (château des Trois Dragons) nommé d'après une pièce de Frederic Soler très populaire à l'époque. L'architecte moderniste s'inspira de la Lonja gothique de Valence *(p. 241)* pour concevoir ce bâtiment en briques qui marie ossature métallique et décorations évoquant le Moyen Âge. Il

La fontaine néo-classique du Parc de la Ciutadella à laquelle travailla Antoni Gaudí

abrite les collections du musée de zoologie de Barcelone.

Museu de Geologia ⓲

Parc de la Ciutadella. **Plan** 5 C3. *933 19 68 95.* *Arc de Triomf, Jaume I.* *de 10 h à 14 h les mar. et mer. et du ven au dim. ; de 10 h à 18 h le mar.* *jours fériés.* *sur rendez-vous.*

Inauguré en 1882, l'année où le Parc de la Ciutadella devint un espace ouvert au public, le plus ancien musée de la ville présente une riche collection de fossiles et d'échantillons minéralogiques.

À côté, l'Hivernacle, belle serre dessinée en 1884 par

***Homenatge a Picasso* (1983) par Tàpies, Parc de la Ciutadella**

Josep Amargós, accueille concerts et expositions temporaires. Une autre serre, l'Umbracle construite en brique et en bois par Josep Fontseré, abrite des plantes tropicales.

Homenatge a Picasso ⓳

Passeig de Picasso. **Plan** 5 C3. *Barceloneta.*

En bordure du Parc de la Ciutadella, l'avinguda del Marquès de l'Argentera débouche sur l'*Hommage à Picasso* conçu en 1983 par l'artiste catalan Antoni Tàpies (né en 1923). Au milieu d'une fontaine, un cube de verre de quatre mètres d'arête abrite un vieux canapé, des fauteuils et un buffet traversé par des pieux métalliques et recouvert d'une couverture.

***Coucher de soleil sur le Loing* par Alfred Sisley (1839-1899)**

Museu d'Art Modern ⓴

Parc de la Ciutadella. **Plan** 6 D3. *933 19 50 23.* *Arc de Triomf.* *de 10 h à 19 h du mar. au sam., de 10 h à 14 h 30 dim et jours fériés.* www.manac.es

Les collections du musée d'Art moderne de Barcelone comprennent pour l'essentiel des œuvres d'artistes catalans du XIXe et du XXe siècles, mais peu des quatre plus importants, Miró, Picasso, Dalí et Tàpies, la ville proposant pour chacun d'eux un musée monographique. De qualité, l'exposition permet toutefois de découvrir les formes qu'ont prises en Catalogne les grands courants artistiques européens.

L'orientalisme séduisit ainsi Mariano Fortuny (1838-1874), à la palette riche et colorée, tandis que Ramón Casas (1866-1932) est considéré comme le premier impressionniste catalan. Ses dessins au trait dressent les portraits de grands hommes de son époque, en particulier de Picasso au moment où il venait de s'installer à Montmartre. À remarquer également, les peintures de Santiago Rusiñol (1861-1931), de Joaquim Mir (1873-1940) et d'Isidre Nonell (1873-1911), les sculptures de Miquel Blay (1866-1936) et un paysage par Alfred Sisley (1839-1899) : *Coucher de soleil sur le Loing*. L'art non figuratif est notamment représenté par des œuvres d'August Puig et Hernandez Pijoan.

Le musée possède en outre quelques remarquables exemples de mobilier moderniste, dont un autel privé.

Parc Zoològic ㉑

Parc de la Ciutadella. **Plan** 6 D3. *932 25 67 80.* *Ciutadella-Vila Olimpica.* *mars : de 10 h à 18 h 30, avr. : de 10 h à 19 h, de mai à sept. : de 10 h à 19 h 30, d'oct. à fév. : de 10 h à 17 h.* www.zoobarcelona.com

Conçu de manière à offrir aux animaux des conditions de vie relativement bonnes, le zoo de Barcelone est particulièrement réputé pour ses nombreux primates et il a depuis des années pour mascotte un gorille albino, Floquet de Neu (Flocon de Neige). L'un des aquariums propose des spectacles de cétacés. Près de l'entrée se trouve la *Demoiselle au parapluie* (1888), fontaine par Roig i Soler devenue un des symboles de la ville.

Floquet de Neu, le gorille albino du zoo de Barcelone

Bateaux et gratte-ciel au Port Olímpica

Vila Olímpica 22

Plan 6 F4. Ⓜ *Ciutadella-Vila Olímpica.*

Le plus spectaculaire des aménagements entrepris pour les Olympiades de 1992 fut celui du vieux front de mer industriel du Poble Nou, un quartier aujourd'hui appelé Vila Olímpica. Quatre kilomètres de plages bordées d'une promenade ont remplacé d'anciens docks décrépits, tandis que les 2 000 logements du village olympique forment une zone résidentielle aérée par des parcs.

Deux gratte-ciel de 44 étages dominent un port de plaisance bordé de cafés et de restaurants.

Barceloneta 23

Plan 5 B5. Ⓜ *Barceloneta.*

Relié au centre-ville par le passeig Nacional et le passeig Maritim, le quartier populaire de la Barceloneta s'étend sur une langue de terre triangulaire qui s'enfonce dans la mer. Restaurants de poissons et cafés en bord de plage y créent l'ambiance.

C'est un ingénieur militaire, Juan Martín de Cermeño, qui l'aménagea en 1753, après que la construction de la forteresse de La Ciutadella *(p. 150)* eut chassé de nombreux Barcelonais de leurs logis, et il donna aux maisons bordant ses ruelles en damier un plan systématique. Jusqu'à ce que leurs habitants obtiennent en 1837 le droit de les agrandir, elles ne comportèrent qu'un rez-de-chaussée et un étage.

Sur la petite plaça de la Barceloneta, lieu de marché, l'église baroque de Sant Miquel del Port est aussi une réalisation de Cermeño. Aujourd'hui, le port de pêche est toujours près des quais industriels que sépare une grande horloge. De l'autre côté, il reste la Torre de Sant Sebastià, terminus des téléphériques.

Port Vell 24

Plan 5 A4. Ⓜ *Barceloneta, Drassanes.*
Aquàrium ☎ *932 21 74 74.*
🕒 *d'oct. à mai : de 9 h à 21 h du lun. au ven., de 9 h 30 à 21 h 30 sam., dim. et jours fériés ; de juin à sept. de 9 h 30 à 21 h 30 t.l.j. ; en juil. et août 9 h 30 à 23 h t.l.j.* ♿
W www.aquariumbcn.com

Le nouveau port de plaisance de Barcelone s'étend au terme des Ramblas qu'une longue passerelle piétonnière appelée La Rambla de Mar relie aux clubs nautiques du Moll d'Espanya. Ce port a été construit à l'origine en 1902 au Portal de la Pau, l'entrée maritime principale vers la ville, où des escaliers mènent à la mer. Au sud, le Moll de Barcelona avec son tout nouveau World Trade Center (centre des affaires) sert de pilier central aux visiteurs. Un pont pivotant permet le passage des bateaux. Au bout du quai d'Espagne, le vaste complexe du Maremagnum propose des restaurants, des boutiques, un Imax cinéma et le plus grand aquarium d'Europe.

Un tableau de Vincent Van Gogh a inspiré les ponts rouges agrémentant le Moll de la Fusta aménagé sur deux niveaux. Les terrasses des cafés installés sur le plus haut offrent une belle vue du port. *El Cap de Barcelona*, une sculpture haute de 20 m par l'Américain Roy Lichtenstein, marque le bout du quai.

Un nouveau téléphérique passe au-dessus du Port Vell entre la Barceloneta et Montjuïc.

Monument a Colom 25

Plaça del Portal de la Pau. **Plan** 2 F4.
☎ *93 302 52 24.* Ⓜ *Drassanes.*
🕒 *d'oct. à mars : de 10 h à 13 h 30 et de 15 h 30 à 18 h 30 du mar. au ven. ; de 10 h à 18 h 30 sam., dim. et jours fériés ; en avr. et mai : de 10 h à 19 h 30 t.l.j. ; de juin à sept. : de 9 h à 20 h 30 t.l.j.*

Dessiné par Gaietà Buigas pour l'Exposition universelle de 1888, le monument à Christophe Colomb du Portal de la Pau (Portail de la Paix) marque l'endroit où l'explorateur débarqua en 1493, à son retour des Amériques, avec les six Indiens des Caraïbes qu'il ramenait avec lui. Une plaque dans la cathédrale *(p. 144-145)* rappelle qu'ils y reçurent le baptême.

Haut de 60 m, le monument se compose d'un socle en pierre et d'une colonne en fer forgé supportant, posée sur un globe, une statue par Rafael Arché de Christophe Colomb tendant le doigt vers la mer. Au sommet, une plate-forme panoramique s'atteint en ascenseur.

Bateau de pêche amarré à un quai de Barceloneta

Une *golondrina* s'éloignant de la plaça del Portal de la Pau

Golondrinas 26

Plaça del Portal de la Pau. **Plan** 2 F5. 93 442 31 06. *Drassanes.* *horaires variables, se renseigner par téléphone.*

L'un des meilleurs moyens de découvrir le port de Barcelone consiste à prendre les petits bateaux-mouches appelés *golondrinas* (hirondelles) qui partent des escaliers de la plaça del Portal de la Pau devant le monument à Colomb. La promenade dure environ une demi-heure et les vedettes accostent généralement à la digue prolongeant la Barceloneta pour laisser les passagers se dégourdir les jambes. On peut également s'inscrire pour une croisière commentée de deux heures qui passe par le port commercial et les plages, et fait escale au Port Olímpic.

Museu Marítim et Drassanes 27

Avinguda de les Drassanes. **Plan** 2 F4. 933 42 99 20. *Drassanes.* *de 10 h à 19 h t.l.j.*. *1er et 6 janv., 25 et 26 déc.* *à 12 h 30 sam. et dim.*

Fondés au XIIIe siècle et plusieurs fois agrandis jusqu'à leur fermeture au XVIIIe siècle, les anciens chantiers navals de Barcelone, les Drassanes, forment, avec leurs immenses salles voûtées, l'ensemble médiéval de ce type le plus important et le mieux préservé du monde. Ils ont conservé trois des quatre tours et abritent désormais le Musée maritime.

Maintes galères glissèrent de leurs pannes, dont la *Real*, vaisseau amiral de la flotte commandée par Don Juan d'Autriche, le fils illégitime de Charles Quint qui remporta en 1571 la victoire historique de Lépante contre les Turcs *(p. 55)*. Construite en 1971, une réplique grandeur nature du bâtiment décoré de rouge et d'or constitue le fleuron des collections du musée, mais celui-ci présente également de nombreuses maquettes.

Le *Llibre del Consulat de Mar*, recueil de codes et pratiques maritimes, et 18 portulans (cartes marines anciennes), dont le portulan de la Méditerranée dessiné en 1439 par Gabriel de Vallseca et utilisé par Amerigo Vespucci, offrent un aperçu des conditions dans lesquelles naviguaient les marins et les explorateurs d'autrefois.

Vitrail à découvrir au Museu Marítim

Fêtes de Barcelone

La Mercè *(24 sept.)*. Pendant une semaine, concerts, messes et danses rendent hommage à la protectrice de Barcelone, Nostra Senyora de la Mercè (Notre Dame de la Miséricorde) dont l'église se dresse près du port. Deux événements principaux : le *carrefoc*, défilé de Barcelonais déguisés en démons et en monstres, et le *piro musical*, grand feu d'artifice musical à la Font Màgica de Montjuïc.

Feu d'artifice pendant la fête de La Mercè

Els Tres Tombs *(17 jan.)*. Des cavaliers en haut de forme et queue de pie passent trois fois dans les rues en l'honneur de saint Antoine, patron des animaux.
La Diada *(11 sept.)*. La fête « nationale » catalane.
Dia de Sant Ponç *(11 mai)*. Sur la carrer Hospital, des éventaires proposent herbes aromatiques, miel et fruits confits pour la fête du saint patron des apiculteurs et des herboristes.
Festa Major *(mi-août)*. Chaque quartier organise sa propre *festa*, l'occasion pour chaque rue de se parer de plus beaux atours que ses voisines. C'est dans le vieux quartier de la Gràcia que la fête est la plus animée.

EIXAMPLE

La démolition, en 1859, de la majeure partie de l'enceinte fortifiée qui étouffait le développement de Barcelone permit d'entreprendre sur un terrain militaire l'agrandissement de la ville selon des plans dessinés par l'ingénieur civil Ildefons Cerdà y Sunyer (1815-1876). Ils prévoyaient un quadrillage rigoureux de rues délimitant des pâtés de maisons d'une centaine de mètres de côté et quelques grandes avenues assurant la fluidité de la circulation, notamment l'avinguda Diagonal qui relie le quartier de Pedralbes à la mer. L'aménagement de cette extension urbaine, l'Eixample, se fit au moment où une génération d'architectes inventaient une déclinaison spécifiquement catalane de l'Art nouveau, le Modernisme, style caractérisé par des influences gothiques et mauresques et une décoration exubérante très inspirée de la nature. Ces architectes trouvèrent auprès d'une haute bourgeoisie éprise de nouveauté de riches clients prêts à leur commander immeubles d'habitation et édifices publics ou à usage professionnel. Parmi les plus importants figurent l'Hospital de la Santa Creu i de Sant Pau dessiné par Domènech i Montaner (1850-1923), la spectaculaire Sagrada Família *(p. 162-163)*, immense église inachevée d'Antoni Gaudí, et les étonnantes maisons élevées le long ou à proximité du passeig de Gràcia.

***Christ à la colonne*, Sagrada Família**

LE QUARTIER D'UN COUP D'ŒIL

Musées

Fundació Antoni Tàpies ❷

Église

Sagrada Família p. 162-163 ❻

Bâtiments modernistes

Casa Milà, « La Pedrera » ❸

Casa Terrades, « Casa de les Punxes » ❹

Hospital de la Santa Creu i de Sant Pau ❺

Illa de la Discòrdia ❶

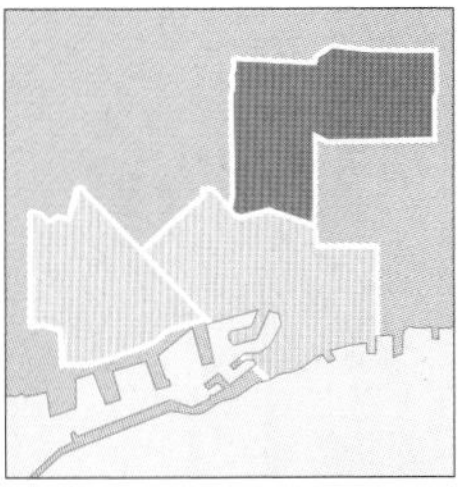

LÉGENDE

- Plan pas à pas *p. 178-179*
- Station de métro
- Gare
- Arrêt de bus important
- Information touristique
- Parc de stationnement

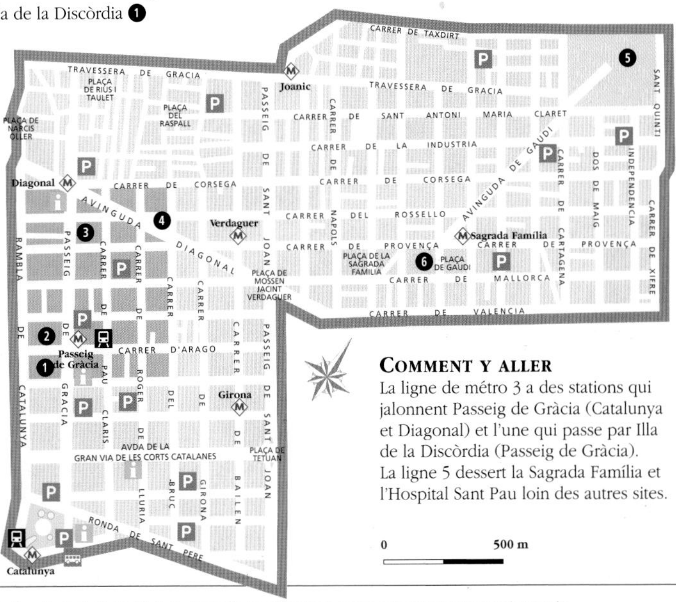

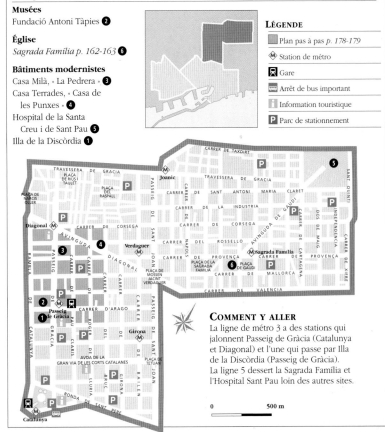

COMMENT Y ALLER

La ligne de métro 3 a des stations qui jalonnent Passeig de Gràcia (Catalunya et Diagonal) et l'une qui passe par Illa de la Discòrdia (Passeig de Gràcia). La ligne 5 dessert la Sagrada Família et l'Hospital Sant Pau loin des autres sites.

0 500 m

◁ **La façade de la Nativité de la Sagrada Família fut la seule achevée du vivant de Gaudí**

Le Quadrat d'Or pas à pas

Flacon de parfum, Museu del Perfum

Formé de la centaine de pâtés de maisons créés à la fin du XIXe siècle à proximité du passeig de Gràcia, le « Carré d'Or » doit son surnom au fait qu'il renferme nombre des plus beaux édifices modernistes de Barcelone *(p. 136-137)*. Cette partie de l'Eixample était à l'origine le quartier résidentiel des bourgeois éclairés qui adoptèrent avec enthousiasme ce style architectural témoignant du particularisme catalan. Quatre maisons contrastées font de l'Illa de la Discordia l'ensemble le plus intéressant. Plusieurs bâtiments ouverts au public permettent de découvrir les vitraux, céramiques et fers forgés de leur décoration intérieure.

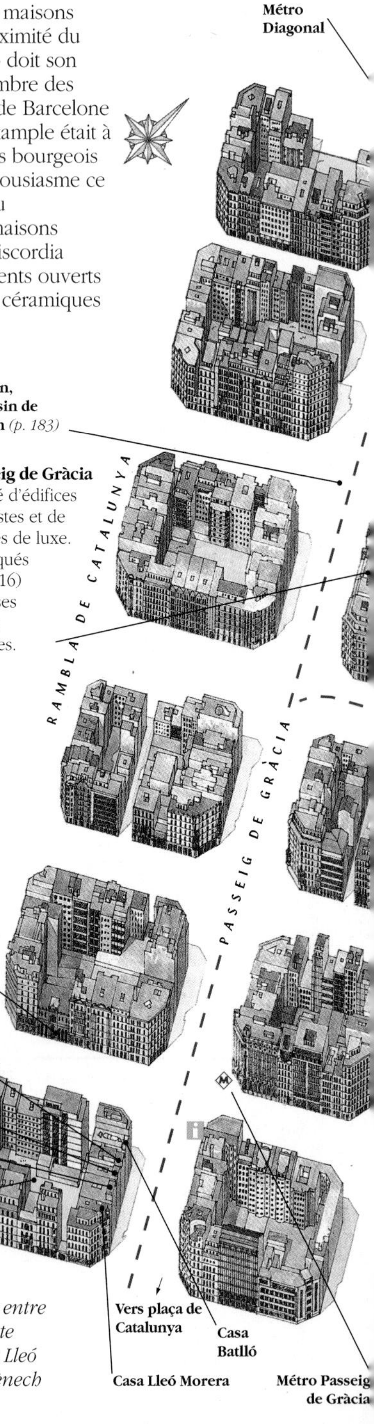

Le passeig de Gràcia est bordé d'édifices modernistes et de boutiques de luxe. Pere Falqués (1850-1916) dessina ses gracieux réverbères.

Fundació Tàpies
Surmonté de la sculpture Nuage et chaise, *un édifice par Domènech i Montaner abrite ce musée consacré au plus grand artiste catalan contemporain : Antoni Tàpies* ❷

★ L'Illa de la Discòrdia
Ce pâté de maisons comprend quatre immeubles modernistes bâtis entre 1900 et 1910. Cette tour orne la Casa Lleó Morera par Domènech i Montaner ❶

Le Museu de la Música et ses collections d'instruments anciens occupent le Palau Baró de Quadras construit par Puig i Cadafalch en 1904. Cette sculpture orne l'entrée.

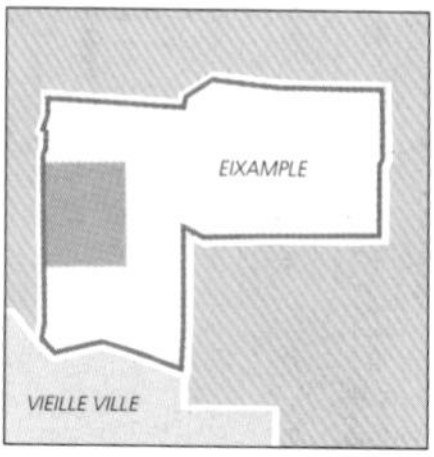

CARTE DE SITUATION
Voir l'atlas des rues, plan 3

Casa Terrades
Puig i Cadafalch s'est inspiré du gothique du nord de l'Europe pour concevoir en 1905 cette maison en brique et pierre de taille ❹

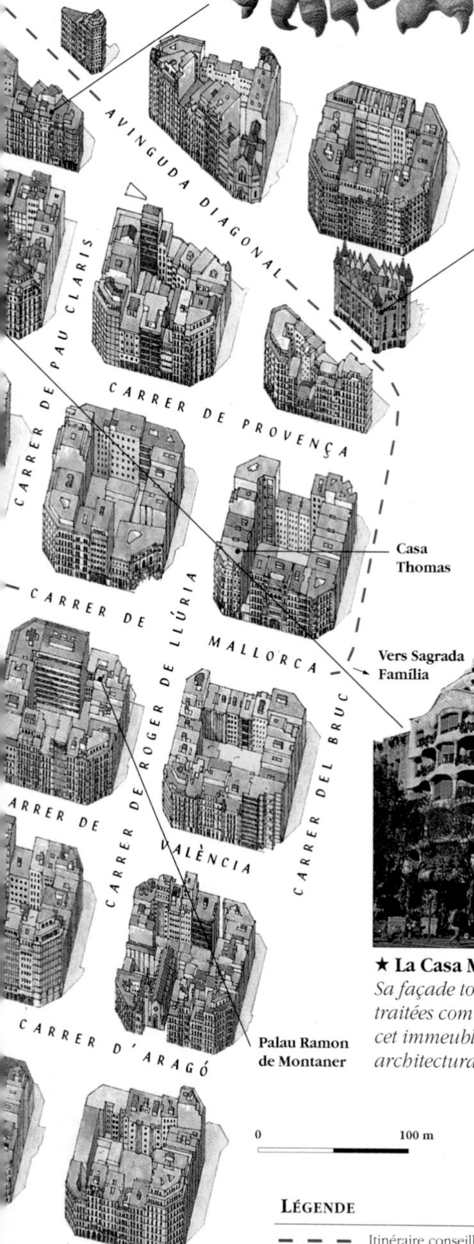

★ La Casa Milà « La Pedrera »
Sa façade tout en courbes et ses cheminées traitées comme des sculptures ont rendu célèbre cet immeuble où s'exprime toute l'audace architecturale d'Antoni Gaudí ❸

0 100 m

LÉGENDE

– – – Itinéraire conseillé

À NE PAS MANQUER

★ L'Illa de la Discòrdia

★ La Casa Milà « La Pedrera »

Décor moderniste de la Casa Lleó Morera, Illa de la Discórdia

Illa de la Discòrdia ❶

Passeig de Gràcia, entre la carrer d'Aragó et la carrer del Conseil de Cent. **Plan** 3 A4. *Passeig de Gràcia.* **Casa amatller** *934 88 01 39.* *de 10 h à 19 h du lun. au sam., de 10 h à 14 h le dim. et les jours fériés.*

Ce pâté de maisons doit son surnom d'« Îlot de la Discorde » aux contrastes offerts par les immeubles modernistes *(p. 136-137)* qui l'ont rendu célèbre. Les trois plus marquants bordent le passeig de Gràcia. Remaniements d'édifices antérieurs, ils ont gardé le nom de leur propriétaire d'origine.

Première résidence réalisée par Lluis Domènech i Montaner, la Casa Lleó Morera (1902-1906), au nº 35, a souffert de la création de boutiques au rez-de-chaussée, mais a conservé la somptueuse décoration de son vestibule et de l'escalier. Le premier étage est désormais ouvert au public. Deux maisons la séparent de la Casa Amatller ; celle du nº 39 abrite un institut de beauté et un musée du parfum.

Dessinée par Puig i Cadafalch en 1898, la Casa Amatller présente une façade harmonieuse s'inspirant à la fois du gothique catalan et de celui de l'Europe du Nord. Derrière le portail en fer forgé s'élève un bel escalier en pierres éclairé par une verrière. L'Institut Amatller d'Art Hispànic occupe le premier étage et possède une superbe bibliothèque lambrissée.

Juste à côté, au nº 43, Antoni Gaudí a donné vers 1905 à la Casa Batlló une façade curviligne où mosaïques polychromes, balcons en fer forgé et ouvertures évoquant des bouches créent une composition remarquable. Le toit et une cheminée pourraient représenter un dragon et saint Georges. Franchissez la porte pour découvrir l'entrée carrelée de bleu.

Fundació Antoni Tàpies ❷

Carrer d'Aragó 255. **Plan** 3 A1. *934 87 03 15.* *Passeig de Gràcia.* *de 10 h à 20 h du mar. au dim. et jours fériés.* *1er et 6 jan., 25 et 26 déc.*

Domènech i Montaner construisit en 1880 pour la maison d'édition de son frère le premier édifice privé de Barcelone à structure métallique. Il abrite aujourd'hui le musée consacré à Antoni Tapiès (né en 1923), l'un des grands artistes espagnols du XXe siècle, bien que son œuvre, souvent très intellectuelle *(p. 156)*, puisse paraître d'un abord difficile.

Le dépouillement du décor intérieur met en valeur la richesse de couleurs et de matières de ses tableaux abstraits où la peinture se mêle à des matériaux très variés.

ANTONI GAUDÍ (1852-1926)

Né à Reus (Tarragone) dans une famille d'artisans, Gaudí est le plus célèbre, et le plus original, des représentants du Modernisme. Après un apprentissage de forgeron, il fit ses études d'architecte à Barcelone, ville où il réalisa la quasi-totalité de son œuvre, de la Casa Vicens (1888) du nº 24 de la carrer de les Carolines, son premier édifice important, jusqu'à la Sagrada Família *(p. 162-163)*, église à laquelle il consacra sa vie à partir de 1914. Mêlant intimement architecture et décoration, ses créations visent à fonder un art « naturaliste » dont l'apparente fantaisie repose sur des structures très étudiées dérivant du gothique

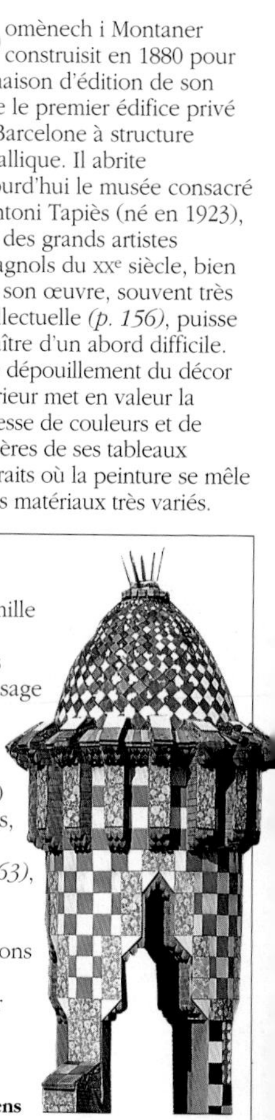

Cheminée de la Casa Vicens

◁ Cheminées sculptées de la Casa Milà de Gaudí

Façade la Casa Milà, immeuble d'habitation dessiné par Gaudí

Casa Milà ❸

Passeig de Gràcia 92. **Plan** 3 B3. *934 84 59 80. Diagonal. de 10 h à 19 h 30 t.l.j. jours fériés.* www.casacat.es/cccc

Souvent appelée la Pedrera (carrière de pierres) à cause du matériau utilisé pour sa façade et des formes des ouvertures qui s'y découpent, la Casa Milà (1906-1910) est le plus important des édifices civils construits par Antoni Gaudí à Barcelone et sa dernière œuvre avant qu'il ne se consacre entièrement à la Sagrada Família *(p. 162-163).*

Ressemblant à une immense sculpture avec ses superbes balcons en fer forgé par Josep Maria Jujol, cet immeuble d'habitation haut de huit étages ne possède aucun mur rectiligne et suscita de nombreuses controverses. Il s'organise autour de deux cours intérieures et son sous-sol recèle le premier parc de stationnement souterrain jamais aménagé dans la capitale catalane.

Des visites guidées (s'inscrire au bureau du rez-de-chaussée) permettent de découvrir les terrasses du toit et leurs étonnantes cheminées. Gaudí cherchait, pense-t-on, à créer un décor évoquant des nuages. Les cheminées ont toutefois été surnommées les *espantabruixes* (épouvantails à sorcières).

Casa Terrades ❹

Avinguda Diagonal 416. **Plan** 3 B3. *Diagonal. au public.*

Cet immeuble d'appartements hexagonal occupant tout un pâté de maisons, l'édifice le plus important dessiné par Puig i Cadafalch, doit son surnom de Casa de les Punxes (Maison des Pointes) aux flèches en forme de chapeau de sorcière qui coiffent ses six tourelles d'angle. Bâti de 1903 à 1905 à partir de trois maisons occupant déjà le site, il s'inspire des châteaux médiévaux et utilise des éléments architecturaux du gothique de l'Europe du Nord, notamment tours et pignons. Le décor floral, sculpté dans de la pierre de taille mise en valeur par la brique utilisée comme principal matériau de construction, reste néanmoins typique du Modernisme.

Flèche de la tour principale, Casa Terrades

Hospital de la Santa Creu i de Sant Pau ❺

Carrer de Sant Antoni Maria Claret 167. **Plan** 4 F1. *932 91 91 99. Hospital de Sant Pau.* **Parcs** *t.l.j. ; demander par écrit l'autorisation.* www.hspau.com

Lluis Domènech i Montaner commença en 1902 la construction d'un nouvel hôpital en accord avec les conceptions thérapeutiques du début du XXe siècle. Il disposa ainsi dans un vaste parc 26 pavillons indépendants qu'il relia par des passages souterrains. Marqués d'influences mudéjares, les bâtiments possèdent une riche décoration, notamment celui de la réception orné de sculptures par Paul Gargallo et de panneaux muraux en mosaïque.

Domènech i Montaner mourut avant l'achèvement de ce vaste projet et ce fut son fils, Pere, qui termina les travaux en 1930.

Statue de la Vierge, Hospital de la Santa Creu i de Sant Pau

Sagrada Família ❻

Buccin sculpté

L'église la moins conventionnelle d'Europe, le Temple Expiatori de la Sagrada Família, est devenu l'emblème d'une cité qui a toujours défendu son particularisme. Gaudí commença à y travailler en 1883, un an après que l'architecte Francesco Vilar eut entrepris sur le site un sanctuaire néo-gothique, et il ne cessa tout au long de sa vie de modifier un projet où il pouvait à la fois mettre en œuvre ses recherches sur l'amélioration des structures portantes gothiques et exprimer son profond mysticisme dans un décor chargé de symbolisme. Il vécut 16 ans en reclus sur le chantier et repose dans la crypte. Des trois façades initialement prévues, il ne put achever que celle de la Nativité, mais les travaux ont repris selon ses plans, financés par une souscription publique.

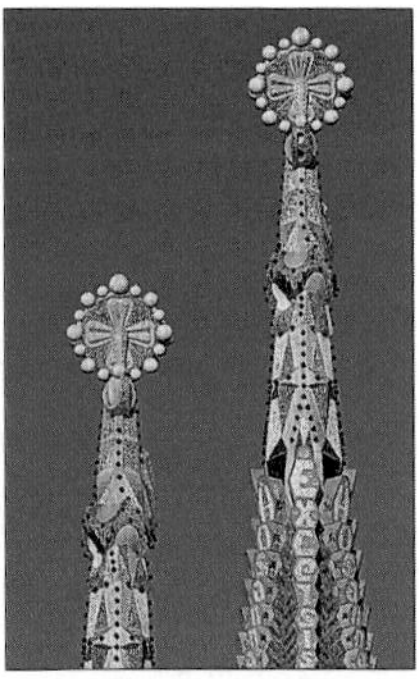

Mosaïques vénitiennes
Sur les 12 tours dédiées aux apôtres, 8 ont été édifiées et ornées de mosaïques vénitiennes.

L'ÉGLISE TERMINÉE

Bien que moins ambitieux que ce qu'imaginait à l'origine son génial créateur, le sanctuaire devrait comprendre à son achèvement une haute tour centrale en l'honneur du Christ encadrée de cinq tours dédiées à la Vierge et aux évangélistes. Des douze tours (quatre par façade) symbolisant les apôtres, il ne reste plus à construire que celles de la façade de la Gloire du Christ. Un déambulatoire courra à l'extérieur de l'édifice.

★ La façade de la Passion
L'artiste Josep Maria Subirachs s'est vu confier son achèvement en 1986, mais, de l'avis de certains, ses sculptures dénaturent l'œuvre originale de Gaudí.

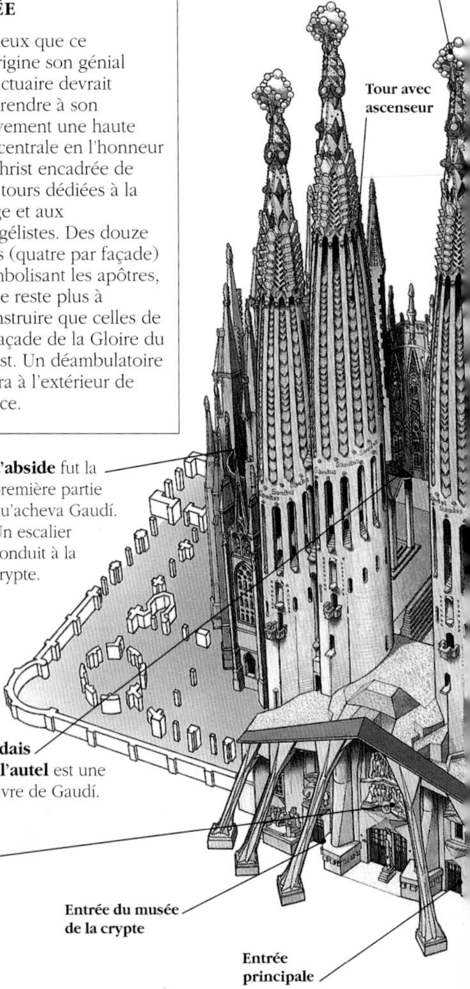

Tour avec ascenseur

L'abside fut la première partie qu'acheva Gaudí. Un escalier conduit à la crypte.

Le dais de l'autel est une œuvre de Gaudí.

Entrée du musée de la crypte

Entrée principale

Escalier d'une tour
400 marches ou des ascenseurs permettent de découvrir le splendide panorama offert depuis le sommet des tours.

MODE D'EMPLOI

Carrer de Mallorca 401. **Plan** 4 E3. 932 07 30 31. Sagrada Família. 19, 43, 51. *t.l.j., d'avr. à sept. de 9 h à 21 h ; d'oct à mars : de 9 h à 18 h.* *1er et 6 jan., 25 et 26 déc.* *d'avr. à sept. : à 9 h, 10 h 30, 11 h 45, 13 h, 20 h 15 ; d'oct à mars, même horaires et 19 h.* *rez-de-chaussée* www.sagradafamilia.org

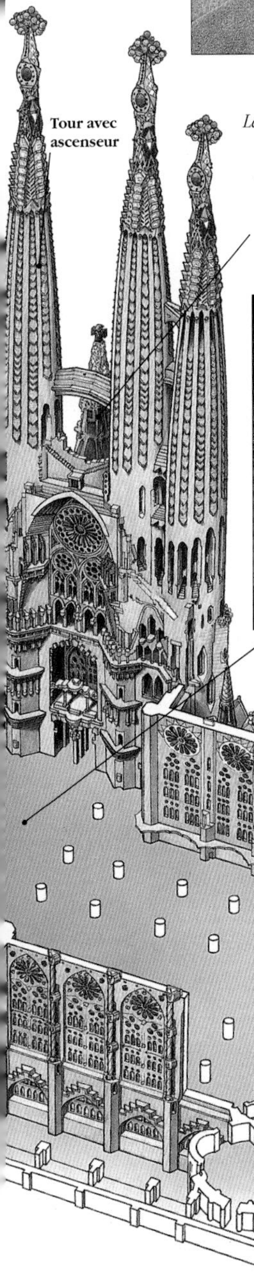

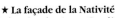

★ La façade de la Nativité
La seule façade achevée par Gaudí, sur les trois initialement prévues, possède trois portails représentant la Foi, l'Espérance et la Charité. Son décor comprend entre autres des scènes de la Nativité et de l'enfance du Christ.

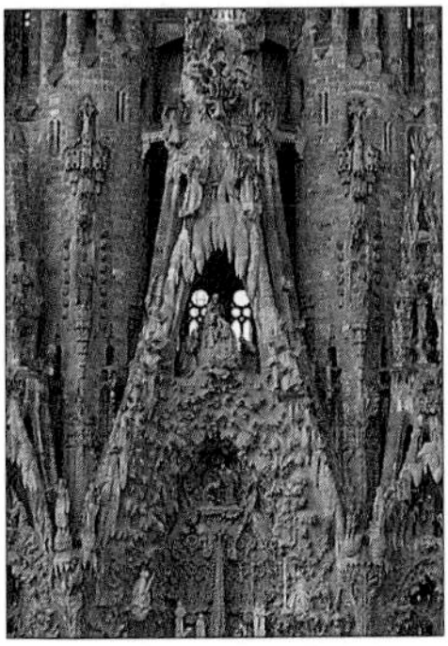

★ La crypte
Construite en 1882 par le premier architecte du sanctuaire, Francesco Vilar, elle accueille les offices religieux. Son niveau inférieur abrite un petit musée retraçant l'histoire mouvementée de l'édifice et la carrière de ses deux architectes.

La Nef
Dans la nef en construction, des colonnes supporteront quatre galeries au-dessus des bas-côtés, et les lucarnes laisseront passer la lumière .

À NE PAS MANQUER

- ★ La façade de la Passion
- ★ La façade de la Nativité
- ★ La crypte

FIB
ENTRADA VISITANTES PROFESIONALES

Montjuïc

Haute de 213 m, la colline de Montjuïc s'élève, au sud de la ville, au-dessus du port commercial et offre à Barcelone son plus vaste parc de loisirs, doté de superbes équipements sportifs depuis les Jeux olympiques de 1992. Ses musées, sa fête foraine et ses boîtes de nuit en font un lieu animé aussi bien en soirée que pendant la journée.

Une colonie celtibère occupa probablement la hauteur avant que les Romains, en y construisant un temple à Jupiter, n'en fassent le Mons Jovis dont découlerait le nom de Montjuïc. Selon une autre hypothèse, une communauté juive installée au pied de la colline au Moyen Âge lui aurait valu le surnom de Mons Judaïcus. Malgré la construction d'une citadelle en 1640, le site ne connut de réel développement qu'au début du XXe siècle quand y fut organisée l'Exposition internationale de 1929.

Statue des jardins du Palau Nacional

Depuis la plaça d'Espanya, la large avinguda de la Reina María Cristina, bordée des immenses pavillons où se tiennent les foires commerciales, conduit à la Font Màgica dont les jets d'eau servent en étés de support à des spectacles lumineux et musicaux. Le Palau Nacional la domine. Il abrite une exceptionnelle collection d'art médiéval. Pour l'Exposition de 1929, le peintre Utrillo participa à la création du Poble Espanyol, village d'artisans qui réunit des exemples d'architectures régionales de toute l'Espagne.

Le quartier d'un coup d'œil

Bâtiment historique
Castell de Montjuïc ❼

Architecture moderne
Estadi Olímpic de Montjuïc ❽
Pavelló Mies van der Rohe ❹

Musées et galeries
Fundació Joan Miró ❶
Museu Arqueològic ❷
Museu Nacional d'Art de Catalunya ❸

Place
Plaça d'Espanya ❻

Parc à thème
Poble Espanyol ❺

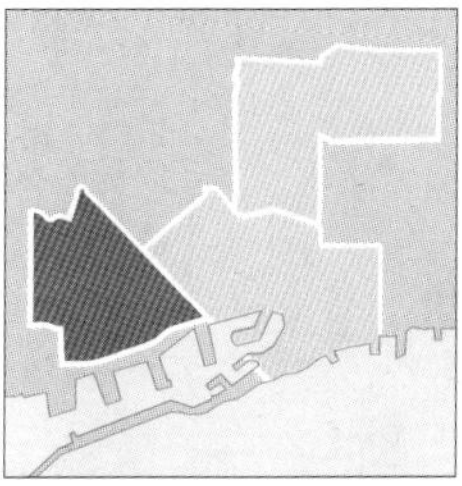

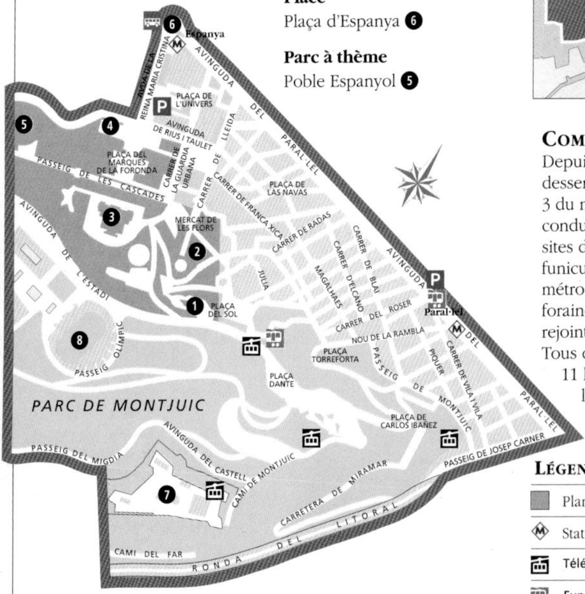

0 500 m

Comment y aller

Depuis la plaça d'Espanya desservie par les lignes 1 et 3 du métro, les bus 13 et 61 conduisent aux principaux sites de la colline. Un funiculaire relie la station de métro Parallel et la fête foraine. Un téléphérique rejoint ensuite la citadelle. Tous deux fonctionnent de 11 h à 19 h 30 (seulement le week-end en hiver).

Légende

- Plan pas à pas *p. 166-167*
- Station de métro
- Téléphérique
- Funiculaire
- Ligne de bus
- Parc de stationnement

◁ **Jeux d'eau et de lumière à la Font Màgica sur la principale avenue menant à Montjuïc**

Montjuïc pas à pas

Depuis la plaça d'Espanya, deux tours inspirées du campanile de la basilique Saint-Marc de Venise marquent l'entrée du parc de Montjuïc aux jardins dessinés par Jean Forestier. Les bâtiments les plus intéressants se dressent autour du Palau Nacional qui abrite la plus belle collection d'art roman d'Europe. Alors que le Poble Espanyol réunit divers exemples d'architectures traditionnelles, Josep Lluís Sert a donné à la fondation Miró un aspect résolument moderne. Outre ses musées, la colline propose un parc d'attractions et un théâtre de verdure. La citadelle offre un superbe panorama.

Pavelló Mies van der Rohe
Cette statue par Georg Kolbe (p. 169) *orne le pavillon dessiné par un maître du Bauhaus pour l'exposition de 1929* ❹

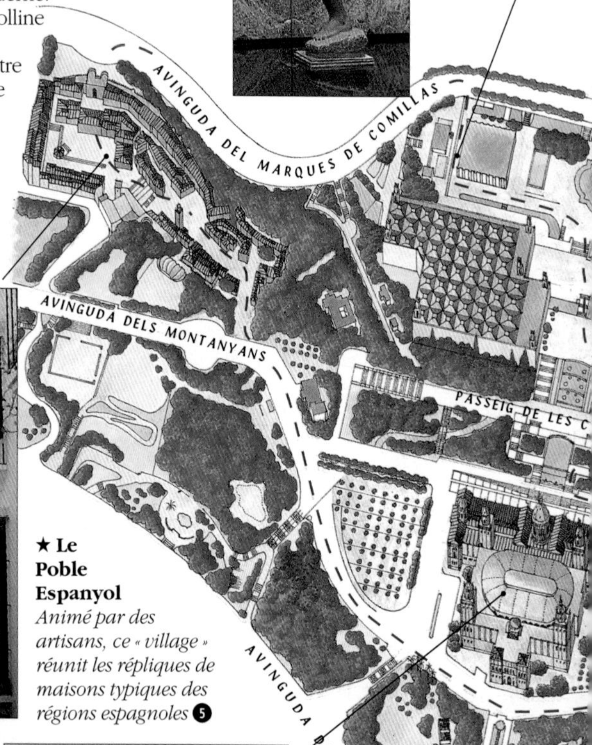

★ Le Poble Espanyol
Animé par des artisans, ce « village » réunit les répliques de maisons typiques des régions espagnoles ❺

Vers le château de Montjuïc et le stade olympique

★ Le Museu Nacional d'Art de Catalunya
Le principal édifice construit pour l'Exposition internationale de 1929 abrite la plus riche collection d'Europe de peintures murales du début du Moyen Âge. Elles furent une importante source d'inspiration pour Joan Miró (p. 168) ❸

À NE PAS MANQUER

- ★ Le Poble Espanyol
- ★ Le Museu Nacional d'Art de Catalunya
- ★ La Fundació Joan Miró

Des cascades descendent en terrasses entre le Palau Nacional et la Font Màgica conçue par Carles Buigas (1898-1979) pour l'Exposition internationale de 1929. Les semaines d'été, du jeudi au dimanche, ces jeux d'eau s'illuminent sur un accompagnement musical.

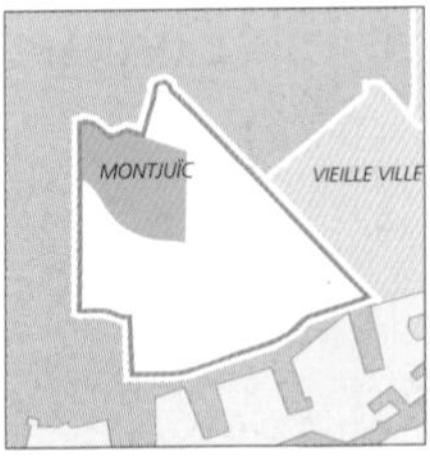

CARTE DE SITUATION
Voir l'atlas des rues, plan 1

Museu Arqueològic
Il présente notamment des objets laissés par les cultures préhistoriques de Catalogne et des pièces grecques et puniques des Baléares, telle la Dama de Ibiza *(IVe siècle) retrouvée dans une nécropole carthaginoise* ❷

Plaça d'Espanya

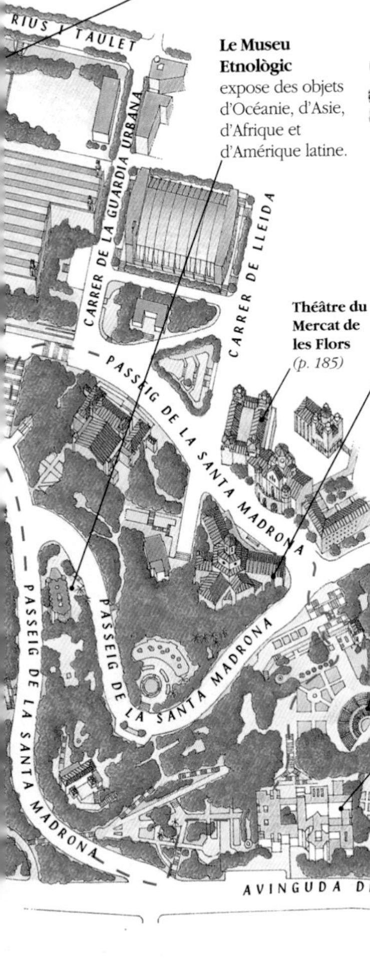

Le Museu Etnològic expose des objets d'Océanie, d'Asie, d'Afrique et d'Amérique latine.

Théâtre du Mercat de les Flors *(p. 185)*

Le Teatre Grec est un théâtre de verdure au milieu de jardins.

★ La Fundació Joan Miró
Cet institut d'art moderne mérite une visite pour les œuvres de Joan Miró exposées, telle cette tapisserie, ainsi que pour son architecture par Josep Lluís Sert ❶

Vers le parc d'attractions, le château et le téléphérique

LÉGENDE

— — — Itinéraire conseillé

0 100 m

***Flamme dans l'espace et femme nue* (1932) par Joan Miró**

Fundació Joan Miró ❶

Parc de Montjuïc. **Plan** 1 B3. *933 29 19 08.* *Espanya, puis bus 50.* *de juil. à sept. : de 10 h à 20 h mar, mer., ven., sam., d'oct. à juin : de 10 h à 19 h mar., mer., ven. et sam. ; toute l'année, de 10 h à 21 h 30 le jeu., de 10 h à 14 h 30 les dim. et jours fériés.* *1er jan., 25 et 26 déc.* www.bcn.fjmiro.es

Fils d'un orfèvre, Joan Miró (1893-1983) étudie à l'école d'art de la Llotja *(p. 148)*. Il s'installe à Paris en 1920, mais reste attaché à ses racines et, bien qu'opposé à Franco, revient en Espagne en 1940. Jusqu'à sa mort, il habite principalement à Majorque.

Admirateur de l'art primitif catalan et du Modernisme de Gaudí *(p. 136)*, Miró développe après sa rencontre avec les surréalistes un style poétique où le rêve transcende la réalité. Il fonde en 1971 le centre d'art moderne de la Fondació Joan Miró, et son ami Josep Lluís Sert, l'architecte de la Fondation Maeght de Saint-Paul-de-Vence, conçoit à sa demande un superbe édifice où la lumière naturelle crée l'éclairage approprié aux dessins, lithographies, peintures, sculptures et tapisseries donnés par l'artiste qui constituent la collection permanente du musée.

Museu Arqueològic ❷

Passeig Santa Madrona 39-41. **Plan** 1 B3. *934 23 21 49.* *Espanya, Poble Sec.* *de 9 h 30 à 19 h du mar. au sam., de 10 h à 14 h 30 le dim. et jours fériés* *1er jan., 25 et 26 déc.* *sauf 11 fév., 23 avr., 18 mai, 11 et 24 sept.*

Installé dans un palais néo-Renaissance de l'Exposition internationale de 1929, ce musée présente une riche collection archéologique allant de la préhistoire à l'époque wisigothique (415-711). Parmi les pièces les plus intéressantes figurent les découvertes faites à Empúries *(p. 206)*, un trésor ibère et des bijoux helléniques et wisigothiques.

Museu Nacional d'Art de Catalunya ❸

Parc de Montjuïc, Palau Nacional. **Plan** 1 A2. *936 22 03 60.* *Espanya.* *de 10 h à 19 h du mar. au sam., de 10 h à 14 h 30 le dim et les jours fériés.* *sur rendez-vous*

Construit pour l'Exposition internationale de 1929, l'austère Palau Nacional abrite depuis 1934 une collection d'art devenue la plus prestigieuse de Barcelone.

Elle comprend en particulier le plus bel ensemble d'œuvres romanes du monde, des sculptures sur bois, mais surtout des peintures murales déposées d'églises des Pyrénées catalanes et exposées de manière à reconstituer leur cadre d'origine. Celles provenant de Santa Maria de Taüll *(p. 201)* et de Sant Climent de Taüll *(p. 20)* sont sans doute les plus remarquables.

La section d'art gothique présente des retables provenant de toute l'Espagne. Elle permet principalement de découvrir l'école de peinture catalane avec des artistes majeurs, Jaume Huguet et Lluís Dalmau.

Le musée possède également des tableaux de grands maîtres du XVIe au XVIIIe siècle tels qu'El Greco, Velázquez, Ribera et Zurbáran. Une collection de photographies est présente depuis 1996 dans l'une des spacieuses salles.

***Christ en majesté* (XIIe siècle), Museu Nacional d'Art de Catalunya**

Matin **par Georg Kolbe (1877-1945), Pavelló Mies van der Rohe**

Pavelló Mies van der Rohe ❹

Avinguda del Marquès de Comillas. **Plan** 1 B2. *934 23 40 16.* *Espanya.* 50 *de 10 h à 20 h t.l.j.,* *1er janv., 25 déc.*

Les lignes élégantes et simples du pavillon de l'Allemagne de l'Exposition de 1929 n'ont rien perdu de leur modernité. Dessiné par Ludwig Mies van der Rohe (1886-1969), cet édifice, démonté comme il était prévu à la fin de l'exposition, eut une telle influence sur l'architecture du XXe siècle qu'il fut reconstruit en 1985. Il abrite la célèbre *Chaise de Barcelone* de son créateur.

Poble Espanyol ❺

Avinguda del Marquès de Comillas. **Plan** 1 A2. *935 08 63 00.* *Espanya.* *de 9 h à 20 h lun., de 9 h à 2 h du mat. du mar. au jeu., de 9 h à 4 h du mat. ven. et sam., de 9 h à minuit le dim.* www.poble-espanyol.com

Destiné à offrir aux visiteurs de l'Exposition internationale de 1929 une synthèse des styles architecturaux traditionnels des différentes régions d'Espagne, le Village Espagnol n'a rien perdu de sa popularité aussi bien auprès des touristes étrangers que des Barcelonais.

Le long de rues rayonnant d'une place centrale, 116 maisons y présentent les aspects typiques et contrastés des demeures aragonaises, andalouses ou castillanes. Dans leurs ateliers ouverts au public, des artisans produisent verre soufflé, céramique, sculpture, objets damasquinés ou vannerie. Reconstitution d'une porte de l'enceinte médiévale d'Avilà, les Torres de Avila *(p. 185)* qui forment l'entrée monumentale du Poble Espanyol abritent un des bars de nuit les plus en vue de la ville depuis son aménagement par les décorateurs Alfredo Arribas et Javier Mariscal. Le village renferme également des boutiques, des cafés et un théâtre pour enfants.

La plaça d'Espanya vue depuis le Palau Nacional

Plaça d'Espanya ❻

Avinguda de la Gran Via de les Corts Catalanes. **Plan** 1 B1. *Espanya.*

Aménagée sur le site où se dressèrent les gibets de Barcelone, jusqu'à leur transfert à la Ciutadella en 1715, la place d'Espagne est un important carrefour routier orné en son centre d'une fontaine par Josep Maria Jujol, un disciple de Gaudí. Miquel Blay exécuta les sculptures. Désaffectées, les arènes que Font i Carreras édifia en 1899 en s'inspirant des architectures arabe et médiévale accueillent désormais des concerts.

Ramon Raventós construisit pour l'Exposition de 1929 les deux tours en brique hautes de 47 m copiées sur le campanile de la basilique Saint-Marc de Venise. Elles encadrent l'avinguda de la Reina Maria Cristina qui monte jusqu'aux jeux d'eaux de la *Font Màgica* créée par Carles Buigas au pied du Palau Nacional.

Castell de Montjuïc ❼

Parc de Montjuïc. **Plan** 1 B5. *933 29 86 13.* *Paral . lel, puis funiculaire et téléphérique (sam. et jours fériés en hiver).* **Musée** *de nov. au 15 mars : de 9 h 30 à 17 h 30 du mar. au sam., du 16 mars à oct. : de 9 h 30 à 20 h.* *1er janv., ven. saint, 1er mai, 25 et 26 déc.*

La forteresse qui couronne le sommet de la colline de Montjuïc fut édifiée au XVIIIe siècle pour les Bourbons sur les ruines d'un fortin érigé en 1640 et détruit par Philippe V en 1705. Les nationalistes y exécutèrent en 1940 le président de la Généralité de Catalogne, Lluís Companys.

L'édifice abrite aujourd'hui un musée militaire. La citadelle offre un beau panorama de la ville et du port.

Estadi Olímpic de Montjuïc ❽

Passeig Olímpic 17-19. **Plan** 1 A3. *934 26 20 89.* *Espanya, Poble Sec.* *50, 51* *d'oct. à mai : de 10 h à 18 h t.l.j. ; de juin à sept. : de 10 à 20 h t.l.j.* *1er janv.*

Construit en 1936 pour des jeux qui devaient faire concurrence aux Olympiades de Berlin, mais que la guerre civile empêcha, le stade olympique de Barcelone, remanié en 1992 pour accueillir 70 000 spectateurs, a conservé la façade néo-classique que lui donna Pere Domènech i Roura.

Non loin se trouvent le **Palau Sant Jordi**, stade couvert conçu par l'architecte japonais Irata Isozaki, et des piscines par Ricardo Bofill.

Entrée du stade olympique remanié en 1992

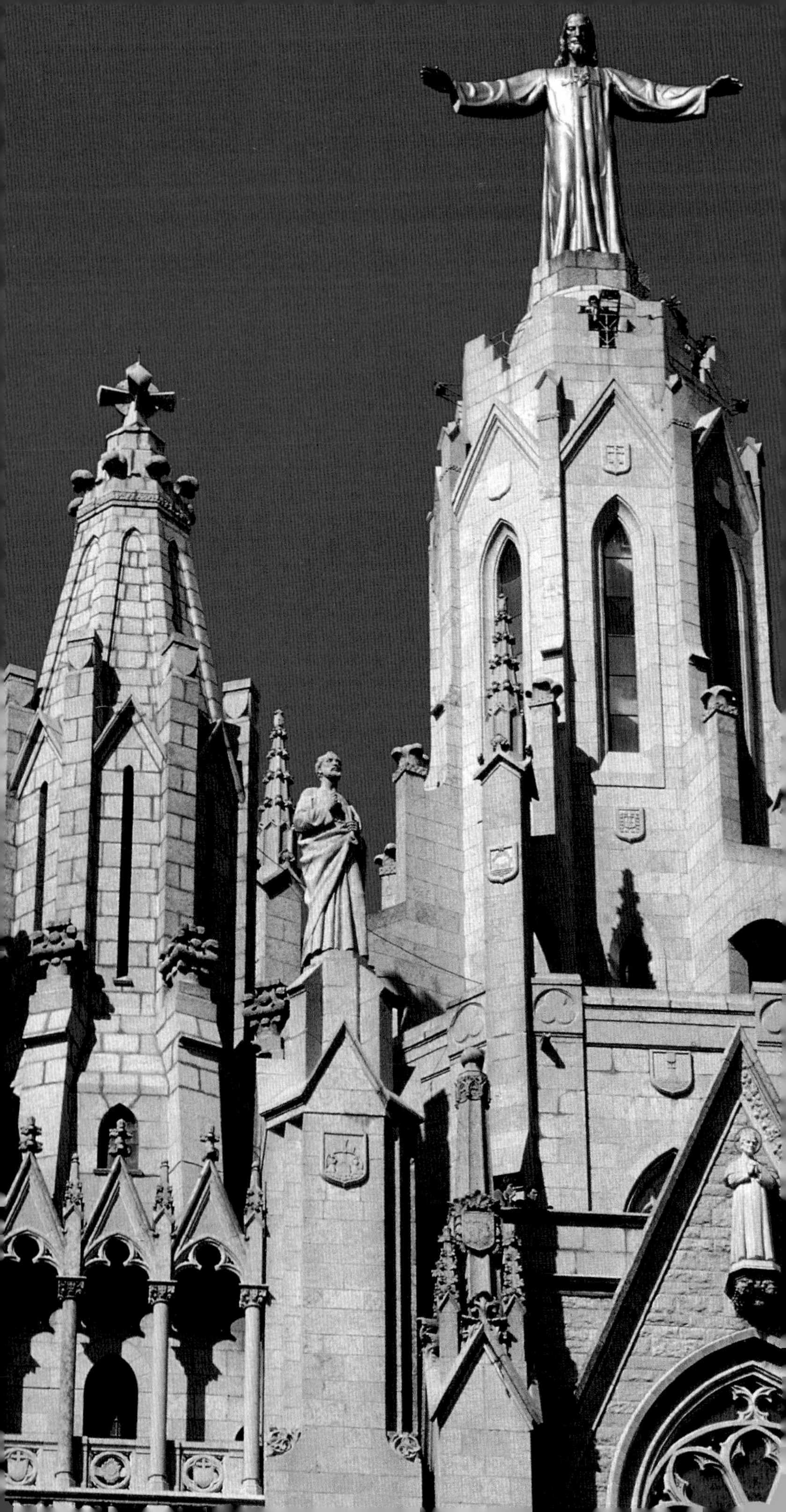

EN DEHORS DU CENTRE

Barcelone connaît depuis quelques années un développement impétueux qui a conduit notamment à la reconstruction de la gare principale, Sants, et à la création du Parc de l'Espanya Industrial et du Parc de Joan Miró, agrémentés de plans d'eau et de sculptures contemporaines. Situé au-delà du nouveau théâtre national *(p. 184)*, le Parc de Clot possède lui aussi un aspect résolument contemporain. À l'ouest de la ville, des rues de plus en plus pentues conduisent au monastère et au palais royal de Pedralbes. Une promenade dans le Parc Güell ravira tous les amateurs de Gaudí. Au-dessus s'étend la serra de Collserola, la zone boisée la plus proche de Barcelone. Deux funiculaires en escaladent les pentes jusqu'à de magnifiques points de vue sur la cité, en particulier depuis le sommet du Tibidabo où une tour de communication étincelante et l'église néo-gothique du Sagrat Cor voisinent avec un parc d'attractions très apprécié des Barcelonais.

Détails du portail du Parc Güell

LES SITES D'UN COUP D'ŒIL

Musées
Museu de la Ciència 8
Museu del Futbol Club Barcelona 3

Bâtiments historiques
Monestir de Pedralbes 5
Palau Reial de Pedralbes 4

Architecture moderne
Torre de Collserola 6

Parcs et jardins
Parc de l'Espanya Industrial 2
Parc Güell 9
Parc de Joan Miró 1

Parc d'attractions
Tibidabo 7

0 500 m

LÉGENDE
- Plan pas à pas
- Zone construite
- Gare
- Gare de funiculaire
- Autoroute
- Route principale
- Route secondaire

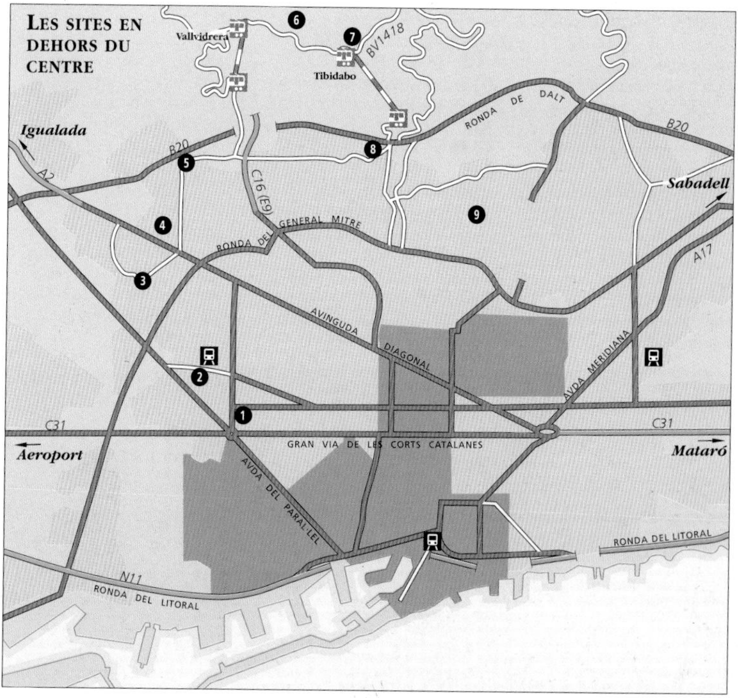

De style néo-gothique, le Temple Expiatori del Sagrat Cor domine Barcelone depuis le Tibidabo

***Dona i Ocell* (1983) par Joan Miró, au Parc de Joan Miró**

Parc de Joan Miró ❶

Carrer d'Aragó 1. Ⓜ *Tarragona.*

Ce parc créé dans les années 1980 par les architectes Solanas, Quintana, Galé et Arriola porte également le nom de Parc de l'Escorxador à cause des abattoirs *(escorxador)* du XIXe siècle dont il occupe l'emplacement.

Il est aménagé en deux niveaux. Sur le plus bas, des aires de jeu s'intercalent entre des espaces fleuris et boisés de palmiers, de pins et d'eucalyptus. Au pied d'une superbe sculpture polychrome conçue en 1983 par l'artiste catalan Joan Miró *(p. 168)*, *Dona i Ocell* (Femme et oiseau), un plan d'eau occupe le centre du niveau supérieur entièrement pavé.

Parc de l'Espanya Industrial ❷

Plaça de Joan Peiró. Ⓜ *Sants-Estació.*

Dessiné par l'architecte basque Luis Peña Ganchegui, ce parc porte le nom de l'ancienne usine textile dont il occupe le site de 5 ha.

Sa création fait partie d'un des plus ambitieux projets d'urbanisme de ce siècle : ouvrir au cœur de Barcelone de nouveaux espaces de détente en accordant une large place à l'art contemporain. Un lac orné en son centre d'une statue classique de Neptune permet d'y canoter. Des gradins entourent le plan d'eau, dominés d'un côté par dix tours. Support des projecteurs assurant l'éclairage, elles offrent aux promeneurs des plates-formes panoramiques d'où contempler les sculptures du parc, œuvres de six artistes contemporains, notamment le dragon-toboggan d'Andrès Nagel.

Museo del Futbol Club Barcelona ❸

Avda de Aristides Maillol. ☎ *934 96 36 00.* Ⓜ *Maria Cristina, Collblanc.*
○ *de 10 h à 18 h 30 du lun. au sam., de 10 h à 14 h le dim. et les jours fériés.*
● *1er et 6 jan., 24 sept., 25 et 26 déc.*
www.fcbarcelona.com

Entrepris en 1954 sur des plans de Francesc Mitjans, Nou Camp est le plus grand stade de football d'Europe et un monument à la gloire du F. C. Barcelona (Barça pour les Barcelonais), club fondé en 1899 et qui compte

Tours d'éclairage dominant le lac du Parc de l'Espanya Industrial

aujourd'hui plus de 100 000 membres. Depuis un agrandissement en 1982, le stade s'étend sur 2,8 ha et peut accueillir 98 000 spectateurs assis et 17 000 debout.

Le musée du club est sans doute le plus populaire de la ville. Il possède une boutique de souvenirs et l'exposition, qui occupe deux étages, comprend les nombreux trophées remportés par l'équipe. On peut également découvrir les peintures et sculptures exécutées par de célèbres joueurs pour la Blau-grana Biennal, une manifestation organisée en 1985 et 1987. Sous le régime franquiste qui avait interdit le drapeau catalan, les fanions aux couleurs de la Barça, le bleu *(blau)* et l'écarlate *(grana)*, devinrent l'expression du sentiment nationaliste.

Nou Camp propose également un centre ouvert à d'autres sports et une patinoire.

Le stade du Nou Camp, siège prestigieux du Futbol Club Barcelona

Palau Reial de Pedralbes ❹

Avinguda Diagonal 686. *Palau Reial.* *au public.* **Museu de Ceràmica & Museu de Arts Decoratives** *932 80 50 24.* *10 h - 18 h mar. - sam., 10 h - 15 h dim. et jours fériés.* *1er jan., 1er mai, 24 Juin, 25 et 26 déc.* *sur rendez-vous*

Sur un terrain cédé par le comte Eusebi Güell, la couronne d'Espagne fit construire à partir de 1919 ce palais où Alphonse XIII résida en 1926. La demeure renferme le trône porté par des lions.

Ouvert au public en 1937, l'édifice abrite un musée des arts décoratifs où meubles, objets d'art et tapisseries provenant de plusieurs maisons nobles de Barcelone composent dans les salons de luxueux décors. Un arbre généalogique retrace l'histoire de la dynastie des comtes-rois de Catalogne.

Un musée de la céramique occupe également le palais de Pedralbes. Remarquables, ses collections comprennent aussi bien des pièces historiques datant pour les plus anciennes du XIe siècle que des œuvres de Miró et Picasso *(p. 148)*.

Gaudí *(p. 136-137)* dessina la Font del Drac qui se trouve dans les jardins très appréciés des Barcelonais. Derrière le parc passe l'avinguda de Pedralbes où s'ouvre l'entrée de l'ancienne propriété des Güell. Gaudí en dessina le portail en fer forgé orné d'un dragon et les deux pavillons.

***Vierge d'humilité*, Monestir de Santa Maria de Pedralbes**

Monestir de Santa Maria de Pedralbes ❺

Carrer de Montevideo 14. **Monastère** *au public.* **Collection Thyssen-Bornemisza :** *Baixada del Monastir 9.* *932 03 92 82.* *Reina Elisenda.* *de 10 h à 14 h du mar. au dim.* *jours fériés.* *sauf 1er étage*

Avec son enceinte le protégeant de l'agitation de la vie moderne, le monastère de Pedralbes a gardé l'atmosphère qui sied à une communauté de recluses. Le bon état de conservation de ses cellules, de ses cuisines, de son infirmerie et de son réfectoire renforce cette impression. Les clarisses qui l'occupaient ont cependant emménagé dans un bâtiment adjacent en 1983.

De style gothique catalan, l'église à nef unique renferme le tombeau en albâtre d'Elisenda de Montcada de Piños, quatrième femme de Jacques II d'Aragon, qui fonda le couvent en 1326. Remarquable avec ses trois étages, le cloître donne accès à la Capella de Sant Miquel ornée en 1346 par Ferrer Bassa de superbes peintures murales représentant la *Passion* et des scènes de la *Vie de la Vierge*.

Depuis 1989, le monastère présente, dans un ancien dortoir, quelques 60 peintures de la collection Thyssen-Bornemisza exposée, pour l'essentiel, à Madrid *(p. 278-279)*. En majorité religieuses, elles comprennent des œuvres de maîtres italiens et espagnols tels que Fra Angelico, Tiepolo, Canaletto, Véronèse, Velázquez et Zurbarán.

Torre de Collserola ❻

Carretera de Vallvidrera al Tibidabo. *93 406 93 54.* *Peu de Funicular, puis Funicular de Vallvidrera et bus 211.* *de 11 h à 14 h 30, de 15 h 30 à 18 h (19 h ou 20 h en été) du mer. au dim.* *1er et 6 jan., 25 déc.*

Érigée pour les Jeux olympiques de 1992 près du sommet du Tibidabo *(p. 174)*, la tour de communication dessinée par l'architecte anglais Norman Foster évoque une aiguille d'acier posée sur un pilier en béton. Elle possède treize étages. Au dernier se trouvent un observatoire doté d'un puissant télescope et une plate-forme panoramique offrant une vue impressionnante sur Barcelone, la mer et la serra de Collserola. Un ascenseur vitré met moins de deux minutes pour atteindre le sommet de la tour, haute de 288 m et perchée sur une colline à 445 m d'altitude. Une expérience à déconseiller aux personnes sensibles au vertige.

F. C. Barcelona contre Real Madrid

F. C. Barcelona

Més que un club (« Plus qu'un club »), telle est la devise du F. C. Barcelona (« Barça ») dont l'équipe, depuis près d'un siècle, est le symbole le plus populaire de la résistance catalane face au gouvernement central. Ne pas remporter le championnat est attristant, se faire battre par le Real Madrid tient du désastre total. La compétition entre les deux équipes devient parfois un enjeu où s'oublie le sport. En 1941, sous le régime franquiste, Barça gagna sur son terrain un match mémorable par 3 buts à 0. Le jour de la revanche, une foule très hostile emplissait les gradins du stade de Madrid et la police et l'arbitre « conseillèrent » aux joueurs catalans d'éviter des troubles. Ils perdirent par 11 à 1 !

Real Madrid

Manège, Tibidabo

Tibidabo ❼

Plaça del Tibidabo. ☎ *932 11 79 42.* 🚌 *Avda Tibidabo, puis Tramvia Blau & Funicular.* **Luna-park** ◯ *horaires variables, se renseigner par téléphone.* ● *d'oct. à avr. : du lun. au ven.* ♿ **Temple del Cor** ☎ *934 17 56 86.* ◯ *de 10 h à 14 h et de 15 h à 19 h t.l.j.*

À moins d'emprunter la route de Sant Cugat, il faut prendre le tramway bleu, dernier tram circulant à Barcelone, et un funiculaire, pour atteindre le sommet du Tibidabo, colline haute de 532 m qui doit son nom à la vue qu'elle offre. Il reprend en effet la traduction latine des paroles de Satan : *tibi dabo* (« je te le donnerai ») quand il chercha à corrompre le Christ en lui présentant le monde étalé à ses pieds.

Inauguré en 1908 et rénové en 1980, le Parc d'Atraccions *(p. 185)* jouit d'une immense popularité. Son Museu d'Automates possède une belle collection de jouets mécaniques, de marionnettes, de juke-boxes et de jeux.

Enric Sagnier a construit entre 1902 et 1911 le Temple Expiatori del Sagrat Cor. Un ascenseur conduit au pied du Christ qui domine le sanctuaire.

Museu de la Ciència ❽

Carrer Teodor Roviralta 55. ☎ *932 12 60 50.* 🚌 *Avinguda del Tibidabo, puis Tramvia Blau.* ◯ *de 10 h à 20 h du mar. au dim.* ● *jours fériés.* 🎫 *gratuit le 1er dim. du mois.* ♿

Le musée de la Science offre aux visiteurs la possibilité de participer à des expériences permettant, entre autres, de tester leurs capacités physiques et sensorielles. Il comprend une station météorologique et un planétarium proposant un spectacle de 35 mn (séances en français). Dehors, un sous-marin se visite grâce aux trous ouverts dans sa coque.

Parc Güell ❾

Carrer d'Olot. ☎ *934 24 38 09.* Ⓜ *Lesseps.* ◯ *l'été de 10 h à 21 h t.l.j., l'hiver de 10 h à 18 h t.l.j.* ♿ 📷 **Casa-Museu Gaudí** ☎ *932 19 38 11.* ◯ *d'avr. à sept. : de 10 h à 20 h t.l.j. ; d'oct. à mars : de 10 h à 18 h t.l.j.* ● *1er janv.* 🎫

L'Unesco a classé « bien culturel du patrimoine mondial » le parc issu du projet de cité-jardin entrepris par Antoni Gaudí *(p. 136-137)* pour le comte Eusebi Güell sur un terrain de 20 ha, projet qui prévoyait la construction de 60 villas et d'édifices publics tels que restaurants et écoles. L'architecte y travailla dix ans, mais la mort de son mécène mit un terme au chantier alors qu'une seule maison, œuvre de Francesc Berenguer, avait été bâtie. Gaudí l'habita de 1906 à 1926 et elle abrite aujourd'hui un musée qui lui est consacré. Outre des dessins, l'exposition permet de découvrir ses meubles et certains de ceux qu'il dessina.

Depuis l'entrée du parc, où se dressent deux pavillons de garde, un escalier double bordé de sculptures conduit à la place du marché couverte supportée par 84 colonnes. La Gran Plaça Circular offre une vue panoramique de Barcelone. Partout, des mosaïques de céramique et de verre créent un décor féerique, notamment sur le balcon qui sinue autour de la plaça Circular. Exécuté par Josep Jujol, l'un des cinq collaborateurs de Gaudí, il passe pour avoir le plus long banc du monde.

Cheminée par Gaudí à l'entrée du Parc Güell

ATLAS DES RUES DE BARCELONE

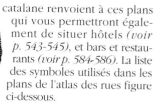

La carte ci-dessous précise la zone couverte par les plans de l'atlas des rues de Barcelone. Toutes les références cartographiques données dans les articles décrivant les sites, monuments, boutiques et salles de spectacle de la capitale catalane renvoient à ces plans qui vous permettront également de situer hôtels *(voir p. 543-545)*, et bars et restaurants *(voir p. 584-586)*. La liste des symboles utilisés dans les plans de l'atlas des rues figure ci-dessous.

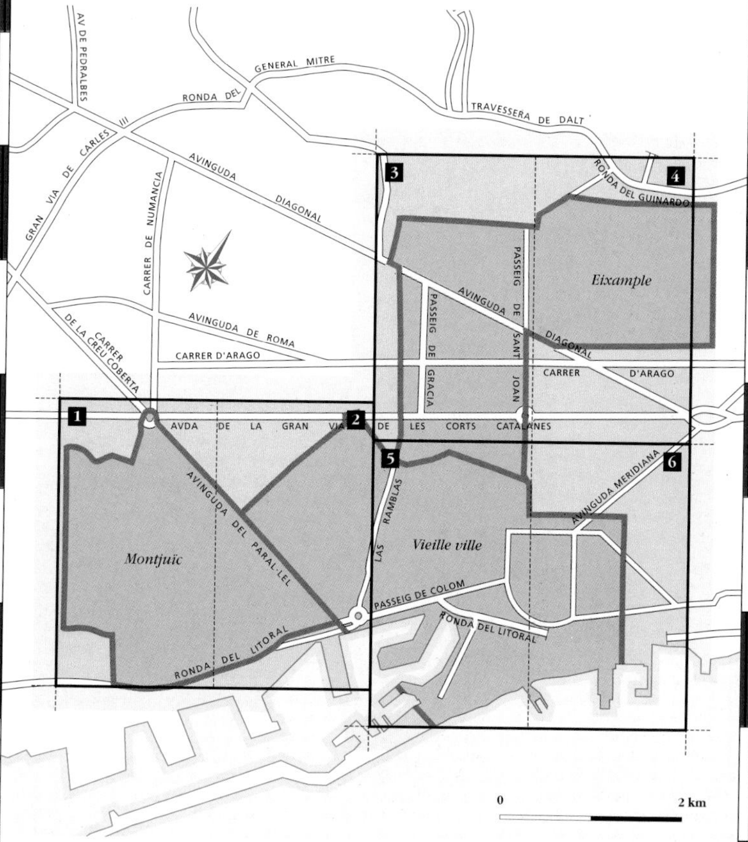

LÉGENDE DE L'ATLAS DES RUES

- Site exceptionnel
- Site intéressant
- Autre édifice
- Gare du réseau national
- Gare du réseau local (FF CC)
- Station de métro
- Arrêt d'autobus important
- Gare routière
- Embarcadère des *golondrinas*
- Téléphérique
- Gare de funiculaire
- Station de taxis
- Parc de stationnement
- Information touristique
- Hôpital de garde
- Poste de police
- Église
- Bureau de poste
- Voie ferrée
- Rue à sens unique
- Rue piétonnière

ÉCHELLE DES PLANS

0 250 m

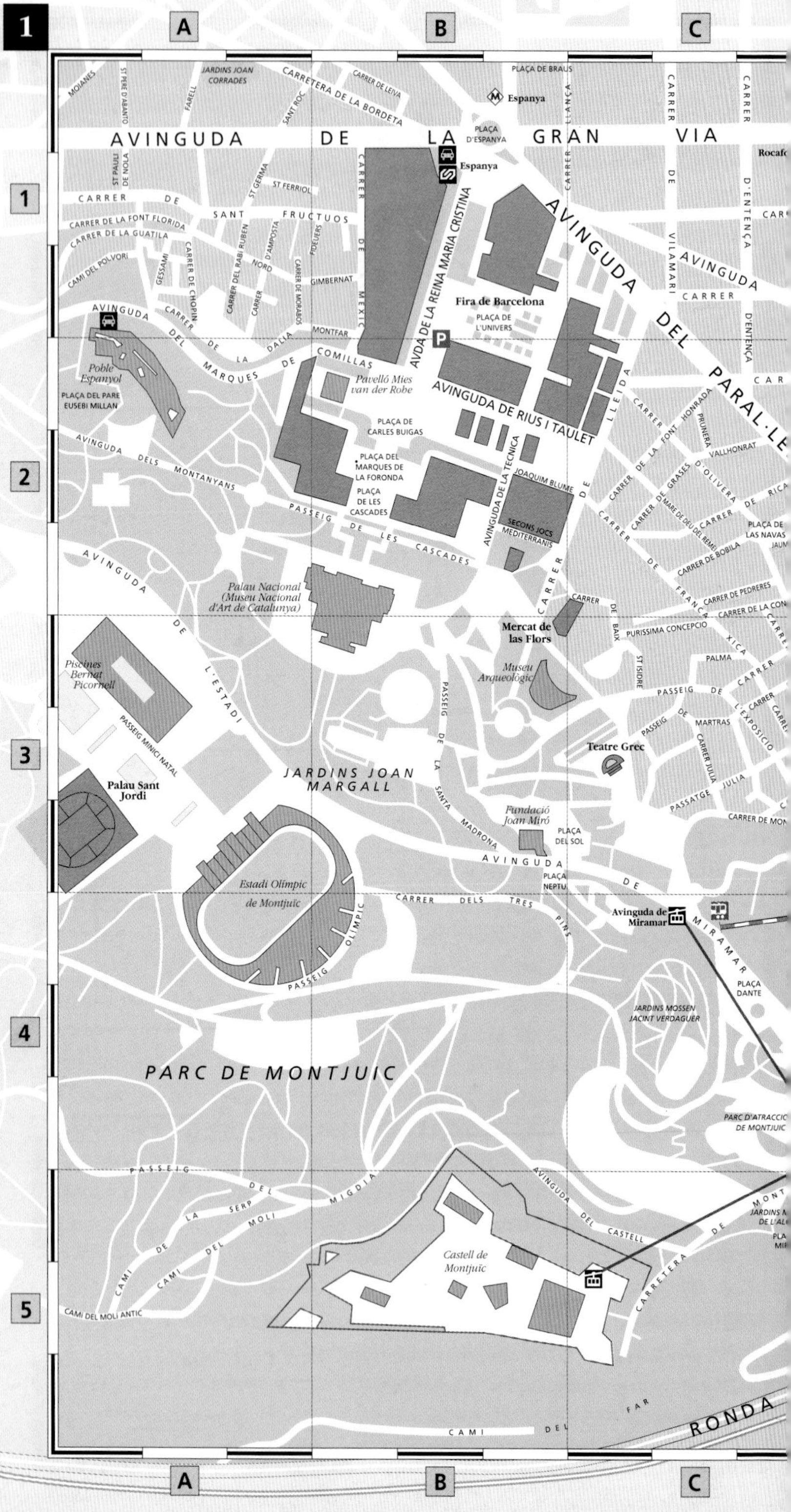

1
A
B
C
AVINGUDA DE LA GRAN VIA
PLAÇA DE BRAUS
Espanya
PLAÇA D'ESPANYA
JARDINS JOAN CORRADES
CARRETERA DE LA BORDETA
CARRER DE LEIVA
SANT ROC
FARELL
MOIANES
ST PERE D'ABANTO
ST PAULI DE NOLA
ST GERMA
ST FERRIOL
CARRER DE SANT FRUCTUOS
CARRER DE LA FONT FLORIDA
CARRER DE LA GUATLLA
CAMI DEL POLVORI
GESSAMI
CARRER DE CHOPIN
CARRER DEL RABI RUBEN
CARRER D'AMPOSTA
NORD
CARRER DE MORABOS
FIDEUERS
GIMBERNAT
MONTFAR
CARRER DE MEXIC
AVDA DE LA REINA MARIA CRISTINA
AVINGUDA DEL PARAL·LEL
Fira de Barcelona
PLAÇA DE L'UNIVERS
CARRER DE VILAMARI
CARRER D'ENTENÇA
Rocafo
AVINGUDA DEL MARQUES DE LA DALIA
COMILLAS
Poble Espanyol
PLAÇA DEL PARE EUSEBI MILLAN
Pavelló Mies van der Robe
AVINGUDA DE RIUS I TAULET
PLAÇA DE CARLES BUIGAS
PLAÇA DEL MARQUES DE LA FORONDA
PLAÇA DE LES CASCADES
PASSEIG DE LES CASCADES
AVINGUDA DELS MONTANYANS
AVINGUDA DE LA TECNICA
JOAQUIM BLUME
SECONS JOCS MEDITERRANIS
CARRER DE LLEIDA
CARRER DE LA FONT HONRADA
PRUNERA
VALLHONRAT
CARRER DE GRASES
D'OLIVERA
MARE DE DEU DEL REMEI
CARRER DE BOBILA
PLAÇA DE LAS NAVAS
CARRER DE FRANCA XICA
CARRER DE PEDRERES
PURISSIMA CONCEPCIO
PALMA
ST ISIDRE
Palau Nacional (Museu Nacional d'Art de Catalunya)
AVINGUDA DE L'ESTADI
Mercat de las Flors
Museu Arqueològic
Piscines Bernat Picornell
PASSEIG MINICI NATAL
Palau Sant Jordi
JARDINS JOAN MARGALL
PASSEIG DE LA SANTA MADRONA
Teatre Grec
PASSEIG DE MARTRAS
CARRER JULIA
PASSATGE JULIA
CARRER DE L'EXPOSICIO
CARRER DE MON
Fundació Joan Miró
PLAÇA DEL SOL
AVINGUDA DE MIRAMAR
PLAÇA NEPTU
Estadi Olímpic de Montjuïc
PASSEIG OLIMPIC
CARRER DELS TRES PINS
Avinguda de Miramar
PLAÇA DANTE
JARDINS MOSSEN JACINT VERDAGUER
PARC DE MONTJUIC
PARC D'ATRACCIO DE MONTJUIC
PASSEIG DEL MIGDIA
CAMI DE LA SERP
CAMI DEL MOLI
CAMI DEL MOLI ANTIC
AVINGUDA DEL CASTELL
CARRETERA DE MONT
Castell de Montjuïc
CAMI DEL FAR
RONDA
2
3
4
5

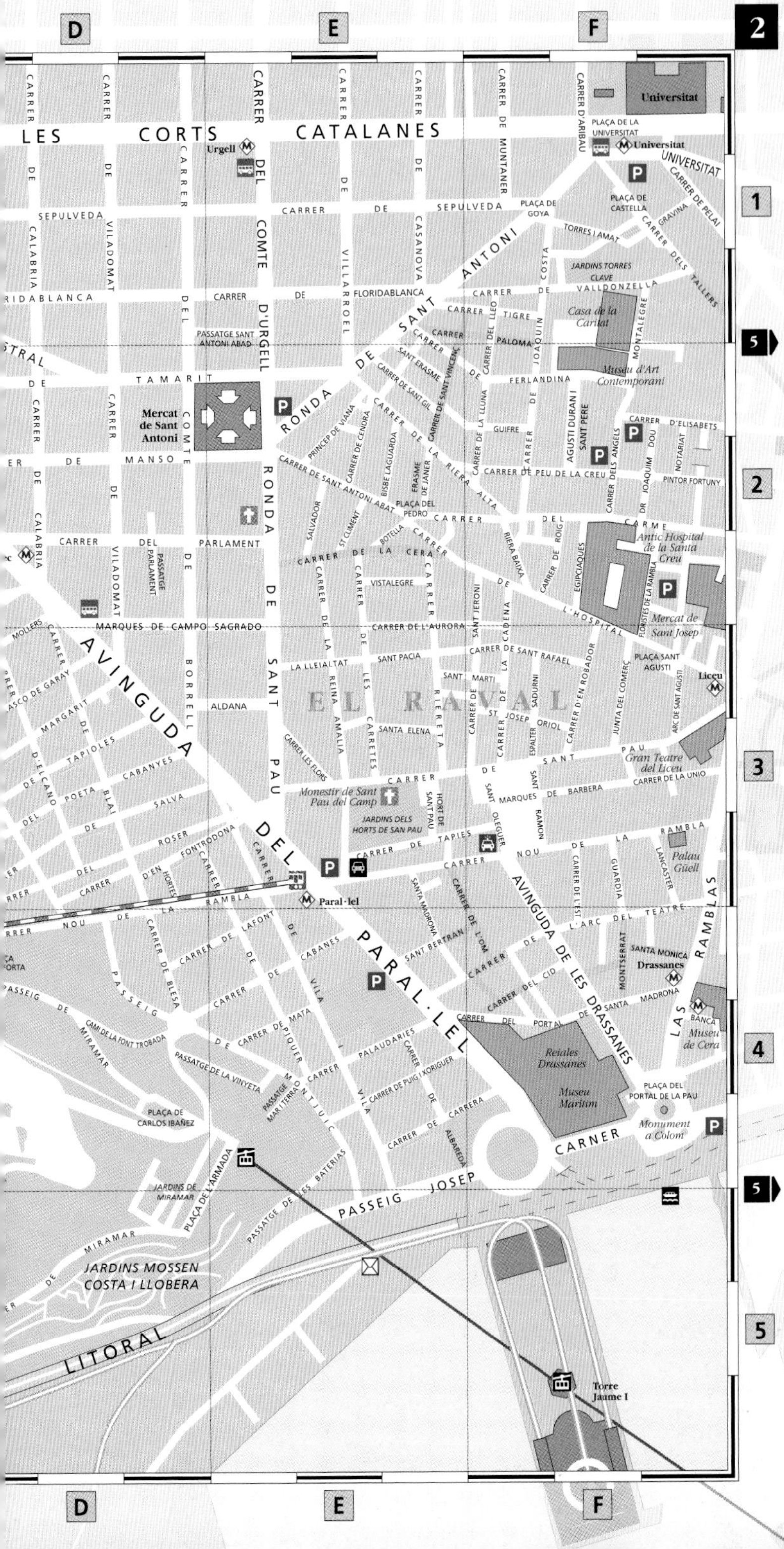

2
D
E
F
1
2
3
4
5
5
5
Universitat
PLAÇA DE LA UNIVERSITAT
Universitat
UNIVERSITAT
CARRER D'ARIBAU
CARRER DE PELAI
PLAÇA DE CASTELLA
GRAVINA
CARRER DELS TALLERS
LES CORTS CATALANES
Urgell
CARRER DEL COMTE D'URGELL
CARRER DE MUNTANER
CARRER DE CASANOVA
CARRER DE VILLARROEL
CARRER DE CALABRIA
CARRER DE VILADOMAT
CARRER DEL COMTE BORRELL
CARRER DE SEPULVEDA
PLAÇA DE GOYA
TORRES I AMAT
JARDINS TORRES CLAVE
VALLDONZELLA
RONDA DE SANT ANTONI
CARRER DE FLORIDABLANCA
CARRER TIGRE
CARRER DEL LLEO
PALOMA
JOAQUIN COSTA
MONTALEGRE
Casa de la Caritat
Museu d'Art Contemporani
PASSATGE SANT ANTONI ABAD
TAMARIT
Mercat de Sant Antoni
MANSO
SANT ERASME
CARRER DE SANT GIL
CARRER DE SANT VICENÇ
FERLANDINA
CARRER DE LA LLUNA
GUIFRE
AGUSTI DURAN I SANT PERE
CARRER DELS ANGELS
CARRER D'ELISABETS
DOU
NOTARIAT
PINTOR FORTUNY
DR JOAQUIM
PRINCEP DE VIANA
CARRER DE CENDRA
BISBE LAGUARDA
ERASME DE JANER
CARRER DE LA RIERA ALTA
CARRER DE PEU DE LA CREU
CARRER DE SANT ANTONI ABAT
PLAÇA DEL PEDRO
CARRER DEL CARME
RONDA DE SANT PAU
SALVADOR
ST CLIMENT
BOTELLA
CARRER DE LA CERA
CARRER DEL PARLAMENT
PASSATGE PARLAMENT
RIERA BAIXA
CARRER DE ROIG
EGIPCIAQUES
Antic Hospital de la Santa Creu
FLORISTES DE LA RAMBLA
Mercat de Sant Josep
VISTALEGRE
CARRER DE L'HOSPITAL
MARQUES DE CAMPO SAGRADO
CARRER DE L'AURORA
SANT JERONI
CARRER DE LA CADENA
CARRER DE SANT RAFAEL
CARRER D'EN ROBADOR
PLAÇA SANT AGUSTI
Liceu
MOLLERS
AVINGUDA DEL PARAL·LEL
VASCO DE GARAY
MARGARIT
TAPIOLES
CABANYES
D'ELCANO
POETA
BLAI
SALVA
LA LLEIALTAT
SANT PACIA
SANT MARTI
EL RAVAL
ALDANA
CARRER DE LA REINA AMALIA
CARRER LES CARRETES
CARRER DE LA RIERETA
SADURNI
ST JOSEP ORIOL
ESPALTER
JUNTA DEL COMERÇ
ARC DE SANT AGUSTI
SANTA ELENA
CARRER LES FLORS
CARRER DE SANT PAU
Gran Teatre del Liceu
CARRER DE LA UNIO
Monestir de Sant Pau del Camp
JARDINS DELS HORTS DE SAN PAU
SANT PAU
HORT DE
MARQUES DE BARBERA
SANT OLEGUER
SANT RAMON
ROSER
FONTRODONA
CARRER DE TAPIES
CARRER NOU DE LA RAMBLA
CARRER DE L'EST
GUARDIA
LANCASTER
Palau Güell
CARRER D'EN HORTES
Paral·lel
SANTA MADRONA
CARRER DE L'OM
AVINGUDA DE LES DRASSANES
CARRER DE L'ARC DEL TEATRE
LAS RAMBLAS
CARRER DE LAFONT
CARRER DE BLESA
CARRER DE CABANES
CARRER DE VILA I VILA
SANT BERTRAN
MONTSERRAT
SANTA MONICA
Drassanes
CARRER DEL CID
SANTA MADRONA
BANCA
Museu de Cera
PASSEIG DE MIRAMAR
CAMI DE LA FONT TROBADA
CARRER DE MATA
CARRER DE PIQUER
PALAUDARIES
CARRER DEL PORTAL DE SANTA MADRONA
Reiales Drassanes
Museu Maritim
PASSATGE DE LA VINYETA
CARRER DE PUIG I XORIGUER
CARRER DE CARRERA
PLAÇA DEL PORTAL DE LA PAU
PASSATGE MAR I TERRA
CARRER DE MONTJUIC
CARRER DE ALBAREDA
PLAÇA DE CARLOS IBAÑEZ
Monument a Colom
CARNER
JARDINS DE MIRAMAR
PLAÇA DE L'ARMADA
PASSATGE DE LES BATERIAS
PASSEIG JOSEP
MIRAMAR
JARDINS MOSSEN COSTA I LLOBERA
LITORAL
Torre Jaume I

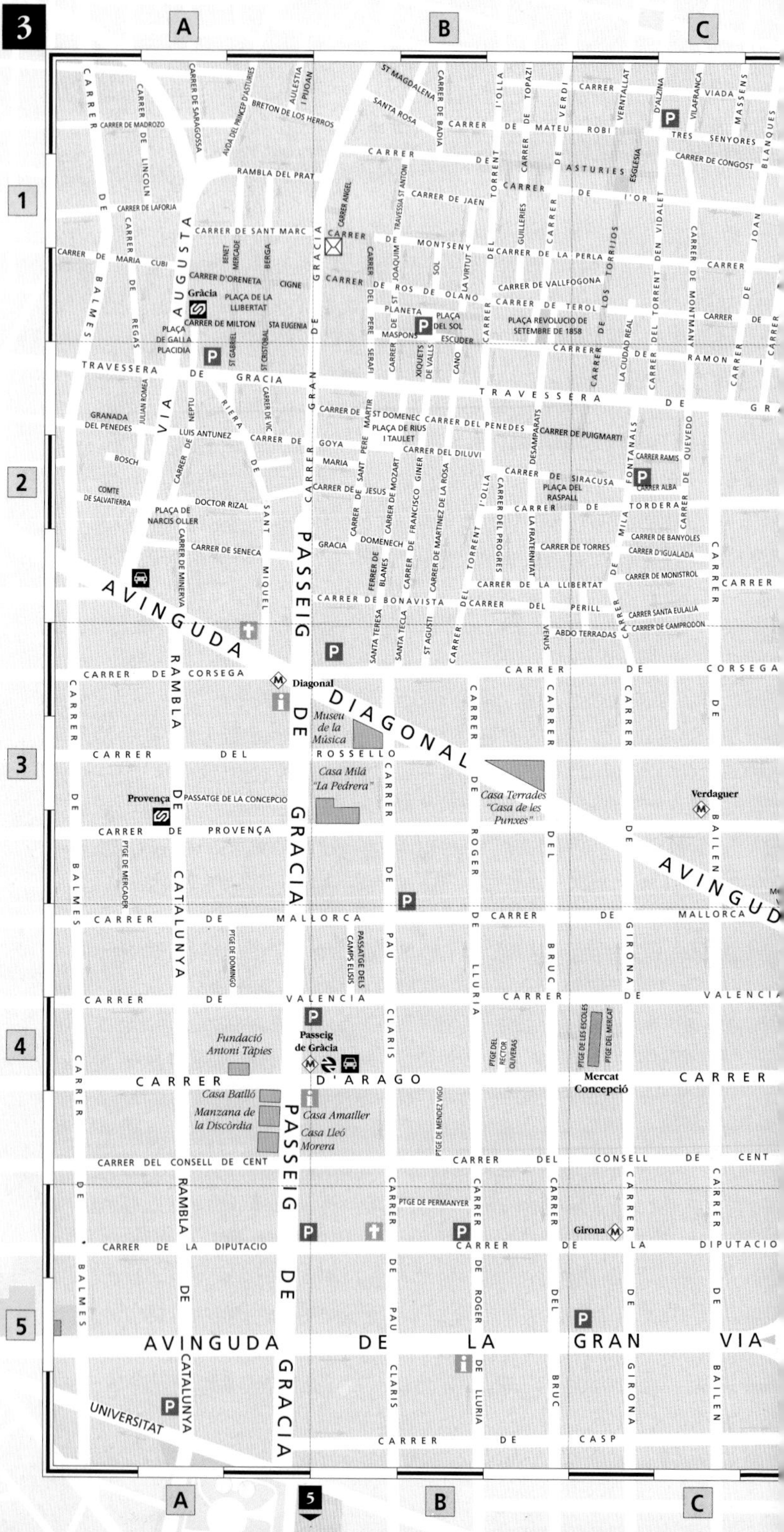
3
A
B
C
1
2
3
4
5
CARRER DE SARAGOSSA
AVDA DEL PRINCEP D'ASTURIES
AULESTIA I PIJOAN
BRETON DE LOS HERROS
ST MAGDALENA
SANTA ROSA
CARRER DE BADIA
CARRER DE MADROZO
CARRER DE LINCOLN
RAMBLA DEL PRAT
CARRER DE MATEU
ROBI
CARRER D'ALZINA
VILAFRANCA
VIADA
MASSENS
TRES SENYORES
CARRER DE CONGOST
BLANQUES
VERNTALLAT
ESGLESIA
CARRER D'ASTURIES
CARRER DE L'OR
CARRER DE LAFORJA
CARRER ANGEL
TRAVESSIA ST ANTONI
CARRER DE JAEN
CARRER DE SANT MARC
VIA AUGUSTA
BENET MERCADE
BERGA
CARRER DE MONTSENY
CARRER DE MARIA CUBI
CARRER D'ORENETA
CIGNE
CARRER DE ROS DE OLANO
CARRER DE LA PERLA
CARRER DE VALLFOGONA
CARRER DE TEROL
Gràcia
PLAÇA DE LA LLIBERTAT
CARRER DE MILTON
STA EUGENIA
PLAÇA DE GALLA PLACIDIA
ST GABRIEL
ST CRISTOBAL
CARRER DEL PERE SERAFI
PLANETA
MASPONS
PLAÇA DEL SOL
ESCUDER
XIQUETS DE VALLS
CANO
LA VIRTUT
PLAÇA REVOLUCIO DE SETEMBRE DE 1858
LOS TORRIJOS
LA CIUDAD REAL
CARRER DEL TORRENT DEN VIDALET
CARRER DE MONTMANY
CARRER DE RAMON Y CAJAL
JOAN
TRAVESSERA DE GRACIA
CARRER DE VIC
RIERA
JULIAN ROMEA
GRANADA DEL PENEDES
CARRER DE NEPTU
LUIS ANTUNEZ
CARRER DE ST DOMENEC
MARTIR
PLAÇA DE RIUS I TAULET
CARRER DEL PENEDES
DESAMPARATS
CARRER DE PUIGMARTI
FONTANALS
CARRER RAMIS
QUEVEDO
CARRER DE GOYA
CARRER DEL DILUVI
BOSCH
CARRER DE MARIA
SANT PERE
CARRER DE MOZART
GINER
CARRER DE SIRACUSA
CARRER ALBA
COMTE DE SALVATIERRA
CARRER DE JESUS
PLAÇA DEL RASPALL
CARRER DE TORDERA
DOCTOR RIZAL
PLAÇA DE NARCIS OLLER
FRANCISCO
CARRER DE MARTINEZ DE LA ROSA
CARRER DEL PROGRES
LA FRATERNITAT
MILA
CARRER DE BANYOLES
CARRER DE SENECA
CARRER DE GRACIA
DOMENECH
CARRER DE TORRES
CARRER D'IGUALADA
CARRER DE MINERVA
SANT MIQUEL
FERRER DE BLANES
CARRER DE LA LLIBERTAT
CARRER DE MONISTROL
CARRER DE BONAVISTA
CARRER DEL PERILL
CARRER SANTA EULALIA
CARRER DE CAMPRODON
SANTA TERESA
SANTA TECLA
ST AGUSTI
VENUS
ABDO TERRADAS
AVINGUDA DIAGONAL
CARRER DE CORSEGA
Diagonal
RAMBLA DE CATALUNYA
PASSEIG DE GRACIA
Museu de la Música
CARRER DEL ROSSELLO
CARRER DE BALMES
Casa Milà "La Pedrera"
CARRER DE CLARIS
CARRER DE ROGER DE LLURIA
Casa Terrades "Casa de les Punxes"
CARRER DEL BRUC
CARRER DE GIRONA
CARRER DE BAILEN
Verdaguer
Provença
PASSATGE DE LA CONCEPCIO
CARRER DE PROVENÇA
PTGE DE MERCADER
CARRER DE PAU CLARIS
CARRER DE MALLORCA
PTGE DE DOMINGO
PASSATGE DELS CAMPS ELISIS
CARRER DE VALENCIA
Fundació Antoni Tàpies
Passeig de Gràcia
PTGE DEL RECTOR OLIVERAS
PTGE DE LES ESCOLES
PTGE DEL MERCAT
CARRER D'ARAGO
Mercat Concepció
Casa Batlló
Manzana de la Discòrdia
Casa Amatller
Casa Lleó Morera
PTGE DE MENDEZ VIGO
CARRER DEL CONSELL DE CENT
PTGE DE PERMANYER
Girona
CARRER DE LA DIPUTACIO
AVINGUDA DE LA GRAN VIA
CARRER DE CASP
UNIVERSITAT
5

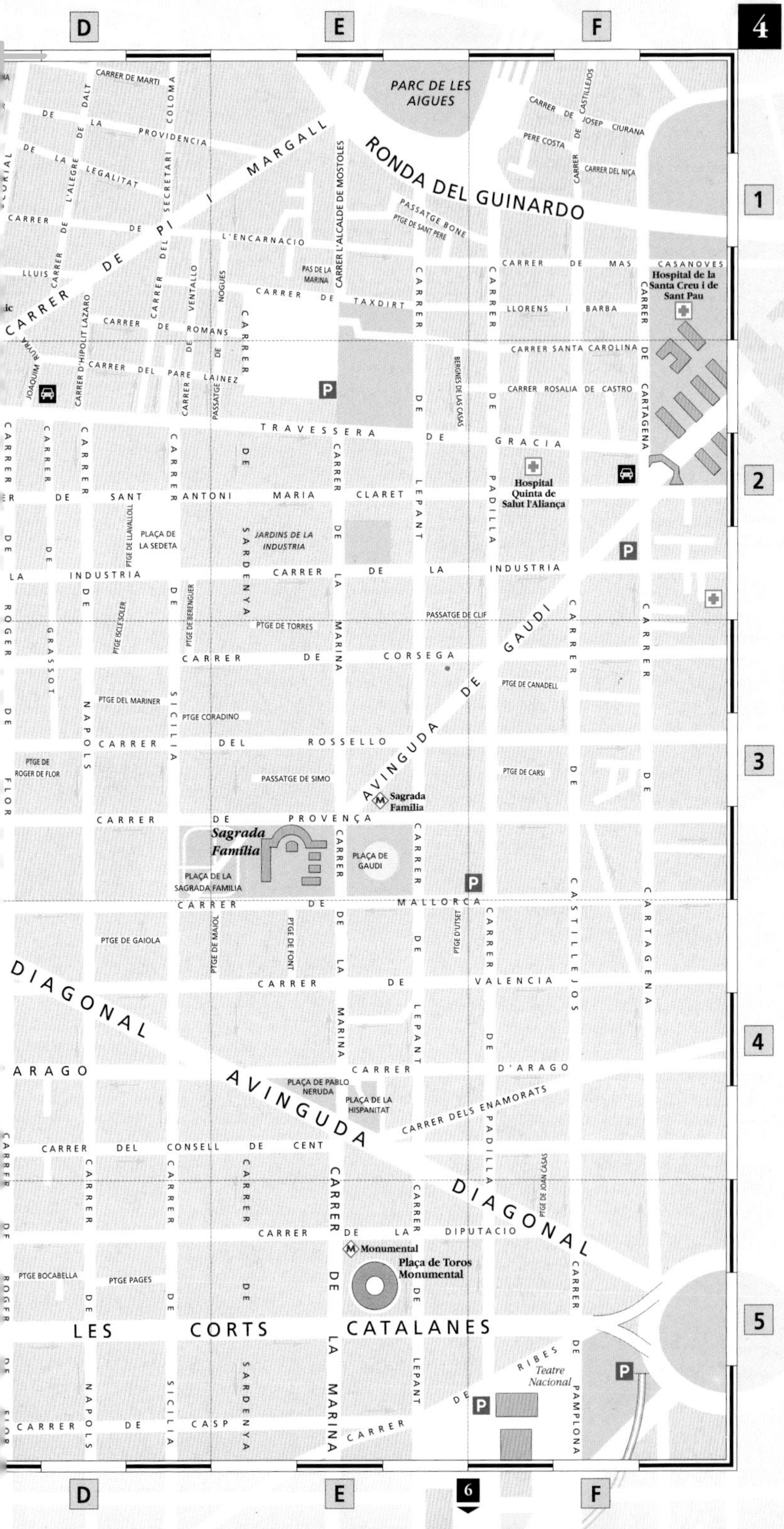
4
D
E
F
1
2
3
4
5
PARC DE LES AIGUES
RONDA DEL GUINARDO
CARRER DE PI I MARGALL
CARRER DE MARTI
CARRER DE LA PROVIDENCIA
CARRER DE LA LEGALITAT
CARRER DEL SECRETARI COLOMA
CARRER DE L'ALEGRE DE DALT
CARRER DE JOSEP CIURANA
CARRER DE CASTILLEJOS
PERE COSTA
CARRER DEL NIÇA
PASSATGE BONE
PTGE DE SANT PERE
CARRER L'ALCALDE DE MOSTOLES
L'ENCARNACIO
PAS DE LA MARINA
CARRER DE TAXDIRT
CARRER DE MAS CASANOVES
Hospital de la Santa Creu i de Sant Pau
LLORENS I BARBA
CARRER SANTA CAROLINA
CARRER ROSALIA DE CASTRO
CARRER DE CARTAGENA
CARRER DE ROMANS
CARRER DE VENTALLO
NOGUES
CARRER D'HIPOLIT LAZARO
CARRER DEL PARE LAINEZ
PASSATGE DE
JOAQUIM RUYRA
BERGNES DE LAS CASAS
TRAVESSERA DE GRACIA
Hospital Quinta de Salut l'Aliança
CARRER DE PADILLA
CARRER DE SANT ANTONI MARIA CLARET
PLAÇA DE LA SEDETA
PTGE DE LLAVALLOL
JARDINS DE LA INDUSTRIA
CARRER DE LA INDUSTRIA
CARRER DE SARDENYA
CARRER DE LA MARINA
CARRER DE LEPANT
PASSATGE DE CLIF
AVINGUDA DE GAUDI
PTGE DE TORRES
PTGE DE BERENGUER
PTGE ISCLE SOLER
CARRER DE GRASSOT
CARRER DE ROGER DE FLOR
CARRER DE CORSEGA
PTGE DE CANADELL
PTGE DEL MARINER
PTGE CORADINO
CARRER DE NAPOLS
CARRER DE SICILIA
CARRER DEL ROSSELLO
PTGE DE ROGER DE FLOR
PASSATGE DE SIMO
PTGE DE CARSI
Sagrada Família
CARRER DE PROVENÇA
Sagrada Família
PLAÇA DE LA SAGRADA FAMILIA
PLAÇA DE GAUDI
CARRER DE MALLORCA
PTGE D'UTSET
CARRER DE CASTILLEJOS
PTGE DE GAIOLA
PTGE DE MAIOL
PTGE DE FONT
CARRER DE VALENCIA
DIAGONAL
CARRER D'ARAGO
AVINGUDA DIAGONAL
PLAÇA DE PABLO NERUDA
PLAÇA DE LA HISPANITAT
CARRER DELS ENAMORATS
CARRER DEL CONSELL DE CENT
PTGE DE JOAN CASAS
CARRER DE LA DIPUTACIO
Monumental
Plaça de Toros Monumental
PTGE BOCABELLA
PTGE PAGES
LES CORTS CATALANES
CARRER DE RIBES
Teatre Nacional
CARRER DE PAMPLONA
CARRER DE CASP
6

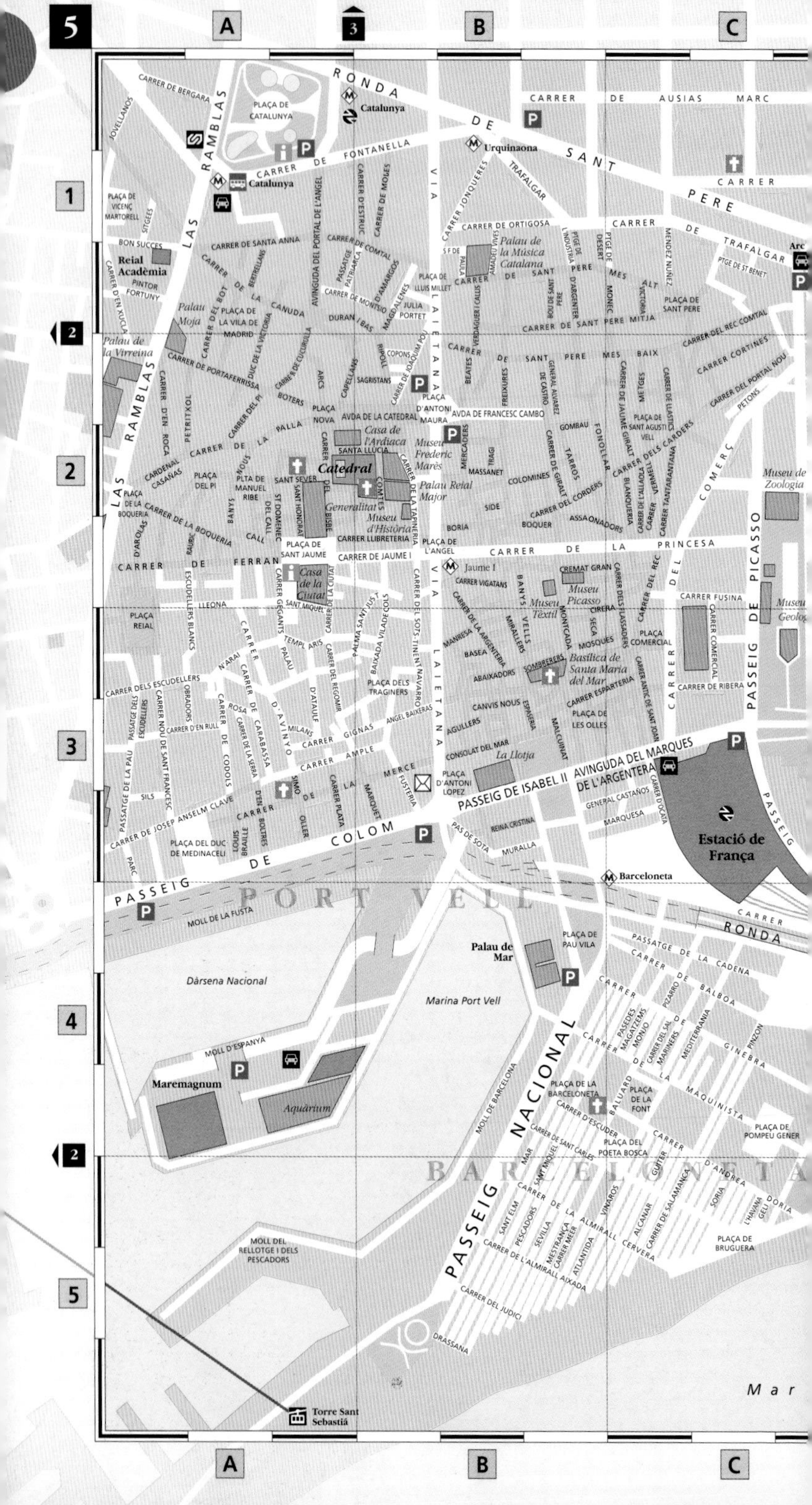
5
A
B
C
3
1
2
3
4
5
2
2
RONDA DE SANT PERE
CARRER DE AUSIAS MARC
PLAÇA DE CATALUNYA
Catalunya
Urquinaona
CARRER DE FONTANELLA
CARRER DE BERGARA
JOVELLANOS
LAS RAMBLAS
PLAÇA DE VICENÇ MARTORELL
BON SUCCES
Reial Acadèmia
PINTOR FORTUNY
CARRER D'EN XUCLA
CARRER DE SANTA ANNA
CARRER DE COMTAL
AVINGUDA DEL PORTAL DE L'ANGEL
CARRER D'ESTRUC
CARRER DE MOLES
TRAFALGAR
CARRER JONQUERES
CARRER DE ORTIGOSA
Palau de la Música Catalana
CARRER DE SANT PERE MES ALT
CARRER DE SANT PERE MITJA
CARRER DE SANT PERE MES BAIX
PLAÇA DE SANT PERE
CARRER DE TRAFALGAR
PTGE DE ST BENET
Arc
CARRER DEL REC COMTAL
CARRER CORTINES
CARRER DEL PORTAL NOU
PETONS
Palau Moja
PLAÇA DE LA VILA DE MADRID
CANUDA
DURAN I BAS
MAGDALENES
PLAÇA DE LLUIS MILLET
JULIA PORTET
Palau de la Virreina
CARRER DE PORTAFERRISSA
CARRER D'EN ROCA
PETRITXOL
CARRER DEL PI
BOTERS
PLAÇA NOVA
AVDA DE LA CATEDRAL
Casa de l'Ardiaca
SANTA LLUCIA
Catedral
PLAÇA D'ANTONI MAURA
AVDA DE FRANCESC CAMBO
Museu Frederic Marès
Palau Reial Major
MERCADERS
TRAGI
MASSANET
COLOMINES
GOMBAU
FONOLLAR
CARRER DE JAUME GIRALT
PLAÇA DE SANT AGUSTI VELL
CARRER DELS CARDERS
CARRER DEL CORDERS
ASSAONADORS
Museu de Zoologia
CARDENAL CASAÑAS
PLAÇA DEL PI
PLTA DE MANUEL RIBE
SANT SEVER
Generalitat
Museu d'Història
CARRER DE LA TAPINERIA
BORIA
PLAÇA DE LA BOQUERIA
CARRER DE LA BOQUERIA
CALL
PLAÇA DE SANT JAUME
CARRER LLIBRETERIA
PLAÇA DE L'ANGEL
CARRER DE JAUME I
CARRER DE LA PRINCESA
COMERÇ
CARRER DE FERRAN
Casa de la Ciutat
Jaume I
CARRER VIGATANS
CREMAT GRAN
Museu Picasso
Museu Tèxtil
MONTCADA
CARRER DEL REC
CARRER FUSINA
PASSEIG DE PICASSO
Museu Geologia
LLEONA
PLAÇA REIAL
ESCUDELLERS BLANCS
SANT MIQUEL
CARRER DEL SOTS-TINENT NAVARRO
VIA LAIETANA
CARRER DE LA ARGENTERIA
MIRALLERS
BANYS VELLS
SECA
MOSQUES
PLAÇA COMERCIAL
CARRER COMERCIAL
CARRER DE RIBERA
BASEA
ABAIXADORS
SOMBRERERS
Basílica de Santa Maria del Mar
CARRER ESPARTERIA
PLAÇA DE LES OLLES
CARRER ANTIC DE SANT JOAN
CARRER DELS ESCUDELLERS
PLAÇA DELS TRAGINERS
CANVIS NOUS
AGULLERS
CONSOLAT DEL MAR
La Llotja
MALCUINAT
CARRER GIGNAS
CARRER AMPLE
CARRER DE LA MERCE
PLAÇA D'ANTONI LOPEZ
PASSEIG DE ISABEL II
AVINGUDA DEL MARQUES DE L'ARGENTERA
GENERAL CASTAÑOS
MARQUESA
CARRER D'OCATA
Estació de França
CARRER DE JOSEP ANSELM CLAVE
PLAÇA DEL DUC DE MEDINACELI
PASSEIG DE COLOM
PAS DE SOTA MURALLA
REINA CRISTINA
Barceloneta
PORT VELL
MOLL DE LA FUSTA
PLAÇA DE PAU VILA
Palau de Mar
CARRER RONDA
PASSATGE DE LA CADENA
CARRER DE BALBOA
Dàrsena Nacional
Marina Port Vell
MOLL D'ESPANYA
Maremagnum
Aquàrium
MOLL DE BARCELONA
PASSEIG NACIONAL
PLAÇA DE LA BARCELONETA
PLAÇA DE LA FONT
CARRER D'ESCUDER
PLAÇA DEL POETA BOSCA
GINEBRA
CARRER DE LA MAQUINISTA
PLAÇA DE POMPEU GENER
BARCELONETA
CARRER D'ANDREA DORIA
CARRER DE L'ALMIRALL CERVERA
CARRER DE L'ALMIRALL AIXADA
PLAÇA DE BRUGUERA
MOLL DEL RELLOTGE I DELS PESCADORS
CARRER DEL JUDICI
DRASSANA
Mar
Torre Sant Sebastià

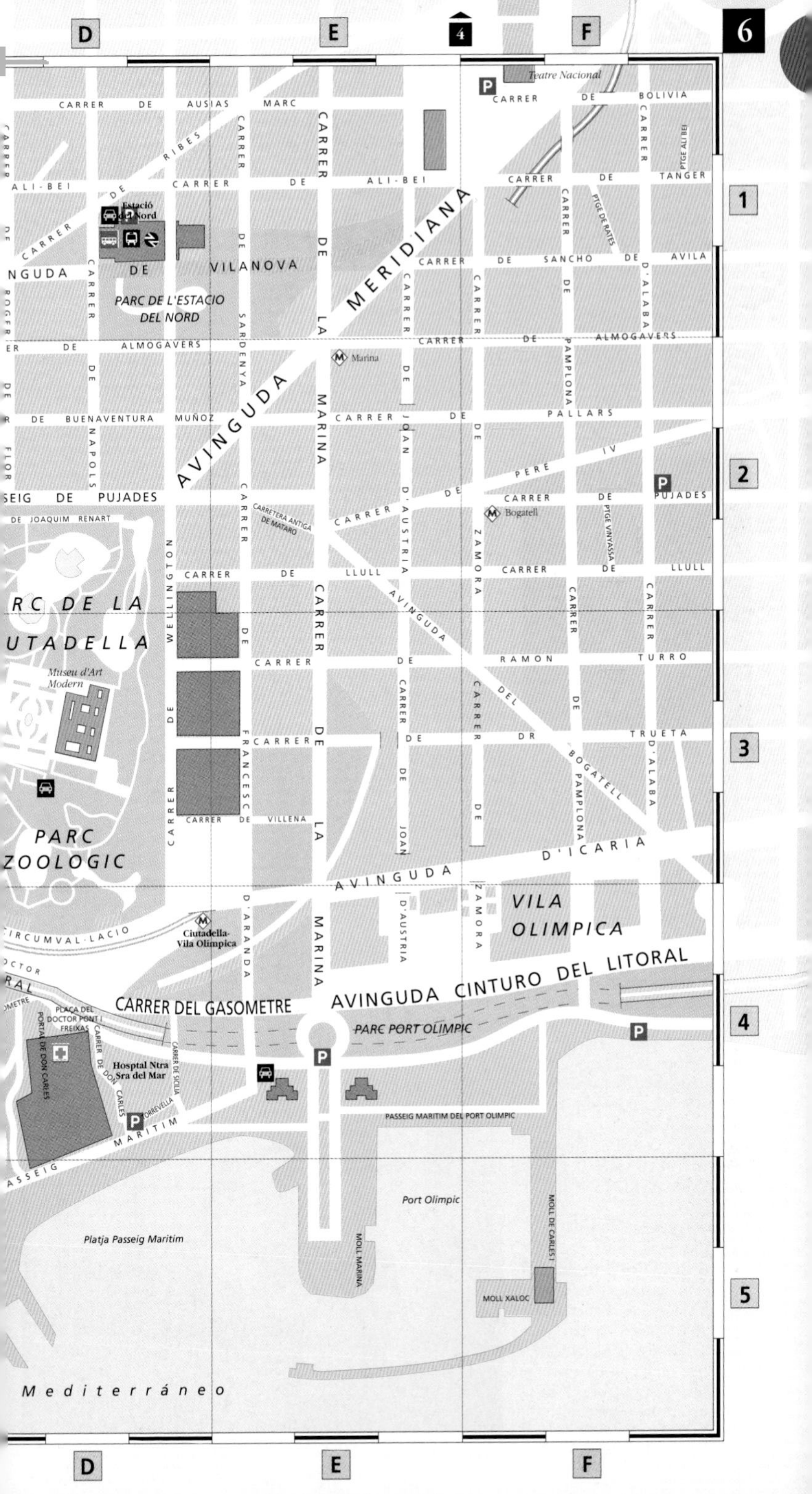
6
D
E
4
F
1
2
3
4
5
Teatre Nacional
CARRER DE BOLIVIA
CARRER DE AUSIAS MARC
CARRER DE RIBES
CARRER DE ALI-BEI
PTGE ALI BEI
CARRER DE TANGER
Estació del Nord
AVINGUDA DE VILANOVA
PARC DE L'ESTACIO DEL NORD
AVINGUDA MERIDIANA
CARRER DE SANCHO DE AVILA
PTGE DE RATES
CARRER DE ALMOGAVERS
Marina
CARRER DE BUENAVENTURA MUÑOZ
CARRER DE PALLARS
CARRER DE NAPOLS
CARRER DE SARDENYA
CARRER DE LA MARINA
CARRER DE PAMPLONA
CARRER DE ZAMORA
CARRER DE JOAN D'AUSTRIA
CARRER DE PERE IV
PASSEIG DE PUJADES
DE JOAQUIM RENART
CARRETERA ANTIGA DE MATARO
Bogatell
PTGE VINYASSA
CARRER DE LLULL
CARRER DE WELLINGTON
PARC DE LA CIUTADELLA
AVINGUDA DEL BOGATELL
CARRER DE RAMON TURRO
Museu d'Art Modern
CARRER DE FRANCESC D'ARANDA
CARRER DE DR TRUETA
CARRER D'ALABA
CARRER DE VILLENA
PARC ZOOLOGIC
AVINGUDA D'ICARIA
VILA OLIMPICA
CIRCUMVAL·LACIO
Ciutadella-Vila Olimpica
CARRER DEL GASOMETRE
AVINGUDA CINTURO DEL LITORAL
PLAÇA DEL DOCTOR PONT I FREIXAS
PORTAL DE DON CARLES
CARRER DE DON CARLES
Hosptal Ntra Sra del Mar
CARRER DE SICILIA
TORREVELLA
PARC PORT OLIMPIC
PASSEIG MARITIM
PASSEIG MARITIM DEL PORT OLIMPIC
Port Olimpic
MOLL DE CARLES I
Platja Passeig Maritim
MOLL MARINA
MOLL XALOC
Mediterráneo

FAIRE DES ACHATS À BARCELONE

Ville du design, Barcelone ravira tous ceux qui ont un intérieur à décorer. Leurs recherches les conduiront tout d'abord dans les prestigieux établissements installés autour du passeig de Gràcia, un quartier commerçant où ils trouveront également grands couturiers, bijouteries et galeries d'art à côté de boutiques plus anciennes et plus modestes possédant parfois une façade moderniste : épiceries fines, herboristeries ou pharmacies. Plus populaire, le Barri Gòtic, cœur de la vieille ville, est particulièrement animé l'après-midi. Il s'y vend de tout, mais les magasins les plus intéressants sont certainement ceux des antiquaires et ceux proposant des objets artisanaux tels que masques de carnaval, céramiques ou espadrilles. Le marché aux puces se tient près du nouveau théâtre national.

Céramique murale, La Manual Alpargatera

La tentation devient un art chez Escribà

NOURRITURE ET BOISSONS

Dans une ville où les vitrines des pâtisseries offrent partout des spectacles alléchants, **Escribà** atteint des sommets avec ses sculptures en chocolat. Autre magasin d'alimentation plein de caractère : **Colmado Quilez** dans l'Eixample. Ce merveilleux établissement ancien propose un large choix de charcuteries, de fromages, de conserves, de vins et d'alcools espagnols.

GRANDS MAGASINS ET GALERIES MARCHANDES

La plus puissante chaîne de grands magasins d'Espagne, **El Corte Inglés**, possède plusieurs succursales à la périphérie de la ville, mais son établissement le plus important borde la plaça Catalunya où il constitue un des principaux pôles commerçants de Barcelone, l'endroit où tout trouver sous un même toit. Très bien approvisionnés également, les hypermarchés se trouvent loin du centre, au sud, le long de la Gran Via vers l'aéroport, au nord, sur l'avinguda Meridiana. Ils sont donc difficiles à atteindre sans voiture.

De construction récente pour la plupart, les galeries marchandes connaissent un immense succès. Les deux **Bulevard Rosa**, sur le passeig de Gràcia et l'avinguda Diagonal, où s'ouvre aussi **La Illa**, proposent ainsi des centaines de boutiques de mode.

MODE

Dans le quartier de l'Eixample, aux alentours du passeig de Gràcia, les boutiques de grands couturiers internationaux voisinent avec celles de stylistes espagnols tels qu'**Adolfo Domínguez** qui propose aux hommes comme aux femmes une ligne moderne, mais sans extravagance. Pour des articles de mode dégriffés, essayez **Contribuciones**. **Armand Basi** vend des tenues de loisir et de sport de qualité, et **Calzados E Solé**, dans la vieille ville, des chaussures et des bottes faites main.

BOUTIQUES SPÉCIALISÉES

Barcelone compte de nombreuses boutiques proposant de l'artisanat, telle **La Caixa de Fang** où vous trouverez un large choix de céramiques espagnoles, en particulier de beaux carreaux et des marmites traditionnelles catalanes. **L'Estanc** est pour les fumeurs un paradis où les attendent jusqu'aux meilleurs havanes. À **La Manual Alpargatera**, les espadrilles, de toutes couleurs, restent fabriquées sur place et à la main. La plus vieille boutique de la ville, **Cereria Subirà** *(p. 140-141)*, vend des bougies de toutes les formes imaginables.

Boutique de mode masculine d'Adolfo Dominguez

DESIGN, ART ET ANTIQUITÉS

Si vous aimez les créations actuelles, ou cherchez simplement un cadeau, essayez **Vinçon**, sur le passeig de Gràcia, qui propose tout ce qu'il faut pour embellir une maison, y compris de superbes meubles et tissus. Installée dans un immeuble dessiné par Domènech i Montaner, **BD-Ediciones de Diseño** possède l'atmosphère d'une galerie d'art. À côté de mobilier basé sur des dessins de Gaudí et Charles Rennie Mackintosh, vous y découvrirez de splendides réalisations contemporaines.

La plupart des galeries d'art privées de Barcelone bordent la carrer Consell de Cent dans l'Eixample, tandis que le Barri Gòtic recèle de petits magasins d'antiquités, notamment dans la carrer de la Palla et la carrer del Pi. Outre de beaux meubles et des poupées anciennes, **L'Arca de l'Avia** vend des soieries et des dentelles merveilleusement présentées.

Présentation de meubles dépouillée chez Vinçon

Éventaires du marché de La Boqueria

LIVRES ET JOURNAUX

La plupart des kiosques du centre-ville vendent des journaux français, mais c'est chez **Crisol**, qui propose également livres, cassettes vidéo, CD et matériel photographique, que vous trouverez le plus large choix de quotidiens et de magazines étrangers.

MARCHÉS

Même sans intention d'acheter, une visite à **La Boqueria** s'impose. Situé sur les Ramblas, c'est l'un des marchés d'alimentation les plus spectaculaires d'Europe. Tous les jeudis, un marché aux antiquités occupe la plaça del Pi. Le dimanche matin, des vendeurs de monnaies, de timbres et de livres anciens s'installent plaça Reial, tandis qu'un marché aux artisans a lieu près de la Sagrada Família. Le marché aux puces, **Encants Vells** , se tient les lundis, mercredis, vendredis et samedis toute la journée. Il est plus intéressant le matin.

CARNET D'ADRESSES

NOURRITURE ET BOISSONS

Colmado Quilez
Rambla de Catalunya 63.
Plan 3 A4.
☎ *932 15 23 56.*

Escribà Pastisseries
Gran Via de les Corts Catalanes 546. **Plan** 2 E1.
☎ *934 54 75 35.*

GRANDS MAGASINS ET GALERIES MARCHANDES

Bulevard Rosa
Passeig de Gràcia 55. **Plan** 3 A4. ☎ *933 78 91 91.*

El Corte Inglés
Pl Catalunya 14. **Plan** 5 B1.
☎ *933 06 38 00.*

La Illa
Avinguda Diagonal 554-557.
☎ *934 44 00 00.*

MODE

Adolfo Domínguez
Passeig de Gràcia 89.
Plan 3 A3.
☎ *932 15 13 39.*

Armand Basi
Passeig de Gràcia 49.
Plan 3 A3.
☎ *932 15 14 21.*

Calzados E Solé
Carrer Ample 7.
Plan 5 A3.
☎ *933 01 69 84.*

Contribuciones
Riera de Sant Miquel 30.
Plan 3 A2.
☎ *932 18 71 40.*

BOUTIQUES SPÉCIALISÉES

La Caixa de Fang
C/ Freneria 1. **Plan** 5 B2.
☎ *933 15 17 04.*

Cereria Subirà
C/ Llibreteria 7. **Plan** 5 B2.
☎ *933 15 26 06.*

L'Estanc
Via Laietana 4. **Plan** 5 B3.
☎ *933 10 10 34.*

La Manual Alpargatera
C/ d'Avinyó 7. **Plan** 5 A3.
☎ *933 01 01 72.*

DESIGN, ART ET ANTIQUITÉS

L'Arca de l'Avia
Carrer dels Banys Nous 20.
Plan 5 A2.
☎ *933 02 15 98.*

BD-Ediciones de Diseño
Carrer de Mallorca 291–3.
Plan 3 B4.
☎ *934 58 69 09.*

Vinçon
Pg Gràcia 96. **Plan** 3 B3.
☎ *932 15 60 50.*

LIVRES ET JOURNAUX

Crisol
Rambla de Catalunya 81.
Plan 3 A4.
☎ *932 15 27 20.*

MARCHÉS

La Boqueria
Ramblas 101. **Plan** 5 A2.

Encants Vells
Plaça de les Glòries.
Plan 4 F5.

Se distraire à Barcelone

La vitalité de Barcelone se manifeste aussi par la richesse de sa programmation de spectacles vivants. L'étonnant Palau de la Música Catalana offre régulièrement à des publics avertis et critiques certains des plus grands artistes du monde, entre autres Montserrat Caballé et José Carreras, deux Barcelonais. De jeunes compagnies de théâtre et de danse proposent toute l'année leurs créations dans diverses salles, jouant parfois en plein air l'été. Les amateurs de rock, de jazz ou de salsa trouveront d'innombrables clubs accueillant des groupes, sans compter les musiciens de rue qui s'installent aux beaux jours sur les Ramblas ou les places du Barri Gòtic. Plusieurs cabarets, dont le célèbre El Molino, entretiennent la tradition populaire du music-hall.

Musicien de rue, Barri Gòtic

Le superbe intérieur du Palau de la Música Catalana

Magazines de spectacles

Mis en vente le jeudi, *Guía del Ocio* est le guide le plus complet des spectacles et des films présentés à Barcelone chaque semaine. Le vendredi, *El País* propose un supplément divertissements.

Saisons et billets

La saison de théâtre et de danse des salles les plus importantes dure de septembre à juin mais certaines exhibitions ont toutefois lieu dans l'année. En général, les villes offrent des spectacles de différentes origines culturelles et artistiques. En été, la ville organise le Festival del Grec, festival international de musique, de théâtre et de danse qui se tient en plein air dans des lieux tels que le Teatre Grec de Montjuïc et la plaça del Rei dans le Barri Gòtic. En septembre, la Festa de la Mercé *(p. 153)* donne lieu à des concerts variés.

Le moyen le plus simple de se procurer une place est de l'acheter directement auprès de la billetterie de la salle de spectacle, mais les succursales de la Caixa de Catalunya ou les caisses d'épargne de La Caixa vendent également les billets de nombreux théâtres. Pour le Festival, s'adresser aux offices du tourisme.

Musique classique

L'Orquestra Simfònica de Barcelona se produit pendant toute la saison au **Palau de la Música Catalana** *(p. 149)*, l'une des plus belles salles de concert du monde. L'**Auditori de Barcelona**, ouvert en 1999, donne également des représentations dans deux salles, l'une très grande pour les concerts, l'autre plus petite pour la musique de chambre. Il accueille désormais l'orchestre symphonique de Barcelone qui donne des représentations durant toute l'année. Depuis l'incendie du Gran Taetre del Liceu en 1994, et pendant que la reconstruction se poursuit, l'opéra a réouvert en octobre 1999, avec une représentation de *Turandot*, de Puccini. Pour plus de renseignements, adressez-vous aux offices du tourisme.

Théâtre et danse

Des compagnies comme Els Comedìants ou La Cubana, qui associent dans leur travail théâtre, musique, mime et éléments de fêtes traditionnelles méditerranéennes, donnent un grand dynamisme au théâtre catalan actuel. Ancien marché aux fleurs de Montjuïc, le **Mercat de les Flors** *(p. 167)* présente des pièces de qualité, classiques et modernes, en catalan. Autre salle importante, le **Teatre Nacional de Catalunya** se trouve près de la Plaça de Toros Monumental.

Le ballet classique a souffert à Barcelone de la destruction du Liceu, mais il existe

Spectacle dans l'un des nombreux clubs de Barcelone

La façade moderne du Teatre Nacional de Catalunya

plusieurs compagnies de danse contemporaine qui donnent régulièrement des représentations au Mercat de les Flors de Montjuïc.

Cafés, bars et clubs

Les cafés au décor hi-tech ouverts à Barcelone dans les années 1980, furent le signe d'une bonne économie, tels que le **Torres de Ávila** du Poble Espanyol *(p. 169)*, ou le **Mirablau** qui offre une vue panoramique sur la ville, sont devenus de véritables attractions touristiques. Des musiciens animent l'**Otto Zutz**. Moins chic, mais à voir également : l'**Apolo** et **La Paloma**, salle de bal datant de 1904 où le paso doble règne en maître.

La vieille ville recèle deux bars à champagne et à cocktails réputés : **Boadas** et **El Xampanyet**. **El Bosc de les Fades,** fascinant, décoré à la manière d'une grotte au fond d'un bois.

Rock, jazz et musique du monde

Des vedettes comme Paul McCartney ont joué au **Zeleste**. **La Boîte** propose du folk et du blues. Des concerts en plein air ont lieu partout en ville en été. Pour du jazz, essayez le **Harlem Jazz Club**, et pour de la salsa, l'**Antilla Barcelona**.

Foires

En été, les parcs d'attractions et les foires de **Tibidabo** *(p. 174)* à Barcelone restent bondés jusqu'au petit matin. S'y rendre en tramway, en funiculaire ou en téléphérique ajoutera aux plaisirs qu'ils offrent.

Sports

L'équipe sportive la plus populaire est le **F. C. Barcelona**, doté, avec Nou Camp *(p. 173)*, du plus grand stade de football d'Europe, mais Barcelone possède également une excellente équipe de basket-ball.

Jour de match agité au stade Nou Camp

Carnet d'adresses

Musique classique

Auditori de Barcelona
Carrer de Lepant 150.
Plan 4 E1. ☎ *933 17 10 96.*
W www.auditori.com

Gran Teatre del Liceu de Barcelona
Las Ramblas 51-59. **Plan** 2 F3
☎ *934 85 99 13.*
W www.liceubarcelona.com

Palau de la Música Catalana
Carrer de Sant Francesc de Paula 2. **Plan** 5 B1.
☎ *932 95 72 00.*
W www.palaumusica.org

Théâtre et danse

Mercat de les Flors
Carrer de Lleida 59.
Plan 1 B3.
☎ *934 26 18 75.*

Teatre Nacional de Catalunya
Pl de les Arts 1. **Plan** 4 F5.
☎ *933 06 57 00.*

Cafés, bars et clubs

Apolo
Carrer Nou de la Rambla 113.
Plan 2 E3. ☎ *934 41 40 01.*

El Bosc de les Fades
Pasaje de Banca 7 **Plan** 2 F4
☎ *933 17 26 49.*

Boadas
Carrer dels Tallers 1.
Plan 5 A1. ☎ *933 18 88 26.*

Mirablau
Plaça Doctor Andreu.
☎ *934 18 58 79.*

Otto Zutz
Carrer de Lincoln 15.
Plan 3 A1. ☎ *932 38 07 22.*

La Paloma
C/ Tigre 27. **Plan** 2 F1.
☎ *933 01 68 97.*

Torres de Ávila
Poble Espanyol, Avinguda M de Comillas. **Plan** 1 A1.
☎ *934 24 93 09.*

El Xampanyet
Carrer Montcada 22.
Plan 5 B2.
☎ *933 19 70 03.*

Rock, jazz et salsa

Antilla Barcelona
Carrer de Aragó 141-3.
☎ *934 51 21 51.*

La Boîte
Avinguda Diagonal 477.
☎ *93 4 19 59 50.*

Harlem Jazz Club
Carrer de la Comtessa de Sobradiel 8.
☎ *933 10 07 55.*

Zeleste
Carrer de Almogàvers 122.
Plan 6 F2.
☎ *933 09 12 04.*

Foires

Tibidado
☎ *932 11 79 42.*

Sports

F. C. Barcelona
Nou Camp, Avinguda Aristides Maillol.
☎ *934 96 36 00.*

L'Espagne orientale

Présentation de l'Espagne orientale

Des sommets enneigés des Pyrénées, en Aragon, aux plages de la Costa Blanca et de la Costa Cálida, deux côtes réputées pour la douceur de leurs hivers, l'Espagne orientale offre une extraordinaire variété de paysages et de climats. Elle recèle de nombreuses richesses historiques : monastères cisterciens près de Barcelone, ruines romaines à Tarragone, églises et tours mudéjares en Aragon et belles cathédrales à Valence et Murcie. Peu visité, l'arrière-pays a souvent beaucoup de charme.

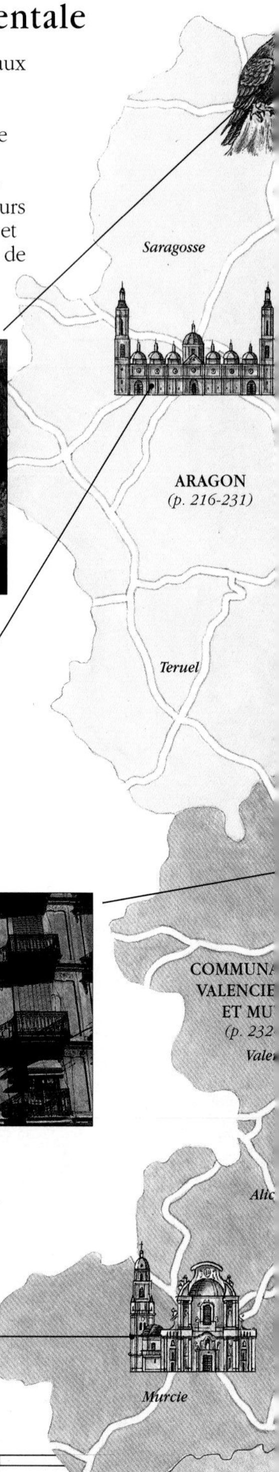

Le parc national d'Ordesa (p. 222-223), *dans les Pyrénées, offre aux randonneurs de magnifiques paysages sauvages.*

Saragosse (p. 226-227) *possède de belles églises, notamment la Basílica de Nuestra Señora del Pilar, l'Iglesia de la Magdalena de style mudéjar et la cathédrale.*

Valence (p. 240-243), *troisième ville d'Espagne, a conservé un centre historique riche en maisons anciennes et en monuments. En mars s'y déroule une fête spectaculaire : Las Fallas.*

La cathédrale de Murcie (p. 252) *entreprise au XIVe siècle possède une façade et un clocher baroques et deux chapelles latérales très ornementées, l'une de la fin du gothique, l'autre Renaissance. En ville se visite aussi le Casino, élégant club privé du XIXe siècle.*

0 50 km

◁ **Monastère du XIIe siècle à Gerri de la Sal en Catalogne**

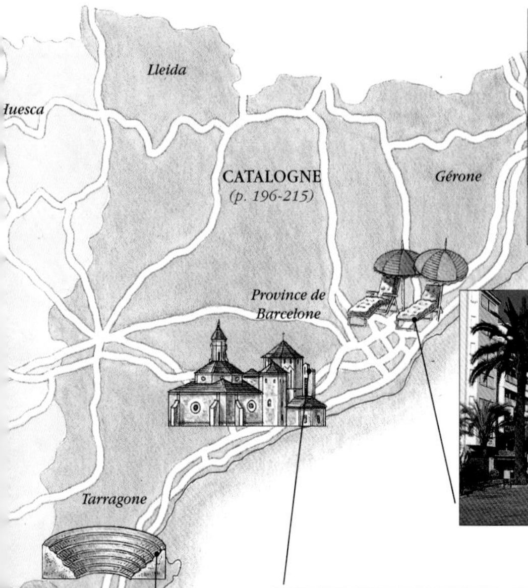

La Costa Brava (p. 206-207) *propose criques boisées et plages de sable au sud de la frontière française. Lloret de Mar en est la station balnéaire la plus animée.*

Poblet (p. 212-213) *est un monastère cistercien resté pratiquement intact depuis le Moyen Âge. Sa basilique abrite les tombeaux de six rois d'Aragon.*

Tarragone (p. 214-215) *conserve, entre autres vestiges de l'époque où elle fut capitale romaine, un amphithéâtre et un aqueduc. Une statue de Roger de Llúria, grand commandant naval catalan du XIIIe siècle, domine la plage.*

La Costa Blanca (p. 248-251) *est une superbe côte très touristique. Un immense rocher, le Penyal d'Ifach, domine la ville de Calp. À La Vila Joiosa, une rangée de maisons arbore des couleurs vives qui aidaient les pêcheurs à les reconnaître du large.*

Les spécialités de l'Espagne orientale

Poivrons ñora

Des influences maures marquent encore la cuisine de l'Espagne orientale, notamment ses sucreries souvent à base de fruits confits ou d'amandes. La gastronomie catalane accorde une large place aux produits de la mer et aux saucisses, mais les escargots sont aussi une spécialité très appréciée. Des sauces épicées comme le *romesco*, où entrent poivrons rouges, tomates et piment, relèvent les plats. La paella est la spécialité la plus célèbre des régions de Valence et de Murcie où la simplicité de nombreuses recettes respecte la saveur de produits locaux réputés comme les poivrons ñora. La viande de porc, la charcuterie et les œufs jouent un rôle primordial dans la cuisine aragonaise.

L'amanida *est une salade catalane associant légumes et charcuterie, fromage ou produits de la mer.*

Les oranges *constituent la principale richesse agricole des régions de Valence et de Murcie, bien qu'elles produisent aussi des clémentines et les trois quarts des citrons espagnols. Plus acide, la valencia sert surtout aux jus. La navel, sucrée et facile à éplucher, est un fruit de table.*

La parillada de mariscos *est un assortiment de fruits de mer grillés et servis avec un* allioli *(mayonnaise à l'ail).*

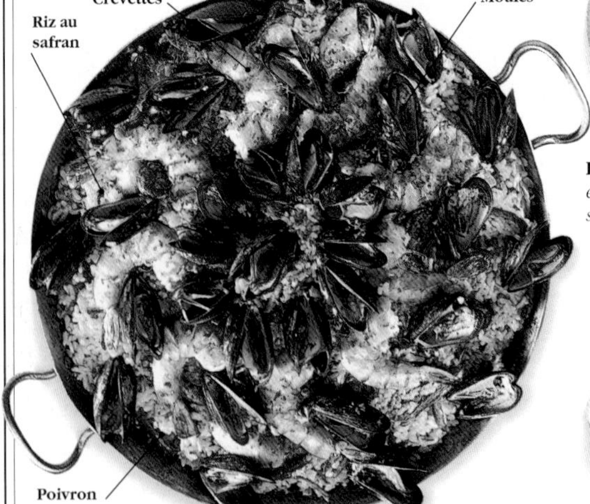

La paella, *spécialité valencienne célèbre dans le monde entier, cuit dans une grande poêle spéciale. Ses ingrédients, mis à mijoter avec un riz rond d'Espagne parfumé au safran, peuvent être très variés : fruits de mer, poulet, lapin, tomates, poivrons ou haricots.*

Le suquet, *ragoût de poissons et de fruits de mer, incorpore safran, vin, tomates et pommes de terre.*

Le fideus à la cassola *est un plat de pâtes aux poivrons rouges qu'accompagnent saucisses, côtelettes ou rôti de porc.*

La butifarra amb mongetes *catalane est une saucisse noire grillée et accompagnée de haricots blancs.*

Le cochifrito, *plat paysan aragonais, a pour base de l'agneau revenu avec du citron, de l'ail et du paprika.*

Le pollo al ajillo, *poulet à l'ail grillé, se sert avec une sauce au vin blanc ou au xérès.*

Le pastel de carne, *spécialité de Murcie, est un pâté en croûte garni de viande émincée et d'œufs durs écrasés.*

La llagosta i pollastre *catalane marie homard et poulet dans une sauce à la tomate et aux noisettes.*

La crema catalana, *riche crème brûlée couverte de caramel croustillant, se sert très froide.*

Les fruits confits (frutas escarchadas), *délicieuse forme de conserve, se présentent souvent enveloppés de chocolat en Aragon.*

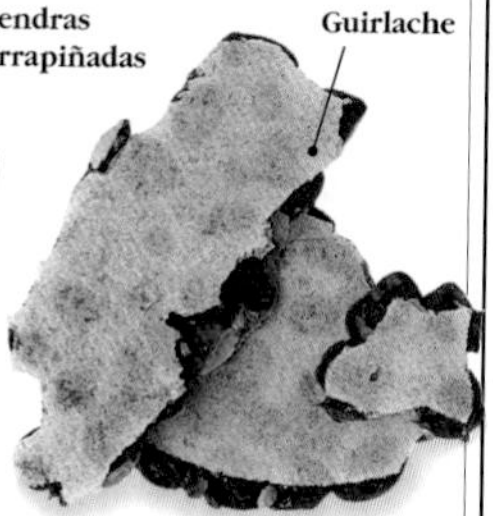

Des friandises *comme les* almendras garrapiñadas *(amandes caramélisées) et la* guirlache *aux amandes grillées sont des héritages de l'occupation maure. Le nougat* (turrón) *prend deux formes : blanc et dur avec des fruits entiers ou plus mou et garni d'amandes pilées.*

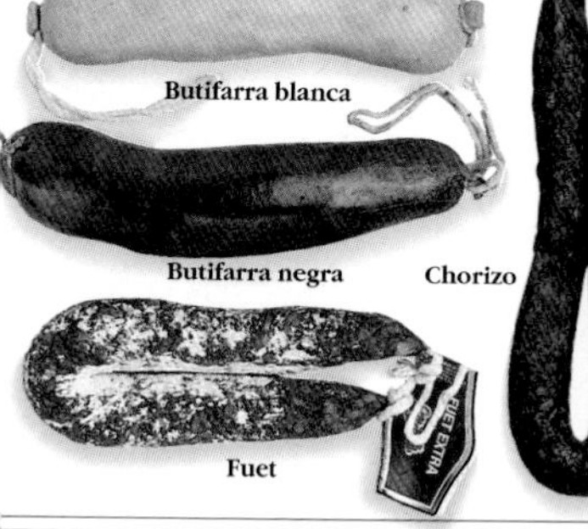

SAUCISSES ET SAUCISSONS

Les saucisses et saucissons catalans, en particulier ceux de la ville de Vic, ont acquis une haute réputation. La *butifarra* peut obéir à de multiples recettes. Blanche, elle associe pignons, viande de porc et tripes ; noire, c'est un boudin à la panse de porc épicé. Les deux variétés se dégustent grillées avec des haricots. Parmi les saucisses sèches figurent la *llangonisseta* à la fine texture et le *fuet*. Particulièrement apprécié en Aragon et en Murcie, le chorizo aromatisé au paprika se mange aussi bien coupé en tranches fines sur du pain qu'en ragoût ou en soupe.

Les vins de l'Espagne orientale

Plusieurs régions viticoles produisent à l'est de l'Espagne des vins de styles très variés. En Catalogne, la plus importante est la Penedès, terre du mousseux appelé *cava* et de crus non pétillants de qualité. En Aragon, Cariñena produit de bons rouges, et l'implantation de cépages français donne des résultats intéressants au Somontano, sur les contreforts des Pyrénées. Parmi les crus les plus réputés des régions de Valence et de Murcie figurent les rosés d'Utiel-Requena, les moscatels valenciens et les rouges puissants et charpentés de Jumilla.

Plants de cabernet sauvignon

Monastère de Poblet et vignobles de Las Murallas en Catalogne

Le somontano *doit son succès à l'implantation par la société COVISA de cépages français tels que le chardonnay et le pinot noir.*

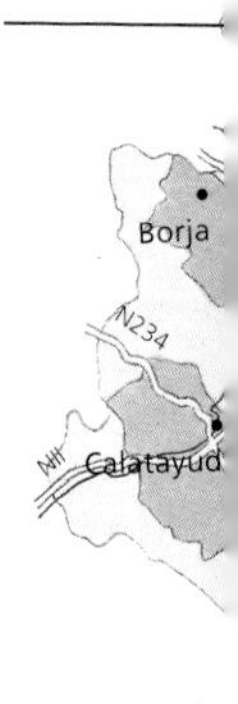

Ce qu'il faut savoir sur les vins d'Espagne orientale

Situation et climat

La Penedès jouit en bord de mer d'un climat méditerranéen qui devient plus sec à l'intérieur des terres, une situation permettant à des cépages différents de trouver des conditions favorables. L'altitude donne au Somontano des températures plus fraîches propices à la culture de variétés françaises comme le pinot noir. Chaleur et sécheresse favorisent les cépages locaux dans la Communauté valencienne et en Murcie.

Cépages

Pour les rouges, les cépages locaux les plus répandus sont le garnacha, le tempranillo (appelé Ull de Llebre en Catalogne), le monastrell et le cariñena. En Utiel-Requena, le bobal, principalement utilisé pour les rosés, produit aussi des rouges. Les blancs se font traditionnellement en Catalogne à partir de parellada, de macabeo et de xarel-lo, tandis qu'en Valence, le meserguera et le moscatel dominent. Dans les régions les plus au sud sont aussi cultivés l'airén et le pedro ximénez. Des variétés françaises comme le chardonnay, le merlot, le cabernet sauvignon et le sauvignon blanc donnent de bons résultats en Penedès, dans les Costers del Segre et dans le Somontano.

Quelques producteurs réputés

Somontano : COVISA (Viñas del Vero), Viñedos del Altoaragón. ***Alella :*** Marqués de Alella, Parxet. ***Penedès :*** Codorníu, Conde de Caralt, Freixenet, Juvé y Camps, Masía Bach, Mont-Marçal, René Barbier, Miguel Torres. ***Costers del Segre :*** Castell del Remei, Raimat. ***Priorato :*** Cellers Scala Dei, Masía Barril. ***Valence :*** Vicente Gandía. ***Utiel-Requena :*** C. Augusto Egli. ***Alicante :*** Gutiérrez de la Vega. ***Jumilla :*** Asensio Carcelén (Sol y Luna), Bodegas Vitivino.

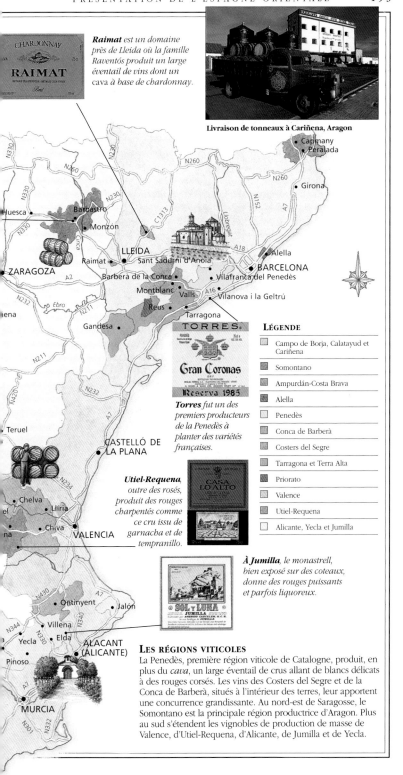

Raimat *est un domaine près de Lleida où la famille Raventós produit un large éventail de vins dont un* cava *à base de chardonnay.*

Livraison de tonneaux à Cariñena, Aragon

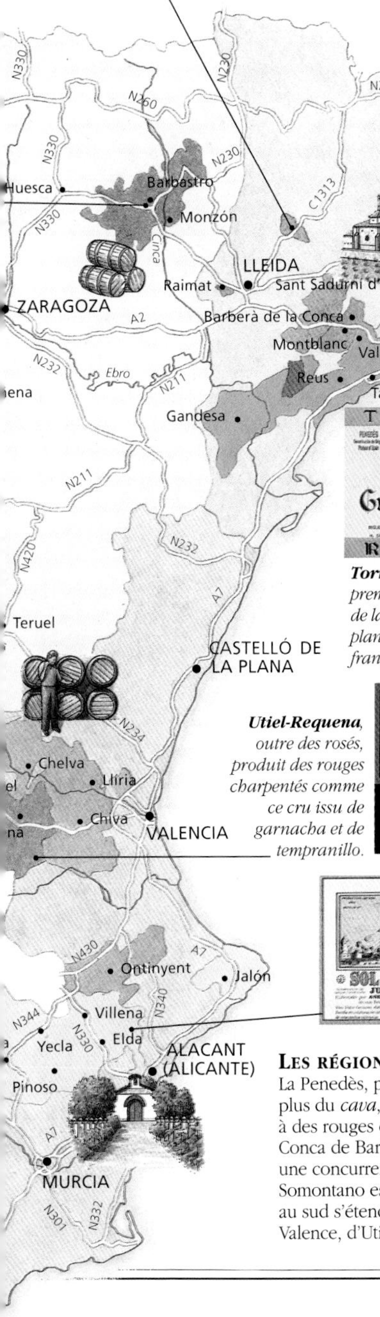

Torres *fut un des premiers producteurs de la Penedès à planter des variétés françaises.*

Légende

- Campo de Borja, Calatayud et Cariñena
- Somontano
- Ampurdán-Costa Brava
- Alella
- Penedès
- Conca de Barberà
- Costers del Segre
- Tarragona et Terra Alta
- Priorato
- Valence
- Utiel-Requena
- Alicante, Yecla et Jumilla

Utiel-Requena*, outre des rosés, produit des rouges charpentés comme ce cru issu de garnacha et de tempranillo.*

À Jumilla*, le monastrell, bien exposé sur des coteaux, donne des rouges puissants et parfois liquoreux.*

Les régions viticoles

La Penedès, première région viticole de Catalogne, produit, en plus du *cava*, un large éventail de crus allant de blancs délicats à des rouges corsés. Les vins des Costers del Segre et de la Conca de Barberà, situés à l'intérieur des terres, leur apportent une concurrence grandissante. Au nord-est de Saragosse, le Somontano est la principale région productrice d'Aragon. Plus au sud s'étendent les vignobles de production de masse de Valence, d'Utiel-Requena, d'Alicante, de Jumilla et de Yecla.

Les fleurs du matorral

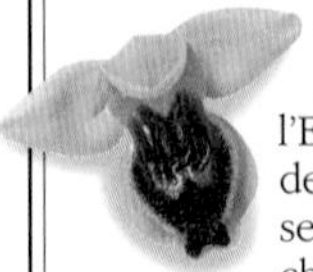

Ophrys frelon

De vastes forêts de chênes verts couvraient jadis la côte de l'Espagne orientale. Détruites au fil des siècles par les incendies ou pour servir de bois d'ouvrage ou de chauffage, elles ont laissé place au *matorral*, un maquis méditerranéen caractéristique. C'est au printemps qu'il prend ses plus belles couleurs quand fleurissent la bruyère, les genêts ou la sauge. Avec l'été, leur parfum s'estompe devant celui de plantes aromatiques telles que les cistes, le romarin et le thym. Comme la végétation, la faune s'est adaptée à la sécheresse qui règne en été.

Le genêt d'Espagne *produit au printemps des fleurs jaunes et odorantes qui se transforment en gousses noires.*

La sauge*, souvent cultivée dans les jardins, était au Moyen Âge une plante réputée pour ses vertus médicinales.*

La fleur d'agave peut atteindre une taille de 10 m.

Pin d'Alep

Romarin

L'ail sauvage *se reconnaît à la floraison à sa longue tige portant une boule de petites fleurs roses.*

Le thym *se cue[…] de préférence au printemps quand les fleu[…] augmentent s[…] parfum.*

L'ophrys miroir *se distingue aisément des autres orchidées par la brillance de son labelle bleu entouré de duvet brun.*

En terre étrangère

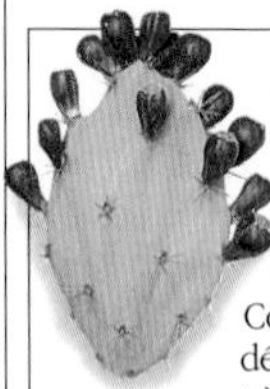

Fleurs de figuier de Barbarie

Plusieurs plantes du Nouveau Monde ont réussi à s'implanter sur les terres arides où croît le *matorral*. Le figuier de Barbarie, rapporté, pense-t-on, par Christophe Colomb, produit des fruits délicieux, mais garnis de très fines aiguilles. Leur cueillette exige des gants épais. Originaire du Mexique, l'agave a une croissance rapide pendant 10 ou 15 ans, puis il dresse vers le ciel une fleur unique avant de mourir.

Fleurs d'agaves

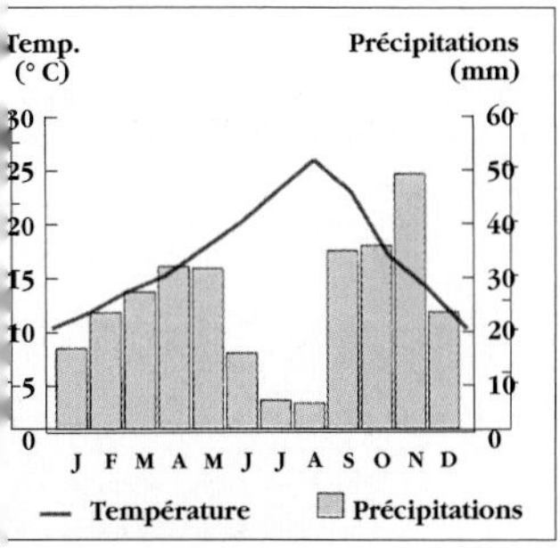

Le climat

Les plantes du *matorral* fleurissent en majorité au printemps, chaud et arrosé. Des bulbes contenant des réserves d'eau, ou des feuilles vernissées et des résines visqueuses limitant l'évaporation, leur permettent de survivre l'été.

La faune du matorral

Les insectes sont les animaux du *matorral* les plus aisés à observer, les oiseaux qu'ils nourrissent se montrant en général très discrets. Les petits mammifères comme les souris et les campagnols ne sortent que la nuit pour se protéger de leurs prédateurs, en particulier les serpents.

Les chênes verts *aux feuilles vernissées sont bien adaptés au climat de l'Espagne orientale.*

L'arbousier *produit des fruits comestibles mais sans grande saveur hormis en confiture.*

La couleuvre jarretière *se nourrit de rongeurs, d'oiseaux et d'insectes. Les jeunes se reconnaissent à des traits noirs évoquant les barreaux d'une échelle. Les adultes ne portent que deux bandes.*

Les scorpions *recherchent l'humidité sous des pierres ou des morceaux de bois. Leur piqûre peut provoquer chez l'être humain œdème et irritation.*

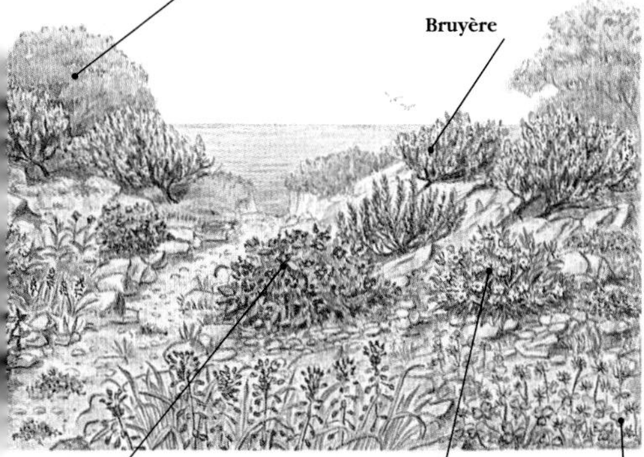

Le ciste cotonneux *aux fleurs délicates et colorées a besoin de soleil pour se développer.*

Le ciste à laudanum *secrète une résine aromatique utilisée en parfumerie.*

Le chardon étoilé *donne des fleurs souvent rose pâle, puis des gousses en forme d'étoile.*

La fauvette pitchou *se montre peu, mais a un chant mélodieux pendant la saison des amours. Le mâle arbore des couleurs plus vives que la femelle.*

Le machaon *est l'un des superbes papillons du* matorral *où abondent fourmis, abeilles et sauterelles.*

CATALOGNE

LLEIDA · ANDORRE · GÉRONE
PROVINCE DE BARCELONE · TARRAGONE

Nation à l'intérieur d'une nation, la Catalogne affirme avec fierté son identité forgée au Moyen Âge où elle devint une grande puissance navale sous l'autorité des comtes de Barcelone, puis des rois d'Aragon. Cette identité s'exprime notamment à travers la langue catalane qui a quasiment remplacé le castillan sur les panneaux et enseignes.

C'est à Empúries, ville fondée par des Grecs de Marseille, que les Romains jetèrent leur première tête de pont sur la péninsule Ibérique. Ils ont laissé de majestueux monuments à Tarragone et dans ses alentours et fondé Barcino, qui deviendra Barcelone, capitale régionale aujourd'hui en mesure de rivaliser avec Madrid dans les domaines économique et culturel.

Le tourisme de masse qui se développa dans les années 1960 sur la Costa Brava a en partie défiguré cette « côte sauvage », mais à côté de stations balnéaires surpeuplées telles que Lloret de Mar, des villages comme Cadaqués gardent leur cachet. À l'intérieur des terres se découvre un important héritage historique : superbes monastères tels ceux de Montserrat et de Poblet, ou villes médiévales riches en musées et monuments comme Montblanc, Besalú et Gérone.

Du delta de l'Èbre, refuge de trois cents espèces d'oiseaux, aux vignobles du Penedès, région où est produite la majeure partie du mousseux espagnol, la campagne a elle aussi beaucoup à offrir au visiteur. Dans les hautes vallées pyrénéennes où survivent des papillons rares, de petits villages isolés se serrent autour de charmantes églises romanes.

Parc Nacional d'Aigüestortes i Eslany de Sant Maurici, Pyrénées orientales, province de Lleida

Pêcheur inspectant ses filets à Cadaqués, sur la Costa Brava

Les Pyrénées occupent une grande partie du Nord et les parcs nationaux d'Aigüestortes et de la Vall d'Aran sont de véritables paradis pour les naturalistes. La station de Baqueira-Beret permet de pratiquer le ski. Si vous préférez la mer, vous pourrez choisir entre les criques de la Costa Brava et les longues plages de sable de la Costa Daurada. Dans l'arrière-pays de Tarragone, à l'ouest des vignobles de la Penedès, se visitent les monastères cisterciens de Poblet et de Santes Creus.

Ferme isolée près de La Seu d'Urgell

Légende

- Autoroute
- Route principale
- Route secondaire
- Parcours pittoresque
- Cours d'eau
- Point de vue

Circuler

Depuis la France, l'autoroute A 7 pénètre en Catalogne à La Jonquera, rejoint Barcelone, puis longe la côte en passant par Tarragone et Valence. D'autres voies rayonnent de Barcelone. Un tunnel près de Puigcerdà a rendu le cœur des Pyrénées catalanes aisément accessible. Des cars desservent la plupart des villes. La principale voie ferrée suit le littoral au sud de Blanes, d'autres lignes relient Vic, Lleida et Tortosa à Barcelone.

Voir aussi

- ***Hébergement*** p. 545-547
- ***Restaurants et bars*** p. 586-588

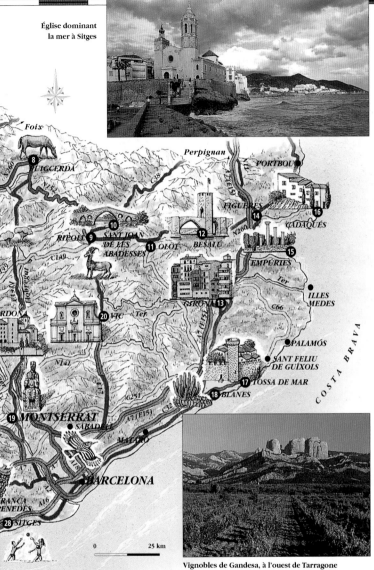

Église dominant la mer à Sitges

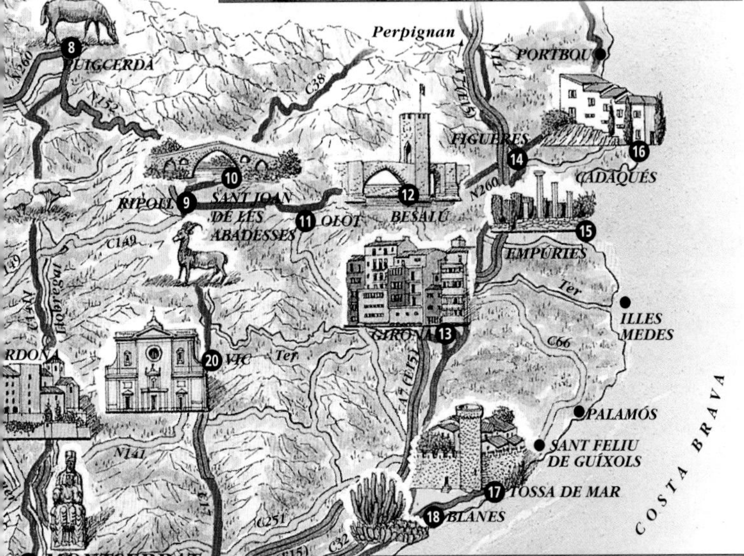

Vignobles de Gandesa, à l'ouest de Tarragone

La Catalogne d'un coup d'œil

Andorre 6
Baqueira-Beret 3
Besalú 12
Blanes 18
Cadaqués 16
Cardona 21
Costa Daurada 29
Delta de l'Ebre 32
Empúries 15
Figueres 14
Gérone 13
Lleida 23
Montblanc 25
Montserrat p. 208-209 19
Olot 11
Parc Nacional d'Aigüestortes 5
Poblet p. 212-213 24
Puigcerdà 8
Ripoll 9
Santes Creus 26
Sant Joan de les Abadesses 10
La Seu d'Urgell 7
Sitges 28
Solsona 22
Tarragone 30
Tortosa 31
Tossa de Mar 17
Vall d'Aran 1
Vall de Boí 4
Vic 20
Vielha 2
Vilafranca del Penedès 27

La Vall d'Aran au cœur des Pyrénées

Papillons de la Vall d'Aran

L'isolement des hautes vallées des Pyrénées offre un refuge à de très nombreux papillons. Dans la Vall d'Aran, en particulier, survivent plusieurs espèces d'une grande rareté. La meilleure période où les observer s'étend entre mai et juin.

Hespérie de la mauve ***(Pyrgus malvae)***

Échiquier ***(Carterocephalus palæmon)***

Semi-Apollon ***(Parnassius mnemosyne)***

Vall d'Aran ❶

Lleida N230. Vielha. Vielha 973 64 01 10.

Au pied de majestueuses montagnes, forêts et pâturages fleuris composent de magnifiques paysages dans cette vallée de 600 km², paradis des randonneurs où la Garonne prend sa source à Guells del Joeu.

Jusqu'en 1924 et la construction de la route du col de Bonaigua, la Vall d'Aran resta très isolée du reste de l'Espagne et ses habitants continuent de parler un dialecte proche du gascon. Aujourd'hui encore, la neige rend le col impraticable de novembre à avril. Le Túnel de Vielha permet toutefois un accès relativement aisé (il faut parfois des chaînes) depuis El Pont de Suert.

Tournée vers la France, la vallée jouit d'influences océaniques et d'un climat propice à la survie d'espèces rares de papillons et de fleurs sauvages, notamment les narcisses.

Des villages se sont développés le long de la Garonne (Riu Garona), souvent autour d'une église romane comme **Bossòst, Salardú, Escunhau** et **Arties**, petit centre thermal apprécié des skieurs fréquentant la station voisine de Baqueira-Beret.

Vielha ❷

Lleida. 2 700. Carrer Sarriulera 10, 973 64 01 10. jeu. Fiesta de Vielha (8 sept.), Feria de Vielha (8 oct.).

La capitale de la Vall d'Aran, moderne station de sports d'hiver, a conservé de nombreux témoignages de son riche passé. L'église romane **Sant Miquel** abrite le splendide *Christ de Mig Aran* (XIIe siècle) qui faisait jadis partie d'une Descente de Croix en bois sculpté aujourd'hui perdue. Le **Museu de la Vall d'Aran** est consacré à l'histoire et aux traditions de la vallée et de ses habitants.

Museu de la Vall d'Aran
Carrer Major 26. 973 64 18 15. t.l.j. jours fériés.

Christ de Mig Aran **(XIIe siècle), église Sant Miquel, Vielha**

Baqueira-Beret ❸

Lleida. 100. Baqueira-Beret, 973 63 90 00. *Romería de Nuestra Señora de Montgarri (2 juil.).*

Baqueira et Beret étaient à l'origine deux villages de montagne indépendants, mais le développement des sports d'hiver les a conduits à s'unir pour former l'une des stations de ski les plus populaires d'Espagne, fréquentée, en particulier, par la famille royale.

Pour se remettre de leurs efforts sur plus de 40 pistes situées entre 1 520 et 2 470 m d'altitude, les skieurs disposent de sources thermales qu'appréciaient déjà les Romains.

Vall de Boí ❹

Lleida N230. *La Pobla de Segur.* *El Pont de Suert.* *Barruera, 973 69 40 00.*

Cette petite vallée en bordure du Parc Nacional d'Aigüestortes renferme de minuscules villages souvent construits autour d'églises offrant de magnifiques exemples d'architecture romane. Édifiées aux XIe et XIIe siècles, elles se distinguent par la hauteur de leurs tours, telle l'**Església de Santa Eulàlia**, à Erill-la-Vall, dont le clocher comporte six étages.

Consacrées en 1123, les deux églises de Taüll, **Sant Climent** *(p. 20)* et **Santa Maria**, abritent de superbes fresques, copies des peintures murales originales déposées entre 1919 et 1923 et visibles à Barcelone au Museu Nacional d'Art de Catalunya *(p. 168)*. Gravir l'escalier de la tour de Sant Climent permet de découvrir un magnifique panorama de la campagne environnante.

D'autres églises de la vallée méritent une visite, notamment celles de **Coll**, aux belles ferroneries, de **Barruera** et de **Durro**. Petite station thermale où se pratique le ski, **Caldes de Boí** constitue une bonne base d'où explorer le Parc Nacional d'Aigüestortes dont l'entrée ne se trouve qu'à 5 km.

Le haut clocher de Sant Climent, église de Taüll dans la Vall de Boí

Parc Nacional d'Aigüestortes ❺

Lleida. *La Pobla de Segur.* *El Pont de Suert, La Pobla de Segur.* *Barruera, 973 69 40 00.*

L'unique parc national de Catalogne *(p. 26-27)*, d'une superficie de 10 230 ha, protège des paysages parmi les plus beaux des Pyrénées.

Fondé en 1955, il porte officiellement le nom de Parc Nacional d'Aigüestortes i Estany de Sant Maurici, car il s'étend du lac *(estany)* Sant Maurici, à l'est, au lieu-dit Aigüestortes (à l'ouest), site baptisé « eaux tortueuses » à cause des ruisseaux qui sinuent dans les prairies.

Depuis le principal village, Espot, situé à la frontière orientale du parc, une route conduit au lac Sant Maurici que dominent les cimes de la Serra dels Encantats (montagne des Ensorcelés). Plusieurs itinéraires de promenade en partent. L'un d'eux suit au nord un chapelet de lacs en direction des pics majestueux d'Agulles d'Amitges. Au sud, dans un cadre spectaculaire, l'Estany Negre est le plus élevé et le plus profond (50 m) des quelque 150 lacs glaciaires du parc.

Au début de l'été fleurissent dans les vallées les plus basses d'innombrables rhododendrons roses et rouges. Plus tard dans la saison, les lis sauvages s'épanouissent dans les forêts de sapins, de hêtres et de bouleaux. Les chamois passent l'été sur les pentes les plus escarpées, ne se risquant dans les combes que lorsque la nourriture vient à manquer.

Près des plans d'eau s'aperçoivent parfois castors et loutres. Des aigles royaux nichent sur des corniches rocheuses, guettant depuis le ciel les grouses et les coqs de bruyère tapis dans les bois.

Partout dans le parc, des cascades ajoutent en été au plaisir de la randonnée. En hiver, elles créent pour les amateurs de ski de fond des sculptures de glace.

L'eau court partout dans le Parc Nacional d'Aigüestortes

La langue catalane

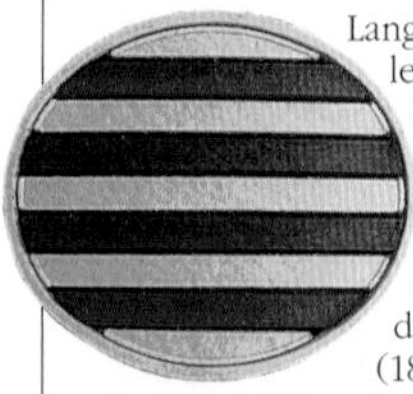

Emblème de la Catalogne

Langue romane issue directement du latin, le catalan compte aujourd'hui plus de huit millions de locuteurs. Support d'une riche littérature depuis le Moyen Âge, il fut interdit en 1717 par Philippe V, mais connut une période de renaissance au XIXe siècle grâce à des auteurs tels que Jacint Verdaguer (1845-1902). Franco *(p. 62-63)* réprima toute forme d'expression spécifique aux Catalans, mais ne réussit pas à leur faire cesser de parler leur langue qui, depuis l'instauration du statut d'autonomie en 1979, tend de plus en plus à supplanter le castillan.

Andorre 6

Principauté d'Andorre. 65 000. Andorra la Vella. Calle Dr Vilanova, Andorra la Vella, 00-376 82 02 14. www.andorra.ad

D'une superficie de 462 km², la principauté d'Andorre, État autonome depuis 1278, devint soumise en 1607 à la souveraineté conjointe de l'évêque de La Seu d'Urgell et du comte de Foix (titre imparti au président de la République française). Ils en restent les chefs d'État en titre bien que ce petit pays ait, en 1993, accédé à l'indépendance et organisé ses premières élections démocratiques.

L'Andorre a pour langue officielle le catalan, et pour monnaie l'euro, mais on y parle aussi le français et le castillan. Comme en témoignent les magasins et supermarchés de la capitale, **Andorra la Vella**, ou de villes comme Sant Julià de Lòria, Les Escaldes ou El Pas de la Casa, la vente de produits détaxés a longtemps constitué une ressource importante de la principauté. Celle-ci a toutefois davantage à offrir que ses commerces, notamment de superbes itinéraires de randonnée en montagne. L'un des principaux conduit à l'est aux lacs du **Cercle de Pessons** et permet de découvrir des chapelles romanes telle celle de **Sant Martí** à La Cortinada. Au nord, dans la pittoresque vallée du Sorteny, d'anciennes fermes pyrénéennes abritent de confortables restaurants.

La Seu d'Urgell 7

Lleida. 13 000. Avda Valles de Andorra 33, 973 35 15 11. mar. et sam. Fiesta Mayor (en août).

Siège d'un puissant évêché au Moyen Âge, La Seu d'Urgell a conservé un beau quartier historique autour de sa **cathédrale** entreprise en 1116 et en partie construite par un maître d'œuvre lombard. Elle abrite la statue romane de Santa Maria d'Urgell, objet d'un culte fervent. Le **Museu Diocesà** présente une riche collection d'art religieux, du Moyen Âge au XVIIIe siècle, dont un manuscrit enluminé au Xe siècle du *Commentaire de l'Apocalypse* par le moine Beatus de Liébana *(p. 106)*.

Museu Diocesà

Plaça del Deganat. *973 35 32 42. t.l.j. jours fériés.*

Relief, cathédrale de La Seu

Puigcerdà 8

Girona. 7 000. Carrer Querol 1, 972 88 05 42. dim. Fiesta del Lago (3e dim. d'août). www.puigcerda.com

En catalan, *puig* signifie colline, et bien que Puigcerdà occupe une hauteur relativement basse (1 152 m) par rapport aux montagnes qui l'entourent et s'élèvent jusqu'à près de 3 000 m, elle offre une belle vue sur la vallée de la Cerdagne.

Fondée en 1177 par Alphonse II d'Aragon, place forte proche de la frontière française et capitale de la plus large vallée pyrénéenne, Puigcerdà a subi de nombreux assauts et il ne subsiste qu'une tour de ses anciennes fortifications. À 6 km à l'intérieur du territoire français, l'enclave espagnole de **Llívia** possède un musée comprenant une pharmacie du XVIIe siècle. Dans la réserve naturelle de **Cadí-Moixeró** vivent des chocards des Alpes.

Portail du Monastir de Santa Maria

Ripoll 9

Girona. 11 000. Plaça Abat Oliva, 972 70 23 51. sam. Fiesta Mayor (11-12 mai). www.elripolles.com

Petite ville industrielle au confluent du Ter et du Freser, Ripoll s'est développée autour du **Monastir de Santa Maria** entrepris vers 880 par Guifré el Pelós (Wilfred le Velu), fondateur de la maison de Barcelone qui repose dans le bras gauche du transept de l'église. Ripoll lui doit son surnom de « berceau de la Catalogne ».

Consacré au XIIe siècle, le sanctuaire a connu une importante restauration au XIXe siècle. Le décor de son portail forme sans doute le plus bel ensemble de sculptures romanes d'Espagne. Dominé par un Christ en majesté, il évoque au travers de scènes bibliques, certaines très dégradées, la reconquête de la Catalogne sur les Maures. Achevé à l'époque gothique, le cloître comprend une aile romane.

Le bourg médiéval de Besalú au bord du riu Fluvià

Sant Joan de les Abadesses ⑩

Girona. 3 800. Plaza de Abadia 9, 972 72 05 99. dim. Fiesta Mayor (2e sem. de sept.). www.santjoandelesabadesses.com

Un beau pont gothique jeté au-dessus du Ter conduit à ce bourg industriel dont le **monastère** constitue le principal intérêt.

Wilfred le Velu, premier comte de Barcelone, le fonda vers 885 pour faire de sa fille la première abbesse. Consacrée en 1150, l'église possède une décoration dépouillée, mais abrite une magnifique *Descente de Croix* (v. 1250) en bois sculpté. Brûlé pendant la guerre civile, l'un des larrons dût être remplacé : une superbe restauration. Le musée du monastère présente entre autres des retables Renaissance et baroques.

***Descente de Croix*, monastère de Sant Joan de les Abadesses**

Aux environs

Au nord, **Camprodon** recèle de belles maisons anciennes et des magasins de produits locaux tels que les *llonganisses* (saucisses sèches).

Olot ⑪

Girona. 28 000. Bisbe Lorenzana 15, 972 26 01 41. lun. Fête-Dieu (mai-juin), Fiesta del Tura (8 sept.). www.olot.org

Dans une région où les silhouettes coniques d'anciens volcans créent des paysages caractéristiques, cette petite ville de marché subit en 1474 un tremblement de terre qui détruisit son centre médiéval.

Elle acquit son renom dans la deuxième moitié du XIXe siècle quand des peintres réunis autour de Joaquim Vayreda fondèrent une école paysagiste souvent comparée à celle de Barbizon. De nombreux tableaux de cette école s'admirent au **Museu Comarcal de la Garrotxa** installé dans un hospice du XVIIIe siècle. Il possède également des œuvres du sculpteur moderniste Miquel Blay, auteur des demoiselles qui soutiennent le balcon du no 38, passeig Miquel Blay.

Museu Comarcal de la Garrotxa
Calle Hospici 8. 972 27 91 30. du mer. au lun. 1er janv., 25 déc.

Besalú ⑫

Girona. 2 000. Plaça de la Llibertat 1, 972 59 12 40. mar. Sant Vicenç (22 jan.), Fiesta Mayor (dernier week-end de sept.).

Un pont piétonnier fortifié datant du Moyen Âge donne accès à ce bourg médiéval au bord du riu Fluvià. Du monastère bénédictin fondé au Xe siècle, mais démoli en 1835, il ne subsiste que l'église romane **Sant Pere**. Bâtie au XIIIe siècle, l'église **Sant Vicenç** associe éléments romans et gothiques. Le hasard a permis en 1964 la découverte d'une **mikvah**, bain rituel juif datant de 1264. Il n'en subsiste que trois de cette période en Europe. L'office du tourisme détient les clés de tous les monuments de la ville.

Au sud, les rives du vaste lac de **Banyoles** offrent un cadre idéal à un pique-nique.

Étal de spécialités régionales à Camprodon

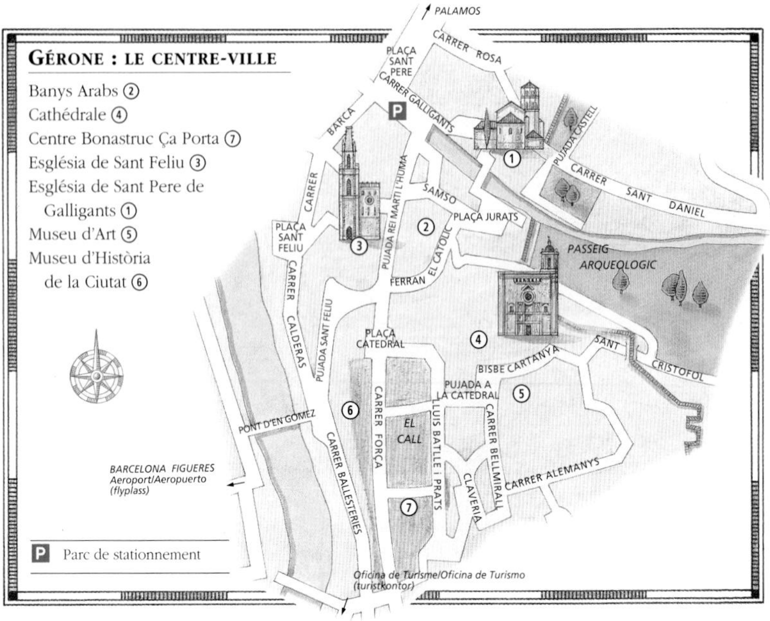

Gérone ⓭

Girona. 75 000.
Rambla de la Llibertat 1, 972 22 65 75.
mar., sam. *El Pedal (2e quinzaine de sept.), San Narciso (fin oct.).*
www.ajuntament.gi

Cette jolie ville tourne son visage le plus souriant du côté du riu Onyar où se mirent des maisons pastel. Datant du XIXe siècle, elles remplacèrent des remparts endommagés par une résistance de 7 mois, en 1809, aux assauts de troupes françaises. Derrière, dans le quartier ancien, boutiques et cafés animés bordent la rambla de la Llibertat.

La majeure partie du reste de l'enceinte fortifiée, d'origine romaine, reste intacte et a été aménagée en **Passeig Arqueològic**. Le point de départ de cette agréable promenade est situé du côté nord de la ville près de **Sant Pere de Galligants** (Saint-Pierre-des-Chants-du-Coq), église romane qui abrite le musée archéologique.

Du sanctuaire désaffecté, une rue étroite franchit la muraille par une porte qui incorpore d'énormes blocs de pierre romains. Ils bordaient jadis la via Augusta qui reliait Tarragone à Rome.

L'ancienne collégiale Saint-Félix, l'**Església de Sant Feliu**, reste un lieu de culte très fréquenté. Cette église gothique entreprise au XIVe siècle s'élève sur le site d'une chapelle romane bâtie sur les tombes des saints Félix et Narcisse, patrons de la ville. Près du maître-autel sont encastrés dans un mur huit sarcophages romains et paléochrétiens.

Malgré leur nom, les **Banys Arabs** (bains arabes) voisins, éclairés par une lanterne octogonale, datent de la fin du XIIe siècle, près de 300 ans après la reconquête de Gérone sur les Maures.

Maisons peintes de Gérone sur la rive du riu Onyar

Centre Bonastruc Ça Porta

Carrer de la Força 8. *972 21 67 61.*
t.l.j. *jours fériés.*
www.ajuntament.gi

En partie restauré, l'ancien quartier juif, El Call, s'étend au cœur du dédale de ruelles et d'escaliers de la vieille ville. Le Centre Bonastruc Ça Porta illustre l'histoire de la communauté juive de Gérone, réputée pour son école cabalistique, jusqu'à son expulsion à la fin du XVe siècle.

Cathédrale

Derrière une majestueuse façade typique du baroque catalan, cette église bâtie à l'emplacement d'un sanctuaire roman dont subsiste le cloître possède une nef unique construite en 1426 par Guillem Bofill et couverte de la plus large voûte gothique de la chrétienté. Derrière l'autel se trouve le « trône de Charlemagne » en marbre dont le nom rappelle que l'empereur franc conquit Gérone en 785. Un magnifique retable du XIVe siècle en argent incrusté de pierres précieuses et d'émaux orne le chœur. Le musée de la cathédrale présente de nombreuses œuvres d'art superbes, notamment un manuscrit enluminé au Xe siècle du *Commentaire de l'Apocalypse* du moine Beatus de Liébana et la célèbre *Tapisserie de la Création* brodée vers 1100.

Tapisserie de la *Création*

Museu d'Art

Pujada de la Catedral 12. ☎ 972 20 95 36. ○ du mar. au dim. ● 1er, 6 janv., 25-26 déc. ♿ W www.delgi.es/museu

L'ancien palais épiscopal abrite une riche collection d'œuvres d'art exécutées de la période romane au XXe siècle. Beaucoup ornaient jadis des églises. Parmi les plus belles figurent l'autel recouvert d'argent de San Pere de Rodes (Xe siècle), une poutre décorée au XIIe siècle de personnages humoristiques et le superbe retable gothique de Sant Miquel de Cruïlles peint par Lluís Borassa en 1416.

Museu d'Història de la Ciutat

Carrer de la Força 27. ☎ 972 22 22 29. ○ de 10 à 14 h t.l.j., et de 17 h à 19 h du mar au sam. ● 1er, 6 janv., 25-26 déc.

Le musée d'histoire de Gérone occupe un ancien couvent du XVIIIe siècle dont subsistent des parties du cimetière, notamment les niches où les corps des capucins décédés étaient mis à sécher de manière à pouvoir être assis dans des fauteuils. La collection comprend des instruments de musique anciens.

Figueres ⓮

Girona. 35 000. Plaça del Sol, 972 50 31 55. jeu. Santa Cruz (3 mai), San Pedro (29 juin). W www.figueres.org

Figueres (Figueras) se trouve au nord de l'Empordà (Ampurdan), plaine fertile s'ouvrant sur le golfe des Roses, et les fruits et légumes produits dans la région couvrent chaque jeudi les étals de son marché.

Dans la rue principale, la Rambla, le **Museu de Joguets** (musée des Jouets) occupe le dernier étage du vieil Hotel de Paris. Ses collections proviennent de toute la Catalogne. Au bas de la Rambla s'élève une statue de Narcís Monturiol i Estarriol (1819-1895) qui aurait inventé le sous-marin.

Le fils le plus célèbre de Figueres reste néanmoins Salvador Dalí qui transforma en 1974 le théâtre municipal (1850) en un « gigantesque objet surréaliste », le **Teatro-Museu Dalí**, musée le plus visité d'Espagne après le Prado. Il ne présente aucun des chefs-d'œuvre de Dalí, mais forme

***Taxi pluvieux* dans le jardin du Teatro-Museu Dalí**

un monument approprié à l'inventeur de la « méthode paranoïaque-critique » qui repose sous une dalle blanche de la salle centrale.

Museu de Joguets

Calle Sant Pere 1. ☎ 972 50 45 85. ○ t.l.j. ♿

Teatro-Museu Dalí

Plaça Gala-Salvador Dalí. ☎ 972 67 75 05. ○ d'oct à juin : du mar. au dim. ; de juil. à sept. : t.l.j. ● 1er jan., 25 déc. sur rendez-vous. W www.salvador-dali.org

SALVADOR DALÍ

Salvador Dalí e Domènech naquit à Figueras en 1904 et organisa sa première exposition à l'âge de 15 ans. Après avoir étudié à l'Escuela de Bellas Artes de Madrid, il rejoint en 1929 le mouvement surréaliste dont il devient le peintre le plus célèbre. Il écrira également des scénarios avec Luis Buñuel et plusieurs livres développant sa « méthode paranoïaque-critique », technique d'investigation de l'irrationnel par le délire. Elle inspirera maintes de ses œuvres hallucinatoires, telle *Symbiose femme-animal*. Si Dalí doit beaucoup de sa popularité à ses excentricités, sa richesse d'inspiration, dont témoigne le musée qu'il créa dans sa ville natale, où il mourut en 1989, en fait un des artistes marquants du XXe siècle.

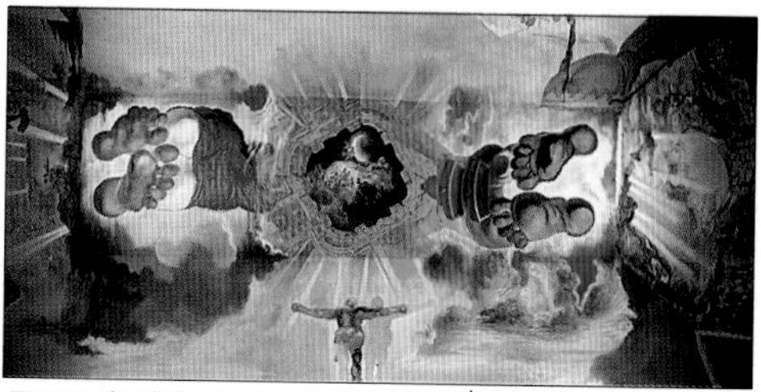

Fresque du plafond de la salle du Palais des vents, Teatro-Museu Dalí

Empúries ⓯

Girona. L'Escala. 972 77 02 08. d'oct à mai : de 10 h à 18 h t.l.j. ; de juin à sept. et Pâques : de 10 h à 20 h t.l.j. 1er janv., 25 déc. pour les ruines.

Au nord de l'Escala, les ruines de la cité antique d'Empúries (Ampurias) forment un ensemble imposant.

Sur le site de l'actuel village de Sant Martí d'Empúries, qui était alors une île, des Grecs originaires de Marseille fondèrent au VIe siècle av. J.-C. **Palaiapolis** (la vieille ville). Trop à l'étroit, ils créèrent peu après sur le littoral une nouvelle colonie, la Neàpolis, qu'ils baptisèrent Emporion (marché). Il en subsiste des vestiges de remparts et d'habitations, plusieurs temples et, sur l'agora, des décors de sol en mosaïque. Près de la plage fut construite au Ve siècle une basilique paléochrétienne.

Alliée aux Romains dès 218 av. J.-C., Emporion conserva son autonomie pendant leur conquête de la péninsule Ibérique *(p. 46)* jusqu'à l'installation par César, en 49 av. J.-C., d'une colonie de vétérans sur une colline voisine. Les fouilles de la **cité romaine** ont mis au jour les ruines d'un forum, d'un amphithéâtre et de deux vastes villas pavées de mosaïques.

Un musée présente de nombreux objets découverts sur l'ensemble du site et les copies des sculptures les plus remarquables. Les originaux s'admirent au Museu Arqueològic de Barcelone *(p. 168)*.

Colonne romaine du site archéologique d'Empúries

Falaises de la Costa Brava au sud de Tossa de Mar

Cadaqués ⓰

Girona. 2 000. Carrer Cotxe 2, 972 25 83 15. lun. Santa Esperanza (18 déc.), Fiesta Mayor de Verano (sept.).

Ce petit port situé dans une superbe baie a conservé beaucoup de cachet avec ses maisons blanchies dominées par l'**Església de Santa Maria** baroque. Salvador Dalí vécut dans la crique voisine de Portlligat et le **Centre d'Art Perrot-Moore** expose plusieurs de ses œuvres, ainsi que quelques Picasso. Une salle est consacrée à des artistes contemporains.

Centre d'Art Perrot-Moore
Carrer Vigilant 1. 972 25 82 31. du mar. au sam. de nov. à avr.

Tossa de Mar ⓱

Girona. 4 000. Avinguda Pelegrí 25, 972 34 01 08. jeu. Fiesta de Verano (29 juin, 2 juil.), Fiesta de Invierno (22 janv.). www.tossademar.com.

L'ancienne cité romaine de Turissa s'atteint par une sinueuse route en corniche et occupe un des plus beaux sites de la Costa Brava. Au-dessus des immeubles modernes de la station balnéaire, la **Vila Vella** (vieille ville) a conservé son enceinte médiévale défendue par trois tours.

À l'intérieur des murs se découvrent une église du XIVe siècle, d'innombrables bars et le **Museu Municipal** qui présente, à côté d'une collection archéologique, des œuvres d'art moderne, dont *Le Violoniste* de Marc Chagall.

Museu Municipal
Plaça Roig y Soler 1. 972 34 07 09. *mar. au dim. (téléphoner pour s'inscrire).*

Blanes ⓲

Girona. 30 000. Plaça de Catalunya 21, 972 33 03 48. lun. El Bilar (6 avr.), Sta Anna (fin juil.). www.blanes.net

Port de pêche et de plaisance, Blanes possède une des plus longues plages de la Costa Brava, mais c'est le **Jardí Botànic Mar i Mutra** qui en constitue le principal intérêt avec ses 7 000 espèces de plantes méditerranéennes et tropicales. Aménagé en 1928 par l'Allemand Karl Faust au sommet d'une falaise, il offre une vue magnifique.

Jardí Botànic Mar i Murtra
Passeig Karl Faust 10. 972 33 08 26. t.l.j. 1er et 6 janv., 24 et 25 déc.

Quelques cactées du Jardí Botànic Mar i Mutra

La Costa Brava

Depuis Blanes, la Costa Brava (« côte sauvage ») s'étend sur quelque 200 km jusqu'à la frontière française. Criques boisées, plages de sable et stations balnéaires surpeuplées s'y succèdent. Parmis ces dernières, les plus fréquentées, Lloret de Mar, Tossa de Mar et La Platja d'Aro, se trouvent au sud. Les villes de Sant Feliu de Guíxols et Palamós restent actives hors de la période d'été. L'arrière-pays recèle de jolis villages médiévaux comme Peralda, Peratallada et Pals. Le tourisme a toutefois mis à mal les activités traditionnelles : pêche et culture de la vigne et de l'olivier.

***Cadaqués** est un petit port de pêche qui a gardé son charme, surtout en hiver, car il reste d'accès difficile et ne possède que de petites plages de galets.*

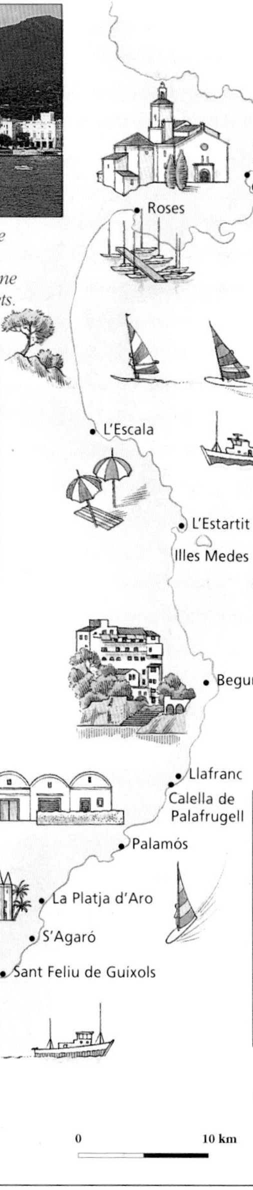

Roses et sa plage de sable, la plus longue de la Costa Brava, offrent un cadre idéal à la pratique des sports nautiques.

L'Escala, où des filets sèchent encore au soleil sur le port, reste surtout appréciée des touristes locaux.

Begur ménage depuis une colline un superbe panorama et domine de petites criques.

Llafranc est une des stations les plus agréables de la côte avec ses maisons blanches et sa promenade rejoignant le village voisin de Calella.

Palamós est un port commercial offrant au sud des hôtels modernes, et au nord des criques et des plages aux eaux limpides.

La Platja d'Aro est une des stations les plus populaires de la côte avec sa longue plage de sable et ses hôtels modernes.

Tossa de Mar, ville fortifiée, domine une plage et une crique.

***Lloret de Mar** est la plus grosse concentration d'hôtels de la Costa Brava, mais des criques plus intimes prolongent sa plage.*

Monestir de Montserrat ⓳

Moine bénédictin

Accroché dans un cadre sublime aux parois abruptes de la « Montagne sciée » culminant à 1 236 m d'altitude, le monastère de Montserrat est le centre religieux le plus cher au cœur des Catalans. Sur le site d'un ermitage du VIIIe siècle, des moines bénédictins fondèrent vers 1030 une abbaye qui devint indépendante en 1409. Les troupes napoléoniennes en détruisirent la majeure partie en 1811. Reconstruit à partir de 1844, le monastère fut sous le régime franquiste un des symboles de la défense de la culture catalane. Il abrite toujours une communauté bénédictine. Vous pouvez entendre le *Salve Regina y Virolai*, l'hymne de Montserrat, à 13 h et 19 h 10 tous les jours (mais pas le dimanche), dans la basilique, sauf en juillet et à Noël.

Plaça de Santa Maria
À côté de la façade moderne du monastère dessinée par Françesc Folguera subsistent deux ailes du cloître gothique bâti en 1477.

Plaça de la Creu

Cloître gothique

Le musée
présente des peintures des XIXe et XXe siècles et de nombreuses œuvres d'art catalan.

Chemin de croix
Quatorze statues marquent les stations du chemin de croix qui part près de la plaça de l'Abat Oliba.

À NE PAS MANQUER

- ★ **La façade de la basilique**
- ★ **La Vierge noire**

Vue de Montserrat
L'ensemble comprend des boutiques, des cafés et un hôtel. Un funiculaire conduit de la plaça de la Creu à la Cova Santa et à l'ermitage Sant Joan.

★ La façade de la basilique
Agapit et Venanci Vallmitjana sculptèrent le Christ et les apôtres de la façade néo-Renaissance qui remplaça en 1900 celle, plateresque, de l'église originale consacrée en 1592.

MODE D'EMPLOI

Montserrat (province de Barcelone). 938 77 77 77. *Aerí de Montserrat, puis téléphérique.* *depuis Barcelone.* **Basilique** *oct. à juin : 7 h 30-19 h 30 t.l.j. ; juil. - sept. : 7 h 30 - 20 h 15 t.l.j.* *toute la journée, du lun. au ven. à partir de 9 h ; le sam. à partir de 7 h 30, les dim. et fêtes religieuses à partir de 8 h.* **Musée** *de 10 h à 18 h du lun. au ven. ; de 9 h 30 à 18 h 30 sam., dim. et jours fériés.*

★ La Vierge noire
Protégée par une vitre, la Moreneta domine l'autel. En signe de vénération, les pèlerins baisent le globe qu'elle tient.

Intérieur de la basilique
Des peintures d'artistes catalans et un autel paré d'émaux ornent le sanctuaire entrepris en 1565.

L'Escolania, célèbre chorale de jeunes garçons, chante deux fois par jour dans la basilique.

Terminus du téléphérique de la gare d'Aeri de Monserrat

Parvis
Une porte à droite de la basilique mène à la Vierge noire. Des sculptures par Carles Collet décorent le baptistère (1902).

LA VIERGE DE MONTSERRAT

Selon la légende, saint Luc sculpta cette petite statue en bois, et saint Pierre l'apporta en Catalogne en l'an 50. Dissimulée pendant l'époque de la domination maure, elle fut miraculeusement retrouvée dans la Santa Cova (Sainte Grotte) voisine. Une datation au carbone 14 suggère néanmoins qu'elle date du XIIe siècle. En 1881, la Vierge noire de Montserrat, ou Moreneta, est devenue la patronne de la Catalogne.

La Moreneta de Montserrat

Vic 20

Barcelona. 31 000. Calle Cuitat 4, 938 86 20 91. mar. et sam. Mercat del Ram (sam. avant Pâques), Sant Miquel (du 5 au 15 juil.), Musica Viva (sept.), Mercat Medieval (6-8 déc.).

Au cœur d'une plaine agricole verdoyante, Vic est particulièrement agréable à visiter le mardi et le jeudi, jours de marché où les étals de produits locaux, tels les excellents saucissons *(embotits)*, se serrent sur la vaste Plaça Major gothique.

Ancienne colonie ibère, la ville prit le nom d'Ausa lorsqu'elle devint une cité romaine dont subsistent les vestiges d'un temple. Siège d'un évêché dès le haut Moyen Âge, elle conserve de sa cathédrale romane entreprise en 1038 la crypte et le clocher appelé El Cloquer. Le reste du sanctuaire fut reconstruit dans le style néo-classique entre 1781 et 1803. Un vaste cycle de peintures murales dans les tons sépia et or par Josep Maria Sert (1876-1945) décore l'intérieur.

Attenant à la cathédrale, le **Museu Episcopal de Vic** présente une superbe collection d'art roman, notamment des fresques et des sculptures sur bois provenant d'églises rurales de Catalogne. On peut également y admirer plusieurs retables de maîtres gothiques tels que Lluis Borrassà et Jaume Huguet.

Museu Episcopal

Plaça Bisbe Oliba. *938 89 44 17. t.l.j. (sauf lun. d'avr. à sept.)*

Perchée sur une colline, la citadelle de Cardona domine la ville

Cardona 21

Barcelona. 6 000. Avinguda Rastrillo, 938 69 27 98. dim. Fiesta Mayor (2e dim. de sept.). www.salcardona.com

Bâti au XIIIe siècle pour les comtes de Cardona et reconstruit au XVIIIe, un château austère domine cette bourgade industrielle qui a gardé une partie de son enceinte médiévale. Il abrite aujourd'hui un luxueux parador *(p. 534)*. Incluse dans la citadelle, l'**Església de Sant Vicenç** est un beau sanctuaire de style roman primitif.

Du château se découvre un large panorama de la ville et de la Montanya de Sal (montagne de sel), insolite rareté géologique au bord du riu Cardener.

Solsona 22

Lleida. 7 000. Carrelera de Bassella 1, 973 48 23 10. mar. et ven. Carnaval (fév.), Fête-Dieu (mai-juin), Fiesta Mayor (du 8 au 11 sept.). www.elsolsones.com

À l'intérieur de remparts qui ont conservé neuf tours et trois portes, cette ville ancienne recèle une cathédrale romano-gothique qui abrite une superbe Vierge sculptée dans de la pierre noire. Le **Museu Diocesà i Comarcal** présente entre autres des fresques romanes.

Museu Diocesà i Comarcal

Plaça Palau 1. *973 48 21 01. du mar. au dim. 1er jan. et 25 déc.*

Devant d'autel du XIIe siècle, Museu Episcopal de Vic

Lleida 23

Lleida. 120 000. Avinguda de Madrid 36, 973 27 09 97. jeu. et sam. Sant Anastasi (11 mai), Sant Miquel (29 sept.). www.lleidatur.es

Capitale de l'unique province de Catalogne sans débouché sur la mer, Lleida (Lérida) s'étend au pied d'une vaste forteresse, la **Suda**, prise aux Maures en 1149. À l'intérieur de son enceinte s'élève l'ancienne cathédrale, la **Seu Vella**, fondée en 1203. Malgré sa transformation en caserne par Philippe V en 1707, elle offre un magnifique exemple du passage de l'art roman au gothique. Remarquez les fenêtres du cloître.

Un ascenseur descend de la Seu Vella jusqu'à la plaça Sant Joan, centre d'une rue commerçante animée et piétonnière que bordent la **Paeria**, hôtel de ville du

XIIIe siècle maintes fois remanié, et la nouvelle cathédrale édifiée à partir de 1761 par Pedro Martín Cermeño.

Poblet ㉔

Voir p. 212-213.

Montblanc ㉕

Tarragona. 6 000. *Antigua Iglesia de Sant Françesc, 977 86 17 33. mar. et ven. Fiesta Mayor (8-11 sept.).*

À l'intérieur de remparts considérés comme le plus bel exemple d'architecture militaire de Catalogne, Montblanc a conservé de superbes édifices médiévaux. Le **Museu Comarcal de la Conca de Barberà** présente d'intéressants exemples d'artisanat local.

Museu Comarcal de la Conca de Barberà
Carrer Josa 6. *977 86 03 49. du mar. au dim et jours fériés.*

Santes Creus ㉖

Tarragona. 150. *Plaça de Sant Bernard 1, 977 63 83 01. sam. et dim. Sta Llúcia (13 déc.).*

Fondé au milieu du XIe siècle, le **Monestir de Santes Creus** forme, avec Vallbona de les Monges et Poblet *(p. 212-213)*, le « triangle cistercien » de Catalogne.

L'abbatiale romano-gothique (1171-1221), dont une splendide rosace atténue l'austérité, renferme plusieurs tombeaux sculptés, notamment ceux de Pierre III, mort en 1285, de Jacques II (1327) et de son épouse, Blanche d'Anjou.

Édifié à partir de 1313, le cloître gothique, au lavabo roman, est particulièrement harmonieux avec ses chapiteaux aux motifs figuratifs.

Monestir de Santes Creus
977 63 83 29. du mar. au dim.

Vilafranca del Penedès ㉗

Barcelona. 30 000. *Carrer Cort 14, 938 92 03 58. sam. Fiesta Mayor (du 29 au 31 août).* www.ajvilafranca.es

Au cœur de la principale région viticole de Catalogne *(p. 192-193)*, cette ville de marché animée possède un musée du vin **(Museu del Vi)** installé dans un ancien palais des rois d'Aragon (XIIe-XIVe siècle). Des *bodegas* proposent des dégustations.

À 8 km au nord, **Sant Sadurní**, riche en édifices modernistes, est réputé pour son *cava*, mousseux de méthode champenoise.

Museu del Vi
Plaça Jaume I. *938 90 05 82. du mar. au dim et jours fériés.*

Monestir de Santes Creus dans un écrin de peupliers et de noisetiers

Anxaneta* grimpant au sommet d'une tour de *castellers

Fêtes de Catalogne

Castellers *(divers lieux et dates)*. La tradition catalane d'organiser des concours de « châteaux humains » à l'occasion des fêtes principales reste particulièrement vivante dans la province de Tarragone, notamment à Vilafranca del Penedès et Valls. Au sommet de ces tours qui peuvent atteindre sept étages grimpe un jeune garçon appelé *anxaneta*.

Danse des Morts *(jeudi saint)*, Verges (Gérone). Des hommes dansent, déguisés en squelettes.

Saint-Georges *(23 avril)*. Pour la fête du patron de la Catalogne, les amoureux échangent une rose et un livre, ce dernier en souvenir de Cervantes qui mourut ce jour-là en 1616.

La Patum *(Fête-Dieu, mai-juin)*, Berga (province de Barcelone). Géants, démons et monstres défilent dans la ville.

Veille de la Saint-Jean *(23 juin)*. Feux de joie et feux d'artifice dans toute la Catalogne à l'occasion du solstice d'été.

Monestir de Poblet ㉔

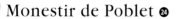

Fondée au milieu du XIIe siècle par Raymond Bérenger IV, l'abbaye Santa Maria de Poblet est le premier et le plus important des monastères formant le « triangle cistercien » *(p. 211)*. Elle aida à affermir le pouvoir chrétien sur la Catalogne reprise aux Maures et devint un panthéon des dynasties de Catalogne et d'Aragon. Pillée en 1835 pendant les soulèvements carlistes et restaurée à partir de 1930, elle abrite de nouveau depuis 1940 une communauté de moines cisterciens.

Vue d'ensemble
Dans une vallée isolée proche des sources du riu Francolí, l'abbaye a gardé son enceinte fortifiée.

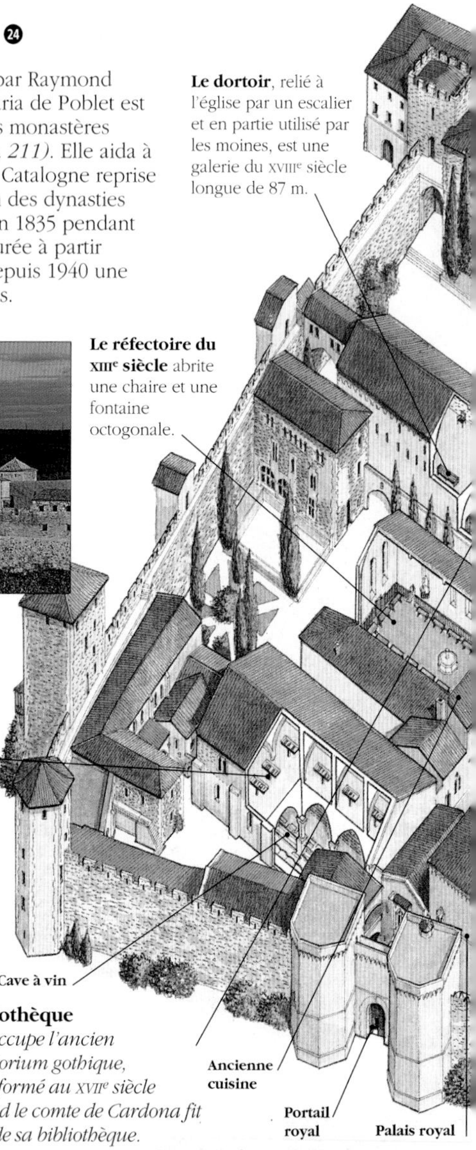
Le dortoir, relié à l'église par un escalier et en partie utilisé par les moines, est une galerie du XVIIIe siècle longue de 87 m.
Le réfectoire du XIIIe siècle abrite une chaire et une fontaine octogonale.
Musée
Cave à vin
Ancienne cuisine
Portail royal
Palais royal

Bibliothèque
Elle occupe l'ancien scriptorium gothique, transformé au XVIIe siècle quand le comte de Cardona fit don de sa bibliothèque.

Chronologie

Tombeaux royaux

- **1151** Raymond Bérenger IV fonde le monastère de Poblet
- **1157** Fondation du monastère de Vallbona de les Monges
- **1168** Fondation de Santes Creus, 3e abbaye du « triangle cistercien »
- **1196** Alphonse II est le 1er roi inhumé à Poblet
- **1336-1387** Règne de Pierre le Cérémonieux qui fait de Poblet un panthéon royal
- **XIVe siècle** Achèvement du cloître
- **1479** Enterrement de Jean II d'Aragon
- **1788-1808** Règne de Charles IV qui fait poser le retable principal
- **1812** Les Français désaffectent Poblet
- **1835** Vente des biens monastiques. Pillage de Poblet
- **1940** Retour des moines
- **1953** Restauration des tombeaux et retour des dépouilles royales

1100 · 1300 · 1500 · 1700 · 1900

Salle capitulaire
Sa voûte élégante portée par des colonnes élancées surplombe les pierres tombales de 11 abbés morts entre 1393 et 1693.

MODE D'EMPLOI

Sur la N 240, 10 km depuis Montblanc. ☎ 977 86 22 91. *L'Espluga de Francolí, puis taxi.* *de 10 h à 12 h 30, de 15 h à 17 h 30 (18 h de juin à sept.) t.l.j. jours fériés.* *8 h du lun. au sam. ; 8 h, 10 h, 13 h et 18 h dim et jours fériés.*

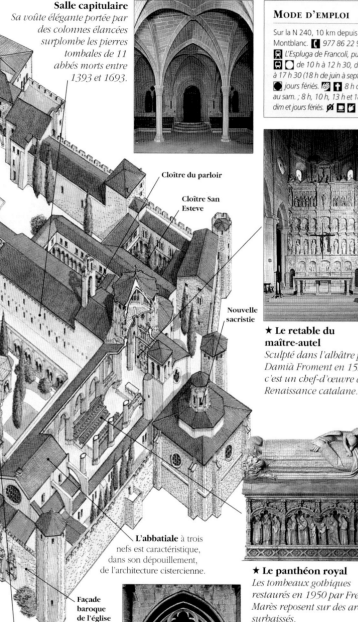

Cloître du parloir

Cloître San Esteve

Nouvelle sacristie

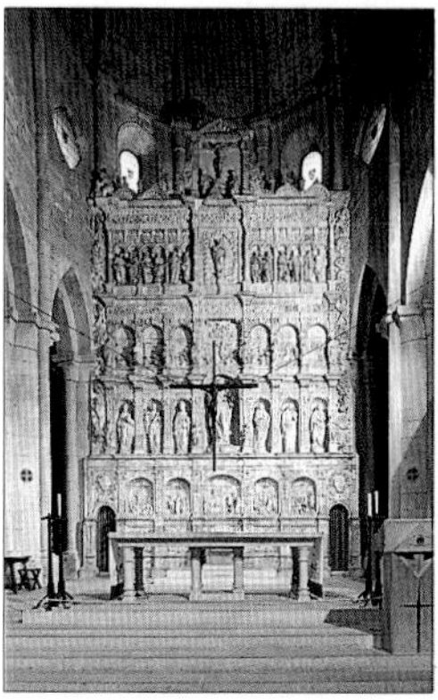

★ Le retable du maître-autel
Sculpté dans l'albâtre par Damià Froment en 1527, c'est un chef-d'œuvre de la Renaissance catalane.

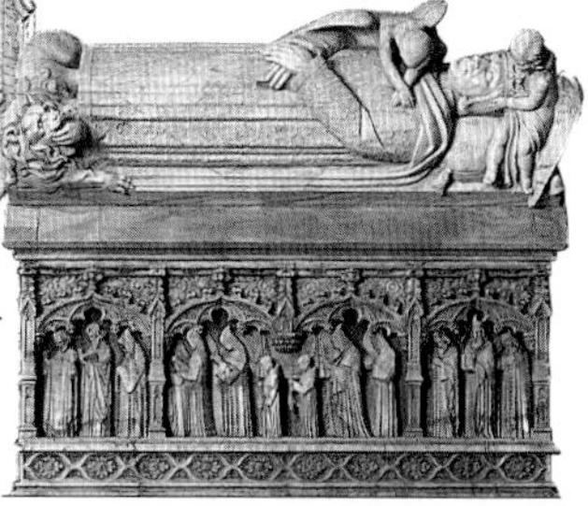

L'abbatiale à trois nefs est caractéristique, dans son dépouillement, de l'architecture cistercienne.

★ Le panthéon royal
Les tombeaux gothiques restaurés en 1950 par Frederic Marès reposent sur des arcs surbaissés.

Façade baroque de l'église

★ Le cloître
Avec leurs chapiteaux sculptés de motifs en volutes, les galeries du vaste cloître construit aux XIIe et XIIIe siècles marient élégance et simplicité.

À NE PAS MANQUER

- ★ **Le retable du maître-autel**
- ★ **Le panthéon royal**
- ★ **Le cloître**

Le front de mer planté de palmiers de Sitges

Sitges 28

Barcelona. 20 000. *Carrer Sinia Morera 1, 938 94 50 04.* *de juil. à sept. : chaque jeu. ; d'oct. à juin : un jeu. sur deux.. Fiesta Mayor (23-24 août).* www.sitges.org

Avec son front de mer bordé de cafés animés, la plus importante station balnéaire de la province de Barcelone attire aussi bien touristes étrangers que Catalans.

Le peintre Santiago Rusiñol (1861-1931) y avait une résidence. Devenue le **Museu Cau Ferrat**, elle abrite une collection de fers forgés, de céramiques et de peintures.

Museu Cau Ferrat

Carrer Fonollar. *93 894 03 64.* *du mar. au dim.* *jours fériés.*

Costa Daurada 29

Tarragona. *Calafell, San Vicente, Salou.* *Tarragona, 938 94 34 15.*

Ses longues plages de sable ont valu au littoral de la province de Tarragone son nom de Côte dorée. Quelques ports y restent actifs, notamment **Vilanova i la Geltrú**, qui propose plusieurs musées intéressants, et **El Vendrell** où la **Casa Navida de Pau Casals** est dédié au célèbre violoncelliste.

Au sud de Tarragone, **Port Aventura** est l'un des plus vastes parcs d'attractions à thèmes d'Europe. **Salou** et **Cambrils** sont les deux stations balnéaires les plus animées, les autres attirant plutôt une clientèle familiale.

Casa Nadiva de Pau Casals

Avda Palfuriana 59-61. *977 68 42 76.* *t.l.j.*

Port Aventura

Autovía Salou–Vila-seca. *977 77 90 00.* *du 16 mars au 6 jan.*

Tarragone 30

Tarragona. *101 000.* *Carrer Fortuny 4, 977 23 34 15.* *mar. et jeu.* *Santa Tecla (23 sept.).*

Devenue un grand port industriel, l'ancienne capitale de la Tarraconaise *(p. 46-47)* a conservé de nombreux vestiges de son passé romain.

Large avenue, la Rambla Nova se termine abruptement au Balcó de Europa. Depuis une falaise, il domine la mer et les ruines de l'**Anfiteatro Romano** et de l'église romane **Santa Maria del Miracle** (XIIe siècle).

Non loin se dresse le *praetorium*, tour antique transformée en palais au Moyen Âge. Parfois appelée Castell de Pilato car une légende en fait le lieu de naissance de Ponce Pilate, elle abrite le **Museu de la Romanitat** qui présente du matériel archéologique romain et médiéval et donne accès aux fouilles du cirque construit au Ier siècle. Attenant au *praetorium*, le **Museu Nacional Arqueològic** possède la plus riche collection d'objets romains de Catalogne.

Vestiges de l'amphithéâtre romain de Tarragone

Elle comprend en particulier de nombreuses sculptures, des éléments architecturaux et de superbes mosaïques, dont le *médaillon de la Méduse*.

Depuis le Portal del Roser, une promenade archéologique longe sur un kilomètre l'ancienne muraille romaine, assemblage d'énormes blocs de pierre ponctué de tours médiévales. À l'intérieur de l'enceinte fortifiée s'élève la **cathédrale** entreprise en 1171 sur un site qu'occupèrent un temple à Jupiter puis une mosquée. Sa construction se poursuivit jusqu'au XIVe siècle et elle mêle harmonieusement les styles roman et gothique. Des éléments plateresques et baroques agrémentent certaines chapelles latérales. Dans le chœur s'admire le retable sculpté dans l'albâtre au début du XVe siècle par Pere Joan. Planté d'orangers, le cloître présente derrière un splendide portail roman des voûtes datant du début du gothique.

À l'ouest de la ville a été mise au jour une vaste nécropole paléochrétienne (IIIe-VIe siècle). Un musée présente les objets découverts lors des fouilles. Le musée archéologique vous renseignera sur les heures d'ouverture.

Stèle de la nécropole paléochrétienne

Aux environs

À la sortie de la ville, près de l'autoroute A 7 (petit parking où s'arrêter), l'**Aqüeducte de les Ferreres** est un vestige long de 217 m et haut de 24 d'un aqueduc du IIe siècle. À 20 km au nord-est de Tarragone, sur la N 340, l'**Arc de Berà**, un arc de triomphe du Ier siècle, enjambait jadis la via Augusta.

Museu Nacional Arqueològic de Tarragona

Plaça del Rei 5. 977 23 62 09. *du mar. au dim. gratuit le mar.*

Museu de la Romanitat

Plaça del Rei. *977 24 19 52.* *du mar. au dim.*

Tortosa 31

Tarragona. *30 000.* *Avda Generalitat, 977 51 08 22.* *lun.* *Nuestra Señora de la Cinta (fin août et début sept.).* www.tortosa.altanet.org

Les vestiges de son enceinte fortifiée et le château de la Zuda construit au VIIIe siècle par les Maures et désormais occupé par un parador *(p. 547)* témoignent de l'importance stratégique de Tortosa, ville fondée au point de franchissement de l'Èbre le plus en aval. Malgré de très violents combats pendant la guerre civile *(p. 62-63)*, elle a conservé quelques maisons anciennes près de la cathédrale. Celle-ci remplaça une église romane entreprise en 1158, sur le site d'une mosquée bâtie en 914. La construction du sanctuaire actuel dura de 1347 à 1557, mais il présente néanmoins un style gothique homogène. À remarquer : ses deux chaires sculptées. Un retable en bois peint du XIVe siècle orne le maître-autel.

Delta de l'Èbre 32

Tarragona. *Aldea.* *Deltebre, Aldea.* *Deltebre, 977 48 96 79.* www.ebre.com/delta

Les alluvions charriées par l'Èbre depuis les montagnes de Cantabrie ont créé à son embouchure une vaste région propice à la culture du riz. Elle offre un habitat privilégié à quelque 300 espèces d'oiseaux qu'une réserve naturelle, le **Parc Natural del Delta de l'Ebre**, protège sur une superficie de 70 km². Un centre d'information se trouve à Deltebre qui propose également un **Eco-Museu** dont l'aquarium donne un aperçu de la faune aquatique du delta.

Les villes d'**Amposta** et **Sant Carles de la Ràpita** constituent toutes les deux de bonnes bases d'où découvrir le parc. C'est sa partie littorale, entre la punta del Fangar (au nord) et la punta de la Banya, qui présente le plus d'intérêt. Des promenades en bateau au départ de Riumar et de Deltebre permettent d'approcher les flamants qui se reproduisent sur l'Illa de Buda.

Eco-Museu

Carrer Martí Buera 22. 977 48 96 79. *t.l.j. sur rendez-vous* *1er et 6 janv., 25 et 26 déc.*

La sardane

Le cercle formé par les danseurs de sardane lors des fêtes catalanes ou de réunions spéciales appelées *aplecs* offre un vivant symbole de l'union d'un peuple autour de ses traditions. Rythmée par la musique de la *cobla*, orchestre de onze personnes composé d'un joueur de fifre *(flabiol)* et de tambourin *(tabal)* et de dix instruments à vent, la danse est plus compliquée qu'il n'y paraît. Tout en se déplaçant latéralement avec les autres, chaque danseur doit compter ses pas afin de se retrouver pieds joints à des moments déterminés.

Le cercle de danseurs de sardane, un symbole de l'identité catalane

ARAGON

HUESCA · TERUEL · SARAGOSSE

Le plus haut sommet des Pyrénées se trouve en Aragon, mais la région s'étend en majorité dans la vallée de l'Èbre au bord duquel s'est développée sa capitale : Saragosse. Sans débouché sur la mer, aride car les reliefs qui l'entourent arrêtent les influences océaniques et méditerranéennes, l'Aragon reste peu visité, mais recèle de superbes édifices mudéjars et de nombreux villages médiévaux préservés.

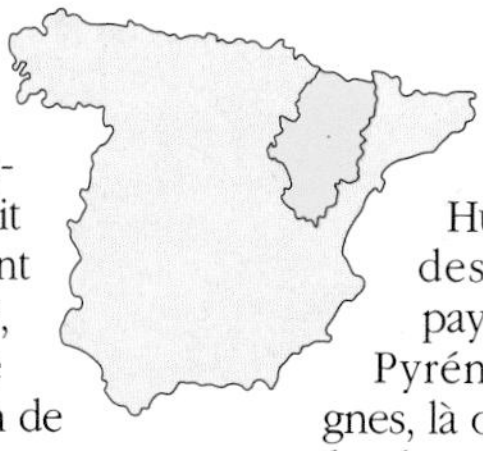

Du XIIe au XVe siècle, l'Aragon, uni à la Catalogne, fut un royaume puissant dont l'autorité s'étendit jusqu'en Sicile. En épousant Isabelle de Castille en 1469, Ferdinand le Catholique ouvrit la voie à l'unification de l'Espagne.

Après la Reconquête, et jusqu'à leur expulsion en 1609, les architectes et artisans d'origine maure continuèrent à travailler en Aragon dans le style mudéjar mariant esthétiques chrétienne et musulmane. Leur influence apparaît dans les parements de brique et les décorations en céramique d'églises de toute la région, mais c'est à Teruel et dans la capitale, Saragosse, la cinquième ville d'Espagne, que s'admirent les plus beaux des édifices qu'ils élevèrent.

Dans la province de Huesca, le parc national d'Ordesa protège certains des paysages les plus sauvages des Pyrénées. Au pied des montagnes, là où passait la route aragonaise du chemin de pèlerinage de Saint-Jacques-de-Compostelle *(p. 78-79)*, se découvrent des sites exceptionnels, tel celui où fut fondé au IXe siècle le monastère de San Juan de la Peña.

Sa situation continentale vaut à l'Aragon un climat très contrasté où des hivers glacés succèdent à des étés torrides. Les raisins mûris par la chaleur estivale donnent des vins d'un titre souvent élevé qui accompagnent une cuisine restée proche de ses racines rurales.

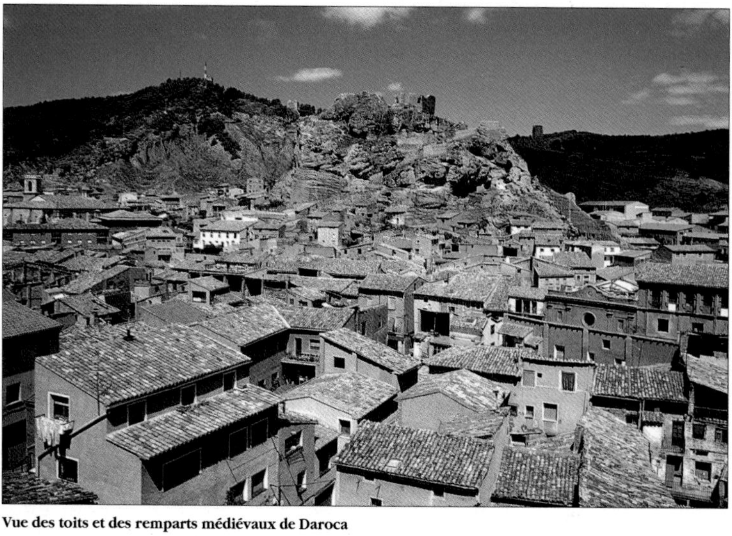

Vue des toits et des remparts médiévaux de Daroca

◁ **L'église du village de Torla près du parc national d'Ordesa**

À la découverte de l'Aragon

Sculpture de San Juan de la Peña

Des hautes Pyrénées aux collines boisées de la province de Teruel, en passant par les terres arides de la dépression de l'Èbre, l'Aragon présente des visages variés où s'inscrivent de nombreux villages au cachet préservé. Les villes de Teruel et de Saragosse renferment de remarquables édifices mudéjars. Il faut attendre la fonte des neiges pour pouvoir pleinement découvrir le parc national d'Ordesa dont la majeure partie n'est accessible qu'à pied, mais les jolies vallées d'Ansó et de Hecho, Los Valles, offrent des paysages aussi beaux quoique moins spectaculaires. Parmi les sites méritant une visite figurent également ceux où se dressent le Castillo de Loarre et le Monasterio de San Juan de la Peña, ainsi que le parc verdoyant du Monasterio de Piedra.

Le col du Somport, près de Panticosa

L'ARAGON D'UN COUP D'ŒIL

- Agüero 9
- Ainsa 6
- Albarracín 27
- Alcañiz 22
- Alquézar 12
- Benasque 5
- Calatayud 18
- Castillo de Loarre 10
- Daroca 20
- Fuendetodos 21
- Graus 14
- Huesca 11
- Jaca 7
- Monasterio de Piedra 19
- Monasterio de San Juan de la Peña 8
- Monasterio de Veruela 16
- Mora de Rubielos 25
- *Parque Nacional de Ordesa p. 222-223* 4
- Puerto de Somport 3
- Rincón de Ademuz 28
- Santuario de Torreciudad 13
- Saragosse 17
- Sierra de Gúdar 24
- Sos del Rey Católico 1
- Tarazona 15
- Teruel 26
- Valderrobres 23
- Los Valles 2

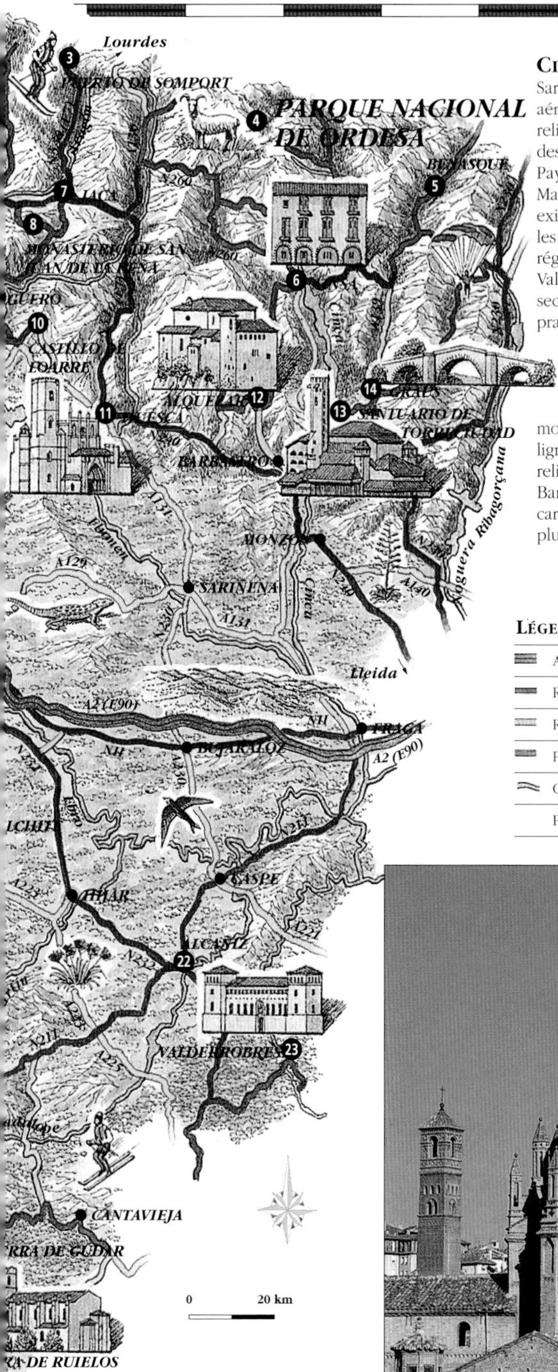

Circuler

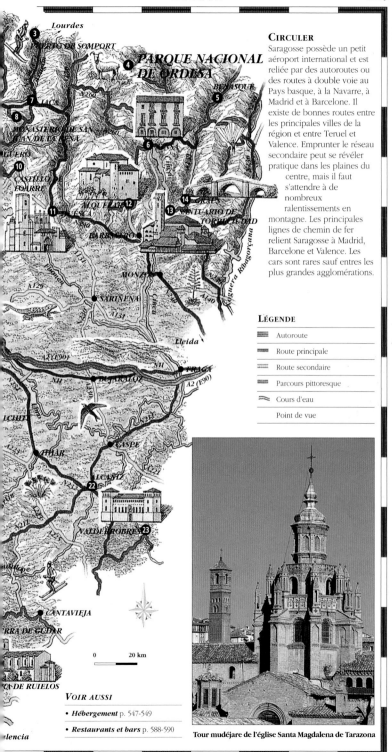

Saragosse possède un petit aéroport international et est reliée par des autoroutes ou des routes à double voie au Pays basque, à la Navarre, à Madrid et à Barcelone. Il existe de bonnes routes entre les principales villes de la région et entre Teruel et Valence. Emprunter le réseau secondaire peut se révéler pratique dans les plaines du centre, mais il faut s'attendre à de nombreux ralentissements en montagne. Les principales lignes de chemin de fer relient Saragosse à Madrid, Barcelone et Valence. Les cars sont rares sauf entres les plus grandes agglomérations.

Légende

- Autoroute
- Route principale
- Route secondaire
- Parcours pittoresque
- Cours d'eau
- Point de vue

Tour mudéjare de l'église Santa Magdalena de Tarazona

Voir aussi

- ***Hébergement*** p. 547-549
- ***Restaurants et bars*** p. 588-590

Hôtel de ville, Sos del Rey Católico

Sos del Rey Católico ❶

Zaragoza. 900. Emilio Affaro 5, 948 88 85 35 (l'été) ; Plaza de la Villa 1, 948 88 80 65 (l'hiver). ven. Fiestas mayores (3e jeu. d'août).

Cette petite ville n'a pas beaucoup changé depuis que Ferdinand le Catholique, à qui elle doit son nom, naquit en 1452 dans le **Palacio de Sada**. Ce palais à la belle cour intérieure se dresse sur une placette au cœur d'un dédale de ruelles pavées dominé par les vestiges d'un château et l'**Iglesia de San Esteban**, sanctuaire entrepris au XIe siècle qui recèle derrière un portail roman des fonts baptismaux gothiques et d'intéressants chapiteaux sculptés. Ne pas manquer, dans la crypte, les peintures murales du XIIIe siècle qui décorent deux des absides. La forteresse et l'église offrent un superbe panorama des collines alentour.

La **Lonja** (Bourse de commerce) gothique et l'**hôtel de ville** *(ayuntamiento)* Renaissance bordent la Plaza Mayor voisine.

Aux environs

Si Sos del Rey Católico est la plus séduisante des « Cinco Villas » récompensées par Philippe V de leur loyauté pendant la guerre de la Succession d'Espagne *(p. 58)*, les autres, Ejea de los Caballeros, Tauste, Sábada et **Uncastillo** méritent également une visite. À 20 km au sud-est, cette dernière, la plus proche, conserve une église romano-gothique et les ruines d'une forteresse médiévale.

Los Valles ❷

Huesca. Jaca. depuis Jaca jusqu'à Hecho. Carretera de Oza, (ayuntamiento), 974 37 50 02.

Creusées respectivement par le Veral et l'Aragón Subordán, les vallées d'Ansó et de Hecho restèrent très isolées jusqu'à une époque récente et leurs habitants ont gardé leurs coutumes et continuent de parler un dialecte appelé *cheso*. La qualité de l'artisanat, la beauté des costumes traditionnels et les possibilités offertes par une nature préservée : randonnée, pêche et ski de fond, y attirent cependant de plus en plus de touristes.

Dans la plus jolie des deux vallées, le village d'**Ansó**, aux solides maisons de pierre coiffées de toits en ardoises, possède une église gothique du XVIe siècle dont la sacristie abrite un musée d'Art sacré et des Costumes.

Hecho sert de cadre à une exposition annuelle, en plein air, de sculptures modernes. Des œuvres présentées les années précédentes ornent le village. À 2 km au nord, **Siresa** conserve du monastère de San Pedro fondé au IXe siècle une austère église romane reconstruite à partir de 1083.

Puerto de Somport ❸

Huesca. Somport, Astun or Jaca. Pl Ayuntamiento 1, Canfranc, 974 37 31 41.

Situé à la frontière française, le col du Somport eut une grande importance stratégique dès l'époque romaine. Les Maures l'utilisèrent en 732 pour envahir la France, puis il devint un des principaux points de franchissement des Pyrénées pour les pèlerins du Moyen Âge en route vers Saint-Jacques-de-Compostelle *(p. 78-79)*. Ce sont aujourd'hui les skieurs qu'attirent les sites majestueux de cette zone de montagnes. Ils viennent profiter des équipements modernes de stations comme **Astún** et **El Formigal**, sur la route du col du Portalet. **Sallent de Gállego** est apprécié des pêcheurs et des alpinistes.

Toits et cheminée typiques à Hecho

Paysage près de Benasque

Parque Nacional de Ordesa ❹

Voir p. 222-223.

Benasque ❺

Huesca. 1 250. Calle de San Sebastián, 974 55 12 89. mar. San Pedro (29 juin).

Au nord-est de l'Aragon, près des frontières avec la France et la Catalogne, Benasque donne accès dans la haute vallée de l'Esera à une superbe partie des Pyrénées. Le village s'est considérablement développé pour répondre à la demande des amateurs de sports d'hiver, mais ses édifices modernes construits en pierre et en bois restent en harmonie avec ceux du centre ancien où se découvrent de belles demeures seigneuriales, l'**Iglesia de Santa María Mayor** (XIIIe siècle) et le **Palacio de los Condes de Ribagorza** à la façade Renaissance.

Le massif de la Maladeta domine la station. Ses pistes de ski et ses sentiers de randonnée ménagent des vues magnifiques sur une région où plusieurs cimes, notamment les pics de **Posets** et d'**Aneto**, dépassent 3 000 m.

Aux environs

Dans une région offrant de vastes possibilités aux randonneurs, skieurs et alpinistes de tout niveau, **Cerler** est un village de montagne transformé avec goût en une agréable station de sports d'hiver. À Castejón de Sos, à 15 km au sud de Benasque, la route emprunte les gorges pittoresques du **Congosto de Ventamillo**.

Ainsa ❻

Huesca. 1 600. Cruce de Carreteras, Avda Pirinaica 1, 974 50 07 67. mar. San Sebastián (20 jan.).

L'ancienne capitale du royaume médiéval de Sobrarbe a conservé beaucoup de cachet. Sur la Plaza Mayor, large place pavée entourée d'arcades en pierre brune, se dressent les vestiges d'un palais et l'élégant clocher de l'**Iglesia de Santa María**, consacrée en 1181. Derrière, les ruelles de la ville haute conduisent au château restauré.

Jaca ❼

Huesca. 12 000. Avda Regimento de Galicia 2, 974 36 00 98. ven. La Victoria (1er ven. de mai), Santa Orosia (fin juin).

www.aytojaca.es

Ancienne cité romaine, comme en témoignent des vestiges de remparts, Jaca repoussa au milieu du VIIIe siècle une attaque maure, événement que commémore la fiesta de la Victoria, puis devint en 1035 la première capitale du royaume d'Aragon. Elle offre aujourd'hui une base agréable d'où découvrir les Pyrénées aragonaises.

Sculpture de la cathédrale de Jaca

Au cœur d'un quartier pittoresque, sa **cathédrale**, l'une des plus vieilles d'Espagne, fut entreprise en 1040, mais connut d'importants remaniements au XVIe siècle. Elle conserve de beaux chapiteaux romans au portail et au portique sud. Certaines de ses chapelles latérales présentent un décor plateresque. Dans le cloître s'ouvre le musée diocésain où s'admirent notamment des fresques et des sculptures provenant d'églises de la région.

Construite au XVIe siècle, la **citadelle** renferme un sanctuaire baroque.

La grand-place d'Ainsa et la tour de l'Iglesia de Santa María

Parque Nacional de Ordesa ❹

Panneau dans le parc national d'Ordesa

Bordé, du côté français, par le parc national des Pyrénées, le Parque Nacional de Ordesa y Monte Perdido s'étend sur plus de 15 000 hectares dans une partie parmi les plus spectaculaires des Pyrénées espagnoles. Dans de hauts massifs calcaires, les glaciers ont creusé les quatre vallées d'Ordesa, d'Añisclo, de Pineta et d'Escuain ponctuées de cascades et d'impressionnantes falaises. La majorité du parc n'est accessible qu'à pied, et quand l'absence de neige le permet, mais la beauté de ses sites préservés attire chaque été sur ses sentiers de très nombreux randonneurs et amoureux de la nature.

Valle de Ordesa
Le río Arazas court dans cette vallée boisée, lieu de promenade très apprécié.

Torla
Dominé par les falaises imposantes du Mondarruego, ce village de montage a gardé beaucoup de cachet avec ses ruelles pavées et ses maisons anciennes qui se serrent autour de l'église.

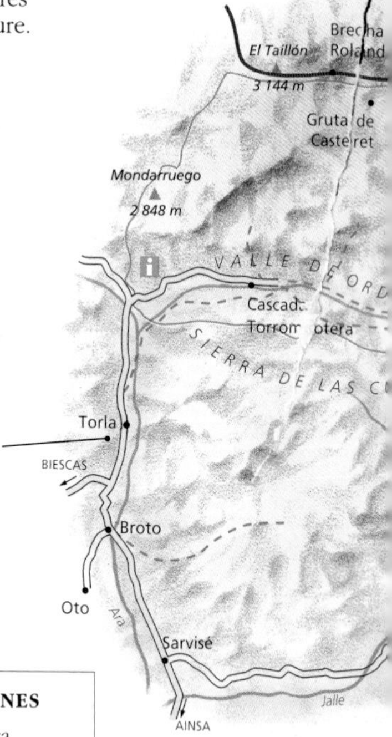

0 2 km

Légende

- Route principale
- Route secondaire
- Sentier pédestre
- Frontière franco-espagnole
- Limite du parc
- Information touristique
- Point de vue

Faune et flore pyrénéennes

Bouquetin

La réserve naturelle du parc d'Ordesa protège de nombreuses espèces végétales et animales, dont certaines particulières à la région. Loutres, marmottes et coqs de bruyère peuplent les plateaux et les forêts. Près des sommets, le bouquetin d'Ordesa est devenu rare, mais le chamois des Pyrénées reste relativement commun. De nombreux oiseaux de proie nichent sur les parois les plus inaccessibles. Sur les pentes des cirques et des vallées, la floraison des plantes alpines commence avant même la fonte des neiges. Les gentianes et les orchidées s'abritent dans les crevasses, tandis que l'edelweiss survit aux conditions les plus dures.

Gentiane printanière *(Gentiana verna)*

Vue depuis le parador de Bielsa
Un parador moderne (p. 548) *a été construit au pied du Monte Perdido dans la valle de Pineta.*

MODE D'EMPLOI

Bureau d'information, 9 km au nord de Torla sur la route de la Valle de Ordesa, 974 24 33 61. Changer à Sabiñánigo pour Torla. Sabiñánigo.

Cola de Caballo
Haute de 70 m, la cascade de la « Queue de cheval » offre, près de la fin du sentier faisant le tour du circo Soaso, un bon exemple de la beauté des paysages du parc.

Randonneurs dans le parc d'Ordesa

CONSEILS AUX MARCHEURS

Dans les vallées, plusieurs sentiers bien fléchés offrent des itinéraires de randonnée accessibles à toute personne en bonne santé et équipée de chaussures de marche. En montagne, certains parcours exigent du matériel d'escalade ; mieux vaut se renseigner au bureau d'information. Le temps peut changer très vite à cette altitude, mais plusieurs *refugios* fourniront en cas de besoin un abri pour la nuit.

Cañon ou Garganta de Añiscló
Une large piste suit le cours turbulent du río Vellos dans cette profonde et superbe vallée taillée dans le calcaire.

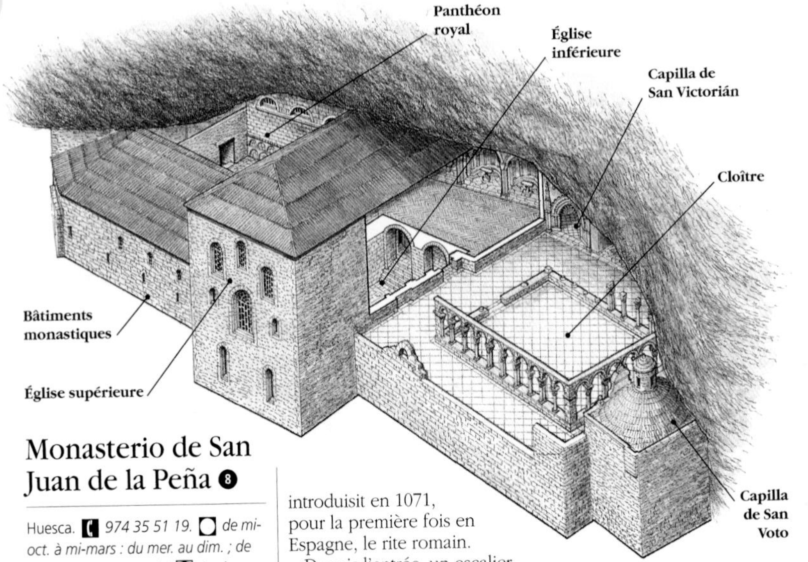

Monasterio de San Juan de la Peña ❽

Huesca. 974 35 51 19. de mi-oct. à mi-mars : du mer. au dim. ; de mi-mars à mi-oct. : t.l.j. 1er janv., 25 déc. www.monasteriosanjuan.com

Fondé au IXe siècle sous un surplomb rocheux, ce monastère conserva jusqu'au XVe siècle le calice, aujourd'hui à Valence *(p. 240)*, dont une légende fait le Saint-Graal. Le légat du pape Alexandre II y introduisit en 1071, pour la première fois en Espagne, le rite romain.

Depuis l'entrée, un escalier descend à l'étage inférieur qui date du début du Xe siècle. Taillée dans le rocher, l'église primitive mozarabe est devenue la crypte du sanctuaire dépouillé de l'étage supérieur, édifié au XIe siècle. L'ancienne sacristie abrite le panthéon, réaménagé en 1770, des premiers rois d'Aragon. De superbes chapiteaux sculptés de scènes bibliques ornent les colonnes du cloître roman.

Un incendie au XVIIe siècle entraîna l'abandon du monastère pour un plus récent bâti plus haut sur la montagne. Malgré sa destruction par les troupes de Napoléon, il a gardé sa façade baroque.

Agüero ❾

Huesca. 181. San Jaime 1, 974 38 04 89. San Roque (du 15 au 19 août). www.agueroturincom.com

Le spectacle offert par ce joli village niché au pied d'une falaise en poudingue sculptée par l'érosion justifie un bref détour de la route principale. L'**Iglesia de Santiago** constitue cependant la principale raison de visiter Agüero.

Un kilomètre avant l'entrée du village, un long sentier grimpe jusqu'à cette église romane du XIIe siècle. Le maître qui exécuta les sculptures du monastère de San Juan de la Peña aurait travaillé aux reliefs qui ornent le portail. Des personnages pleins de vie illustrent, entre autres, la danse de Salomé (à gauche) et des scènes de l'Épiphanie (au tympan). Le sanctuaire possède un plan inhabituel avec ses trois nefs. D'autres sculptures intéressantes décorent les chapiteaux : animaux fantastiques et épisodes des vies de Jésus et de la Vierge notamment.

Des *mallos*, masses de poudingue, dominent le village d'Agüero

Castillo de Loarre ❿

Loarre (Huesca). 974 38 27 22. Ayerbe. depuis Huesca. de mi-mars à juin et de sept à mi-oct. : de mar. au dim. ; de juin à août : t.l.j. ;de mi-oct. à mi-mars : du mer. au dim.

Les remparts de la plus importante forteresse romane d'Espagne dominent majestueusement la route arrivant d'Ayerbe. Ils se mêlent si intimement au rocher qui les porte qu'on pourrait les prendre dans la pénombre pour une formation géologique naturelle. Par temps clair, le site offre un magnifique panorama des vergers qui l'entourent et des lacs artificiels de la plaine de l'Èbre.

Fondé à l'emplacement d'un *castrum* romain par le roi d'Aragon Sanche Ier Ramírez (1043-1094), le château abrita une communauté religieuse placée sous l'autorité de l'ordre des augustins. Du monastère subsiste à l'intérieur des murs une église romane de la fin du XIe siècle ornée de fenêtres en albâtre, d'une frise en damier et d'intéressants chapiteaux sculptés. Sa crypte abrite les reliques de saint Démétrius.

Le Castillo de Loarre, imposante forteresse romane

Mieux vaut se montrer prudent en empruntant les sentiers, échelles et escaliers qui courent autour des tours et du donjon.

Huesca ⓫

Huesca. 48 000. Plaza de la Cathedral 1, 974 29 21 70. lun., mar. et jeu. San Vicente (22 jan.), San Lorenzo (du 9 au 15 août).

Retable par Damià Forment de la cathédrale de Huesca

Fondée par les Ibères, la cité d'Osca devint au Ier siècle av. J.-C. la capitale de l'éphémère État indépendant que s'était taillé un général romain. Conquise par les Maures en 789, elle fut reprise par Pierre Ier d'Aragon en 1096. Il y installa la capitale de son royaume jusqu'à son transfert en 1118 à Saragosse.

Au cœur de la vieille ville se dresse la **cathédrale** gothique. Elle présente à l'ouest un beau portail du début du XIVe siècle surmonté d'une inhabituelle galerie mudéjare. Les trois nefs possèdent d'élégantes voûtes en étoile. Au maître-autel, retable en albâtre (1520-1533) sculpté par Damià Forment.

En face du sanctuaire, dans l'**hôtel de ville** Renaissance, un tableau macabre du XIXe siècle, *La Campana de Huesca*, évoque l'épisode le plus marquant de l'histoire de la cité : la décapitation de 16 seigneurs révoltés par le roi Ramire II en 1136. Ce massacre eut lieu dans la Sala de la Campana, salle voûtée du XIIe siècle qui s'étend sous l'ancienne université reconstruite en 1690 et désormais occupée par le **Museo Arqueológico Provincial**. Outre des pièces archéologiques, il présente une collection de peintures comprenant des fresques gothiques et de belles œuvres des XVe et XVIe siècles.

Museo Arqueológico Provincial

Plaza de la Universidad 1.
974 22 05 86. de 10 h à 14 h et de 15 h à 20 h du mar. au sam., de 10 h à 14 h le dim. et les jours fériés. 1er et 6 janv., 24, 25 et 31 déc.

Alquézar ⓬

Huesca. 310. Calle Arrabal, 974 31 89 40. San Sebastián (20 jan.) ; San Ipolito (12 août).

Occupant un site spectaculaire à l'entrée des gorges du río Vero, ce village d'aspect mauresque doit son nom à l'ancien *alcázar* (forteresse) du XIe siècle dont les ruines se dressent près de l'**église collégiale** bâtie entre 1525 et 1532. Elle abrite des œuvres d'art, dont un crucifix en bois du XIVe siècle. Le cloître roman possède des chapiteaux sculptés de scènes bibliques. La chapelle voisine fut élevée après la reconquête de la ville par Sanche Ier.

Santuario de Torreciudad ⓭

Huesca. 974 30 40 25. jusqu'à El Grado depuis Barbastro. t.l.j.

Construit en l'honneur du fondateur de l'ordre catholique de l'Opus Dei, José María Escrivá de Belaguer, mort en 1975, ce sanctuaire en brique aux lignes austères couronne un promontoire offrant une belle vue sur les eaux turquoise de l'**Embalse de El Grado**. Il renferme un retable moderne en marbre blanc élaboré autour d'une Vierge romane chatoyante.

Aux environs

À 20 km au sud, la petite ville vinicole de **Barbastro** possède une Plaza Mayor entourée d'arcades et une cathédrale du début du XVIe siècle qui abrite de belles stalles et des retables par Damià Forment et ses élèves.

Alquézar, au pied de sa collégiale et de sa forteresse

Façades peintes sur la plaza de España de Graus

Graus ⓮

Huesca. 3 300. Calle Firmin Muri 25, 974 54 61 63. lun. Santo Cristo et San Vicente Ferrer (12-15 sept.).

Ce bourg renferme un quartier ancien que ses rues étroites rendent plus agréable à découvrir à pied. Au centre s'ouvre la pittoresque **plaza de España** entourée d'arcades en briques et de maisons à colombage ornées de fresques. Dans l'une d'elles vécut le fanatique Tomás de Torquemada, premier inquisiteur général d'Espagne *(p. 52)*. Les *fiestas* de Graus offrent l'occasion d'assister à des danses aragonaises typiques.

Aux environs
À une vingtaine de kilomètres au nord-est, le village perché de **Roda de Isábena** possède la plus petite cathédrale d'Espagne, superbe église romane construite en 1067. Au nord s'étend la pittoresque vallée de l'Isábena.

Tarazona ⓯

Zaragoza. 11 000. Plaza San Franscico 1, 976 64 00 74. un jeudi sur deux. San Atilano (27 août-1er sept.). www.tarazona.org

De hautes tours mudéjares dominent cet ancien évêché. La **cathédrale** (XIIe-XVIe siècle), sanctuaire riche en œuvres d'art et doté d'un cloître où se marient architectures gothique et mudéjare, en possède deux : son clocher et la lanterne.

D'autres églises mudéjares se découvrent dans le dédale de ruelles pentues de la ville haute, sur la rive opposée de la rivière. À remarquer également : le splendide **hôtel de ville** *(ayuntamiento)* Renaissance à la façade ornée d'une frise représentant l'hommage de Charles V à Tarazona *(p. 52-53)* et l'ancienne Plaza de Toros dont l'arène est devenue une place fermée entourée de maisons.

Monasterio de Veruela ⓰

Vera de Moncayo (Zaragoza). 976 64 90 25. Vera de Moncayo. du mar. au dim.

Retraite isolée dans la verte vallée de la Huecha, près de la sierra de Moncayo, ce monastère fondé au XIIe siècle par des cisterciens est l'un des plus importants d'Aragon. Édifiée dans un style de transition entre le roman et le gothique, l'église a conservé sous les voûtes gracieuses de ses trois nefs des dalles vertes et bleues aragonaises. La chapelle plateresque du transept date du XVIe siècle. Des motifs animaux et végétaux, ainsi que des têtes humaines, ornent le cloître. Des dépendances accueillent en été des expositions temporaires.

Aux environs
Dans les collines à l'ouest du monastère, le petit **Parque Natural de Moncayo**, aux bois parcourus de ruisseaux et emplis d'oiseaux, culmine à 2 315 m. Une route sinueuse conduit jusqu'à une chapelle proche du sommet.

Entrée et tour du Monasterio de Veruela

Saragosse ⓱

Zaragoza. 600 000. Plaza del Pilar, 976 20 12 00. mer., dim. San Valero (29 jan.), Cincomarzada (5 mars), San Jorge (23 avril), Virgen del Pilar (12 oct.). www.turismozaragoza.com

Cinquième ville d'Espagne et capitale de l'Aragon, Saragosse (Zaragoza) occupe au centre du bassin de l'Èbre l'emplacement de la prospère cité romaine de Caesaraugusta. Malgré les dégâts subis lors de la prise de la ville par les troupes françaises en 1808, le centre ancien garde d'intéressants édifices, regroupés pour la plupart autour de la vaste plaza del Pilar.

La **Basílica de Nuestra Señora del Pilar** est le plus impressionnant avec ses onze coupoles ornées à l'intérieur de fresques dont certaines peintes par Goya. Dans la

Santa Capilla dessinée par Ventura Rodríguez, une cape changée tous les jours drape une petite statue de la Vierge. La mère du Christ serait apparue à saint Jacques en l'an 40 sur le pilier *(pilar)* qui la porte et que les pèlerins peuvent embrasser dans le passage entre la chapelle et le maître-autel.

Près de la basilique se dressent l'**hôtel de ville** *(ayuntamiento)*, la **Lonja**, ancienne Bourse où se marient styles plateresque et gothique, et le **Palacio Episcopal**.

La Seo, la cathédrale, ferme la place à l'est. Entreprise en 1119, mais dotée d'une façade baroque, elle mêle de nombreux styles architecturaux. À l'angle nord-est s'admire une élégante décoration extérieure mudéjare de briques et d'*azulejos*. Un beau retable gothique orne le maître-autel. La Seo abrite un remarquable musée de la tapisserie.

Non loin se trouvent l'**Iglesia de la Magdalena**, au clocher mudéjar, et des vestiges du forum romain. Des fragments de **remparts romains** subsistent à l'ouest de la plaza del Pilar, près du **Mercado de Lanuza**, marché couvert du début du siècle.

Coupoles de la Basilica de Nuestra Señora del Pilar

Dans un palais du XVIe siècle, le **Museo Camón Aznar** expose une riche collection réunie par un historien d'art admirateur de Goya. Consacré au sculpteur (1181-1934) dont il porte le nom, le **Museo Pablo Gargallo** occupe le Palacio de los Condes de Argillo (XVIIe siècle).

Au sud de la ville, le **Museo de Zaragoza** possède un bel ensemble de peintures de primitifs espagnols et des sculptures Renaissance. Il comprend également une section islamique dont de nombreuses pièces proviennent de la **Aljafería**. Ce vaste palais construit par les Maures au XIe siècle et réaménagé par les Rois Catholiques est situé sur la route de Bilbao.

Museo Camón Aznar
Calle Espoz y Mina 23. ☎ *976 39 73 28.* ○ *du mar. au dim.*

Museo de Zaragoza
Plaza de los Sitios 5. ☎ *976 22 21 81.* ○ *du mar. au dim.*

Museo Pablo Gargallo
Plaza de San Felipe 3. ☎ *976 39 20 58.* ○ *du mar. au dim.*

SARAGOSSE : LE CENTRE-VILLE

Basílica de Nuestra Señora del Pilar ④
La Seo (cathédrale) ⑦
Lonja ⑥
Mercado de Lanuza ②
Museo Camón Aznar ⑤
Museo Pablo Gargallo ③
Palacio Episcopal ⑧
Remparts romains ①

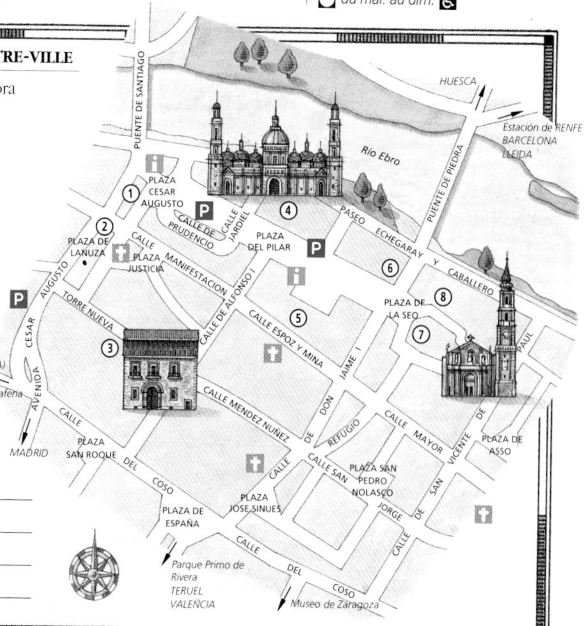

LÉGENDE

- P Parc de stationnement
- i Information touristique
- Église

Porte fortifiée des remparts de Daroca

Calatayud 18

Zaragoza. 20 000. Plaza el Fuerte, 976 88 63 22. mar. San Roque (du 14 au 17 août).

Dans une plaine ponctuée de collines argileuses, ses clochers mudéjars et les ruines de sa forteresse maure donnent une silhouette caractéristique à Calatayud. La ville, dont le nom dérive de Qalaat Ayoub (le château d'Ayoub), possède comme monument principal l'église **Santa María la Mayor** dotée d'une tour octogonale et d'un portail plateresque.

Les vestiges de la colonie romaine de Bilbilis où naquit le poète Martial se trouvent à l'est, près de Huérmeda.

Monasterio de Piedra 19

3 km au sud de Nuévalos. 976 84 90 11. Calatayud. depuis Zaragoza. t.l.j.

Fondé par des cisterciens en 1195 pendant le règne d'Alphonse II d'Aragon, ce monastère subit d'importants dommages au XIXe siècle. Restauré, il abrite désormais un hôtel *(p. 549)*.

Parmi les édifices d'origine à avoir subsisté figurent le cloître gothique, la salle capitulaire, le réfectoire et l'hôtellerie qui datent du XIIIe siècle. La cuisine serait le premier endroit d'Europe où fut préparée une décoction de cacao à partir de grains importés du Mexique *(p. 55)*.

Dans une vallée à la végétation particulièrement luxuriante pour la région, le parc, agrémenté de cascades et de grottes naturelles, constitue un des grands attraits de la visite.

Daroca 20

Zaragoza. 2 900. Plaza de España 4, 976 80 01 29. jeu. Santo Tomás (7 mars).

Des remparts médiévaux longs d'environ 4 km forment une enceinte imposante autour de cette ancienne forteresse musulmane. Bien qu'en partie effondrés, ils restent ponctués de 114 tours et de portes fortifiées.

Fondée au XIIIe siècle, la **Colegial de Santa María** borde la place centrale du bourg. Malgré plusieurs remaniements, elle a conservé une abside romane et, près de son clocher mudéjar, un portail gothique au tympan sculpté. Elle renferme les linges d'autel qui, cachés avec l'hostie qu'ils enveloppaient lors d'une attaque des Maures en 1239, auraient été retrouvés tachés de sang.

Aux environs

À 42 km au sud de Daroca, la ville agricole de **Monreal del Campo** possède un musée du safran qui fut une ressource importante de la région. Travail éreintant, la récolte des crocus dont il est tiré a perdu sa rentabilité.

Fuendetodos 21

Zaragoza. 180. Calle Zuloaga 24, 976 14 38 01. San Roque (der. sam. de mai), San Bartolomé (24 août).

Dans ce petit village au sud de Saragosse, le 30 mars 1746, le peintre Francisco Goya naquit dans une maison en

Dans la maison natale de Goya à Fuendetodos

Le château dominant Alcañiz abrite un parador

pierre appartenant à la famille de sa mère, Gracia Lucientes. Restaurée et décorée de mobilier d'époque, la **Casa-Museo de Goya** présente quelques objets personnels de l'artiste et des gravures.

Aux environs

À 20 km à l'est de Fuendetodos, les ruines de **Belchite**, laissées en l'état (la ville moderne s'est construite à côté), témoignent de la violence d'une des plus terribles batailles de la guerre civile espagnole *(p. 62-63)* pour le contrôle de la vallée de l'Èbre.

Les *bodegas* de **Cariñena**, à 25 km à l'ouest de Fuendetodos, offrent l'occasion de goûter les puissants vins rouges qui ont établi la réputation méritée de la région *(p. 192-193)*.

Casa-Museo de Goya

Calle Zuluaga 3. *976 14 38 30. de 11 h à 14 h et de 16 h à 19 h du mar. au dim.*

Alcañiz 22

Teruel. 14 000. Calle Mayor 1, 978 83 12 13. mar. Fiestas Patronales (du 8 au 13 sept.).

Cette ville agréable arrosée par le río Guadalope s'étend au pied de son **château** dont le corps principal, bâti en 1738, abrite aujourd'hui un parador *(p. 548)*. De la forteresse originale, siège au XIIe siècle de l'ordre de Calatrava, subsiste la Torre del Homenaje, donjon gothique orné de peintures murales représentant notamment la prise de Valence par Jacques Ier.

La **Colegiata de Santa María** dresse sur la plaza de España un grandiose portail baroque, mais conserve une tour du XIVe siècle. Les arcades gothiques de la **Lonja** et l'**Ayuntamiento**, qui possède une façade Renaissance et une autre mudéjare, bordent également la place.

Francisco de Goya

Autoportrait par Goya

Né en 1746 à Fuendetodos, Francisco de Goya commence sa carrière par des peintures religieuses, telles les fresques de la Basilica del Pilar de Saragosse, et des cartons de tapisseries *(p. 296)*. Il devient en 1786 le peintre du roi Charles III, mais, après une maladie qui le rend sourd en 1792, il se met à produire des œuvres torturées où s'expriment ses angoisses. Son regard sur ses modèles devient plus cynique comme en témoigne le portrait de *La Famille de Charles IV* *(p. 29)*. L'invasion de l'Espagne en 1808 *(p. 58-59)* accentue encore son sens du tragique. Il meurt à Bordeaux en 1828.

Fêtes d'Aragon

Las Tamboradas *(jeudi et vendredi saints)*, province de Teruel. Pendant la semaine de Pâques, rythmée par des processions, les membres des confréries, vêtus de longues robes sombres, battent le tambour pour pleurer le Christ. Las Tamboradas commence le jeudi à minuit à Híjar. Elle reprend le lendemain à midi à Calanda. Les instruments résonnent pendant des heures, une épreuve pour les joueurs qui témoignent par leurs souffrances de leur dévotion.

Jeune tambour de Las Tamboradas à Alcorija

Carnaval *(fév.-mars)*, Bielsa (Huesca). Réminiscence d'un culte de la fertilité, les *trangas*, personnages aux visages noircis et aux dents en pomme de terre, portent des cornes de bélier.

Romería de Santa Orosia *(25 juin)*, Yebra de Basa (Huesca). Des pèlerins en costumes portent le crâne de la sainte à son sanctuaire.

Día del Pilar *(12 oct.)*, Saragosse. Pendant les festivités en l'honneur de la protectrice de la ville, la Virgen del Pilar *(p. 227)*, la *jota*, typique de l'Aragon, est dansée partout dans la cité. Le Día del Pilar est marqué par une procession de géants en carton suivie d'une spectaculaire exposition de fleurs.

Alcalá de la Selva et son château

Valderrobres 23

Teruel. 2 000. Avda Cortes de Aragón 25, 978 85 06 44. sam. San Roque (mi-août).

À quelques kilomètres de la frontière avec la Catalogne, ce charmant village domine le poissonneux río Matarrana au pied de son **château**, restauré, un ancien palais du royaume d'Aragon. En contrebas, l'**Iglesia de Santa María la Mayor** présente au-dessus du portail une magnifique rosace de style gothique catalan. Sur la grand-place entourée d'arcades, l'hôtel de ville *(ayuntamiento)* Renaissance date du XVIe siècle.

Aux environs
Au sud, **Mirambel** est un petit village médiéval restauré et ceint de remparts.

Castillo de Valderrobres
de juil. à sept. : du mar. au dim., d'oct. à juin : sam., dim. et jours fériés.

Sierra de Gúdar 24

Teruel. Mora de Rubielos. Alcalá de la Selva. Plaza de la Iglesia 4, Alcalá 978 80 10 00.

Au nord-est de Teruel, pinèdes et maquis d'où jaillissent des rochers déchiquetés couvrent les pentes de ce massif montagneux qui culmine à la **Peñarroya** (2 024 m), près de la station de sports d'hiver de Valdelinares. Les routes qui le traversent offrent des vues panoramiques des collines. Elles sont particulièrement belles depuis les villes de **Linares de Mora** et **Alcalá de la Selva** où subsistent les ruines de châteaux. À Alcalá de la Selva, une église baroque ornée de colonnes torses abrite le sanctuaire de la Virgen de la Vega.

Mora de Rubielos 25

Teruel. 1 400. Diputación 1, 978 80 61 32 (en été) 978 80 00 00 (en hiver). du lun. et ven. San Miguel (du 28 sept. au 1er oct.).

L'un des châteaux les mieux préservés d'Aragon domine ce village fortifié aux belles maisons seigneuriales. Sa **collégiale** gothique (XVe siècle) renferme plusieurs chapelles décorées d'*azulejos* provenant de Manises, près de Valence. Non loin, des dauphins parent une élégante fontaine en pierre noire.

Aux environs
À 10 km au sud-est, **Rubielos de Mora** mérite une visite pour ses demeures blasonnées, le retable gothique de son église Renaissance et le couvent des augustines au portail du XIVe siècle.

Teruel 26

Teruel. 31 000. Calle Tomás Nougués 1, 978 60 22 79. jeu. Día del Sermón de las Tortillas (mar. de la semaine de Pâques), La Vaquilla del Ángel (mi-juil.), Feria del Jamón (mi-sept.). www.teruel.org

De nombreux musulmans continuèrent à vivre à Teruel après sa conquête par Alphonse II d'Aragon en 1171 et ils ont donné à la ville ses splendides tours mudéjares. La dernière mosquée ne ferma qu'en 1502, 22 ans après l'instauration en Espagne de l'Inquisition *(p. 264)*. Pendant l'hiver 1937, une terrible bataille de la guerre civile *(p. 62-63)* fit à Teruel des dizaines de milliers de morts.

Dans le quartier ancien, un petit taureau, emblème de la cité, orne la plaza del Torico en forme de coin. Les cinq tours mudéjares toujours debout se trouvent à une courte distance à pied. Les deux plus intéressantes, celle de **San Salvador** et celle de **San Martín**, au superbe décor de briques et de céramiques

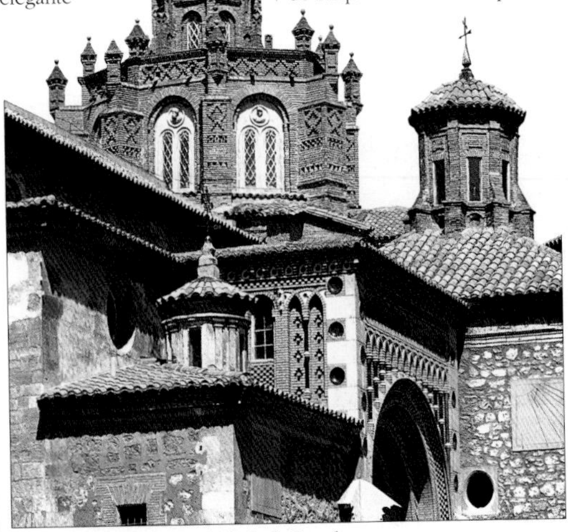

Tours et tourelles de la cathédrale de Teruel

Café sur la grand-place d'Albarracín

bleues et vertes, datent du XIIIe siècle. Une troisième domine l'**Iglesia de San Pedro** qui abrite un retable Renaissance du sculpteur Gabriel Joly. Les célèbres amants de Teruel reposent dans une chapelle adjacente à l'église. La **cathédrale** possède également un clocher mudéjar ainsi qu'une gracieuse lanterne au-dessus de la croisée du transept. Elle renferme le retable de l'Assomption par Gabriel Joly et un superbe plafond à caissons peint de scènes de la vie quotidienne au Moyen Âge.

Le **Museo Provincial**, l'un des plus intéressants musées d'Aragon, occupe un élégant palais ancien. Il présente une riche collection de céramique, artisanat par lequel Teruel est réputée depuis le XIIe siècle. Au nord du centre, les huit arches de l'**Acueducto de los Arcos** (1537) enjambent un ravin.

Museo Provincial
Pl Fray Anselmo Polanco 3. *978 60 01 50.* *du mar. au dim.*

Albarracín 27

Teruel. *1 200.* *Calle Diputación 4, 978 71 02 51.* *mer.* *Los Mayos (du 30 avril au 1er mai), Fiestas Patronales (du 13 au 17 sept.).* www.albarracin.org

Ce village pittoresque avec ses maisons au crépi rosé occupe un site exceptionnel sur une falaise dominant le río Guadalaviar. Des tours jalonnent toujours ses remparts qui remontent, comme le plan des ruelles du centre, à l'époque de l'occupation musulmane.

Une belle vue d'Albarracín s'offre du bas du **Palacio Episcopal**. À côté du palais se dresse la **cathédrale**, reconstruite vers 1530. Elle abrite un retable Renaissance en bois sculpté illustrant des épisodes de la vie de saint Pierre. Installé dans la sacristie et la salle capitulaire, son musée présente des tapisseries tissées à Bruxelles au XVIe siècle et des calices émaillés.

Certaines des maisons d'Albarracín, souvent restaurées avec soin, obéissent à une structure inhabituelle : un rez-de-chaussée en pierre de taille soutenant un étage en encorbellement couvert d'un enduit couleur corail. À environ 5 km au sud-est, les abris sous roche de Navazo et de Callejón montrent des peintures rupestres dont le Museo Provincial de Teruel propose des reproductions.

Aux environs
Le Tage prend sa source dans les **Montes Universales** qui entourent Albarracín. Dans ces collines culminant à 1 170 m, peupliers, genévriers, forêts de pins et rochers dénudés composent des paysages variés, fleuris au printemps de pavots. **Cella** recèle de belles demeures et un intéressant puits artésien.

Rincón de Ademuz 28

Valencia. *1 200.* *Ademuz.* *Plaza del Ayuntamiento 1, 978 78 20 00.* *mer.* *Fiestas de la Virgen del Rosario (début oct.)*

Ce petit territoire traversé par le río Turia au sud de Teruel forme une enclave entre l'Aragon et la Castille-La Manche, mais fait officiellement partie de la Communauté valencienne *(p. 233)*. Son isolement n'a pas contribué à sa prospérité et de nombreuses maisons y sont à l'abandon, mais ses paysages ruraux parsemés de rochers rouges possèdent un charme austère.

Les amants de Teruel

Selon la légende, Diego de Marcilla, trop pauvre, ne put obtenir au XIIIe siècle la main de sa bien-aimée, Isabel de Segura. Le père de cette dernière lui accorda toutefois cinq ans pour établir sa fortune. Diego revint un jour trop tard, alors que s'achevaient les noces d'Isabel avec un riche noble local. Le cœur brisé, il mourut aux pieds de la jeune mariée qui lui refusait un baiser. Le lendemain, Isabel mit sa robe de noce pour les funérailles. Elle expira alors qu'elle se penchait pour embrasser le corps avant qu'on l'inhume.

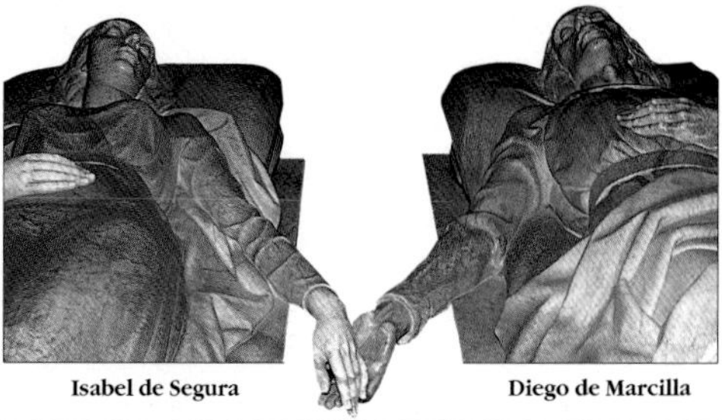

Isabel de Segura **Diego de Marcilla**

Communauté valencienne et Murcie

Castellón · Valence · Alicante · Murcie

Depuis le bord sud-est de la meseta, *une succession de reliefs montagneux descend jusqu'à la Méditerranée où les plages de la Costa Blanca, de la Costa del Azahar et de la Costa Càlida attirent chaque année des millions de touristes. Malgré la sécheresse du climat, l'irrigation a transformé les plaines côtières en véritables jardins où croissent orangers, palmiers, riz et primeurs.*

L'homme occupe ces terres fertiles depuis plus de 50 000 ans et Grecs, Phéniciens et Carthaginois s'y sont implantés avant l'occupation romaine. En développant le système d'irrigation des *huertas*, les Maures fondèrent à partir du VIIIe siècle la prospérité agricole de la région.

Les provinces de Castellón, de Valence et d'Alicante, qui forment la Communidad Valenciana, furent après la Reconquête en partie peuplées de Catalans dont la langue a évolué pour donner le *valenciano*, toujours très parlé et de plus en plus présent sur les panneaux indicateurs. Au sud, la Murcie est une des plus petites régions autonomes d'Espagne.

La population se concentre sur le littoral où, à côté de cités historiques telles que Valence, Alicante et Carthagène, se sont multipliées des stations balnéaires modernes comme Benidorm et La Manga del Mare Menor. Le tourisme a peu touché l'intérieur des terres, montagneux, où prédominent les pinèdes et les étendues arides.

Le climat chaud se prête à la vie en extérieur et à l'organisation des fêtes spectaculaires pour lesquelles la région est réputée. Parmi les plus célèbres figurent celle de Las Fallas à Valence, les reconstitutions de batailles entre Maures et chrétiens d'Alcoi et les magnifiques processions qui rythment la semaine sainte à Murcie et à Lorca.

Terrasses plantées d'oliviers et d'amandiers près d'Alcoi

◁ **L'imposante masse rocheuse du Penyal d'Ifach sur la Costa Blanca**

À la découverte de la Communauté valencienne et de la Murcie

Le climat permet presque toute l'année la pratique de nombreuses activités balnéaires dans des stations telles que Benidorm, Benicassim et La Manga del Mar Menor. Certaines villes côtières comme Peñíscola, Gandia, Dénia, Alicante et Carthagène ont conservé des quartiers anciens, des châteaux ou des monuments intéressants. Des réserves naturelles protègent plusieurs sites du bord de mer : la lagune de L'Albufera, les marais salants de Santa Pola et l'énorme rocher du Penyal d'Ifach.

Dans l'arrière-pays se découvrent de superbes paysages, tels ceux d'El Maestrat ou des montagnes entourant Alcoi, ainsi que des cités historiques méconnues comme Xàtiva et Lorca. Villes universitaires animées, les deux capitales régionales, Valence et Murcie, possèdent de belles cathédrales et des musées.

Filets tendus dans la lagune de L'Albufera

CIRCULER

La N 340 puis la N 332 longent toute la côte, tandis que l'autoroute A 7 (E15) s'en éloigne à partir d'Alicante pour rejoindre Murcie.
Parmi les autres grands axes routiers figurent ceux, reliant Valence à Madrid A3 (E 901) et Alicante à Madrid (N 330). Les principales lignes de chemin de fer rejoignent Madrid depuis Alicante, Valence et Murcie. Pittoresque, une ligne à voie étroite relie Dénia, Benidorm et Alicante. Dans le reste de la région, le car se révèle souvent plus rapide que le train. Alicante et Valence possèdent un aéroport international.

VOIR AUSSI

- ***Hébergement*** p. 549-551
- ***Restaurants et bars*** p. 590-592

Orangeraie à la sortie de Dénia

La Communauté valencienne et la Murcie d'un coup d'œil

- Alacante 23
- L'Albufera 13
- Alcoi 20
- Alto Túria 9
- Benidorm 21
- Caravaca de la Cruz 33
- Carthagène 30
- Castelló de la Plana 6
- Costa del Azahar 4
- Costa Cálida 31
- Coves de Sant Josep 8
- Denia 16
- Elx 25
- Gandia 15
- Guadalest 19
- Illa de Tabarca 24
- Lorca 32
- El Maestrat 1
- Mar Menor 29
- Monasterio de El Puig 11
- Morella 2
- Murcie 28
- Novelda 22
- Onda 7
- Orihuela 26
- Peñíscola 3
- Penyal d'Ifach 18
- Sagonte 10
- Torrevieja 27
- *Valence p. 240-243* 12
- Villafamés 5
- Xàbia 17
- Xàtiva 14

Légende

- Autoroute
- Route principale
- Route secondaire
- Parcours pittoresque
- Cours d'eau
- Point de vue

L'une des nombreuses criques de la côte rocheuse de Xàbia

Enceinte médiévale de la ville de Morella dans le Maestrat

El Maestrat ❶

Castellón & Teruel. *Morella.* *Morella, 964 17 30 32.*

Également appelée El Maestrazgo, cette région montagneuse à la frontière entre la Communauté valencienne et l'Aragon doit son nom aux templiers et aux chevaliers de Montesa, les *maestres* (maîtres), qui édifièrent, souvent dans des sites spectaculaires, de puissantes forteresses.

La ville principale, **Morella**, a ainsi conservé une superbe enceinte défendue par quatorze tours. À quelques kilomètres, deux palais du XVIe siècle dominent la Plaza Mayor bordée de portiques de **Forcall**. Au sud, le village d'**Ares del Maestre** s'accroche à la paroi d'un mont qui culmine à 1 318 m.

La Torre de la Sacristía du village restauré de Mirambel

En Aragon, **Cantavieja** occupe le bord d'une falaise et recèle une église gothique, une autre baroque, et une belle place entourée de galeries. Non loin, une restauration minutieuse a rendu à **Mirambel** son aspect du Moyen Âge. La grotte de la **Balma de Sorita del Maestrat**, sanctuaire dédié à la Vierge, s'atteint par une corniche rocheuse.

Alternant vallées fertiles, falaises vertigineuses et hauts plateaux arides survolés par des rapaces, presque toute la région offre des paysages remarquables, mais le tourisme s'y développe lentement et elle compte peu d'hôtels.

Morella ❷

Castellón. 2 800. *Plaza de San Miguel, 964 17 30 32.* *dim.* *Fiestas Patronales (août).*

Son enceinte de remparts et les ruines du château qui la dominent donnent une silhouette de décor de théâtre à cette petite ville perchée sur une haute colline. Six portes percées dans les fortifications ouvrent sur un réseau de rues et de ruelles bordées de maisons anciennes. Au pied de la forteresse, la **Basílica de Santa María la Mayor** possède un portail sculpté au XIVe siècle et un chœur surélevé qui s'atteint par un élégant escalier en spirale.

Le miracle de Morella

À Morella, une plaque dans la calle de la Virgen signale la demeure où saint Vincent Ferrier (1350-1419) aurait accompli un curieux miracle. Désespérée à l'idée de le recevoir sans pouvoir lui servir de viande, la maîtresse de maison aurait découpé son jeune fils pour le mettre à cuire. En s'en apercevant, saint Vincent reconstitua le garçon. Un petit doigt manquait cependant, mangé par la mère pour vérifier l'assaisonnement du plat.

Peñíscola ❸

Castellón. 5 000. Paseo Marítimo, 964 48 02 08. lun. Fiestas Patronales (2e sem. de sept.).

Une station balnéaire très appréciée s'est développée autour du promontoire rocheux, entouré de trois côtés par la mer, où le centre ancien de Peñíscola occupe un site où se succédèrent Ibères, Grecs et Carthaginois.

Au pied de son château, des remparts massifs enserrent un dédale de ruelles tortueuses bordées de maisons blanches. On y pénètre par le Portal Fosc, relié à la plaza del Caudillo par une rampe, ou, depuis le port, par le Portal de San Pedro.

Entrepris par les templiers à la fin du XIIIe siècle sur les fondations d'une forteresse arabe, le **Castell del Papa Luna** devint la résidence de Pedro de Luna, l'antipape Benoît XIII, après sa déposition par le concile de Constance qui mit fin au grand schisme d'Occident (1378-1417), une décision qu'il rejeta jusqu'à sa mort en 1423.

Le château abrite désormais un musée consacré à l'histoire locale. La partie la plus haute de ses remparts fut ajoutée pour le tournage du film *Le Cid* (1961) dans lequel Charlton Heston incarnait le célèbre héros espagnol sous la direction d'Anthony Mann.

Castell del Papa Luna
Calle Castillo. 964 48 00 21. t.l.j. 9 sept., 9 oct., 25 déc., 1er jan.

Coucher de soleil sur la vieille ville de Peñíscola

Costa del Azahar ❹

Castellón. Castelló de la Plana. Castelló de la Plana. Castelló de la Plana, 964 35 86 88.

Ses plantations d'agrumes ont valu son nom de « Côte de la fleur d'oranger » au littoral de la province de Castellón. Ses deux principales stations balnéaires sont Benicassim, où d'élégantes villas anciennes voisinent avec des hôtels modernes, et Peñíscola, mais Alcossebre et Oropesa possèdent aussi des plages très fréquentées. Au nord, les ports de pêche de Vinaròs et Benicarló fournissent les restaurants locaux en crevettes et en coquillages.

Sculpture à la Casa del Batle

Villafamés ❺

Castellón. 1 500. Plaza del Ayuntamiento 1, 964 32 90 01. ven. Patronales (mi-août).

Depuis la plaine, ce village médiéval escalade une arête rocheuse jusqu'au donjon restauré de son château. De solides maisons dominent les ruelles pentues de sa partie la plus haute et la plus ancienne. Une demeure seigneuriale du XVe siècle, la **Casa del Batle**, abrite un musée d'art contemporain où certaines des œuvres exposées peuvent s'acheter.

Casa del Batle
Calle Diputación 20. 964 32 91 52. mar.-dim.

Le planétarium de Castelló de la Plana, proche de la plage

Castelló de la Plana ❻

Castellón. 160 000. Plaza María Agustina 5, 964 35 86 88. lun. Fiesta de la Magdalena (3e sam. de Carême).

Avant d'occuper à partir du XIIIe siècle son emplacement actuel dans la plaine côtière, la capitale de la province de Castellón se perchait sur un promontoire rocheux de l'intérieur des terres.

Sur la Plaza Mayor se dresse **El Fadri**, clocher octogonal de la cathédrale érigé à la fin du XVIe siècle. Le marché et l'hôtel de ville (1698-1716) bordent également la place.

Installé dans une demeure du XVIIIe siècle, le **Museo Provincial de Bellas Artes** présente des objets datant du milieu du paléolithique, des peintures du XVe au XXe siècle et des céramiques modernes. Parmi les plus belles œuvres figure un *Saint Jérôme* par Francisco Ribalta (1551-1628). Dans le **Convento de las Madres Capuchinas** s'admirent dix portraits de saints attribués à Francisco Zurbarán. Outre un planétarium, **El Planetario** propose une exposition permanente d'holographie.

Museo Provincial de Bellas Artes
Avda Hermanos Bou 28. 964 72 75 00. mar.-dim. gratuit le dim.

Convento de las Madres Capuchinas
Calle Núñez de Arce 11. 964 22 06 41. de 16 h à 20 h t.l.j.

El Planetario
Paseo Marítimo 1, El Grao. 964 28 29 68. de 11 h à 14 h sam. et dim., de 16 h 30 à 20 h du mar. au sam. sept. planétarium

Onda ❼

Castellón. 22 000. Calle Cervantes 6, 964 77 08 73. jeu. Feria del Santissimo Salvador (6 août).

Les ruines d'une **forteresse** fondée par les Maures, qui l'appelaient le « Château des trois cents tours », dominent Onda, siège d'une dynamique industrie du carreau de céramique. Son quartier ancien a gardé du cachet, en particulier la charmante **plaza del Almudín** entourée de portiques. L'église de La Sangre possède un portail roman.

C'est toutefois hors du centre, dans le monastère carmélite bordant la route d'Ayodar, que se trouve la principale raison de visiter Onda : le **Museo El Carmen**. Commencées en 1952 par les moines pour leurs propres études scientifiques, les collections de ce musée d'histoire naturelle ne devinrent accessibles au public que dix ans plus tard. Un éclairage tamisé met habilement en valeur les 10 000 spécimens de minéraux, de plantes et d'animaux exposés sur trois étages. Ils comprennent de nombreux insectes, des coquillages et des fossiles.

Museo El Carmen
Carretera de Tales. 964 60 07 30. du mar. au dim. 20 déc.-6 janv.

Papillons exposés au Museo El Carmen

Visite en barque des coves de Sant Josep

Coves de Sant Josep ❽

Vall d'Uixó (Castellón). 964 69 05 76. Vall d'Uixó. t.l.j.

Depuis la première exploration des grottes de Saint-Joseph en 1902, le cours de la rivière souterraine qui les a creusées a été cartographié sur une longueur d'environ 2,5 km. Sa source reste cependant à découvrir.

La visite se fait en barque et il faut parfois se pencher pour éviter des concrétions calcaires. Par endroits, le conduit suivi par les eaux s'ouvre sur des salles plus vastes, telle la *Sala de los Murciélagos* qui a gardé son nom de salle des chauves-souris bien que l'installation de projecteurs ait fait fuir ces petits mammifères nocturnes. Après le *Lago Azul* (lac bleu), profond de 12 m, la promenade se termine à pied dans la *Galeria Seca* longue de 255 m.

Les grottes restent généralement fermées après de fortes pluies.

Alto Túria ❾

Valencia. Chelva. CV 35, Valencia-Ademúz km 73, 961 63 50 84.

Au nord-ouest de Valence, les collines boisées de la haute vallée du riu Túria (Alto Túria) attirent de nombreux randonneurs. Le **Pico del Remedio**, dont le sommet (1 054 m) offre un vaste panorama de la région, domine la principale bourgade : **Chelva**. Dans une vallée proche de la ville, au terme d'une route sans revêtement mais carrossable, se découvrent les vestiges d'un aqueduc romain, la **Peña Cortada**. Le plus joli et le plus intéressant des villages de l'Alto Túria est **Aras de Alpuente**, situé au-dessus d'une gorge asséchée. Capitale d'un des petits royaumes maures dits de *taifas*, de 1031 jusqu'à sa conquête par le Cid Campeador *(p. 352)*, il gardait suffisamment d'importance au XIVe siècle pour que le parlement du royaume de Valence s'y réunisse. Son hôtel de ville occupe la petite tour d'une porte du XIVe siècle que compléta au XVIe siècle une salle du conseil rectangulaire.

Plus au sud, **Requena**, principale ville viticole de la Communauté valencienne, a conservé beaucoup de caractère. Près de Cortes de Pallas, l'autre grand fleuve de la province de Valence, le riu Xúquer (Júcar), creuse des gorges impressionnantes dans le **Muela de Cortes**, plateau sauvage que ne traversent qu'une petite route et une piste. Une réserve naturelle protège sa faune et sa flore.

La Tomatina

L'apogée de la fête annuelle d Buñol, petite ville à mi-chemi de Valence et de Requena, se déroule le dernier mercredi d'août et met aux prises des milliers de visiteurs vêtus de vieux habits. Ils viennent se lancer les tomates fournies pa camions entiers par le conseil municipal. Personne n'est épargné et les étrangers et les photographes constituent des cibles de choix.

Le combat a lieu depuis 1944. Certains affirment qu'il aurait pour origine une bataill entre amis. Selon d'autres, il s'agissait d'une manifestation de mécontentement, lors d'un procession, envers des dignitaires locaux. L'intérêt qu porte la presse nationale et internationale à la Tomatina attire chaque année de nouveaux participants.

Fortifications en ruine du Castillo de Sagonte

Sagonte ⑩

Valencia. 61 000. Pl Cronista Chabret, 962 66 22 13. mer. Fiestas (de mi-juil. à mi-août).

En 219 av. J.-C., le général carthaginois Hannibal assiégea l'antique Saguntum, cité d'origine ibère alliée des Romains. La ville résista huit mois, puis les derniers défenseurs, plutôt que de se rendre, s'immolèrent par le feu avec femmes et enfants. L'événement déclencha la deuxième guerre punique qui eut pour conséquence l'occupation romaine de la péninsule Ibérique *(p. 46-47)*.

Reprise par les Romains en 212 av. J.-C., un temps appelée Muri Veteres (vieux murs), puis Murbiter et enfin Murviedro, Sagonte (Sagunt, Sagunto) a retrouvé le nom de ses origines en 1868.

Elle a gardé comme principal souvenir de sa période romaine un **théâtre** construit au IIe siècle à flanc de colline dans une dépression naturelle. Le gouvernement régional a entrepris sa restauration, controversée, avec des matériaux modernes et il accueille désormais des représentations théâtrales et des concerts.

Sur la crête dominant la ville actuelle, les ruines du **Castillo** s'étendent à l'emplacement de l'ancienne acropole. Bâties pour l'essentiel depuis l'occupation arabe, ses fortifications définissent un espace divisé en sept plazas où des fouilles archéologiques ont mis au jour des vestiges laissés par les différentes civilisations qui se sont succédé sur le site.

Castillo de Sagunt
du mar. au dim.

Monasterio de El Puig ⑪

El Puig (Valencia). 96 147 02 00. El Puig. 10 h - 13 h, 16 h - 19 h (16 h-18 h en hiver) mar. - dim.

Fondé par Jacques Ier le Conquérant après la victoire qui lui permit de reprendre Valence en 1238, ce monastère mercédaire au portail romano-gothique abrite une collection de 240 peintures exécutées du XVIe au XVIIIe siècle et le Museo de la Imprenta y de la Obra Gráfica (musée de l'Imprimerie et de l'Art graphique).

Il commémore la première impression d'un livre en Espagne, qui aurait eu lieu à Valence en 1474, et son exposition illustre le développement de la presse d'imprimerie. Elle comprend un exemplaire du plus petit livre du monde.

Au cœur de la mêlée pendant la Tomatina de Buñol

Valence (Valencia) ⓬

Au cœur de la *huerta*, plaine côtière où la douceur du climat méditerranéen et un système d'irrigation hérité des Romains et des Maures permet la culture intensive des agrumes, des primeurs et des fleurs, la troisième ville d'Espagne possède malgré sa ceinture industrielle un centre ancien plein de charme. Ses habitants sont réputés pour leur exubérance et ils organisent en mars l'une des fêtes les plus spectaculaires d'Espagne, Las Fallas *(p. 245)*. Elle se conclut par l'embrasement de sculptures en papier mâché. Des ferries desservent les îles Baléares.

Offrande de fleurs en hommage à la Virgen de los Desamparados

À la découverte de Valence

Sur la rive droite du riu Túria s'étendent le centre-ville et le vieux quartier délabré d'El Carmen. La plupart des monuments s'atteignent aisément à pied depuis la plaza del Ayuntamiento, grand-place triangulaire dominée par l'hôtel de ville néo-classique.

Fondée par les Romains en 138 av. J.-C. sur le site d'une colonie grecque, Valence fut prise par les Maures en 714. Conquise par le Cid en 1094, elle retombe peu après sous contrôle musulman et le reste jusqu'à ce que Jacques Ier d'Aragon s'en empare en 1238 et l'intègre à son royaume. Ses trois plus beaux édifices, la Lonja, la cathédrale et les Torres de Serranos, ancienne porte des remparts démolis au XIXe siècle, datent de l'âge d'or culturel et économique que connut la ville aux XIVe et XVe siècles.

Palau de la Generalitat

Plaza des Manises. ☎ *963 86 61 00.* ◯ *sur rendez-vous seulement.*
Le conseil autonome de la Communauté valencienne occupe un palais édifié dans le style gothique entre 1482 et 1579 et agrandi au XVIIe et au XXe siècle. Il entoure un patio aux arcades en pierre d'où deux escaliers conduisent à des salles à la décoration somptueuse. La plus grande des deux Salas Doradas (salles dorées) possède un plafond à caissons polychrome et un pavement en céramique. Des peintures murales (1592) ornent la salle du Parlement.

Basílica de la Virgen de los Desamparados

Pl de la Virgen. ☎ *963 91 86 11.* ◯ *de 7 h à 14 h et de 16 h à 21 h t.l.j.*
Ce sanctuaire baroque entrepris en 1652 abrite au maître-autel la statue (XIVe siècle) de la sainte patronne de Valence, la Vierge des Abandonnés. Pendant la fête de Las Fallas, les fidèles lui rendent hommage par des offrandes de fleurs sur le parvis de l'église.

Cathédrale

Pl de la Reina. ☎ *963 91 81 27.* **Musée** ◯ *du lun. au sam.* **Miguelete** ◯ *t.l.j.*
Construite à partir de 1262, la cathédrale possède trois portails de styles différents. Le plus ancien, la Puerta del Palau, est roman, mais c'est la Puerta de los Herrios (XVIIIe siècle) baroque qui sert d'entrée principale.

Devant la Puerta de los Apóstoles gothique se réunit le jeudi à midi un tribunal sans équivalent : le tribunal de las Aguas. Depuis plus de 1 000 ans, estime-t-on, il règle les litiges liés au partage des eaux d'irrigation dans la *huerta*.

Dans l'église, l'ancienne salle capitulaire (1369) abrite au centre d'un retable richement sculpté le calice d'agate transféré du

Le Miguelete, clocher de la cathédrale, sur la plaza de la Reina

onastère de San Juan de la eña *(p. 224)* en 1437 et dont tradition fait le Saint-Graal. Haute de 68 m, la tour du liguelete, clocher octogonal rigé entre 1381 et 1429, offre e son sommet une vue agnifique sur les toits de la athédrale et de la ville.

Lonja de la Seda

aza del Mercado. 963 52 54 78. *du mar. au dim.*

agnifique bâtiment de style othique flamboyant édifié de 483 à 1498, l'ancienne ourse de la soie accueille ésormais des manifestations ılturelles. De gracieuses olonnes torses supportent les autes voûtes des trois nefs e la grande salle d'où un scalier conduit au Consulado el Mar orné en 1427 d'un uperbe plafond à caissons.

Mercado Central

aza del Mercado . 963 82 91 01. *du lun. au sam. le matin.*

et immense édifice oderniste d'acier, de verre et e carreaux de céramique brite depuis 1928 l'un des plus beaux marchés d'Europe avec ses quelque 1 000 étals proposant tous les matins une prodigieuse variété de fruits, de légumes, d'aromates et de produits de la mer.

Élégante et utile signalisation près du Mercado Central

Museo Nacional de Cerámica Gonzales Martí

Poeta Querol 2. 963 51 63 92. *mar.-dim.* *1er et 22 jan., 1er mai, 24, 25 et 31 déc.* *gratuit sam. a.-m. et dim.*

Le Palacio del Marqués de Dos Aguas renferme derrière une étonnante façade rococo du XVIIIe siècle une collection de céramiques d'environ 5 000 pièces dont les plus anciennes remontent à l'époque ibère. L'exposition permet de suivre l'évolution de la production valencienne.

> **MODE D'EMPLOI**
>
> *Valencia. 760 000. 8 km au sud-ouest. C/ Játiva 24, 902 24 02 02. Avda Menéndez Pidal 13, 96 349 72 22. 963 67 07 04. Calle de la Paz 48, 963 98 64 22. du lun. au sam. Las Fallas (15-19 mars). www.communidad-valenciana.com*

Colegio del Patriarca

Construit au XVIe siècle autour d'un patio Renaissance à double galerie, ce séminaire abrite un musée proposant une riche collection de peintures. Une *Cène* par Francisco Ribalta orne le maître-autel de l'église du Corpus Christi. Pendant la messe chantée du vendredi, vers 10 h, elle disparaît pour révéler un crucifix peint au XVe siècle par un artiste allemand anonyme.

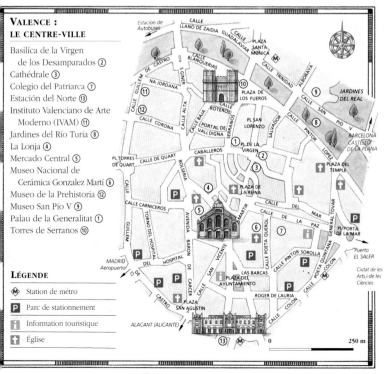

VALENCE : LE CENTRE-VILLE

Basilíca de la Virgen de los Desamparados ②
Cathédrale ③
Colegio del Patriarca ⑦
Estación del Norte ⑬
Instituto Valenciano de Arte Moderno (IVAM) ⑪
Jardines del Río Turia ⑧
La Lonja ④
Mercado Central ⑤
Museo Nacional de Cerámica Gonzalez Martí ⑥
Museo de la Prehistoria ⑫
Museo San Pío V ⑨
Palau de la Generalitat ①
Torres de Serranos ⑩

LÉGENDE

- Station de métro
- Parc de stationnement
- Information touristique
- Église

Le Palau de la Música, prestigieuse salle de concert de Valence

En dehors du centre

Deux larges avenues, la Gran Vía Marqués del Turia et la Gran Vía Ramón y Cajal, séparent le centre-ville des quartiers créés au XIXe siècle selon un plan au quadrillage régulier.

Le métro circule dans les quartiers périphériques et le tramway conduit aux plages d'El Cabañal et de La Malvarrosa.

***Ecce Homo* (XVIe siècle) par Juan de Juanes, Museo de Bellas Artes**

Jardines del Río Turia

Il y a 5 km de jardins, terrains de sport et aires de jeu. Dominant le lit de la rivière se dresse le Palau de la Música, vaste salle de concert de marbre et de verre bâtie en 1988. Dans le parc aménagé à proximité pour les enfants, un gigantesque Gulliver couvert d'escaliers et de toboggans abrite une maquette de Valence.

Les plus beaux des autres jardins de la ville s'offrent à la promenade près des rives du Túria. Les plus vastes, les Jardines Reales (aussi appelés Los Viveros), renferment un petit zoo. Dans les jardins Montforte, statues de marbre, hibiscus et magnolias évoquent l'Italie. Sept mille espèces d'arbustes et d'arbres, dont de nombreuses variétés subtropicales, poussent dans le Jardín Botánico créé en 1802 par le botaniste Antonio José Cavanilles.

Museo de Bellas Artes

Museo San Pío V, Calle San Pío V 9.
963 60 57 93. *du mar. au dim.*
1er jan., ven. saint, 25 et 31 déc.

Riches de 2 000 peintures et sculptures datant de l'antiquité au siècle dernier, ce musée des Beaux-Arts occupe un ancien séminaire baroque construit entre 1683 et 1744.

Œuvres, notamment, d'Alcanyis, de Pere Nicolau et du Maître de Bonastre, plusieurs immenses retables dorés témoignent du dynamisme de l'art valencien aux XIVe et XVe siècles. Au premier étage s'admirent le triptyque de *La Passion* par Jérôme Bosch, un autoportrait de Velázquez et plusieurs tableaux du Greco, de Ribera, de Murillo, de Ribalta, de Van Dyck et de Juan de Juanes, peintre local de la Renaissance.

Le dernier étage abrite six Goya et des tableaux par trois artistes valenciens modernes de premier plan : Ignacio Pinazo, Joaquín Sorolla et Antonio Muñoz Degrain qui a peint notamment le dérangeant *Amor de Madre*.

Torres de Serranos

Plaza de los Fueros. *963 91 90 70.*
du mar. au dim.

Érigée en 1238, cette porte fortifiée des anciens remparts de la ville offre un bel exemple d'architecture militaire avec ses deux tours couronnées de créneaux et ornées de délicats entrelacs gothiques.

Les Torres de Serranos, porte fortifiée des XIIIe-XIVe siècles

⛫ Instituto Valenciano de Arte Moderno (I.V.A.M.)

Calle Guillem de Castro 118. ☎ 963 86 30 00. ◯ de 10 h à 20 h, du mar. au dim. 🎟 gratuit le dim. ♿ Ⓦ www.ivam.es

L'institut valencien d'Art moderne occupe deux bâtiments. Sont présentées des œuvres de Julio González, le père de la sculpture espagnole du XXᵉ siècle.

Un couvent du XIIIᵉ siècle abrite le Centro del Carmen consacré à l'art contemporain.

⛫ Centre Cultural la Beneficència

Calle Corona 36. ☎ 963 88 35 65. ◯ de 10 h à 21 h (20 h d'oct. à mars), du mar. au dim. ♿

Le musée de la Préhistoire de Valence présente une partie des 5 000 gravures de cerfs et de chevaux exécutées à l'âge de la pierre découvertes dans la cueva de Parpalló située dans les collines dominant la côte près de Gandia *(p. 244)*.

Colonne Art nouveau dans l'Estación del Norte

🚆 Estación del Norte

Calle Játiva 24. ☎ 902 24 02 02. ◯ t.l.j.

La gare principale de Valence a été construite entre 1907 et 1917 dans un style inspiré de l'Art nouveau autrichien. À l'intérieur, les vitraux et les céramiques des murs du hall et du buffet montrent la vie quotidienne et les récoltes dans la *huerta* et L'Albufera *(p. 244)*.

⛫ Cintat de les Arts i de les Ciències

Avenida Autovia del Saler. ☎ 902 10 00 31. ◯ t.l.j. 🎟 ♿

La Cité des Arts et des Sciences, le projet moderne le plus ambitieux de Valence, est

L'hémisphérique cinéma IMAX au Ciutat de les Arts i de les Ciències

encore en construction. Situé en dehors du centre et près du port, ce complexe de bâtiments modernes entourant un lac a été dessiné par un architecte local, Santiago Calatrava. Les espaces sont répartis entre un cinéma IMAX récemment ouvert, les expositions artistiques, un musée de la Science et un parc océanographique qui accueillera des animaux et un restaurant sous-marin.

⛫ Museo del Gremio Artistas Falleros

Avda San José Artesano 17. ☎ 963 47 96 23. ◯ du lun. au sam. 🎟 ♿

Jusqu'à 170 artistes et artisans travaillent toute l'année dans le *barrio* de Ciudad Fallera à la réalisation des *ninots*, sculptures de papier mâché brûlées pendant la fête de Las Fallas *(p. 245)*. Hors des mois précédant mars, ils ouvrent parfois leurs ateliers aux visiteurs. Chaque année, certains des *ninots* les plus réussis échappent aux flammes pour être exposés dans ce musée qui propose également des documents, tels que projets de chars ou

photographies, dont les plus anciens remontent à 1902.

Plages d'El Cabañal et de La Malvarrosa

À l'est de la ville, une large promenade animée longe sur environ 2 km la plage d'El Cabañal et celle de La Malvarrosa dont la lumière inspira le peintre Joaquín Sorolla *(p. 295)*. Malgré leur rénovation au cours des années 1960-1970, ces anciens quartiers de pêcheurs conservent quelques maisons traditionnelles protégées de la chaleur estivale par un revêtement extérieur de carreaux de céramique. Près du port, de nombreux restaurants spécialisés dans la paella bordent le paseo de Neptuno.

Aux environs

La plaine fertile de la *huerta* est un dédale de champs irrigués où poussent notamment les souchets dont les fruits servent à la fabrication de la *horchata*. Quelques *barracas* (fermes valenciennes) y subsistent.

À **Manises**, près de l'aéroport, se vendent les céramiques du pays.

LA HORCHATA

En été, les cafés de Valence servent une boisson désaltérante particulière à la région, la *horchata*, fabriquée principalement dans la ville proche d'Alboraia. Ce lait de *chufas* (amandes de terre) se boit glacé et généralement accompagné de *fartons*, petits pains sucrés en forme de bâtonnets, ou de *rosquilletas*, biscuits croustillants. Près de la plaza de la Virgen, Santa Catalina est la plus ancienne *horchatería* du centre.

Azulejos représentant une serveuse de *horchata*

Barques de pêche sur une rive de L'Albufera

L'Albufera ⓭

Valencia. Carretera Palmar Raco de l'Olla, 961 62 73 45.

À quelques kilomètres au sud de Valence, le riu Túria alimente en eau douce cette lagune séparée de la Méditerranée par une dune plantée de pins, la Dehesa. Les rizières qui l'entourent fournissent un tiers de la production de riz espagnole.

Le plan d'eau a une profondeur maximale de 2,5 m et des écluses permettant de contrôler son niveau équipent les trois canaux qui le relient à la mer. Il couvrait au Moyen Âge une superficie dix fois plus vaste. Les alluvions déposées par le fleuve et l'extension des zones cultivées continuent encore aujourd'hui de réduire son étendue.

L'Albufera est devenue en 1986 une réserve naturelle qui protège les très nombreux oiseaux (plus de 250 espèces), notamment hérons et aigrettes, qui nichent dans les roseaux de ses rives et sur ses îles marécageuses, les *matas*. Mieux vaut se munir de jumelles pour les observer.

À Raco de l'Olla, un centre d'accueil fournit des informations sur l'écosystème formé par la lagune, les rizières et la Dehesa.

Xàtiva ⓮

Valencia. 27 000. Calle Alameda de Jaime I 50, 962 27 33 46. mar. et ven. Las Fallas (16-19 mars) ; Fira de agosto (15-20 août).

Sur la crête étroite du mont Vernissa s'étendent au-dessus de Xàtiva (Játiva) les ruines d'un **château** d'où se découvre un magnifique panorama. Philippe V détruisit la forteresse pendant la guerre de Succession d'Espagne *(p. 58)*. Il mit également le feu à la ville, méfait dont les habitants lui tiennent toujours rigueur comme le manifeste l'effigie grandeur nature du roi suspendue la tête en bas dans le **Museo Municipal**.

Fondée par les Ibères, Xàtiva connut une grande prospérité pendant l'occupation maure et fut au XIIe siècle la première cité d'Europe où fut fabriqué du papier. Sa vieille ville a gardé beaucoup de caractère avec ses ruelles et ses places dont certaines sont bordées d'édifices gothiques et Renaissance tel l'ancien hôpital qui fait face à la Colegiata (1596).

Le portrait de Philippe V suspendu tête en bas à Xàtiva

L'église la plus ancienne, l'**Ermita de San Feliú** (v. 1269), se dresse sur la route du château. Elle abrite des peintures du XIVe au XVIe siècle.

Castillo de Xàtiva
Subida del Castillo. 962 27 42 74. du mar. au dim.

Museo Municipal
Carrer de la Corretgeria 46. 962 27 65 97. du mar. au dim.

Gandia ⓯

Valencia. 62 000. Calle Marqués de Campo, 962 87 77 88. jeu, sam. Las Fallas (16-19 mars). www.gandia.org

Rodrigo Borja devint en 1485 le premier duc de Gandia, puis accéda en 1492 à la papauté sous le nom d'Alexandre VI malgré ses nombreux enfants, dont la célèbre Lucrèce Borgia et un fils, César, qui fit assassiner son frère Giovanni en 1497. Général des jésuites canonisé en 1671, le quatrième duc de Gandia, François Borgia, redora toutefois le blason de la famille.

Au cœur de la vieille ville, toujours entourée d'une partie de ses remparts, sa maison natale, le **Palacio Ducal** de style Renaissance, renferme des appartements richement décorés où un pavement en céramique de Manises, dans la galerie dorée, représente les Éléments.

Palacio Ducal
Duc Alfons el Vell 1. *962 87 14 65.*
du mar. au dim.

Dans les appartements du Palacio Ducal de Gandia

Dénia 16

Alicante. *30 000.*
Plaza Oculista Buigues 9, 966 42 23 67.
lun. *Fiestas Patronales (début juillet).* www.denia.net

Ville industrielle et station balnéaire, cette ancienne colonie grecque prit le nom de Dianium sous les Romains, et les vestiges d'un temple de Diane y ont été mis au jour. Elle devint au XIe siècle la capitale d'un ensemble de *taifas* musulmans *(p. 49)* dont l'autorité s'exerçait de l'Andalousie aux Baléares.

Le centre s'étend au pied d'une colline basse couronnée par les ruines d'un vaste **château** qui domine le port et offre un beau panorama. Son portail d'entrée, le Portal de la Vila, doit son aspect actuel à un important remaniement au XVIIe siècle. À l'intérieur de la forteresse, le Palacio del Gobernator abrite un musée archéologique qui illustre le développement de Dénia de 200 av. J.-C. au XVIIIe siècle.

Au nord du port se déroule la plage de sable de Las Marinas. Les plongeurs sous-marins lui préféreront celle de Les Rotes, au sud, moins fréquentée et plus rocheuse.

Castillo de Dénia
Calle San Francisco. *966 42 06 56.*
t.l.j. *1er janv., 25 déc.*

Xàbia 17

Alicante. *24 000.* *Plaza de la Iglesia 6, 965 79 43 56.* *jeu.* *Aduanas de Mar (1re semaine de sept.).*

Pirates et contrebandiers tiraient jadis avantage des cachettes offertes par les grottes, les criques et les deux îlots rocheux qui donnent son cachet au littoral de Xàbia (Jávea).

Un peu à l'intérieur des terres, le centre-ville se perche sur une hauteur qu'occupa une colonie ibère ceinte de remparts. Nombre des édifices bordant ses rues furent construits dans un grès caractéristique de la région. Fortifiée, l'**Iglesia de San Bartolomé** gothique (XIVe siècle) a conservé deux portails à mâchicoulis.

Des moulins à vent en ruine des XVIIe et XVIIIe siècles dominent le front de mer, où la politique municipale a évité l'érection en bord de plage de hauts immeubles comme il en existe tant dans les stations balnéaires espagnoles.

Entrée de l'Iglesia de San Bartolomé gothique de Xàbia

Embrasement des *ninots* à Valence pour la Saint-Joseph

FÊTES DE VALENCE ET DE LA MURCIE

Las Fallas *(19 mars).* À Valence, d'immenses compositions caricaturales en carton-pâte *(ninots)* disparaissent dans les flammes *(fallas)* la nuit du 19 mars pour célébrer la Saint-Joseph. Pendant dix jours, à 14 h, a lieu devant l'hôtel de ville un assourdissant concert de pétards : la *mascletà*.

Vendredi saint, Lorca (Murcie). Grande procession de personnages bibliques et romains parés de somptueuses broderies. Les confréries des « blancs » et des « bleus » rivalisent dans le faste apporté à la cérémonie.

Moros y Cristianos *(22-24 avril)*, Alcoi (Alicante). Pour la Saint-Georges, deux armées costumées se défient et livrent combat en commémoration d'une bataille entre Maures et chrétiens en 1276.

Bous en la Mar *(déb. juil.)*, Dénia (Alicante). Les participants esquivent des taureaux sur le port en essayant de ne pas tomber à l'eau *(p. 35)*.

Misteri d'Elx *(14-15 août)*, Elx (Alicante). Effets spéciaux spectaculaires pour un drame chanté dans l'Iglesia de Santa María.

La Tomatina *(der. mer. d'août)*, Buñol (Valence). Furieuse bataille à coups de tomates *(p. 238-239)*.

La Costa Blanca

Jouissant d'hivers plus doux que la Costa Brava *(p. 207)* et d'une ambiance moins trépidante que la Costa del Sol *(p. 448-449)*, le littoral de la province d'Alicante doit son nom de « Côte blanche » à la qualité de sa lumière. Au nord d'Altea s'étendent de belles plages entrecoupées de falaises creusées de criques. Entre Altea et Alicante, grand centre ferroviaire qui possède un aéroport international, de hauts immeubles ont souvent, avec le développement du tourisme, défiguré la côte sablonneuse. Au sud d'Alicante, les paysages deviennent plus arides, hormis à Guardamar del Segura où de belles dunes couvertes de pinèdes bordent la mer.

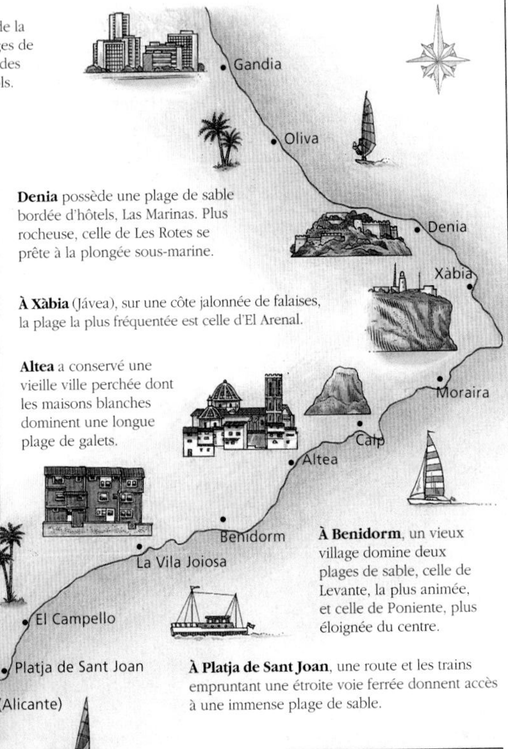
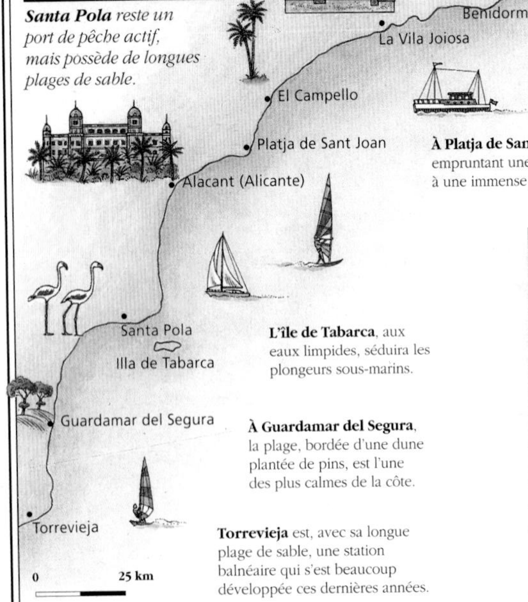

Gandia marque la limite sud de la côte valencienne dont les plages de sable fin aux eaux peu profondes attirent de nombreux Espagnols.

Denia possède une plage de sable bordée d'hôtels, Las Marinas. Plus rocheuse, celle de Les Rotes se prête à la plongée sous-marine.

À Xàbia (Jávea), sur une côte jalonnée de falaises, la plage la plus fréquentée est celle d'El Arenal.

Altea a conservé une vieille ville perchée dont les maisons blanches dominent une longue plage de galets.

***Santa Pola** reste un port de pêche actif, mais possède de longues plages de sable.*

À Benidorm, un vieux village domine deux plages de sable, celle de Levante, la plus animée, et celle de Poniente, plus éloignée du centre.

À Platja de Sant Joan, une route et les trains empruntant une étroite voie ferrée donnent accès à une immense plage de sable.

L'île de Tabarca, aux eaux limpides, séduira les plongeurs sous-marins.

À Guardamar del Segura, la plage, bordée d'une dune plantée de pins, est l'une des plus calmes de la côte.

Torrevieja est, avec sa longue plage de sable, une station balnéaire qui s'est beaucoup développée ces dernières années.

***Alicante** possède plusieurs plages : celle del Postiguet, dans le centre-ville, et celles de La Albufereta et de Sant Joan.*

◁ **Arrivée de l'armée maure lors d'une fête commémorant la Reconquête à Ontinyent (Valence)**

Penyal d'Ifach ⓲

Alicante. Calp. Avda de los Ejercitos Españoles 44, Calp, 965 83 69 20.

De loin, le Penyal d'Ifach (Peñon d'Ifach), rocher haut de 332 m, semble jaillir de la Méditerranée. Un court tunnel creusé en 1918 permet d'atteindre à pied le flanc moins abrupt dominant la mer.

La promenade commence à l'office du tourisme situé au-dessus du port de Calp (Calpe). Elle prend en tout environ deux heures sur un sentier en pente douce qui grimpe au milieu de genévriers et de palmiers-éventails jusqu'au sommet d'où s'offre un vaste panorama de la Costa Blanca. Les collines de l'île d'Ibiza *(p. 486)* s'aperçoivent par temps clair.

Trois cents espèces végétales, dont certaines plantes rares, poussent sur le Penyal d'Ifach et le gouvernement régional a acquis en 1987 le piton rocheux, alors propriété privée, pour le transformer en réserve naturelle. Au pied s'étendent des marais salants où s'arrêtent des oiseaux migrateurs.

D'origine ibère, Calp a conservé des vestiges de remparts et une église gothico-mudéjare. Elle est surtout réputée pour ses plages, telle celle de Levante.

Le Penyal d'Ifach domine le port de Calp

Guadalest ⓳

Alicante. 200. Avenida de Alicante, 965 88 52 98. Fiestas de los Jóvenes (1re sem. de juin), Virgen de la Asunción (14 - 17 août).

Malgré les dommages que lui infligèrent des tremblements de terre en 1644 et en 1748, et malgré les touristes qui s'y rendent en excursion par cars entiers depuis Benidorm, le joli village de Guadalest reste relativement préservé. Il le doit principalement au fait que sa partie la plus ancienne ne s'atteint qu'à pied et par une unique entrée : un tunnel en pente douce taillé dans le rocher où se perchent le clocher de l'église et les ruines du **château** auxquels conduit un escalier partant de la place principale.

Les Maures fondèrent Guadalest et ils créèrent sur les collines alentour les terrasses aujourd'hui plantées d'oliviers et d'amandiers. Les canaux d'irrigation dont ils les dotèrent sont toujours en fonction.

Au **Museo de Micro-Miniaturas** se découvrent une copie de l'*Execution du 3 mai*, de Goya, peinte sur un grain de riz, une reproduction de la *Maja nue (p. 283)*, également de Goya, sur une aile de papillon et une sculpture de chameau passant par le chas d'une aiguille.

Museo de Micro-Miniaturas

Calle de la Iglesia 5. 965 88 50 62. t.l.j. (jusqu'à 21 h d'avr. à sept.).

Le clocher de Guadalest perché sur un haut rocher

Alcoi ⓴

Alicante. 62 000. San Lorenzo 2, 965 53 71 55. Moros y Christians (21-24 avril).
www.alcoi.com

Située au confluent de trois rivières et entourée de hautes montagnes, Alcoi (Alcoy) est une ville industrielle surtout réputée pour sa fête des Maures et des Chrétiens *(p. 245)* et ses *peladillas*, friandises aux amandes.

Au-dessus s'étend la réserve naturelle de la **Font Roja** (source rouge) où se dresse une statue de la Vierge.

Aux environs

Au nord d'Alcoi s'élève la **sierra de Mariola**, massif montagneux renommé pour ses plantes aromatiques et médicinales. Depuis le village d'**Agres**, une route pittoresque conduit au nord jusqu'au sommet du mont Cabrer (1 390 m). Elle longe les ruines de deux *neveras* (glacières).

À l'ouest d'Agres, **Bocairent** possède une arène taillée dans le rocher en 1813. Dans l'**église** s'admirent de belles œuvres d'art, notamment des peintures par Juan de Juanes (1523-1579). Des grottes artificielles, les **Covetes dels Moros**, creusent une falaise proche.

Benidorm ㉑

Alicante. 55 000. Calle Martínez Alejos 16, 965 85 13 11. mer., dim. Virgen del Carmen (16 juil.), Las Fallas (16-19 mars). www.benidorm.org

Avec la forêt de gratte-ciel dominant ses deux plages, cette célèbre station balnéaire évoque davantage Manhattan que le village de pêcheurs qu'elle était encore au début des années 1950.

Aucune autre implantation touristique du pourtour méditerranéen ne propose plus de distractions que Benidorm et, bien que sa clientèle soit en train d'évoluer pour compter plus d'Espagnols d'un certain âge que de jeunes Anglais férus de soûleries à la bière, les principales motivations pour y séjourner restent le soleil et ses « pubs » et boîtes de nuit.

Un immense parc public accueillant des manifestations culturelles en plein air, le **Parque de l'Aigüera**, témoigne des efforts de la ville pour changer d'image.

Sur le promontoire séparant les plages du Levante et du Poniente, un petit jardin appelé le **Balcón del Mediterráneo** ménage de belles vues sur la ville. Il se termine par un puissant jet d'eau.

Des navettes en bateau desservent l'illa de Benidorm en cours de conversion en réserve naturelle.

Escalier principal de la Casa Modernista de Novelda

Aux environs

La Vila Joiosa (Villajoyosa), au sud, a conservé des remparts médiévaux et une église gothique au portail Renaissance. Des maisons multicolores y dominent le Sella. Leurs propriétaires leur auraient donné leurs couleurs vives pour pouvoir les reconnaître du large.

Le quartier ancien d'**Altea**, au nord de Benidorm, domine depuis une colline les édifices modernes du front de mer. Autour de l'église, ruelles, allées et longues volées de marches bordées de maisons blanches forment un dédale plein de charme.

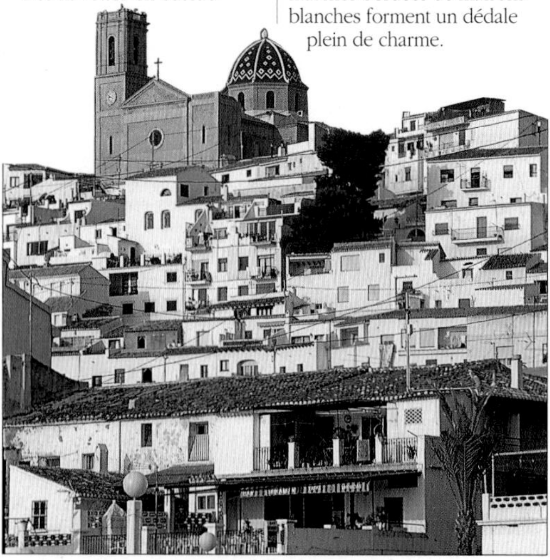

La vieille ville d'Altea au pied de son église

Novelda ㉒

Alicante. 24 000. Calle Mayor 6, 965 60 92 28. mer., sam. Santa María Magdalena (20-25 juil.). www.novelda.net

La ville industrielle de Novelda compte de nombreuses marbreries, mais c'est une maison Art nouveau superbement préservée, la **Casa Modernista**, qui en constitue le principal intérêt. Construite en 1903 et sauvée de la démolition en 1975 par une banque locale, elle possède une magnifique décoration intérieure et du mobilier d'époque.

Aux environs

À 30 km au nord, l'hôtel de ville de Villena abrite le **Tesoro de Villena** *(p. 44-45)* composé d'objets en or datant de l'âge du bronze.

Casa Modernista

Calle Mayor 24. 965 60 02 37. lun. - sam. sur rendez-vous.

Tesoro de Villena

Ayuntamiento. 965 80 11 50. mar.-dim.

Alicante ㉓

Alicante. 290 000. Rambla Mendez Núnez 23, 965 14 93 21. jeu., sam. Hogueras (3e semaine de juin). www.alicanteturismo.com

Port actif et importante station de villégiature appréciée en hiver comme en été, Alicante (Alacant) borde une baie magnifique et doit à la pureté de ses ciels d'avoir pris le nom de Lucentum (ville de lumière) à l'époque romaine. Maure du VIIIe siècle jusqu'à sa reconquête en 1296, elle se développa au pied du mont Benacantil que couronne le **Castillo de Santa Bárbara**, forteresse accessible en ascenseur qui date principalement du XVIe siècle. Ses remparts les plus hauts offrent une vue de toute la cité.

Promenade plantée de palmiers, l'**Explanada de España** longe le port de plaisance. Bâti au XVIIIe siècle, l'**hôtel de ville** *(ayuntamiento)* baroque

Le port de plaisance d'Alicante bordé par l'Explanada de España

mérite une visite pour le Salón Azul (Salon bleu) et sa galerie des glaces. À côté de l'église Santa Maria, la **Casa de la Asegurada** (XVIIe siècle) abrite la collection d'art assemblée par le sculpteur Eusebio Sempere (1924-1985). Elle comprend, entre autres, des œuvres de Miró, Dalí et Picasso.

Castillo de Santa Bárbara
Playa del Postiguet. 965 26 31 31. t.l.j. ascenseur seulement

Ayuntamiento
Plaza del Ayuntamiento. 965 14 91 00. de 9 h à 14 h du lun. au ven.

Casa de la Asegurada
Plaza de Santa María 3. 965 14 09 59. mar.-dim.

Illa de Tabarca 24

Alicante. depuis Santa Pola/Alicante. Santa Pola, 966 69 22 76.

Dans une baie aux belles plages de sable, la ville de Santa Pola constitue le meilleur point de départ pour l'illa de Tabarca. Cette petite île plate est divisée en deux parties : une étendue rocailleuse et dénudée connue sous le nom d'*el campo* (la campagne), et une enceinte fortifiée, où s'ouvrent trois portails monumentaux, construite au XVIIIe siècle sur l'ordre de Charles III pour lutter contre les pirates.

Appréciée des plongeurs sous-marins, Tabarca peut se révéler surpeuplée en été.

On a mis au jour à Santa Pola les vestiges d'un atelier romain de salage de poissons. Près de la ville existent des salines modernes.

Elx 25

Alicante. 200 000. Portell de Granyana, 965 45 38 31. lun., sam. Virgen de la Asunción (2e sem. d'août).

Les Phéniciens auraient créé au IVe siècle av. J.-C. la palmeraie qui entoure Elx (Elche) sur trois côtés. Une eau saumâtre particulièrement adaptée à la culture des dattiers court dans ses canaux d'irrigation et elle compte plus de 100 000 arbres. Parmi les plantations accessibles figure le **Huerto del Cura**, célèbre par sa *palmera imperial* dont le tronc s'est divisé en huit branches.

C'est dans la **Basílica de Santa María**, entreprise dans le style baroque au XVIIe siècle, que sont chantés au mois d'août les **Misteri d'Elx** *(p. 37)*. Près du sanctuaire s'élève la **Calahorra**, tour gothique qui faisait partie des défenses de la ville.

À côté de l'hôtel de ville, deux poupées du XVIe siècle sonnent les heures sur les cloches de la tour de l'horloge.

Il existait une implantation humaine dès 5000 av. J.-C. à La Alcudia où des fouilles ont mis au jour en 1897 un buste ibère du Ve siècle av. J.-C. : la *Dame d'Elche* *(p. 44)*. L'original est à Madrid, mais des répliques sont dispersées dans Elx.

Huerto del Cura
Porta de la Morera 49. 96 545 19 36. t.l.j.

La Calahorra
Calle Uberna. 96 545 28 19. du mar. au dim.

Orihuela 26

Alicante. 62 000. Calle Francisco Die 25, 965 30 27 47. mar. La Reconquista (17 juil.).

Au cœur d'une *huerta* plantée de palmiers et d'agrumes, Orihuela devint un évêché en 1564. La **cathédrale** gothique (XIVe-XVe siècles) possède un cloître roman et l'un de ses trois portails est de style Renaissance. Elle abrite la *Tentation de saint Thomas d'Aquin* par Vélazquez. Parmi les sculptures processionnelles du XVIIIe siècle exposées au **Museo de Semana Santa**, remarquez *La Diablesa*.

Museo San Juan de Dios
Calle del Hospital. 966 74 31 54. mar.-dim.

***La Diablesa*, Orihuela**

Torrevieja 27

Alicante. 72 000. Plaza Ruiz Capdepont, 965 71 59 36. ven. Habaneras (fin juil, début août.).

Torrevieja a connu un important développement touristique ces dernières années, mais sa principale activité économique fut longtemps l'extraction du sel, et ses marais salants restent les plus productifs d'Europe et les deuxièmes du monde.

En août, la ville organise un festival de *habaneras*, chants d'origine cubaine popularisés par les exportateurs de sel.

Capilla del Junterón, Murcie

Murcie 28

Murcia. 350 000. Plaza Julián Romea 4, 962 10 10 70. jeu. Semana Santa (semaine de Pâques) www.murcia-turismo.com

Capitale régionale et ville universitaire sur les rives du río Segura, Murcie fut fondée au début du IXe siècle par les Maures dans une *huerta* qu'ils venaient de mettre en valeur grâce à l'irrigation

Place percée au XVIIIe siècle, **La Glorieta** constitue le cœur de la cité moderne. Dans le quartier ancien, la calle de la Trapería, piétonnière, a gardé beaucoup de charme. Elle relie la cathédrale à la plaza Santo Domingo où se tenait jadis le marché. Club privé fondé en 1847, le **Casino** occupe dans la rue le no 18. Demandez au portier l'autorisation de visiter. On y pénètre par un patio maure inspiré des appartements royaux de l'Alhambra. Une peinture représentant la déesse Séléné orne le plafond des toilettes des dames.

La construction de la **cathédrale**, consacrée en 1467, commença en 1394 sur les fondations d'une mosquée. Haut d'environ 90 m, son clocher, édifié par étapes du XVIe au XVIIIe siècle, offre de son sommet un large panorama. L'architecte Jaime Bort éleva la majestueuse façade baroque entre 1739 et 1754. L'intérieur du sanctuaire recèle deux chapelles particulièrement belles : dans le déambulatoire (5e), la Capilla de los Vélez (1490-1507) de style gothique tardif, et, dans le bas-côté droit (4e), la Capilla del Junterón (XVIe siècle) à la riche décoration plateresque.

Le **musée de la cathédrale** présente entre autres des retables gothiques, une frise provenant d'un sarcophage romain, une custode exécutée en 1677, la troisième d'Espagne par la taille, et un *Saint Jérôme* par Francisco Salzillo (1707-1783), l'un des plus grands sculpteurs espagnols. Il naquit à Murcie et un musée installé dans l'**Iglesia de Jesús** abrite huit de ses *pasos*, groupes sculptés portés en procession pendant la semaine sainte. Une crèche compte quelque 500 figurines auxquelles il donna une grande vivacité d'expression.

Patio maure, Casino de Murcie

Aux environs

À côté de la copie en acier (1955) d'une grande roue à aubes du XVe siècle, le **Museo Etnológico de la Huerta de Murcia** comprend une *barraca*, ferme traditionnelle murcienne à toit de chaume. Il présente dans trois galeries des ustensiles agricoles et domestiques dont certains sont vieux de 300 ans.

Casino
Calle Trapería 18. 968 21 22 55.
de 9 h à 22 h, t.l.j.

Museo Etnológico de la Huerta de Murcia
Avda del Principe. 968 89 38 66.
du mar. au dim.

Mar Menor 29

Murcia. San Javier. depuis Cartagena, puis en bus. La Manga. La Manga, 968 14 61 36. www.marmenor.net

Une station balnéaire animée s'est développée sur la Manga, l'isthme étroit et sablonneux long de 20 km qui sépare la Méditerranée de la Mar Menor, le plus vaste des lacs salés d'Europe. Calme et peu profonde, l'eau peut y atteindre en été une température supérieure de 5 degrés à celle de la mer voisine. Sa haute teneur en sels minéraux lui donne des vertus curatives.

Plus calmes que la Manga, les villes de villégiature de Santiago de la Ribera et Los Alcázares ont conservé de beaux pontons en bois. Depuis Santiago de la Ribera ou La Manga, des bateaux conduisent à l'île de Perdiguera, l'une des cinq îles de la Mar Menor. Les anciens marais salants de Lo Pagán, près de San Pedro del Pinatar, sont devenus une réserve naturelle.

Au bord de la Mar Menor, à Los Alcázares

Les coupoles de l'hôtel de ville de Carthagène vues du front de mer

Carthagène ㉚

Murcia. 179 000. San Javier. Plaza Bastareges, 968 50 64 83. mer. Semana Santa (semaine de Pâques), Carthaginois et Romains (2 dernières sem. de sept.).

Au-dessus du port et des ruines de l'ancienne cathédrale entreprise au XIIIe siècle dans le style roman, le parc entourant les vestiges du **Castillo de la Concepción**, forteresse bâtie par Henri III de Castille au XIVe siècle, ménage une belle vue de la rade où les Carthaginois fondèrent en 223 av. J.-C. la Nouvelle Carthage *(Carthago Nova)*. Prospère à l'époque romaine, la ville tomba ensuite en déclin jusqu'à la création en 1777 de son arsenal.

Sur les quais, en face de l'hôtel de ville moderniste, se trouve un prototype de sous-marin dessiné par Isaac Peral en 1888. Sur la plaza del Ayuntamiento s'ouvre la calle Mayor, la rue principale bordée d'élégants édifices. Des fouilles ont notamment mis au jour à Carthagène une rue romaine et la **Muralla Bizantina** construite entre 589 et 590.

Le **musée national d'Archéologie sous-marine** présente une belle collection d'amphores antiques et des maquettes des bateaux qui les transportaient.

Muralla Bizantina
Calle Nueva. 968 50 79 66. du mar. au dim.

Museo Nacional de Arqueología Submarino
Carretera Faro de Navidad. 968 50 84 15. de 10 h à 15 h, du mar. au dim. sauf dim.

Costa Cálida ㉛

Murcia. Murcia. Águilas, 968 49 32 85. www.aguilas.org

Les stations balnéaires les plus populaires de la « Côte chaude » de la Murcie bordent la Mar Menor. Entre Cabo de Palos et Cabo Tinoso, le littoral, creusé de calanques, est principalement rocheux. Les stations du sud se révèlent relativement paisibles pour l'Espagne. Puerto de Mazarrón propose plusieurs belles plages et, près de Bolnuevo, le vent a sculpté des formes étranges dans des rochers. Proche de la frontière avec l'Andalousie, Águilas est en pleine expansion.

Lorca ㉜

Murcia. 77 000. Calle Lope Gisber, 968 46 61 57. jeu. Semana Santa (semaine de Pâques), Feria (3e sem. de sept.), Día de San Clemente (23 nov.).

La plaine fertile qui entoure la troisième ville de Murcie forme une véritable oasis au sein d'une des régions les plus arides d'Europe.

De l'Eliocroca romaine, important relais de poste sur la via Heraclea, subsiste une pierre milliaire qui porte une statue de saint Vincent Ferrier dans un angle de la plaza San Vicente. Le château de Lorca date de l'époque, du XIIIe au XVe siècle, où la ville gardait la frontière entre territoires chrétiens et musulmans. Il n'a conservé que deux de ses trente-cinq tours d'origine. Une porte est le seul vestige des remparts de la cité démolis après la chute de Grenade.

Au cœur du quartier ancien, d'élégants monuments baroques bordent la plaza de España. La **Colegiata de San Patricio**, construite entre 1553 et 1704, en ferme un des grands côtés. De part et d'autre se font face la salle capitulaire et l'hôtel de ville, ancienne prison dont les deux corps de bâtiment, édifiés entre 1677 et 1733, furent ensuite reliés par un arc enjambant la rue.

Caravaca de la Cruz ㉝

Murcia. 22 000. Calle de las Monjas 17, 968 70 24 24. lun et 3e dim. du mois (artisanat). Vera Cruz (1er - 5 mai). www.caravacas.org

Caravaca de la Cruz doit sa renommée à la « Vraie Croix » qui y apparut miraculeusement en 1231 alors qu'un prêtre y célébrait la messe devant un roi maure. Lors d'un siège postérieur, les défenseurs chrétiens du château recouvrèrent leurs forces en buvant du vin dans lequel elle avait été trempée, événement commémoré lors des fêtes du mois de mai. À l'intérieur de la forteresse se dresse le **Santuario de la Vera Cruz** (XVIIe siècle) doté d'une intéressante façade baroque. Il n'abrite plus la croix, volée en 1935.

Aux environs

À 14 km au nord, sur les contreforts des montagnes marquant la frontière occidentale de la Murcie, des ruelles pentues aux maisons multicolores grimpent dans le joli village de **Moratalla** vers un château du XVe siècle. À l'est de Caravaca, **Cehegín** a en partie gardé son cachet médiéval.

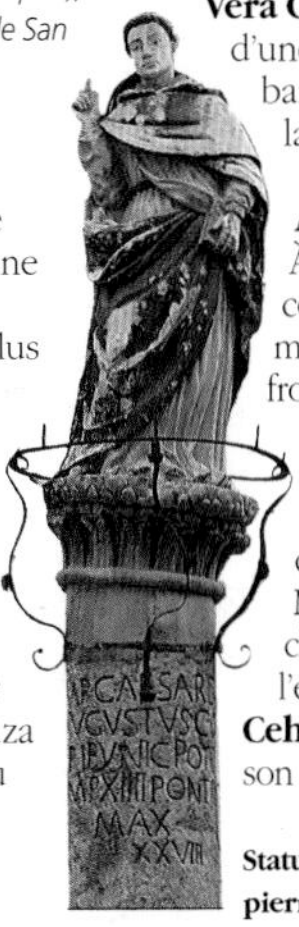

Statue du XVIIIe siècle sur une pierre milliaire romaine, Lorca

MADRID

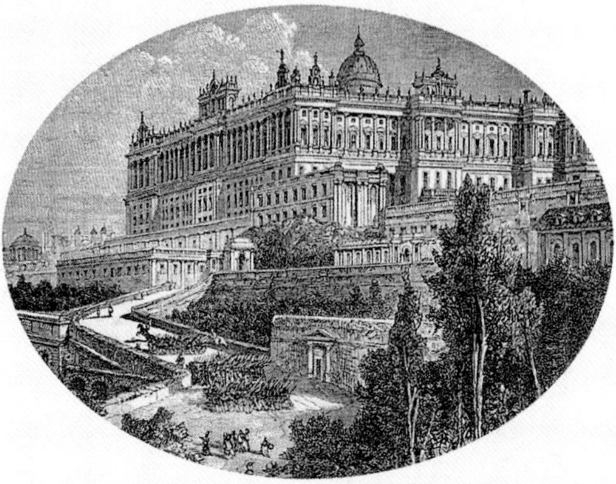

Présentation de Madrid

Cité de plus de trois millions d'habitants, la capitale de l'Espagne se trouve près du centre géographique du pays et au carrefour de ses réseaux routier et ferroviaire. Son éloignement de la mer et son altitude, 660 m, lui valent des hivers rigoureux et des étés torrides. Le printemps et l'automne sont donc les meilleures saisons pour visiter Madrid et découvrir, entre autres, ses nombreux musées, dont trois collections d'art de renommée mondiale, son palais royal et ses places animées. Une province peu étendue entoure la ville : la Comunidad de Madrid. La sierra de Guadarrama la domine au nord. Sur ses contreforts, Philippe II fit construire le majestueux monastère d'El Escorial.

Le Palacio Real (p. 266-267) *fut édifié et somptueusement décoré, comme ici dans la salle du trône, par les Bourbons. Il domine l'ouest du vieux Madrid.*

La Plaza Mayor (p. 263), *dans le vieux Madrid, date du début du XVIIe siècle. Pôle de la vie sociale, elle servit de cadre à des courses de taureaux, des jugements de l'Inquisition et des exécutions publiques* (p. 264). *Au centre se dresse une statue équestre de Philippe III.*

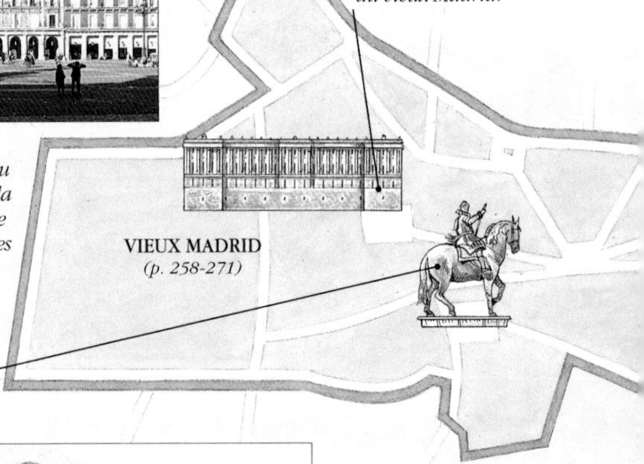

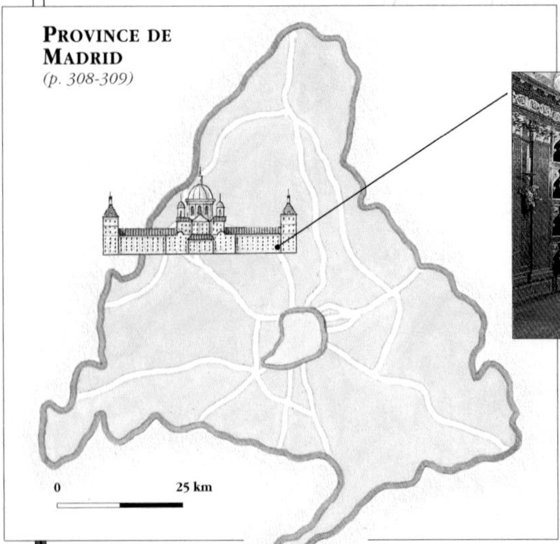

El Escorial (p. 312-313), *l'austère monastère achevé par Juan de Herrera pour Philippe II, abrite d'importantes œuvres d'art. Dans le panthéon des rois octogonal, des sarcophages en marbre renferment les dépouilles de nombreux souverains espagnols.*

◁ **La fontaine de Cybèle et la tour de la poste principale, sur la plaza de Cibeles**

Le Museo Thyssen-Bornemisza (p. 278-279) *présente dans un palais du XVIIIe siècle l'une des plus importantes collections d'art jamais réunies par des personnes privées. Elle comprend des œuvres majeures par Titien, Rubens, Goya, Van Gogh et Picasso.*

Sur la plaza de Cibeles (p. 276), *des édifices caractéristiques comme le Banco de España (1891) et la poste principale (1919) à la façade ornée de sculptures entourent une fontaine devenue un des symboles de la ville.*

Le Parque del Retiro (p. 287) *offre, avec ses allées ombragées et son lac dominé par une majestueuse colonnade, un cadre idéal où se détendre entre les visites des grands musées du Madrid des Bourbons.*

Le Museo del Prado (p. 282-285), *l'un des plus prestigieux musées d'art du monde, possède de nombreux tableaux de Velázquez et de Goya, dont la statue fait face à l'entrée principale.*

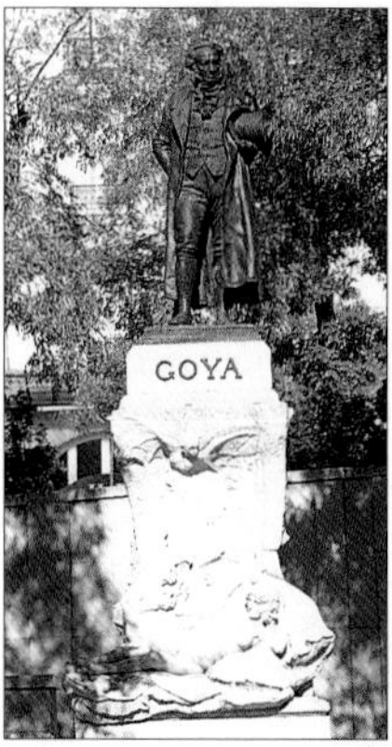

0 500 m

Au Centro de Arte Reina Sofía (p. 288-289), *remarquable musée d'art moderne installé dans un ancien hôpital à la façade agrémentée d'ascenseurs aux cages de verre, s'admire le célèbre* Guernica *par Picasso.*

HOTEL

Le vieux Madrid

Vers 850, l'émir Mohammed Ier fit d'un petit village sur le río Manzanares, au cœur de la péninsule Ibérique, une forteresse participant à la défense de Tolède : Magerit. Après sa conquête par Alphonse VI de Castille en 1083, les chrétiens édifièrent maisons et églises le long des ruelles sinuant derrière l'ancien alcazar arabe, transformé en palais gothique au XVe siècle. Un incendie détruisit celui-ci en 1734 et les Bourbons le remplacèrent par le Palacio Real actuel où se mêlent styles baroque et néo-classique.

Tiroir de la pharmacie du Palacio Real

La ville ne comptait que 20 000 habitants quand Philippe II y installa sa capitale en 1561, mais sa population avait plus que triplé cinquante ans plus tard. Centre nerveux d'un immense empire, le « Madrid de los Austrias » vit se multiplier couvents et palais seigneuriaux pendant les règnes des membres de la dynastie des Habsbourg. À partir de 1617, Juan Gómez de Mora aménage la Plaza Mayor pour Philippe III. En 1622 commence la construction de San Isidro qui sera cathédrale de 1885 à 1993. La Puerta del Sol (Porte du Soleil), vaste place portant le nom d'une ancienne porte des remparts, devient alors le cœur spirituel et géographique non seulement de Madrid mais de toute l'Espagne.

Le quartier d'un coup d'œil

Bâtiments historiques
Palacio Real p. 266-267 9

Musée
Real Academia de Bellas Artes 14

Églises et monastères
Catedral de la Almudena 7
Colegiata de San Isidro 2
Iglesia de San Nicolás 5
Monasterio de las Descalzas Reales 13
Monasterio de la Encarnación 10

Rue, places et parc
Campo del Moro 8
Gran Vía 12
Plaza de España 11
Plaza Mayor 4
Plaza de Oriente 6
Plaza de la Villa 3
Puerta del Sol 1

Comment y aller

En métro, les lignes 1, 2, 3, 5 et 10 offrent le moyen le plus rapide et le plus pratique de rejoindre les sites touristiques du vieux Madrid. Parmi les bus les plus utiles figurent le 51, le 52, le 150 et le 153 qui s'arrêtent à la Puerta del Sol.

Légende

- Plan pas à pas *p. 260-261*
- Station de métro
- Arrêt de bus important
- Information touristique
- Parc de stationnement

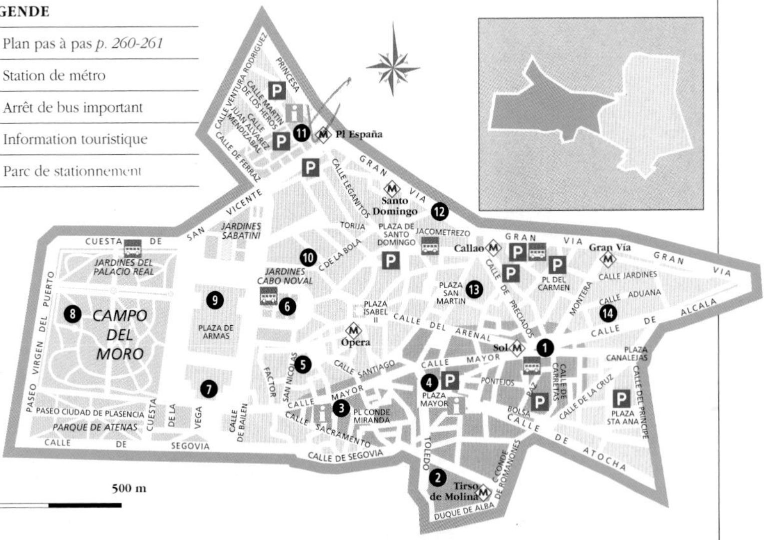

Monument de Cervantes par Lorenzo Coullaut-Valera sur la plaza de España

Le vieux Madrid pas à pas

S'étendant de la Puerta del Sol à la plaza de la Villa médiévale, le cœur du vieux Madrid, riche de monuments tels que la Colegiata de San Isidro et le Palacio de Santa Cruz, forme un ensemble compact marqué par l'histoire. Entourée de portiques, la Plaza Mayor aménagée par la maison d'Autriche en est le plus bel élément architectural. Si elle servit jadis de cadre à des exécutions ordonnées par l'Inquisition *(p. 264)*, elle accueille désormais des manifestations culturelles. De nombreux cafés et les éventaires du Mercado de San Miguel ajoutent au plaisir de se promener dans ce quartier vivant.

★ La Plaza Mayor
Cette superbe place du XVIIe siècle abrite sous ses arcades de nombreux cafés et des magasins d'artisanat ❹

Le Mercado de San Miguel, où se vendent produits alimentaires et domestiques, occupe un édifice à structure métallique du XIXe siècle.

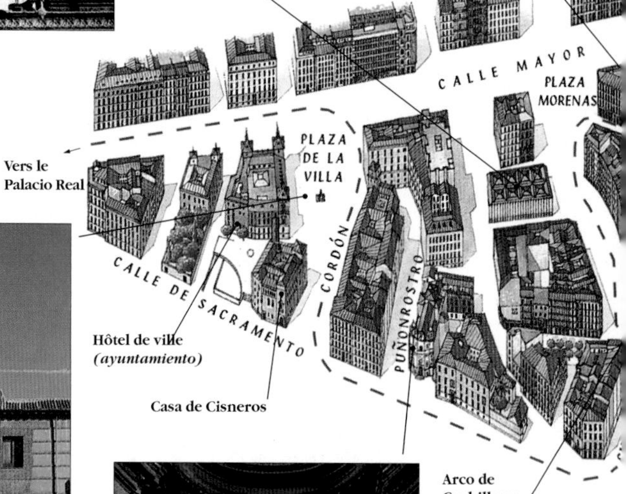

★ La plaza de la Villa
La Torre de los Lujanes (XVe siècle) est le plus ancien des bâtiments historiques qui la bordent ❸

La Basílica Pontificia de San Miguel (XVIIIe siècle), l'une des rares églises d'Espagne inspirées par le baroque italien, possède une belle façade et une élégante décoration intérieure.

À NE PAS MANQUER

- ★ La Plaza Mayor
- ★ La plaza de la Villa
- ★ La Puerta del Sol

★ La Puerta del Sol
Avec ses boutiques et ses cafés, cette place est la plus animée de Madrid. Une enseigne pour une marque d'alcool, Tío Pepe, en est devenue un symbole ❶

Carte de situation
Voir l'atlas des rues, plan 2

Le Palacio de Santa Cruz construit au XVIIe siècle dans le style baroque abrite le ministère des Affaires étrangères.

La Colegiata de San Isidro
Cathédrale de Madrid jusqu'à la construction de la Almudena (p. 265), *l'église baroque Saint-Isidore est dédiée au patron de la ville, un paysan du XIIe siècle* ❷

Légende

— — — Itinéraire conseillé

Le kilomètre 0 des routes nationales espagnoles, Puerta del Sol

Puerta del Sol ❶

Plan 2 F3. *Sol.*

Le vacarme qu'y entretiennent les conversations, la circulation automobile et les coups de sifflets des policiers fait de la place de la Puerta del Sol le centre qui convient à Madrid. Malgré son manque d'intérêt architectural, Madrilènes et touristes s'y pressent pour le plaisir de flâner ou pour se rendre dans les très nombreuses boutiques du quartier.

Une porte fortifiée et un château défendaient jadis ici l'entrée orientale de la ville, la « Porte du Soleil ». Tous deux ont depuis longtemps disparu et plusieurs églises se sont succédé sur le site avant qu'il ne prenne sa forme actuelle à la fin du XIXe siècle.

Un austère édifice néo-classique en brique rouge et une statue de Charles III récemment installée ferment la Puerta del Sol au sud. Édifié en 1760, pour abriter la poste centrale, il devint en 1847 le siège du ministère de l'Intérieur. L'horloge est un ajout datant de 1866. Le régime franquiste *(p. 62-63)* y installa la Sûreté générale qui s'y rendit coupable de maintes infractions aux Droits de l'homme. En 1963, Julián Grimau, membre du Parti communiste clandestin, tomba ainsi « accidentellement » d'une fenêtre des étages. Il survécut miraculeusement à sa chute, mais fut exécuté peu après. Le gouvernement régional de la *Comunidad de Madrid* occupe désormais le bâtiment. Devant, une plaque sur le sol marque le kilomètre 0 des routes nationales espagnoles.

El Oso y el Madroño, symboles de Madrid, Puerta del Sol

Les immeubles en arc de cercle qui forment l'autre côté de la place abritent des magasins et des cafés modernes. Au coin de la calle del Carmen, une statue en bronze représente l'Ours et l'Arbousier *(El Oso y el Madroño)*, symboles de la ville.

De nombreux événements historiques eurent lieu sur la Puerta del Sol. Le 2 mai 1808, c'est là que commença le soulèvement contre les forces d'occupation napoléoniennes *(p. 59)*. En 1912, des anarchistes y assassinèrent le Premier ministre José Canalejas et, en 1931, la deuxième République *(p. 61)* fut proclamée depuis le balcon du ministère de l'Intérieur.

Le soir du 31 décembre, une foule immense se réunit sur la place pour attendre le jour de l'an. Selon la tradition, manger un grain de raisin à chacun des douze coups de minuit portera chance pendant l'année qui commence.

Iglesia de San Isidoro ❷

Calle de Toledo 37. **Plan** 2 E4. *913 69 20 37.* *La Latina.* *de 8 h à 12 h 45, de 18 h à 20 h 30, t.l.j.*

Entreprise en 1622, l'ancienne église du collège de la Compagnie de Jésus connut un remaniement intérieur par Ventura Rodríguez après que Charles III eut expulsé les jésuites en 1767 *(p. 58)*. Le sanctuaire baroque fut alors dédié au patron de la ville, saint Isidore, un laboureur mort en 1170, et reçut ses reliques conservées auparavant dans l'Iglesia de San Andrés. Rendue aux jésuites pendant le règne de Ferdinand VII (1814-1833), San Isidro devint la cathédrale de Madrid de 1885 à l'achèvement de la Almudena *(p. 265)* en 1993.

Autel de l'Iglesia de San Isidro

Plaza de la Villa ❸

Plan 2 D4. *Ópera, Sol.*

Havre de paix au cœur de la ville, cette place piétonnière souvent remaniée possède un grand charme.

Le plus ancien des bâtiments historiques qui la bordent est la Torre de los Lujanes (XVe siècle) dotée d'un portail gothique et ornée d'arcs en fer à cheval de style mudéjar. François Ier y aurait été emprisonné après sa défaite face aux troupes de Charles Quint à Pavie en 1525.

Construite en 1537 pour le neveu du cardinal de Cisneros, le fondateur de la prestigieuse

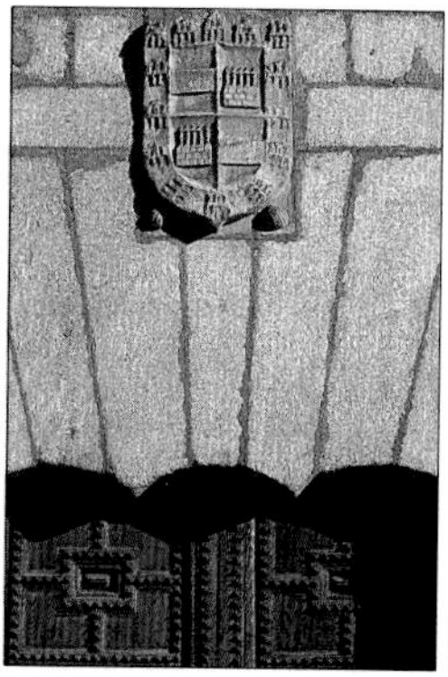

Portail de la Torre de los Lujanes

université d'Alcalá de Henares *(p. 314-315)*, la Casa de Cisneros présente sur la calle Sacramento une façade principale qui offre un bel exemple du style plateresque *(p. 21)*.

Un arc relie la maison à l'hôtel de ville *(ayuntamiento)* dessiné en 1640 par Juan Gómez de la Mora, l'architecte de la Plaza Mayor, qui lui donna, comme aux immeubles de la place, un toit pentu percé de lucarnes, des tourelles d'angles et une austère façade de brique et de pierre. La construction de l'édifice dura toutefois plus de 30 ans et il reçut avant son achèvement d'élégants portails baroques par Ardemans. Juan de Villanueva, l'architecte du Prado *(p. 282-285)*, ajouta postérieurement le balcon qui permettait à la famille royale d'assister aux processions religieuses.

Plaza Mayor ❹

Plan 2 E4. Ⓜ *Sol.*

Vaste rectangle d'environ 120 m de long sur 90 de large, la Plaza Mayor offre avec ses toits pentus, ses balcons et ses clochetons, un décor théâtral très castillan de caractère. Juan Gómez de Mora dessina les immeubles qui l'entourent. Il reprenait un projet de Juan de Herrera, l'architecte de l'austère monastère d'El Escorial *(p. 312-313)*, et il s'inspira du style de son maître en l'adoucissant quelque peu.

Les travaux commencèrent en 1617 à l'emplacement d'un grand marché dont les noms de la Casa de la Carniceria (boucherie) et de la Casa de la Panadería (boulangerie), qui se font face au nord et au sud, entretiennent le souvenir. Les peintures allégoriques de la Casa de la Panadería datent d'une restauration récente.

Inaugurée en 1620, la place fut le théâtre de nombreux événements publics auxquels assistaient souvent le roi et la reine : courses de taureaux, tournois, autodafés… En 1621 eut lieu l'exécution de Rodrigo Calderón, secrétaire du duc de Lerme, le favori de Philippe III. Malgré la haine que lui vouait le peuple madrilène, son attitude face au bourreau impressionna tellement que l'expression « plus orgueilleux que don Rodrigo sur l'échafaud » a toujours cours. L'année suivante, une grande cérémonie célébra la canonisation de saint Isidore, le patron de la ville. La manifestation la plus spectaculaire fut sans doute cependant l'arrivée en 1760 de Charles III, jusqu'alors roi de Naples et de Sicile.

Bordée de cafés, et décorée en son centre d'une statue équestre de Philippe III commencée par Jean de Bologne et achevée en 1616 par son élève Pietro Tacca, la place accueille le dimanche matin un marché aux timbres et aux monnaies *(p. 305)*. Elle donne au sud sur la calle de Toledo qui conduit aux rues où se tient le Rastro, le célèbre marché aux puces de Madrid *(p. 292)*. Dans l'angle sud-ouest, une volée de marches mène sous l'Arco de Cuchilleros à la calle de Cuchilleros où s'ouvrent de nombreux *mesones*, petits restaurants traditionnels.

Peintures allégoriques de la Casa de la Panadería, Plaza Mayor

L'Inquisition espagnole

Instaurée en 1480 par les Rois Catholiques pour lutter contre toute forme d'hérésie dans leur royaume, l'Inquisition eut pour première fonction de surveiller les juifs et les musulmans qui s'étaient convertis au christianisme, en général sous la contrainte. Présidée par un inquisiteur-général nommé par le souverain, elle bloqua tout progrès du protestantisme en Espagne et, d'une orthodoxie pointilleuse, alla jusqu'à inquiéter de grands mystiques catholiques comme sainte Thérèse d'Avila. Souvent torturés pour obtenir des aveux, les accusés n'étaient pas informés des charges exactes portées contre eux. Les condamnations allaient de peines de prison, pour ceux qui abjuraient leurs erreurs, jusqu'à l'exécution sur le bûcher. L'Inquisition ne fut abolie officiellement qu'en 1834.

Bannière de l'Inquisition

Un protestant comparaît devant la famille royale, sa dernière chance de se repentir.

Un condamné portant le *san benito*, casaque jaune croisée de rouge, est conduit en prison.

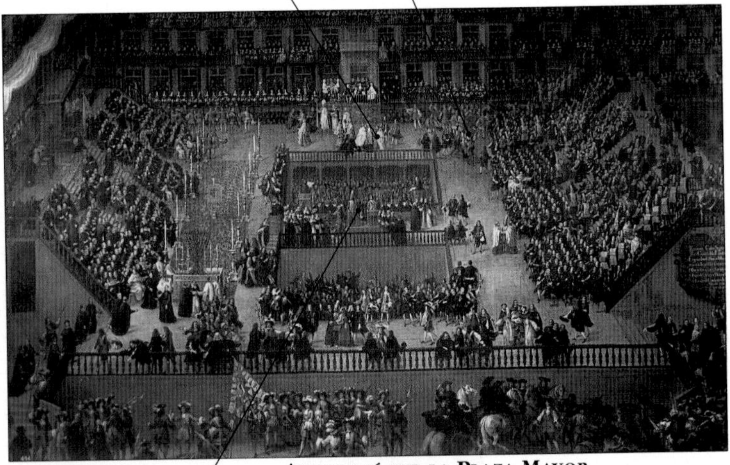

Les impénitents, condamnés en public dans la journée, sont exécutés avant la nuit.

Autodafé sur la Plaza Mayor
Cette peinture par Francisco Rizi (1683) représente un auto-da-fé – un « acte de foi » – qui se tint sur la place principale de Madrid le 30 juin 1680. Contrairement aux autres tribunaux ecclésiastiques institués en Europe, il est présidé par le monarque en exercice, Charles II.

La torture *utilisée couramment pour obtenir des aveux resta liée à l'image de l'Inquisition comme en témoigne cette gravure allemande du XIXe siècle.*

La Procession de flagellants *(v. 1812) par Goya montre l'influence de l'Inquisition sur l'imagination populaire. Les hauts chapeaux coniques des pénitents du tableau, encore portés aujourd'hui lors des processions de la semaine sainte, sont ceux des hérétiques jugés par l'Inquisition.*

Iglesia de San Nicolás 5

Plaza de San Nicolás 1. **Plan** 1 C3.
915 59 40 64. Ópera. de 8 h 30 à 13 h 30, de 17 h 30 à 20 h 30 le lun., de 18 h 30 à 20 h 30 du mar. au sam., de 10 h à 14 h, de 18 h 30 à 20 h 30 le dim.

La première mention de l'église San Nicolás apparaît dans un document de 1202. Sa tour en brique, le plus ancien édifice ecclésiastique de Madrid, était peut-être à l'origine le minaret d'une mosquée, mais elle incorpore des éléments gothiques et mudéjars.

Plaza de Oriente 6

Plan 1 C3. *Ópera.*

C'est Joseph Bonaparte *(p. 59)* qui fit détruire les immeubles situés à l'est du Palacio Real *(p. 266-267)* pour dégager cette place et ouvrir la perspective qu'elle offre sur le palais, mais les travaux d'aménagement ne s'achevèrent qu'en 1841 pendant le règne d'Isabelle II.

Les effigies des premiers rois espagnols qui agrémentent les jardins devaient à l'origine décorer le toit mais se révélèrent trop lourdes. Pietro Tacca fondit à Florence en 1640 la statue équestre de Philippe IV, modelée d'après un portrait par Velázquez, qui orne le centre de la place.

Statue équestre de Philippe IV, plaza de Oriente

Vue de la Catedral de la Almudena et le Palais royal

À l'est, entre la plaza de Oriente et la plaza de Isabel II, s'élève l'imposant Teatro Real, ou Teatro de la Ópera, inauguré en 1850 par une représentation de *La Favorite* de Donizetti.

Catedral de la Almudena 7

Calle de Bailén 8-10. **Plan** 1 B3. *915 42 22 00. Ópera. de 10 h à 14 h, de 17 h à 21 h t.l.j.*

Dédiée à la sainte patronne de Madrid, dont une image peinte au XVIe siècle orne l'autel de la crypte, cette cathédrale entreprise en 1879 s'élève sur le site de la plus ancienne église de la ville. Sous la direction de plusieurs architectes, la construction du sanctuaire, de style néo-gothique derrière une façade néo-classique, a duré plus d'un siècle.

Plus loin dans la calle Mayor, des fouilles ont mis au jour des murailles médiévales maures et chrétiennes.

Campo del Moro 8

Plan 1 A3. *Principe Pio. d'avr. à sept., de 10 h à 20 h du lun. au sam.*

Le Champ du Maure est un parc agréable aménagé sur un terrain en pente bordant le río Manzanares. Il offre de belles vues sur le Palacio Real *(p. 266-267)*.

Il doit son nom à l'armée conduite par Ali ben Yusuf qui bivouaqua en 1109 sur cet espace dégagé. Celui-ci servit ensuite aux chevaliers chrétiens pour leurs joutes, puis devint à la fin du XIXe siècle une luxueuse aire de jeu pour les enfants de la famille royale. Transformé en parc à l'anglaise, avec des sentiers sinueux, des pelouses, des bosquets, des fontaines et des statues, il rouvrit au public en 1931 sous la IIe République *(p. 61)*. Fermé pendant la dictature franquiste, il le resta jusqu'en 1983.

Dans sa partie inférieure, le Museo de Carruajes, fermé pour une durée indéterminée, abrite les anciens carrosses et véhicules royaux.

Palacio Real ❾

Statue de Charles III

Conçu pour impressionner, le Palais royal de Madrid se dresse sur une hauteur dominant le río Manzanares à l'emplacement qu'occupa pendant des siècles la forteresse de l'alcazar détruite par un incendie en 1734. Philippe V commanda alors un édifice grandiose. Sa construction dura 26 ans et la majeure partie de son exubérante décoration reflète les goûts de Charles III et Charles IV *(p. 67)*. Le Palacio Real resta résidence royale jusqu'à l'abdication d'Alphonse XIII en 1931. Il continue d'accueillir des réceptions officielles, mais le souverain actuel, Juan Carlos Ier, habite hors de Madrid le palais de la Zarzuela plus modeste.

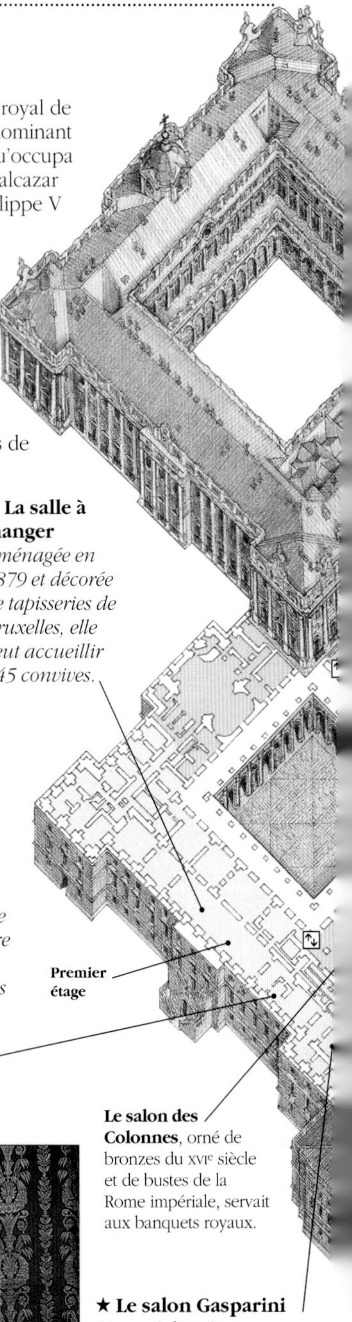

★ La salle à manger
Aménagée en 1879 et décorée de tapisseries de Bruxelles, elle peut accueillir 145 convives.

★ La salle de porcelaine
Les murs et le plafond de cette salle aménagée sur l'ordre de Charles III sont entièrement couverts de porcelaine de la manufacture de Buen Retiro.

Le salon des Colonnes, orné de bronzes du XVIe siècle et de bustes de la Rome impériale, servait aux banquets royaux.

★ Le salon Gasparini
Nommé d'après son créateur napolitain, le salon Gasparini présente une somptueuse décoration rococo. Un portrait de Charles IV par Goya orne l'antichambre voisine.

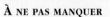

À NE PAS MANQUER

- ★ La salle à manger
- ★ La salle de porcelaine
- ★ Le salon Gasparini
- ★ La salle du Trône

Mode d'emploi

Calle de Bailén. **Plan** 2 C3. 914 54 88 00. Ópera, Plaza de España. 3, 25, 33, 39, 148. 9 h-18 h lun.-sam., 9 h-15 h dim. (fermé 1 h plus tôt en hiver). une ou deux fois par semaine pour réceptions officielles. (gratuit mer. pour Européens) www.patrimonionacional.es

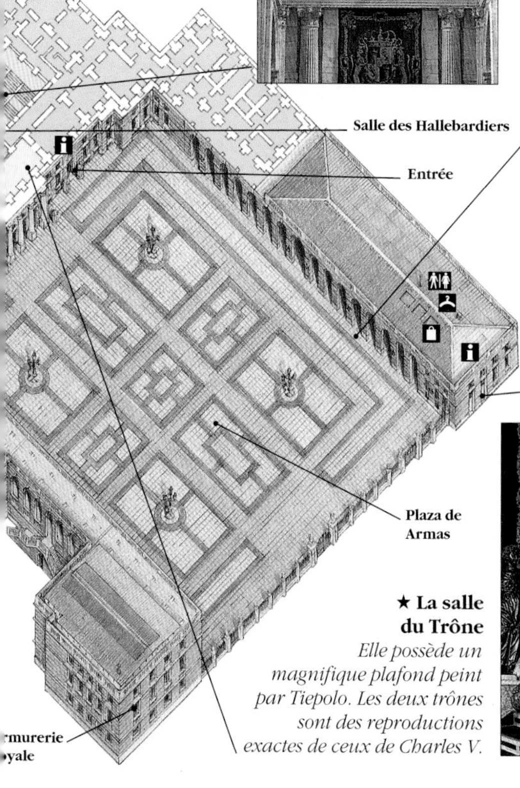

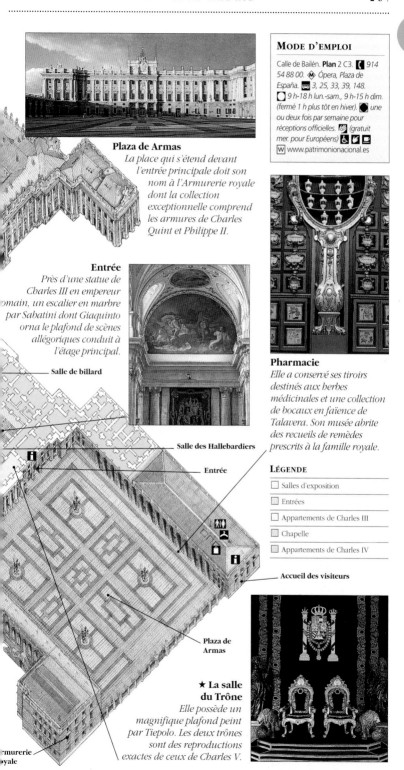

Plaza de Armas
La place qui s'étend devant l'entrée principale doit son nom à l'Armurerie royale dont la collection exceptionnelle comprend les armures de Charles Quint et Philippe II.

Entrée
Près d'une statue de Charles III en empereur omain, un escalier en marbre par Sabatini dont Giaquinto orna le plafond de scènes allégoriques conduit à l'étage principal.

Pharmacie
Elle a conservé ses tiroirs destinés aux herbes médicinales et une collection de bocaux en faïence de Talavera. Son musée abrite des recueils de remèdes prescrits à la famille royale.

Légende

- Salles d'exposition
- Entrées
- Appartements de Charles III
- Chapelle
- Appartements de Charles IV

★ La salle du Trône
Elle possède un magnifique plafond peint par Tiepolo. Les deux trônes sont des reproductions exactes de ceux de Charles V.

COLISEVM
HOTEL WASHINGTO
Metro

VP
EUROPA
MADRID

Entrée du Monasterio de la Encarnación

Monasterio de la Encarnacíon ⓾

Plaza de la Encarnación 1. **Plan** 1 C2. *914 54 88 00.* *Ópera, Santo Domingo.* *de 10 h 30 à 12 h 45, de 16 h à 17 h 45 du mar. au jeu. et sam., de 10 h 30 à 12 h 45 ven., de 11 h à 13 h 45 dim.* *gratuit mer. pour Européens*

Fondé en 1611 par Marguerite d'Autriche, épouse de Philippe III, ce couvent dessiné par Juan Gómez de la Mora, l'architecte de la Plaza Mayor *(p. 263)*, borde une charmante place ombragée.

L'intérieur du monastère, toujours occupé par des augustines, évoque l'ancienne Castille avec ses carreaux bleus et blancs de Talavera, ses portes en bois, ses poutres apparentes et les portraits de bienfaiteurs royaux accrochés à ses murs. Il abrite une intéressante collection de peintures du XVIIe siècle comprenant notamment des œuvres de José de Ribera et Vincente Carducho. Parmi les statues en bois polychrome, remarquez le *Christ à la colonne* par Fernández.

C'est toutefois la salle des reliques, au plafond peint par Carducho, qui constitue le principal intérêt de la visite. Des centaines de reliquaires aux décors très variés couvrent les parois. Une ampoule renferme le sang coagulé de saint Pantaléon supposé se liquéfier chaque 27 juillet, jour anniversaire de sa mort. Reconstruite en 1767 par Ventura Rodríguez après un incendie, l'église est ornée, entre autres, de fresques par Gonzáles Velázquez et de toiles de Francisco Bayeu.

Plaza de España ⓫

Plan 1 C1. *Plaza de España.*

Important carrefour routier et lieu de rencontre apprécié des Madrilènes comme des touristes, la place d'Espagne descend en pente douce vers le Palacio Real *(p. 266-267)* et les jardins de Sabatini. Aux XVIIIe et XIXe siècles, avant que le développement de la ville ne conduisît à en faire un espace public, une caserne occupait cet emplacement proche du palais.

Les deux gratte-ciel qui dominent la place datent de l'ère franquiste *(p. 62-63)*. Au nord, le massif Edificio de España bâti en 1948 offre de sa terrasse un large panorama de la ville. De l'autre côté de la place, la Torre de Madrid (1957), surnommée *la Jirafa* (la Girafe), fut un temps le plus haut édifice en béton du monde.

Au centre de la plaza de España, un jardin agrémenté d'un plan d'eau entoure le monument à Cervantes élevé en 1927. Sous la statue du célèbre écrivain, Don Quichotte chevauche Rossinante à côté de son valet Sancho Pança monté sur un âne. À gauche est représentée Dulcinée, paysanne dont le chevalier fit la « dame de ses pensées ».

Gran Vía ⓬

Plan 2 D1. *Plaza de España, Santo Domingo, Callao, Gran Vía.*

Inaugurée en 1910, la Gran Vía est un de principaux axes de circulation de la cité moderne. Sa construction s'étala sur plusieurs dizaines d'années et exigea la démolition de très nombreux bâtiments décrépits bordant d'étroites allées entre la calle de Alcalá et la plaza de España. Cet aménagement urbain au déroulement quelque peu hasardeux servit bientôt de

Monument à Miguel de Cervantes, plaza de España

◁ **La Gran Vía et son intense circulation vues depuis la plaza de España**

L'un des nombreux immeubles des années 1930 de la Gran Vía

sujet à une *zarzuela*, forme d'opéra-comique très appréciée des Madrilènes *(p. 306)*.

Devenue une importante artère commerçante, la Gran Vía offre néanmoins aujourd'hui, après avoir profité d'un programme de restauration dont elle avait grand besoin, un aperçu de l'architecture du début de ce siècle.

Les immeubles les plus intéressants se trouvent du côté de la calle de Alcalà, à commencer par l'Edificio Metrópolis *(p. 274)* orné de statues, de colonnes corinthiennes et d'une coupole coiffée d'ardoise. Des mosaïques Art nouveau décorent les niveaux supérieurs du nº 1, Gran Vía. Parmi les traits distinctifs des édifices de cette partie de l'avenue figurent des galeries à colonnades ouvertes au dernier étage. Elles s'inspirent de l'architecture médiévale de l'Aragon et de la Catalogne. À remarquer également : les balcons en fer forgé et les détails sculptés, telles les curieuses cariatides du nº 12.

Sur le carrefour du Red de San Luis s'élève le bâtiment de la Telefónica (1929), le premier gratte-ciel érigé dans la capitale. La Gran Vía prend ensuite une allure plus américaine avec ses cinémas, ses boutiques pour touristes et ses cafés.

En face de la station de métro Callao, le cinéma Capitol, de style Art déco, date des années 1930.

Monasterio de las Descalzas Reales ⓭

Plaza de las Descalzas 3. **Plan** 2 E3. *914 54 88 00.* *Sol, Callao.* *de 10 h 30 à 12 h 45, de 16 h à 17 h 45 du mar. au jeu. et sam., de 10 h 30 à 12 h 45 ven., 11 h à 13 h 45 dim. et jours fériés.* *gratuit mer. pour Européens.* www.patrimonionacional.es

L'édifice religieux le plus remarquable de Madrid, l'un des rares exemples d'architecture du XVIe siècle à avoir survécu dans la capitale espagnole, possède une sobre façade de brique rouge et de granit.

Ancien palais où naquit Jeanne d'Autriche, la sœur de Philippe II, il fut aménagé à sa demande vers 1560 en couvent de clarisses. Le rang des dames de la noblesse et de la famille royale qui s'y retirèrent explique la richesse de sa décoration et la qualité des œuvres d'art qu'il abrite.

Sous un plafond peint par Claudio Coello et ses élèves, l'escalier principal, orné d'une fresque représentant Philippe IV et sa famille, conduit à la galerie supérieure du petit cloître. Peintures, sculptures et objets précieux abondent dans les chapelles qui l'entourent. La principale renferme le tombeau de Jeanne d'Autriche. La Gran Sala de Tapices contient une série de tapisseries exécutées à Bruxelles en 1627 d'après des cartons de Rubens pour la fille de Philippe II, Isabelle d'Autriche : *Le Triomphe de l'Eucharistie*. Parmi les tableaux exposés figurent des œuvres de Pieter Bruegel l'Ancien, Titien, Zurbarán, Murillo et Ribera.

Chapelle du Monasterio de las Descalzas Reales

***Fray Pedro Machado* de Zurbarán**

Real Academia de Bellas Artes ⓮

Calle de Alcalá 13. **Plan** 3 A5. *915 24 08 64.* *Sevilla, Sol.* *de 9 h à 19 h du mar. au ven., de 10 h à 14 h du sam. au lun.* *jours fériés.* *gratuit mer.et dim.* www.rabasf.insde.es

Installée dans un bâtiment édifié en 1711 par Churriguera *(p. 21)*, l'académie des Beaux-Arts eut notamment pour élèves Dalí et Picasso. Son musée présente une riche collection comprenant de superbes dessins par Raphaël et Titien et des tableaux par Rubens et Van Dyck. Les maîtres espagnols du XVIe au XIXe siècle sont particulièrement bien représentés avec des peintures, entre autres, de Ribera, Murillo, El Greco et Velázquez. La série de portraits de moines par Zurbarán, dont celui de *Fray Pedro Machado*, constitue un des fleurons de l'exposition.

Une salle entière est consacrée à Goya qui dirigea l'académie. On y admire un portrait de Manuel Godoy *(p. 58)*, l'*Enterrement de la sardine (p. 35)*, *La Maison de fous* et un autoportrait peint en 1815.

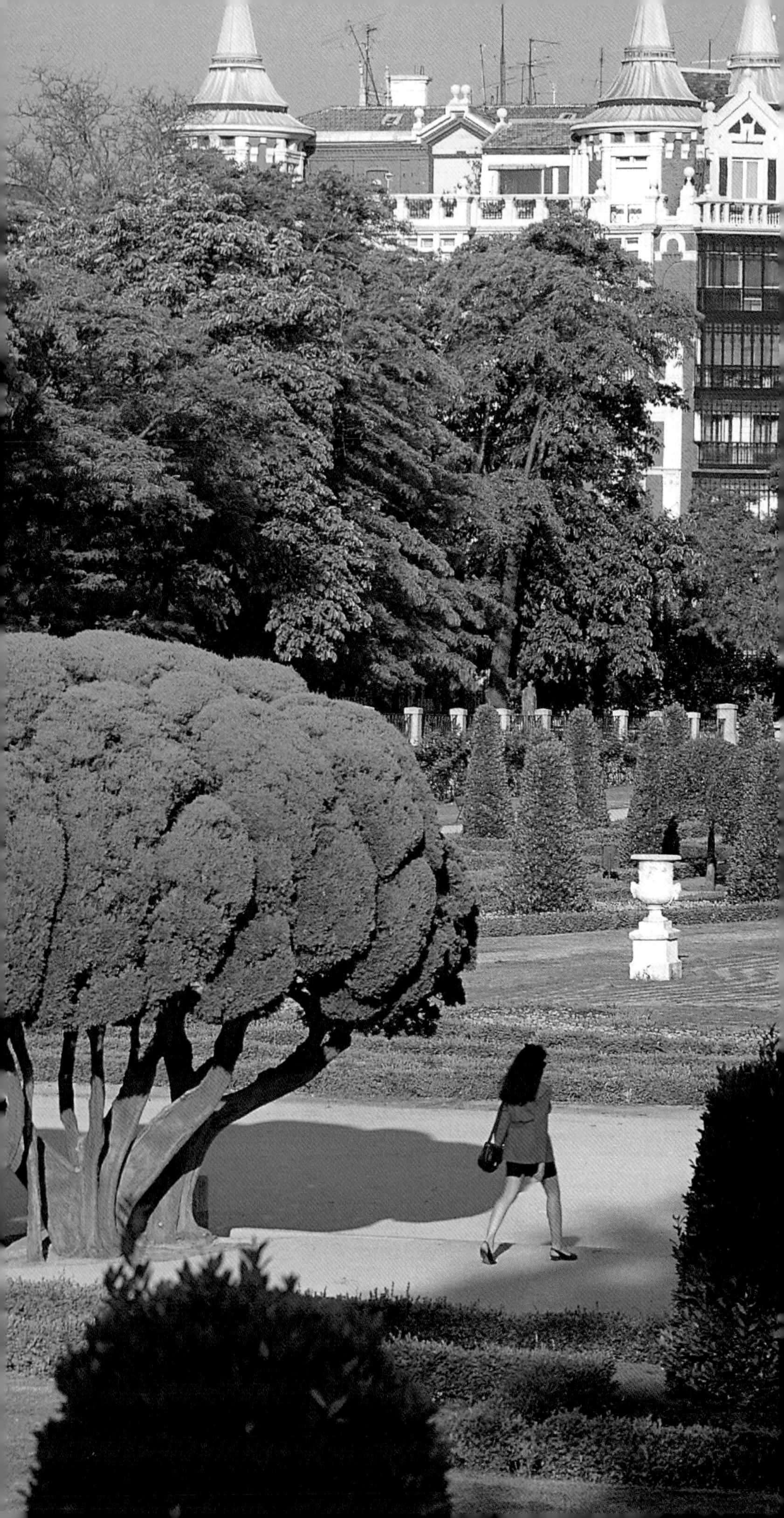

Le Madrid des Bourbons

À l'est du vieux Madrid s'étendait jadis un espace de jardins connu sous le nom de Prado, la « Prairie ». Les Rois Catholiques *(p. 66)* y fondèrent au XVe siècle un monastère près duquel les Habsbourg édifièrent un palais *(p. 287)* dont ne subsistent que quelques bâtiments mais dont les jardins sont devenus le superbe Parque del Retiro. Les Bourbons, en particulier Charles III, choisirent ce quartier pour étendre et embellir la ville au XVIIIe siècle. Autour du paseo del Prado, ils construisirent des places majestueuses ornées de fontaines, un arc de triomphe, l'hôpital qu'occupent les collections d'art moderne du Centro de Arte Reina Sofia et l'édifice qui allait devenir le Museo del Prado, l'un des plus grands musées d'art du monde.

Le quartier d'un coup d'œil

Bâtiments historiques
- Ateneo de Madrid 13
- Café Gijón 15
- Casa de Lope de Vega 10
- Congreso de los Diputados 14
- Estación de Atocha 21
- Hotel Ritz 1
- Real Academia de la Historia 11
- Teatro Español 12

Musées
- *Centro de Arte Reina Sofía p. 288-289* 22
- Museo Arqueológico Nacional 18
- Museo del Ejército 7
- Museo Nacional de Artes Decorativas 6
- *Museo del Prado p. 282-285* 9
- *Museo Thyssen-Bornemisza p. 278-279* 3

Église
- Iglesia de San Jerónimo el Real 8

Monument
- Puerta de Alcalá 5

Rues, places et parcs
- Calle de Serrano 17
- Parque del Retiro 19
- Plaza Cánovas del Castillo 2
- Plaza de Cibeles 4
- Plaza de Colón 16
- Real Jardín Botánico 20

Comment y aller

Le métro offre le meilleur moyen de circuler dans le Madrid des Bourbons. Les lignes 1, 2 et 4 desservent les principaux sites. Parmi les bus les plus utiles, les 2, 8, 14, 15, 27, 74 et 146 s'arrêtent plaza de Cibeles.

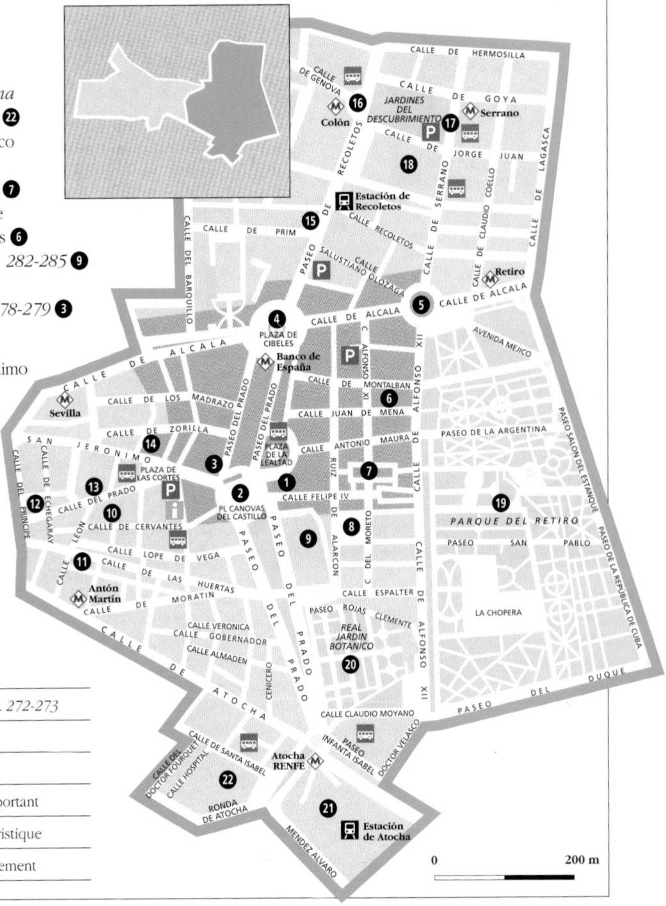

Légende

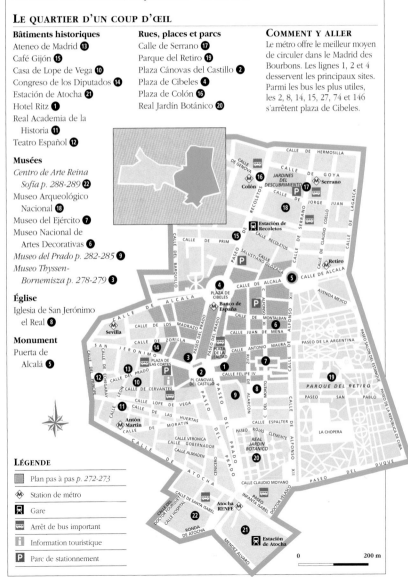

- Plan pas à pas *p. 272-273*
- Station de métro
- Gare
- Arrêt de bus important
- Information touristique
- Parc de stationnement

◁ **Dans le vaste Parque del Retiro, anciens jardins d'un palais des Habsbourg**

Le paseo del Prado pas à pas

Façade du Banco de España

Aménagée pour la promenade à partir de la fin du XVIIIe siècle par Charles III qui voulait créer à Madrid un pôle consacré aux arts et aux sciences, c'est surtout pour ses musées que la large avenue plantée d'arbres du paseo del Prado attire de nombreux visiteurs. Au Museo del Prado et au Museo Thyssen-Bornemisza s'admirent en effet deux des plus prestigieuses collections de tableaux du monde. Parmi les monuments grandioses construits sous Charles III figurent la Puerta de Alcalá, la Fuente de Neptuno et la Fuente de Cibeles qui se dressent au milieu d'une intense circulation.

Le paseo del Prado, large promenade ombragée, devait, pour Charles III, devenir un centre des arts et des sciences.

L'Edificio Metrópolis *(p. 271)* bâti en 1905 à l'angle de la Gran Vía et de la calle de Alcalá possède une façade très parisienne.

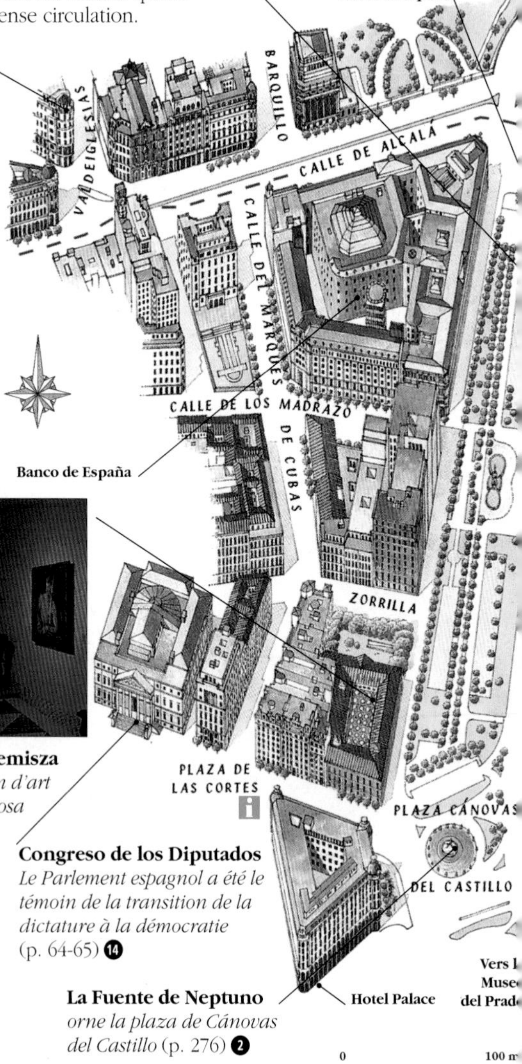

Station de métro Banco de España

Banco de España

Hotel Palace

Vers le Museo del Prado

★ Le Museo Thyssen-Bornemisza
Cette extraordinaire collection d'art occupe le palais de Villahermosa néo-classique (1806) ❸

Congreso de los Diputados
Le Parlement espagnol a été le témoin de la transition de la dictature à la démocratie (p. 64-65) ⓮

La Fuente de Neptuno
orne la plaza de Cánovas del Castillo (p. 276) ❷

À NE PAS MANQUER

- **★ Le Museo Thyssen-Bornemisza**
- **★ La Puerta de Alcalá**
- **★ La plaza de Cibeles**

★ La Puerta de Alcalá
Son éclairage rend particulièrement belle la nuit cette ancienne porte de la ville sculptée dans le granit ❺

CARTE DE SITUATION
Voir l'atlas des rues, plans 3–6

Palacio de Comunicaciones

Palacio de Linares

★ La plaza de Cibeles
Une statue de Cybèle, déesse de la Fertilité, domine sa fontaine ❹

Le Museo Nacional de Artes Decorativas
Ce musée fut fondé près du Retiro en 1912 pour servir de vitrine à la céramique et au mobilier espagnols ❻

Le Museo del Ejército
Une partie de l'ancien palais du Retiro abrite l'immense collection du musée de l'Armée ❼

Casón del Buen Retiro
(p. 285)

Hotel Ritz
Avec son intérieur Belle Époque, le Ritz est un des plus élégants palaces d'Espagne ❶

Le Monumento del Dos de Mayo commémore la révolte contre l'occupation napoléonienne *(p. 59)*.

LÉGENDE

— — — Itinéraire conseillé

Hotel Ritz ❶

Plaza de la Lealtad 5. **Plan** 5 C1. *915 21 28 57.* *Banco de España.* www.ritz.es

Commandé en 1906 par Alphonse XIII qu'embarrassait le manque d'établissements de luxe où recevoir les invités à son mariage, l'hôtel Ritz a la réputation d'être le palace le plus somptueux d'Espagne.

Ornées de tapis tissés à la main à la Real Fábrica de Tapices *(p. 296)*, ses 158 chambres possèdent chacune une superbe décoration d'un style différent, un luxe qui a une influence sur les tarifs pratiqués.

C'est au Ritz, transformé en hôpital au début de la guerre civile *(p. 62-63)*, que le leader anarchiste Buenaventura Durruti mourut de ses blessures en 1936.

La Fuente de Neptuno

Plaza Cánovas del Castillo ❷

Plan 5 C1. *Banco de España.*

Ce rond-point où règne une intense circulation porte le nom du Premier ministre espagnol assassiné en 1897.

Une statue de Neptune debout dans un char tiré par deux chevaux domine la fontaine ornant le centre de la place. Juan Pascual de Mena la sculpta en 1780 sur des dessins de Ventura Rodríguez dans le cadre du projet d'embellissement de la partie orientale de Madrid décidé par Charles III.

En visite au Museo Thyssen-Bornemisza

Museo Thyssen-Bornemisza ❸

Voir p. 278-279.

Plaza de Cibeles ❹

Plan 3 C5. *Banco de España.* **Casa de América** *915 95 48 00.* *au public.*

Important carrefour de circulation au croisement du paseo del Prado et de la calle de Alcalá, la plaza de Cibeles est non seulement une des places les plus célèbres de Madrid, elle est aussi une des plus belles.

Elle doit son nom à la fontaine de Cybèle, devenue un symbole de la ville, qui se dresse en son centre. Dessinée à la fin du XVIIIe siècle par José Hermosilla et Ventura Rodríguez, elle est ornée d'une statue représentant, assise sur un char tiré par deux lions, la Grande Mère des dieux dont le culte se répandit depuis l'Asie mineure dans tout l'Empire romain.

Quatre édifices importants bordent la place. Le plus impressionnant, la poste principale, ou Palacio de Comunicaciones, construit entre 1905 et 1917 à l'emplacement d'anciens jardins, se voit souvent comparé à une pièce montée. Il a reçu le surnom moqueur de « Notre-Dame des Communications ».

Sur le côté nord-est de la plaza s'élève la façade en pierre du Palacio de Linares bâti par le marquis de Linares après la deuxième restauration des Bourbons en 1875 *(p. 60)*. Menacé un temps de démolition, il abrite désormais la Casa de América qui présente une collection de peintures latino-américaines. Il accueille également des conférences et des représentations théâtrales.

Dans l'angle nord-ouest de la place, au sein d'agréables jardins, le Ministerio de Defensa occupe les bâtiments de l'ancien Palacio de Buenavista commandé en 1777 par la duchesse d'Albe et que ravagèrent deux incendies avant son achèvement.

Dans l'angle opposé, le Banco de España, édifié entre 1884 et 1891, occupe tout un pâté de maisons. Après une rénovation dont il avait grand besoin, cet édifice inspiré de la Renaissance vénitienne a retrouvé sa splendeur de la fin du XIXe siècle. De délicates ferronneries décorent le toit et les fenêtres.

La Fuente de Cibeles et le Palacio de Linares à l'arrière-plan

Perspective offerte par l'arche centrale de la Puerta de Alcalá

Puerta de Alcalá ❺

Plan 4 D5. Ⓜ *Retiro.*

Le plus grandiose des monuments commandés par Charles III pour ennoblir l'est de Madrid se présente sous la forme d'un arc de triomphe néo-classique dessiné par Francesco Sabatini afin de remplacer une porte baroque plus petite édifiée par Philippe III pour l'entrée dans la capitale de son épouse, Marguerite d'Autriche.

Décorée d'anges sculptés, la Puerta de Alcalá comprend cinq arches. Sa construction, en granit, commença en 1769 et dura neuf ans.

Jusqu'à la seconde moitié du XIXe siècle, la porte marqua la limite orientale de la ville, mais elle se dresse désormais au centre de la plaza de la Independencia. Son éclairage la rend particulièrement spectaculaire la nuit.

Museo Nacional de Artes Decorativas ❻

Calle de Montalbán 12. **Plan** 4 D5. *915 32 64 99.* Ⓜ *Retiro, Banco de España.* *de 9 h 30 à 15 h du mar. au ven., de 10 h à 14 h le sam., dim. et jours fériés.* *gratuit le dim.* www.mcu.es

Installé dans un palais du XIXe siècle dominant le Parque del Retiro, le Musée national des Arts décoratifs présente une intéressante collection de meubles et d'objets d'art dont les plus anciens remontent à l'époque phénicienne.

Une cuisine valencienne du XVIIIe siècle ornée de 1 500 carreaux de Manises représentant une scène domestique constitue un des clous de la visite, mais l'exposition permet aussi de découvrir, entre autres, des céramiques de Talavera *(p. 368)* et des bijoux et ornements extrême-orientaux.

Museo del Ejército ❼

Calle Méndez Núñez 1. **Plan** 6 D1. *915 22 89 77.* Ⓜ *Retiro.* *de 10 h à 14 h du mar. au dim.* *jours fériés* *gratuit le sam.* *sur rendez-vous.*

Le musée de l'Armée occupe l'un des quelques bâtiments du Palacio del Buen Retiro (XVIIe siècle) qui ont échappé à la destruction. Riches de 27 000 pièces, ses collections retracent l'histoire militaire de l'Espagne depuis l'époque des Maures.

Dans la Sala de Armas, l'épée du Cid, la *Tizona*, tient la place d'honneur. La Sala Àrabe possède une décoration inspirée de l'Alhambra *(p. 466-467)* et abrite notamment la tunique et l'épée de Boabdil, le dernier souverain musulman de Grenade *(p. 52-53)*.

Dans la Sala Colonial se trouve un fragment de la croix plantée dans le sol par Christophe Colomb lorsqu'il découvrit le Nouveau Monde. C'est un autre souvenir, exposé dans la même salle, que rapporta Hernán Cortés du Mexique *(p. 54)* : un morceau de l'arbre sous lequel il se réfugia lors d'une révolte des Aztèques.

Bustes et drapeaux évoquent la guerre d'indépendance *(p. 59)* dans la Sala del Dos de Mayo. Le bâtiment deviendra une annexe du Prado *(p. 282-285)* en 2004 ou 2005, quand le musée de l'Armée aura déménagé dans l'Alcázar de Tolède.

L'épée du Cid, la *Tizona*, au Museo del Ejército

Museo Thyssen-Bornemisza ❸

À partir des années 1920, le baron Heinrich Thyssen-Bornemisza puis son fils Hans Heinrich ont constitué une collection de peintures considérée comme l'une des plus importantes du monde. Installée en 1992 dans le palais néo-classique de Villahermosa (XVIIIe-XIXe siècles), elle fut vendue à l'État espagnol l'année suivante. Elle illustre l'histoire de l'art occidental depuis les primitifs italiens et flamands jusqu'aux mouvements picturaux modernes tels que l'expressionnisme et le pop art, et se compose de quelque 800 tableaux dont des chefs-d'œuvre de Titien, Goya, Van Gogh et Picasso ; en 2003 viendront s'ajouter les œuvres majeures de l'impressionnisme de la collection de la baronne Thyssen-Bornemisza.

★ Vierge de l'arbre sec *(v. 1450)*
Sur ce petit panneau du maître de Bruges Petrus Christus, le « a » signifie « ave Maria ».

★ Arlequin au miroir
Le personnage d'Arlequin revient souvent dans l'œuvre de Picasso. Selon certains, l'artiste se serait représenté en 1923 sur ce tableau typique de sa période « classique ».

SUIVEZ LE GUIDE !
Le musée occupe trois niveaux autour d'une cour intérieure couverte. L'exposition commence au deuxième étage où elle s'étend des primitifs italiens jusqu'à l'art du XVIIe siècle. Elle se poursuit, au premier étage, de la peinture hollandaise du XVIIe siècle à l'expressionnisme allemand. Le rez-de-chaussée est consacré au XXe siècle.

À NE PAS MANQUER

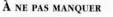

- **★ Vierge de l'arbre sec par Christus**
- **★ Harlequin au miroir par Picasso**
- **★ Vénus et Cupidon par Rubens**

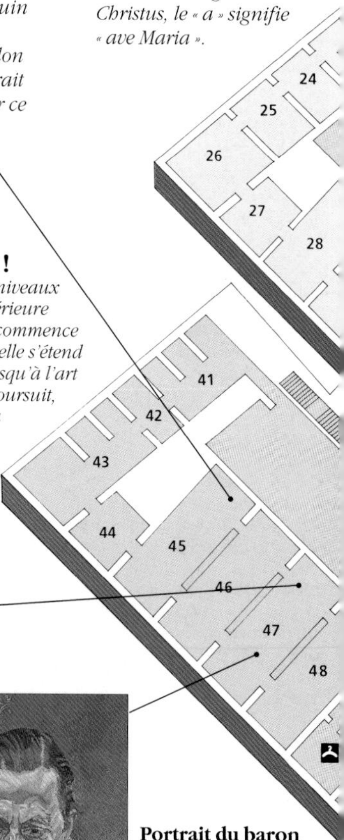

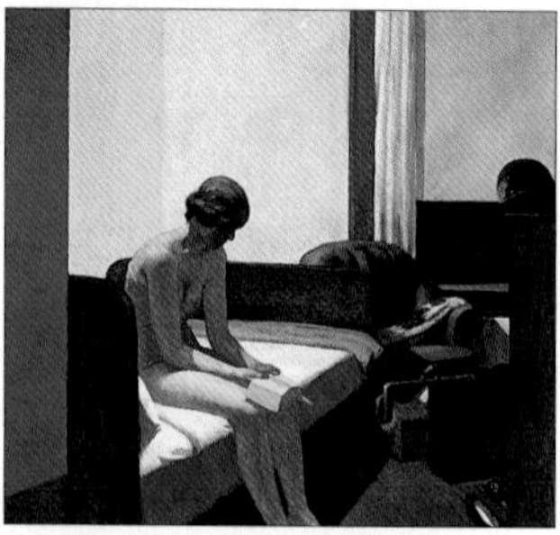

Chambre d'hôtel *(1931)*
Dans cette œuvre caractéristique de la démarche du réaliste américain Edward Hopper, la banalité du décor renforce l'impression de solitude.

Portrait du baron Thyssen-Bornemisza
L'un des plus grands peintres actuels, Lucian Freud, a représenté entre 1981 et 1982 le collectionneur devant un tableau de Watteau.

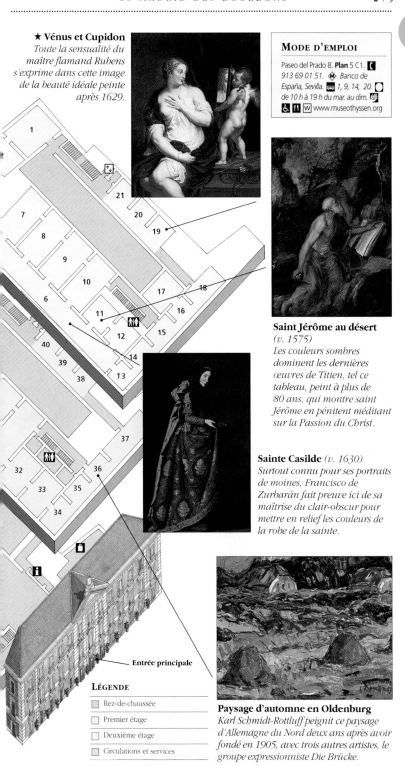

★ Vénus et Cupidon
Toute la sensualité du maître flamand Rubens s'exprime dans cette image de la beauté idéale peinte après 1629.

Mode d'emploi

Paseo del Prado 8. **Plan** 5 C1. *913 69 01 51.* *Banco de España, Sevilla.* *1, 9, 14, 20.* *de 10 h à 19 h du mar. au dim.* www.museothyssen.org

Saint Jérôme au désert *(v. 1575)*
Les couleurs sombres dominent les dernières œuvres de Titien, tel ce tableau, peint à plus de 80 ans, qui montre saint Jérôme en pénitent méditant sur la Passion du Christ.

Sainte Casilde *(v. 1630)*
Surtout connu pour ses portraits de moines, Francisco de Zurbarán fait preuve ici de sa maîtrise du clair-obscur pour mettre en relief les couleurs de la robe de la sainte.

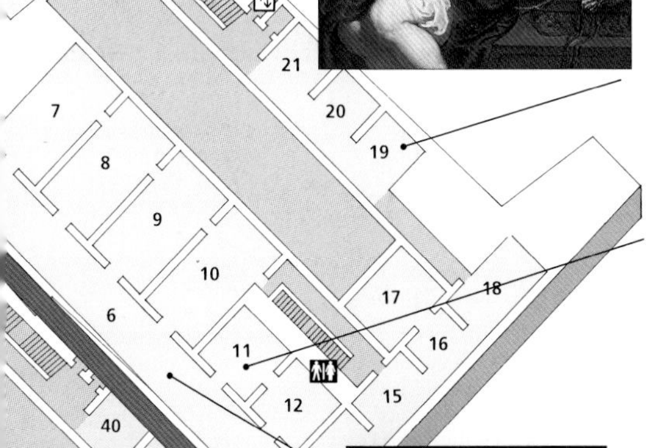
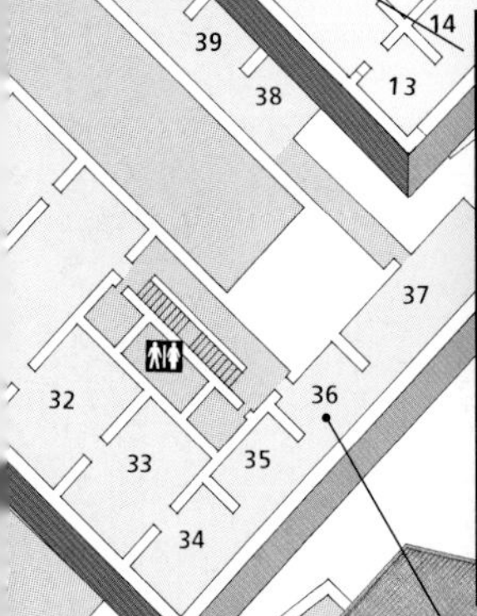
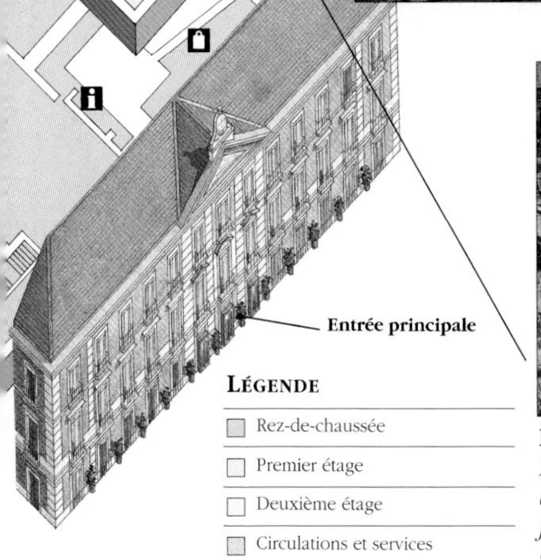

Légende

- Rez-de-chaussée
- Premier étage
- Deuxième étage
- Circulations et services

Paysage d'automne en Oldenburg
Karl Schmidt-Rottluff peignit ce paysage d'Allemagne du Nord deux ans après avoir fondé en 1905, avec trois autres artistes, le groupe expressionniste Die Brücke.

Iglesia de San Jerónimo el Real 8

Calle del Moreto 4. **Plan** 6 D1. *914 20 35 78.* *Banco de España.* *d'oct. à juin : de 8 h 30 à 13 h 30, de 17 h à 20 h 30 t.l.j. (de 18 h à 20 h 30 de juil. à sept.).*

Construite au XVIe siècle pour la reine Isabelle, cette église, attachée à l'origine à un monastère hyéronimite dont il ne subsiste que des ruines, devint pratiquement partie intégrante du palais du Buen Retiro *(p. 287)* édifié par Philippe IV au XVIIe siècle. Remaniée dans le style néo-gothique, elle est l'église royale de Madrid, celle où se marièrent Alphonse XIII et Victoria Battenberg en 1906. En 1975, c'est là que fut célébrée la cérémonie religieuse du couronnement de Juan Carlos Ier.

Museo del Prado 9

Voir p. 282-285.

Casa de Lope de Vega 10

Calle de Cervantes 11. **Plan** 5 B1. *914 29 92 16.* *Antón Martín.* *de 9 h 30 à 14 h du mar. au ven., de 10 h à 14 h le sam.* *jours fériés.* *gratuit le mer.*

Félix Lope de Vega, auteur majeur du Siècle d'or espagnol *(p. 30)*, emménagea dans cette sombre maison en 1610. Il y écrivit plus des deux tiers d'une œuvre comptant 1 800 pièces profanes et 400 drames religieux, avant d'y mourir en 1635. Restaurée avec soin en 1935, et meublée en partie d'objets ayant appartenu à Lope de Vega, la demeure offre un vivant aperçu de l'atmosphère castillane au début du XVIIe siècle. Une chapelle aveugle en occupait le centre, communiquant par une ouverture à barreaux avec la chambre de l'écrivain. Les arbres fruitiers et les fleurs qu'il mentionna dans ses récits ont été replantés dans le petit jardin.

Félix Lope de Vega

***Castizos* pendant la San Isidro**

Fêtes de Madrid

San Isidro *(15 mai)*. Pendant plusieurs jours où ont également lieu expositions, concerts en plein air et feux d'artifice, Madrid rend hommage à son saint patron en organisant une corrida quotidienne dans le cadre du plus grand événement tauromachique d'Espagne. De nombreux Madrilènes portent pour l'occasion les costumes traditionnels appelés *castizos*.

La Passion *(samedi de Pâques)*, Chinchón. Représentation de la Passion sur la belle Plaza Mayor de ce village situé à 100 km de Madrid.

Dos de Mayo *(2 mai)*. Quatre jours chômés célèbrent le soulèvement contre les troupes napoléoniennes *(p. 59)*.

Saint-Sylvestre. La foule se rassemble à la Puerta del Sol *(p. 262)* le soir du 31 décembre pour manger 12 grains de raisin à minuit.

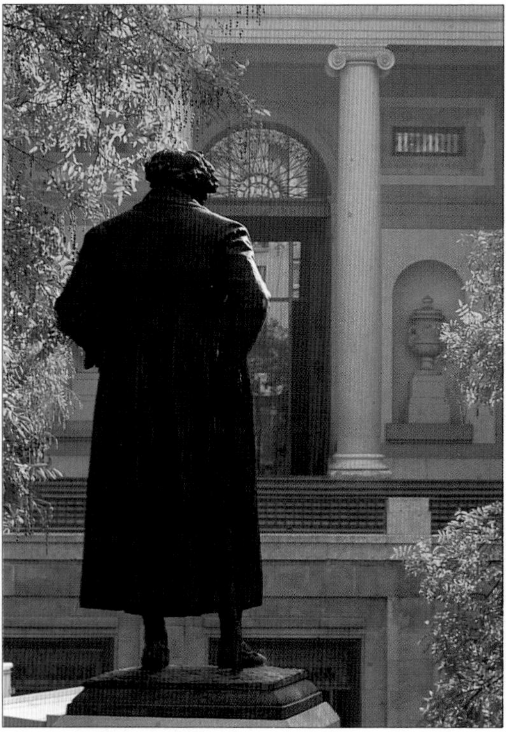

Statue de Goya devant le Prado

Façade de l'élégant Teatro Español

Real Academia de la Historia ⓫

Calle León 21. **Plan** 5 A2. *914 29 06 11.* *Antón Martín.*

Installée dans un austère bâtiment de brique à parements de pierre construit par Juan de Villanueva en 1788, l'Académie royale d'histoire est située dans le quartier surnommé le barrio de los Literatos.

Dirigée de 1898 à 1912 par le grand intellectuel Marcelino Menéndez Pelayo, l'académie possède une bibliothèque, riche de plus de 200 000 livres et de manuscrits importants. Un musée présentant les collections de l'Académie ouvrira en 2003.

Teatro Español ⓬

Calle del Príncipe 25. **Plan** 5 A1. *91 429 62 97.* *Sol, Sevilla.* *pour les représentations à partir de 19 h du mar. au dim.*

Sur la plaza Santa Ana, l'un des plus anciens et des plus beaux théâtres de Madrid fait face à la statue du poète Calderón (1600-1681). Il occupe l'emplacement du Corral del Príncipe où furent créées à partir de 1583 certaines des meilleures pièces du répertoire espagnol, écrites par des auteurs tels que Lope de Rueda. Juan de Villanueva dessina l'édifice actuel construit en 1802. Sa façade néo-classique porte les noms de grands dramaturges, notamment celui de Federico García Lorca *(p. 31).*

Ateneo de Madrid ⓭

Calle del Prado 21. **Plan** 5 B1. *914 29 17 50.* *Antón Martín, Sevilla.* *de 9 h à 14 h du lun. au ven.*

Fondée officiellement en 1835, cette association littéraire, artistique et scientifique a toujours défendu des valeurs libérales qui lui valurent plusieurs fermetures en périodes dictatoriales. À l'intérieur du bâtiment, grand escalier, hall orné de portraits d'anciens membres, bibliothèque et salles de lecture donnent une atmosphère studieuse à un club où se retrouvent politiciens et intellectuels.

Ornements de la façade de l'Ateneo de Madrid

Congreso de los Diputados ⓮

Plaza de las Cortes. **Plan** 5 B1. *913 90 60 00.* *Sevilla.* *de 10 h 30 à 12 h 30 sam. et sur rendez-vous du lun. au ven.* *août*

Connu également sous le nom de Palacio de las Cortes, le parlement espagnol est un imposant édifice achevé en 1850 sur le site d'un ancien couvent. Des lions de bronze en gardent l'entrée. En 1981, un colonel de la Garde civile y prit en otage les députés dans l'espoir de déclencher un coup d'État militaire *(p. 64).* L'intervention du roi, appelant personnellement l'armée à respecter la constitution, entraîna son échec et affirma le caractère irréversible de la démocratie en Espagne.

Lion de bronze des Cortes

Café Gijón ⓯

Paseo de Recoletos 21. **Plan** 3 C4. *915 21 54 25.* *Banco de España.* *de 8 h à 1 h 30 du matin du dim. au ven., de 8 h à 2 h du matin sam. et jours fériés.*

L'atmosphère de ses cafés *(p. 306-307)* fut un des grands attraits de Madrid du début du XXᵉ siècle jusqu'à la guerre civile. Des nombreux établissements où se retrouvaient les intellectuels, seul le Gijón a survécu. Il continue d'attirer une clientèle animée de *literati*, mais, avec ses colonnes en fonte couleur crème et ses tables noires et blanches, il présente plus d'intérêt par son ambiance que par sa décoration.

Museo del Prado 9

Installé dans un édifice néo-classique dessiné en 1785 par Juan de Villanueva à la demande de Charles III, le musée du Prado, inauguré en 1819, possède aujourd'hui la plus importante collection du monde de peintures espagnoles du XIIe au XIXe siècle, particulièrement riche en tableaux de Velázquez et de Goya. Les écoles italienne et flamande sont également très bien représentées. Le musée va être entièrement rénové, par tranches, dans les prochaines années. L'annexe du musée du Prado, le Casón del Buen Retiro, présente des œuvres des XIXe et XXe siècles. Actuellement en travaux, elle rouvrira ses portes en 2003.

★ La collection Velázquez
Le Triomphe de Bacchus *(1629) fut le premier tableau à thème mythologique de Velázquez.*

Les Trois Grâces *(v. 1635)*
Le maître flamand Rubens conserva dans sa collection personnelle ce tableau, l'un de ses derniers, représentant les trois filles de Zeus : Aglaé, Thalie et Euphrosyne, déesses de l'art de plaire.

Le Martyre de saint Philippe *(v. 1639)*
Né à Valence, José de Ribera séjourna longtemps à Naples où les violents contrastes entre ombre et lumière du Caravage influencèrent son travail.

À NE PAS MANQUER

- **★ La collection Velázquez**
- **★ La collection Goya**

Le Jardin des délices *(v. 1505)*
Le Prado possède plusieurs œuvres de Jérôme Bosch, l'un des peintres favoris de Philippe II, notamment cette représentation du paradis et de l'enfer.

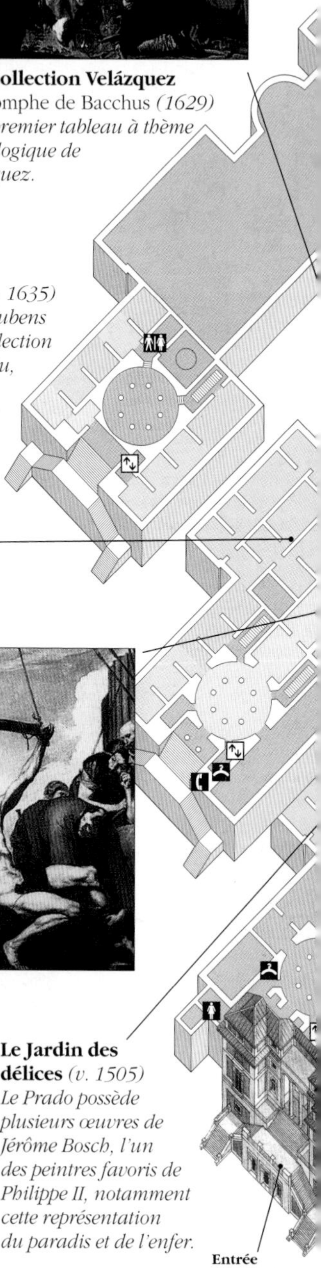

Entrée principale

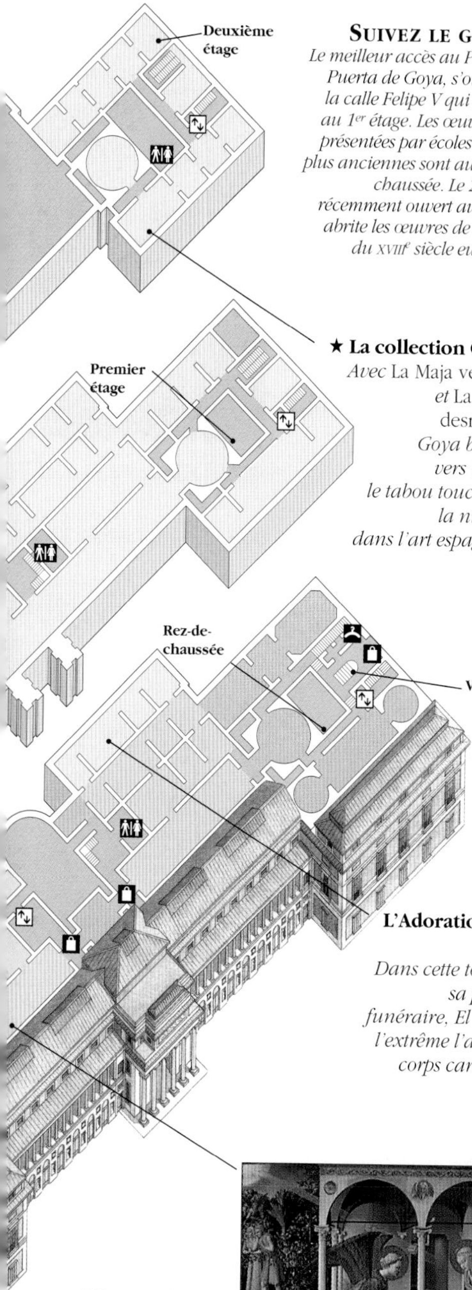

Suivez le guide !

Le meilleur accès au Prado, la Puerta de Goya, s'ouvre sur la calle Felipe V qui conduit au 1er étage. Les œuvres sont présentées par écoles dont les plus anciennes sont au rez-de-chaussée. Le 2e étage, récemment ouvert au public, abrite les œuvres de Goya et du XVIIIe siècle européen.

Mode d'emploi

Paseo del Prado. **Plan** 5 C2. ☎ *913 30 28 00.* Ⓜ *Atocha, Banco de España.* 🚌 *6, 10, 14, 19, 27, 34, 37, 45.* ◯ *9 h à 19 h mar.-sam., de 9 h à 14 h dim. et jours fériés.* ● *1er jan., ven. saint, 1er mai, 25 déc.* 🎫 *(gratuit sam. ap.-m. et dim.)* ♿ **Casón del Buen Retiro :** Calle de Alfonso XII 28. ☎ *91 420 26 28.* ● *jusqu'en 2003.* W www.museoprado.mcu.es

★ La collection Goya

Avec La Maja vestida *et* La Maja desnuda, *Goya brava vers 1800 le tabou touchant la nudité dans l'art espagnol.*

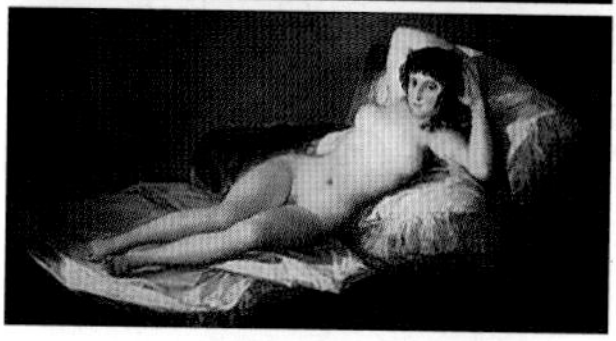

L'Adoration des bergers

(1612-1614)

Dans cette toile peinte pour sa propre chapelle funéraire, El Greco pousse à l'extrême l'allongement des corps caractéristique du maniérisme.

L'Annonciation

(v. 1427)

Les peintres italiens de la première Renaissance, comme ici Fra Angelico, jetèrent les bases de la perspective.

Légende

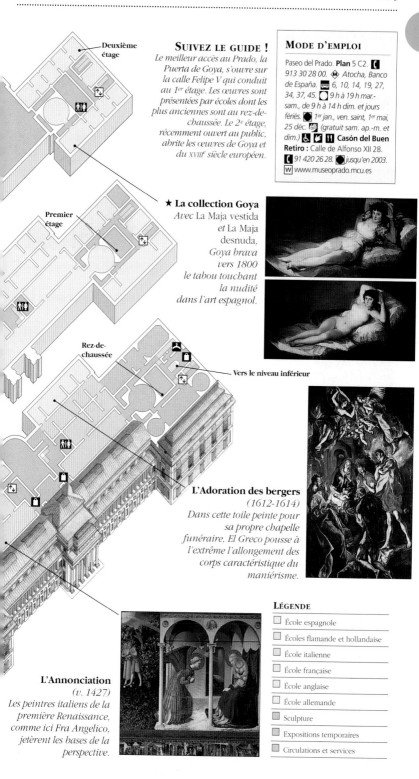

- École espagnole
- Écoles flamande et hollandaise
- École italienne
- École française
- École anglaise
- École allemande
- Sculpture
- Expositions temporaires
- Circulations et services

À la découverte des collections du Prado

Saturne dévorant l'un de ses enfants **(1820-1823) par Goya**

Les rois d'Espagne réunirent la collection de peintures classiques du Prado, l'une des plus riches du monde, et la part qu'y tiennent les écoles étrangères reflète l'histoire de la couronne espagnole *(p. 54-59)* qui régna plusieurs siècles sur la Flandre et le sud de l'Italie. Après l'accession des Bourbons au trône, le XVIIIe siècle fut marqué par l'influence française. Le musée mérite plusieurs visites, mais si vous ne pouvez lui en consacrer qu'une, commencez par la peinture espagnole du XVIIe siècle.

L'Intronisation de saint Dominique de Silos **(1474-1477) par Bermejo**

École espagnole

Jusqu'au XIXe siècle, où Goya (1746-1828) ouvrit la voie à l'art moderne en se lançant dans l'exploration des mystères de l'inconscient, la peinture espagnole s'attacha surtout aux thèmes religieux et à la description de la cour royale.

L'époque médiévale est comparativement peu représentée au Prado ; le musée possède néanmoins des pièces remarquables comme les peintures murales romanes de l'ermitage de Sainte-Croix de Maderuelo. Les œuvres gothiques d'artistes tels que Bartolomé Bermejo et Fernando Gallego témoignent par leur sens du réalisme de l'ascendant au XVe siècle des maîtres flamands.

Les premiers apports de la Renaissance apparaissent principalement dans les compositions de Pedro de Berruguete dont l'*Auto-da-fé* est à la fois inquiétant et plein de vie. *Sainte Catherine* par Fernando Yáñez de la Almedina, qui se forma en Italie, montre l'influence de Léonard de Vinci.

Ce qui est souvent considéré comme un style véritablement espagnol, mariant sens du tragique et représentation très travaillée des émotions, commença à émerger au XVIe siècle dans les peintures des maniéristes. L'âpre *Descente de Croix* de Pedro Machuca et les *Vierges* de Luis de Morales en offrent un bon exemple. Plus connu sous le nom d'El Greco *(p. 28)*, Dhomínikos Theotokópoulos accentua encore dans ses œuvres l'allongement des silhouettes qui marque les personnages de Morales. Maints de ses chefs-d'œuvre sont restés à Tolède *(p. 373)*, sa ville d'adoption, mais le Prado présente un bel ensemble de tableaux, dont *Le Chevalier à la main sur la poitrine*.

L'art espagnol se montra particulièrement productif pendant le Siècle d'or *(p. 56-57)*. José de Ribera, qui travailla à Naples, suivit l'exemple du Caravage dans l'utilisation de violents contrastes entre ombre et lumière. Francisco de Ribalta, auteur du *Christ embrassant saint Bernard*, fut également un maître de cette école « ténébriste ». La collection comprend aussi plusieurs toiles de Zurbarán qui s'illustra dans la nature morte et les portraits de moines et de saints.

C'est toutefois Diego Velázquez, peintre de la cour pendant près de 40 ans, qui domine cette époque. Son génie s'exprime aussi bien dans les portraits que dans les scènes religieuses ou mythologiques. Le Prado possède un grand nombre de ses toiles, en particulier *Les Ménines (p. 28-29)*.

À partir de la fin du XVIIIe siècle, Goya marque un tournant dans l'art espagnol. Peintre de cour, il devient le chroniqueur des souffrances du peuple dans des tableaux comme *Le 3 Mai 1808 (p. 58-59)*, et celui des hantises de l'âme humaine dans les *peintures noires* exécutées à la fin de sa vie.

Nature morte **(v. 1658-1664) par Francisco de Zurbarán**

Casón del Buen Retiro

Sur la colline derrière le musée du Prado se visite son annexe installée dans un ancien pavillon du Palacio del Buen Retiro *(p. 287)*. Elle présente des œuvres du XIXe siècle et du début du XXe, tableaux historiques et peintures néo-classiques et romantiques notamment. Malheureusement, le Casón del Buen Retiro est fermé au public pour restauration jusqu'à mi-2003.

***Enfants sur la plage* (1910) par Joaquín Sorolla**

Écoles flamande et hollandaise

Les rapports étroits qu'entretint l'Espagne avec les Pays-Bas *(p. 56-57)* conduisirent naturellement à une profonde admiration pour les primitifs flamands dont le Prado possède de nombreuses peintures exceptionnelles. Sa *Sainte Barbe* témoigne du souci du détail de Robert Campin et la *Déposition* de Rogier van der Weyden est incontestablement un chef-d'œuvre. Philippe II collectionna les étranges compositions de Jérôme Bosch (El Bosco) et le musée présente plusieurs de ses créations majeures comme *La Tentation de saint Antoine* et *La Charrette de foin*. Parmi les tableaux du XVIe siècle figure le superbe *Triomphe de la Mort* par Bruegel l'Ancien. Rubens est représenté par près de 100 toiles dont l'*Adoration des Mages*. Du Hollandais Rembrandt s'admirent *Artémise* et un autoportrait.

***David vainqueur de Goliath* (v. 1600) du Caravage**

École italienne

Le Prado possède une magnifique collection de peintures italiennes. Elle comprend notamment des œuvres de maîtres de la Renaissance comme Botticelli qui illustra dans les trois panneaux de l'*Histoire de Nastagio degli Onesti* un conte de Boccace dont le héros se voit condamné à pourchasser sa bien-aimée pour la tuer. De Raphaël s'admirent entre autres la *Chute du Christ sur le chemin du Calvaire* et la *Sainte Famille à l'agneau*. Les artistes vénitiens jouirent d'une grande estime, en particulier Titien qui exécuta un portrait de l'*Empereur Charles Quint à Mühlberg*, le Tintoret, auteur du magnifique *Lavement des pieds*, Véronèse *(Moïse sauvé des eaux)* et Tiepolo, figure marquante du baroque. À remarquer également, des tableaux du Caravage et de Luca Giordano.

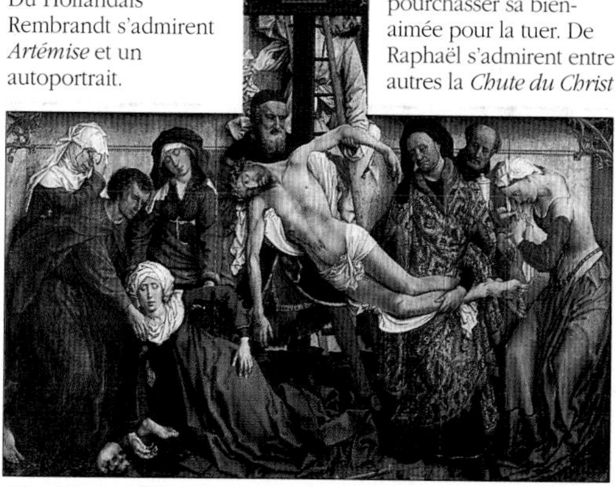

***Déposition* (v. 1430) par Rogier van der Weyden**

École française

Les unions entre les dynasties française et espagnole au XVIIe siècle, qui conduisirent à l'accession au trône d'un Bourbon en 1700, ouvrirent l'Espagne à l'art français. La collection du Prado comprend ainsi huit œuvres attribuées à Poussin, dont le *Parnasse* et un *Paysage avec saint Jérôme*. *L'Embarquement de sainte Paule Romaine à Ostie* est le plus beau des tableaux de Claude Lorrain exposés. Parmi les peintres du XVIIIe siècle représentés figurent Watteau et le portraitiste Louis Michel Van Loo.

École allemande

Relativement pauvre, la collection de peintures allemandes inclut néanmoins des tableaux de Dürer dont un superbe *Autoportrait*, des œuvres de Cranach l'Ancien et des portraits, notamment celui de Charles III, par l'artiste du XVIIIe siècle Anton Raffael Mengs.

Pavement de mosaïque au Museo Arqueológico Nacional

Plaza de Colón ⓰

Plan 4 D3. Ⓜ *Serrano, Colón.*

De hauts immeubles construits dans les années 1970 à l'emplacement de demeures du XIXe siècle dominent cette vaste place dédiée à Christophe Colomb (Colón en espagnol) et bordée par les jardines del Descubrimiento (jardins de la Découverte).

Au sud, un palais massif édifié en 1892 abrite la Bibliothèque nationale et le Musée archéologique. Au terme du paseo de la Castellana s'élève le gratte-ciel post-moderniste de la société Heron.

Deux monuments rendent hommage sur la place au découvreur du Nouveau Monde. Le plus esthétique, et le plus ancien, une flèche néo-gothique érigée en 1885, porte à son sommet une statue de Christophe Colomb le doigt tendu vers l'ouest. Le second, moderne, se compose de quatre masses de béton où sont inscrites des citations concernant le voyage du célèbre explorateur.

La circulation qui règne en permanence sur la plaza de Colón n'en fait apparemment pas un lieu adapté aux manifestations culturelles. Sous celle-ci, cependant, s'étend le Centro Cultural de la Villa de Madrid qui comprend le centre municipal d'art, un théâtre, un café et des salles d'exposition et de conférence.

Le terminus des bus effectuant des navettes en direction de l'aéroport *(p. 626)* est aussi situé en sous-sol.

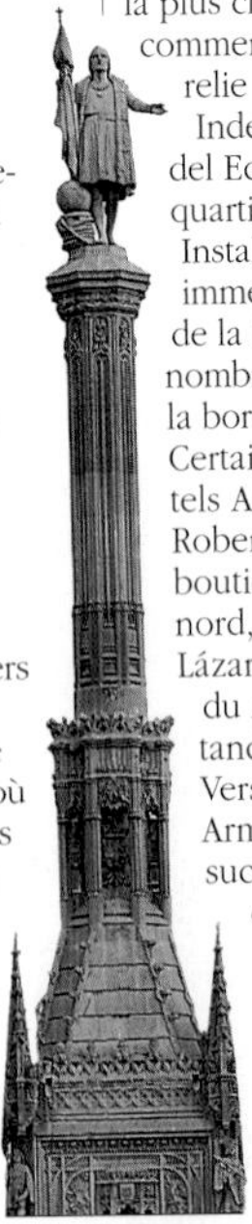

Statue de Colomb, plaza de Colón

Calle de Serrano ⓱

Plan 4 D4. Ⓜ *Serrano.*

Portant le nom d'un politicien du XIXe siècle, la plus chic des rues commerçantes de Madrid relie la plaza de la Independencia à la plaza del Ecuador située dans le quartier de Salamanca. Installés dans des immeubles datant souvent de la fin du XIXe siècle, de nombreux magasins de luxe la bordent. Certains stylistes connus, tels Adolfo Domínguez et Roberto Verino, ont des boutiques dans sa partie nord, près du Museo Lázaro Galdiano *(p. 295)* et du ABC Serrano *(p. 305)*, tandis que les Italiens Versace, Gucci, Ecsada et Armani ont ouvert des succursales dans la calle de José Ortega y Gasset. Dans la calle de Claudio Coello, parallèle à la calle de Serrano, plusieurs antiquaires proposent des meubles et des objets d'art en rapport avec le standing du quartier.

Museo Arqueológico Nacional ⓲

Calle de Serrano 13. **Plan** 4 D3. *915 77 79 12.* Ⓜ *Serrano.* *de 9 h 30 à 20 h 30 du mar. au sam., de 9 h 30 à 14 h 30 le dim.* *jours fériés.* *gratuit sam. et dim.* www.man.es

Fondé en 1867 par Isabelle II, le Musée archéologique national est un des plus intéressants de Madrid. Principalement constituées par du matériel mis au jour lors de fouilles dans toute l'Espagne et d'antiquités égyptiennes, grecques et étrusques, ses collections couvrent une période allant de la préhistoire au XIXe siècle.

Au sous-sol sont présentées dans l'ordre chronologique les pièces les plus anciennes. Une exposition consacrée à la civilisation d'El Argar (1800-1100 av. J.-C.) d'Andalousie et un ensemble de bijoux découverts à Numance près de Soria *(p. 359)* se révèlent particulièrement intéressants.

Le rez-de-chaussée illustre la période s'étendant entre la conquête romaine et l'Espagne de la fin du Moyen Âge et abrite des sculptures ibériques, notamment la *Dame d'Elche (p. 44)* et la *Dame de Baza*.

De l'époque romaine subsistent entre autres d'importantes mosaïques telle celle des *Mois et des saisons* de Hellín (Albacete) et celle de *Bacchus et son cortège* de Saragosse.

Parmi les souvenirs les plus remarquables de l'Espagne wisigothique figurent une collection de couronnes votives en or provenant de la province de Tolède connue sous le nom de trésor de Guarrazar. Des poteries découvertes à Medina Azahara en Andalousie *(p. 453)* et des objets en métal offrent un aperçu de l'art islamique. La collection romane inclut la *Vierge à l'Enfant* de Sahagún et un crucifix en ivoire sculpté en 1063 pour Ferdinand Ier de Castille-León et la reine Doña Sancha.

Devant l'entrée du musée, des marches conduisent à une réplique exacte des grottes d'Altamira en Cantabrie *(p. 108)*.

Parque del Retiro ⓳

Plan 6 E1. *914 09 23 36.* *Retiro, Ibiza, Atocha.* *la nuit.*

Dans l'élégant quartier des Jerónimos, près de la Puerta de Alcalá *(p. 277)*, le parc du Retiro offre aux Madrilènes un espace de verdure de plus de 100 ha où se détendre et se promener. Ancien jardin du palais du Buen Retiro de Philippe IV, dont ne subsistent que le Casón del Buen Retiro *(p. 285)* et le bâtiment abritant le Museo del Ejército *(p. 277)*, il servit de cadre à des courses de taureaux, des spectacles et des reconstitutions de batailles navales organisés pour la famille royale. Il ouvrit entièrement au public en 1869.

Depuis son entrée nord, quelques pas le long d'une allée bordée d'arbres conduisent à l'Estanque Grande, lac artificiel où peuvent se louer des barques. D'un côté s'élève le monument à Alphonse XII composé d'une colonnade et d'une statue équestre du souverain. De l'autre, portraitistes et diseuses de bonne aventure proposent leurs services.

En 1887, Velázquez Bosco construisit deux beaux édifices d'exposition au sud du lac, le Palacio de Velázquez néo-classique et le Palacio de Cristal en verre et en métal. Ils accueillent des manifestations culturelles.

Statue du Bourbon Charles III au Real Jardín Botánico

Real Jardín Botánico ⓴

Plaza de Murillo 2. **Plan** 6 D2. *914 20 30 17.* *Atocha.* *de 10 h au coucher du soleil t.l.j.*

Au sud du Prado *(p. 282-285)*, le Jardin botanique royal voulu par Charles III et créé en 1781 par le botaniste Gómez Ortega et l'architecte Juan de Villanueva offre un lieu agréable où se reposer après une visite du musée. Ses parterres au tracé rigoureux où voisinent des espèces végétales d'une grande variété témoignent de l'intérêt manifesté en Espagne à l'époque des Lumières *(p. 58)* pour les plantes originaires d'Amérique du Sud et des Philippines.

Estación de Atocha ㉑

Plaza del Emperador Carlos V. **Plan** 6 D4. *902 24 02 02.* *Atocha RENFE.* *de 5 h 30 à minuit t.l.j.*

La première ligne de chemins de fer d'Espagne, reliant Madrid à Aranjuez, fut inaugurée en 1846. Elle partait de la gare d'Atocha, que remplaça un nouvel édifice en 1891. Il reçut une extension moderne dans les années 1980. Structure d'acier et de verre, la partie la plus ancienne de la gare abrite désormais une palmeraie. Á côté se trouve le terminus des trains à grande vitesse (AVE) pour Cordoue et Séville *(p. 630)*.

De l'autre côté de la rue, le Ministerio de Agricultura occupe un splendide bâtiment de la fin du XIXe siècle.

Entrée de la gare d'Atocha construite en 1891

Monument à Alphonse XII (1901) bordant l'Estanque Grande du parc du Retiro

Museo Nacional Centro de Arte Reina Sofía ㉒

L'ancien hôpital général de Madrid entrepris en 1758 abrite ce musée d'art moderne inauguré en 1986. Les cages de verre de deux ascenseurs installés en 1990 apportent une note futuriste à sa façade austère. Le *Guernica* de Picasso constitue sans conteste le fleuron de sa collection permanente, mais elle comprend également des œuvres marquantes des grands courants de l'art du XXe siècle par des artistes tels que Miró, Dalí ou Tàpies. Le musée va être agrandi par l'adjonction de nouveaux bâtiments qui ouvriront en 2004.

Portrait II *(19…*
Joan Miró peign… cette grande toi… plus de dix ans après la fin de s… période véritablement surréaliste.

★ Femme en bleu
(1901)
Picasso renia ce tableau après qu'il n'eut remporté qu'une mention honorable dans un concours national. L'État espagnol le retrouva et l'acquit des dizaines d'années plus tard.

Guernica

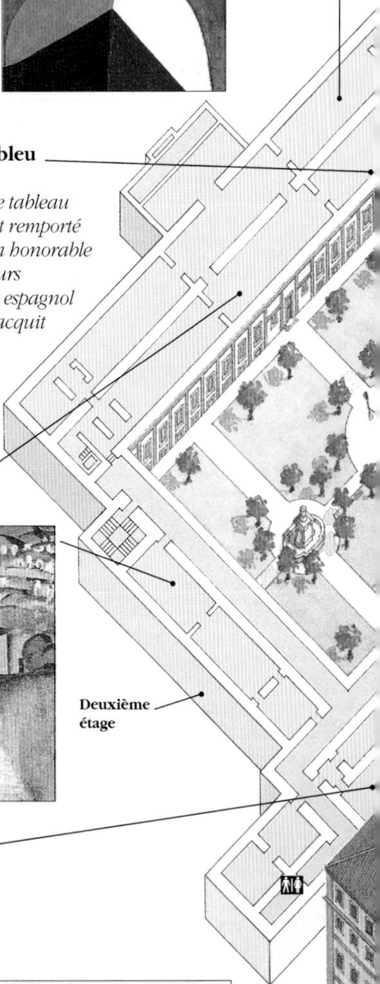

Paysage à Cadaqués
Né à Figueres en Catalogne, Salvador Dalí séjourna souvent à Cadaqués, sur la Costa Brava (p. 207)*, et il y peignit ce paysage au cours de l'été 1923.*

Accident
Alfonso Ponce de León peignit ce tableau prémonitoire en 1936, année où il mourut dans un accident de voiture.

À NE PAS MANQUER

- ★ ***Femme en bleu*** **par Picasso**
- ★ ***La Tertulia del Café de Pombo*** **par Solana**
- ★ ***Guernica*** **par Picasso**

★ **La Tertulia del Café de Pombo** *(1920)*
José Gutiérrez Solana a représenté une réunion d'intellectuels (tertulia) *dans un célèbre café de Madrid qui n'existe plus.*

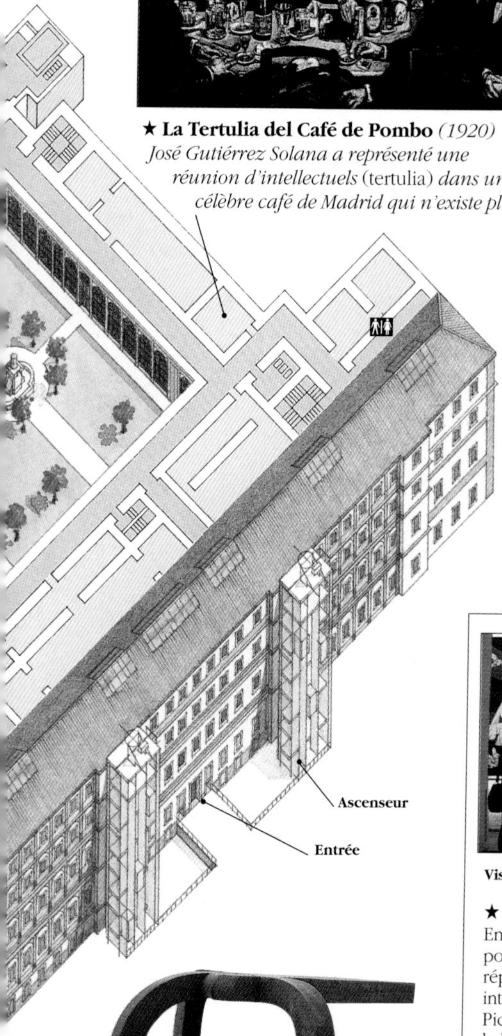

Toki-Egin
(Hommage à San Juan de La Cruz) *(1952)*
Dans ses sculptures abstraites, Eduardo Chillida utilisait des matériaux variés comme le bois, le métal et l'acier, pour communiquer la force.

MODE D'EMPLOI

Calle Santa Isabel 52. **Plan** 5 C3. *914 67 50 62. Atocha. 6, 14, 18, 19, 27, 45, 55, 68. 10 h à 21 h le lun. et du mer. au sam., 10 h à 14 h 30 le dim. 1er jan., 24, 25, 31 déc. et jours fériés. (gratuit sam. ap.-m. et dim.).*
www.museoreinasofia.mcu.es

SUIVEZ LE GUIDE !
Organisé autour d'une cour intérieure, le musée présente sa collection permanente aux deuxième et quatrième étages. Vouée à l'art de la première partie du XXe siècle, l'exposition du deuxième étage comprend des salles consacrées à des artistes marquants tels que Dalí, Picasso et Miró. Le quatrième étage propose un aperçu de grands mouvements qui ont marqué l'après-guerre comme l'abstraction, le pop art et l'art minimaliste.

LÉGENDE

- Espace d'exposition
- Circulations et services

Visiteurs admirant *Guernica*

★ **GUERNICA PAR PICASSO**
En peignant cet immense tableau pour le pavillon du gouvernement républicain espagnol de l'Exposition internationale de Paris de 1937, Picasso exprima toute sa révolte après le bombardement meurtrier perpétré la même année sur la ville basque de Gernika-Lumo *(p. 114)* par les pilotes allemands au service des nationalistes. Conformément aux vœux de l'artiste qui refusait qu'elle soit rapatriée en Espagne avant le rétablissement de la démocratie, l'œuvre resta au musée d'Art moderne de New York jusqu'en 1981.

En dehors du centre

Plusieurs sites touristiques de Madrid, y compris d'intéressants musées souvent peu connus, se trouvent hors du centre. Se mêler au flot de voitures circulant sur le paseo de la Castellana, axe de la cité moderne, permet de mieux saisir le dynamisme de la capitale administrative et commerciale de l'Espagne. Dominée par de hauts immeubles de bureaux, cette large avenue longe le barrio de Salamanca, quartier des boutiques de luxe nommé d'après le marquis de Salamanque qui décida à la fin du XIXe siècle du tracé de ses rues.

Statue in Plaza de Cascorro

Autour du vieux Madrid s'étendent des quartiers possédant plus que lui une atmosphère authentiquement *madrileño*, en particulier celui de Malasaña et celui de la Latina où le marché aux puces d'El Rastro attire chaque dimanche matin une foule animée. Si vous souhaitez échapper un moment à la pression urbaine, le vaste espace vert de la Casa de Campo offre à l'ouest du vieux Madrid, sur l'autre rive du río Manzanares, l'ombre de ses pins, un lac où canoter, un parc d'attractions et un jardin zoologique.

Les sites d'un coup d'œil

Bâtiments historiques

Palacio de Liria 9
Real Fábrica de Tapices 16
Templo de Debod 6

Église

Ermita de San Antonio de la Florida 5

Musées

Museo de América 7
Museo Cerralbo 8
Museo Lázaro Galdiano 13
Museo Municipal 11
Museo Sorolla 12

Rues, places et parc

Casa de Campo 4
La Latina 2
Malasaña 10
Paseo de la Castellana 14
Plaza de la Paja 3
Plaza de Toros de Las Ventas 15
El Rastro 1

0 — 2 km

Légende

- Principaux quartiers touristiques
- Parcs et espaces verts
- Gare
- Autoroute
- Route principale
- Route secondaire

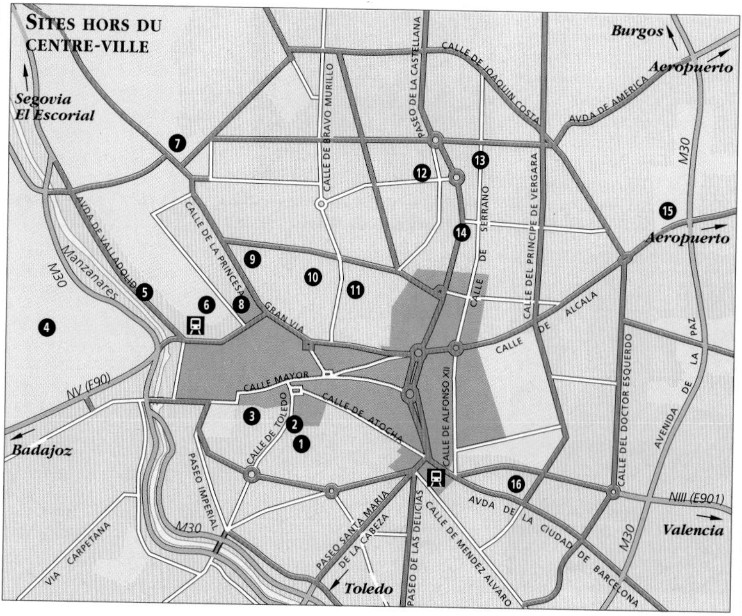

◁ Arcs et parement de brique mudéjars de la Plaza de Toros de Las Ventas

El Rastro ❶

Calle Ribera de Curtidores. **Plan** 2 E5. Ⓜ *La Latina, Embajadores.* ◯ *de 10 h à 14 h les dim. et jours fériés.*

Fondé au Moyen Âge, le célèbre marché aux puces de Madrid *(p. 305)* s'étend depuis la plaza de Cascorro en direction du río Manzanares. La calle Ribera de Curtidores, l'ancienne « rive des Tanneurs », constitue son axe principal.

Malgré ceux qui affirment que le Rastro a bien changé depuis son âge d'or au XIXe siècle, il attire toujours autant de Madrilènes et de touristes le dimanche matin. Ils y viennent souvent pour le simple plaisir de la promenade et la foule est si dense vers midi qu'il vaut mieux vous y rendre de bonne heure si vous nourrissez l'espoir de dénicher une bonne affaire sur les éventaires et dans les boutiques proposant une immense gamme d'objets, des antiquités de prix à la fripe en passant par des meubles neufs ou de l'artisanat.

Dans l'autre grande rue du marché, la calle de Ambajadores, se dresse la belle mais poussiéreuse façade baroque de l'Iglesia de San Cayateno (1722) dessinée par José Churriguera et Pedro de Ribera. Ravagé par un incendie pendant la guerre civile, l'intérieur a été restauré. Plus loin, la Real Fábrica de Tabacos, entreprise d'État créée en 1809, occupe le no 53. Elle est surtout connue pour la combativité de ses employées.

En quête d'une bonne affaire au marché aux puces du Rastro

La Latina ❷

Plan 2 D5. Ⓜ *La Latina, Lavapiés.*

Les quartiers contigus de la Latina et de Lavapiés sont considérés comme le cœur du Madrid *castizo*, terme qui désigne la culture traditionnelle des classes populaires de la ville et, plus qu'à la qualité de leur architecture, ils doivent leur attrait à leur atmosphère.

Bordées de hautes maisons étroites, les rues pentues de la Latina courent à flanc de colline depuis la plaza Puerta de Moros jusqu'au marché aux puces d'El Rastro. À l'est, le quartier se fond avec celui de Lavapiés. Des bars à l'ancienne subsistent aux alentours de la plaza del Humilladero dont la réputation a souffert des agissements de petits délinquants. Ceux-ci sévissent aussi plus au nord autour de la Puerta del Sol.

Bouteilles de vin en vente dans un bar à l'ancienne de Lavapiés

Plaza de la Paja ❸

Plan 1 C4. Ⓜ *La Latina.*

Ancien pôle du Madrid médiéval, les environs de la plaza de la Paja (place de la Paille) ont gardé du cachet, mais ils ne frappent pas par leur opulence. Plusieurs édifices intéressants bordent cependant la place.

En montant depuis la calle de Segovia, un coup d'œil sur la gauche le long de la calle Príncipe Anglona permet de découvrir la tour en brique de style mudéjar (XVe siècle) de

Autel de San Francisco el Grande

l'Iglesia de San Pedro. Au-delà de la fontaine, les sobres murs en pierre de la Capilla del Obispo (chapelle de l'Évêque) ferment la plaza de la Paja. Ce sanctuaire faisait jadis partie du Palacio Vargas voisin. Il abrite un superbe retable plateresque orné de sculptures par Francisco Giralte. Plus haut à gauche s'élève la coupole baroque parée d'angelots de l'Iglesia de San Andrés.

Une succession de plusieurs places conduit à la plaza Puerta de Moros dont le nom rappelle qu'une communauté maure habitait jadis ce quartier. De là, la carrera de San Francisco descend jusqu'à l'imposante église San Francisco el Grande. Elle renferme des peintures de Goya et de son beau-frère Francisco Bayeu et des stalles provenant du monastère d'El Paular *(p. 310-311)*.

Casa de Campo ❹

Avenida de Portugal. ☎ *914 63 63 34.* Ⓜ *Batán, Lago, Principe Pio.*

Boisée, l'ancienne chasse royale de la Casa de Campo offre à l'ouest de la ville un espace naturel de 1 740 ha très apprécié des Madrilènes qui y viennent se promener, canoter sur le lac, visiter le zoo ou se donner des émotions fortes au Parque de Atracciones *(p. 307)*. Les sportifs y trouveront également une piscine et un circuit de course à pied. En été, le parc accueille des concerts de rock.

Le temple égyptien de Debod et deux de ses portails originaux

Ermita de San Antonio de la Florida ❺

Glorieta San Antonio de la Florida 5. ☎ 915 42 07 22. Ⓜ *Príncipe Pío.* ◯ *de 10 h à 14 h, de 16 h à 20 h du mar. au ven., de 10 h à 14 h sam. et dim.* ● *jours fériés.* *gratuit mer. et dim.*

Cette chapelle construite pendant le règne de Charles IV a conservé le nom d'un pré, la Florida, où fut édifié le premier des deux sanctuaires auxquels elle a succédé sur ce site.

En 1798, Francisco Goya passa quatre mois à décorer sa coupole d'une immense fresque. Elle représente saint Antoine de Padoue ressuscitant la victime d'un assassinat pour prouver l'innocence d'un homme faussement accusé du meurtre. Considérée par de nombreux critiques comme l'une des plus grandes réussites de l'artiste, l'œuvre frappe par son réalisme. Ses personnages, grands bourgeois, élégantes aristocrates, gens du peuple ou demi-mondaines, dressent un portrait saisissant de la vie quotidienne à Madrid à la fin du XVIIIe siècle.

Goya mourut en exil à Bordeaux en 1828 *(p. 229)*, mais il repose désormais dans la chapelle.

Templo de Debod ❻

Paseo de Pintor Rosales. **Plan** 1 B1. ☎ *913 66 74 15.* Ⓜ *Ventura Rodríguez, Plaza de España.* ◯ *de 9 h 45 à 13 h 45 du mar. au dim. ; d'avr. à sept. : de 18 h à 20 h du mar. au ven. ; d'oct. à mars : de 16 h à 18 h du mar. au ven.* ● *jours fériés.* *gratuit mer. et dim.*

Édifié au IIe siècle av. J.-C., le temple égyptien de Debod fit partie des monuments sauvés de l'immersion lors de la construction du barrage d'Assouan. L'Égypte le donna en 1970 à l'Espagne en remerciement de sa participation au sauvetage. Précédé de deux de ses trois portails originaux, il se dresse désormais sur une hauteur dominant le río Manzanares dans les jardins du Parque del Oeste.

Plus à l'ouest, au pied de la colline, se trouve une agréable roseraie. Le parc, où les Madrilènes prirent d'assaut la caserne Montaña en 1936, ménage en outre des vues panoramiques sur la Casa de Campo et la sierra de Guadarrama.

Museo de América ❼

Avenida de los Reyes Católicos 6. ☎ *915 49 26 41.* Ⓜ *Moncloa.* ◯ *de 10 h à 15 h du mar. au sam., de 10 h à 14 h 30 dim.* ● *certains jours fériés* *gratuit le dimanche* W *www.mcu.es*

Cet intéressant musée abrite une collection unique d'objets liés à la colonisation de l'Amérique centrale et d'une partie de l'Amérique du Sud. Les pièces présentées couvrent une période allant de la préhistoire à l'époque actuelle. Beaucoup furent rapportées par les premiers explorateurs du Nouveau Monde *(p. 54-55)*.

Installée sur deux niveaux, l'exposition comprend des salles consacrées à des thèmes particuliers tels qu'organisation sociale, communication et religion. Un manuscrit maya illustré de scènes en hiéroglyphes de la vie quotidienne, le *Códice Trocortesiano* (1250-1500) du Mexique, constitue sans doute le fleuron de la collection, mais celle-ci inclut également des ornements funéraires en or colombiens, le trésor des Quimbayas (500-1000), et des exemples d'art populaire contemporain provenant de plusieurs anciennes colonies espagnoles.

Pièce du trésor des Quimbayas

Museo Cerralbo ❽

Calle Ventura Rodríguez 17. **Plan** 1 C1. *915 47 36 46. Plaza de España, Ventura Rodríguez. du 15 juin au 15 sept. : de 10 h à 14 h du mar. au sam., de 10 h 30 à 13 h 30 le dim. gratuit mer. et dim.* www.mcu.es

Installé dans un hôtel particulier de la fin du XIXe siècle, ce musée est un monument à la mémoire d'Enrique de Aguilera y Gambao, le 17e marquis de Cerralbo. Ce collectionneur passionné légua en 1922 à l'État les œuvres et objets d'art, depuis des poteries ibères jusqu'à des bustes en marbre du XVIIIe siècle, qu'il avait réunis au cours de sa vie. Il exigea toutefois qu'ils restent exposés tels qu'il les laissait.

Les peintures comprennent un *Saint François d'Assise* par El Greco (dans la chapelle) et des œuvres plus mineures de Ribera, Zurbarán, Alonso Cano et Goya. À l'étage d'apparat, distribué autour de la salle de bal ornée de miroirs, belle exposition d'armes japonaises et européennes.

Palacio de Liria ❾

Calle de la Princesa 20. *915 47 53 02. Ventura Rodríguez. sur autorisation demandée par écrit un an avant.*

Très restaurée après avoir souffert des bombardements nationalistes pendant la guerre civile, l'ancienne résidence de la famille d'Albe, achevée en 1780 par Ventura Rodríguez, appartient toujours à la duchesse et ne se visite que sur rendez-vous.

Elle abrite une magnifique collection d'œuvres d'art et de tapisseries flamandes qui comprend des peintures d'El Greco, Zurbarán et Velázquez, et le portrait de la duchesse d'Albe peint par Goya en 1795. Parmi les maîtres étrangers représentés figurent Titien, Rubens et Rembrandt.

Derrière le palais se dresse le **Cuartel del Conde-Duque**, ancienne caserne à la façade baroque édifiée en 1720 par Pedro de Ribera sur le site de la demeure du comte-duc d'Olivares, ministre de Philippe IV. Un centre culturel occupe désormais le bâtiment.

Escalier principal du Museo Cerralbo

Dans le quartier de Malasaña

Malasaña ❿

Plan 2 F1. *Tribunal, Bilbao.*

Ce quartier aux rues en pente bordées de hautes maisons a gardé beaucoup d'authenticité et ses bars et cafés furent pendant quelques années après la mort de Franco le pôle de l'intense vie nocturne appelée *movida*.

Une promenade le long de la calle San Andrés conduit à la plaza del Dos de Mayo ornée en son centre d'un monument à la mémoire des officiers d'artillerie Daioz et Velarde qui, lors du soulèvement contre les troupes françaises en 1808 *(p. 59)*, défendirent la caserne occupant alors le site.

Dans la calle de la Puebla se dresse l'Iglesia de San Antonio de los Alemanes fondée par Philippe III au XVIIe siècle, puis mise à la disposition de la communauté allemande. D'intéressantes fresques peintes par Giordano au XVIIIe siècle décorent ses murs.

Museo Municipal ⓫

Calle de Fuencarral 78. **Plan** 3 A3. *915 88 86 72. Tribunal. de 9 h 30 à 20 h du mar. au ven., de 10 h à 14 h les sam. et dim. ; du 15 juin au 15 sept. : de 9 h 30 à 14 h du mar. au dim. jours fériés. gratuit mer. et dim.*

Œuvre de Pedro de Ribera, le majestueux portail baroque *(p. 21)* de l'ancien hospice Saint-Ferdinand, sans doute le plus beau de Madrid, justifie à lui seul la visite de ce

Le Museo Sorolla occupe l'ancienne demeure du peintre

musée inauguré en 1929.

Le sous-sol abrite des collections archéologiques, tandis qu'à l'étage de nombreux documents montrent les changements radicaux que connut Madrid au fil des siècles. Ils comprennent la plus ancienne carte connue de la ville, dressée en 1656 par Pedro Texeiro.

Des témoignages plus récents sur la vie de la cité incluent la reconstitution du bureau de Ramón Gómez de la Serna, personnage clé des réunions littéraires du Café de Pombo *(p. 289)*. Dans le jardin, la fontaine de la Renommée baroque est aussi de Ribera.

Portail baroque du Museo Municipal par Pedro de Ribera

Museo Sorolla ⓬

Paseo del General Martínez Campos 37. *913 10 15 84. Rubén Darío, Iglesia, Grégorio Marañon. de 10 h à 15 h du mar. au sam., de 10 h à 14 h le dim. (gratuit. dim.)*

Transformée en musée, la maison, édifiée en 1910, où vécut et travailla l'artiste valencien Joaquín Sorolla est restée pratiquement telle qu'elle était à sa mort en 1923.

Si Sorolla est surtout connu pour ses peintures de scènes de bord de mer inondées de lumière *(p. 285)*, les tableaux exposés au musée permettent de découvrir également sa période réaliste et son talent de portraitiste. La demeure abrite en outre divers objets qu'il collectionna durant sa vie, entre autres des carreaux et des pièces de céramique. Le peintre dessina lui-même le jardin de style andalou agrémenté de fontaines et de sculptures.

Museo Lázaro Galdiano ⓭

Calle de Serrano 122. *915 61 60 84. Núñez de Balboa, Ruben Darío, Grégorio Marañon. pour rénovation jusqu'au début 2004.* www.flg.es

Léguée à l'État espagnol en 1947, la collection d'œuvres et d'objets d'art de l'homme d'affaires et écrivain José Lázaro Galdiano, l'une des plus riches de Madrid, est présentée dans l'ancien hôtel particulier (1903) du mécène.

Montre de Charles Quint

D'une série de portraits par Goya à une collection de pendules et de montres incluant la montre de chasse en forme de croix de Charles Quint, elle comprend des pièces exceptionnelles.

Parmi les plus belles figurent des coffrets émaillés du Limousin, des bronzes italiens de la Renaissance et *El Salvador*, portrait attribué à Vinci. Dans les étages s'admirent des tableaux des artistes anglais Constable, Turner, Gainsborough et Reynolds, et des peintres espagnols Velázquez, Zurbarán, Ribera, Murillo et El Greco. À ne pas manquer, l'*Ecce homo* de Jérôme Bosch. La dernière salle abrite un bel ensemble d'éventails.

Affiche de *Femmes au bord de la crise de nerfs* d'Almodóvar

La Movida

Après la mort de Franco en 1975, l'Espagne, et tout particulièrement Madrid, connut, avec la liberté retrouvée, une période intensément créative. Dans les bars et cafés « branchés », artistes et intellectuels se retrouvaient pour échanger des idées et multiplier les expériences. Rendu célèbre par le succès du réalisateur Pedro Almodóvar, ce mouvement, la *movida*, tend aujourd'hui à se diluer, mais son élan a marqué la société.

La Torre de Picasso domine le paseo de la Castellana

Paseo de la Castellana ⓮

Santiago Bernabiu, Cuzco, Plaza de Castilla.

Le grand axe de circulation qui traverse Madrid du centre vers le nord comprend plusieurs tronçons. Le plus ancien, au sud, le paseo del Prado *(p. 274-275)*, date du règne de Charles III. Percé dans le cadre d'un projet d'aménagement de ce qui était alors l'est de la ville *(p. 287)*, il part de la plaza de Emperador Carlos V, au nord de l'Estación de Atocha *(p. 287)*. À la plaza de Cibeles, l'avenue devient l'élégant paseo de Recoletos bordé de cafés réputés tel le Gijón *(p. 281)*.

La plaza de Colón marque le début du paseo de la Castellana dont les terrasses de cafés sont devenues l'un des pôles de la vie sociale des jeunes Madrilènes. De hauts édifices modernes le dominent, notamment l'immense bâtiment gris des Nuevos Ministerios achevé sous Franco. Plus loin, avant d'atteindre la plaza de Lima, s'élève la Torre de Picasso *(p. 21)*, l'un des plus ambitieux gratte-ciel d'Espagne. À l'est de la place, l'Estadio Bernabéu est le siège du club de football du Real Madrid *(p. 173)*.

La construction la plus impressionnante du paseo reste cependant la Puerta de Europa, surnommée les « Torres Kio » : tours de verre jumelles de part et d'autre de l'avenue.

Plaza de Toros de Las Ventas ⓯

Calle de Alcalá 237. *913 56 22 00. Ventas. pour les corridas et les concerts.* **Museo Taurino** *917 25 18 57. de mars à oct. : de 9 h 30 à 14 h 30 du mar. au ven., de 10 h à 13 h le dim. ; de nov. à fév. : de 9 h 30 à 14 h 30 du lun. au ven.*

Quelle que soit votre opinion sur les courses de taureaux, les arènes de Las Ventas font indiscutablement partie des plus belles d'Espagne. Construites en 1929 dans le style néo-mudéjar pour remplacer celles qui se dressaient alors près de la Puerta de Alcála, elles offrent, avec leurs arcs en fer à cheval et leur parement de brique et d'*azulejos*, un cadre superbe pour assister à une corrida pendant la saison tauromachique s'étendant de mai à octobre. Les statues qui ornent l'extérieur commémorent deux matadors renommés : Antonio Bienvenida et José Cubero.

Une aile des arènes abrite le Museo Taurino qui présente une intéressante collection de souvenirs comprenant les portraits et sculptures de célèbres toreros, ainsi que les trophées de plusieurs taureaux ayant combattu à Las Ventas. Sa visite permet d'examiner de près capes, banderilles et épées.

Parmi les *trajes de luces* (habits de lumière) exposés figure celui, taché de sang, que portait le légendaire Manolete lors de la corrida qui lui coûta la vie en 1947 à Linares en Andalousie. À remarquer également, un costume ayant appartenu à Juanita Cruz, femme matador des années 1930 que les préjugés des Espagnols contraignirent à l'exil. En septembre et octobre, les arènes accueillent des concerts de rock.

Real Fábrica de Tapices ⓰

Calle Fuenterrabia 2. *914 34 05 51. Menéndez Pelayo. de 10 h à 14 h du lun. au ven. Pâques et en août.* www.realfatapices.com

Des manufactures royales créées par les Bourbons au XVIIIe siècle *(p. 58-59)*, seule a survécu celle-ci fondée en 1721 par Philippe V et installée en 1889 dans son édifice actuel au sud du Parque del Retiro.

Les visiteurs peuvent y assister à la fabrication de tapis et tapisseries selon des procédés qui ont peu changé depuis l'époque où Goya et son beau-frère Francisco Bayeu réalisaient des cartons pour la manufacture. Celle-ci en a conservé certains, d'autres se trouvent au Museo del Prado *(p. 282-285)*. Le palais du Pardo *(p. 314)* et le monastère de l'Escorial *(p. 312-313)* abritent des œuvres tissées à partir de ces projets.

Aujourd'hui, la création et la restauration des superbes tapis de l'hôtel Ritz *(p. 276)* constituent une des principales activités de la fabrique.

La Plaza de Toros de Las Ventas, splendides arènes de Madrid

Atlas des rues de Madrid

Cette carte précise la zone couverte par les six plans de l'atlas des rues de Madrid. Toutes les références cartographiques données dans les articles décrivant les sites, monuments, boutiques et salles de spectacle de la capitale espagnole renvoient à ces plans qui vous permettront également de situer hôtels *(voir p. 552-554)*, et bars et restaurants *(voir p. 592-594)*. La liste des symboles utilisés dans les plans de l'atlas des rues figure ci-dessous.

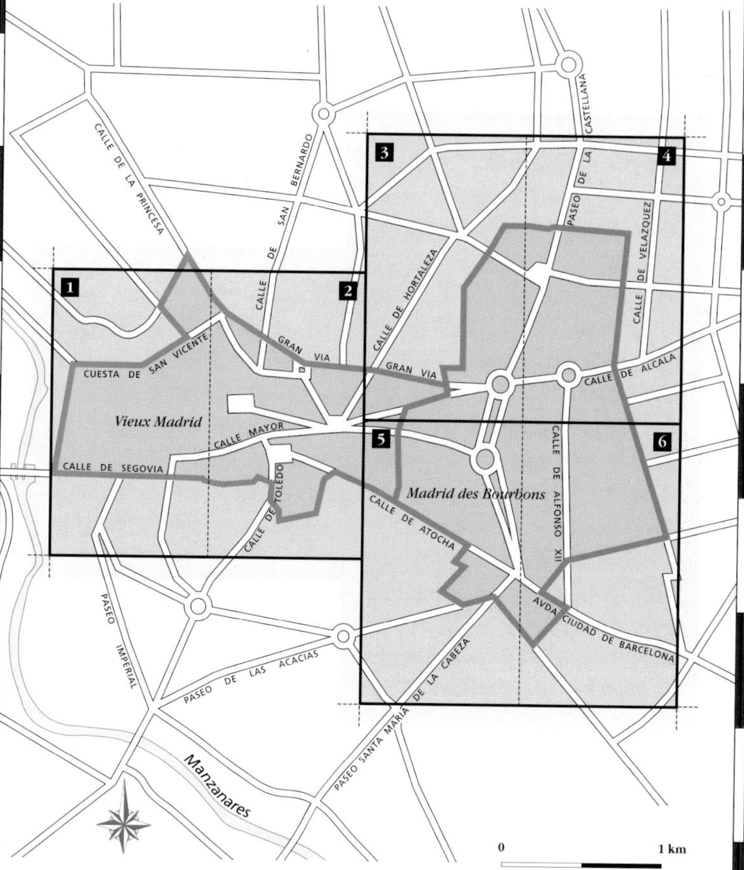

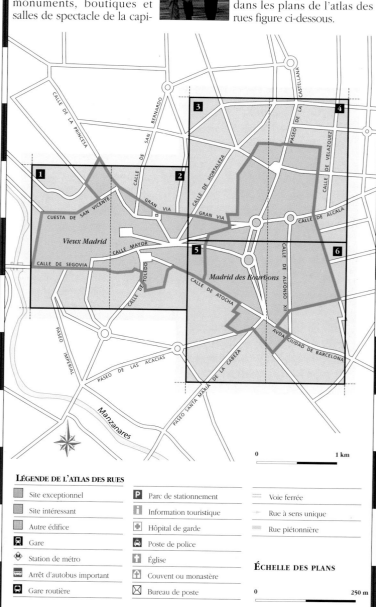

Légende de l'atlas des rues

- Site exceptionnel
- Site intéressant
- Autre édifice
- Gare
- Station de métro
- Arrêt d'autobus important
- Gare routière
- Parc de stationnement
- Information touristique
- Hôpital de garde
- Poste de police
- Église
- Couvent ou monastère
- Bureau de poste
- Voie ferrée
- Rue à sens unique
- Rue piétonnière

Échelle des plans

0 250 m

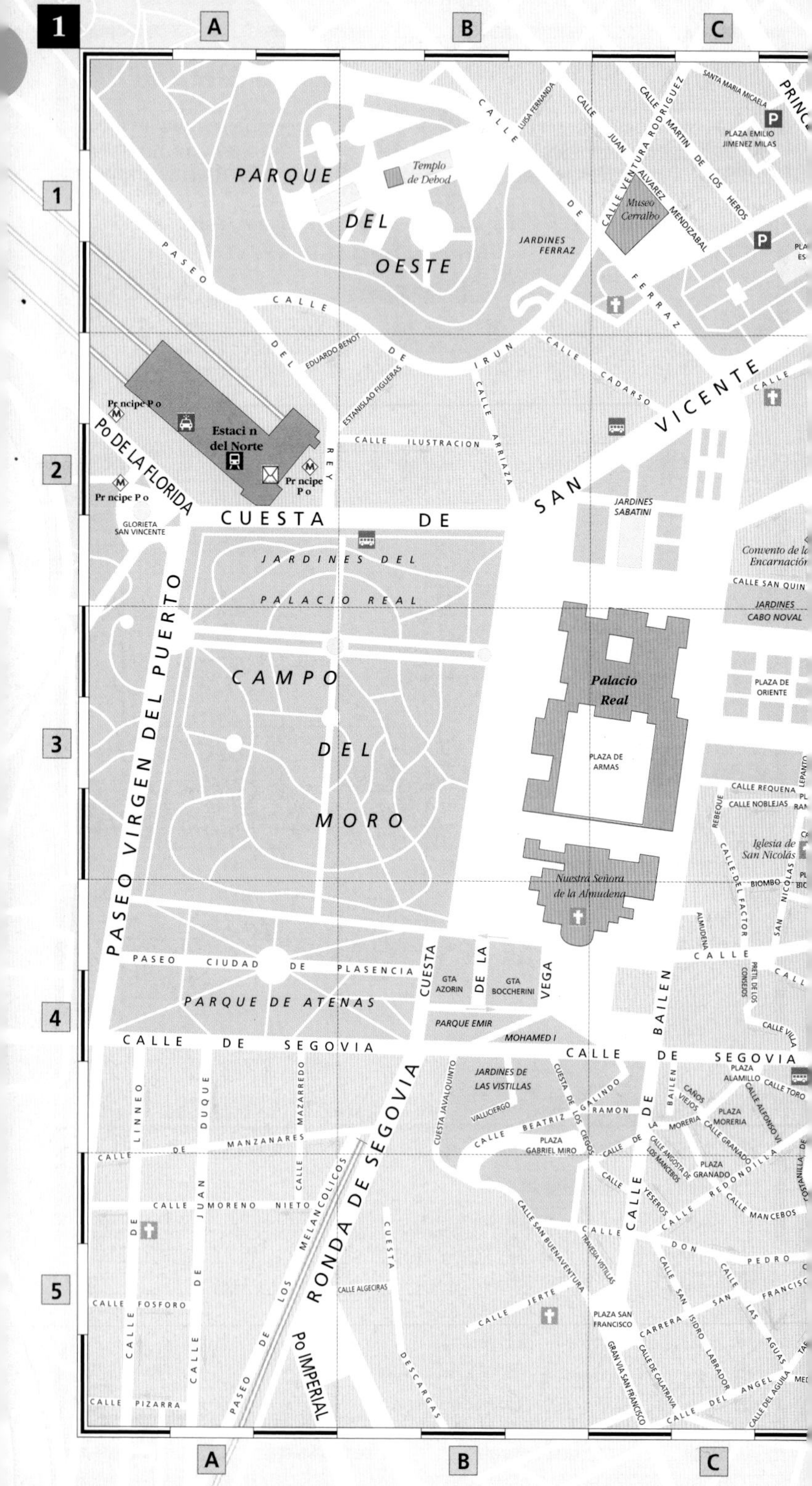
1
A
B
C
1
2
3
4
5
PARQUE DEL OESTE
Templo de Debod
JARDINES FERRAZ
Museo Cerralbo
PLAZA EMILIO JIMENEZ MILAS
SANTA MARIA MICAELA
CALLE LUISA FERNANDA
CALLE JUAN ALVAREZ MENDIZABAL
CALLE VENTURA RODRIGUEZ
CALLE MARTIN DE LOS HEROS
CALLE DE FERRAZ
PASEO DEL REY
CALLE DE IRUN
CALLE EDUARDO BENOT
CALLE DE ESTANISLAO FIGUERAS
CALLE CADARSO
CALLE ILUSTRACION
CALLE ARRIAZA
Estaci n del Norte
Pr ncipe P o
Po DE LA FLORIDA
GLORIETA SAN VINCENTE
CUESTA DE SAN VICENTE
JARDINES SABATINI
Convento de la Encarnación
CALLE SAN QUIN
JARDINES CABO NOVAL
JARDINES DEL PALACIO REAL
CAMPO DEL MORO
PASEO VIRGEN DEL PUERTO
Palacio Real
PLAZA DE ORIENTE
PLAZA DE ARMAS
CALLE REQUENA
CALLE NOBLEJAS
LEPANTO
REBEQUE
Iglesia de San Nicolás
Nuestra Señora de la Almudena
CALLE DEL FACTOR
BIOMBO
SAN NICOLAS
ALMUDENA
PASEO CIUDAD DE PLASENCIA
PARQUE DE ATENAS
CUESTA DE LA VEGA
GTA AZORIN
GTA BOCCHERINI
PARQUE EMIR MOHAMED I
CALLE BAILEN
PRETIL DE LOS CONSEJOS
CALLE VILLA
CALLE DE SEGOVIA
PLAZA ALAMILLO
CALLE TORO
CAÑOS VIEJOS
CALLE ALFONSO VI
PLAZA MORERIA
CALLE DE LA MORERIA
CALLE GRANADO
JARDINES DE LAS VISTILLAS
CUESTA JAVALQUINTO
VALLICIERGO
CUESTA DE LOS CIEGOS
GALINDO
RAMON
CALLE BEATRIZ
PLAZA GABRIEL MIRO
CALLE ANGOSTA DE LOS MANCEBOS
PLAZA GRANADO
CALLE DE REDONDILLA
CALLE MANCEBOS
COSTANILLA
CALLE YESEROS
CALLE LINNEO
CALLE DE DUQUE
CALLE MAZARREDO
CALLE DE MANZANARES
CALLE MORENO NIETO
CALLE DE JUAN DE DUQUE
PASEO DE LOS MELANCOLICOS
RONDA DE SEGOVIA
CUESTA
CALLE ALGECIRAS
CALLE SAN BUENAVENTURA
TRAVESIA VISTILLAS
CALLE DON PEDRO
CALLE SAN ISIDRO LABRADOR
CALLE LAS AGUAS
CALLE SAN FRANCISCO
CALLE JERTE
PLAZA SAN FRANCISCO
CARRERA
GRAN VIA SAN FRANCISCO
CALLE DE CALATRAVA
CALLE DEL ANGEL
CALLE DEL AGUILA
CALLE FOSFORO
CALLE PIZARRA
Po IMPERIAL
DESCARGAS

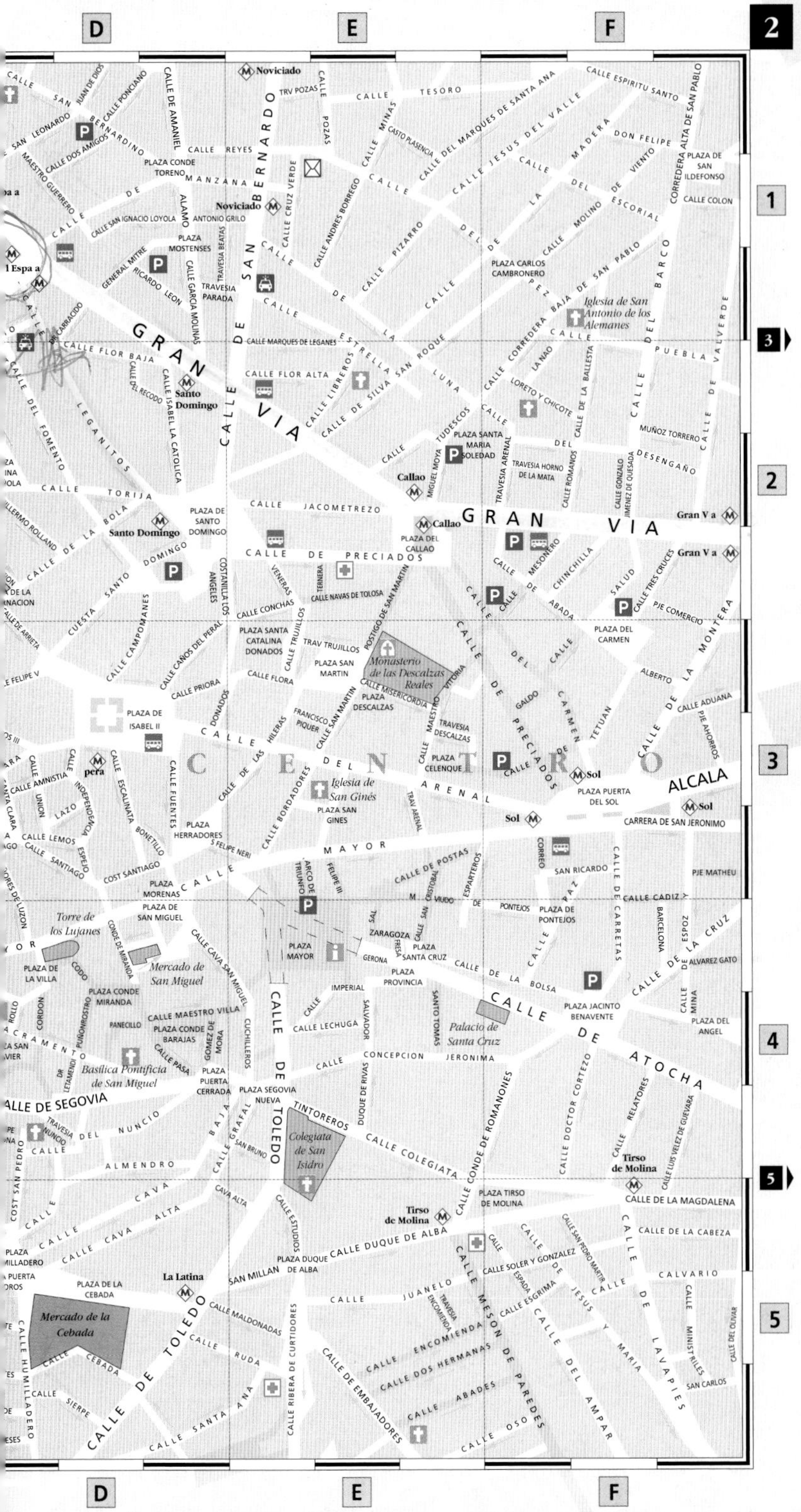

2
D
E
F
1
2
3
4
5
Noviciado
Santo Domingo
Callao
Gran Via
Sol
Opera
Tirso de Molina
La Latina
GRAN VIA
CALLE DE SAN BERNARDO
CALLE DE AMANIEL
CALLE REYES
PLAZA CONDE TORENO
CALLE SAN BERNARDINO
CALLE DOS AMIGOS
MAESTRO GUERRERO
CALLE PONCIANO
JUAN DE DIOS
SAN LEONARDO
MANZANA
ALAMO
ANTONIO GRILO
CALLE SAN IGNACIO LOYOLA
PLAZA MOSTENSES
TRAVESIA BEATAS
CALLE GARCIA MOLINAS
TRAVESIA PARADA
GENERAL MITRE
RICARDO LEON
DR. CARRACIDO
CALLE FLOR BAJA
CALLE DEL RECODO
CALLE ISABEL LA CATOLICA
CALLE DEL FOMENTO
LEGANITOS
CALLE TORIJA
CALLE DE LA BOLA
PLAZA DE SANTO DOMINGO
CUESTA SANTO DOMINGO
CALLE CAMPOMANES
COSTANILLA LOS ANGELES
CALLE CAÑOS DEL PERAL
CALLE PRIORA
DONADOS
CALLE FELIPE V
PLAZA DE ISABEL II
CALLE AMNISTIA
UNION
LAZO
INDEPENDENCIA
CALLE ESCALINATA
CALLE FUENTES
BONETILLO
PLAZA HERRADORES
CALLE LEMOS
CALLE SANTIAGO
ESPEJO
COST SANTIAGO
PLAZA MORENAS
PLAZA DE SAN MIGUEL
Torre de los Lujanes
PLAZA DE LA VILLA
CODO
CONDE DE MIRANDA
Mercado de San Miguel
PLAZA CONDE MIRANDA
PUÑONROSTRO
CORDON
PANECILLO
CALLE MAESTRO VILLA
PLAZA CONDE BARAJAS
GOMEZ DE MORA
CALLE PASA
CUCHILLEROS
Basílica Pontificia de San Miguel
PLAZA PUERTA CERRADA
PLAZA SEGOVIA NUEVA
CALLE DE SEGOVIA
TRAVESIA NUNCIO
CALLE DEL NUNCIO
BAJA
CALLE GRAFAL
SAN BRUNO
ALMENDRO
COST SAN PEDRO
CALLE CAVA BAJA
CAVA ALTA
CALLE CAVA ALTA
PLAZA HUMILLADERO
PUERTA MOROS
PLAZA DE LA CEBADA
Mercado de la Cebada
CALLE HUMILLADERO
CALLE CEBADA
CALLE SIERPE
CALLE DE TOLEDO
CALLE MALDONADAS
CALLE RUDA
CALLE SANTA ANA
CALLE RIBERA DE CURTIDORES
SAN MILLAN
PLAZA DUQUE DE ALBA
CALLE DUQUE DE ALBA
CALLE ESTUDIOS
Colegiata de San Isidro
TINTOREROS
CALLE COLEGIATA
DUQUE DE RIVAS
CALLE DE EMBAJADORES
CALLE JUANELO
TRAVESIA ENCOMIENDA
CALLE ENCOMIENDA
CALLE DOS HERMANAS
CALLE ABADES
CALLE OSO
CALLE MESON DE PAREDES
CALLE CONDE DE ROMANONES
PLAZA TIRSO DE MOLINA
CALLE SOLER Y GONZALEZ
CALLE ESPADA
CALLE ESGRIMA
CALLE DE JESUS Y MARIA
CALLE SAN PEDRO MARTIR
CALLE DEL AMPARO
CALLE DE LAVAPIES
CALLE DE LA CABEZA
CALVARIO
CALLE MINISTRILES
CALLE DEL OLIVAR
SAN CARLOS
CALLE DE LA MAGDALENA
CALLE LUIS VELEZ DE GUEVARA
CALLE RELATORES
CALLE DOCTOR CORTEZO
CALLE DE ATOCHA
Palacio de Santa Cruz
CONCEPCION JERONIMA
SANTO TOMAS
SALVADOR
CALLE LECHUGA
IMPERIAL
PLAZA PROVINCIA
PLAZA SANTA CRUZ
GERONA
ZARAGOZA
PLAZA MAYOR
CALLE DE TOLEDO
ARCO DE TRIUNFO
FELIPE III
CALLE DE POSTAS
CALLE SAN CRISTOBAL
ESPARTEROS
VIUDO
PONTEJOS
PLAZA DE PONTEJOS
CALLE PAZ
CALLE DE LA BOLSA
PLAZA JACINTO BENAVENTE
CALLE DE CARRETAS
CORREO
SAN RICARDO
CALLE CADIZ
BARCELONA
ESPOZ
CALLE DE LA CRUZ
ALVAREZ GATO
CALLE MINA
PLAZA DEL ANGEL
PJE MATHEU
CARRERA DE SAN JERONIMO
ALCALA
PLAZA PUERTA DEL SOL
CALLE MAYOR
S FELIPE NERI
CALLE BORDADORES
Iglesia de San Ginés
PLAZA SAN GINES
TRAV ARENAL
CALLE DEL ARENAL
CENTRO
CALLE DE LAS HILERAS
FRANCISCO PIQUER
CALLE SAN MARTIN
PLAZA DESCALZAS
CALLE MISERICORDIA
Monasterio de las Descalzas Reales
CALLE MAESTRO VICTORIA
TRAVESIA DESCALZAS
PLAZA CELENQUE
CALLE DE PRECIADOS
CALLE DEL CARMEN
GALDO
TETUAN
CALLE DE LA MONTERA
ALBERTO
CALLE ADUANA
PIE AHORROS
PLAZA DEL CARMEN
PJE COMERCIO
CALLE TRES CRUCES
SALUD
CHINCHILLA
CALLE DE ABADA
MESONERO
CALLE DE PRECIADOS
PLAZA DEL CALLAO
CALLE NAVAS DE TOLOSA
TERNERA
VENERAS
POSTIGO DE SAN MARTIN
CALLE CONCHAS
PLAZA SANTA CATALINA DONADOS
TRAV TRUJILLOS
CALLE TRUJILLOS
PLAZA SAN MARTIN
CALLE FLORA
CALLE JACOMETREZO
CALLE FLOR ALTA
CALLE MARQUES DE LEGANES
CALLE LIBREROS
CALLE DE SILVA
CALLE ESTRELLA
SAN ROQUE
LUNA
CALLE DE LA LUNA
TUDESCOS
PLAZA SANTA MARIA SOLEDAD
MIGUEL MOYA
TRAVESIA ARENAL
TRAVESIA HORNO DE LA MATA
CALLE ROMANOS
CALLE DE LA BALLESTA
LORETO Y CHICOTE
LA NAO
CALLE CORREDERA BAJA DE SAN PABLO
Iglesia de San Antonio de los Alemanes
CALLE PUEBLA
CALLE DEL BARCO
CALLE DE VALVERDE
MUÑOZ TORRERO
DESENGAÑO
CALLE GONZALO JIMENEZ DE QUESADA
PLAZA CARLOS CAMBRONERO
CALLE DEL PEZ
CALLE DE LA MADERA
CALLE MOLINO DE VIENTO
DEL ESCORIAL
DON FELIPE
CALLE JESUS DEL VALLE
CALLE DEL MARQUES DE SANTA ANA
CALLE ESPIRITU SANTO
CORREDERA ALTA DE SAN PABLO
PLAZA DE SAN ILDEFONSO
CALLE COLON
CALLE TESORO
CASTO PLASENCIA
CALLE MINAS
CALLE POZAS
TRV POZAS
CALLE CRUZ VERDE
CALLE ANDRES BORREGO
CALLE PIZARRO

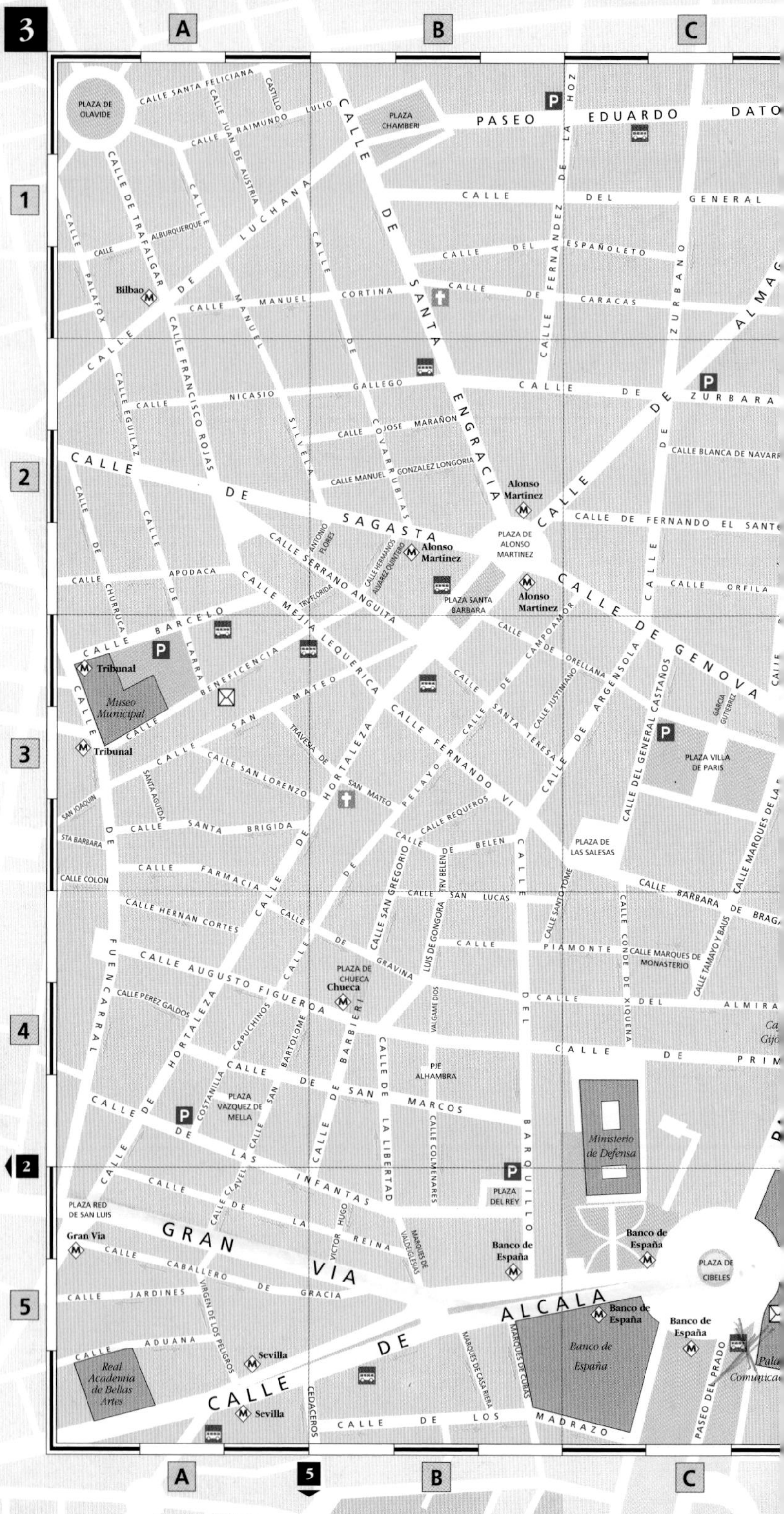
3
A
B
C
1
2
3
4
5
PLAZA DE OLAVIDE
CALLE SANTA FELICIANA
CASTILLO
CALLE JUAN DE AUSTRIA
CALLE RAIMUNDO LULIO
PLAZA CHAMBERI
PASEO EDUARDO DATO
CALLE DE LA HOZ
CALLE DE TRAFALGAR
CALLE DE LUCHANA
CALLE DE SANTA ENGRACIA
CALLE DEL GENERAL
CALLE DEL ESPAÑOLETO
CALLE ALBURQUERQUE
CALLE PALAFOX
Bilbao
CALLE MANUEL CORTINA
CALLE DE CARACAS
CALLE FERNANDEZ
CALLE ZURBANO
CALLE DE ALMAGRO
CALLE FRANCISCO ROJAS
CALLE MANUEL SILVELA
CALLE NICASIO GALLEGO
CALLE DE ZURBARA
CALLE EGUILAZ
CALLE JOSE MARAÑON
CALLE COVARRUBIAS
CALLE MANUEL GONZALEZ LONGORIA
CALLE BLANCA DE NAVARRA
CALLE DE SAGASTA
Alonso Martínez
PLAZA DE ALONSO MARTINEZ
CALLE DE FERNANDO EL SANTO
CALLE DE CHURRUCA
ANTONIO FLORES
CALLE HERMANOS ALVAREZ QUINTERO
CALLE SERRANO ANGUITA
CALLE APODACA
PLAZA SANTA BARBARA
CALLE ORFILA
TRV FLORIDA
CALLE MEJIA LEQUERICA
CALLE BARCELO
CALLE DE LARRA
CALLE DE GENOVA
CALLE DE CAMPOAMOR
CALLE DE ORELLANA
Tribunal
Museo Municipal
CALLE BENEFICENCIA
CALLE SAN MATEO
CALLE DE ARGENSOLA
CALLE DEL GENERAL CASTAÑOS
GARCIA GUTIERREZ
CALLE FERNANDO VI
CALLE DE SANTA TERESA
CALLE JUSTINIANO
PLAZA VILLA DE PARIS
TRAVESIA DE SAN MATEO
CALLE SAN LORENZO
CALLE DE HORTALEZA
CALLE PELAYO
SANTA AGUEDA
SAN JOAQUIN
CALLE SANTA BRIGIDA
CALLE REQUEROS
CALLE MARQUES DE LA ENSENADA
STA BARBARA
CALLE DE BELEN
PLAZA DE LAS SALESAS
CALLE FARMACIA
CALLE SAN GREGORIO
TRV BELEN
CALLE SAN LUCAS
CALLE SANTO TOME
CALLE BARBARA DE BRAGANZA
CALLE COLON
CALLE HERNAN CORTES
CALLE DE GRAVINA
CALLE PIAMONTE
CALLE CONDE DE XIQUENA
CALLE MARQUES DE MONASTERIO
CALLE TAMAYO Y BAUS
CALLE LUIS DE GONGORA
CALLE DE FUENCARRAL
CALLE AUGUSTO FIGUEROA
PLAZA DE CHUECA
Chueca
CALLE DEL ALMIRANTE
CALLE PEREZ GALDOS
CAPUCHINOS
CALLE BARBIERI
VALGAME DIOS
CALLE DE PRIM
CALLE SAN BARTOLOME
CALLE DE LA LIBERTAD
PJE ALHAMBRA
CALLE DE SAN MARCOS
COSTANILLA
PLAZA VAZQUEZ DE MELLA
CALLE BARQUILLO
CALLE COLMENARES
Ministerio de Defensa
CALLE DE LAS INFANTAS
CALLE CLAVEL
HUGO
PLAZA DEL REY
PLAZA RED DE SAN LUIS
Gran Vía
GRAN VIA
CALLE DE LA REINA
VICTOR
MARQUES DE VALDEIGLESIAS
Banco de España
CALLE CABALLERO DE GRACIA
PLAZA DE CIBELES
CALLE JARDINES
CALLE VIRGEN DE LOS PELIGROS
CALLE DE ALCALA
CALLE ADUANA
Sevilla
MARQUES DE CASA RIERA
MARQUES DE CUBAS
PASEO DEL PRADO
Real Academia de Bellas Artes
CEDACEROS
CALLE DE LOS MADRAZO
2
5

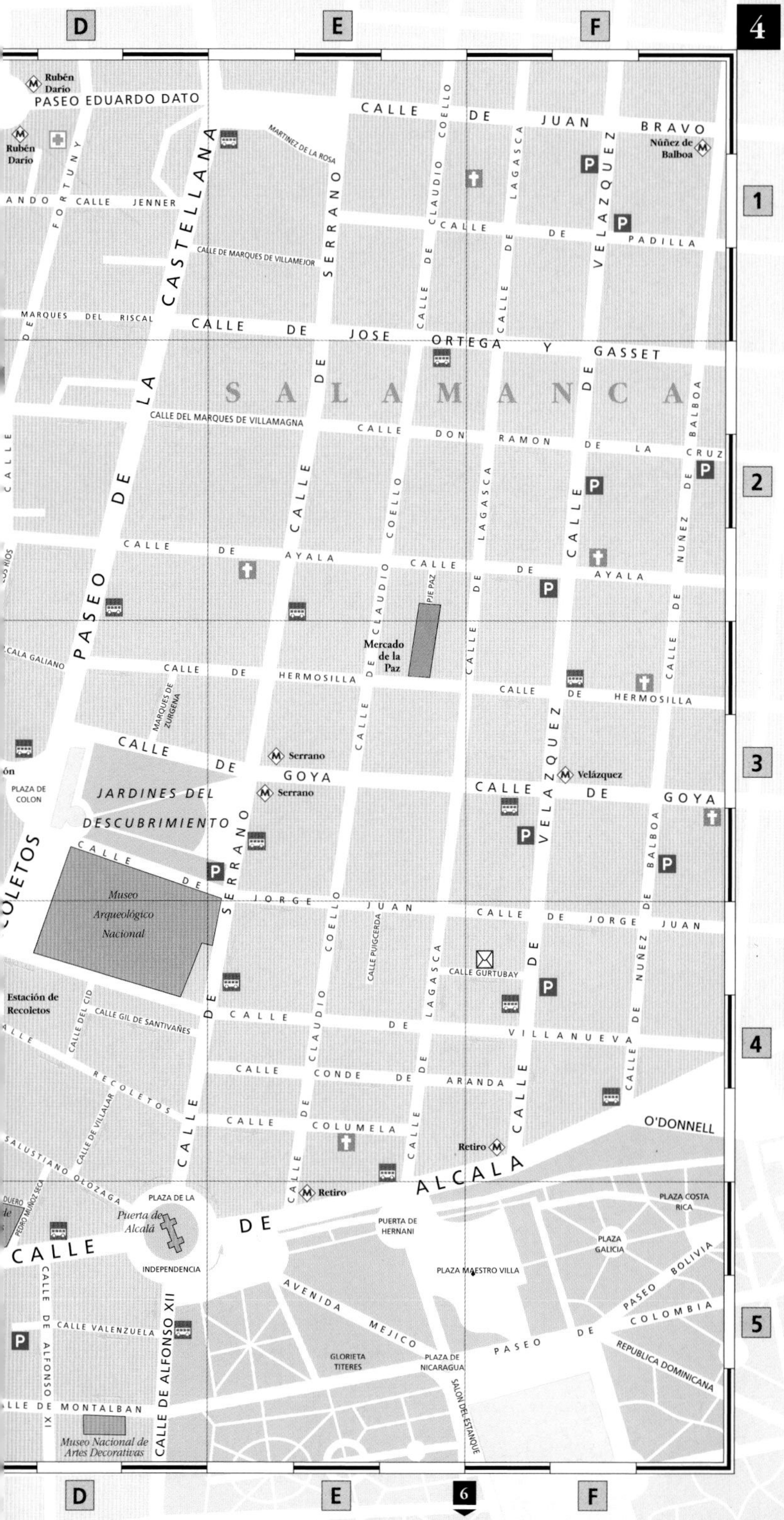
D
E
F
1
2
3
4
5
Rubén Darío
PASEO EDUARDO DATO
CALLE DE JUAN BRAVO
Núñez de Balboa
MARTINEZ DE LA ROSA
CALLE JENNER
FORTUNY
PASEO DE LA CASTELLANA
CALLE DE MARQUES DE VILLAMEJOR
SERRANO
CALLE DE CLAUDIO COELLO
CALLE DE LAGASCA
CALLE DE VELAZQUEZ
CALLE DE PADILLA
MARQUES DEL RISCAL
CALLE DE JOSE ORTEGA Y GASSET
SALAMANCA
CALLE DEL MARQUES DE VILLAMAGNA
CALLE DON RAMON DE LA CRUZ
CALLE DE NUÑEZ DE BALBOA
CALLE DE AYALA
PJE PAZ
Mercado de la Paz
ESCALA GALIANO
CALLE DE HERMOSILLA
MARQUES DE ZURGENA
CALLE DE GOYA
Serrano
Velázquez
PLAZA DE COLON
JARDINES DEL DESCUBRIMIENTO
RECOLETOS
CALLE DE JORGE JUAN
Museo Arqueológico Nacional
CALLE PUIGCERDA
CALLE GURTUBAY
Estación de Recoletos
CALLE DEL CID
CALLE GIL DE SANTIVAÑES
CALLE DE VILLANUEVA
CALLE RECOLETOS
CALLE DE VILLALAR
CALLE CONDE DE ARANDA
CALLE COLUMELA
SALUSTIANO OLOZAGA
Retiro
O'DONNELL
CALLE DE ALCALA
PEDRO MUÑOZ SECA
PLAZA DE LA INDEPENDENCIA
Puerta de Alcalá
PUERTA DE HERNANI
PLAZA COSTA RICA
PLAZA GALICIA
PLAZA MAESTRO VILLA
AVENIDA MEJICO
PASEO BOLIVIA
PASEO DE COLOMBIA
REPUBLICA DOMINICANA
CALLE VALENZUELA
CALLE DE ALFONSO XI
CALLE DE ALFONSO XII
GLORIETA TITERES
PLAZA DE NICARAGUA
SALON DEL ESTANQUE
CALLE DE MONTALBAN
Museo Nacional de Artes Decorativas
6

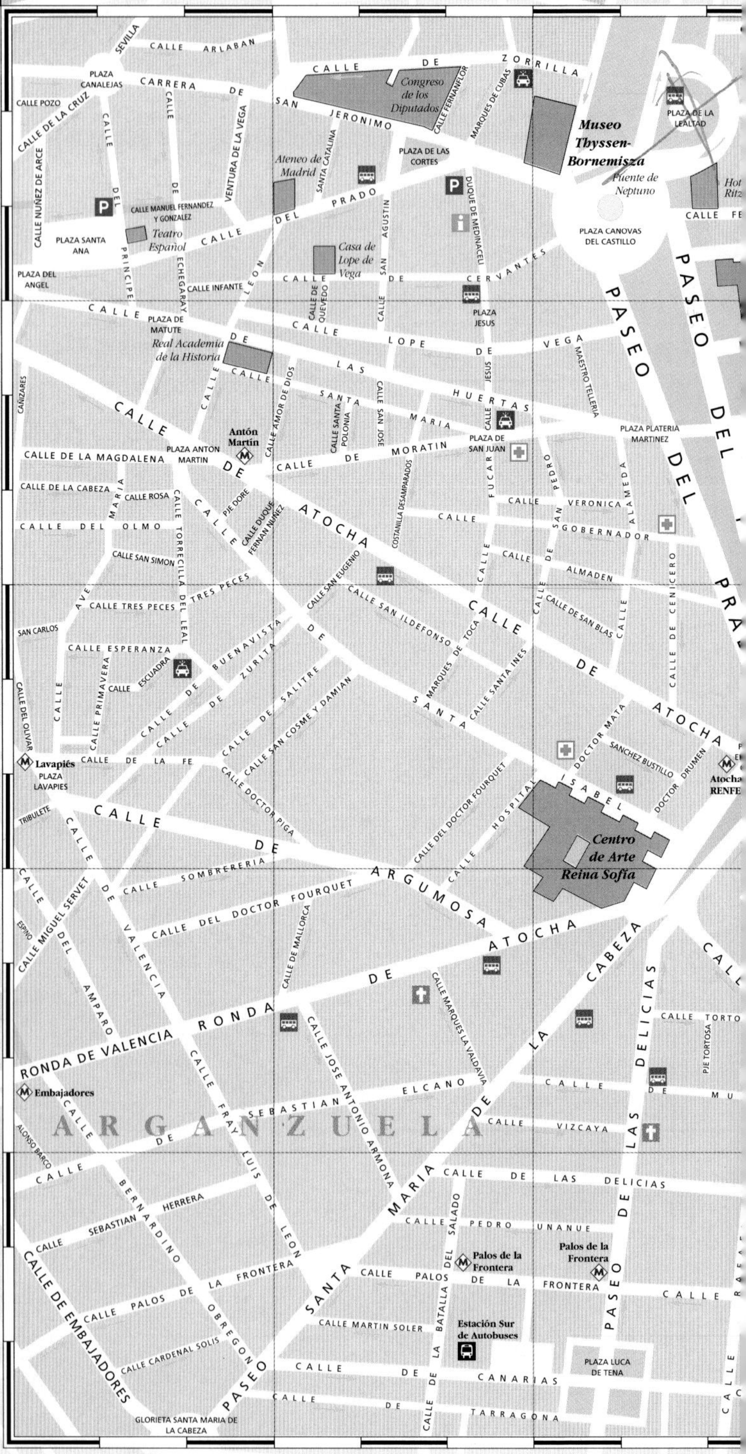
A
B
C
1
2
3
4
5
Calle Arlaban
Sevilla
Plaza Canalejas
Carrera de San Jeronimo
Calle Pozo
Calle de la Cruz
Calle Nuñez de Arce
Calle del Principe
Calle de Echegaray
Ventura de la Vega
Calle Manuel Fernandez y Gonzalez
Plaza Santa Ana
Teatro Español
Plaza del Angel
Calle Infante
Calle del Prado
Calle de Zorrilla
Congreso de los Diputados
Calle Fernanflor
Marques de Cubas
Museo Thyssen-Bornemisza
Plaza de la Lealtad
Ateneo de Madrid
Santa Catalina
Plaza de las Cortes
Duque de Medinaceli
Fuente de Neptuno
Plaza Canovas del Castillo
Hotel Ritz
Calle Fe
Calle San Agustin
Casa de Lope de Vega
Calle de Cervantes
Calle de Quevedo
Calle Leon
Plaza Jesus
Calle de Lope de Vega
Plaza de Matute
Real Academia de la Historia
Calle de las Huertas
Paseo del Prado
Cañizares
Calle Amor de Dios
Calle Santa Maria
Calle Santa Polonia
Calle San Jose
Calle Jesus
Maestro Telleria
Plaza Plateria Martinez
Antón Martín
Plaza Anton Martin
Calle de la Magdalena
Calle de Atocha
Calle de Moratin
Plaza de San Juan
Calle Fucar
Calle San Pedro
Alameda
Calle de la Cabeza
Calle Maria
Calle Rosa
Pie Dore
Calle Duque Fernan Nuñez
Calle Veronica
Calle del Olmo
Calle Torrecilla del Leal
Costanilla Desamparados
Calle del Gobernador
Calle de Almaden
Calle San Simon
Calle San Eugenio
Calle de Cenicero
Calle Tres Peces
Calle San Ildefonso
Calle de San Blas
San Carlos
Calle Esperanza
Calle de Buenavista
Calle de Zurita
Marques de Toca
Calle Santa Ines
Calle del Olivar
Calle Primavera
Calle Escuadra
Calle de Salitre
Calle San Cosme y Damian
Calle Santa Isabel
Doctor Mata
Sanchez Bustillo
Doctor Drumen
Atocha RENFE
Lavapiés
Plaza Lavapies
Calle de la Fe
Calle Doctor Piga
Calle del Doctor Fourquet
Calle Hospital
Tribulete
Calle de Argumosa
Centro de Arte Reina Sofía
Calle Sombrereria
Calle Miguel Servet
Calle Espino
Calle del Amparo
Calle de Valencia
Calle de Mallorca
Ronda de Atocha
Calle Marques la Valdavia
Calle de la Cabeza
Calle de las Delicias
Calle Tortosa
Pje Tortosa
Ronda de Valencia
Calle Fray Luis de Leon
Calle Jose Antonio Armona
Calle Elcano
Calle de Murcia
Embajadores
Calle Sebastian Elcano
Calle Vizcaya
Arganzuela
Alonso Barco
Calle de las Delicias
Calle Bernardino Obregon
Calle Sebastian Herrera
Paseo Santa Maria de la Cabeza
Calle Batalla del Salado
Calle Pedro Unanue
Palos de la Frontera
Calle de Embajadores
Calle Palos de la Frontera
Paseo de las Delicias
Calle Martin Soler
Estación Sur de Autobuses
Calle Cardenal Solis
Calle de Canarias
Plaza Luca de Tena
Calle de Tarragona
Glorieta Santa Maria de la Cabeza

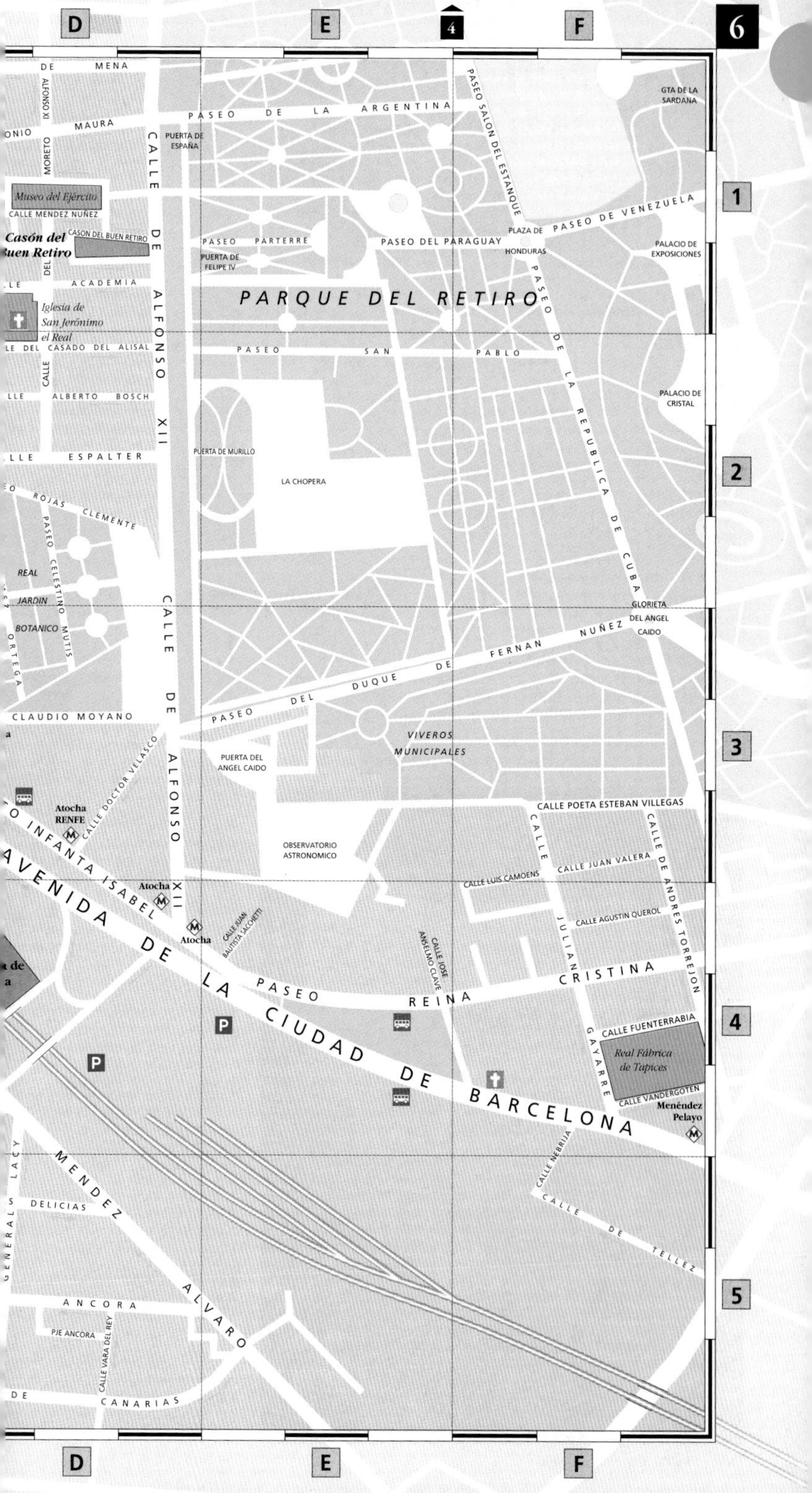
D
E
4
F
1
2
3
4
5
PASEO DE LA ARGENTINA
PASEO SALON DEL ESTANQUE
GTA DE LA SARDANA
MENA
ALFONSO XI
MAURA
MORETO
CALLE DE ALFONSO XII
PUERTA DE ESPAÑA
Museo del Ejército
CALLE MENDEZ NUÑEZ
Casón del Buen Retiro
CASON DEL BUEN RETIRO
PASEO PARTERRE
PUERTA DE FELIPE IV
PASEO DEL PARAGUAY
PLAZA DE HONDURAS
PASEO DE VENEZUELA
PALACIO DE EXPOSICIONES
ACADEMIA
PARQUE DEL RETIRO
Iglesia de San Jerónimo el Real
CASADO DEL ALISAL
PASEO SAN PABLO
PASEO DE LA REPUBLICA DE CUBA
ALBERTO BOSCH
PALACIO DE CRISTAL
ESPALTER
PUERTA DE MURILLO
LA CHOPERA
ROJAS CLEMENTE
PASEO CELESTINO MUTIS
REAL JARDIN BOTANICO
ORTEGA
GLORIETA DEL ANGEL CAIDO
PASEO DEL DUQUE DE FERNAN NUÑEZ
CLAUDIO MOYANO
VIVEROS MUNICIPALES
PUERTA DEL ANGEL CAIDO
CALLE DOCTOR VELASCO
Atocha RENFE
CALLE POETA ESTEBAN VILLEGAS
INFANTA ISABEL
OBSERVATORIO ASTRONOMICO
CALLE JUAN VALERA
CALLE LUIS CAMOENS
CALLE DE ANDRES TORREJON
Atocha
CALLE AGUSTIN QUEROL
CALLE JULIAN GAYARRE
CALLE JUAN BAUTISTA SACCHETTI
CALLE JOSE ANSELMO CLAVE
AVENIDA DE LA CIUDAD DE BARCELONA
PASEO REINA CRISTINA
CALLE FUENTERRABIA
Real Fábrica de Tapices
CALLE VANDERGOTEN
Menéndez Pelayo
CALLE NEBRIJA
CALLE DE TELLEZ
MENDEZ ALVARO
DELICIAS
GENERAL LACY
ANCORA
PJE ANCORA
CALLE VARA DEL REY
CANARIAS
P

Faire des achats à Madrid

Friandises madrilènes

Des guitares fabriquées artisanalement aux dernières créations de la mode, les boutiques de Madrid offrent un choix immense. La ville possède comme autre avantage d'avoir des quartiers commerçants nettement définis. Celui de Salamanca regroupe la plupart des magasins de luxe. Celui de Chueca offre le dernier cri en matière de mode pour les jeunes. La majorité des boutiques de prêt-à-porter plus classique sont situées dans le centre. Il existe des marchés d'alimentation dans toute la ville, mais le vieux Madrid renferme les meilleurs caves et magasins spécialisés. À ne manquer à aucun prix : le marché aux puces d'El Rastro *(p. 292)*.

Nourriture et boissons

Chaque quartier de Madrid possède son marché où acheter viande, poissons, légumes et fruits frais. Pour des spécialités, promenez-vous dans le vieux Madrid où les succursales du **Museo del Jamón**, qui comprennent bars et restaurants, proposent un immense choix de jambons, de saucissons et de fromages. Superbe magasin fondé en 1895, **Mariano Madrueño** offre une large sélection de vins espagnols. Au nord du vieux Madrid, gâteaux, pains et friandises composent, en particulier à Noël, des vitrines alléchantes à l'**Horno San Onofre**.

Grands magasins et galeries marchandes

La chaîne de grands magasins **El Corte Inglés** possède en ville plusieurs établissements où acheter pratiquement de tout et faire développer ses photos ou réparer ses chaussures.

Parmi les meilleures galeries marchandes figurent **Las Rozas Village**, le **Jardín de Serrano** et **ABC Serrano**. Pour tout trouver sous un même toit, essayez l'immense **La Vaguada**, au nord de Madrid. Il existe aussi plusieurs hypermarchés, pour la plupart situés près de la M 30, le boulevard périphérique.

Devanture du Museo del Jamón

Mode

Défilé de mode à Madrid

Le centre-ville renferme, autour de la calle de Preciados, des magasins de prêt-à-porter de styles variés, mais les grands noms de la mode ont leurs boutiques dans le quartier de Salamanca, la calle de Serrano *(p. 286)* et la calle Ortega y Gasset. **Ekseption** offre un large choix de marques renommées, tandis qu'**Agatha Ruíz de la Prada** propose ses créations excentriques près du paseo de la Castellana.

Avec des boutiques comme **Ararat**, la calle del Almirante et ses alentours, dans Chueca, sont l'endroit où découvrir des vêtements dessinés par de jeunes stylistes.

Artisanat, design et cadeaux

Les magasins d'artisanat traditionnel de Madrid sont regroupés autour de la Plaza Mayor. Ils proposent de la dentelle, des broderies et, à **Almoraima**, des éventails. **Arco de Cuchilleros** vend de la céramique, de la maroquinerie et des bijoux.

Deux autres quartiers,

Chez l'un des nombreux antiquaires du quartier du Rastro

Huertas et Lavapiés, recèlent de vieilles boutiques sortant de l'ordinaire telles **Cerámica El Alfar**, pour des céramiques traditionnelles et modernes, et **Guitarrería F. Manzanero** pour des guitares de luthiers.

La Oca, à la Puerta de Toledo, est une des meilleures adresses du design moderne.

Art et antiquités

Les galeries d'art et les antiquaires se trouvent dans les mêmes quartiers à Madrid. Les plus huppés tiennent boutique à Salamanca, en particulier le long de la calle de Claudio Coello. Pour dénicher des pièces moins chères et moins classiques, essayez Huertas et la Latina, notamment dans les rues où se tient le dimanche matin le marché aux puces du Rastro. De nombreux magasins ouvrent également en semaine.

Livres et journaux

Il existe une **FNAC** à Madrid et elle propose une bonne sélection de publications étrangères et un service efficace de réservation de places de spectacle. Si vous n'y trouvez pas votre bonheur et lisez l'anglais, essayez **Booksellers**.

Les étals de livres d'occasion installés en permanence dans la calle Claudio Moyano, près du parc du Retiro, vendent aussi bien éditions rares que bouquins bon marché.

Marchés

Le marché aux puces d'**El Rastro** *(p. 292)* attire chaque semaine des milliers de personnes dans les rues entourant la calle Ribera de Curtidores. Au sommet de la colline, sur la plaza de Cascorro, les éventaires proposent surtout des vêtements et des bijoux, mais le choix est immense partout ailleurs.

Le dimanche matin, un marché aux timbres et aux monnaies se tient sur la Plaza Mayor. Des étals vendent également des livres et magazines d'occasion, des badges, et d'autres objets de collection.

Un dimanche matin au marché aux puces du Rastro

Carnet d'adresses

Nourriture et boissons

Horno San Onofre
Calle San Onofre 3. **Plan** 2 F2. *915 32 90 60.*

Mariano Madrueño
Calle Postigo de San Martín 3. **Plan** 2 E2.
915 21 19 55.

Museo del Jamón
Carrera de San Jerónimo 6.
Plan 5 A1.
915 21 03 46.

Grands magasins et galeries marchandes

ABC Serrano
C/ Serrano 61. **Plan** 4 E1.
915 77 50 31.

Centro Comercial La Vaguada
Avenida Monforte de Lemos 36.
917 30 10 00.

El Corte Inglés
C/ Preciados 3. **Plan** 2 F3.
913 09 05 35.

Las Rozas Village
A6 (autovia). Exit (salida) 19, Las Rozas. *916 40 49 08.*

Jardín de Serrano
Calle de Goya 6–8.
Plan 4 E3.
915 77 00 12.

Mode

Agatha Ruíz de la Prada
Calle Marqués de Riscal 8.
Plan 4 D1.
913 10 44 83.

Ararat
Calle del Almirante 10.
Plan 3 C4.
915 31 81 56.

Ekseption
Calle de Velázquez 28.
Plan 4 F3.
915 77 43 53.

Artisanat, design et cadeaux

Almoraima
Plaza Mayor 12.
Plan 2 E4.
913 65 42 89.

Arco de Cuchilleros
Plaza Mayor 9.
Plan 2 E4.
913 65 26 80.

Cerámica El Alfar
Calle de Claudio Coello 112. **Plan** 4 E2.
914 11 35 87.

Guitarrería F Manzanero
Calle Santa Ana 12.
Plan 2 D5.
913 66 00 47.

La Oca
Ronda de Toledo 1.
913 65 13 01.

Livres et journaux

Booksellers
Calle José Abascal 48.
914 42 79 59.

FNAC
C/ Preciados 28.
Plan 2 E3.
915 95 61 00.

Marchés

El Rastro
Calle Ribera de Curtidores.
Plan 2 E5.

Se distraire à Madrid

La vie nocturne madrilène ne s'adresse pas aux couche-tôt. Un samedi soir typique commence à l'heure de l'apéritif dans les cafés, puis l'animation se déplace dans les bars à tapas et les restaurants, avant que n'ouvrent, tard, les boîtes de nuit. À l'instar de la bruyante circulation, les réjouissances durent jusqu'au matin. Pour ceux qui aspirent à des soirées moins intenses, Madrid offre le meilleur des formes d'expression espagnoles, en particulier en matière de flamenco et de *zarzuela*, ainsi que des concerts de musique classique et des clubs de jazz ou de rock. Les amateurs de théâtre pourront voir des pièces du Siècle d'or espagnol ou des créations modernes.

Joueur de flamenco au Parque del Retiro

Le Teatro Real

Magazines de spectacles

En vente le vendredi, l'hebdomadaire *Guía del Ocio* offre le tableau le plus complet des spectacles et des films présentés à Madrid. Deux quotidiens ont un supplément divertissements : *ABC*, *El Mundo*, et *El País* le vendredi.

Saisons et billets

La principale saison de musique et de théâtre dure de septembre à juin. La fête de San Isidro *(p. 280)*, en mai, et le Festival de Otoño, de septembre à novembre, donnent lieu à des manifestations culturelles variées. Les offices du tourisme vous en fourniront le détail.

La FNAC *(p. 305)* propose un service de réservation avantageux. Les théâtres nationaux tels l'**Auditorio Nacional** et le **Teatro de la Zarzuela** possèdent un système de billetterie commun. Les places pour les autres événements peuvent être retenues par téléphone à la **Caja de Madrid**.

Musique classique, danse et zarzuela

L'Orquesta Nacional de España et des orchestres internationaux se produisent dans les deux salles de concert de l'**Auditorio Nacional**. L'opéra de Madrid devrait bientôt s'installer dans le **Teatro Real** en cours de restauration.

La principale compagnie de danse, la Compañía Nacional de Danza, a une démarche contemporaine. Le **Teatro Albéniz** accueille des ballets et des zarzuelas, sorte d'opéras-comiques typiquement espagnols présentés également, entre autres, au **Teatro de la Zarzuela**.

Théâtre

Les théâtres les plus prestigieux de Madrid sont le **Teatro de la Comedia**, où la Compañía Nacional de Teatro Clásico présente des pièces du répertoire, et le **Teatro María Guerrero** qui propose des créations modernes en espagnol et des productions étrangères (fermé jusqu'à mi-2003). Souvent provocateur, le **Teatro Alfil** fait partie des meilleures salles indépendantes. Le Festival de Otoño offre l'occasion de découvrir de très nombreux talents espagnols et internationaux, qu'il s'agisse de compagnies établies ou de jeunes troupes novatrices.

Flamenco

Si le flamenco est d'origine andalouse *(p. 406-407)*, d'excellents interprètes résident désormais à Madrid. Un club comme **Casa Patas** permet d'apprécier sans amplification la puissance évocatrice du meilleur du *cante flamenco*. Le **Café de Chinitas** offre l'occasion d'assister à des danses flamenco spontanées.

Cafés, bars et clubs

Les bars de Madrid possèdent un style qui leur est propre et la ville a conservé maints de ses grands cafés anciens où se désaltérer en regardant passer

La boîte de nuit Joy Eslava installée dans un ancien théâtre

Façade du Café Gijón

la foule. Le **Café Gijón** *(p. 281)* reste le plus célèbre des cafés littéraires.

Joy Eslava, où l'ambiance ne s'installe que bien après minuit, s'est imposée comme une des boîtes de nuit les plus en vogue auprès des jeunes.

Après une nuit blanche, il est de tradition à Madrid d'aller reprendre des forces en dégustant un *chocolate con churros (p. 576)* à la **Chocolateria San Ginés** ouverte en 1894.

Rock, jazz et world music

Les têtes d'affiche internationales se produisent dans les stades et les salles de sport, mais un petit lieu comme **La Riviera** a accueilli des hôtes tels que Bob Dylan ou les Cranberries. Des concerts de rock en plein air se déroulent en été au **Parque de Atracciones**. L'un des meilleurs clubs de jazz d'Europe, le **Café Central**, se trouve près de la plaza Santa Ana, où plusieurs bons clubs de salsa permettent de finir la nuit en dansant après le spectacle.

Parcs d'attractions

Toutes les générations se côtoient au **Parque de Atracciones** de la Casa de Campo *(p. 292)*. Plusieurs parcs modernes proposent des jeux d'eau, dont **Aquamadrid**, en dehors du centre.

Corridas et football

Les arènes de **Las Ventas** *(p. 296)*, les plus grandes d'Espagne, proposent des corridas tous les dimanches de mai à octobre. Pendant la San Isidro, en mai, il y en a une tous les jours.

Le club de football le plus prestigieux de la ville, le **Real Madrid** *(p. 173)*, a pour temple l'Estadio Bernabéu. Cependant l'atmosphère se révèle souvent meilleure dans le stade de son rival, l'**Atlético de Madrid**, plus petit et moins cher.

Les arènes de Las Ventas un jour de corrida

Carnet d'adresses

Billetterie

Caja de Madrid
Venta de Entradas.
902 48 84 88.
www.teatroentradas.com

Musique classique, danse et zarzuela

Auditorio Nacional de Música
C/ Príncipe de Vergara 146.
913 37 01 34.

Teatro Albéniz
C/ Paz 11. **Plan** 2 F4.
915 21 99 98.

Teatro Real
Plaza de Isabel II. **Plan** 2 D3.
91 516 06 06.

Teatro de la Zarzuela
C/ Jovellanos 4. **Plan** 3 B5.
91 524 54 00.

Théâtre

Teatro Alfil
Calle del Pez 10.
Plan 2 E1.
915 21 58 27.

Teatro de la Comedia
Calle del Príncipe 14.
Plan 5 A1.
915 21 49 31.

Teatro María Guerrero
Calle Tamayo y Baus 4.
Plan 3 C4.
913 19 47 69.

Flamenco

Café de Chinitas
Calle Torija 7.
Plan 2 D2.
915 47 15 02.

Casa Patas
Calle de Cañizares 10.
Plan 5 A2.
913 69 04 96.

Cafés, bars et clubs

Café Gijón
Paseo de Recoletos 21.
Plan 3 C4.
915 21 54 25.

Chocolatería San Ginés
Pasadizo de San Ginés 5.
Plan 2 E3.
913 65 65 46.

Joy Eslava
Calle del Arenal 11.
Plan 2 E3.
913 66 37 33.

Rock, jazz et world music

Café Central
Pl del Ángel 10. **Plan** 5 A1.
913 69 41 43.

La Riviera
Paseo de la Virgen del Puerto. **Plan** 1 A4.
913 65 24 15.

Parcs d'attractions

Aquamadrid
Carreta N11 km 15.5,
San Fernando de Henares
916 73 10 13.

Parque de Atracciones
Casa de Campo.
914 63 29 00.

Corridas et football

Atlético de Madrid
Estadio Vicente Calderón,
Paseo de la Virgen del Puerto 67. 913 66 47 07.

Plaza de Toros de Las Ventas
Calle de Alcalá 237.
913 56 22 00.

Real Madrid
Estadio Santiago Bernabéu,
Avenida de Concha Espina.
913 98 43 00.

Province de Madrid

La Comunidad de Madrid occupe le cœur du plateau central ibérique, la *meseta*. Au nord de la capitale, les sierras où les Madrilènes viennent skier en hiver ou se rafraîchir pendant les étés torrides offrent de beaux paysages à découvrir en voiture ou en randonnée. Dans les contreforts occidentaux de ces montagnes, Philippe II fit construire le monastère d'El Escorial d'où il dirigea son empire. Non loin, Franco transforma la valle de los Caídos en un monument à la guerre civile. Dans la périphérie de Madrid s'admire le palais royal d'El Pardo. Au sud de la province, un parc verdoyant entoure le palais d'été d'Aranjuez bâti au XVIIIe siècle. Parmi les villes historiques figurent Alacalá de Henares, où subsiste une ancienne université, et Chinchón à la belle place centrale entourée de portiques.

La province d'un coup d'œil

Villes et villages
Alcalá de Henares 9
Buitrago del Lozoya 2
Chinchón 10
Manzanares el Real 7

Bâtiments historiques
El Escorial p. 312-313 6
Monasterio de Santa María de El Paular 3
Palacio de El Pardo 8
Palacio Real de Aranjuez 11
Santa Cruz del Valle de los Caídos 5

Massifs montagneux
Sierra Centro de Guadarrama 4
Sierra Norte 1

0 kilometres 25

Légende
- Ville de Madrid
- Province de Madrid
- Aéroport de Barajas
- Autoroute
- Route principale
- Route secondaire
- Frontières de la province

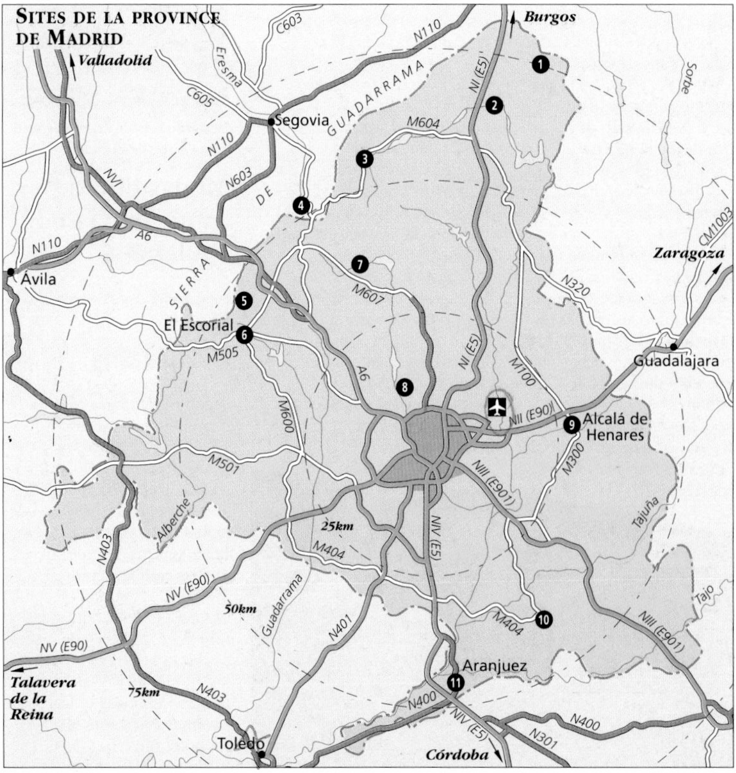

Célébration de la messe dans l'église du Monasterio de Santa María de El Paular

Le village de Montejo de la Sierra dans la sierra Norte

Sierra Norte ❶

Madrid. 🚌 *Montejo.* ℹ *Calle Real 64, Montejo, 918 69 70 58.*

Jadis appelée la sierra Pobre (Montagne pauvre), la partie la plus sauvage de la province de Madrid offre de superbes paysages.

Dans le plus gros village, **Montejo de la Sierra**, un centre d'information propose des promenades à cheval, des locations dans des maisons traditionnelles *(p. 531)* et des visites de la réserve naturelle voisine : le **Hayedo de Montejo de la Sierra**. Elle protège l'une des forêts de hêtres les plus méridionales d'Europe, vestige d'une époque où les conditions climatiques étaient plus propices aux feuillus. Depuis Montejo on atteint en voiture les hameaux pittoresques de **La Hiruela** et de **Puebla de la Sierra** dont les environs permettent de belles randonnées.

Les collines plus arides du sud s'étagent jusqu'à l'**embalse de Puentes Viejas**, lac artificiel aux plages bordées de résidences d'été.

À l'est de la sierra, le village de **Patones** dut à son isolement d'échapper aux troupes napoléoniennes.

Buitrago del Lozoya ❷

Madrid. *1 700.* 🚌 ℹ *Calle Tahona 11, 918 68 00 56.* *sam.* *La Asunción y San Roque (15 août), Cristo de los Esclaves (15 sept.).*

Au bord d'un méandre du río Lozoya, ce village a conservé des fortifications arabes bâties au XIe siècle. Fondé par les Romains, il devint au Moyen Âge un marché important. Son château gothico-mudéjar du XIVe siècle accueille aujourd'hui des courses de taureaux et un festival de musique et de théâtre en été. Les portes, des arcs et des pans de ses remparts originaux, élevés également par les Arabes, subsistent.

À l'intérieur de l'enceinte fortifiée, le quartier ancien a gardé beaucoup de charme.

Remparts arabes de Buitrago del Lozoya sur le río Lozoya

L'église **Santa María del Castillo**, du XVe siècle, possède une belle tour mudéjare et, dans la sacristie, un plafond provenant de l'ancien hôpital.

Dans la partie plus récente de Buitrago, l'**hôtel de ville** *(ayuntamiento)* abrite une croix processionnelle du XVIe siècle. Au sous-sol, le petit **Museo Picasso** présente les gravures, dessins et céramiques collectionnés par Eugenio Arias, ami et coiffeur de l'artiste.

Museo Picasso
Plaza de Picasso 1. *918 68 00 56.* *lun.*

Détail du retable du Monasterio de Santa María de El Paular

Monasterio de Santa María de El Paular ❸

Sud-ouest de Rascafria sur la M 604. *918 69 14 25.* 🚌 *Rascafria.* *du 12 h à 17 h du lun. au sam., de 13 h à 18 h le dim.*

Jean Ier fonda en 1390 la première chartreuse de Castille sur le site d'un pavillon de chasse royal. Bâti dans le style gothique, le monastère reçut plus tard des ajouts plateresques et Renaissance. Abandonné en 1836 quand le ministre Mendizábal ordonna la vente des biens monastiques, il tomba en décrépitude jusqu'à sa restauration par l'État dans les années 1950. Les bâtiments abritent aujourd'hui une communauté bénédictine et un hôtel privé *(p. 554)*.

Dans l'église, un magnifique retable en albâtre de style

gothique fleuri (xve siècle) illustre des épisodes de la vie de Jésus. Francisco de Hurtado dessina en 1718 le somptueux *camarín* (petite chapelle) baroque situé derrière l'autel.

Tous les dimanches, les moines interprètent des chants grégoriens dans l'église. S'ils sont disponibles, ils vous montreront le cloître aux voûtes en brique mudéjares et son double cadran solaire.

Le monastère offre un bon point de départ d'où aller à la découverte des villages de **Rascafría** et **Lozoya** dans la vallée du Lozoya. Au sud-ouest s'étend la réserve naturelle des **Lagunas de Peñalara**.

Sierra Centro de Guadarrama ❹

Madrid. *Puerto de Navacerrada, Cercedilla.* *Navacerrada, Cercedilla.* *Navacerrada, 918 56 00 06.*

La création dans les années 1920 d'une liaison ferroviaire avec Madrid ouvrit la partie centrale de la sierra de Guadarrama aux citadins et des résidences de villégiature s'accrochent aujourd'hui entre les pins à ses pentes granitiques. Anciens villages, les stations de **Navacerrada** et de **Cercedilla** attirent skieurs, grimpeurs et adeptes du vélo tout terrain ou de l'équitation. Des sentiers fléchés offrent de belles promenades depuis Navacerrada. La **valle de Fuenfría** s'atteint plus facilement depuis Cercedilla. Des itinéraires de randonnée permettent de découvrir les forêts de sa réserve naturelle et les vestiges d'une voie romaine.

L'immense croix érigée par Franco dans la valle de los Caídos

Santa Cruz del Valle de los Caídos ❺

Nord d'El Escorial sur la M 600. *918 90 56 11.* *depuis El Escorial.* *du mar. au dim.* *certains jours fériés.* *gratuit le mer. pour les Européens.* www.partimonionacional.es

C'est à la mémoire des victimes de la guerre civile *(p. 62-63)* que le général Franco fit ériger à 13 km au nord du monastère d'El Escorial *(p. 312-313)* la Sainte Croix de la vallée des Morts. Cependant, pour de nombreux Espagnols, cette immense croix dominant la valle de los Caídos éveille surtout le souvenir des heures sombres qu'ils connurent sous la dictature.

Haut de 150 m, le monument s'élève au-dessus d'une basilique creusée dans le rocher par des prisonniers de guerre républicains. On ne sait combien moururent pendant les 20 ans que demanda la construction de ce sanctuaire qui s'enfonce de 250 m dans la montagne.

Près de l'autel se trouvent les tombeaux du caudillo et de José Antonio Primo de Rivera, fondateur de la Falange Española. 40 000 autres participants au conflit, des deux camps, reposent dans des ossuaires.

Un ascenseur conduit jusqu'aux bras de la croix d'où s'offre un magnifique panorama sur les forêts de pins.

Col de Navacerrada dans la sierra de Guadarrama

El Escorial ❻

Fresque par Luca Giordano

Sur les contreforts de la sierra de Guadarrama, l'imposant monastère gris de San Lorenzo de El Escorial présente la forme d'un gril, instrument du martyre de saint Laurent à qui il est dédié. Construit de 1563 à 1584, il possède un style austère qui prit le nom de herrerien, ou *desornamentado*, et eut une grande influence sur l'architecture espagnole. Voulue par Philippe II, qui installa son palais à l'Escorial, cette austérité marque aussi ses appartements dont la simplicité contraste avec la richesse des collections d'art visibles dans les pièces décorées par les Bourbons, les musées, les salles capitulaires, l'église, le panthéon royal et la bibliothèque.

★ Le panthéon des rois
Il abrite les tombeaux de nombreux monarques espagnols.

Basilique
Un immense retable par Herrera domine le chœur, qu'encadrent les cénotaphes de Charles Quint et de Philippe II, de cette église majestueuse.

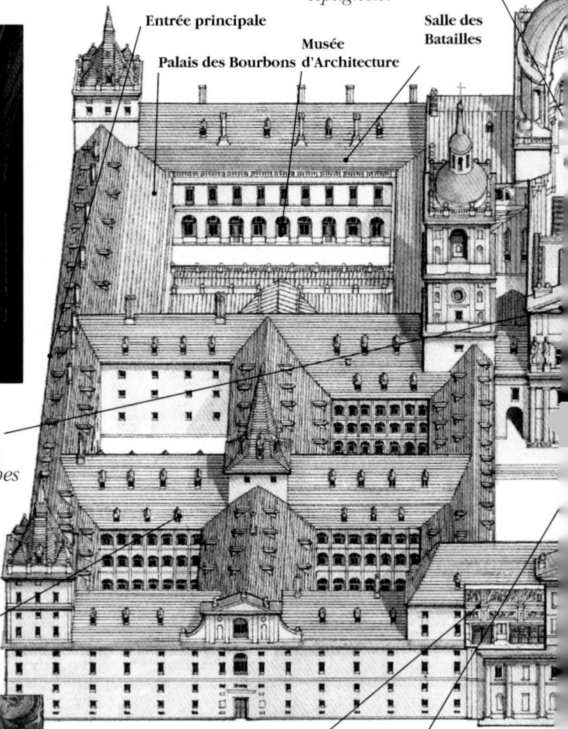

Collège Alfonso XII, internat fondé par les moines en 1875.

★ La bibliothèque
Ses 40 000 volumes comprennent la collection personnelle de Philippe II. Un livre de poèmes d'Alphonse X le Sage fait partie des manuscrits exposés sous un plafond décoré par Tibaldi au XVIe siècle.

À NE PAS MANQUER

- ★ Le panthéon des rois
- ★ La bibliothèque
- ★ Le musée d'Art

Les appartements de Philippe II, au deuxième étage du palais, témoignent de son goût pour le dépouillement. Sa chambre donnait directement sur le maître-autel de la basilique.

★ Le musée d'Art
Le Calvaire *peint au XVe siècle par Rogier van der Weyden est un des fleurons de ce musée qui présente au premier étage des tableaux italiens, flamands et espagnols.*

MODE D'EMPLOI

Avda de Juan de Borbon y Battemberg. *918 90 59 04.* *Atocha, Chamartin.* *661, 664 Moncloa.* *avril-sept. : 10 h-18 h (17 h oct. - mars).* *jours fériés* *gratuit mer. pour Européens* *9 h 30 t.l.j. ; 19 h, 20 h sam., dim.* www.patrimonionacional.es

Salles capitulaires
Elles abritent l'autel portatif de Charles Quint, et de très belles fresques.

Le Patio de los Evangelistas abrite un petit temple par Herrera. Le jardin est très agréable.

Le monastère, fondé en 1567, est dirigé par des augustins depuis 1885.

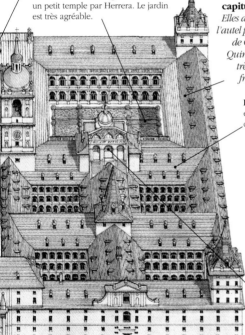

Saint Laurent montant au ciel par Luca Giordano
Cette superbe fresque au-dessus de l'escalier principal donne les traits de Charles Quint et de Philippe II à des compagnons du saint.

Construction de l'Escorial
Quand le premier architecte du monastère, Juan Bautista de Toledo, mourut en 1567, son assistant, Juan de Herrera, poursuivit les travaux. Le style dépouillé qu'il donna au bâtiment prit le nom de desornamentado.

Rocher granitique de la Pedriza, près de Manzanares el Real

Manzanares el Real ❼

Madrid. 4 500. Plaza del Pueblo 1, 918 53 00 09. mar. et ven. Fiesta de Verano (début août), Cristo de la Nave (14 sept.).

La masse puissante de son château du XVe siècle domine le bourg de Manzanares el Real. Bien que l'édifice présente un aspect de forteresse avec ses remparts crénelés et ses tours à parements gothico-mudéjars, il servit principalement de palais résidentiel aux ducs d'Infantado. En contrebas du château se dressent une église du XVIe siècle et un portique Renaissance.

Derrière la ville, le chaos de blocs de granit de la **Pedriza**, très apprécié des grimpeurs, fait désormais partie d'une réserve naturelle.

Aux environs
À 12 km au sud-ouest, **Colmenar Viejo** possède une superbe église gothique.

Palacio de El Pardo ❽

El Pardo, au nord-ouest de Madrid sur la N 605. *913 76 15 00. depuis Moncloa. t.l.j. pendant les séjours royaux. gratuit mercredi pour les Européens.*
www.patrimonionacional.es

Au cœur d'un parc boisé situé juste hors des limites de la commune de Madrid, le général Franco habita 35 ans ce palais où les rois venaient chasser. Il sert aujourd'hui à l'accueil des chefs d'État étrangers. Une visite guidée parcourt l'aile originale édifiée sous les Habsbourg et l'agrandissement réalisé au XVIIIe siècle par Francesco Sabatini. Fresques, moulures dorées et plus de 200 tapisseries, dont certaines dessinées par Goya *(p. 296)*, composent une riche décoration intérieure.

Autour du palais et de l'élégant village d'El Pardo s'étend une immense forêt de chênes verts très goûtée des pique-niqueurs et du gibier qui s'y ébat en liberté. Le roi Juan Carlos habite le palais de Zarzuela à 5 km de là.

Façade plateresque du Colegio de San Ildefonso à Alcalá de Henares

Alcalá de Henares ❾

Madrid. 170 000. Callejón Santa María, 918 89 26 94. lun., mer. Feria de Alcalá (fin août).

Aujourd'hui entourée d'une ville moderne, l'**université** d'Alcalá devint l'une des plus renommées d'Espagne au XVIe siècle. Fondée en 1508 par le cardinal

Tapisserie du XVIIIe siècle ornant le Palacio de El Pardo

de Cisneros, lieu de publication, en 1517, d'une bible en latin, grec, hébreu et chaldéen, la première bible polyglotte d'Europe, elle eut entre autres comme élève le dramaturge Lope de Vega *(p. 280)*. Transférée en 1836 à Madrid, elle a conservé de ses bâtiments d'origine le **Colegio de San Ildefonso**.

À visiter également : la cathédrale et la **Casa-Museo de Cervantes**, installée dans une maison bâtie sur le lieu de naissance présumé de l'écrivain ; le **Palacio de Laredo,** du XIXe siècle, possède de magnifiques décorations, visibles en visite guidée seulement.

Casa-Museo de Cervantes
Calle Mayor. *91 889 96 54.*
du mar. au dim. jours fériés.

Chinchón ⑩

Madrid. *4 500. Plaza Mayor 3, 918 94 00 84. sam. Semana Santa (semaine de Pâques), San Roque (12-18 août).*

Voici sans doute le bourg le plus pittoresque de la province de Madrid. Entourée de maisons à plusieurs étages de galeries, sa **Plaza Mayor** typiquement castillane reste le lieu où se déroulent en août les courses de taureaux. À Pâques, les habitants de Chinchón y interprètent la Passion *(p. 280)*. L'église du XVIe siècle qui domine la place eut comme prêtre un frère de Goya et l'artiste peignit l'*Assomption de la Vierge* ornant l'autel. Près de la Plaza Mayor, un monastère augustinien du XVIIIe siècle abrite un **parador** *(p. 554)*.

Plaza Mayor de Chinchón

Le château du XVe siècle en ruine situé à l'ouest de Chinchón est fermé au public, mais la colline qu'il couronne offre une belle vue sur la ville et ses alentours.

Le week-end, Chinchón s'emplit de Madrilènes qui viennent déguster dans ses nombreuses tavernes l'anis *(p. 577)* et l'excellent chorizo qui ont établi la réputation de la région.

Palazo Real de Aranjuez ⑪

Plaza de Parejas, Aranjuez. 918 91 13 44. 10 h - 18 h 15 mar. - dim. (oct. - mars : jusqu'à 17 h 15). gratuit mercredi pour les Européens.

Construit au bord du Tage sur le site d'un pavillon de chasse médiéval, ce palais d'été apprécié des Habsbourg subit plusieurs incendies. L'édifice actuel, en pierre et en brique, date du XVIIIe siècle.

Une visite guidée entraîne le long de nombreuses pièces de style baroque ou rococo. Parmi les plus remarquables figurent la salle du Trône, le charmant salon de Porcelaine et le fumoir aménagé à l'imitation d'une salle de l'Alhambra de Grenade. D'une superficie de 300 ha, les magnifiques jardins inspirèrent à Joaquín Rodrigo le célèbre *Concierto de Aranjuez*. Celui du Parterre est un petit jardin à la française et le jardín de la Isla occupe une île entre deux bras du Tage.

Le long du fleuve s'étend le jardin du Prince dessiné au XVIIIe siècle, décoré de sculptures et de fontaines et planté de hauts arbres des Amériques. La Casa de Marinos y abrite une collection de barques utilisées par la famille royale pour naviguer sur la rivière. Au fond du parc, à l'est, la Casa del Labrador bâtie par Charles V possède une décoration encore plus riche que celle du palais.

La qualité des produits locaux, notamment les asperges et les fraises, a établi la renommée des restaurants de la ville. En été, un train à vapeur du XIXe siècle la relie à la capitale.

Miguel de Cervantes

Miguel de Cervantes y Saavedra, figure majeure de la littérature *(p. 30)*, naquit à Alcalá de Henares en 1547. Blessé à la bataille de Lépante (1571), il est capturé par les Turcs en 1575 et reste détenu plus de cinq ans. Il ne connaît le succès qu'à près de 60 ans après la publication en 1605 de la première partie de son chef-d'œuvre, *Don Quichotte (p. 377)*. Il peut alors se consacrer à l'écriture jusqu'à sa mort à Madrid le 23 avril 1616, le jour où s'éteignit également Shakespeare.

Jardins du palais royal d'Aranjuez au bord du Tage

L'Espagne centrale

Présentation de l'Espagne centrale

Bien qu'en grande partie couvert de champs dénudés ou de pâturages arides, le vaste plateau central de la péninsule Ibérique, la *meseta*, recèle de nombreux trésors pour le visiteur. Une faune variée peuple lacs et forêts et l'histoire a marqué de son empreinte des villes et villages où se découvrent des trésors architecturaux : théâtre romain de Mérida, maisons nobles de Cáceres, cathédrales gothiques de Burgos, León et Tolède, monuments Renaissance de Salamanque, châteaux érigés jusque dans les sites les plus isolés.

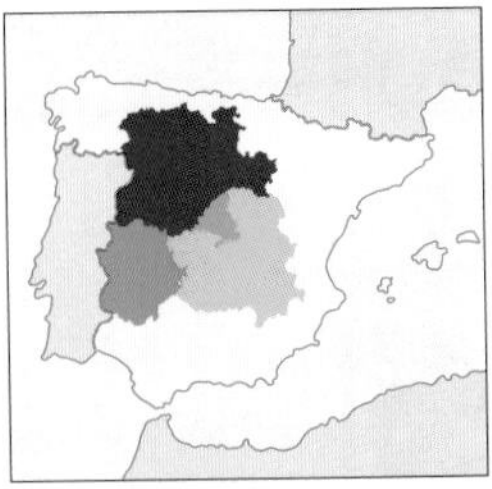

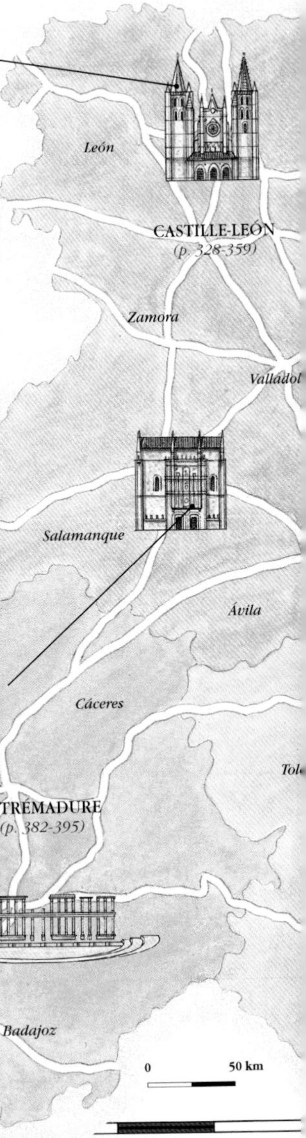

La cathédrale de León (p. 336-337), *magnifique édifice gothique achevé au XIVe siècle, est réputée pour ses vitraux. Elle abrite également des stalles sculptées de scènes de la Bible et de la vie quotidienne.*

Salamanque (p. 340-343) *est une ville riche en monuments, de style plateresque notamment. Parmi ses édifices les plus intéressants figurent l'université à la façade ciselée, les deux cathédrales attenantes et l'élégante Plaza Mayor baroque bâtie en grès doré.*

Le Museo Nacional de Arte Romano *de Mérida* (p. 392) *présente les nombreux vestiges romains découverts dans la ville.*

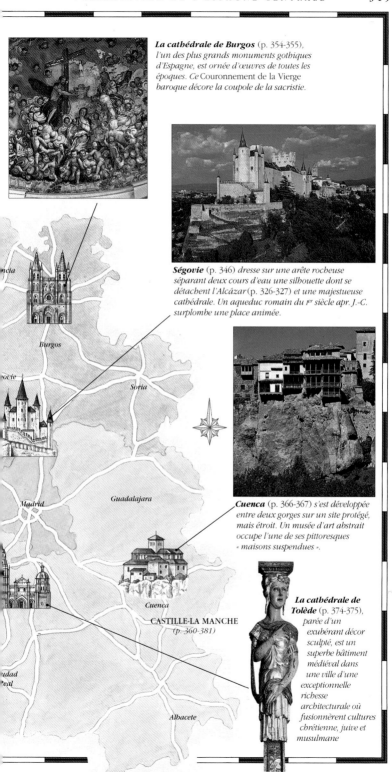

La cathédrale de Burgos (p. 354-355), *l'un des plus grands monuments gothiques d'Espagne, est ornée d'œuvres de toutes les époques. Ce* Couronnement de la Vierge *baroque décore la coupole de la sacristie.*

Ségovie (p. 346) *dresse sur une arête rocheuse séparant deux cours d'eau une silhouette dont se détachent l'Alcázar* (p. 326-327) *et une majestueuse cathédrale. Un aqueduc romain du Ier siècle apr. J.-C. surplombe une place animée.*

Cuenca (p. 366-367) *s'est développée entre deux gorges sur un site protégé, mais étroit. Un musée d'art abstrait occupe l'une de ses pittoresques « maisons suspendues ».*

La cathédrale de Tolède (p. 374-375), *parée d'un exubérant décor sculpté, est un superbe bâtiment médiéval dans une ville d'une exceptionnelle richesse architecturale où fusionnèrent cultures chrétienne, juive et musulmane*

Les spécialités de l'Espagne centrale

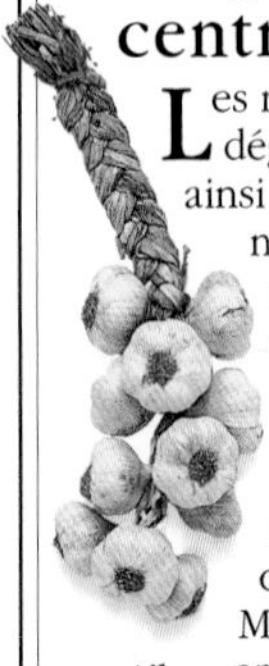

Ail

Les restaurants de Madrid offrent l'occasion de déguster des spécialités de toute l'Espagne, ainsi que d'excellents poissons. Le gibier, notamment sanglier, faisan et perdrix, reste très apprécié dans toute l'Espagne centrale, mais plus spécialement en Estrémadure où l'on consomme aussi grenouilles et tanches. En Castille, la simplicité constitue le trait dominant d'une cuisine riche en ragoûts. Le nord produit un pain excellent qui se mange avec tout. En Castille-La Manche, le lapin, le porc et les saucisses entrent dans la confection de nombreux plats souvent parfumés à l'ail et au cumin. Les cochons de lait et les agneaux de la Castille-León, rôtis entiers dans de vastes fours à pain, méritent leur réputation. Maints couvents continuent de fabriquer et de vendre des pâtisseries, tels les célèbres massepains de Tolède.

Le safran (azafrán), *qui donne sa saveur et sa couleur dorée à tant de plats, est l'épice la plus coûteuse du monde. Introduit en Europe par les Arabes, il provient des pistils du crocus qui doit être cueilli à la main au prix d'un travail éreintant. Les plaines de la Manche* (p. 376) *produisent le meilleur d'Espagne, vendu daté.*

Le cocido madrileño, *très répandu, est un pot-au-feu de bœuf, de poulet, de panse de porc et de pois chiches. Chaque région en propose sa propre variété et il peut aussi inclure chou, chorizo et* morcilla *(boudin). Le bouillon se boit en entrée, viandes et légumes formant souvent deux autres plats.*

Les patatas a la importancia *sont des beignets de pomme de terre mijotés dans une sauce au vin.*

Le pollo al padre Pero *d'Estrémadure est un demi-poulet cuit dans une sauce à la tomate et au poivron épicée.*

La sopa de ajo, *souvent enrichie d'un œuf poché et de paprika, est une soupe à l'ail épaissie avec du pain.*

Les migas, *des croûtons de pain frits, se servent souvent avec des poivrons ou, en Estrémadure, du lard.*

La perdriz con chocolate, *perdrix braisée aux carottes, se sert nappée d'une épaisse sauce au goût de chocolat.*

Le pisto, *une version espagnole de la ratatouille, associe poivrons, tomates, oignons et courgettes.*

Le frite *d'Estrémadure parfume au paprika et au citron de l'agneau frit avec de l'ail et de l'oignon.*

Le menestra de ternera, *un ragoût de veau, mijote avec de jeunes légumes tels que carottes et petits pois.*

Le cabrito al ajillo, *chevreau frit avec des oignons et des aromates, inclut parfois du foie de chèvre pilé.*

***Les saucissons** fabriqués dans la plupart des villages d'Estrémadure et de Castille, régions réputées pour leur charcuterie, varient beaucoup en goût et en apparence. Ceux de Guijelo et de Montachez font partie des meilleurs.*

Les yemas, *particulièrement savoureux à Ávila* (p. 344), *sont des jaunes d'œuf au sucre.*

Le manchego, *produit avec le lait des brebis des plaines de la Manche, est généralement considéré comme le meilleur fromage d'Espagne. Son goût et sa texture, très ferme à pleine maturité, varient selon qu'il est vendu* fresco, curado *(vieilli au moins 13 semaines) ou* añejo *(après plus de 7 mois de mûrissement).*

Pois chiches

Lentilles

Haricots

LÉGUMES SECS

Les plaines de la Castille-León produisent une immense variété de légumes secs. Coûteux, les meilleurs portent un nom déposé, tels les *alubias blancas* (haricots blancs) de Barco de Ávila, les pois chiches de Fuentesauco et les lentilles de La Armuña.

Les vins de l'Espagne centrale

Les vins de l'Espagne centrale proviennent soit de petites régions du nord-ouest de la Castille-León spécialisées dans des crus de qualité, soit des plaines de production de masse de la Manche et de Valdepeñas. Issus de tinto fino (nom local du tempranillo) et, depuis peu, de cépages plus légers, les rouges de la Ribera del Duero font partie des plus appréciés d'Espagne. Le verdejo produit de bons blancs à Rueda. Blancs ou rouges, les vins de table de la Manche et de Valdepeñas offrent parfois de bonnes surprises en se révélant fruités.

Récolte de viura à Rueda

Puits artésien servant à l'irrigation dans la Manche

Toro *produit le plus puissant et le plus fougueux des vins issus du tempranillo.*

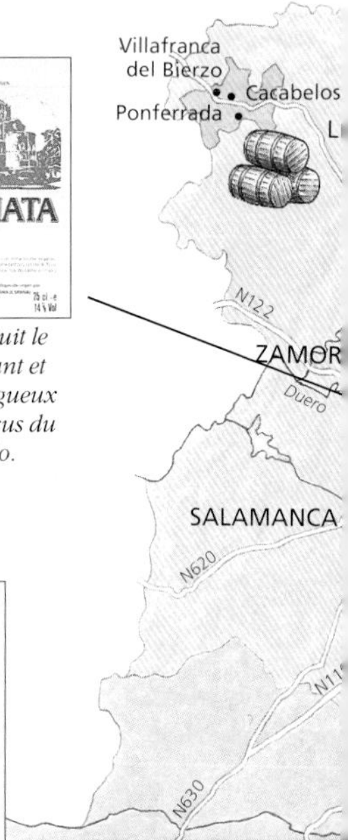

Ce qu'il faut savoir sur les vins

Sol et climat
Leur altitude donne à la Ribera del Duero, à Rueda et à Toro un climat très contrasté avec des hivers rigoureux et des étés aux journées torrides et aux nuits fraîches. L'écart entre températures diurnes et nocturnes contribue à préserver l'acidité du raisin. Chaleur et aridité règnent dans la Manche et à Valdepeñas qui ont subi des sécheresses ces dernières années.

Cépages
Aussi appelé tinto fino, tinto de Toro et cencibel, le tempranillo donne presque tous les meilleurs rouges d'Espagne centrale. Autorisé dans certaines régions, le cabernet sauvignon entre dans la composition de vins de la Ribera del Duero et se voit parfois utilisé seul comme au domaine du Marquis de Griñón. Le blanc de Rueda est issu de verdejo, de viura et de cabernet blanc. Cépage blanc, l'airén prédomine dans les vignobles de Valdepeñas et de la Manche.

Producteurs
Toro : Fariña (Gran Colegiata). ***Rueda :*** Álvarez y Diez, Los Curros, Marqués de Riscal, Sanz. ***Ribera del Duero :*** Alejandro Fernández (Pesquera), Boada, Hermanos Pérez Pascuas (Viña Pedrosa), Ismael Arroyo (Valsotillo), Vega Sicilia, Victor Balbás. ***Méntrida :*** Marqués de Griñón. ***La Manche :*** Fermín Ayuso Roig (Estola), Vinícola de Castilla (Castillo de Alhambra). ***Valdepeñas :*** Casa de la Viña, Félix Solís, Luis Megía (Marqués de Gastañaga), Los Llanos.

Tinaja **servant encore à la fermentation du raisin**

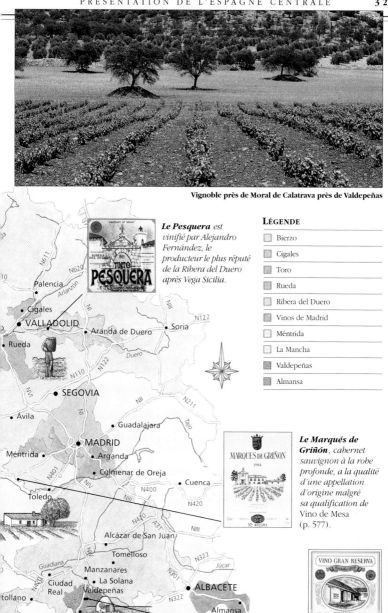

Vignoble près de Moral de Calatrava près de Valdepeñas

***Le Pesquera** est vinifié par Alejandro Fernández, le producteur le plus réputé de la Ribera del Duero après Vega Sicilia.*

LÉGENDE

- Bierzo
- Cigales
- Toro
- Rueda
- Ribera del Duero
- Vinos de Madrid
- Méntrida
- La Mancha
- Valdepeñas
- Almansa

***Le Marqués de Griñón**, cabernet sauvignon à la robe profonde, a la qualité d'une appellation d'origine malgré sa qualification de* Vino de Mesa (p. 577).

***Le Señorío de los Llanos** provient de Valdepeñas. Issus de cencibel (tempranillo) et vieillis en fûts, les rouges offrent un bon rapport qualité-prix.*

Les régions viticoles

Les régions viticoles de la Ribera del Dueró, de Toro et de Rueda s'étendent sur de hauts plateaux isolés dominant le río Duero. Au nord-ouest, le Bierzo produit des vins ressemblant à ceux de Valdeorras en Galice. Ceux provenant de Méntrida, un des centres de production des environs de Madrid, ne présentent en général pas d'intérêt particulier. La Manche, la plus vaste région viticole du monde, fournit essentiellement des vins de table. Elle entoure Valdepeñas dont les crus se révèlent souvent de meilleure qualité.

Oiseaux de l'Espagne centrale

Guêpier

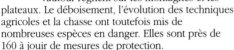

Des nids de cigognes blanches coiffant des clochers ou des cheminées n'ont rien d'inhabituel dans les villes d'Espagne centrale où des espaces naturels vastes et variés abritent la plus riche avifaune de la péninsule. Dans les marais s'aperçoivent grèbes, hérons et souchets. La huppe préfère les forêts ; grues et outardes nichent dans les pâturages. Des rapaces tels que l'aigle impérial, le faucon pèlerin et le vautour règnent sur les montagnes et les plateaux. Le déboisement, l'évolution des techniques agricoles et la chasse ont toutefois mis de nombreuses espèces en danger. Elles sont près de 160 à jouir de mesures de protection.

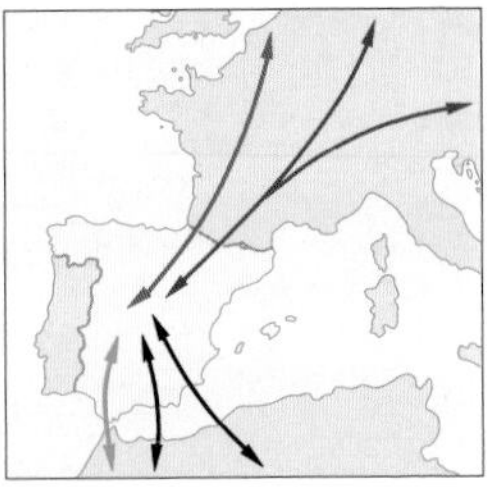

ITINÉRAIRES DE MIGRATION

- Grues
- Cigognes
- Rapaces
- Gibier d'eau

MARAIS ET PLANS D'EAU

De nombreux oiseaux dépendent pour leur nourriture de zones inondées telles que les lagunas de Ruidera *(p. 379)* situées en bordure des plaines de la Manche. Certaines espèces restent sur place toute l'année. Les migrateurs utilisent ces sites privilégiés pour faire étape et reconstituer leurs réserves avant d'achever leur voyage.

***Les aigrettes garzettes**, au vol lent et gracieux, mangent grenouilles, escargots et petits poissons.*

***Les souchets** filtrent dans leur bec les particules nutritives flottant à la surface de l'eau. Le mâle est de couleurs vives, la femelle d'un brun terne.*

FORÊTS ET BROUSSAILLES

Les zones boisées, comme dans le Parque Nacional de Cabañeros *(p. 369)*, et celles où règnent les broussailles, offrent à de nombreux oiseaux sédentaires tels que le geai et le pic une nourriture abondante et un large choix de lieux où nicher. Le petit matin est le meilleur moment pour apercevoir des espèces rares comme le gorge-bleue.

***Les rolliers**, avides de sauterelles, de criquets et de scarabées, nichent souvent dans des souches ou des trous creusés par des pics.*

***Les huppes** se nourrissent d'insectes rampants et se reconnaissent à leur plumage voyant et à la crête qu'elles dressent en cas d'alerte.*

CIGOGNES

Un oiseau rare, la cigogne noire

Comme la cigogne blanche, la cigogne noire, beaucoup plus rare, se reproduit en Espagne. Ces échassiers, dont la parade nuptiale élaborée inclut « danses » et claquements de bec, se reconnaissent en vol à leurs battements d'ailes lents et réguliers. Ils peuvent aussi planer dans des courants ascendants, souvent pendant les migrations. Ils construisent leurs nids, faits de branches et de brindilles et garnis de mousse, sur les toits, les cheminées ou les tours. Le drainage des étendues marécageuses et l'utilisation de pesticides met en danger une espèce qui se nourrit d'insectes, de poissons et de batraciens.

Nid sur le toit d'un monastère

PÂTURAGES ET CHAMPS

Une grande partie des pâturages naturels de l'Espagne sont désormais cultivés. Riches en plantes et fleurs sauvages, ceux qui subsistent forment un habitat essentiel à la survie d'oiseaux tels que l'outarde et l'alouette.

Les grues *se montrent aussi élégantes dans leur vol que lors de leurs parades nuptiales. Leur régime omnivore inclut batraciens, crustacés, végétaux et insectes.*

L'outarde barbue*, dont l'Espagne abrite la moitié de la population mondiale, niche dans les creux peu profonds des prés et des champs.*

MONTAGNES ET PLATEAUX

De superbes rapaces vivent sur les hauts plateaux d'Espagne centrale et dans des massifs montagneux comme la sierra de Gredos *(p. 344)*. Aigles et vautours utilisent les courants d'air chaud pour conserver leur altitude tout en scrutant le sol en quête de proies ou de charognes.

Les aigles impériaux*, d'une envergure de plus de 2 m, sont extrêmement rares. Il en subsiste une centaine de couples en Espagne.*

Les vautours fauves*, oiseaux grégaires, nichent souvent au même endroit d'année en année. Leur envergure peut dépasser 2 m.*

Les châteaux de Castille

Siège d'un château, fresque du XIIIe siècle

Aujourd'hui intégrée à la Castille-León, la Vieille-Castille doit son nom aux *castillos* qui ponctuent ses paysages. Elle recèle en effet la plus grande concentration de châteaux d'un pays qui en compte 2 000. S'ils tirent leurs origines des forteresses défendant villes et villages, alors que Maures et chrétiens s'affrontaient aux Xe et XIe siècles, la plupart des châteaux de Castille qui ont subsisté datent d'après la Reconquête. Ils servaient aux seigneurs locaux à affirmer et défendre leur pouvoir et les Rois Catholiques *(p. 52-53)* interdirent l'édification de nouvelles forteresses à la fin du XVe siècle. Aménagées, beaucoup de celles qui existaient prirent un usage domestique.

Le château de Coca *(p. 347)*, édifice mudéjar en brique

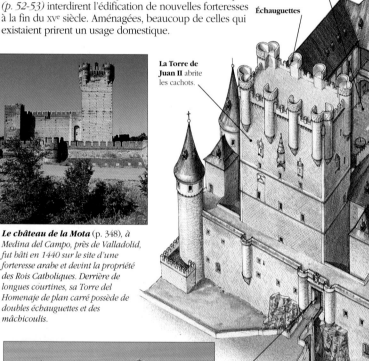

Le château de la Mota (p. 348), *à Medina del Campo, près de Valladolid, fut bâti en 1440 sur le site d'une forteresse arabe et devint la propriété des Rois Catholiques. Derrière de longues courtines, sa Torre del Homenaje de plan carré possède de doubles échauguettes et des mâchicoulis.*

Patio de armas (place d'armes)
Échauguettes
La Torre de Juan II abrite les cachots.
La barbacane porte les armoiries des Rois Catholiques au-dessus du portail fermé par une herse. Elle contient les salles de guet.

Le château de Belmonte (p. 376) *fut construit au XVe siècle par Juan Pacheco, belliqueux marquis de Villena. De style gothique tardif et doté d'un basse-cour triangulaire, il obéit à un plan hexagonal sophistiqué.*

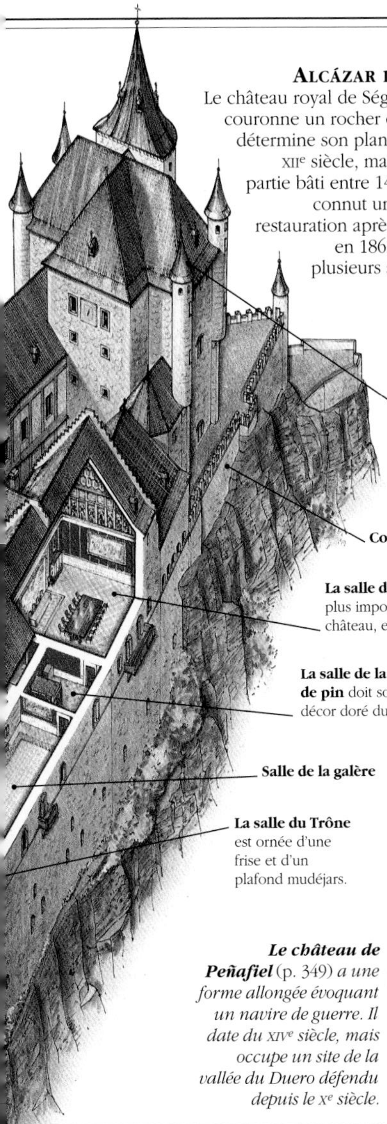

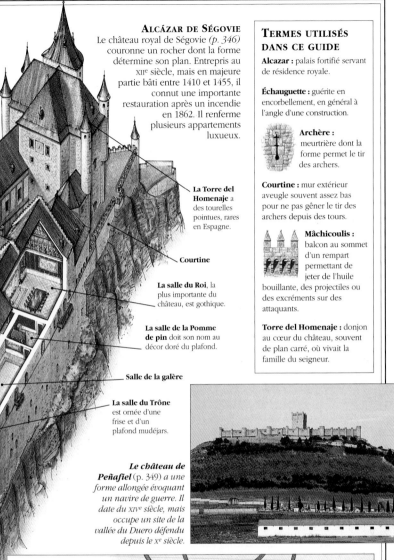

ALCÁZAR DE SÉGOVIE

Le château royal de Ségovie *(p. 346)* couronne un rocher dont la forme détermine son plan. Entrepris au XIIe siècle, mais en majeure partie bâti entre 1410 et 1455, il connut une importante restauration après un incendie en 1862. Il renferme plusieurs appartements luxueux.

La Torre del Homenaje a des tourelles pointues, rares en Espagne.

Courtine

La salle du Roi, la plus importante du château, est gothique.

La salle de la Pomme de pin doit son nom au décor doré du plafond.

Salle de la galère

La salle du Trône est ornée d'une frise et d'un plafond mudéjars.

TERMES UTILISÉS DANS CE GUIDE

Alcazar : palais fortifié servant de résidence royale.

Échauguette : guérite en encorbellement, en général à l'angle d'une construction.

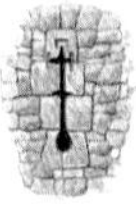

Archère : meurtrière dont la forme permet le tir des archers.

Courtine : mur extérieur aveugle souvent assez bas pour ne pas gêner le tir des archers depuis des tours.

Mâchicoulis : balcon au sommet d'un rempart permettant de jeter de l'huile bouillante, des projectiles ou des excréments sur des attaquants.

Torre del Homenaje : donjon au cœur du château, souvent de plan carré, où vivait la famille du seigneur.

***Le château de Peñafiel** (p. 349) a une forme allongée évoquant un navire de guerre. Il date du XIVe siècle, mais occupe un site de la vallée du Duero défendu depuis le Xe siècle.*

LES CHÂTEAUX DE LA CASTILLE-LEÓN

Certains des plus beaux châteaux de l'Espagne centrale se visitent. Quelques-uns, comme à Ciudad Rodrigo *(p. 339)*, abritent de luxueux paradors *(p. 534-535)*.

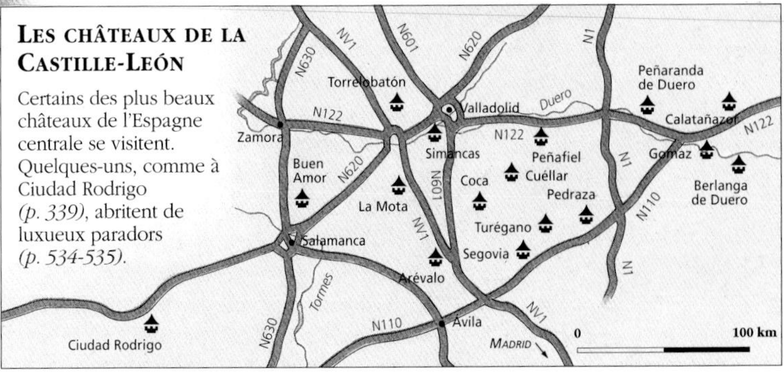

CASTILLE-LEÓN

LEÓN · ZAMORA · SALAMANQUE · ÁVILA · SÉGOVIE
VALLADOLID · PALENCIA · BURGOS · SORIA

Malgré les collines couronnées de châteaux qui les ponctuent, d'immenses plaines ocre écrasées de soleil créent un cadre inhospitalier qui souffre de désertification rurale. Ces provinces ont toutefois joué un rôle majeur dans l'histoire de l'Espagne et leurs villes conservent des monuments parmi les plus beaux du pays.

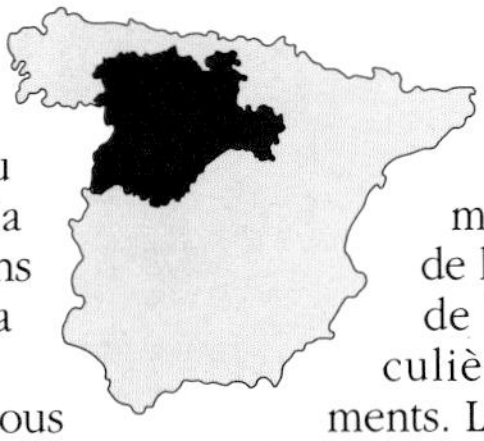

La plus vaste communauté autonome d'Espagne occupe la moitié nord du grand plateau central, la *meseta*, territoire des anciens royaumes rivaux de la Castille et du León.

Fernando Ier les associa sous une même couronne en 1037, quelques années avant la naissance du Cid près de Burgos, mais l'union ne devint définitive qu'au XIIIe siècle en la personne de Ferdinand III le Saint.

La prospérité du royaume, qui atteignit son apogée au XVIe siècle grâce aux richesses issues du Nouveau Monde et au commerce de la laine avec les Flandres, finança nombre des trésors artistiques et architecturaux qui parent aujourd'hui les villes de la région. La cathédrale de Burgos est un chef-d'œuvre du gothique, à l'instar de celle de León, célèbre par ses magnifiques vitraux.

Le style plateresque a marqué Salamanque, siège de la plus ancienne université de la péninsule et cité particulièrement riche en monuments. Les remparts construits par les chrétiens pour se défendre des Maures entourent toujours Ávila, tandis qu'à Valladolid, la capitale régionale, un collège du XVe siècle abrite une exceptionnelle collection de sculptures polychromes. À Ségovie, dont l'Alcazár est le château le plus photographié du pays, subsiste un magnifique aqueduc romain de 128 arches.

Les bourgs et les villages qui jalonnent les vastes étendues rurales s'intègrent aux paysages et présentent de superbes exemples d'architecture traditionnelle.

Champs de céréales et vignobles couvrent la Tierra de Campos dans la province de Palencia

◁ **Le château en ruine de Calatañazor (Soria), site d'une victoire chrétienne en 1002**

À la découverte de la Castille-León

Occupant la partie septentrionale de la *meseta*, la Castille-León conserve de nombreux trésors architecturaux. Beaucoup sont renommés : l'université de Salamanque, l'Alcázar et l'aqueduc de Ségovie, les remparts d'Ávila, le monastère de Santo Domingo de Silos et les grandes cathédrales de Burgos et de León. D'autres localités historiques méritent elles aussi un détour, notamment Ciudad Rodrigo, Covarrubias, Pedraza de la Sierra et Zamora. La région recèle également de superbes montagnes, en particulier dans les sierras de Francia, de Bejar et de Gredos.

La Castille-León d'un coup d'œil

Aguilar de Campoo 25
Astorga 5
Ávila 13
El Bierzo 1
Briviesca 26
El Burgo de Osma 32
Burgos p. 352-353 28
Castillo de Coca 18
Ciudad Rodrigo 9
Covarrubias 27
Cuevas de Valporquero 6
Frómista 24
La Granja de San Ildefonso 14
León p. 335-357 7
Lerma 29
Medinaceli 34
Medina del Campo 19
Medina de Rioseco 22
Palencia 23
Pedraza de la Sierra 16
Peñaranda de Duero 31
Ponferrada 3
Puebla de Sanabria 4
Salamanque p. 340-343 11
Santo Domingo de Silos 30
Ségovie 15
Sepúlveda 17
Sierra de Gredos 12
Soria 33
Tordesillas 20
Valladolid 21
Villafranca del Bierzo 2
Zamora 8

Excursion

Sierras de Francia et de Bejar 10

Voir aussi

• ***Hébergement*** p. 555-557

• ***Restaurants et bars*** p. 595-596

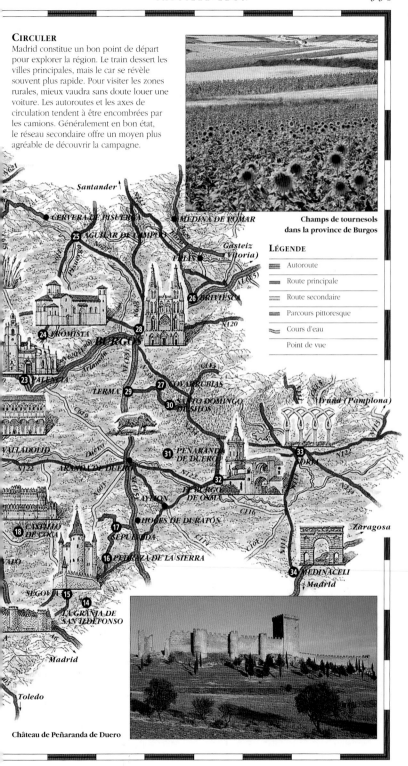

Circuler

Madrid constitue un bon point de départ pour explorer la région. Le train dessert les villes principales, mais le car se révèle souvent plus rapide. Pour visiter les zones rurales, mieux vaudra sans doute louer une voiture. Les autoroutes et les axes de circulation tendent à être encombrées par les camions. Généralement en bon état, le réseau secondaire offre un moyen plus agréable de découvrir la campagne.

Champs de tournesols dans la province de Burgos

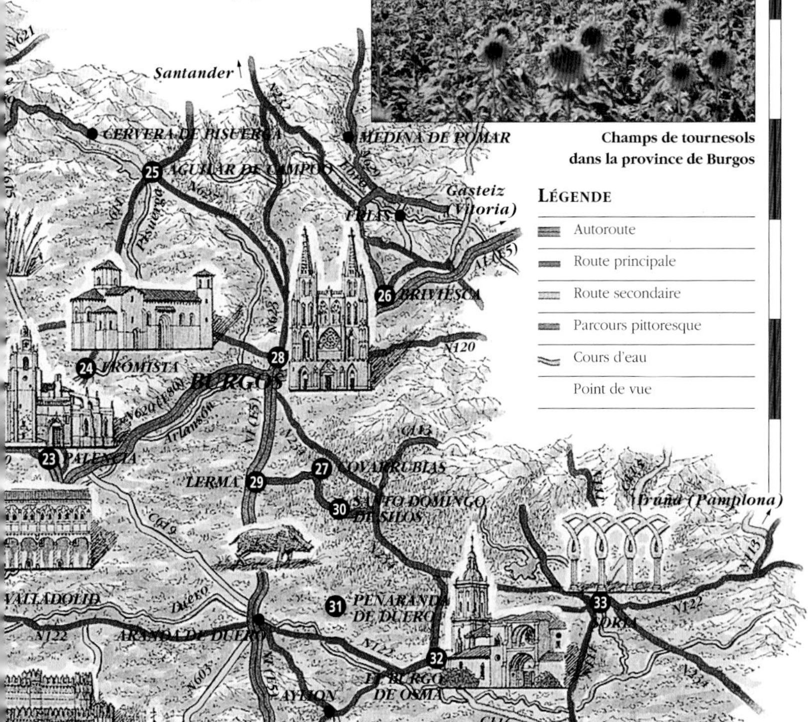

Légende

- Autoroute
- Route principale
- Route secondaire
- Parcours pittoresque
- Cours d'eau
- Point de vue

Château de Peñaranda de Duero

El Bierzo ❶

León. *Ponferrada.* *Ponferrada, 987 42 42 36.* www.bierzonet.es

Cette région située au nord-ouest de la province du León occupe le bassin d'un ancien lac. Des collines la protègent des pires extrêmes du climat de l'Espagne centrale. Vergers et vignobles prospèrent sur son sol fertile qui recèle des gisements de charbon, de fer et d'or. De nombreux sentiers de randonnée et des aires de pique-nique se trouvent à courte distance des deux villes principales : Ponferrada et Villafranca del Bierzo.

À l'est, vous pourrez suivre l'ancien chemin des pèlerins de Compostelle *(p. 78-79)* à travers les **montes de León** et emprunter le pont médiéval de Molinaseca, joli village préservé. En quittant la route à Acebo, vous traversez une profonde vallée où des panneaux indiquent la **Herrería de Compludo**, une forge du VIIe siècle dont la machinerie à eau fonctionne toujours comme des démonstrations régulières permettent de le constater.

Le **lago de Carucedo**, au sud-ouest de Ponferrada, est un très vieux lac artificiel qui servait de réservoir aux Romains à l'époque où ils extrayaient de l'or aux environs. Un système complexe de canaux et d'écluses et le travail des esclaves leur permirent de filtrer des millions de tonnes de minerai arraché aux collines de Las Medulas. Entre le Ier et le IVe siècle, ils récoltèrent, estime-t-on, plus de 500 tonnes de métal précieux. Cette exploitation a laissé un superbe paysage où des châtaigniers rabougris s'accrochent à des pitons érodés creusés de galeries. Orellán, qui s'atteint par une mauvaise piste pentue, et **Las Médulas**, un village au sud de Carucedo, en ménagent de beaux points de vue.

***Palloza* de la sierra de Ancares**

Au nord de la N VI s'élèvent les rondes montagnes d'ardoise de la sierra de Ancares qui marquent les frontières avec la Galice et les Asturies. Une réserve naturelle, la **Reserva Nacional de los Ancares**, protège une partie de cette région sauvage où cerfs, loups, ours bruns et coqs de bruyère peuplent des landes ponctuées de taillis de chênes et de bouleaux.

Plusieurs villages isolés dans les collines ont conservé des *pallozas*, cabanes en pierres sèches d'origine pré-romaine coiffées d'un toit en chaume de seigle. **Campo del Agua**, à l'ouest, possède un des plus riches ensembles de ces abris rustiques.

Herrería de Compludo
Compludo. *987 69 54 21.*
du mar. au dim.

Villafranca del Bierzo ❷

León. *3 900.* *C/Diez Ovelar 10, 987 54 00 28.* *mar.* *Fête de l'hiver (28 jan.), Fiesta del Cristo (14 sept.)*

Sur le chemin de Compostelle, des maisons blasonnées bordent les rues anciennes de ce bourg plein de charme où se déguste la spécialité locale : des cerises à l'*aguardiente*, une eau-de-vie. Datant du début du XVIe siècle, son solide château aux tours cylindriques est toujours habité. Plusieurs églises et couvents se trouvent près de la Plaza Mayor. La **collégiale** possède un plafond de style mudéjar et l'**Iglesia de**

Pitons érodés entourant une ancienne exploitation aurifère romaine près du village de Las Médulas

Santiago romane présente de belles sculptures au portail nord. À sa Puerta del Perdón (porte du Pardon), les pèlerins trop faibles pour entreprendre la dernière partie du parcours à travers les collines de Galice pouvaient obtenir une dispense.

Aux environs
Au sud, le joli village aux maisons en pierre grise de **Corullón** domine le bassin fertile du río Sil où prospèrent les vignobles du Bierzo *(p. 322-323)*. Il ménage une très belle vue sur la région et recèle deux églises romanes qui méritent une visite : San Esteban et San Miguel. Plus bas dans la vallée se dressent les ruines du monastère de **Carracedo del Monasterio** fondé en 990. Leur importance rappelle qu'il abrita un temps la plus puissante communauté religieuse du Bierzo.

Puerta del Perdón de l'Iglesia de Santiago, Villafranca

Ponferrada ❸

León. 63 000. C/ Gil y Carrasco 4, 987 42 42 36. mer. et sam. Virgen de la Encina (7 sept.).

Cette ville industrielle doit sa prospérité aux gisements de charbon et de fer de la région, et son nom à un pont médiéval garni de renforts métalliques *(pons ferrata)* construit pour les pèlerins se rendant à Saint-Jacques-de-Compostelle.

Son petit quartier ancien renferme la majorité des sites intéressants. Le **château** édifié par les Templiers entre le XIIe et le XIVe siècle fut au Moyen Âge l'une des plus importantes forteresses du nord-ouest de l'Espagne et il reste impressionnant.

L'imposant château templier de Ponferrada

Une haute tour de l'horloge domine une des portes ouvrant sur la place principale où se dressent la **Basílica de la Virgen de la Encina** (1577), de style Renaissance, et l'**hôtel de ville** *(ayuntamiento)* baroque (1692). Beaucoup plus ancienne, l'**Iglesia de Santo Tomás de las Ollas** se cache au nord de la ville dans une banlieue à l'atmosphère de village. Ce sanctuaire très simple marie éléments mozarabes, romans et baroques. Son abside du Xe siècle possède de superbes arcs en fer à cheval. Demandez la clé à la maison la plus proche.

Aux environs
Au sud de Ponferrada, une petite route suit dans la paisible **valle de Silencio** le cours d'un ruisseau bordé de peupliers. Elle traverse plusieurs jolis villages avant d'atteindre le plus beau et le dernier : **Peñalba de Santiago** dont l'église mozarabe (Xe siècle) conserve un double portail aux arcs en fer à cheval.

Puebla de Sanabria ❹

Zamora. 1 700. Plaza Mayor 1, 980 62 07 34. ven. Las Victorias (9 sept.).

Il faut traverser les maquis de chênes et de genêts de la sierra de la Culebra pour atteindre ce pittoresque bourg ancien où une rue pavée bordée de maisons blasonnées en pierre et en ardoise grimpe en pente raide jusqu'à l'église paroissiale et un château du XVe siècle. De nombreux visiteurs s'y rendent toutefois, surtout pour le **lago de Sanabria**, réserve naturelle et plus grand lac glaciaire d'Espagne. Ils viennent pêcher, se promener ou pratiquer des sports nautiques.

Les itinéraires touristiques locaux incitent à rejoindre Ribadelago, sur la rive, mais c'est la route menant à **San Martín de Castañeda** qui ménage les plus belles vues. La vie dans ce village reste en outre si traditionnelle qu'on y voit encore des bœufs attelés à des charrettes. Restauré, l'ancien monastère abrite le petit centre d'information de la réserve naturelle.

L'église du XIIe siècle et le château du XVe siècle de Puebla de Sanabria

Nef de la cathédrale d'Astorga

Astorga 5

León. 12 400. Glorieta Eduardo de Castro 5. 987 61 82 22. mar. Santa Marta (fin août).

L'Asturica Augusta romaine commandait un carrefour stratégique sur la via de la Plata (route de l'Argent) reliant l'Andalousie au nord-ouest de la péninsule Ibérique. Elle devint au Moyen Âge une étape importante sur le chemin de Saint-Jacques-de-Compostelle *(p. 78-79)*.

Ses deux principaux monuments s'élèvent au-dessus des remparts dans la ville haute. Entreprise en 1471, la **cathédrale** connut plusieurs phases de construction et présente des styles variés. Derrière un portail baroque décoré de reliefs représentant des épisodes de la vie du Christ, l'intérieur gothique abrite un splendide retable Renaissance orné de sculptures par Gaspar Becerra. Le musée possède de belles pièces d'orfèvrerie, notamment la châsse gravée au Xe siècle d'Alphonse III le Grand, le reliquaire de la Vraie Croix rehaussé de pierres précieuses et un ostensoir en argent incrusté d'énormes émeraudes.

En face de la cathédrale se dresse le **Palacio Episcopal**, palais de conte de fées aux multiples tourelles percé de fenêtres néo-gothiques. L'architecte moderniste Antoni Gaudí *(p. 160)* le dessina pour un évêque catalan à la fin du XIXe siècle après qu'un incendie eut détruit le bâtiment précédent. L'originalité de l'édifice et son coût extravagant horrifièrent tant les autorités diocésaines qu'aucun autre évêque n'y habita jamais. Il a conservé une magnifique décoration intérieure en carreaux de céramique et vitraux et abrite aujourd'hui un musée consacré à l'histoire d'Astorga et des chemins de pèlerinage de Compostelle. L'exposition comprend notamment des fragments de mosaïques et des monnaies de l'époque romaine découverts sous la plaza del Parque.

Reliquaire de la Vraie Croix

Palacio Episcopal

Pl Eduardo de Castro. 987 61 68 82. du mar. au dim. 1er et 6 jan, 25 déc.

Cuevas de Valporquero 6

Valporquero. 987 57 64 08. depuis León. d'avril à mai : du ven. au dim. ; de juin à sept. : t.l.j. ; en oct. : du ven. au dim.

Cet ensemble de galeries souterraines, en fait une unique grotte possédant trois entrées séparées, s'étend sous le village de Valporquero de Torío dans la partie nord de la province de León.

Ce réseau de tunnels se forma au miocène il y a entre 5 et 25 millions d'années, mais les eaux continuent leur travail de sape et les conditions climatiques qui règnent dans les montagnes environnantes le rendent inaccessibles entre décembre et Pâques. Son étendue (3 100 m sous terre) fait qu'il n'est qu'en partie ouvert au public dans le cadre de visites guidées. L'éclairage met en relief la beauté des concrétions calcaires que des oxydes de fer et de soufre ont teintées de subtiles nuances de rouge, de noir et de gris. L'immense Gran Rotonda, d'une superficie de 5 600 m² et d'une hauteur de 20 m, se révèle particulièrement spectaculaire.

Mieux vaut prévoir des vêtements chauds et de bonnes chaussures car le sol est glissant.

Stalactites polychromes dans les grottes de Valporquero

León ⑦

León. *139 800.* *Plaza de la Regla 4, 987 23 70 82.* *mer. et sam.* *San Juan y San Pedro (du 24 au 29 juin).* *www.jcyl.es*

Ancien cantonnement de la *Legio Septima* romaine, à qui elle doit son nom, León devint au Moyen Âge la capitale d'un des royaumes qui menèrent la Reconquête *(p. 50-51)*.

L'édifice le plus important de la ville – en dehors de la **cathédrale** *(p. 336-337)* – est la **Colegiata de San Isidoro**. Ce sanctuaire roman encastré dans les remparts médiévaux reçut des ajouts gothiques et Renaissance. Une entrée séparée donne accès au **Panteón Real** où reposent plus de 20 rois et reines. Construit entre 1054 et 1066, il recèle de superbes chapiteaux et de remarquables fresques romanes du XIIe siècle illustrant le calendrier des travaux agricoles et des scènes du Nouveau Testament.

Fresques illustrant les travaux agricoles dans le Panteón Real de León

Bars et cafés, maisons et églises décrépites bordent les ruelles du pittoresque quartier ancien s'étendant autour de la Plaza Mayor. Deux palais bien conservés se dressent près de la plaza de Santo Domingo : la **Casa de los Guzmanes**, à l'élégant patio Renaissance, et une œuvre d'Antoni Gaudí, la **Casa de Botines** occupée par une banque.

Près de la rivière, l'**Hostal de San Marcos** fondé au XIIe siècle accueillait les pèlerins du chemin de Compostelle. Reconstruit à partir de 1513 pour devenir le siège des chevaliers de l'ordre de Saint-Jacques, il possède une des plus belles façades de la Renaissance espagnole *(p. 21)* que n'a pas déparée l'ajout d'un fronton baroque au XVIIIe siècle. Un élégant plafond à caissons du XVIe siècle orne la salle principale.

Un parador *(p. 534)* occupe désormais la majeure partie de l'Hostal de San Marcos, mais on accède par l'église aux salles et au cloître où le **Museo de León** présente des trésors, dont l'envoûtant *Cristo de Carrizo*, petit crucifix en ivoire du XIe siècle.

Les Maragatos

Astorga est la plus grande ville du pays des Maragatos, groupe ethnique d'origine inconnue, mais qui pourrait descendre d'immigrés berbères. Habitant une région isolée, ils ont réussi à préserver leurs coutumes pendant des siècles. La disparition de leur principale activité, le métier de muletier, a transformé leur mode de vie, mais ils continuent de former une communauté soudée et de porter pour certaines fêtes leurs costumes traditionnels.

Maragatos en costumes traditionnels

Aux environs

À 32 km à l'est de León, l'**Iglesia de San Miguel de Escalada** (Xe siècle) est l'un des plus beaux édifices mozarabes à nous être parvenus. Remarquez les arcs en fer à cheval reposant sur des chapiteaux sculptés de la galerie extérieure et les motifs wisigothiques et mauresques de la balustrade. **Sahagún**, à 70 km au sud-est de León, renferme les églises romanes de San Tirso et San Lorenzo dotées d'intéressants clochers. Un imposant château en ruine domine le río Esla près de **Valencia de Don Juan**, à 40 km au sud de León.

Museo de León

Plaza de San Marcos. *987 24 50 61.* *du mar. au dim. mat.* *gratuit sam. et dim.*

La cathédrale de León

Détail sculpté du chœur

Les maîtres d'œuvre de cette cathédrale gothique *(p. 20)*, l'une des plus belles d'Espagne, s'inspirèrent du modèle français en lui donnant une haute nef très éclairée. Bâti en grès doré sur le site du palais du roi Ordoño II au Xe siècle, l'édifice actuel fut entrepris au milieu du XIIIe siècle et achevé moins de 100 ans plus tard. Ses magnifiques vitraux, aux thèmes variés, constituent son trait le plus remarquable. La pollution atmosphérique menace toutefois ce sanctuaire vieux de 700 ans en détériorant par endroits la pierre tendre.

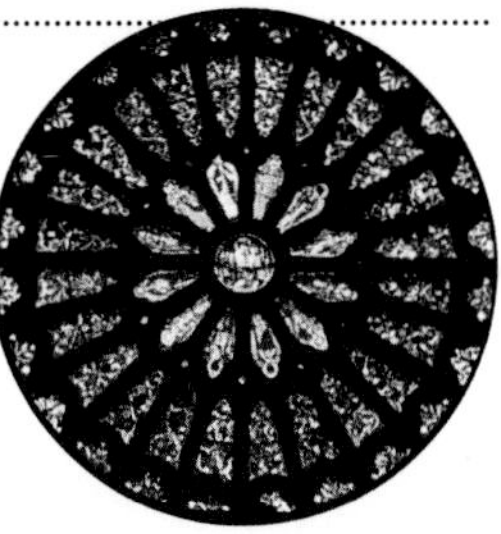

Rosace de la façade ouest
Ce vitrail d'un diamètre de 8 m, l'un des plus anciens de la cathédrale, date du XIIIe siècle.

Les galeries du cloître (XIIIe-XIVe siècles) sont ornées de fresques gothiques par Nicolás Francés.

Le reliquaire en argent est un coffre décoré datant du XVIe siècle.

Musée de la cathédrale
L'Adoration des Mages *de Pedro de Campaña est l'une des nombreuses œuvres d'art présentées au musée.*

Entrée

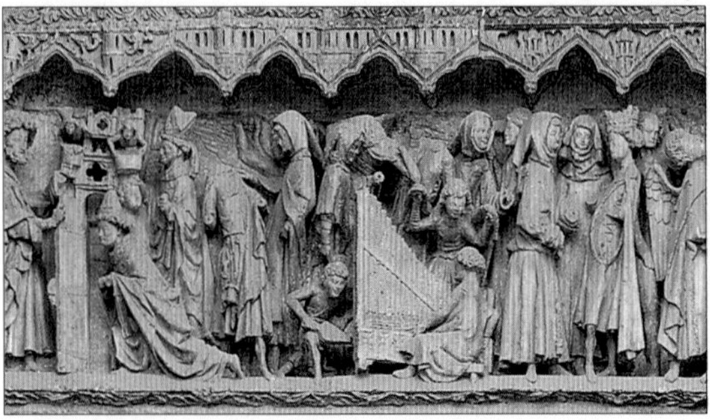

★ La façade ouest
Des sculptures du XIIIe siècle ornent ses trois portails. Le tympan de la Portada del Juicio *illustre le Jugement dernier.*

Intérieur de la cathédrale
En forme de croix latine, le sanctuaire possède une haute nef centrale qui mesure 90 m de longueur et 40 m dans sa plus grande largeur. Pour apprécier pleinement la beauté de ses vitraux, mieux vaut le visiter un jour de soleil.

MODE D'EMPLOI

Plaza de Regla. *987 87 57 70.* *juil.-sept. : 8 h 30-13 h 30 et 16 h-20 h ; oct.-juin : 8 h 30-13 h 30 et 16 h-19 h t.l.j.* *9 h, 12 h, 13 h, 18 h lun.-ven., toutes les heures sam. et dim.* **Musée** *de 8 h 30 à 13 h 30 et de 16 h à 18 h 30 (19 h 30 de juil à sept.) t.l.j.*

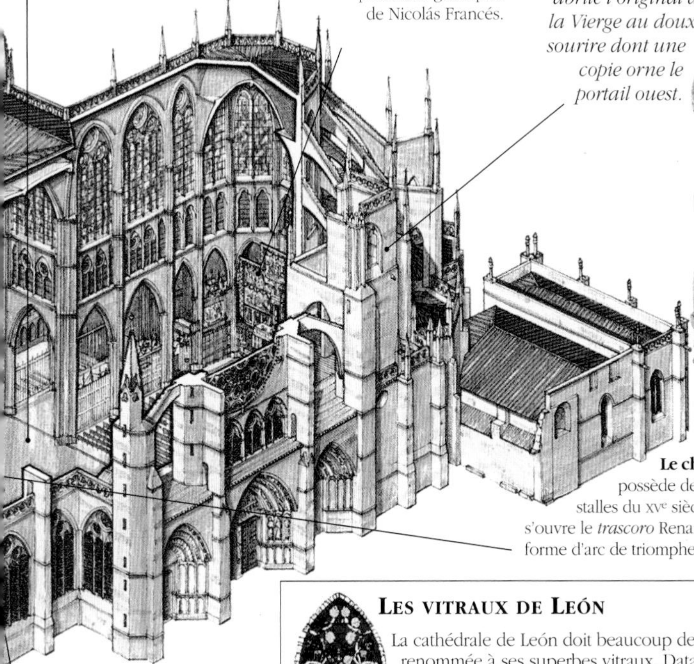

Le retable du maître-autel incorpore cinq panneaux gothiques de Nicolás Francés.

La Capilla de la Virgen Blanca
abrite l'original de la Vierge au doux sourire dont une copie orne le portail ouest.

Le chœur possède deux rangs de stalles du XVe siècle. Derrière s'ouvre le *trascoro* Renaissance en forme d'arc de triomphe.

★ Les vitraux
D'une surface de 1 800 m², ils forment un ensemble exceptionnel.

À NE PAS MANQUER

★ La façade ouest

★ Les vitraux

LES VITRAUX DE LEÓN

Panneau de motifs végétaux

La cathédrale de León doit beaucoup de sa renommée à ses superbes vitraux. Datant de toutes les époques du XIIIe siècle au XIXe siècle, ils décorent 125 grandes fenêtres et 57 médaillons de motifs très variés : végétaux, animaux fantastiques, saints ou personnages bibliques. Certains panneaux offrent un aperçu de la vie au Moyen Âge, comme la *Cacería* qui représente une scène de chasse, ou la rosace de la Capilla del Nacimiento qui montre des pèlerins se recueillant devant le tombeau de saint Jacques à Saint-Jacques-de-Compostelle en Galice *(p. 88-89).*

Un grand vitrail de la façade sud

Zamora ❽

Zamora. 65 000. Calle de Santa Clara 20, 980 53 18 45. mar. Semana Santa (sem. de Pâques), San Pedro (29 juin). www.jcyl.es

Ville frontière qui fut l'enjeu de violents combats aux XIe et XIIe siècles, Zamora a gardé peu de vestiges des fortifications au pied desquelles moururent tant de soldats et elle s'est largement étendue au-delà de ses limites médiévales. Son vieux quartier reste toutefois riche en églises romanes.

Dans les ruines des **remparts** construits par Alphonse III en 893 s'ouvre le Postigo de la Traicíon (porte de la Trahison) où Sanche II mourut d'un coup de poignard dans le dos. Le **parador** *(p. 558)* occupe un ancien palais au patio Renaissance orné d'armoiries.

Deux autres palais, la **Casa de los Momos** et la **Casa del Cordón**, possèdent de belles façades et fenêtres sculptées.

Monument le plus important de Zamora, la **cathédrale** présente une silhouette unique avec sa coupole à écailles. Bâtie dans le style roman au XIIe siècle, elle reçut des ajouts gothiques. Une élégante grille en fer forgé ferme le chœur et deux chaires mudéjares encadrent des stalles du XVe siècle attribuées à Rodrigo Alemán.

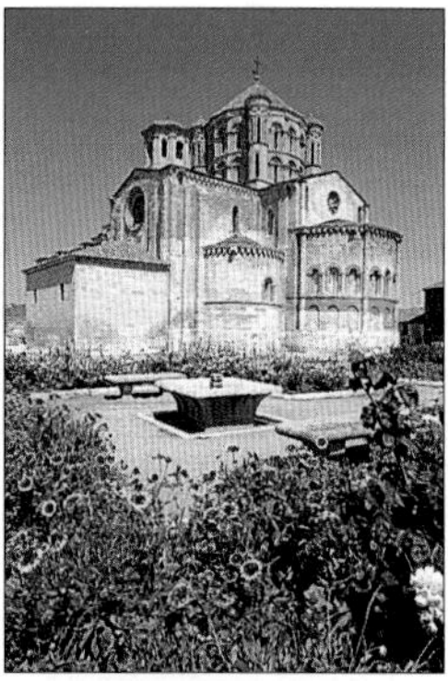

Les paisibles jardins de la Colegiata de Santa María à Toro

Remarquez les scènes allégoriques sculptées sur les accoudoirs et les miséricordes. Certaines évoquent avec humour les travers du clergé de l'époque.

Le musée, qui donne sur le cloître, expose une importante collection de tapisseries flamandes du XVe siècle surnommées les *Tapisseries noires*. Elles représentent des épisodes de la vie de Tarquin et de la guerre de Troie.

Non loin, plusieurs églises romanes, telles l'**Iglesia de San Ildefonso** et l'**Iglesia de la Magdalena**, possèdent des portails particuliers à la région avec leurs arcs polylobés et leurs archivoltes richement sculptées.

Les célébrations de la semaine de Pâques revêtent un caractère particulièrement solennel à Zamora. Les superbes *pasos* (sculptures représentant des scènes de la Passion) portés en procession s'admirent toute l'année au **Museo de la Semana Santa**.

Sierra de Francia et Sierra de Bejar ❿

Offrant de beaux paysages, ce massif schisteux prolonge à l'ouest la sierra de Gredos *(p. 344)*. De petites routes sinueuses y traversent de pittoresques plantations de châtaigniers, d'oliviers et d'amandiers pour relier des villages qui ont gardé beaucoup de cachet avec leurs maisons de pierre et de bois. Depuis son point culminant, la Peña de Francia (1 732 m), s'ouvre un panorama à couper le souffle des collines et des plaines alentour, ainsi que des villages qui les jalonnent.

La Peña de Francia ①
Le monastère dominicain bâti à son sommet abrite une Vierge à l'Enfant de style byzantin.

La Alberca ②
Très visité, ce village a gardé son aspect du Moyen Âge. Pour l'Assomption, ses habitants interprètent en costumes un mystère opposant la Vierge aux forces du mal.

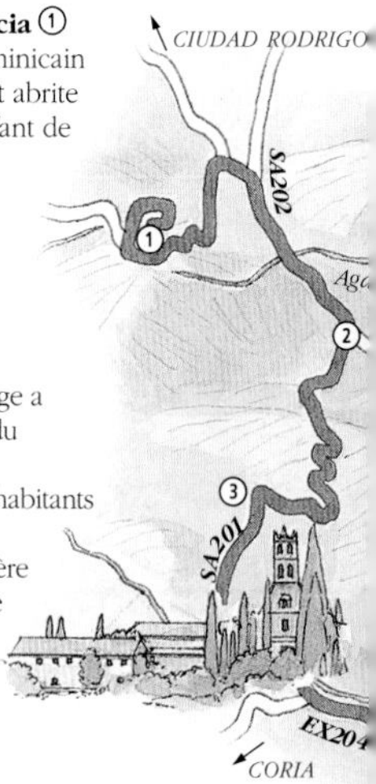

0 5 km

Las Batuecas ③
La route venant de La Alberca longe dans une verte vallée monastère où Luis Buñuel tourna *Terre sans pain*.

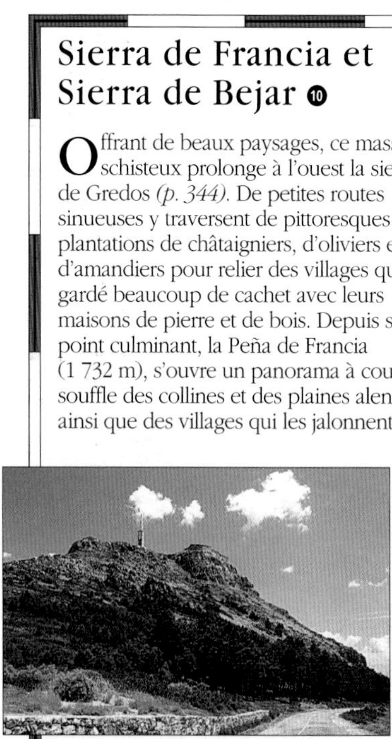

La Peña de Francia se reconnaît de loin

LÉGENDE

- Circuit recommandé
- Autres routes
- Point de vue

Coupole à écailles de la cathédrale de Zamora

Aux environs

À 12 km au nord-ouest, l'église wisigothique de **San Pedro de la Nave** (VIIe siècle) est ornée de chapiteaux et d'une frise aux reliefs délicats. À 33 km à l'est de Zamora, **Toro** mérite une visite pour ses vins *(p. 322-323)* et pour le portail ouest de la **Colegiata de Santa María** qui abrite le tableau flamand de *La Virgen de la Mosca*.

Ciudad Rodrigo ⑨

*Salamanca. 16 000. Plaza de Amayuelas 5, 923 46 05 61. mar. San Sebastián (20 jan.), Carnaval del Toro (**avant** Pâques).* www.ciudadrodrigo.net

Malgré sa situation isolée près de la frontière portugaise, cette vieille ville charmante aux beaux édifices en pierre dorée mérite un détour. Sa position stratégique en fit l'enjeu de nombreuses batailles et elle a conservé une enceinte fortifiée que domine son robuste château du XIVe siècle. Il abrite désormais un **parador** *(p. 555)* et offre une belle vue sur le río Agueda.

Ciudad Rodrigo connut son âge d'or aux XVe et XVIe siècles. Occupée par les Français pendant la guerre d'indépendance *(p. 58-59)*, elle tomba aux mains du duc de Wellington après un siège de 11 jours qui a laissé des traces d'impacts sur le clocher de la **cathédrale**. Entrepris dans le style roman vers 1170 et plusieurs fois remanié, le sanctuaire présente un portail ouest richement sculpté. Le cloître et le chœur sont décorés de stalles représentant des scènes de la vie quotidienne par Rodrigo Alemán. La **Capilla de Cerralbo** voisine, ornée d'une peinture d'autel par l'école de Ribera, borde la paisible plaza del Buen Alcalde entourée d'arcades.

Miranda del Castañar ④
Des maisons anciennes à larges avant-toits bordent les ruelles de ce joli village fortifié.

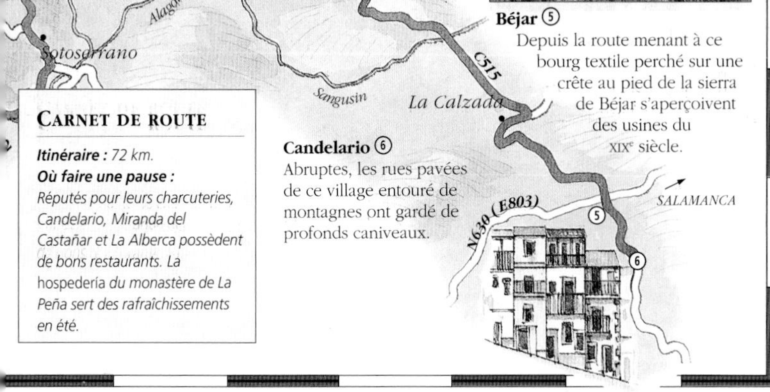

Béjar ⑤
Depuis la route menant à ce bourg textile perché sur une crête au pied de la sierra de Béjar s'aperçoivent des usines du XIXe siècle.

Candelario ⑥
Abruptes, les rues pavées de ce village entouré de montagnes ont gardé de profonds caniveaux.

Carnet de route

Itinéraire : *72 km.*
Où faire une pause :
Réputés pour leurs charcuteries, Candelario, Miranda del Castañar et La Alberca possèdent de bons restaurants. La hospedería du monastère de La Peña sert des rafraîchissements en été.

Salamanque pas à pas ⓫

Détail de la façade de la Casa de las Conchas

Colonie ibère conquise par Hannibal en 217 av. J.-C., Salamanque, qui a conservé un pont d'origine romaine, eut une histoire mouvementée. Fondée en 1218, son université devint la plus prestigieuse d'Espagne. Elle occupe un bâtiment dont la magnifique façade est une des nombreuses œuvres plateresques qui parent la ville. L'époque baroque donna à la cité sa splendide Plaza Mayor. Elle possède également deux cathédrales, l'une romane, l'autre entreprise dans le style gothique en 1513.

La Casa de las Conchas, qu'occupe une bibliothèque, est ornée à l'extérieur de coquilles Saint-Jacques sculptées.

Le Palacio de Monterrey est une demeure Renaissance.

★ L'Universidad
Au centre de sa façade plateresque richement sculptée, un médaillon représente les Rois Catholiques.

★ La Catedral Vieja et la Catedral Nueva
Un retable peint en 1445 orne l'ancienne cathédrale qui forme avec la nouvelle un ensemble harmonieux bien qu'elles soient de styles différents.

Puente Romano
Le pont romain a conservé 15 de ses 26 arches jetées au Ier siècle apr. J.-C. au-dessus du río Tormes. Il offre une excellente vue de la ville.

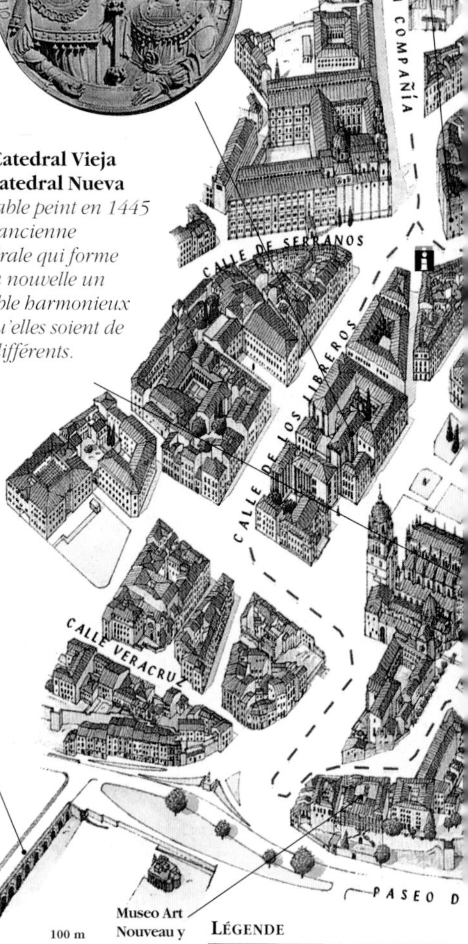

Museo Art Nouveau y Art Deco

0 100 m

LÉGENDE

— — — Itinéraire conseillé

À NE PAS MANQUER

- ★ L'Universidad
- ★ La Catedral Vieja et la Catedral Nueva
- ★ La Plaza Mayor

★ La Plaza Mayor
Construite au XVIIIe siècle par Philippe V dont le buste orne à l'est le pavillon royal, c'est l'une des plus belles places d'Espagne.

MODE D'EMPLOI

Salamanca. 160 000. 15 km à l'est. Paseo de la Estación, 902 24 02 02. Avda de Filiberto Villalobos 71, 923 23 67 17. Plaza Mayor 14, 923 21 83 42. dim. San Juan de Sahagún (12 juin), Virgen de la Vega (8 sept.). www.jcyl.es

Iglesia de San Martín

Le Palacio de Fonseca fut édifié en 1538 par l'archevêque Alonso de Fonseca.

Torre del Clavero
Bâtie vers 1480, elle a conservé ses huit tourelles blasonnées reposant sur des culots à parement mudéjar.

Iglesia-Convento de San Esteban
D'élégants reliefs parent la façade plateresque de l'église. Médaillons et armoiries décorent la frise au-dessus de la porte.

Convento de las Dueñas
Les démons, crânes et visages tourmentés sculptés sur les chapiteaux du cloître contrastent avec la sérénité des représentations de la Vierge.

À la découverte de Salamanque
Le centre-ville se découvre aisément à pied et renferme la majorité des monuments. À ne surtout pas manquer : l'université, la Plaza Mayor et les cathédrales.

Catedral Vieja et Catedral Nueva
Fait inhabituel, la nouvelle cathédrale entreprise en 1513 ne remplaça pas l'ancienne, mais fut construite à côté. Elle marie les styles gothique, Renaissance et baroque et présente sur sa façade ouest un riche décor sculpté caractéristique du gothique tardif.

On accède à la vieille cathédrale, édifice de transition du XIIe siècle, depuis le bas-côté sud de la nouvelle. Peint par Nicolás Florentino, le magnifique retable de l'abside principale comporte 53 panneaux encadrant une statue du XIIe siècle parée d'émaux de Limoges. Elle représente la Virgen de la Vega, patronne de Salamanque. Le *Jugement dernier* de la voûte est aussi de Florentino.

La Capilla de Anaya (XVe siècle) abrite le superbe tombeau en albâtre (XVe siècle) de l'archevêque Diego de Anaya.

Façade de l'université sur le patio de las Escuelas

Universidad
Patio de las Escuelas 1. *923 29 44 00.* *t.l.j.* *25 déc.*
Fondée par Alphonse IX de León en 1218, l'université de Salamanque présente sur le patio de las Escuelas (place des Écoles) une façade qui est un des chefs-d'œuvre de l'art plateresque *(p. 21)*. En face se dresse une statue de Fray Luis de León. La salle où il donnait ses cours de théologie a gardé l'aspect qu'elle avait au XVIe siècle. Dans le bâtiment des Escuelas Minores bordant aussi la place, la fresque du *Ciel de Salamanque* représente les constellations du zodiaque.

Les deux cathédrales de Salamanque derrière le Puente Romano

Plaza Mayor
Philippe V fit construire cette superbe place pour remercier Salamanque de son soutien pendant la guerre de Succession d'Espagne *(p. 58)*. Dessinée par les frères Churriguera *(p. 21)* en 1729 et achevée en 1755, elle abrite sous ses arcades ornées de médaillons de nombreux cafés et magasins. Le grès doré de ses bâtiments prend tout son éclat au coucher du soleil. Depuis le pavillon royal, sur le côté oriental, les souverains espagnols assistaient aux fêtes organisées sur la place. Au nord se détache la façade de l'hôtel de ville.

Pavillon royal sur la superbe Plaza Mayor

Iglesia-Convento de San Esteban
Bâtie au XVIe siècle, l'église de ce monastère dominicain possède une façade plateresque au décor remarquable. Achevé en 1610 par le Milanais Juan Antonio Ceroni, le relief du panneau central représente la *Lapidation de saint Étienne* à qui le sanctuaire est dédié. Une frise d'enfants et de chevaux le surmonte.

L'intérieur, à nef unique, offre autant d'intérêt. Œuvre de José Churriguera, l'étonnant retable aux colonnes torses dorées décorées de vignes date de 1693. Au-dessous s'admire un *Martyre de saint Étienne*, l'une des dernières peintures de Claudio Coello.

Terminé en 1591, le Caustro de los Reyes, cloître à deux étages de galeries, porte aux chapiteaux des médaillons ornés de bustes de prophètes.

Coquilles Saint-Jacques sculptées sur les murs de la Casa de las Conchas

Casa de las Conchas

Calle de la Compañía. 923 26 93 17. t.l.j. **Bibliothèque** *du lun. au sam.*

Emblème de l'ordre de Saint-Jacques dont un chevalier, Rodrigo Maldonado, fit construire la demeure à la fin du XVe siècle, les quelque 400 coquilles Saint-Jacques en pierre dorée qui animent les murs extérieurs de la maison des Coquilles lui ont donné son nom. L'édifice, qui abrite une bibliothèque, porte également les armoiries des Maldonado.

Convento de las Dueñas

Plaza del Concilio de Trento. 923 21 54 42. t.l.j.

Ce couvent dominicain fait face à celui de San Esteban. Il possède un magnifique cloître à deux étages qui a conservé un arc mudéjar et entoure un jardin dont la sérénité contraste étrangement avec les grotesques sculptées sur les chapiteaux des colonnes.

Museo Art Nouveau y Art Deco

Calle Gibraltar 14. 923 12 14 25. *du mar. au dim.* *gratuit jeu. mat.*

Installée dans un bâtiment du XIXe siècle, cette importante collection d'art, riche en verreries par Lalique et en porcelaines et émaux de Limoges, comprend des peintures, des bijoux et des meubles de toute l'Europe.

Colegio de los Irlandeses

Calle de Fonseca 4. 923 29 45 70. t.l.j. *gratuit lun. mat.*

L'archevêque de Tolède, Alonso de Fonseca, construisit ce palais Renaissance en 1512, dont on peut voir les armes de la famille à l'entrée. Cet édifice porte ce nom car il était destiné à former des prêtres irlandais à la fin du XVIe siècle. Il possède un beau patio italianisant où donne une chapelle. Aujourd'hui, il abrite le conseil municipal et l'université.

Convento de las Úrsulas

Calle de las Úrsulas 2. 923 21 98 77. *du lun. au sam.*

L'église de ce couvent abrite le tombeau magnifiquement sculpté de son fondateur, Alonso de Fonseca, puissant archevêque de Saint-Jacques-de-Compostelle au XVIe siècle. Un musée d'art religieux présente, entre autres, des peintures par Luis de Morales.

Casa de las Muertes

Calle Bordadores. *au public.*

À côté d'angelots et de grotesques, de petits crânes décorent l'extérieur de la maison des Morts. Attribuée à Diego de Siloé, la façade date du début du XVIe siècle et offre un des tout premiers exemples d'art plateresque.

L'écrivain et philosophe Miguel de Unamuno mourut en 1936 dans la maison voisine. Un musée lui est consacré à côté de l'université : la Casa-Museo de Unamuno.

Crâne ornant la façade de la Casa de las Muertes

Torre del Clavero

Plaza de Colón.

Cette tour est l'unique vestige d'un palais bâti vers 1480 par un maître des clés *(clavero)* de l'ordre d'Alcántara.

La tour située en face de la Casa de las Muertes

Aux environs

Au nord-ouest de Salamanque, suivre le río Tormes conduit à la ville fortifiée de **Ledesma**, puis aux Arribas del Duero, série de lacs artificiels près de la frontière portugaise.

À 20 km à l'est de Salamanque, la Torre de la Armería, unique vestige du palais des ducs d'Albe, domine **Alba de Tormes** où sainte Thérèse d'Avila *(p. 345)* repose dans l'Iglesia-Convento de las Madres Carmelitas qu'elle fonda en 1571. L'église San Juan est un édifice roman du XIIe siècle.

Bâti en 1227 par Alphonse de León à 26 km au nord de Salamanque, le château de **Buen Amor** servit de résidence aux Rois Catholiques pendant leur conflit avec Jeanne la Beltraneja *(p. 52)*. À la fin du XVe siècle, l'archevêque de Tolède lui donna un beau patio Renaissance.

Sierra de Gredos ⓬

Ávila. 🚌 *Hoyos del Espino.* ℹ *Hoyos del Espino, 920 34 90 07 (920 34 90 35 en juil. et août).*

À l'ouest de Madrid, ce massif montagneux offre aux citadins un vaste espace naturel où venir skier, pêcher, chasser ou se promener. Bien que le tourisme n'y soit pas un phénomène récent puisque le premier parador d'Espagne ouvrit à Gredos en 1928 *(p. 556)*, de nombreux villages à l'écart des voies principales ont gardé leur cachet.

Protégé, le versant sud s'étend jusqu'en Estrémadure et se prête, entre des forêts de pins, à la culture des pommiers et des oliviers. Sur le flanc nord prédomine le maquis d'où jaillissent des rochers granitiques.

La N 502 traverse le centre de la sierra. Après avoir franchi la puerta del Pico située à 1 352 m d'altitude, elle dépasse le château de **Mombeltrán**, construit à la fin du XIVe siècle, avant d'atteindre Arenas de San Pedro, le bourg le plus important. Au sud, près de Ramacastañas, se visitent les **cuevas del Águila**, grottes riches en concrétions calcaires.

Le point culminant du massif, le pico Almanzor (2 592 m), domine sa partie occidentale. Autour s'étend la **Reserva Nacional de Gredos** qui protège une faune montagnarde comprenant notamment bouquetins et oiseaux de proie.

Les Toros de Guisando près d'El Tiembo dans la sierra de Gredos

Près d'El Tiembo, à l'est, se dressent les **Toros de Guisando**, quatre statues de pierre qui pourraient être d'origine celtibère *(p. 44-45)*.

Ávila ⓭

Ávila. 50 000. 🚆 🚌 ℹ *Plaza de la Catedral 4, 920 21 13 87.* *ven.* *San Segundo (2 mai), Santa Teresa (15 oct.).*
www.jcyl.es

À 1 131 m d'altitude, Ávila de los Caballeros (des Chevaliers) est la plus haute capitale provinciale d'Espagne. Il arrive que la neige bloque les routes d'accès en hiver et, même à la belle saison, mieux vaut se méfier des écarts de température entre la journée et la nuit. Peut-être croiserez-vous dans ses rues des groupes de *tunas*, étudiants en costumes interprétant des chants traditionnels.

Tuna **à Ávila**

Les **remparts médiévaux** les mieux conservés d'Europe entourent le centre-ville. À l'endroit où son oncle rattrapa la jeune Thérèse courant vers le martyre, le lieu-dit Los Cuatro Postes (les Quatre Piliers), sur la route de Salamanque, en offre la meilleure vue d'ensemble. Élevée au XIe siècle, l'enceinte fortifiée comporte 88 tours où viennent nicher des cigognes. C'est du côté est de la ville, relativement plat et donc plus difficile à défendre, que se dressent les remparts les plus anciens où s'ouvre la plus imposante des neuf portes de la ville : la **Puerta de San Vicente**. Le chevet de la **cathédrale** fait lui aussi partie des fortifications. Entrepris en 1157, le sanctuaire marie styles roman et gothique, notamment dans les deux tours qui flanquent un portail du

Des remparts du XIe siècle défendus par 88 tours entourent Ávila

XVIIIe siècle. L'intérieur, aux élégantes voûtes en ogives, abrite dans l'arrière-chœur *(trascoro)* de belles sculptures plateresques et dans le déambulatoire le tombeau en albâtre de Fernández de Madrigal, évêque du XVe siècle.

Sainte Thérèse est née à Ávila et plusieurs églises et couvents entretiennent son souvenir. Le **Convento de Santa Teresa** occupe l'emplacement de sa maison natale et, hors des murs, le **Monasterio de la Encarnación**, où elle vécut plus de 25 ans, conserve des objets qui lui appartenaient. Il existe même des friandises qui portent son nom : les *yemas de Santa Teresa*.

Située également hors des murs, près de la Puerta de San Vicente, l'**Iglesia de San Vicente** entreprise au XIIe siècle associe des parties romanes et gothiques. Les sculptures de son portail ouest forment un ensemble remarquable. À l'intérieur, sous un baldaquin gothique, s'admire le tombeau de saint Vincent et de ses sœurs. Il est orné de magnifiques reliefs du XIIe siècle décrivant leur martyre. Du même côté des remparts, mais plus au sud, une autre église romano-gothique mérite une visite : l'**Iglesia de San Pedro**.

Le **Real Monasterio de San Tomás** se trouve à la périphérie de la ville. Il possède trois cloîtres. Le plus beau est celui du milieu, où figurent les emblèmes des Rois Catholiques : le joug et les flèches. Le dernier conduit à un musée exposant de l'orfèvrerie religieuse. L'église présente au maître-autel un retable de Pedro Berruguete et à la croisée du transept le tombeau du prince Juan, unique fils de Ferdinand et d'Isabelle. Dans la sacristie repose Tomás de Torquemada, le premier inquisiteur général *(p. 52)*.

Jardins et palais de San Ildefonso

Cloître du Real Monasterio de Santo Tomás à Ávila

Sainte Thérèse d'Ávila

Teresa de Cepeda y Ahumada (1515-1582) voulut gagner le ciel dès l'âge de sept ans en s'enfuyant de chez elle dans le but de subir le martyre de la main des Maures. En 1537, elle prononce ses vœux au couvent carmélite de l'Incarnation. À partir de 1562, elle commence à fonder ses propres monastères où s'applique dans toute sa rigueur la règle originale du Carmel. Elle développe également une branche masculine avec son disciple, saint Jean de la Croix. Sainte Thérèse a laissé de nombreux écrits mystiques. Elle repose à Alba de Tormes près de Salamanque *(p. 343)*.

Statue de Thérèse au musée de la cathédrale

La Granja de San Ildefonso ⓮

Segovia. 921 47 00 19. depuis Madrid ou Ségovie. de mi-oct. à mi-mars : de 10 h à 13 h 30 et de 15 h à 17 h du mar. au sam., de 10 h à 14 h le dim. ; de mi-mars à mi-oct. : de 10 h à 18 h du mar. au dim. gratuit le mer. pour les Européens

Dans la sierra de Guadarrama, ce magnifique palais occupe à 1 192 m d'altitude l'emplacement d'un pavillon de chasse édifié par Henri IV au XVe siècle et d'un ermitage dédié à saint Ildefonse.

Philippe V entreprit sa construction en 1720 en songeant au palais de Versailles de son grand-père Louis XIV. Plusieurs architectes et de nombreux artistes participèrent au projet. Un incendie ravagea toutefois une grande partie de l'édifice en 1918 ; les salles ont été depuis restaurées et décorées d'objets d'art et de fresques classiques. Leurs lustres proviennent de la *Fábrica de Cristales* locale. Les appartements privés abritent une remarquable collection de tapisseries comprenant des œuvres flamandes et des pièces exécutées d'après des cartons de Goya. Dans la chapelle, la **Sala del Panteón** renferme le tombeau de Philippe V et de son épouse.

Dessinés par des Français, les jardins couvrent une superficie de 145 ha. Agrémentés de statues et plantés de marronniers, ils comportent de très nombreuses fontaines dont les jeux d'eau sont mis en action chaque année le 30 mai, le 25 juillet et le 25 août.

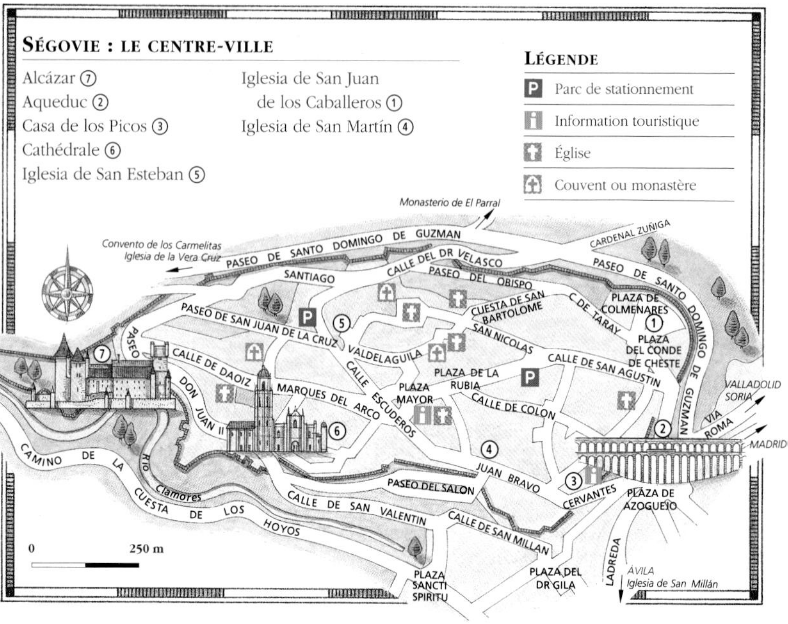

Ségovie ⓯

Segovia. *54 000.* *Plaza Mayor 10, 921 46 03 34.* *mar., jeu. et sam.* *San Juan (24 juin), San Pedro (29 juin), San Frutos (25 oct.).* www.infosegovia.com

Le quartier médiéval de cette petite capitale provinciale occupe un site spectaculaire sur un promontoire qu'entourent le río Eresma et le río Clamores. Sa forme évoque un bateau dont l'Alcázar perché sur un rocher formerait la proue, l'aqueduc romain le gouvernail et dont les pinacles et la tour de la cathédrale dessineraient les mâts. Vu de la vallée, il est magique au coucher du soleil.

Construit à la fin du Ier siècle apr. J.-C. par les Romains, l'**aqueduc** servit jusqu'à la fin du XIXe siècle et firent de la ville une importante base militaire.

Entreprise en 1525 et consacrée en 1678, la **cathédrale** fut le dernier grand sanctuaire gothique bâti en Espagne. Elle remplaçait une cathédrale détruite en 1520 lors de la révolte des villes castillanes et dont elle a conservé le cloître, déplacé de son site initial près de l'Alcázar. De vastes nefs aux voûtes à nervures donnent au sanctuaire un intérieur harmonieux où de belles grilles en fer forgé ferment les chapelles. Exécutées d'après des cartons de Rubens, les tapisseries présentées dans la salle capitulaire illustrent l'histoire de la reine Zénobie.

À la pointe ouest de la ville, l'**Alcázar** *(p. 326-327)* tire ses origines d'une forteresse du XIIIe siècle, mais connut une importante reconstruction après un incendie en 1862. Il abrite une collection d'armes et des salles au décor élaboré.

Parmi les églises les plus remarquables de Ségovie figurent trois édifices romans : **San Juan de los Caballeros** au beau portail sculpté, **San Esteban** à l'élégant clocher à 5 étages et **San Martín**, entourée d'une galerie aux chapiteaux ornés d'animaux fantastiques et de scènes bibliques. Près des remparts, la **Casa de los Picos** possède un décor en pointes de diamant.

Aux environs

À 11 km à l'ouest, au cœur d'un parc où des daims courent en liberté, le vaste palais de **Riofrío** fut construit en 1752 pour la veuve de Philippe V,

L'imposante cathédrale de Ségovie

L'aqueduc de Ségovie

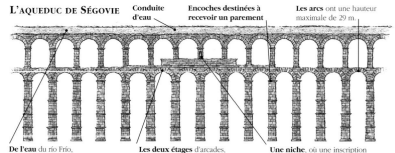

Conduite d'eau
Encoches destinées à recevoir un parement
Les arcs ont une hauteur maximale de 29 m.
De l'eau du río Frío, filtrée dans des bassins, alimentait la ville.
Les deux étages d'arcades, longs de 728 m, furent imposés par l'importance du dénivelé.
Une niche, où une inscription évoquait la fondation de l'ouvrage d'art, abrite une statue de la Vierge.

L'Alcázar de Ségovie domine la ville depuis un promontoire

Isabelle Farnese. Il renferme des pièces richement décorées et un musée de la Chasse.

Alcázar de Segovia
Plaza de la Reina Victoria Eugenia. *921 46 07 59. t.l.j. 1er et 6 jan., 25 déc. gratuit le mar.*

Palacio de Riofrío
921 47 00 19. du mar. au dim. gratuit le mer. pour les Européens.

Pedraza de la Sierra ⓰

Segovia. *470. C/Real 3, 921 50 86 66. Nuestra Señora la Virgen del Carrascal (8 sept.).*

Les Madrilènes apprécient en week-end les restaurants de ce village aristocratique perché sur une hauteur dominant un paysage vallonné. Depuis l'enceinte fortifiée, une rue bordée de maisons seigneuriales blasonnées conduit à la Plaza Mayor entourée de galeries. Le château se dresse sur un promontoire rocheux. Il fut le domicile du peintre Ignacio Zuloaga (1870-1945) et abrite un musée qui présente plusieurs de ses œuvres.

Aux environs
À **Turégano**, à 30 km au nord, un imposant château du XVe siècle incorpore l'Iglesia de San Miguel (XIIe-XIVe siècle).

Sepúlveda ⓱

Segovia. *1 350. Plaza del Trigo 1, 921 54 02 37. mer. Patronales (der. sem. d'août).*

Dominant un méandre du río Duratón, ce village pittoresque donne vue sur la sierra de Guadarrama. Il a conservé son château, une partie de ses remparts médiévaux et plusieurs églises romanes, en particulier l'**Iglesia del Salvador**. Située derrière la grand-place, elle date du XIe siècle et possède un portique latéral construit en 1093.

Aux environs
À 7 km à l'ouest de Sepúlveda, le río Duratón sinue dans une gorge hantée par des vautours fauves. Une réserve naturelle, le **Parque Natural de las Hoces del Duratón**, protège ce site d'une rare beauté.

À 45 km au nord-est de Sepúlveda, **Ayllón** recèle une grand-place entourée de galeries et le Palacio de Juan de Contreras (1497) de style plateresque.

Des fouilles ont partiellement mis au jour les ruines ibères et romaines de **Tiermes**, 28 km plus au sud-est. Le matériel découvert se trouve au Museo Numantino *(p. 359)* de Soria.

Castillo de Coca ⓲

Coca (Segovia). *617 57 35 54. depuis Ségovie. du mer. au lun.*

Construit en briques roses par des artisans maures à la fin du XVe siècle pour la puissante famille Fonseca, le château de Coca *(p. 326)* offre, avec sa triple enceinte défendue par des tours d'angle hexagonales, un superbe exemple d'architecture militaire mudéjare. Néanmoins, il servit davantage de palais résidentiel que de forteresse. Il abrite désormais une école du service des forêts qui possède une intéressante collection de sculptures sur bois romanes.

Aux environs
Isabelle Ire de Castille passa son enfance à 26 km au sud, dans le château (XIVe siècle) d'**Arévalo** à Ávila où quelques jolies maisons à colombage entourent la plaza de la Villa bordée de galeries.

Donjon mudéjar du Castillo de Coca construit au XVe siècle

Medina del Campo ⓳

Valladolid. 20 000. Plaza Mayor 27, 983 81 13 57. dim. San Antolín (du 2 au 8 sept.).

Ses foires établirent au Moyen Âge la prospérité de cette ville qui reste un important marché agricole. Sur une colline voisine se dresse le **Castillo de la Mota** *(p. 326)*, forteresse en brique gothico-mudéjare édifiée par la puissante famille Fonseca en 1440. Isabelle Ire de Castille et sa fille Jeanne la Folle y séjournèrent. L'édifice servit ensuite de prison et eut notamment pour détenu, entre 1506 et 1508, César Borgia *(p. 244)*. Isabelle mourut à Medina del Campo, en 1504, dans une modeste maison bâtie au-dessus d'un arc dans un angle de la Plaza Mayor où sa statue occupe la place d'honneur.

Castillo de la Mota à Medina del Campo

Aux environs
Les remparts de **Madrigal de las Altas Torres** dominent la plaine à quelque 25 km au sud-ouest de Medina del Campo. Isabelle y naquit en 1451 dans un palais qui devint en 1527 le Monasterio de las Agustinas.

Statue d'Isabelle, Medina del Campo

Castillo de la Mota
983 80 10 24. t.l.j. jours fériés.

Tordesillas ⓴

Valladolid. 8 000. Caza del Tratado, 983 77 10 67. mar. Semana de la Peña (du 16 au 22 sept.).

C'est à Tordesillas que les souverains d'Espagne et du Portugal signèrent en 1494 le traité qui divisait entre leurs deux pays les terres du Nouveau Monde.

La ville possède comme principal monument le **Convento de Santa Clara**, palais construit en 1340 par Alphonse XI et où son fils, Pierre le Cruel, installa sa maîtresse, María de Padilla. Née en Andalousie, elle lui donna une décoration mudéjare particulièrement belle dans le patio et la salle principale, devenue une chapelle. Une collection d'instruments anciens comprend l'orgue portatif de Jeanne la Folle qui, après la mort de son mari, passa dans un palais de Tordesillas les 46 dernières années de sa vie, c'est-à-dire jusqu'à sa mort en 1555.

Dans la vieille ville, l'**Iglesia de San Antolín** abrite un musée d'art.

Convento de Santa Clara
983 77 00 71. du mar. au dim.

Iglesia de San Antolín
Calle Postigo 1. *983 77 09 80. du mar. au dim.*

Patio mudéjar du Convento de Santa Clara, Tordesillas

Valladolid ㉑

Valladolid. 320 000. Calle Santiago 19, 983 35 18 01. dim. San Pedro Regalado (13 mai), San Mateo (du 21 au 29 sept.).
www.dip-valladolid.es

Au confluent du río Esgueva et du río Pisuerga, l'ancienne Belad-Walid (Terre du Gouverneur) arabe, reconquise en 1074, est une capitale provinciale fortement industrialisée. Elle conserve néanmoins d'intéressants édifices historiques datant en particulier de la Renaissance.

En 1469, Ferdinand d'Aragon et Isabelle de Castille s'y marièrent dans le Palacio Vivero et ils en firent leur capitale après la chute de Grenade en 1492. Christophe Colomb y mourut, seul et oublié, en 1507. Philippe II vit le jour en 1527 dans le Palacio de los Pimentel. L'auteur José Zorrilla, dont une pièce rendit célèbre en 1844 le personnage de Don Juan, naquit également à Valladolid.

L'université date du XVe siècle. Narciso Tomé, qui réalisera plus tard le Transparente de la cathédrale de Tolède *(p. 375)*, entreprit en 1715 sa façade baroque. Celle de l'**Iglesia de San Pablo** est de style plateresque et présente une remarquable décoration sculptée.

Parmi les autres églises intéressantes figurent **Santa María la Antigua** à l'élégant clocher roman et l'**Iglesia de Las Angustias** où s'admire une magnifique sculpture de Juan de Juni : la *Virgen de los Cuchillos* (Vierge aux couteaux).

Casa de Cervantes

Calle Rastro 7. 983 30 88 10. du mar. au dim. jours fériés. gratuit le dim. mat.

En 1605, quand parut la première partie de *Don Quichotte (p. 30)*, Cervantes habitait cette maison aux murs blanchis. Les pièces sont aménagées avec des meubles dont certains lui ont appartenu.

Cathédrale

Calle Arribas 1. 983 30 43 62.

Philippe II confia en 1580 la reconstruction de la cathédrale de Valladolid à Juan de Herrera, mais les travaux s'étendirent sur plusieurs siècles et le sanctuaire resta inachevé. La façade que lui donna Alberto Churriguera *(p. 21)* en 1729 contraste avec l'austérité de l'intérieur orné d'un retable par Juan de Juni. Le musée diocésain présente de belles œuvres d'art.

Museo Nacional de Escultura

Cadenas de S Gregorio 1-2. 983 25 03 75. du mar. au dim. jours fériés. gratuit le sam. après-midi et le dim. mat. pour les Européens

Installé d'habitude dans le magnifique Colegio de San Gregorio, le musée national de Sculpture occupera le Palacio de Villema jusqu'en 2006. Il présente une collection comprenant un ensemble

Façade du Colegio de San Gregorio, Valladolid

***Natividad* par Berruguete, Museo Nacional de Escultura, Valladolid**

exceptionnel d'œuvres religieuses en bois polychrome exécutées entre le XIIIe et le XVIIIe siècle. La Renaissance espagnole est particulièrement bien représentée avec, notamment, une *Mise au tombeau* de Juan de Juni, un *Christ gisant* par Gregorio Fernández, un retable par Alonso Berruguete et des stalles auxquelles travailla Diego de Siloé.

L'édifice lui-même mérite l'attention avec son escalier plateresque, sa chapelle par Juan Güas et un superbe patio aux colonnes torses portant des arcades en anse de panier. Attribuée, pour l'essentiel, à Gil de Siloé et Simon de Cologne, la façade offre un exemple saisissant d'art isabélin, style de transition entre gothique et Renaissance. Enfants jouant sous un arbre héraldique, hommes sauvages et armoiries composent au-dessus du porche un décor exubérant.

Museo Oriental

Paseo de los Filipinos 7. 983 30 69 00. t.l.j.

Au-delà du Parque de Campo Grande, un grandiose collège néo-classique, le Real Colegio de los Agustinos Filipinos, abrite ce musée qui présente des œuvres d'art et des curiosités réunies par les missionnaires augustins. Elles proviennent de Chine et des Philippines.

Aux environs

À 11 km au sud-ouest, le château qui domine le village de **Simancas** abrite depuis une décision de Charles Quint les archives nationales. **Wamba**, à 15 km à l'ouest, possède une église wisigothique qui contient le tombeau du roi Receswinthe.

À 60 km à l'est de Valladolid, la ville viticole de **Peñafiel** s'étend au pied d'une crête couronnée par une imposante forteresse du XVe siècle *(p. 327)*.

Medina de Rioseco 22

Valladolid. 5 000. Plaza Mayor, 983 70 08 25. mer. San Juan (du 24 au 29 juin).

Comme Medina del Campo, cette petite ville qui a conservé ses remparts fonda au Moyen Âge sa prospérité sur le commerce de la laine. Cette richesse permit d'engager de grands artistes, souvent de l'école de Valladolid, pour la décoration des églises. Près du centre, la magnifique voûte en étoile et les boiseries de l'**Iglesia de Santa María de Mediavilla** témoignent de leur talent. Coiffée d'une étonnante coupole en stucs polychromes (1554) de Jerónimo del Corral, la chapelle des Benavente abrite un retable par Juan de Juni. Antonio de Arfe exécuta en 1585 l'énorme custode du trésor. L'**Iglesia de Santiago** possède un intérieur tout aussi frappant avec son triple retable churrigueresque *(p. 21)*.

Des maisons anciennes aux portiques soutenus par des piliers en bois bordent la rue principale, la calle de la Rúa.

Retable par Juan de Juni, Iglesia de Santa María de Mediavilla

Fêtes de Castille-León

El Colacho *(dim. après la Fête-Dieu, mai-juin),* Castrillo de Murcia (Burgos). Vêtus de leurs plus beaux atours, les bébés nés au cours des 12 mois précédents sont disposés dans la rue sur des matelas. Sous le regard anxieux des parents, *El Colacho*, personnage portant un costume aux couleurs éclatantes, saute au-dessus d'eux pour les guérir de leurs maladies, notamment des hernies. Il symbolise le diable fuyant à la vue de l'eucharistie. Les origines du rituel remonteraient à 1621.

***El Colacho* bondissant au-dessus de bébés à Castrillo de Murcia**

Sainte-Agathe *(dim. le plus proche du 5 fév.),* Zamarramala (Ségovie). Élues maires pour la fête de la patronne des femmes mariées, deux femmes dirigent le village une journée et brûlent en grande pompe un mannequin représentant un homme.

Vendredi saint, Valladolid. L'une des plus spectaculaires processions d'Espagne traverse la ville en portant 28 magnifiques sculptures inspirées de la Passion *(pasos).*

Marche sur des braises ardentes *(23 juin)*, San Pedro Manrique (Soria). Des hommes se risquent pieds nus sur des braises ardentes.

Arrière-chœur sculpté de la cathédrale de Palencia

Palencia ㉓

Palencia. 80 000. Calle Mayor 105, 979 74 00 68. mar., mer. et jeu. Virgen de la Calle (2 fév.). www.jcyl.es

Résidence royale au Moyen Âge, Palencia, où Alphonse VIII fonda en 1208 la première université espagnole, perdit son importance après sa participation à la révolte des cités castillanes en 1520 *(p. 54)*. Malgré le développement qu'a connu la cité récemment, le centre-ville, près du vieux pont de pierre franchissant le río Carrión, a gardé une atmosphère évoquant presque un village.

Surnommée *La Bella Desconocida* (la Belle Méconnue), la **cathédrale** en constitue le principal monument. Élégant édifice gothico-Renaissance (XIVe-XVIe siècle), elle abrite de très nombreuses œuvres d'art.

Un majestueux retable sculpté par Felipe de Bigarny et orné de panneaux peints par Juan de Flandes domine le maître-autel. Derrière s'ouvre la chapelle du Saint-Sacrement où se trouvent un retable exécuté en 1529 par Valmaseda et, en hauteur à gauche, le tombeau de Doña Urraca de Navarre morte en 1189. Sculpté de reliefs attribués à Gil de Siloé et Simon de Cologne, l'arrière-chœur *(trascoro)* renferme entre autres un retable (1505) par Jan Joest Van Haarlem. Un escalier descend dans une crypte d'origine wisigothique.

Aux environs

À 12 km au sud, à Baños de Cerrato, la petite Iglesia de San Juan Bautista élevée en 661 serait la plus vieille église intacte d'Espagne. À l'intérieur, des arcs en fer à cheval reposent sur des chapiteaux romains et wisigothiques.

Frómista ㉔

Palencia. 1 000. Paseo Central, 979 81 01 80 (l'été) ; 979 81 07 63 (l'hiver). ven. Patrón de Frómista (une semaine après Pâques). www.fromista.com

Ancienne étape sur le chemin de Compostelle *(p. 78-79)*, Frómista possède avec l'**Iglesia de San Martín** l'une des églises romanes d'Espagne au style le plus pur. Achevée en 1066, elle a retrouvé après une restauration en 1904 sa sobriété originelle qu'animent les sculptures des modillons, sous les corniches, et des chapiteaux.

Aux environs

À 20 km au nord-ouest, **Carrión de los Condes** se trouve aussi sur le chemin de Compostelle. Sur une frise du portail roman de l'Iglesia de Santiago figurent des artisans tels que potier, coiffeur ou savetier. Des têtes de taureaux ornent la façade de l'Iglesia de Santa María del Carmino (XIIe siècle). Le Convento de San Zoilo, au cloître gothique, propose un hébergement simple.

À 20 km au nord-ouest, près de Saldaña, à **Gañinas**, a été

Dans l'Iglesia de San Juan Bautista, Baños de Cerrato

Posada du Monasterio de Santa María la Real, Aguilar de Campoo

mise au jour la villa romaine de **La Olmeda** décorée de magnifiques mosaïques. Le musée archéologique installé à Saldaña dans l'Iglesia de San Pedro présente des objets découverts lors des fouilles.

Villa Romana La Olmeda
Pedrosa de la Vega. *du mar. au dim.* *du 23 déc. au 31 jan.* *comprend l'accès au musée archéologique.*

Aguilar de Campoo ㉕

Palencia. *7 700.* *Plaza España 32, 979 12 36 41.* *mar.* *San Pedro (29 juin) ; Romería dela Virgen del Llano (9 sept.).*
www.turwl.com/aguilar

Entre les plaines arides de l'Espagne centrale et les contreforts boisés des monts Cantabriques, Aguilar de Campoo a conservé de beaux monuments anciens, notamment la **Colegiata de San Miguel** qui ferme sa grand-place entourée de portiques. Elle abrite le tombeau des marquis d'Aguilar orné d'orants du XVIe siècle.

Intéressants également : l'**Ermita de Santa Cecilia**, près du château, et le **Monasterio de Santa María la Real** situé à l'entrée de la ville. De style romano-gothique, il comprend une petite *posada (p. 555)*, lieu idéal où passer une nuit.

Aux environs
À 6 km au sud, **Olleros de Pisuerga** possède une église creusée dans le rocher. Le parador de **Cervera de Pisuerga**, à 25 km au nord-ouest, offre une vue spectaculaire et la possibilité de découvrir, dans une région montagneuse ponctuée de nombreux lacs, la **Reserva Nacional de Fuentes Carrionas**.

Briviesca ㉖

Burgos. *6 200.* *Calle Santa Maria Encimera 1, 947 59 39 39.* *sam.* *Feria de San José (19 mars), Santa Casilda (9 mai).*

C'est dans cette petite ville ceinte de remparts, au nord-est de la province de Burgos, que Jean Ier d'Aragon institua en 1388 le titre de prince des Asturies revenant à l'héritier du trône. Elle recèle une grand-place entourée d'arcades et plusieurs demeures seigneuriales. L'église du **Convento de Santa Clara** abrite un retable en noyer sculpté du XVIe siècle. Hors des murs, le Santuario de Santa Casilda présente une collection d'objets votifs.

Aux environs
À **Oña**, à 25 km au nord de Briviesca, se visite l'ancien monastère bénédictin de San Salvador fondé en 1011. 20 km plus au nord, le village de **Frías**, aux ruelles bordées de jolies maisons anciennes, domine avec son château une vallée fertile. Sur l'Èbre, un pont médiéval a conservé sa tour centrale.

L'ancien château de la famille Velasco de **Medina de Pomar**, à 30 km au nord d'Oña, date du XVe siècle. Il renferme les ruines d'un palais où subsistent des stucs mudéjars et des inscriptions arabes.

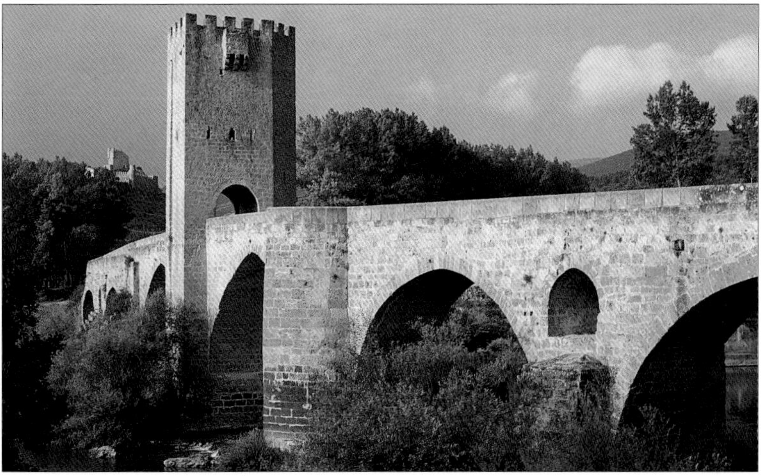

Pont médiéval fortifié franchissant l'Èbre à Frías

Détail du triptyque flamand de la collégiale de Covarrubias

Covarrubias 27

Burgos. 650. Calle Monseñor Vargas, 947 40 64 61 (de mars à nov.). mar. San Cosme et San Damián (26 et 27 sept.).

Les grottes rougeâtres qui l'entourent ont donné son nom à ce charmant village bordant le río Arlanza. Ses remparts médiévaux protègent toujours le centre-ville aux belles maisons à portiques reposant sur des colonnes de pierre. Renommée pour la qualité de ses orgues, la **collégiale** gothique abrite plusieurs tombeaux médiévaux, dont celui de Fernán Gonzáles, premier comte indépendant de Castille qui, en unifiant plusieurs fiefs au Xe siècle pour lutter contre les Maures, joua un grand rôle dans la Reconquête. Le musée installé dans la sacristie possède un triptyque flamand dont Gil de Siloé aurait sculpté le panneau central.

Aux environs
À une courte distance en suivant vers l'est le río Arlanza on découvre les ruines romanes du monastère de **San Pedro de Arlanza** (XIe siècle). À 24 km au nord de Covarrubias, l'ermitage de **Quintanilla de las Viñas** occupe le chevet d'une église wisigothique du VIIe siècle. Les reliefs des chapiteaux des colonnes de l'arc triomphal, représentations symboliques du soleil et de la lune, pourraient témoigner d'une influence orientale.

Burgos 28

Burgos. 162 000. Plaza de Alonso Martínez 7, 947 20 31 25. mer., sam. et dim. San Lesmes (30 jan.), San Pedro et San Pablo (30 juin). www.patroturisbur.es

Fondée en 884 au bord du río Arlanzón, Burgos devint en 1037 la capitale du royaume de Castille et du León, fonction qu'elle perdit au profit de Valladolid après la chute de Grenade en 1492 *(p. 52-53)*. Comme beaucoup d'autres cités castillanes, elle connut au XVe et au XVIe siècles, grâce au commerce textile, une prospérité qui finança la création de nombreux monuments et œuvres d'art. En 1936, Franco *(p. 62-63)* y installa son quartier général.

Sa position stratégique sur l'autoroute entre Biarritz et Madrid et sur le chemin de Compostelle vaut à Burgos de recevoir de nombreux visiteurs, mais elle justifierait de toute manière un long détour, et ce malgré la rigueur de son climat continental.

Le principal pont permettant d'entrer dans la ville est le Puente de San Pablo où une statue rend honneur au Cid, né à quelques kilomètres de Burgos. Non loin se dresse la **Casa del Cordón**, palais du XVe siècle occupé par une banque. Il doit son nom au cordon franciscain sculpté au-dessus du portail. Les Rois Catholiques y reçurent Christophe Colomb au retour de son deuxième voyage aux Amériques.

Vous pouvez également emprunter le Puente de Santa María qui rejoint la vieille ville par l'**Arco de Santa María**, ancienne porte fortifiée ornée de statues des héros locaux. Quelques pas plus loin, la **cathédrale** *(p. 354-355)* élève ses flèches aériennes. Sa façade borde la plaza Santa María que domine l'**Iglesia de San Nicolás** au maître-autel décoré d'un magnifique retable sculpté en 1505 par Simon de Cologne. Parmi les autres églises dignes d'intérêt figurent l'**Iglesia de San Lorenzo** au somptueux plafond baroque et l'**Iglesia de San Esteban** où se visite un musée d'art sacré.

C'est dans l'**Iglesia de Santa Águeda** que le Cid demanda au roi Alphonse VI de jurer qu'il n'avait joué aucun rôle dans le meurtre de son frère aîné Sanche II *(p. 338)*.

De l'autre côté de la rivière, un palais Renaissance, la Casa

L'Arco de Santa María orné de statues à Burgos

Le Cid Campeador (1043-1099)

Fils d'une famille noble, né en 1043 à Vivar (devenu del Cid), au nord de Burgos, Rodrigo Díaz de Vivar entra au service de Ferdinand Ier, mais fut banni de Castille par Alphonse VI dont il avait mis en doute l'innocence dans le meurtre de Sanche II. Il combattit alors pour les Maures, ce qui lui valut son surnom issu du mot arabe *sidi* (seigneur), avant de changer à nouveau de camp et de s'emparer en 1094, au nom des chrétiens, de la ville de Valence qu'il gouverna jusqu'à sa mort. Écrit en 1180, un premier poème épique, *El Cantar del Mío Cid*, établit sa légende. Elle en fait le champion *(campeador)* de la Reconquête. Le Cid et sa femme, Chimène, reposent dans la cathédrale de Burgos.

Statue du Cid à Vivar del Cid

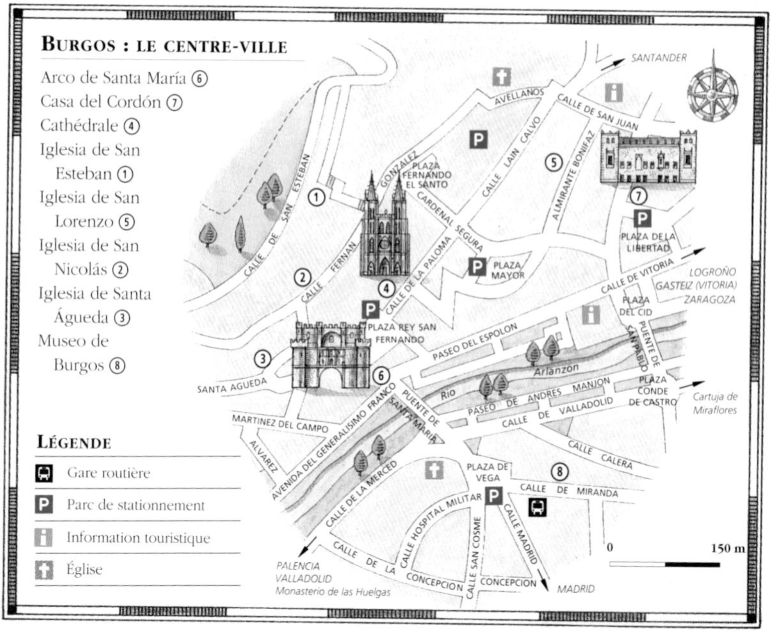

de Miranda, abrite la section archéologique du **Museo de Burgos** qui expose notamment des pièces découvertes lors des fouilles de la cité romaine de Clunia. La section des Beaux-Arts occupe la Casa de Angulo voisine. Ses collections comprennent en particulier le tombeau de Juan de Padilla par Gil de Siloé.

La visite de Burgos ne saurait être complète sans découvrir deux monastères situés à la périphérie. À l'ouest se trouve le **Real Monasterio de Huelgas**, couvent cistercien fondé à la fin du XIIe siècle par Alphonse VIII pour accueillir des religieuses de haute noblesse. Le Museo de Ricas Telas y présente des parures royales provenant des nombreuses sépultures de l'église. À remarquer également : un cloître roman du XIIe siècle et le cloître San Fernando gothique où subsistent des fragments de décor mudéjar. La Capilla de Santiago renferme une curieuse statue de saint Jacques aux bras articulés qui, selon la tradition, servait à armer chevalier les princes de sang royal.

Tombeau de Juan de Padilla par Gil de Siloé, Casa de Angulo

À l'est de Burgos, la **Cartuja de Miraflores**, chartreuse fondée vers 1440, abrite deux tombeaux remarquables sculptés par le Flamand Gil de Siloé. Le mausolée en forme d'étoile, devant le maître-autel, est celui de Jean II et d'Isabelle du Portugal, les parents d'Isabelle la Catholique. Celui de son frère, l'infant Don Alfonso, montre dans un enfeu à gauche le garçon en prière. Gil de Siloé exécuta aussi le spectaculaire retable en bois polychrome. On prétend que le premier arrivage d'or en provenance du Nouveau Monde servit à ses dorures.

Détail du retable par Gil de Siloé de la Cartuja de Miraflores

Museo de Burgos
Calle Calera 25. 947 26 58 75. du mar. au dim. gratuit sam. et dim.

Real Monasterio de Huelgas
Calle de las Huelgas. 947 20 16 30. du mar. au dim.

Cartuja de Miraflores
Ctra de San Pedro Cardeña. t.l.j.

Aux environs

À 10 km au sud-est de Burgos se trouve le **Monasterio de San Pedro de Cardeña** où le Cid mit en sécurité sa femme, Chimène, et ses filles, après son bannissement de Castille par le roi Alphonse VI.

Cathédrale de Burgos

Christ à la colonne par Diego de Siloé

Fondée en 1221 par l'évêque Mauricio sous le règne de Ferdinand III, la cathédrale de Burgos, la troisième d'Espagne par la taille, mesure 84 m de long et 59 m de large à la croisée du transept. Sa construction, sur un terrain en pente dont les architectes tirèrent parti par des escaliers intérieurs et extérieurs, se fit en plusieurs étapes et dura trois siècles au cours desquels certains des plus grands artistes d'Europe participèrent aux travaux. Leurs influences, française, allemande et flamande, se marièrent avec la tradition décorative espagnole pour créer un remarquable édifice gothique.

Façade ouest
Les hautes flèches ciselées dominent une balustrade où figurent les premiers rois de Castille.

★ L'Escalera Dorada
Cet élégant escalier Renaissance (1523) par Diego de Siloé relie la nef à une grande porte (fermée) qui donne sur la rue.

À NE PAS MANQUER

- ★ L'Escalera Dorada
- ★ La Capilla del Condestable
- ★ La croisée du transept

Capilla de Santa Ana
Gil de Siloé sculpta en 1490 ce retable dont le panneau central représente la rencontre de sainte Anne et de son mari Joachim.

La Capilla de la Presentación (1519-1524) est une chapelle funéraire à la voûte en étoile.

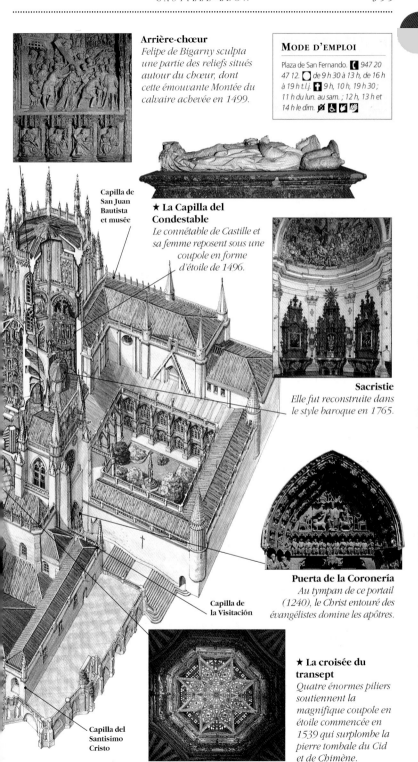

Arrière-chœur
Felipe de Bigarny sculpta une partie des reliefs situés autour du chœur, dont cette émouvante Montée du calvaire achevée en 1499.

MODE D'EMPLOI

Plaza de San Fernando. ☎ *947 20 47 12.* ◯ *de 9 h 30 à 13 h, de 16 h à 19 h t.l.j.* ✝ *9 h, 10 h, 19 h 30 ; 11 h du lun. au sam. ; 12 h, 13 h et 14 h le dim.*

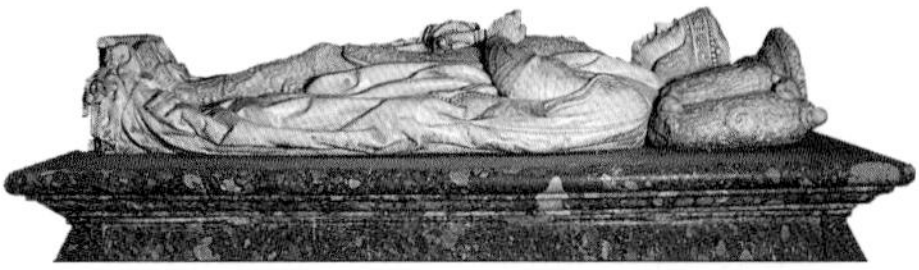

★ La Capilla del Condestable
Le connétable de Castille et sa femme reposent sous une coupole en forme d'étoile de 1496.

Sacristie
Elle fut reconstruite dans le style baroque en 1765.

Puerta de la Coronería
Au tympan de ce portail (1240), le Christ entouré des évangélistes domine les apôtres.

★ La croisée du transept
Quatre énormes piliers soutiennent la magnifique coupole en étoile commencée en 1539 qui surplombe la pierre tombale du Cid et de Chimène.

Lerma 29

Burgos. 2 500. Calle Audiencia 6, 947 17 70 02. mer. Nuestra Señora de la Ascensión (7 et 8 sept.). www.cliente.csa.es

Ce village doit son aspect grandiose au duc de Lerma *(p. 56)*, favori de Philippe III dont il fut le Premier ministre corrompu de 1598 à 1618, puisant sans retenue dans les richesses de l'Espagne pour embellir sa ville d'édifices classiques tels que son ancienne demeure, l'austère **Palacio Ducal**. Construit en 1605, il domine la Plaza Mayor qui s'atteint, depuis la porte romane des remparts, par des rues pentues bordées de maisons anciennes.

De belles vues du río Arlanza se découvrent de l'arcade proche du **Convento de Santa Clara** et de la **Colegiata de San Pedro** qui abrite une statue en bronze, par Juan de Arfe, de Cristobal de Sandoval, oncle du duc de Lerma et archevêque de Séville.

Ruelle pentue de la vieille ville de Lerma

Chapiteaux sculptés, Monasterio de Santo Domingo de Silos

Monasterio de Santo Domingo de Silos 30

Santo Domingo de Silos (Burgos). *947 39 00 68. depuis Burgos. du mar. au sam. 9 h du lun. au ven., 12 h le sam. et le dim.*

Un moine de Cogolla, saint Dominique (à ne pas confondre avec le fondateur de l'ordre des dominicains, né en 1170), donna son nom à ce monastère qu'il reconstruisit en 1042 sur les ruines d'une abbaye wisigothique détruite par les Maures. Abandonnés en 1835, les bâtiments abritent depuis 1880 une communauté bénédictine dont les chants grégoriens ont acquis une réputation mondiale.

Ventura Rodríguez dessina l'église néo-classique. Le cloître roman présente à l'étage inférieur des chapiteaux et des piliers d'angle ornés de reliefs remarquables : motifs végétaux, animaux fantastiques et scènes bibliques. Les plafonds ont conservé des ornements mudéjars. Dans la galerie nord, le sarcophage de saint Dominique repose sur trois lions romans. Dans la pharmacie, collection de pots en faïence de Talavera *(p. 368)*.

Aux environs

À 3 km au sud-ouest s'ouvre la **Garganta de la Yecla**, gorge très étroite où s'enfonce un sentier. Au nord-est, la réserve naturelle de la **sierra de la Demanda** s'étend jusqu'en Rioja.

Château gothique (XVe siècle) de Peñaranda de Duero

Peñaranda de Duero 31

Burgos. 660. Calle Real 1, 947 55 20 68 (de juin à sept. : 947 55 20 34). ven. Santiago (25 juil.), Virgen de la Asunción (15 août).

Construit pendant la Reconquête par les Castillans qui avaient repoussé les Maures au sud du Duero, le château gothique de Peñaranda offre une vue plongeante sur l'un des plus charmants villages de Castille, serré autour d'une immense église. Des maisons à colombage et piliers en pierre entourent sa grand-place que domine le superbe **Palacio de Avellaneda** de style Renaissance. Des décors mudéjars et plateresques ornent les plafonds des galeries

PLAIN-CHANT GRÉGORIEN

Plusieurs fois par jour, les moines de Santo Domingo de Silos célèbrent les offices en plain-chant. Cette musique vocale, interprétation de textes latins en chœur et *a capella*, date des origines du christianisme et fut codifiée par saint Ambroise au IVe siècle, puis par le pape Grégoire Ier le Grand (590-604). Elle a récemment conquis un nouveau public et, en 1994, un enregistrement des moines de Santo Domingo devint à la surprise générale un « tube » mondial.

Manuscrit de plain-chant du XIe siècle

◁ **Peñaranda de Duero et son église vues depuis le château**

Courtines et tours du château de Berlanga de Duero

de son patio. Dans la calle de la Botica, une pharmacie du XVIIe siècle renferme des pots en céramique blanche et bleue.

Aux environs

Aranda de Duero, à 20 km à l'ouest, recèle une église de style isabélin *(p. 20)*, l'**Iglesia de Santa María**. Simon de Cologne dessina sa façade sud plateresque.

Palacio de Avellaneda
Plaza Condes de Miranda 1. 947 55 20 13. du mar. au dim.

El Burgo de Osma 32

Soria. 5 000. Plaza Mayor 9, 975 36 01 07. sam. Virgen del Espino et San Roque (du 14 au 19 août).

Sa **cathédrale** constitue le principal intérêt de ce joli bourg aux rues et à la grand-place bordées de portiques. Reconstruite dans le style gothique à partir de 1232, elle reçut des additions Renaissance et possède un haut clocher baroque (1739). À l'intérieur s'admirent des grilles par Juan Francés, le retable du maître-autel par Juan de Juni, une chaire de marbre blanc et le tombeau de San Pedro de Osma (XIIIe siècle). Le musée présente une intéressante collection de manuscrits anciens. Des cigognes nichent sur l'Hospital de San Agustín baroque.

Aux environs

À 15 km au sud, un château arabe possédant plus de 20 tours domine le río Duero à **Gormaz**. D'autres forteresses médiévales se dressent à **Berlanga de Duero**, à 12 km plus au sud-est et à **Calatañazor**, à 25 km au nord-est d'El Burgo de Osma.

Soria 33

Soria. 34 000. Plaza Ramón y Cajal, 975 21 20 52. jeu. San Juan (fin juin). www.jcyl.es

La plus petite des capitales provinciales de la Castille-León s'étend au bord du río Duero. Son parador moderne *(p. 557)* porte le nom du poète Antonio Machado (1875-1939, *p. 37*) que séduisirent la ville et les plaines qui l'entourent.

Parmi ses édifices historiques figurent l'**Iglesia de Santo Domingo** romane et deux édifices du XVIe siècle : l'imposant **Palacio de los Condes de Gómara** et l'élégante **Catedral de San Pedro**.

En face du jardin municipal, le **Museo Numantino** présente des objets découverts sur les sites antiques de Numantia et Tiermes *(p. 347)*. Sur l'autre rive du Duero se trouvent les ruines du monastère de **San Juan de Duero** et de son cloître aux arcs entrelacés.

Aux environs

Au nord de Soria, les vestiges de **Numantia** (Numance) n'offrent qu'une pâle évocation du destin tragique de cette cité celtibère *(p. 46)*. Au nord-ouest, les collines boisées de pins de la sierra de Urbión recèlent la **laguna Negra**, petit lac glaciaire.

Museo Numantino
Paseo de Espolón. 975 22 14 28. du mar. au dim. gratuit sam. mat. et dim.

Medinaceli 34

Soria. 750. Campo de San Nicolás, 689 73 41 76. Julián de San Agustín (28 août), Cuerpos Santos (13 nov.).

Il ne subsiste qu'un arc de triomphe de l'Ocilis romaine qui dominait le río Jalón. Élevé au IIe ou au IIIe siècle, il est le seul d'Espagne à posséder trois arches et il est devenu le symbole indiquant un monument antique sur les panneaux routiers.

Aux environs

Tout de suite à l'est se dressent les falaises rouges des gorges du Jalón. Situé sur la route Madrid-Burgos, le magnifique **Monasterio de Santa María de Huerta** fut fondé en 1179 par des cisterciens.

Monasterio de Santa María de Huerta
975 32 70 02. t.l.j.

Arcs entrelacés du cloître du monastère de San Juan de Duero

CASTILLE-LA MANCHE

GUADALAJARA · CUENCA · TOLÈDE · ALBACETE · CIUDAD REAL

Les aventures de Don Quichotte ont immortalisé les vastes étendues ocre de la Manche où moulins à vent et châteaux médiévaux se dessinent sur un ciel aveuglant, image de l'Espagne devenue classique. Cette région peu visitée recèle également de beaux massifs montagneux creusés de gorges spectaculaires et deux villes riches en monuments : Tolède et Cuenca.

La Castille ne porte pas son nom pour rien et, où que vous vous y trouviez, un château se dresse non loin. Nombre de ces forteresses datent du IXe au XIIe siècle, époque où Maures et chrétiens se disputaient la région. D'autres marquent la frontière qui séparait aux XIVe et XVe siècles les royaumes de Castille et d'Aragon. Ceux de Sigüenza, Belmonte, Alarcón, Molina de Aragón et Calatrava la Nueva font partie des plus imposants. Ancienne capitale de l'Espagne wisigothique, Tolède est un véritable musée. Son riche patrimoine artistique et architectural doit beaucoup à la fusion qui s'effectua au Moyen Âge entre cultures chrétienne, musulmane et juive.

Pleine d'intérêt également, la vieille ville de Cuenca occupe un site extraordinaire sur une arête rocheuse au confluent de deux gorges. Villanueva de los Infantes, Chinchilla, Alcaraz et Almagro ont conservé d'intéressants édifices bâtis entre le XVIe et le XVIIIe siècle. Ocaña et Tembleque possèdent de splendides grands-places.

Deux parcs nationaux, celui des Tablas de Daimiel et, dans les Montes de Tolédo, le Parque Nacional de Cabañeros, offrent des paysages d'une grande beauté. Il en va de même des collines et des montagnes bordant les plaines : coteaux plantés d'oliviers de l'Alcarria, massif calcaire de Cuenca et sierra d'Alcaraz. Autour de Consuegra et d'Albacete, les champs virent au mauve en automne quand fleurissent les crocus qui produisent le précieux safran.

Moulins à vent au-dessus de Campo de Criptana dans les plaines de la Manche

◁ **Maisons anciennes de Cuenca, ville perchée entre deux gorges**

À la découverte de la Castille-La Manche

Tolède est la principale destination touristique de la région, mais des villes moins fréquentées telles que Guadalajara, Almagro, Oropesa et Alcaraz ont elles aussi gardé un cachet historique. Les châteaux de Sigüenza, Calatrava, Belmonte et Alarcón rappellent le passé mouvementé de la Castille. Dans les plaines de la Manche, des localités comme El Toboso et Campo de Criptana évoquent les aventures de Don Quichotte *(p. 377)*. Des routes pittoresques traversent les hauteurs boisées de la serranía de Cuenca, de l'Alcarria et de la sierra de Alcaraz. Les marais des Tablas de Daimiel offrent un refuge à de nombreux oiseaux.

Le village d'Alcalá del Júcar

La Castille-La Manche d'un coup d'œil

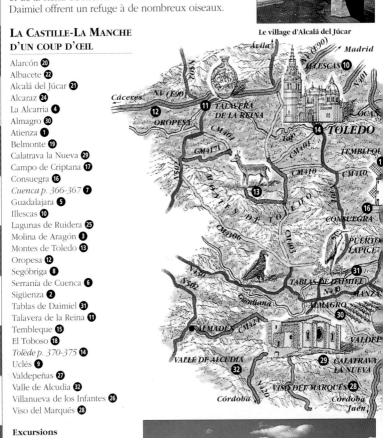

Alarcón 20
Albacete 22
Alcalá del Júcar 21
Alcaraz 24
La Alcarria 4
Almagro 30
Atienza 1
Belmonte 19
Calatrava la Nueva 29
Campo de Criptana 17
Consuegra 16
Cuenca p. 366-367 7
Guadalajara 5
Illescas 10
Lagunas de Ruidera 25
Molina de Aragón 3
Montes de Toledo 13
Oropesa 12
Segóbriga 8
Serranía de Cuenca 6
Sigüenza 2
Tablas de Daimiel 31
Talavera de la Reina 11
Tembleque 15
El Toboso 18
Tolède p. 370-375 14
Uclés 9
Valdepeñas 27
Valle de Alcudia 32
Villanueva de los Infantes 26
Viso del Marqués 28

Excursions
Sierra de Alcaraz 23

Voir aussi

- ***Hébergement*** p. 558-560
- ***Restaurants et bars*** p. 597-598

Troupeau paissant dans les plaines de la Manche

CIRCULER

Des routes à double voie rayonnent en Castille-La Manche depuis Madrid : la N 401 vers Tolède ; la N II (E90) vers Sigüenza ; la N III (E901) vers Albacete ; la N IV (E5) vers Valdepeñas et la N V (E5) vers Talavera de la Reina et Oropesa. Le train à grande vitesse AVE reliant Madrid à Séville s'arrête à Ciudad Real. Les autres transports publics sont rares et lents. Les lignes intérieures desservent les aéroports de Tolède et d'Albacete.

LÉGENDE

- Autoroute
- Route principale
- Route secondaire
- Parcours pittoresque
- Cours d'eau
- Point de vue

Les paisibles montes de Toledo

Atienza ❶

Guadalajara. 500. Plaza de España 11, 949 39 90 01. ven. La Caballada (mai-juin).

Perché sur une colline couronnée par son château (XIIe siècle) en ruine, ce village a gardé un aspect évoquant le Moyen Âge. Une ancienne porte relie la Plaza Mayor et la plaza del Trigo bordées de portiques. Un musée d'art sacré, le **Museo de San Gil**, se visite dans l'église du même nom. Au pied de la colline, l'**Iglesia de Santa María del Rey** abrite un retable baroque.

Aux environs
À l'ouest, **Campisábalos** possède une superbe église romane, et la réserve naturelle du **Hayedo de Tejera Negra** est boisée de hêtres.

Museo de San Gil
Calle General Franco. 949 39 90 14. de sept. à juin : sam. et dim. ; juil. et août : t.l.j.

Sigüenza ❷

Guadalajara. 5 000. Ermita del Humilladero 1, 949 34 70 07. sam. San Juan (24 juin), San Roque (15 août).

Un parador *(p. 559)* occupe désormais l'imposant château qui domine cette petite ville étagée à flanc de colline. Sa **cathédrale** romane reçut, entre autres ajouts, un cloître gothico-plateresque. Une chapelle du transept abrite le tombeau de Martín Vázquez de Arce, El Doncel, page d'Isabelle la Catholique *(p. 52)* tombé en 1486 en combattant les Maures. La sacristie possède un plafond sculpté de rosaces et de têtes d'angelots par Alonso de Covarrubias.

Tombeau d'El Doncel dans la cathédrale de Sigüenza

Molina de Aragón ❸

Guadalajara. 3 500. C/Carmen 1, 949 83 20 98 (l'été) ; Plaza de España 1, 949 83 00 01 (l'hiver). jeu. Día del Carmen (16 juil.), Ferias (du 30 août au 5 sept.).

Le quartier médiéval de cette bourgade reprise aux Maures en 1129 par Alphonse Ier d'Aragon s'étend au bord du río Gallo au pied d'une colline couronnée par un château du XIe siècle qui a conservé six tours majestueuses. De nombreux monuments ont souffert pendant la guerre d'indépendance *(p. 59)*, mais l'**Iglesia de Santa Clara** romane a récemment été restaurée.

Aux environs
À l'ouest de Molina, la chapelle de la **Virgen de la Hoz** se niche dans une gorge couleur rouille. Au sud-ouest s'étend le **Parque Natural del Alto Tajo**.

Remparts arabes au-dessus de la vieille ville de Molina de Aragón

Oliveraies de l'Alcarria dans la province de Guadalajara

La Alcarria ❹

Guadalajara. Guadalajara. Pastrana, 949 37 06 72 (fermé sam. en hiver).

À l'est de Guadalajara, cette région vallonnée où s'étendent champs et oliveraies évoque toujours le célèbre *Voyage en Alcarria* écrit par Camilo José Cela *(p. 31)*. Lorsqu'on parcourt ces collines ponctuées de petits villages, rien ne semble avoir changé depuis son récit des difficultés de la vie rurale espagnole écrit en 1948.

Vers le centre de l'Alcarria, trois immenses lacs artificiels forment la **Mar de Castilla**. Le plus ancien date de 1946 et des résidences de vacances ont poussé près des rives et à la périphérie des villages.

La jolie ville de **Pastrana** s'est développée autour d'une demeure seigneuriale, le **Palacio Mendoza**, et avait au XVIIe siècle plus d'importance que Guadalajara, située à 40 km au nord-ouest. Sanctuaire gothique remanié dans le style Renaissance, l'**Iglesia de la Asunción** abrite un retable peint par Jean de Bourgogne, une peinture attribuée à El Greco et quatre tapisseries flamandes du XVe siècle.

Brihuega, à 30 km au nord-est de Guadalajara, possède un agréable centre ancien.

Guadalajara ❺

Guadalajara. 70 000. Plaza de los Caidos 6, 949 21 16 26. mar., sam. Virgen de la Antigua (sept.). www.jccm.es

Le riche passé de Guadalajara marque peu la ville moderne, mais elle conserve un magnifique exemple d'architecture gothico-mudéjare : le **Palacio de los Duques del Infantado** construit entre le XIVe et le XVIIe siècle pour la puissante dynastie des Mendoza. De délicates sculptures ornent la façade, œuvre de Juan Güas, et le patio à deux étages de galeries. Endommagé pendant la guerre civile, le palais, restauré, abrite aujourd'hui le Museo Provincial.

L'**Iglesia de Santiago** renferme une chapelle gothico-plateresque réalisée par Alonso de Covarrubias, l'**Iglesia de San Francisco** (XVe siècle) le mausolée de la famille Mendoza. La cathédrale occupe l'ancien emplacement d'une mosquée.

Détail de la façade du Palacio de los Duques del Infantado

Rochers sculptés par l'érosion de la Ciudad Encantada

Aux environs

Le Monasterio de San Bartolomé de **Lupiana**, à 11 km à l'est de Guadalajara, fut fondé au XIVe siècle.

Palacio de los Duques del Infantado

Avenida del Infantado del Ejército. 949 21 33 01. mar. - dim.

Serranía de Cuenca ❻

Cuenca. Cuenca. Cuenca, 969 23 21 19. www.cuenca.org

Au nord et à l'est de Cuenca s'étend la *serranía*, terre montagneuse couverte de forêts et de pâturages et creusée de profondes gorges. La **Ciudad Encantada** (Cité enchantée), où l'érosion a sculpté dans le calcaire des formes étranges, est l'un de ses deux sites les plus appréciés. L'autre est le **Nacimiento del Río Cuervo**, source du Cuervo jaillissant en cascade.

Le principal cours d'eau de la région, le Júcar, a creusé près de Villalba de la Sierra des gorges offrant un spectacle particulièrement impressionnant depuis le point de vue de la **Ventana del Diablo**. Au nord, entre Beteta et Priego (réputé pour son artisanat), c'est le río Guadelia qui a taillé dans le rocher un profond défilé : le **Hoz de Beteta**. Le couvent de **San Miguel de las Victorias** en offre un beau panorama. Une petite route conduit à **Solán de Cabras**, station thermale royale au XVIIIe siècle.

Moins peuplée, la moitié sud de la *serranía* renferme néanmoins un joli bourg fortifié : **Cañete**. Son église abrite des peintures du XVIe siècle. Au sud-est, les ruines du village abandonné de **Moya** se dressent, fantomatiques, au sommet d'une crête.

Cuenca pas à pas ❼

La pittoresque vieille ville de Cuenca s'étire sur une étroite arête rocheuse qu'enserrent les gorges abruptes du Júcar et du Huécar. Autour du lacis de ruelles sinueuses hérité des Maures, la cité gothique et Renaissance, enrichie par le commerce lainier, s'est parée de monuments. Le plus important, la cathédrale, est un des édifices gothiques les plus originaux d'Espagne. Un excellent musée d'Art abstrait occupe une des spectaculaires « maisons suspendues » construites au XIVe siècle en encorbellement au-dessus du ravin du Huécar.

Près de la plaza de la Merced, le musée de la Science occupe un bâtiment moderne.

Museo de las Ciencias

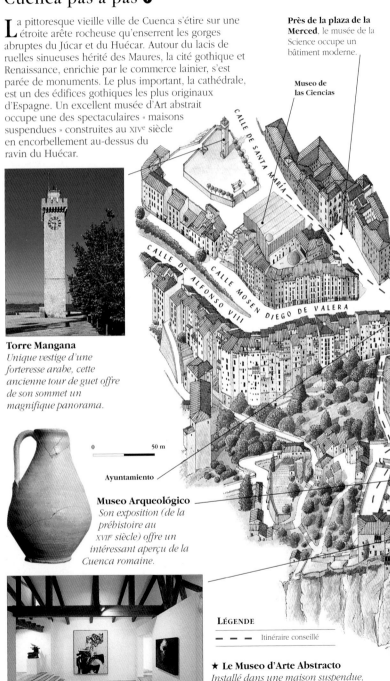

Torre Mangana
Unique vestige d'une forteresse arabe, cette ancienne tour de guet offre de son sommet un magnifique panorama.

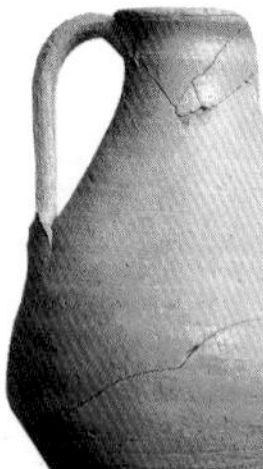

0 50 m

Ayuntamiento

Museo Arqueológico
Son exposition (de la préhistoire au XVIIe siècle) offre un intéressant aperçu de la Cuenca romaine.

Légende

— — — Itinéraire conseillé

★ Le Museo d'Arte Abstracto
Installé dans une maison suspendue, le musée d'Art abstrait espagnol présente les œuvres d'artistes tels qu'Antoni Tàpies et Eduardo Chillida.

Plaza Mayor
Reposant sur des arches au cœur de la vieille ville, l'ayuntamiento baroque ferme au sud cette place bordée de cafés.

MODE D'EMPLOI

Cuenca. 45 000. Calle Mariano Catalina, 902 24 02 02. Calle Fermín Caballero 20, 969 22 70 87. Plaza Mayor 1, 969 23 21 19. mar. **Museo Diocesano** mar.-dim. **Museo de Arte Abstracto** mar.-dim. **Museo de las Ciencias** mar.-dim. **Museo Arqueológico** mar.-dim. www.cuenca.org

L'Iglesia de San Miguel domine la gorge du Júcar. Romano-gothique, elle possède un beau plafond mudéjar.

Museo Diocesano
Parmi les trésors de la cathédrale présentés au Palacio Episcopal figure un diptyque byzantin du XIVe siècle.

★ La cathédrale
Bâtie du XIIe au XVIe siècle et marquée d'influences normandes, elle renferme de belles chapelles.

★ Les maisons suspendues
Construites au XIVe siècle, les Casas Colgadas servirent de résidence d'été à la famille royale.

À NE PAS MANQUER

- ★ Le Museo de Arte Abstracto
- ★ Les maisons suspendues
- ★ La cathédrale

Vestiges d'un édifice romain à Segóbriga

Segóbriga 8

Saelices (Cuenca). ☎ 969 13 20 64. ◯ du mar. au dim. **Musée** ● jours fériés, 24, 25 et 31 déc.

Les ruines de la petite cité romaine de Segóbriga s'étendent près du village de Saelices dans un paysage préservé malgré la proximité de l'*autovia* Madrid-Valence.

Parmi les vestiges à découvrir figurent ceux d'une nécropole, d'un amphithéâtre, d'un temple de Diane et de thermes. Les carrières qui fournirent les pierres nécessaires à leur construction sont également accessibles. Bâti au IIIe siècle apr. J.-C., le théâtre, d'une capacité de 2 000 places, accueille parfois des représentations théâtrales.

Non loin, un petit musée présente certaines des découvertes faites sur le site, mais les statues les plus intéressantes se trouvent au Museo Arqueológico de Cuenca *(p. 366)*.

Monasterio de Uclés 9

Uclés (Cuenca). ☎ 969 13 50 58. ◯ *t.l.j. de 9 h au coucher du soleil.*

Au sud de l'Alcarria, un imposant château-monastère domine le petit village d'Uclés à l'emplacement d'une forteresse médiévale qui devint en 1174 le siège de l'ordre de Saint-Jacques. Il abrite aujourd'hui un séminaire et, malgré son surnom, « El Escorial de La Mancha » *(p. 312-313)*, dû à l'aspect de son église achevée par un disciple de Herrera, il fut entrepris dans le style plateresque et a reçu des ajouts baroques. Son patio, un escalier du XVIe siècle et le plafond à caissons du réfectoire font partie des éléments les plus intéressants.

Illescas 10

Toledo. 12 200. *Plaza Mayor 1, 925 51 10 51.* *jeu.* *Fiesta de Milagro (11 mars), Fiesta Patronal (31 août).*

Près de la voie rapide Madrid-Tolède, Illescas fut une résidence d'été de la cour de Philippe II. La vieille ville a perdu de sa splendeur, mais à côté de l'Iglesia de la Asunción reconnaissable à sa tour mudéjare, l'**Hospital de la Caridad** (XVIe siècle) abrite une importante collection d'art. Elle comprend cinq tableaux majeurs par El Greco *(p. 373)*, notamment *Saint Ildefonse écrivant sous la dictée de la Vierge*, *L'Annonciation* et *Le Couronnement de la Vierge*.

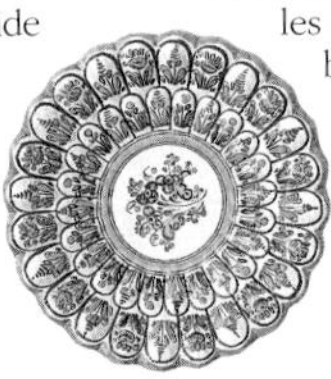

Assiette en céramique de Talavera

Hospital de la Caridad
Calle Cardenal Cisneros 2. ☎ 925 54 00 35. ◯ t.l.j.

Talavera de la Reina 11

Toledo. 80 000. *Ronda del Cañillo, 925 82 63 22.* *mer, et 1er sam. du mois.* *Virgen del Prado (24 mai), San Mateo (27 sept.).*

Sur le Tage, un pont du XVe siècle en ruine marque l'entrée du quartier ancien de cette ville de marché célèbre par sa céramique. Depuis ce pont, longer les vestiges des remparts romains et médiévaux conduit à la **collégiale**, dotée d'une belle rosace, la plus importante des quatre églises gothico-mudéjares de Talavera.

Les fabriques de céramiques se trouvent à l'ouest de la ville. Elles proposent toujours les carreaux *(azulejos)* bleus et jaunes qui ont établi la réputation de Talavera au XVIe siècle, mais se tournent de plus en plus vers la production d'objets domestiques ou décoratifs. Près du fleuve, l'**Ermita del Virgen del Prado** abrite une exposition retraçant l'évolution des azulejos jusqu'à nos jours.

Détail d'une frise en azulejos à l'Ermita del Virgen del Prado, Talavera

Broderies traditionnelles à Lagartera, près d'Oropesa

Oropesa ⑫

Toledo. 2 800. *Plaza del Navarro 9, 925 43 00 02.* *lun.* *Virgen de Peñitas (8 et 9 sept.), Beato Alonso de Orozco (19 sept.).*

Ce petit bourg agricole profita au Moyen Âge et pendant la Renaissance du rayonnement de Tolède et conserve un centre ancien plein de charme. Au sommet se dressent les tours cylindriques du **château** des ducs de Frías. Entrepris en 1366 et agrandi à partir de 1402 de bâtiments de styles gothico-mudéjar et Renaissance, il abrite un parador *(p. 559)*.

Du château part une Ruta Monumental. Suivre cet itinéraire autour de la ville permet de découvrir plusieurs églises, des couvents, un petit musée consacré à la céramique et l'hôtel de ville qui domine la place principale.

Aux environs

Plusieurs villages proches d'Oropesa offrent l'occasion d'acheter de l'artisanat. **Lagartera**, à 2 km à l'ouest, est réputée pour ses broderies, une tradition séculaire, tandis qu'**El Puente del Arzobispo**, à 12 km au sud, doit son renom à ses poteries vernissées et aux sparteries, objets en fibres végétales tissées. En continuant au sud-est, on atteint **Ciudad de Vascos**, ville arabe du Xe siècle en ruine située dans un cadre magnifique non loin du lac d'Azután.

Montes de Toledo ⑬

Toledo. *San Martín de Montalbán.* *Toledo, 925 22 08 43.*

Au sud-ouest de Tolède en direction de l'Estrémadure s'étend sur environ 1 000 km² un massif montagneux peu élevé qui culmine au corral de Cantos (1 419 m). De création récente, la belle réserve naturelle du **Parque Nacional de Cabañeros** *(p. 26-27)* y protège un vaste espace de forêts et de pâturages à moutons où subsistent des *chozos*, abris coniques traditionnels utilisés par les bergers et leurs familles.

Pueblo Nuevo del Bullaque offre l'accès le plus aisé au parc. On peut s'y inscrire à quatre promenades guidées en véhicule tout terrain, une occasion d'apercevoir sangliers, cerfs ou aigles impériaux.

Sur les contreforts orientaux des montes de Toledo, **Orgaz** possède une église paroissiale baroque décorée de peintures de Francisco Rizzi et El Greco. Les villages voisins, tels **Los Yébenes** et **Ventas con Peña Aguilera**, sont réputés pour leurs articles de cuir et les plats de gibier servis dans leurs restaurants

En plaine, la petite église **Santa María de Melque**, datant du VIIIe ou du IXe siècle, se dresse non loin du château en ruine de **Montalbán** (XIIe siècle). Plus près de Tolède, celui de **Guadamur** date du XVe siècle.

***Chozo* (hutte de berger) dans le Parque Nacional de Cabañeros**

Fêtes de Castille-La Manche

La Endiablada *(2-3 fév.)*, Almonacid del Marquesado (Cuenca). Au début de la « fête de l'Endiablée », des hommes et des garçons vêtus de costumes de « démons » aux couleurs criardes se réunissent dans la maison de leur chef, le *Diablo Mayor*. Ils accompagnent ensuite en procession les effigies de la Virgen de la Candelaria (Vierge de la chandeleur) et de saint Blaise en dansant de manière à secouer violemment les cloches accrochées dans leur dos.

« Démon » de la Endiablada à Almonacid del Marquesado

Romería del Cristo del Sahúco *(Pentecôte, mai-juin)*, Peñas de San Pedro (Albacete). Des hommes en blanc portent depuis un sanctuaire situé à 15 km un cercueil en forme de croix orné d'une image du Christ.
La Caballada *(début juin)*, Atienza (Guadalajara). Des cavaliers suivent le chemin emprunté au XIIe siècle par des muletiers d'Atienza qui auraient sauvé le jeune Alphonse VIII de Castille de son oncle Ferdinand II.
Fête-Dieu *(mai-juin)*, Tolède. La custode de la cathédrale *(p. 374)* est portée dans les rues pour l'une des plus spectaculaires processions espagnoles de la Fête-Dieu.

Tolède pas à pas ⓮

Coffret damasquiné

Occupant un site magnifique dans un méandre du Tage, Tolède recèle dans le lacis de ruelles encloses dans son enceinte fortifiée de nombreux témoignages de sa riche histoire. Ancienne colonie romaine dont la forteresse occupait l'emplacement de l'actuel Alcázar, elle devint au VIe siècle la capitale des Wisigoths qui ont laissé plusieurs églises. Creuset où se métissèrent au Moyen Âge les cultures chrétienne, juive et musulmane, la cité se para au XIIIe siècle de son plus prestigieux monument : la cathédrale. En 1577, le peintre El Greco s'installa à Tolède où subsistent maintes de ses œuvres.

L'Iglesia de San Román d'origine wisigothique abrite un musée évoquant la Tolède des Wisigoths.

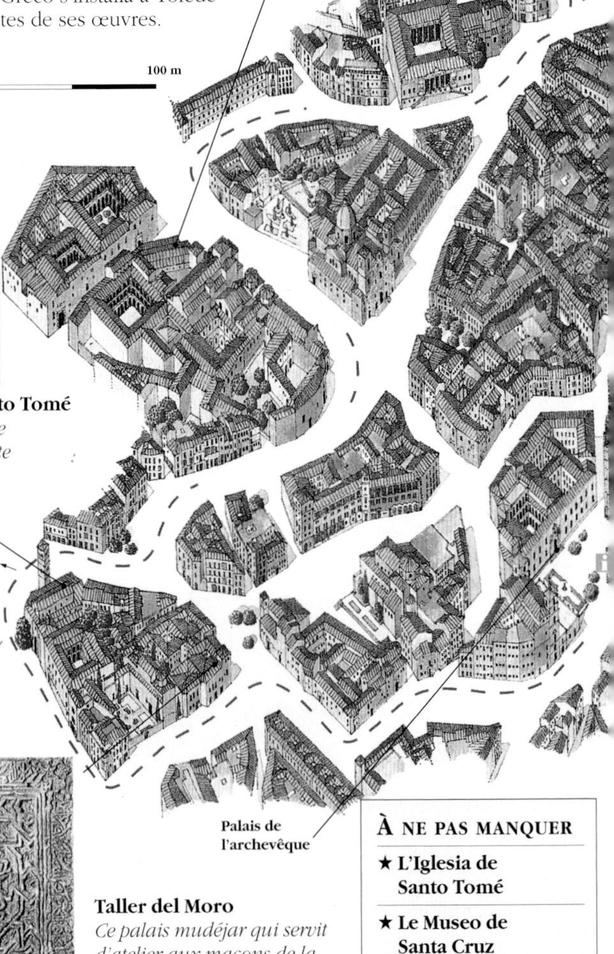

★ L'Iglesia de Santo Tomé
Cette église à la belle tour mudéjare abrite L'Enterrement du comte d'Orgaz *par El Greco* (p. 28).

Taller del Moro
Ce palais mudéjar qui servit d'atelier aux maçons de la cathédrale abrite un musée de céramique mudéjare.

À NE PAS MANQUER

- ★ L'Iglesia de Santo Tomé
- ★ Le Museo de Santa Cruz
- ★ La cathédrale

La Puerta del l a un double rc mudéjar et deux tours.

Ermita del Cristo de la Luz
Cette petite mosquée bâtie en 980 est le seul édifice musulman à avoir subsisté.

Mode d'emploi

Toledo. 67 000. Paseo de la Rosa, 902 24 02 02. Avenida de Castilla-La Mancha, 925 21 58 50. Puerta de Bisagra, 925 22 08 43. mar. Fête-Dieu (mai-juin), Virgen del Sagrario (15 août). **Iglesia de San Román** *du mar. au dim.* **Taller del Moro** *du mar. au dim.*

Vers l'office du tourisme, l'Estación de Autobuses et l'Estación de RENFE

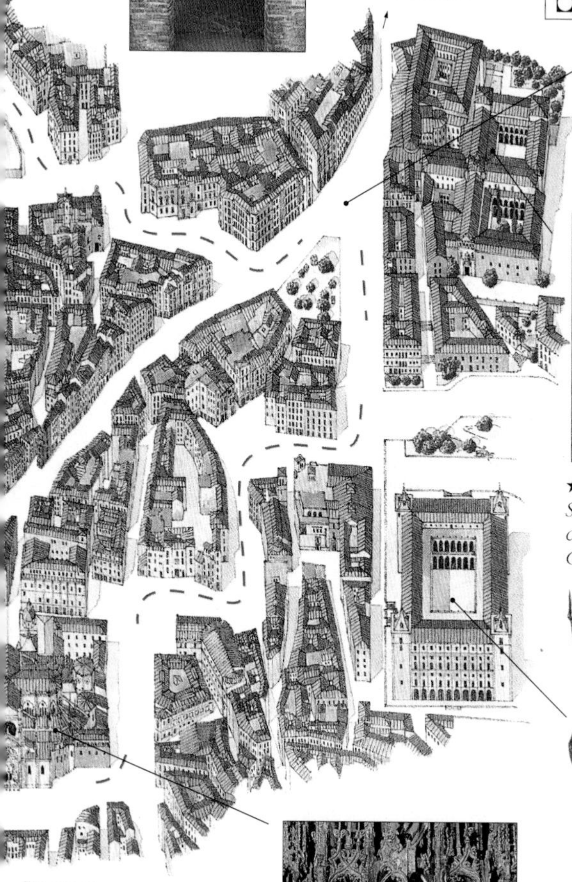

La plaza de Zocodover, grand-place de la ville bordée de boutiques et de cafés, doit son nom au marché arabe dont elle occupe le site.

★ Le Museo de Santa Cruz
Sa riche collection d'art comprend 18 toiles d'El Greco et plusieurs tapisseries flamandes, dont cette représentation des signes du zodiaque datant du XVe siècle.

Légende

— — — Itinéraire conseillé

★ La cathédrale
Bâtie sur le site d'une cathédrale wisigothique transformée en mosquée, c'est l'un des plus grands sanctuaires chrétiens (p. 374-375). *Un retable de style gothique flamboyant (1504) orne le maître-autel.*

Alcázar
Devant la forteresse, un monument rend hommage à Charles V posant victorieux face à la défaite des Arabes.

Le quartier médiéval de Tolède dominé par la cathédrale

À la découverte de Tolède

Facile à rejoindre depuis Madrid en train ou en autocar, Tolède est une cité à découvrir à pied et de préférence, pour éviter la foule, hors des week-ends. Il vous faudra au moins deux jours pour une visite complète, mais il reste possible d'explorer les vieux quartiers en une longue matinée. La ville prend toute sa magie à la tombée de la nuit.

Alcázar

Cuesta de Carlos V. 925 22 30 38. *du mar. au dim.* *gratuit le mer.*

Sur un site où Romains, Wisigoths et Arabes élevèrent successivement une forteresse, cet imposant château aux lignes sévères a retrouvé l'aspect que lui donnèrent Charles Quint et Philippe II. Il n'en restait pourtant pratiquement que des ruines en 1936 après que les cadets de l'Académie d'Infanterie y eurent résisté pendant 70 jours aux républicains qui tenaient la ville. Un musée militaire est installé dans le bâtiment. En 2004-2005, le Museo del Ejírcito *(p. 277)* va quitter Madrid pour s'installer ici, formant ainsi le plus grand musée militaire d'Espagne. **La bibliothèque Borbón-Lorenzana** possède plus de 100 000 ouvrages datant des XVI-XIXe siècles, et plus de 1 000 manuscrits.

Museo de Santa Cruz

Calle Miguel de Cervantes 3. *925 22 10 36.* *t.l.j. (le mat. le dim.)*

Fondé au XVIe siècle par le cardinal Mendoza, l'ancien hôpital qu'occupe ce musée possède de superbes éléments plateresques, notamment le portail et le patio et son escalier. Les quatre ailes principales abritent une collection particulièrement riche en tapisseries, peintures et sculptures du Moyen Âge et de la Renaissance. Elle comprend également près de 20 œuvres du Greco dont le magnifique retable de *L'Assomption* (1613).

***L'Assomption* (1613) par El Greco au Museo de Santa Cruz**

L'exposition d'arts décoratifs inclut, entre autres, des armes et des armures damasquinées (incrustées de fils d'or), un artisanat qui reste traditionnel à Tolède.

Iglesia de San Tomé

Plaza del Conde. *925 25 60 98.* *t.l.j.* *gratuit le mer. après-midi pour les Européens.*

Cette église dont la tour offre un des meilleurs exemples d'architecture mudéjare de la ville abrite le chef-d'œuvre d'El Greco : *L'Enterrement du comte d'Orgaz (p. 28)*. Ce noble finança au XIVe siècle une grande partie de la construction du sanctuaire actuel et le tableau, commandé par un prêtre à sa mémoire, n'a jamais quitté son emplacement originel ni connu de restauration. Il représente l'apparition miraculeuse de saint Augustin et saint Étienne aux funérailles, un ange emportant l'âme du défunt vers l'assemblée céleste réunie autour du Christ. L'artiste s'est figuré à droite, levant les yeux au ciel. Le page dont le mouchoir porte la signature de l'œuvre pourrait être son fils, Jorge Manuel.

Non loin, la **Pastelería Santo Tomé** est réputée pour ses massepains *(marzipans)* *(p. 320)*.

Sinagoga de Santa María la Blanca

Calle de los Reyes Católicos 4. ☎ *925 22 72 57.* ◯ *t.l.j.* *gratuit le mer. après-midi.*

Fondée au XIIe siècle, la plus ancienne et la plus vaste des huit synagogues que compta la ville devint en 1405 une église de l'ordre de Calatrava. Une restauration lui a rendu, autant que possible, son aspect originel : la blancheur des arcs en fer à cheval met en valeur la finesse des sculptures des chapiteaux et des ornements muraux. Un retable plateresque (XVIe siècle) décore la chapelle principale. En 1391, un massacre de juifs dans la synagogue marqua la fin de la tolérance religieuse à Tolède.

Arcs mudéjars dans la Sinagoga de Santa María la Blanca

Sinagoga del Tránsito

Calle Samuel Leví. ☎ *925 22 36 65.* ◯ *jusqu'à mi-2003.*

Derrière la façade trompeusement banale de cette ancienne synagogue construite au XIVe siècle par Samuel Ha-Leví, le trésorier de Pierre le Cruel, se cache le plus riche intérieur mudéjar de la ville. Dans la salle de prière au plafond incrusté d'ivoire, une frise associe motifs gothiques, arabes et hébraïques.

Le Museo Sefardí attenant propose une intéressante exposition consacrée à la culture séfarade. Certains des manuscrits, tombeaux, costumes de mariage et objets rituels présentés datent d'après l'expulsion des juifs d'Espagne à la fin du XVe siècle *(p. 53).*

Plafond à caissons au Monasterio de San Juan de los Reyes

Monasterio de San Juan de los Reyes

Calle de los Reyes Católicos 17. ☎ *925 22 38 02.* ◯ *t.l.j.*

Merveilleux exemple d'art isabélin où se marient style gothique et influences mudéjares, ce monastère commandé par les Rois Catholiques après leur victoire sur les Portugais à Toro en 1476 *(p. 339)* devait à l'origine recevoir leurs sépultures. Ils reposent toutefois dans la Capilla Real de Grenade *(p. 462).* Achevée en 1492, l'église à nef unique présente un décor intérieur, sculpté principalement par Juan Güas, d'une étonnante richesse. Dans le cloître de style gothique flamboyant, l'un des plus beaux d'Espagne, un plafond polychrome mudéjar orne la galerie supérieure. Près de l'église subsiste une portion du mur d'enceinte du quartier juif.

Casa-Museo de El Greco

Calle Samuel Leví. ☎ *925 22 40 46.* ◯ *du mar. au dim.* *gratuit le sam. après-midi et le dim.*

El Greco ne vécut peut-être pas dans cette maison au cœur du quartier juif, mais seulement à proximité. Transformée en musée, elle abrite une importante collection de ses œuvres, dont une *Vue de Tolède* offrant un tableau détaillé de la ville au Siècle d'or *(p. 56-57)* et la magnifique série du *Christ et des douze apôtres*. Le rez-de-chaussée, sous le musée, comprend une chapelle au plafond mudéjar et présente des peintures d'artistes de l'école de Tolède tels que Luis Tristán, un élève du Greco.

Iglesia de Santiago del Arrabal

Calle Arrabal.

Voici l'un des plus beaux monuments mudéjars de Tolède. La tour, qui évoque un minaret, daterait d'avant la reconquête de la ville en 1085. Édifiée peu après, l'église renferme un magnifique plafond en bois. La sobriété du décor intérieur met en valeur une chaire gothico-mudéjare (XIVe siècle) sculptée d'arabesques et un retable plateresque.

Puerta Antigua de Bisagra

Par cette porte, Alphonse VI, accompagné du Cid Campeador, entra dans Tolède après sa reconquête en 1085. Flanquée de tours massives coiffées d'un corps-de-garde, elle est la seule porte de l'enceinte érigée par les Maures au IXe siècle à avoir subsisté.

El Greco

Né en Crète en 1541, Dhomínikos Theotokópoulos, dit « le Grec », acheva sa formation en Italie, notamment près de Titien. Il vint à Tolède en 1577 pour peindre le retable du couvent Santo Domingo el Antiguo. Séduit par la ville, où il se marie et trouve une clientèle, il y travaillera jusqu'à sa mort en 1614, créant une œuvre originale, marquée par sa ferveur religieuse et sa cité d'élection.

Dhomínikos Theotokópoulos, dit El Greco

La cathédrale de Tolède

Siège du primat d'Espagne, l'imposante cathédrale de Tolède s'élève sur le site d'une église fondée au VIIe siècle par le roi wisigoth Reccared Ier et saint Eugène, premier évêque de la ville, puis transformée par les Maures en mosquée. Sa construction commença en 1226 en pur gothique français, mais ne s'acheva qu'en 1493, le style évoluant au fil des siècles pour prendre un caractère plus spécifiquement espagnol. Les œuvres qu'elle abrite en font un véritable musée d'art sacré. On continue d'y célébrer la messe selon le rite mozarabe, liturgie d'origine wisigothique que préservèrent pendant l'occupation arabe les chrétiens de Tolède.

★ Sacristie
Outre Le Christ dépouillé de ses vêtements *par El Greco, elle abrite, entre autres, des œuvres de Titien, Van Dyck et Goya.*

Vue de la cathédrale de Tolède
C'est le parador (p. 560) *qui offre la meilleure vue de la ville et de sa cathédrale dont la tour domine l'extrémité ouest de la nef.*

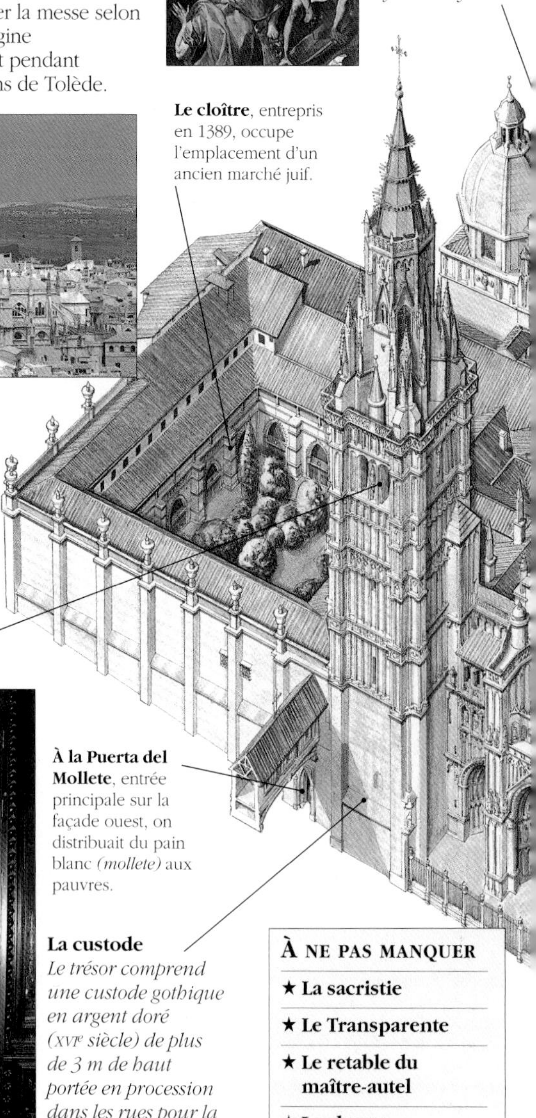

Le cloître, entrepris en 1389, occupe l'emplacement d'un ancien marché juif.

La tour renferme la *Gorda* (la Grosse), cloche de 17 tonnes.

À la Puerta del Mollete, entrée principale sur la façade ouest, on distribuait du pain blanc *(mollete)* aux pauvres.

La custode
Le trésor comprend une custode gothique en argent doré (XVIe siècle) de plus de 3 m de haut portée en procession dans les rues pour la Fête-Dieu (p. 369).

À NE PAS MANQUER

- ★ La sacristie
- ★ Le Transparente
- ★ Le retable du maître-autel
- ★ Le chœur

★ Le Transparente
Mise en valeur par son éclairage naturel, cette composition baroque de Narciso Tomé tranche sur son environnement gothique.

MODE D'EMPLOI

Calle Arco Palacio 2. *925 22 22 41.* *de 8 h à 18 h 30 t.l.j.* *8 h, 9 h 45 (messe mozarabe), 11 h, 17 h 30, 18 h 30 t.l.j. (12 h et 13 h le dim.).* **Chœur, trésor, sacristie et salle capitulaire** *de 10 h 30 à 18 h 30 lun.-sam., 14 h à 18 h 30 dim. (dernière entrée à 18 h).*

La Capilla de San Ildefonso renferme le superbe tombeau plateresque du cardinal Alonso Carrillo de Albornoz.

La puerta del Perdón présente au tympan un relief où la Vierge apparaît à saint Ildefonse.

La Capilla Mozárabe possède une belle grille Renaissance (1524) par Juan Francés.

Salle capitulaire
Sous un plafond à caissons mudéjar, elle abrite des fresques du XVIe siècle par Jean de Bourgogne.

★ Le retable du maître-autel
De style gothique flamboyant, il représente des épisodes de la vie du Christ.

★ Le chœur
Surmontée de personnages bibliques sculptés dans l'albâtre, la partie inférieure des stalles, en bois, décrit la chute de Grenade.

Moulins à vent dominant les plaines de la Manche depuis une crête au-dessus de Consuegra

Tembleque ⓯

Toledo. 2 200. Plaza Mayor 1, 925 14 52 61. mer. Jesús de Nazareno (fin août).

Entourée de portiques à trois étages, la Plaza Mayor de Tembleque date du XVIIe siècle. La croix rouge des Chevaliers Hospitaliers rappelle que cet ordre dirigea jadis cette jolie ville.

Aux environs
Ocaña, située à 30 km au nord de Tembleque, s'organise autour d'une élégante grand-place en brique de la fin du XVIIIe siècle, l'une des plus vastes d'Espagne.

Consuegra ⓰

Toledo. 10 000. Cerro Calderico, 925 47 57 31. sam. La Rosa de Azafrán (fin oct.).

Les onze moulins à vent de Consuegra *(p. 23)* et les ruines de son château dominent les plaines de la Manche depuis une crête au-dessus de la ville. L'un des moulins conserve un mécanisme en ordre de marche mis en fonctionnement chaque année pendant la fête locale. Elle célèbre en automne la récolte du safran *(p. 320)* et un concours permet de déterminer le cueilleur le plus rapide.

Aux environs
Sur la route d'**Urda**, à environ 4 km, ruines d'un barrage romain. À 20 km au sud de Consuegra par la N IV, un restaurant *(p. 598)* de **Puerto Lápice** serait l'auberge dont le propriétaire arma Don Quichotte « chevalier ».

Campo de Criptana ⓱

Ciudad Real. 14 700. Calle Barbero 1, 926 56 22 31. mar. Virgen de Criptana (17 avril).

Dix moulins à vent (il y en eut 32) dominent des champs de blé depuis une arête rocheuse. Trois remontent au XVIe siècle et conservent leur mécanisme d'origine. Un autre sert d'office du tourisme. Quatre abritent des musées consacrés à la vie locale.

Aux environs
D'autres moulins subsistent à **Alcázar de San Juan** et **Mota del Cuervo**, un bon endroit où acheter du *queso manchego*, le fromage de brebis de la Manche *(p. 321)*.

El Toboso ⓲

Toledo. 2 100. C/Daoíz y Velarde 3, 925 56 82 26. mer. San Agustín (du 27 au 30 août).

De tous les villages de la Manche se réclamant de Don Quichotte, El Toboso, que l'armée française aurait refusé d'attaquer pendant la guerre d'indépendance *(p. 58-59)* à cause de son importance culturelle, est celui aux revendications les plus clairement fondées puisque Cervantes y fit naître Dulcinée, la « dame des pensées » de son héros. Une restauration a rendu son aspect du XVIe siècle à la **Casa de Dulcinea**, ferme de Doña Ana Martínez Zarco qui aurait servi de modèle au personnage.

Casa de Dulcinea
925 19 72 88. du mar. au dim. gratuit sam. apr.-midi et dim. mat.

Belmonte ⓳

Cuenca. 2 600. Plaza del Caudillo 1, 967 17 00 08. lun. San Bartolomé (fin août), Virgen de Gracia (2e semaine de sept.).

Ce village fortifié s'étend au pied d'un magnifique **château** du XVe siècle *(p. 326)*, l'un des mieux conservés de la région. Édifié par Juan Pacheco, marquis de Villena, après que Henri IV lui eut donné la ville en 1456, il a gardé des plafonds à caissons sculptés et des stucs mudéjars. La **collégiale** mérite une visite

Le splendide château bâti au XVe siècle à Belmonte

pour ses chapelles richement décorées et les stalles gothiques du chœur provenant de la cathédrale de Cuenca *(p. 367)*. Elle abrite également de belles ferronneries, un retable Renaissance et les fonts où le poète Fray Luis de León (1527-1591) reçut le baptême.

Aux environs
À 6 km au nord-est, l'église gothique de **Villaescusa de Haro** possède un portail Renaissance et renferme un remarquable retable du XVIe siècle. À quelque 40 km plus loin au sud-est, **San Clemente** s'organise autour de deux places presque entièrement Renaissance. Une croix gothique en albâtre orne l'Iglesia de Santiago Apóstol.

Castillo de Belmonte
627 40 66 80. mar. - dim.

Le château d'Alarcón, transformé en parador

Alarcón ⓴

Cuenca. 210. Plaza Infante Don Juan Manuel 1, 969 33 03 54. Cristo de la Fé (14 sept.).

Parfaitement préservé, le village fortifié d'Alárcon garde depuis une hauteur un méandre du río Júcar. Franchir sa triple enceinte pour y pénétrer donne l'impression d'entrer dans un film de cape et d'épée. La fondation du bourg remonte au VIIIe siècle. Alphonse VIII dut mener un siège de neuf mois pour le reprendre aux Maures en 1184. Il devint alors propriété de l'ordre de Saint-Jacques, puis du puissant marquis de Villena. Désormais occupé par un parador *(p. 558)*, son petit **château** triangulaire perché au-dessus de la rivière a conservé son aspect médiéval.

Dans le village, deux églises méritent une visite. L'**Iglesia de Santa María**, de style gothique derrière une façade Renaissance, abrite un magnifique retable du XVIe siècle attribué à l'école de Berruguete. Non loin, l'**Iglesia de la Santísima Trinidad** plateresque *(p. 21)* porte les armoiries des Rois Catholiques.

L'éperon calcaire creusé de tunnels d'Alcalá del Júcar

Alcalá del Júcar ㉑

Albacete. 1 500. Avda de los Robles 1, 967 47 30 90. dim. (d'avril à oct.). San Lorenzo (du 7 au 15 août).

Au nord-est d'Albacete, le río Júcar traverse des collines calcaires où il a creusé une profonde gorge sinueuse, le Hoz de Júcar, que la route longe sur une quarantaine de kilomètres. Dans un site spectaculaire, les ruelles et escaliers abrupts d'Alcalá del Júcar escaladent le flanc d'un éperon rocheux dominant le fleuve. Au sommet du village, au-dessous du château, des maisons sont en partie creusées dans la roche tendre. Dans certaines, de longs couloirs traversent toute la falaise jusqu'à des balcons situés de l'autre côté.

Aux environs
À l'ouest, la gorge longe des vergers jusqu'à l'**Ermita de San Lorenzo**. Plus loin s'atteint le pittoresque village de **Jorquera** qui, pendant une brève période au Moyen Âge, s'imposa comme État indépendant. Il a conservé ses remparts arabes. La Casa del Corregidor abrite une collection de boucliers.

La Manche de Don Quichotte

Cervantes *(p. 315)* ne précise pas le lieu de naissance de son héros, mais il mentionne plusieurs sites dans son roman. Dulcinée vit à El Toboso. Don Quichotte est armé chevalier à Puerto Lápice dans une auberge qu'il prend pour un château et il descend dans la grotte de Montesinos *(p. 379)*. Les moulins qu'il confond avec des géants seraient ceux de Campo de Criptana.

Illustration d'une édition du XIXe siècle de *Don Quichotte*

Albacete ㉒

Albacete. 147 500. Calle del Tinte 2, 967 58 05 22. mar. Virgen de los Llanos (8 sept.).

Bien que considérée comme l'une des villes les moins intéressantes d'Espagne, cette capitale provinciale moderne réputée pour sa coutellerie – poignards et *navajas* à cran d'arrêt – possède un excellent **Museo Provincial** dont les collections archéologiques comprennent des sculptures ibères et de remarquables poupées romaines articulées. La **cathédrale**, entreprise en 1515, abrite un retable Renaissance.

Une grande foire commerciale et agricole a lieu chaque année en septembre.

Museo Provincial

Parque Abelardo Sánchez. 967 22 83 07. du mar. au dim. gratuit le sam. après-midi et le dim. matin.

Aux environs

Chinchilla de Monte Aragón, à 12 km au sud-est, possède un quartier ancien plein de charme avec ses maisons mudéjares, gothiques et Renaissance que domine un château du XVᵉ siècle. 70 km plus à l'est, la ville d'**Almansa** s'étend au pied d'une forteresse d'origine maure.

Alcaraz ㉔

Albacete. 1 700. Plaza Mayor 1, 967 38 00 02. mer. Rosario de Cortes (1ᵉʳ mai), Feria (du 4 au 9 sept.).

Ancienne place forte maure qui prospéra après la Reconquête grâce à la fabrication, aujourd'hui arrêtée, de tapis, Alcaraz a conservé une belle Plaza Mayor Renaissance dominée par un beffroi, **El Tardón**, et le clocher de l'église de la **Trinidad**. Malgré une reconstruction au XVIIIᵉ siècle, la **Lonja del**

Le château de Chinchilla de Monte Aragón domine la ville

Sierra de Alcaraz ㉓

Au sud-est des plaines de la Manche, les sierras de Segura et d'Alcaraz forment un beau massif montagneux creusé de gorges spectaculaires et de vallées fertiles. Non loin de la cascade créée par la source du río Mundo, Riópar, accroché à flanc de montagne, possède une église paroissiale du XVᵉ siècle. D'autres villages moins fréquentés, tels Letur, Ayna, Yeste et Liétor, sont également très pittoresques. Leurs ruelles tortueuses et leurs traditions artisanales révèlent leurs origines maures.

Sources du río Mundo ⑤
Le fleuve prend sa source dans une grotte, la cueva de los Chorros, et dévale en cascade une falaise spectaculaire.

0 5 km

Légende

- Circuit recommandé
- Autres routes
- Point de vue

Yeste ④
Un château arabe couronne ce village situé au pied de la sierra de Ardal. Reconquis sous Ferdinand III, il fut gouverné par l'ordre de Saint-Jacques.

Corregidor possède une décoration plateresque. Autour de la place, des maisons anciennes bordent des ruelles animées. A la périphérie subsistent les ruines d'un château et une arche d'un aqueduc gothique. Le village offre une bonne base d'où découvrir les sierras d'Alcaraz et de Segura.

Beffroi et clocher de la grand-place Renaissance d'Alcaraz

Lagunas de Ruidera ㉕

Cuidad Real. *Ossa de Montiel.* *Ruidera, 926 52 81 16.* www.lagunaruidera.com

Jadis surnommés les « miroirs de la Manche », 16 lacs communiquant par des cascades s'étendent sur 20 km au fond d'une vallée. Ils forment le Parque Natural de las Lagunas de Ruidera. Leur nom proviendrait d'une légende rapportée dans *Don Quichotte* *(p. 377)*, celle d'une certaine maîtresse Ruidera, de ses filles et de ses nièces transformées en lacs par un magicien.

Plusieurs années de sécheresse avaient en 1995 réduit la nappe phréatique et leur alimentation en eau, mais ils restent peuplés de nombreux oiseaux, notamment hérons, canards et outardes barbues et canepetières, une faune que commencent à menacer l'augmentation de la fréquentation touristique et la multiplication des résidences de vacances.

Dans le Parque Natural de las Lagunas de Ruidera

Le centre d'information du parc se trouve dans le village de Ruidera. Près de la laguna de San Pedro, une grotte profonde, la **cueva de Montesinos**, servit de décor à un épisode de *Don Quichotte*.

Au nord-ouest, un château domine le lac artificiel de Peñarroya.

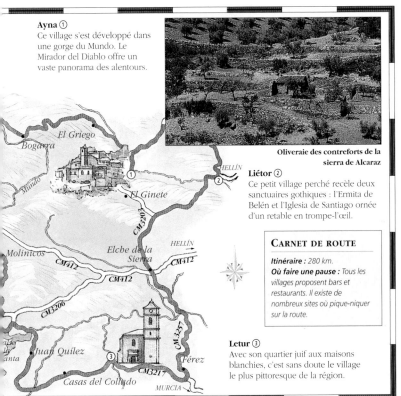

Ayna ①
Ce village s'est développé dans une gorge du Mundo. Le Mirador del Diablo offre un vaste panorama des alentours.

Oliveraie des contreforts de la sierra de Alcaraz

Liétor ②
Ce petit village perché recèle deux sanctuaires gothiques : l'Ermita de Belén et l'Iglesia de Santiago ornée d'un retable en trompe-l'œil.

Carnet de route

***Itinéraire :** 280 km.*
***Où faire une pause :** Tous les villages proposent bars et restaurants. Il existe de nombreux sites où pique-niquer sur la route.*

Letur ③
Avec son quartier juif aux maisons blanchies, c'est sans doute le village le plus pittoresque de la région.

Villanueva de los Infantes ㉖

Ciudad Real. 5 800. Plaza Mayor 3, 926 36 13 21. ven. Ferias (fin août), Virgen de Antigua (8 sept.), Santo Tomás (18 sept.).

Villanueva possède l'un des quartiers anciens les plus agréables de la Manche. Il entoure une élégante Plaza Mayor néo-classique bordée de maisons à balcons de bois supportés par des arcades. Sur la place se dresse la façade de l'**Iglesia de San Andrés** qui abrite un retable et des orgues baroques, ainsi que le tombeau, aujourd'hui vide, de Francisco de Quevedo (1580-1645). Ce grand écrivain vécut et mourut au **Convento de los Domínicos**.

Aux environs
Le village de **San Carlos del Valle**, à 16 km au nord-ouest, a gardé une grand-place du XVIIIe siècle et des maisons à galeries en pierre rouge.

Valdepeñas ㉗

Ciudad Real. 27 000. Pl de España, 926 31 25 52. jeu. Vendanges (1re semaine de sept.).

Capitale d'une vaste région viticole de production de masse dont les vins réservent parfois de bonnes surprises *(p. 322-323)*, cette ville en majeure partie moderne s'anime en septembre pour la fête des vendanges. Dans le réseau de ruelles entourant la plaza de España bordée de cafés se trouvent l'**Iglesia de la Asunción** et le musée municipal.

Plus de 30 *bodegas* se visitent à Valdepeñas. Certaines, telle la **Bodega Museo**, conservent des *tinajas*, grandes jarres en terre cuite traditionnelles.

Bodega Museo
Salida a Ciudad Real. 926 31 28 49. t.l.j.

Dans le patio du Palacio del Viso à Viso del Marqués

Viso del Marqués ㉘

Ciudad Real. 3 100. Plaza de la Oretania 8, 926 33 60 01. mar. San Andrés (2e dim. de mai), Feria (du 24 au 28 juil.).

Ce petit village de la Manche offre un cadre incongru à un majestueux palais Renaissance : le **Palacio del Viso** commandé en 1564 par le marquis de Santa Cruz, amiral de la flotte qui vainquit les Turcs à Lépante en 1571 *(p. 55)*. La demeure possède un vaste patio classique. Des artistes italiens exécutèrent les fresques décorant les pièces principales.

Aux environs
À quelque 25 km au nord-est de Viso del Marqués, les plus vieilles arènes d'Espagne, construites en 1641, se dressent à **Las Virtudes**. De plan carré et dotées de galeries, elles jouxtent une église du XIVe siècle décorée d'un retable churrigueresque.

Palacio del Viso
Plaza del Pradillo 12. 926 33 60 08. du mar. au dim. en août

Calatrava la Nueva ㉙

Ciudad Real. Aldea de Rey. 926 22 13 37. du mar. au dim.

Couronnant le sommet d'une colline isolée située à 9 km de Calzada de Calatrava, ce château-monastère s'atteint par une route datant du Moyen Âge.

Les chevaliers de Calatrava, le premier ordre militaire d'Espagne *(p. 50)*, construisirent en 1217 cette imposante forteresse pour y installer leur quartier général. Elle renferme derrière une triple enceinte une église restaurée dont une magnifique rosace éclaire les trois nefs à voûtes en brique.

Après la Reconquête, les

Vignobles près de Valdepeñas

Le château de Calatrava la Nueva dominant les plaines de la Manche

bâtiments devinrent un monastère, que ses occupants abandonnèrent en 1802 après un tremblement de terre.

En face du château se dressent les vestiges d'une forteresse musulmane, **Salvatierra**, prise par l'ordre de Calatrava au XIIe siècle.

Almagro 30

Ciudad Real. 8 300. Palacio del Conde de Valparaiso, 926 86 07 17. mer. Virgen de las Nieves (5 août), San Bartolomé (25 août). www.ciudad-almagro.com

Au cœur d'une région très disputée pendant la Reconquête, cette petite ville réputée pour ses dentelles conserve un riche héritage architectural qu'elle doit en partie aux frères Fugger, banquiers de Charles Quint qui exploitèrent au XVIe siècle les mines de mercure d'Almadén.

La Plaza Mayor offre un aspect caractéristique avec ses deux colonnades supportant des balcons vitrés aux boiseries peintes en vert. Un charmant petit théâtre du XVIe siècle la borde, le **Corral de Comedias** qui accueille en août, pour la San Bartolomé, un festival d'art dramatique. L'entrepôt Renaissance des Fugger, l'ancienne université et le parador *(p. 558)* aménagé dans un couvent franciscain ayant appartenu à l'ordre de Calatrava sont aussi dignes d'intérêt.

Aux environs

Au nord-ouest, **Ciudad Real**, fondée par Alphonse X le Sage en 1255, recèle notamment la Puerta de Toledo mudéjare et une cathédrale et l'Iglesia de San Pedro gothiques.

Chemin sur pilotis du Parque Nacional de Las Tablas de Daimiel

Tablas de Daimiel 31

Ciudad Real. Daimiel. Daimiel, Plaza de España 1, 926 26 06 39.

Les lagunes et marais des Tablas de Daimiel, au nord-est de Ciudad Real, offrent un environnement idéal à la vie et la reproduction de nombreuses espèces d'oiseaux aquatiques et migrateurs tels que grèbes huppés, flamants et canards colverts, ainsi qu'à des mammifères comme les loutres et les renards. Bien que protégée par un parc national depuis 1973, cette faune a subi ces dernières années les conséquences de la baisse de la nappe phréatique de la région.

Dans la partie du parc ouverte au public ont été aménagés des accès pédestres à des îlots et des tours d'observation.

Valle de Alcudia 32

Ciudad Real. Fuencaliente. Ciudad Real, Calle Alarcos 21, 926 20 00 37.

Au pied des contreforts méridionaux de la sierra Morena s'étend une des zones rurales les moins défigurées d'Espagne centrale : la fertile vallée d'Alcudia. À la fin de l'automne, ses pâturages s'emplissent de brebis dont le lait sert à la fabrication d'un excellent fromage fermier.

Des thermes ouvrent en été dans le village de montagne de **Fuencaliente**. Plus au nord, à **Almadén**, se trouvent les plus riches mines de mercure du monde. **Chillón**, au nord-ouest, possède une église gothique.

Petit bâtiment agricole dans la fertile valle de Alcudia

ESTRÉMADURE

CÁCERES · BADAJOZ

Ancienne frontière « extrême » du royaume de Castille, l'Estrémadure est la région d'Espagne qu'a le moins tranformée le monde moderne. De vertes sierras s'étagent au sud en collines jonchées de rochers. Forêts et lacs artificiels abritent une faune variée. Les villes et leurs quartiers anciens ont un charme paisible et romantique. Au printemps, les cigognes viennent nicher sur les clochers et les cheminées.

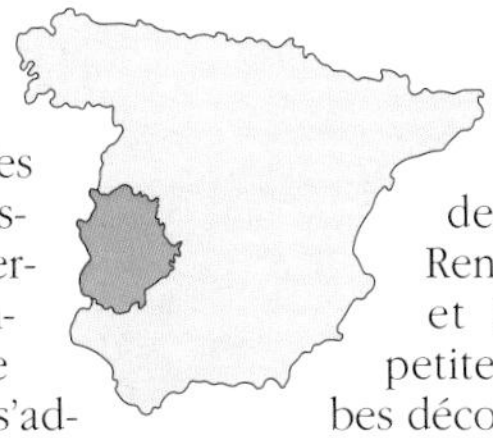

Les vestiges de cités antiques dispersés sur son territoire constituent les monuments les plus intéressants de l'Estrémadure. Certains des plus beaux exemples d'architecture romaine de la péninsule Ibérique s'admirent ainsi à Mérida, l'ancienne capitale de la province de Lusitanie, tandis qu'un temple de la civilisation de Tartessos a été mis au jour à Cancho Roano. À Alcántara subsiste un magnifique pont romain. Un musée à Badajoz présente des pièces de plus petite taille.

Le temps s'est arrêté dans la vieille ville de Cáceres dont les remparts, les ruelles sinueuses et les maisons seigneuriales restent merveilleusement intacts. Trujillo, Zafra et Jerez de los Caballeros renferment des quartiers médiévaux et Renaissance. Plasencia, Coria et Badajoz possèdent de petites cathédrales aux superbes décorations. Les ordres militaires qui dirigèrent la région à l'époque de la Reconquête construisirent églises et monastères.

De nombreux conquistadors et émigrants espagnols en Amérique venaient d'Estrémadure. Les richesses qu'ils trouvèrent dans le Nouveau Monde financèrent la construction ou l'agrandissement de maints édifices. Le monastère de Guadalupe, situé dans les collines orientales, en est le plus splendide.

Nids de cigognes dans le quartier historique de Cáceres

◁ **Croix de pierre dans des bois proches du monastère hiéronymite de Yuste fondé en 1404**

À la découverte de l'Estrémadure

L'Estrémadure séduira les amoureux de la nature et les visiteurs prêts à sortir des sentiers battus pour découvrir l'âme de la vieille Espagne. Les sierras et vallées du nord offrent de magnifiques promenades et le parc naturel de Monfragüe abrite une faune exceptionnelle. De majestueux vestiges romains subsistent à Mérida, la capitale régionale. La ville fortifiée superbement préservée de Cáceres et les monastères de Guadalupe et de Yuste sont d'autres sites historiques à ne pas manquer. Au sud, le souvenir des templiers continue à marquer des cités de la sierra Morena comme Jerez de los Caballeros. Bourgs pittoresques, Coria, Zafra et Llerena constituent de bonnes bases d'où partir en excursion.

L'Estrémadure d'un coup d'œil

Alcántara 12
Arroyo de la Luz 11
Badajoz 15
Cáceres p. 390-391 10
Cancho Roano 17
Coria 4
Guadalupe 8
Hervás 3
Las Hurdes 1
Jerez de los Caballeros 19
Llerena 20
Mérida 14
Monasterio de Yuste 6
Olivenza 16
Parque Natural de Monfragüe 7
Plasencia 5
Sierra de Gata 2
Tentudía 21
Trujillo 9
Valencia de Alcántara 13
Zafra 18

Oliveraie près de Hervás dans la valle del Ambroz

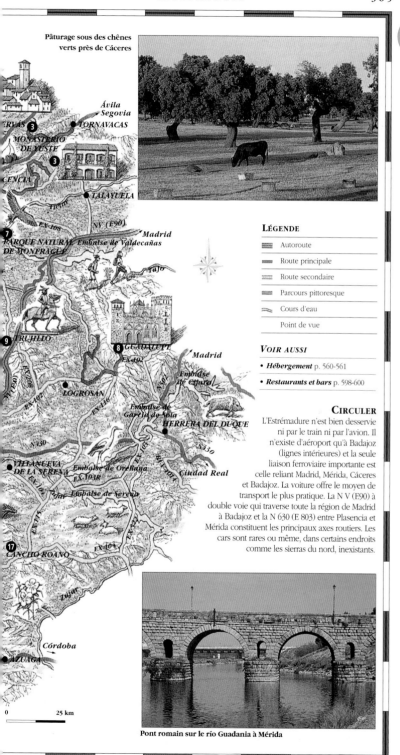

Pâturage sous des chênes verts près de Cáceres

LÉGENDE

- Autoroute
- Route principale
- Route secondaire
- Parcours pittoresque
- Cours d'eau
- Point de vue

VOIR AUSSI

- ***Hébergement*** p. 560-561
- ***Restaurants et bars*** p. 598-600

CIRCULER

L'Estrémadure n'est bien desservie ni par le train ni par l'avion. Il n'existe d'aéroport qu'à Badajoz (lignes intérieures) et la seule liaison ferroviaire importante est celle reliant Madrid, Mérida, Cáceres et Badajoz. La voiture offre le moyen de transport le plus pratique. La N V (E90) à double voie qui traverse toute la région de Madrid à Badajoz et la N 630 (E 803) entre Plasencia et Mérida constituent les principaux axes routiers. Les cars sont rares ou même, dans certains endroits comme les sierras du nord, inexistants.

Pont romain sur le río Guadania à Mérida

Ruches dans les collines de Las Hurdes

Las Hurdes ❶

Cáceres. 🚌 *Pinofranqueado, Caminomorisco, Nuñomoral.* ℹ *Pinofranqueado, 927 67 41 81.*

Dans un documentaire, *Tierra sin Pan* (Terre sans pain), Luis Buñuel a témoigné en 1932 de l'âpreté de la vie dans ces montagnes d'ardoise. Au cours des années 1950, l'aménagement routier de la région a mis un terme à sa pauvreté légendaire. Mais les collines étagées en terrasses subsistent, ainsi que les villages « noirs », tels Batuequilla et Fragosa qui s'atteignent depuis Pinofranqueado ou Vegas de Coria. Un ancien volcan domine El Gasco.

Dans les **Basses Hurdes** plus développées, terrains de camping et restaurants de cuisine traditionnelle jalonnent la C 512, principale route d'accès.

Sierra de Gata ❷

Cáceres. 🚌 *Cáceres.* ℹ *Moraleja, 927 14 70 88.*

Il existe 40 hameaux dispersés dans la sierra de Gata entre oliveraies, vergers et champs. Les artisanats traditionnels comme la dentelle y restent pratiqués et des forêts s'offrent à la promenade. Dans les villes des basses terres, telles Valverde de Fresno et Acebo, on continue de parler le dialecte appelé *chapurriau.* Sur les hauteurs, **Eljas, Gata** et **Villamiel** conservent les ruines de forteresses médiévales. Armoiries et escaliers extérieurs ajoutent au cachet des maisons de granit.

Écusson sur une façade d'Acebo

Hervás ❸

Cáceres. 👥 *4 000.* ℹ *C/ Braulio Navas 6, 927 47 36 18.* 🛒 *sam.* 🎉 *Nuestra Señora de la Asunción (du 14 au 17 août).* W www.hervas.com

Dans la large valle del Ambroz, Hervás est réputée pour son pittoresque quartier juif dont les ruelles s'étagent au bord du río Ambroz. Leurs maisons blanchies abritent cafés et ateliers d'artisans. Tout près de la grand-place, le **Museo Pérez Comendador-Leroux** présente des œuvres du sculpteur local du XXe siècle dont il porte le nom.

Premier village sur la route du col de Béjar, **Baños de Montemayor** doit son nom à ses eaux sulfureuses dont les Romains appréciaient déjà les vertus. L'établissement thermal est ouvert au public. À **Caparra**, au sud-ouest de Hervás, un arc de triomphe domine l'ancienne voie romaine de la via de la Plata *(p. 334).*

🏛 Museo Pérez Comendador-Leroux

Calle Asensio Nelia 5. 📞 *927 48 16 55.* ○ *l'après-midi du mar. au dim.* ● *jours fériés.*

Dentellière entretenant la tradition dans l'un des villages de la Sierra de Gata

Arc blasonné et oliveraies dans la valle del Ambroz

Coria ❹

Cáceres. 13 000. Avenida de Extremadura 39, 927 50 13 51. jeu. Día de la Virgen (sem. après Pâques). www.coria.org

Perchée au-dessus du río Alagón, l'ancienne Caurium romaine recèle à l'intérieur de ses remparts une **cathédrale** gothico-Renaissance au riche décor sculpté plateresque et le **Convento de la Madre de Dios** (XVIe siècle) qui possède un beau cloître Renaissance.

L'enceinte fortifiée conserve des parties arabes. Son château date du XVe siècle. Deux des quatre portes sont d'origine romaine. La veille de la Saint-Jean, en juin, on les ferme le soir pour un lâcher de taureaux. Au-dessous de la vieille ville, un pont romain, le **Puente Seco**, franchit la rivière.

Plasencia ❺

Cáceres. 36 500. Plaza de la Catedral, 927 42 38 43. mar. Ferias (du 8 au 11 juin).

Ses remparts aux tons chauds dominant un méandre du río Jerte rappellent le passé militaire de cette ville aujourd'hui plus connue par son marché. Tradition remontant au XIIe siècle, il a lieu le mardi sur la Plaza Mayor.

À quelques pas se dressent les deux cathédrales construites dos à dos. La **Catedral Nueva** (XVIe siècle) abrite des orgues baroques et des stalles sculptées en 1520 par Rodrigo Alemán. Romano-gothique, la **Catedral Vieja** renferme un musée possédant entre autres des œuvres de Ribera.

Non loin, le **Museo Etnográfico y Textil** présente des objets artisanaux et des costumes dans un hôpital du XIVe siècle.

La vallée du Jerte recèle des paysages exceptionnels, notamment dans la **Garganta de los Infiernos** où dévalent de spectaculaires cascades.

Museo Etnográfico y Textil
Plaza del Marqués de la puebla.
927 42 18 43. du mer. au dim.

Monasterio de Yuste ❻

Cuacos de Yuste (Cáceres). 927 17 21 30. t.l.j.

La vallée boisée de la Vera offre un cadre superbe et paisible au monastère de hiéronymites où Charles Quint *(p. 55)* se retira en 1556 et où il mourut le 21 septembre 1558.

L'empereur y occupa un petit palais. Sa chambre était reliée à l'église. Les deux cloîtres sont, l'un de style gothique, l'autre plateresque. Non loin se trouve le vieux village de la Vera qui a conservé le plus d'authenticité : **Cuacos de Yuste**.

Piments à paprika séchant à Cuacos de Yuste

Une *Carantoña* participant à la Saint-Sébastien d'Acehuche

Fêtes de l'Estrémadure

Carantoñas *(20 jan.)*, Acehuche (Cáceres). En l'honneur de saint Sébastien le jour de sa fête, les *Carantoñas* envahissent les rues de la ville. Vêtues de peaux de bêtes et le visage couvert par des masques terrifiants, elles représentent les animaux sauvages qui auraient épargné le saint.

Pero Palo *(carnaval, fév.-mars)*, Villanueva de la Vera (Cáceres). Selon un rituel très ancien, un mannequin en bois vêtu d'un costume et censé symboliser le diable est porté en procession à travers la ville puis détruit. Sa tête est toutefois conservée pour servir l'année suivante.

Los Empalaos *(jeudi saint)*, Valverde de la Vera (Cáceres). Des pénitents défilent dans le village les bras tendus liés à de petits troncs d'arbres.

Encamisá *(7 déc.)*, Torrejoncillo (Cáceres). Des cavaliers paradent en ville où brûlent des feux de joie.

Los Escobazos *(7 déc.)*, Jarandilla de la Vera (Cáceres). À la nuit tombée, des feux de joie allumés dans les rues illuminent le village. Embrasés, des balais se transforment en torches.

Parque Natural de Monfragüe ❼

Cáceres. 🚌 *Villareal de San Carlos.* ℹ *Villareal de San Carlos, 927 19 91 34.*

Au sud de Plasencia, de rondes collines boisées de chênes verts et de chênes-lièges s'étagent au pied de sommets couverts de maquis jusqu'aux vallées où s'étendent les lacs artificiels créés en barrant le Tage et le Tiétar. Depuis 1979, un parc national d'une superficie d'environ 500 km² protège la faune exceptionnellement variée de la région. Elle inclut beaucoup d'espèces d'oiseaux protégées en Espagne *(p. 324-325)* comme la cigogne noire. L'élanion blanc et le vautour moine se reproduisent également sur ce territoire où vivent lynx, sangliers et cerfs. Le passage de nombreux oiseaux migrateurs fait du mois de septembre le moment idéal pour découvrir cette nature sauvage.

Observation des oiseaux dans le Parque Natural de Monfragüe

Vous trouverez un parc de stationnement et un centre d'information fournissant des cartes de randonnée à **Villareal de San Carlos**, hameau fondé au XVIIIe siècle.

Guadalupe ❽

Cáceres. *2 500.* 🚌 ℹ *Plaza de Santa María de Guadalupe 1, 927 15 41 28.* **Monastère** *t.l.j.* *mer.* *Cruz de Mayo (1er dim. de mai).*

Ce village s'est développé autour du magnifique **Monasterio de Guadalupe** fondé en 1340 par Alphonse XI à l'endroit où, selon la tradition, un berger avait miraculeusement retrouvé vingt ans plus tôt une statue en bois de la Vierge. Sur la place principale, des boutiques de souvenirs vendent des objets en céramique et en cuivre martelé, artisanats que pratiquèrent les moines hiéronymites qui occupèrent le monastère.

Patronné par les rois, il devint un des principaux centres de pèlerinage de la péninsule, intégrant des écoles de grammaire et de médecine, trois hôpitaux, une importante pharmacie et l'une des plus riches bibliothèques d'Espagne. Christophe Colomb donna son nom à l'une des îles (la Guadeloupe) qu'il découvrit pendant ses voyages.

L'*hospedería* (hôtellerie) attenante est devenue un hôtel *(p. 560)* tenu par les franciscains installés à Guadalupe depuis 1908. L'ancien hôpital a été transformé en parador. Dans le parc de stationnement, une plaque commémore la première dissection effectuée, en 1402, en Espagne.

La visite guidée (en espagnol seulement) du monument commence par ses musées. Ils présentent des livres liturgiques enluminés, des chasubles et des parements d'autels brodés, ainsi que des peintures et des sculptures. Elle continue dans le chœur et la magnifique sacristie baroque surnommée la « chapelle Sixtine espagnole » à cause des portraits de moines par Zurbarán accrochés à ses murs richement décorés. Pour de nombreux fidèles, le plus important reste néanmoins la possibilité de toucher ou d'embrasser la robe de la Vierge dans le *camarín* situé derrière l'autel. Vous pourrez enfin vous promener dans le cloître mudéjar dont les galeries entourent un pavillon élevé en 1405.

L'église se visite séparément. Édifice gothique construit entre 1349 et 1363, elle a reçu des ajouts baroques et abrite une belle grille Renaissance en partie forgée avec les chaînes d'esclaves libérés.

Le Monasterio de Guadalupe dominant le village

Aux environs

Les sierras de **Villuercas** et de **Los Ibores**, où l'on ramassait jadis des plantes médicinales pour la pharmacie du monastère, offrent de beaux itinéraires de promenades. La route vers le sud conduit aux pâturages de **La Serena**, où se reproduisent de nombreux oiseaux *(p. 324-325)*, et au vaste lac artificiel de **Cíjara**.

Trujillo 9

Cáceres. *9 000.* *Plaza Mayor, 927 65 90 39.* *jeu.* *Feria del Queso (avril-mai), San Miguel (sept.).* www.ayto-trujillo.com

La Plaza Mayor de Trujillo est l'une des plus belles places d'Espagne, surtout la nuit quand son éclairage la met en valeur. Au centre, la statue équestre de Francisco Pizarro rappelle que la ville donna naissance au conquérant du Pérou *(p. 54)*. Son frère, Hernando Pizarro, construisit sur le site de la maison de leur père le **Palacio del Marqués de la Conquista** à la façade plateresque. Les bustes des deux frères et de leurs épouses indiennes décorent le balcon d'angle. C'est également un aventurier du Nouveau Monde,

Statue de Francisco Pizarro sur la Plaza Mayor de Trujillo

Francisco de Orellana, le premier explorateur de l'Amazone, qui construisit au XVIe siècle le superbe **Palacio de Orellana-Pizarro**. Il renferme un patio plateresque.

D'autres demeures seigneuriales bordent les rues conduisant à l'**Iglesia de Santa María la Mayor**. Sanctuaire gothique orné d'un beau retable attribué à Fernando Gallego, elle abrite de nombreux tombeaux.

Au sommet de la ville, la forteresse associe tours carrées d'origine maure et tours cylindriques élevées après la conquête de Trujillo par Ferdinand III en 1232.

Tous les ans au printemps une fête du fromage renommée attire en foule les gourmets.

Palacio del Marqués de la Conquista
Plaza Mayor. *au public.*

Palacio de Orellana-Pizarro
Plaza de Don Juan Tena. *927 32 11 62.* *t.l.j.*

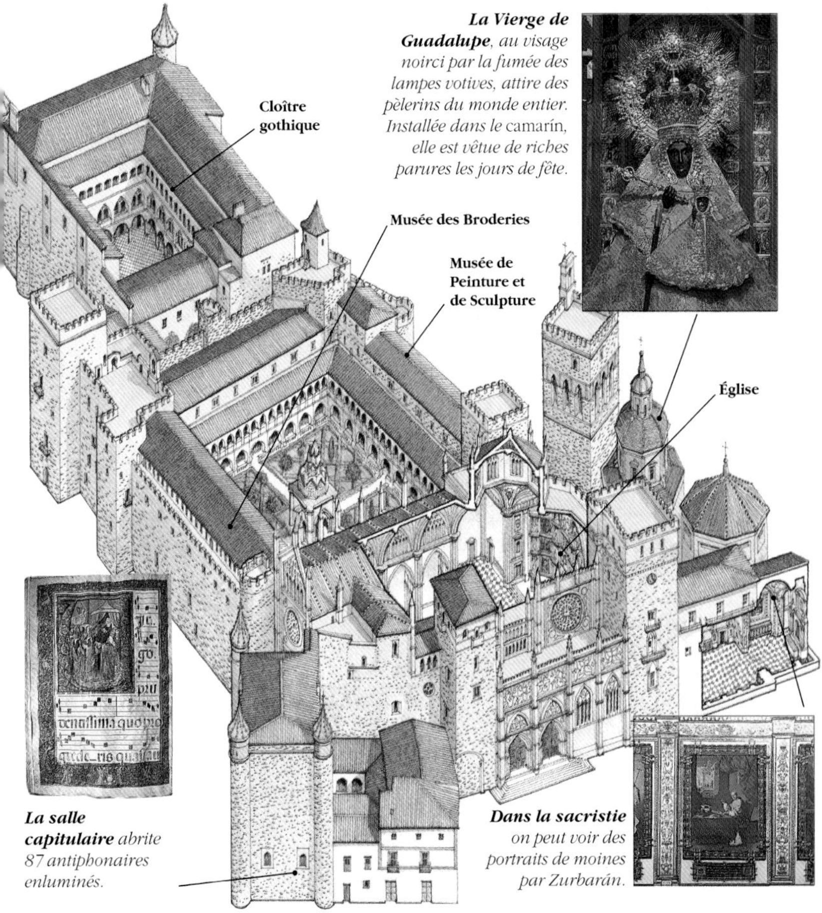

***La Vierge de Guadalupe**, au visage noirci par la fumée des lampes votives, attire des pèlerins du monde entier. Installée dans le* camarín, *elle est vêtue de riches parures les jours de fête.*

***La salle capitulaire** abrite 87 antiphonaires enluminés.*

***Dans la sacristie** on peut voir des portraits de moines par Zurbarán.*

Cáceres pas à pas ❿

Après sa reconquête définitive par Alphonse IX de León en 1227, cette ville d'origine romaine ceinte de remparts arabes se repeupla de marchands qui assurèrent sa prospérité et d'aristocrates qui édifièrent aux XVe et XVIe siècles des maisons fortifiées. Elles ont conservé leur sobre apparence gothique ou Renaissance, mais les Rois Catholiques *(p. 52-53)* ordonnèrent en 1476 la démolition de la majorité de leurs tours. Ayant traversé sans dommages les guerres du XIXe et du XXe siècles, Cáceres fait partie depuis 1986 des biens culturels du patrimoine mondial recensés par l'UNESCO.

★ La Casa de los Golfines de Abajo
Cette demeure du XVIe siècle portant les armes de la famille des Golfines associe styles gothique, mudéjar et plateresque.

Casa y Torre de Carvajal
Cette maison Renaissance possède une tour maure du XIIIe siècle et un paisible jardin.

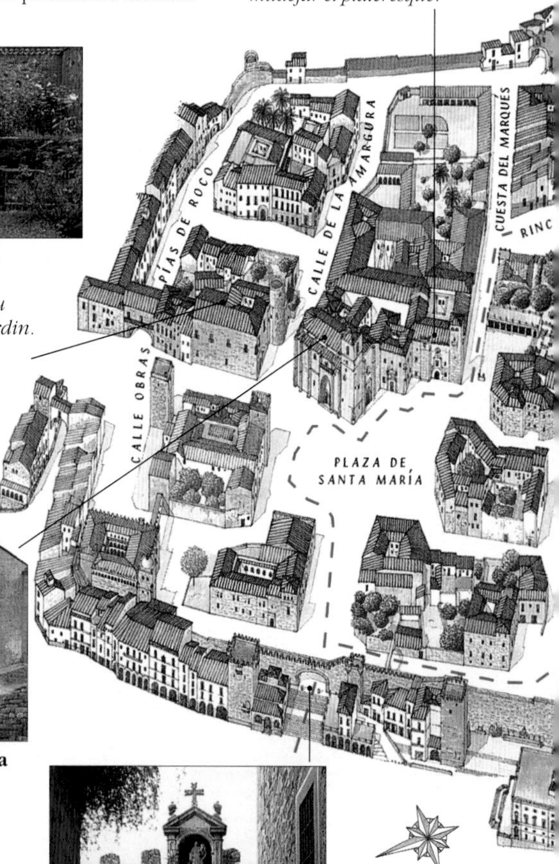

★ L'Iglesia de Santa María
En face du Palacio Episcopal, cette église gothique abrite un beau retable sculpté en 1551 et un crucifix du XVe siècle, le Cristo Negro.

Arco de la Estrella
Construite par Manuel Churriguera en 1726, cette arche flanquée d'une tour de guet du XVe siècle s'ouvre dans les remparts entre la Plaza Mayor et la vieille ville.

0 50 m

Légende

— — — Itinéraire conseillé

Barrio de San Antonio
Cet ancien quartier juif aux ruelles bordées de maisons blanches restaurées doit son nom à l'ermitage Saint-Antoine voisin.

MODE D'EMPLOI

Cáceres. 82 000. Avenida de Alemania, 902 24 02 02. Avenida de Alemania, 927 23 25 50. Plaza Mayor 3, 927 62 50 47. mer. Las Candelas (fév.), San Jorge (23 avril). **Museo Provincial** du mar. au dim.

★ Le Museo Provincial
Installé dans la Casa de las Veletas, il présente des collections archéologiques et d'art contemporain.

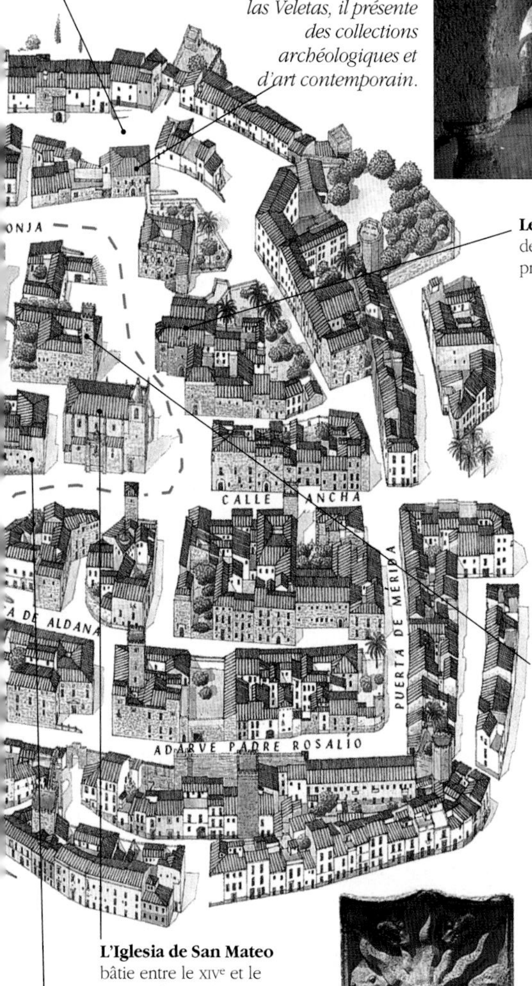

Le Convento de San Pablo vend de délicieuses *yemas (p. 321)* préparées par les religieuses.

Casa y Torre de la Cigüeña
La loyauté de son propriétaire du XVe siècle envers Isabelle de Castille permit à cet édifice, qui appartient aujourd'hui à l'armée, de conserver sa tour.

L'Iglesia de San Mateo bâtie entre le XIVe et le XVIIe siècle est d'une grande sobriété.

Casa del Sol (Casa de los Solis)
La façade de cette élégante demeure Renaissance porte en façade le blason de la famille des Solis.

À NE PAS MANQUER

- ★ **La Casa de los Golfines de Abajo**
- ★ **L'Iglesia de Santa María**
- ★ **Le Museo Provincial**

Arroyo de la Luz ⓫

Cáceres. 6 650. Plaza de la Constitución 16, 927 27 00 02. jeu. Día de la Patrona (lundi de Pâques).

Dans cette petite ville s'admire un des chefs-d'œuvre artistiques de l'Estrémadure : le retable du maître-autel de l'**Iglesia de la Asunción** achevée en 1565. Il incorpore 20 tableaux du peintre mystique Luis de Morales (v. 1520-1586).

Aux environs

Dans une région riche en cigognes blanches *(p. 325)*, notamment à **Malpartida**, près d'Arroyo, où elles nichent sur le toit de l'église, la campagne offre d'agréables endroits où pique-niquer.

Retable de l'Iglesia de la Asunción, Arroyo de la Luz

Alcántara ⓬

Cáceres. 1 900. Avenida de Merida 21, 927 39 08 63. mar. Feria (15-17 avril), San Pedro (19 oct.).

Ce village recèle deux monuments importants. Le **pont romain** (106 apr. J.-C.) sur le Tage porte un arc de triomphe et un temple. Construit au XVIe siècle pour abriter le siège des chevaliers de l'ordre d'Alcántara, le **Convento de San Benito** fut mis à sac par les troupes napoléoniennes puis restauré. Ce qu'il reste des trésors orne l'**Iglesia de Santa María de Almocóvar**.

Cigognes sur le Convento de San Benito (XVIe siècle), Alcántara

Valencia de Alcántara ⓭

Cáceres. 6 300. Calle de Hernan Cortes, 927 58 25 43. lun. Día de los Mayos (1er mai).

Des fontaines et des orangers agrémentent le quartier gothique de cette ville proche du Portugal. Construit par les chevaliers de l'ordre d'Alcántara, le **Castillo de Piedra Buena** abrite une auberge de jeunesse. À la périphérie subsistent plus de 40 dolmens.

Aux environs

Alburquerque, au sud-ouest, s'étend sur un promontoire rocheux et les remparts et le donjon de son château offrent une belle vue. Dans la vieille ville fortifiée s'élève l'Iglesia de Santa María del Mercado (XVe siècle).

Mérida ⓮

Badajoz. 50 400. Avenida José Álvarez Saez de Buruaga, 924 31 53 53. mar. Fiestas Patronales (10 déc.).

Fondée par Auguste en 25 av. J.-C., la colonie d'Augusta Emerita devint la capitale économique et culturelle de la Lusitanie, la plus occidentale des provinces de l'Empire romain. Les invasions barbares puis l'occupation arabe lui firent perdre son importance. Aujourd'hui capitale de l'Estrémadure, elle conserve un bel ensemble de monuments antiques.

Le pont suspendu moderne franchissant le río Guadiana offre la meilleure approche de la ville. Il vous conduira à l'ancienne entrée de la cité romaine et de la forteresse maure.

Au sein d'un parc, le **théâtre romain** *(p. 46-47)* est l'un des mieux conservés du monde et il accueille toujours des représentations d'art dramatique dans le cadre d'un festival d'été. Quelque 15 000 spectateurs pouvaient prendre place dans l'**amphithéâtre** voisin. Des mosaïques ornent la **Casa del Anfiteatro** bâtie au Ier siècle apr. J.-C.

En face s'élève l'étonnant **Museo Nacional de Arte Romano** (1985) édifié en brique rouge par Rafael Moneo. Des sculptures provenant du théâtre ornent son grand hall dont les arcs ont la même hauteur que ceux de l'aqueduc de Los Milagros. Trois galeries

Sépulture mégalithique près de Valencia de Alcántara

Le théâtre romain de Mérida accueille toujours des représentations d'art dramatique

organisées autour de ce hall présentent des céramiques, des mosaïques, des monnaies et de la statuaire. En sous-sol s'étend un champ de fouilles. Près du musée se trouvent les vestiges de deux villas et d'un hippodrome (temporairement fermé).

Fondée au IVe siècle, l'**Iglesia de Santa Eulalia** fut reconstruite dans le style roman. En direction du centre-ville se découvrent le **Templo de Diana** aux colonnes cannelées et l'**Arco de Trajano**. À quelques pas de la grand-place, le **Museo de Arte Visigodo** occupe le Convento de Santa Clara. Long de près de 800 m, le **Puente de Guadania** offre une belle vue des remparts de l'Alcazaba (835), l'une de plus anciennes forteresses maures d'Espagne.

Portrait de l'empereur Auguste

À l'est de Mérida, la **Casa del Mithraeo** (ou Casa Romana) garde une splendide mosaïque.

Majestueuses, les arches de brique et de granit de l'aqueduc de Los Milagros se dressent près de la N 630 en direction de Cáceres.

Museo de Arte Visigodo
Calle Santa Julia. *924 30 01 06.*
du mar. au dim. *1er mai, 25 déc.*

Museo Nacional de Arte Romano
Calle José Ramón Mélida. *924 31 16 90.* *du mar. au dim.* *gratuit sam. a.-m. et dim.* www.mnar.es

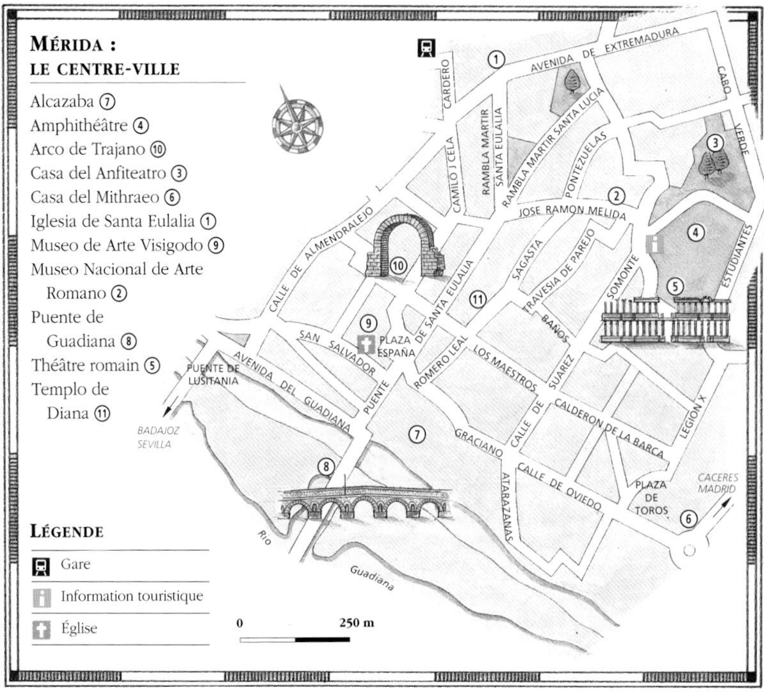

Badajoz ⓯

Badajoz. 136 600. Pasaje de San Juan, 924 22 49 81. mar. et dim. Feria (24 juin).

Entourée de vastes quartiers modernes, la vieille ville de Badajoz a conservé, malgré les dommages causés par les conflits avec le Portugal et la guerre civile, quelques vestiges de sa riche histoire.

L'ancienne forteresse maure abrite désormais le **Museo Arqueológico** dont les collections comptent plus de 15 000 pièces, dont les plus anciennes remontent au paléolithique. Non loin s'élève la cathédrale construite entre les XIIIe et XVIIIe siècles ; beau cloître gothique. Un musée d'art contemporain a été inauguré Calle Museo ; il est ouvert tous les jours sauf le samedi.

Museo Arqueológico
Pl José Álvarez y Saez de Buruaga. 924 22 23 14. du mar. au dim.

Olivenza ⓰

Badajoz. 10 700. Plaza de España, 924 49 01 51. sam. Muñecas de San Juan (23 juin).

Enclave portugaise jusqu'en 1801, Olivenza présente un pittoresque aspect métissé. À l'intérieur de l'enceinte fortifiée se dressent le château (1303) occupé par le **Museo Etnográfico Gonzalez Santana** consacré à la vie rurale et trois églises. **Santa María del Castillo** abrite un arbre généalogique de la Vierge d'une merveilleuse

Intérieur de l'église Santa María Magdalena, Olivenza

naïveté. **Santa María Magdalena** offre, avec ses colonnes spiralées, un bel exemple du style manuélin portugais. Des frises d'azulejos décorent la **Santa Casa de Misericordia** bâtie au XVIe siècle. L'une d'elles représente Adam et Ève chassés du Paradis.

Près de la place principale, la **Pastelería Fuentes** propose sa *técula mécula*, pâtisserie à la crème dont elle a l'exclusivité.

Museo Etnográfico Gonzalez Santana
Plaza de Santa Maria. 924 49 02 22. du mar. au dim.

Cancho Roano ⓱

Zalamea de la Serena. 924 78 01 53. mar.-dim.

Découvert en 1978, ce palais-sanctuaire est attribué à la civilisation de Tartessos *(p. 45)*. Les fouilles de ce petit site archéologique ont mis au jour un temple entouré de fossés qui connut trois reconstructions. Au cours du VIe siècle av. J.-C., des incendies ravagèrent chacun de ces édifices de plus en plus vastes. Plusieurs murs et des sols dallés d'ardoise restent néanmoins intacts.

La plupart des objets découverts, notamment des bijoux, des céramiques et du mobilier, se trouvent au musée archéologique de Badajoz.

Aux environs
Un monument funéraire romain sert de clocher à l'église paroissiale de la ville voisine de **Zalamea de la Serena** où chaque année, en septembre, les habitants interprètent une célèbre comédie de Calderón de la Barca *(p. 30)* qu'aurait inspirée un personnage du cru : *L'Alcade de Zalamea*. Spécialité locale, la *torta de la Serena* est un fromage de brebis.

Vestiges de la civilisation de Tartessos à Cancho Ruano

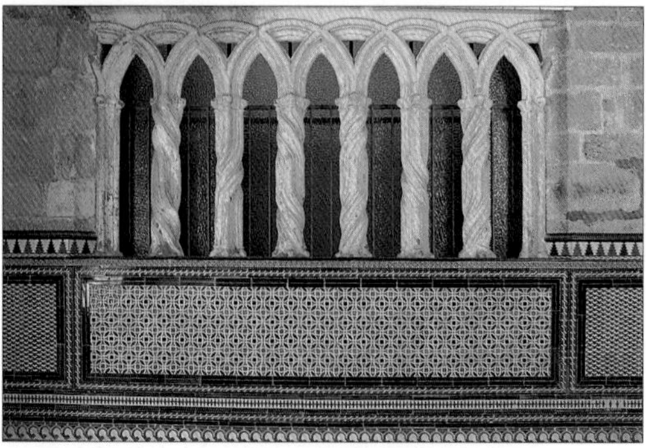

Cloître gothique orné d'azulejos de la cathédrale de Badajoz

Zafra ⓲

Badajoz. 15 000. Plaza de España 8, 924 55 10 36. ven. San Miguel (du 30 sept. au 6 oct.). www.zafraturismo.com

Deux places adjacentes et entourées d'arcades forment le cœur de cette jolie ville surnommée la « petite Séville » pour sa ressemblance avec la capitale de l'Andalousie. Le marché se tenait jadis sur la **Plaza Chica** (XVe siècle). Sur la **Plaza Grande** (XVIIIe siècle) se dresse l'**Iglesia de la Candelaria** qui abrite un retable de Zurbarán. Le

Retable de Zurbarán dans l'Iglesia de la Candeleria de Zafra

Convento de Santa Clara (xvᵉ siècle) et le parador *(p. 561)*, installé dans l'**Alcázar de los Duques de Feria** au patio en marbre attribué à Juan de Herrera, dominent la calle de Sevilla.

Aux environs
La maison où naquit en 1598 le peintre Francisco de Zurbarán se trouve à 25 km au sud à **Fuente de Cantos**.

Jerez de los Caballeros ⑲

Badajoz. 9 600. Plaza de San Augustin 1, 924 73 03 72. mer. Feria del Jamón (début mai). www.dip-badajoz.es

Cette ville blanche à flanc de colline offre, avec ses trois clochers baroques, un paysage parmi les plus pittoresques de l'Estrémadure. Aménagé en jardins, le **château** renferme la Torre Sangrienta (Tour sanglante) où furent décapités en 1312 les templiers qui refusaient de remettre au roi une ville que leur ordre dirigeait depuis sa reconquête en 1230. Au sommet des vieux quartiers, l'église **San Bartolomé** possède une façade ornée de céramique. L'église **San Miguel** dresse sur la plaza de España une tour en brique sculptée. **Santa María de la Encarnación** occupe le site d'un sanctuaire wisigothique.

Aux environs
Fregenal de la Sierra est une jolie ville ancienne située à 25 km au sud.

Llerena ⑳

Badajoz. 5 700. Calle Aurora 2, 924 87 05 51. jeu. Nuestra Señora de la Granada (du 1er au 15 août). www.llerena.org

Près de la frontière avec l'Andalousie, édifices mudéjars et baroques donnent son cachet à Llerena. Agrémentée d'une gracieuse double galerie, la façade de **Nuestra Señora de la Granada** domine la jolie Plaza Mayor plantée de palmiers et ornée d'une fontaine dessinée par Zurbarán qui habita 13 ans la ville. La richesse de la décoration intérieure de l'église rappelle son ancienne importance en tant que siège local de l'Inquisition *(p. 264)*. Le **Convento de Santa Clara** (xviᵉ siècle) borde une rue donnant sur la place.

Aux environs
À 30 km à l'est de Llerena, des azulejos Renaissance et mudéjars ornent l'Iglesia de la Consolación d'**Azuaga**.

Tentudía ㉑

Badajoz. Calera de León. Calera de León, 924 58 41 01. **Monastère** *mar.-dim.*

Des villes fortifiées et des églises fondées par les ordres militaires du Moyen Âge jalonnent les collines boisées de la sierra Morena qui s'étend jusqu'en Andalousie. Sur un sommet se dresse le petit **Monasterio de Tentudía**. Créé au xiiiᵉ siècle par l'ordre de Saint-Jacques, il renferme un superbe cloître mudéjar et un retable paré d'azulejos de Séville. À 6 km au nord de Tentudía, l'ordre de Saint-Jacques fonda aussi le magnifique couvent, partiellement en ruine, de **Calera de León**. De style Renaissance, il comprend une église gothique et un cloître.

Arènes de Fregenal de la Sierra

L'Espagne méridionale

L'Espagne méridionale d'un coup d'œil

Vaste région qui forme le sud de l'Espagne, l'Andalousie présente une grande variété de paysages, des déserts d'Almería, à l'est, aux marais de Doñana, à l'ouest, et des sommets enneigés de la sierra Nevada aux plages de la Costa del Sol. Trois villes s'y partagent les plus importants monuments islamiques du pays : Grenade, Cordoue et Séville, la capitale arrosée par le río Guadalquivir. L'Andalousie propose aussi de nombreuses autres cités historiques, ses célèbres villages blancs, plusieurs réserves naturelles et les vignobles de xérès à Jerez de la Frontera.

La Mezquita de Cordoue (p. 456-457) *renferme une remarquable forêt de colonnes et un* mihrab *(niche dirigée vers La Mecque) au décor raffiné.*

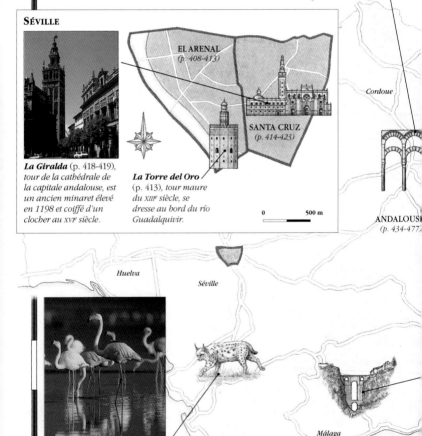

SÉVILLE

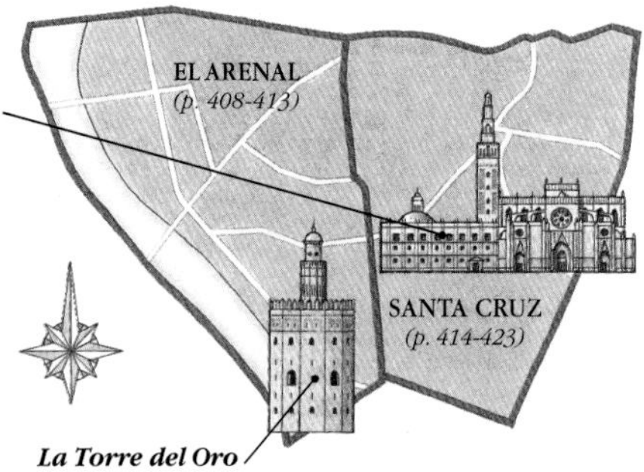

La Giralda (p. 418-419), *tour de la cathédrale de la capitale andalouse, est un ancien minaret élevé en 1198 et coiffé d'un clocher au XVIe siècle.*

La Torre del Oro (p. 413), *tour maure du XIIIe siècle, se dresse au bord du río Guadalquivir.*

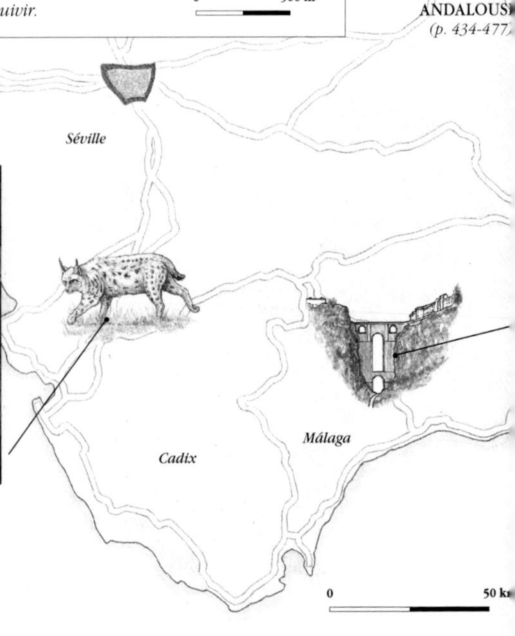

Le Parque Nacional de Doñana (p. 440-441) *protège une étendue marécageuse peuplée notamment de lynx, de flamants, d'aigles, de cerfs et de bétail en liberté.*

◁ **Maisons blanches aux toits de tuiles rouges à Montefrío près de Grenade**

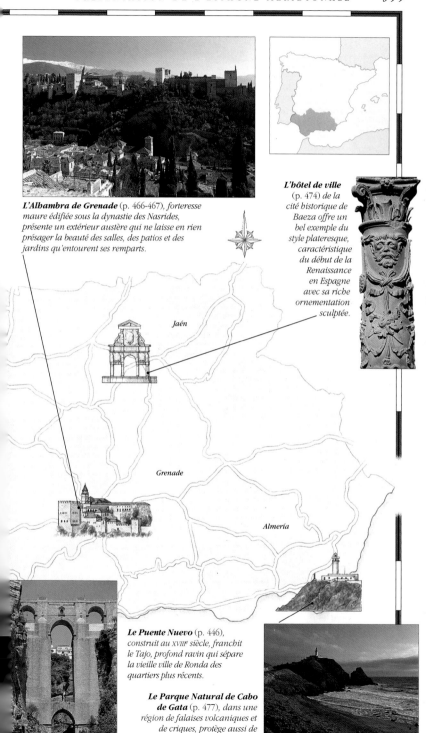

***L'Alhambra de Grenade** (p. 466-467), forteresse maure édifiée sous la dynastie des Nasrides, présente un extérieur austère qui ne laisse en rien présager la beauté des salles, des patios et des jardins qu'entourent ses remparts.*

***L'hôtel de ville** (p. 474) de la cité historique de Baeza offre un bel exemple du style plateresque, caractéristique du début de la Renaissance en Espagne avec sa riche ornementation sculptée.*

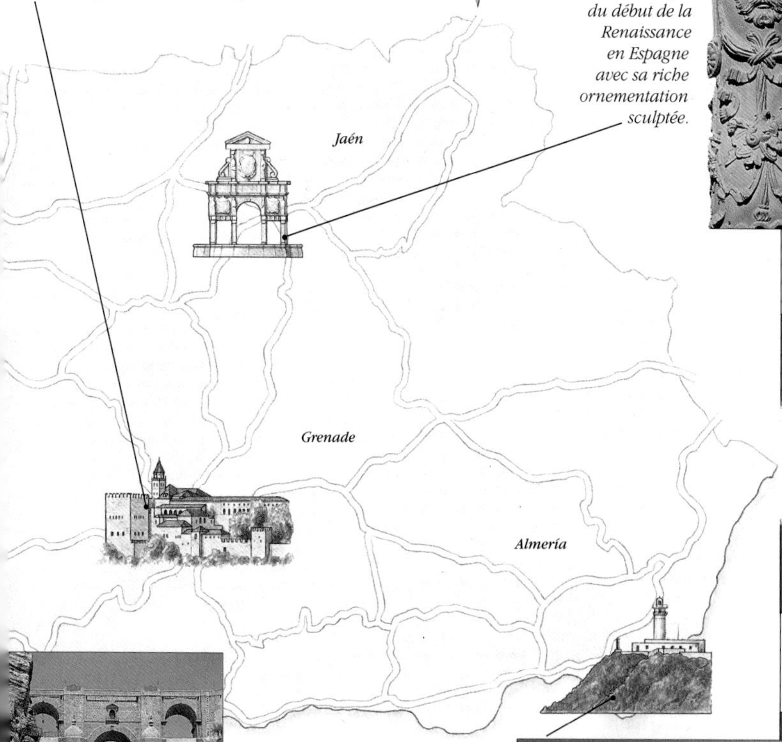

***Le Puente Nuevo** (p. 446), construit au XVIIIe siècle, franchit le Tajo, profond ravin qui sépare la vieille ville de Ronda des quartiers plus récents.*

***Le Parque Natural de Cabo de Gata** (p. 477), dans une région de falaises volcaniques et de criques, protège aussi de riches flore et faune marines.*

Les spécialités de l'Espagne méridionale

Vinaigre de xérès

La cuisine andalouse, où l'huile d'olive joue un grand rôle, doit beaucoup aux Arabes qui introduisirent dans la péninsule le riz, les agrumes et de nombreux légumes et épices. Parmi les spécialités à déguster aujourd'hui figurent les viandes grillées, les sauces au cumin ou au safran et les pâtisseries à base d'amandes pilées. Les tomates et les poivrons entrent dans de nombreux plats, tandis que le vinaigre de xérès assaisonne les salades. La région est aussi réputée pour ses produits de la mer et ses charcuteries. En montagne, les recettes apprêtent souvent abats et pois chiches. Inventés en Andalousie, les tapas *(p. 574-575)* y sont d'une grande variété.

La cachorreñas, *soupe de poisson de Cadix parfumée au zeste d'orange amère, s'épaissit avec du pain.*

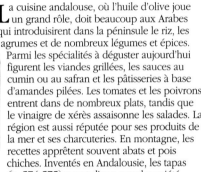

***L'huile d'olive** est une des grandes richesses de l'Andalousie depuis l'époque romaine et le tiers de la production européenne provient de la région. Les fruits prennent à table de nombreuses formes : grosses* gordales, *petites et vertes* manzanillas *et olives farcies. Les* aceitunas aliñadas *sont écrasées avant d'être mises à mariner.*

Huile d'olive et olives

***La fritura de pescado**, servie, avec des quartiers de citron, à Cadix et Málaga, marie poissons et fruits de mer frits.*

***Les fideos a la malagueña** sont une sorte de paella aux fruits de mer et aux poivrons où des pâtes remplacent le riz.*

***Le gazpacho**, soupe froide souvent servie garnie, se prépare en écrasant de la mie de pain avec de l'ail, des tomates, des poivrons et du concombre. L'huile d'olive la rend crémeuse et un peu de vinaigre encore plus rafraîchissante.*

***Le pescado a la sal**, poisson cuit au four dans une croûte de sel, se mange souvent avec un ailloli ou une sauce au persil.*

Les habas à la rondeña, *fèves accompagnées de jambon, sont souvent appelées « haricots à l'espagnole ».*

Le rabo de toro, *queue de bœuf cuisinée dans du vin rouge avec des légumes, est une excellente daube.*

Le ternera con alcachofas *de Cordoue associe veau et cœurs d'artichauts dans une sauce au vin de Montilla.*

Les huevos à la flamenca *sont des œufs brouillés cuits dans un ramequin avec des légumes et, souvent, du chorizo.*

Le tocino de cielo, *délicieux flan au caramel, porte un nom qui signifie « lard du ciel ».*

Les biscuits *incluent les* roscones *en anneaux, les ronds* mantecados *à la cannelle et les onctueux* empanadillas.

FRUITS

Tout pousse dans une région où la ville de Grenade a pris un fruit pour symbole, aussi bien les classiques fraises, pommes, poires ou melons et cantaloups que les oranges, les citrons ou des espèces tropicales. Le figuier prospère à l'état sauvage.

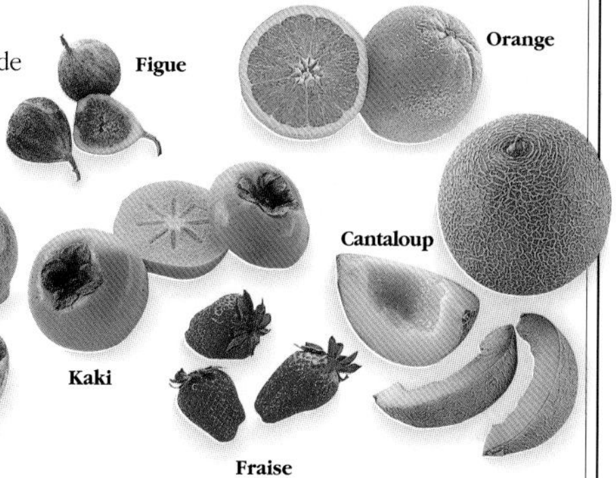

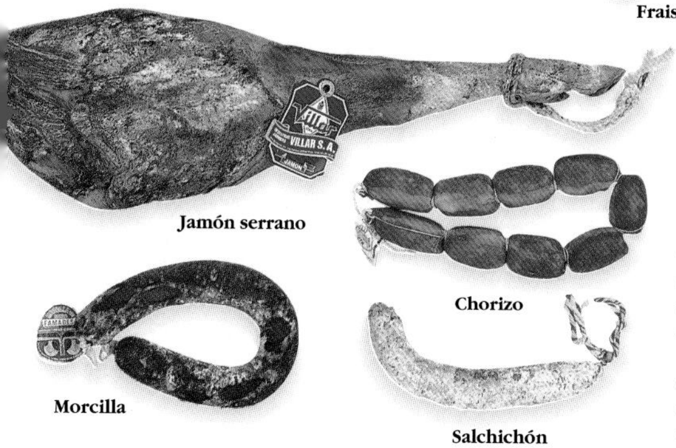

CHARCUTERIES

Le *jamón serrano* (jambon de montagne) provenant des sierras d'Andalousie, notamment de villages comme Jabugo *(p. 438)* et Trevélez *(p. 460)*, a acquis une réputation méritée. Le chorizo peut se cuire, à l'instar du *morcilla* (boudin), ou se couper en tranches comme les *salchichones* pour se déguster en tapas.

Les vins de l'Espagne méridionale

Logo de Gonzàles Byass

L'Andalousie est une région de vins vinés (additionnés d'alcool) célèbre par son xérès. Celui-ci se présente sous différentes formes. Secs et légers (15,5 degrés d'alcool), le fino et le manzanilla se boivent toujours frais, souvent accompagnés de tapas *(p. 576-577)*. Secs également, mais vieillis plus longtemps, l'amontillado et l'oloroso se marient bien avec le *jamón serrano (p. 574)*. Parmi les autres vins de la région figurent des finos, qui peuvent être vinés ou pas, et le malaga.

Labourage des vignes

***Tio Pepe** est un des finos de Jerez réputés pour leur bouquet, leur robe claire et leur longueur en bouche.*

Régions viticoles

Les vignes produisant le xérès s'étendent sur les coteaux calcaires entre Jerez, San Lúcar et El Puerto de Santa María. Au sud de la région de Montilla-Moriles, le développement urbain a empiété sur les vignobles de Málaga.

***Le montilla**, plus doux que le xérès, accompagne bien certaines spécialités andalouses.*

***Le manzanilla** n'est vinifié qu'à San Lúcar de Santa María, ville située à l'embouchure du Guadalquivir. Très sec, comme le fino, il possède une saveur salée caractéristique.*

Légende

- Condado de Huelva
- Xérès
- Montilla-Moriles
- Málaga

Ce qu'il faut savoir sur les vins d'Espagne méridionale

Sols et climat
Dans une des régions les plus ensoleillées d'Europe, les brises océanes tempèrent la chaleur estivale. Le meilleur sol est une craie blanche, l'*albariza*. Il est plus argileux en Montilla.

Cépages
Le palomino donne les meilleurs xérès secs. Le pedro ximénez, principale variété de Montilla et de Malága, entre dans les appellations plus douces. Le moscatel est aussi cultivé à Malága.

Quelques producteurs réputés
Condado de Huelva : Manuel Sauci Salas (Riodiel), A.Villarán (Pedro Ximénez Villarán). ***Xérès :*** Barbadillo (Solear), Blázquez (Carta Blanca), Caballero (Puerto), Garvey (San Patricio), González Byass (Alfonso, Tío Pepe), Hidalgo (La Gitana, Napoleón), Lustau, Osborne (Quinta), Pedro Domecq (La Ina), Sandeman. ***Montilla-Moriles :*** Alvear (C.B., Festival), Gracia Hermanos, Pérez Barquero, Tomás García. ***Málaga :*** Scholtz Hermanos, López Hermanos.

La fabrication du xérès

Le xérès est issu de deux cépages principaux : le palomino, qui donne des vins secs et délicats, et le pedro ximénez pour des crus plus riches et plus sucrés.

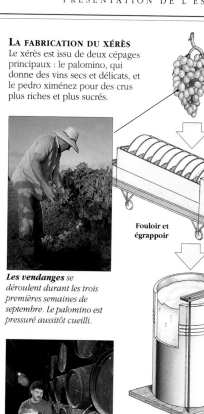

***Le séchage du raisin**, utilisé seulement pour le pedro ximénez, augmente le taux de sucre des grappes étalées au soleil sur des nattes de sparte.*

***Les vendanges** se déroulent durant les trois premières semaines de septembre. Le palomino est pressuré aussitôt cueilli.*

Fouloir et égrappoir

***Le pressurage et l'égrappage** s'effectuent dans des cuves en acier inoxydable et généralement de nuit, à la fraîche.*

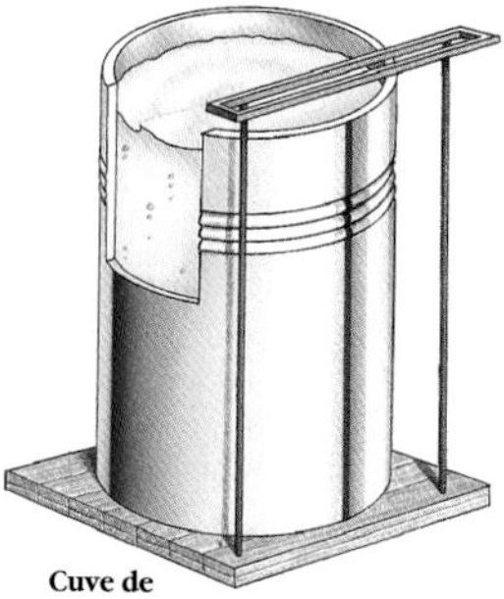

Cuve de fermentation en acier

***Si la* flor** *(fleur), sorte de levure, se forme à la surface du moût, empêchant l'oxydation et apportant une saveur délicate, le vin est un fino.*

***Le vinage**, un ajout d'eau-de-vie de raisin, fait passer le degré des vins d'environ 11° à quelque 18° pour les olorosos et 15,5° pour les finos.*

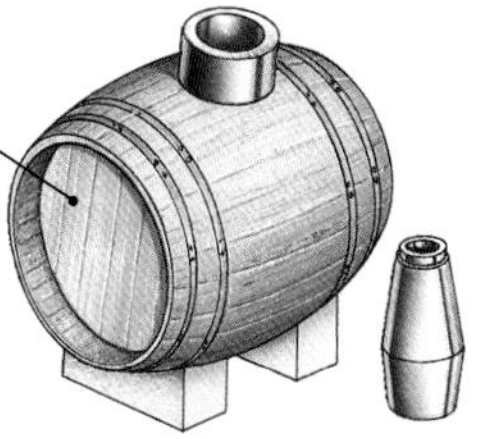

Le système des *soleras*

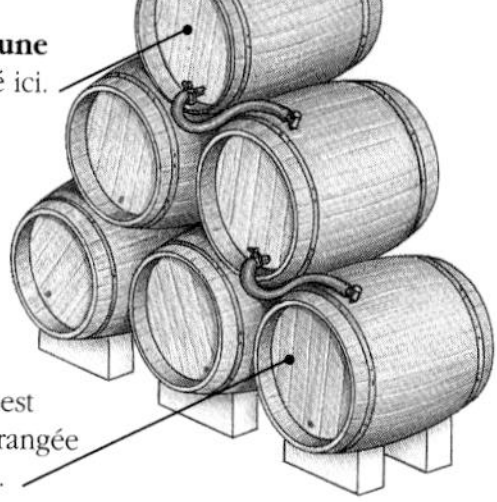

Le vin jeune est stocké ici.

Le xérès est tiré de la rangée inférieure.

Produit fini

***Le système des* soleras** *assure une qualité constante. Le vin le plus jeune se mêle au plus ancien, conservé dans les tonneaux en dessous, et en prend le caractère.*

L'architecture maure

La première grande période de l'architecture maure commence sous le califat de Cordoue. La somptueuse Mezquita *(p. 456-457)* réunit tous les éléments du style califal : arcs, stucs et calligraphie ornementale. Les Almohades introduisirent postérieurement un style islamique très pur dont la Giralda *(p. 418-419)* offre un magnifique exemple. Les Nasrides construisirent l'Alhambra *(p. 466-467)*, chef-d'œuvre de raffinement, tandis que les mudéjars *(p. 51)* mirent leur art au service des chrétiens pour bâtir de superbes édifices tels que le Palacio Pedro I.

***Reflets** dans l'eau et jeux de lumière ont un rôle central dans l'architecture maure.*

***Les coupoles**, en général simplement couvertes de tuiles, reposaient sur un réseau complexe de nervures de pierre ornées à l'intérieur, comme ici à la Mezquita, de motifs stylisés en mosaïque.*

Les jardins maures s'organisaient souvent autour de bassins et de canaux.

Développement de l'architecture maure

Époque précalifale 710-929	Époque califale 929-1031	Époque almoravide et almohade 1091-1248	Époque nasride 1238-1492
	1031-1091 Période *taifa* (p. 50)		Vers 1350 Palais de l'Alhambra

700	800	900	1000	1100	1200	1300	1400

- **785** Construction de la Mezquita à Cordoue
- **936** Construction de Medina Azahara près de Cordoue
- **1184** Construction de la Giralda à Séville
- **Vers 1350** Palacio Pedro I
- **Époque mudéjare après 1248**

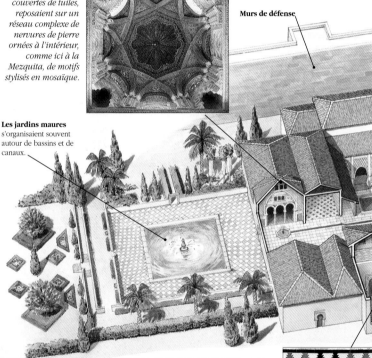

***Des azulejos** (p. 420) aux motifs géométriques ornaient souvent les murs comme ici à l'Alcázar (p. 422).*

ARCS MAURES

Inspiré de l'arc en fer à cheval (dit outrepassé) des églises construites par les Wisigoths, l'arc maure, élément essentiel de grandioses réalisations architecturales telles que la Mezquita, évolua au fil des siècles, s'enrichissant d'ornementations sophistiquées tout en s'éloignant de sa forme d'origine.

Arc califal, Medina Azahara *(p. 453)* — **Arc almohade, Alcázar *(p. 422)*** — **Arc mudéjar, Alcázar *(p. 422)*** — **Arc nasride, Alhambra *(p. 466)***

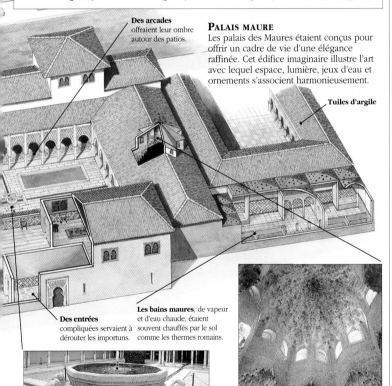

PALAIS MAURE

Les palais des Maures étaient conçus pour offrir un cadre de vie d'une élégance raffinée. Cet édifice imaginaire illustre l'art avec lequel espace, lumière, jeux d'eau et ornements s'associent harmonieusement.

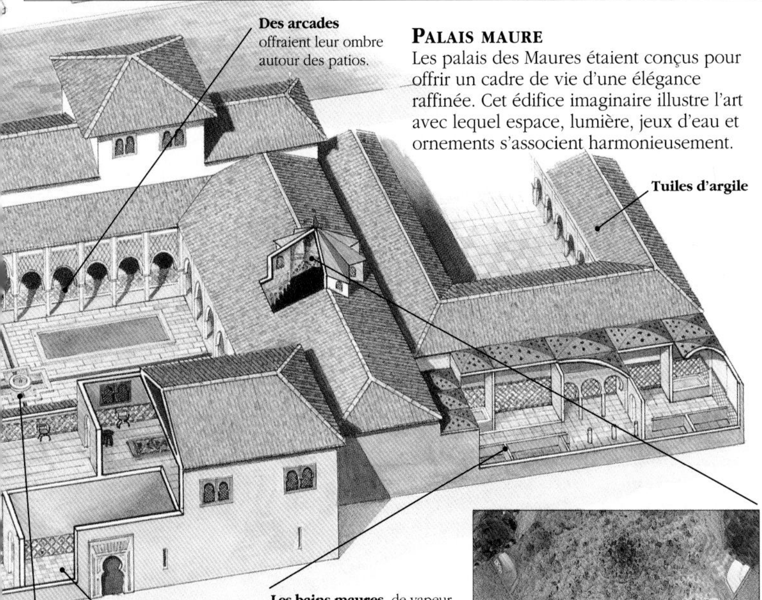
Des arcades offraient leur ombre autour des patios.
Tuiles d'argile
Des entrées compliquées servaient à dérouter les importuns.
Les bains maures, de vapeur et d'eau chaude, étaient souvent chauffés par le sol comme les thermes romains.

***L'eau** qui rafraîchissait les cours des palais, tel le Patio de los Leones de l'Alhambra* (p. 467), *apportait aussi son murmure apaisant.*

***Des ornements de stuc sophistiqués**, caractéristiques du style nasride, valent à la Sala de los Abencerrajes de l'Alhambra* (p. 467), *pourtant construite avec les matériaux les plus simples, d'être considérée comme l'un des monuments les plus remarquables de l'époque maure.*

Le flamenco, âme de l'Andalousie

Féria de Séville 1953

Bien plus qu'une simple danse, le flamenco est l'expression des souffrances et des joies de l'existence. Interprété dans toute l'Espagne et aux quatre coins du monde, il n'en reste pas moins un art purement andalou, lié aux gitans du sud de l'Espagne. Il existe plusieurs styles de *cante* (chant), souvent issus de traditions locales, mais pas de chorégraphie stricte : les danseurs improvisent à partir de mouvements de base, suivant le rythme de la guitare et leur inspiration. Négligé dans les années 1960 et 1970, le flamenco connaît aujourd'hui un regain d'intérêt qui lui ouvre des voies nouvelles.

***Les sevillanas**, danses folkloriques toujours appréciées des Andalous, ont fortement influencé le flamenco.*

***Les origines du flamenco** restent mal connues, mais ce sont les gitans, présents en Andalousie depuis le haut Moyen Âge, qui lui donnèrent sa forme actuelle au XVIIIe siècle, mariant leur propre culture issue de l'Inde à des traditions musicales et folkloriques de souches arabes, juives et chrétiennes.*

Au *tablao* (club de flamenco), 4 personnes au moins, dont celle qui bat le rythme avec les mains, occupent la scène.

La guitare espagnole

Guitare classique

La guitare, qui accompagne traditionnellement le chanteur, joue un rôle déterminant dans le flamenco. Issue de la guitare classique moderne, instrument qui s'est développé en Espagne au XIXe siècle, la guitare flamenco, plus légère et plus plate, possède une table de protection renforcée qui permet au musicien de battre des rythmes. Aujourd'hui, le guitariste flamenco joue souvent seul. L'un des plus grands, Paco de Lucía, forma un tandem novateur avec le chanteur Camarón de la Isla avant d'entamer une carrière de soliste. Son style inventif, ouvert au jazz et à des éléments rock ou latino-américains, a eu une grande influence sur des artistes tels que le groupe Ketama au flamenco mâtiné de blues.

Paco de Lucía

***Le chant**, souvent interprété en solo, joue un rôle essentiel dans le flamenco. Camarón de la Isla (1952-1992), un gitan né près de Cadix, compte parmi les* cantaores *modernes les plus célèbres. À partir du* cante jondo *(littéralement : « chant profond »), il a développé un style personnel influencé par le rock et le jazz et a inspiré de nombreux artistes.*

Où découvrir le flamenco

D'excellents interprètes se produisent à Madrid *(p. 306)*. Les grottes du Sacromonte *(p. 465)* offrent un cadre insolite. À Séville, le barrio de Santa Cruz *(p. 414-423)* recèle de bons *tablaos*.

***La Chanca** est une* bailaora *(danseuse) réputée pour ses mouvements puissants et fougueux. Une autre danseuse, Cristina Hoyos, au style très personnel, dirige sa propre compagnie qui connut un succès mondial dans les années 1980.*

La posture fière de la *bailaora* suggère une passion contenue.

La voix est traditionnellement rauque et vibrante.

Robe à pois traditionnelle

***Le bailaor** joue un rôle moins important que la bailaora, mais maints danseurs de flamenco ont néanmoins connu la gloire, tel Antonio Canales qui créa un nouveau rythme par ses mouvements de pieds originaux.*

Le tablao de flamenco

Il est devenu rare d'assister à des danses spontanées dans un *tablao*, mais si l'inspiration porte les interprètes, ils donnent un spectacle d'une grande intensité d'émotion, surtout si le *duende* (« magie ») s'installe entre eux et le public.

Le rythme du flamenco

La guitare marque le rythme si caractéristique du flamenco, mais les claquements de talon de la *bailaora* et le battement des mains ont une égale importance. Les solos de castagnettes de Lucera Terno (née en 1939) l'ont rendue célèbre, mais ces instruments n'interviennent normalement que dans une danse appelée le *fandaguillo*. Les gracieux mouvements de mains de la danseuse l'aident à exprimer ses sentiments – souffrance, tristesse ou joie. Comme pour les déplacements et postures du reste du corps, il n'existe pas de chorégraphie et les styles varient d'une artiste à l'autre.

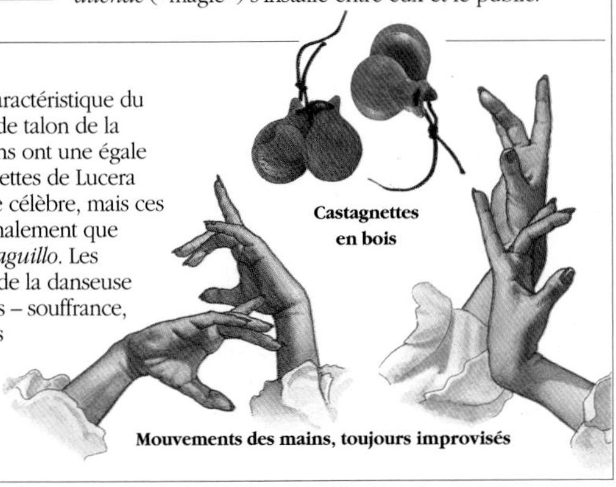

Castagnettes en bois

Mouvements des mains, toujours improvisés

Plaza de Toros de
SEVILLA
PROPIEDAD DE LA REAL MAESTRANZA DE CABALLERIA · Empresa: PAGES
ESCACENA
(FUERA DE ABONO)
18
SEPTIEMBRE 1994
GRANDIOSA NOVILLADA CON PICADORES
6 ESCOGIDOS NOVILLOS 6
JANDILLA
PARA LOS NOVILLEROS
ADOLFO DE LOS REYES
LUIS REINOSO
"EL CARTUJANO"
GREGORIO BRAVO
LA NOVILLADA DARA COMIENZO A LAS 7 DE LA TARDE
GIN RIVES
GIN RIVES

El Arenal

Azulejos du XXe siècle montrant la Torre del Oro

Des arènes d'une blancheur éblouissante, la Plaza de Toros de la Maestranza où les Sévillans assistent à des courses de taureaux depuis plus de deux siècles, dominent cet ancien quartier de dépôts de munitions et de chantiers navals que gardait au bord du río Guadalquivir la Torre del Oro bâtie au XIIIe siècle. Une animation intense règne dans ses nombreux bars et *bodegas* pendant la saison des corridas, de Pâques à septembre.

Quand le fleuve, qui rythmait la vie de la cité, s'envasa au XVIIe siècle et perdit son importance, El Arenal, adossé à l'enceinte fortifiée, était déjà devenu notoirement mal famé. Canalisé au début du XXe siècle, le Guadalquivir ne fut rendu à la navigation, retrouvant sa gloire d'antan, que pour l'Exposition universelle de 1992. Aménagée en promenade ombragée, sa rive droite offre une excellente vue du quartier de Triana et de l'Isla de la Cartuja *(p. 428)*.

L'Hospital de la Caridad témoigne de l'amour que porte la capitale andalouse au baroque. De célèbres peintures de Murillo décorent son église. Plus au nord, dans un couvent magnifiquement restauré, le Museo de Bellas Artes retrace l'évolution de l'école picturale de Séville. Sa riche collection d'art comprend des œuvres majeures de Zurbarán, Murillo et Valdés Leal.

Le quartier d'un coup d'œil

Bâtiments historiques
Hospital de la Caridad ❹
Plaza de Toros de la Maestranza ❸
Torre del Oro ❺

Musée
Museo de Bellas Artes ❶

Église
Iglesia de la Magdalena ❷

Comment y aller

Le quartier est bien desservi par les bus orange Tussam. Prenez le C4, qui emprunte le paseo de Colón, ou l'un de ceux pour la plaza Nueva.

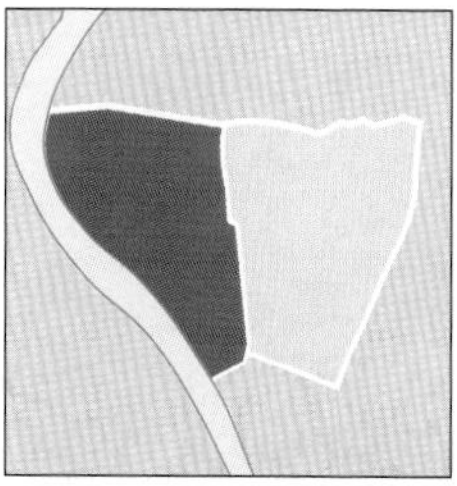

Légende

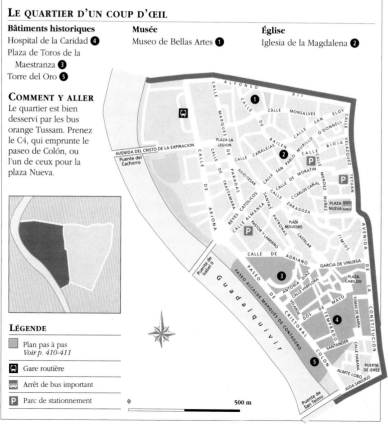

Plan pas à pas
Voir p. 410-411

Gare routière

Arrêt de bus important

Parc de stationnement

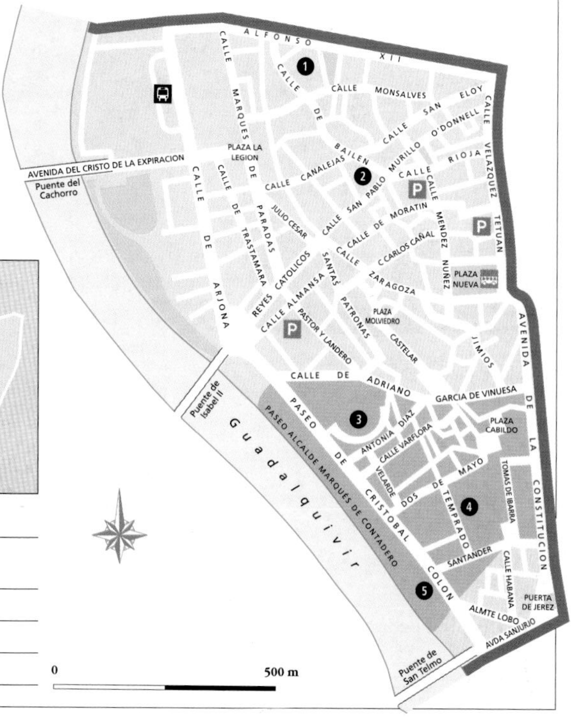

El Arenal pas à pas

Statue de Carmen

El Arenal, où se trouvaient jadis le port et le quartier général de l'artillerie, ne doit plus son ambiance particulière aux marins ou aux soldats, mais aux majestueuses arènes de Séville, la Plaza de Toros de la Maestranza. En dehors de la saison des corridas *(p. 412)*, où bars et restaurants s'emplissent d'*aficionados*, le calme règne dans ses rues. Longue promenade ombragée, le paseo de Cristóbal Colón offre le cadre idéal à une flânerie romantique au bord du Guadalquivir. L'un des monuments les plus célèbres de la ville domine le fleuve, la Torre del Oro élevée par les Maures en 1220.

★ La Plaza de Toros de la Maestranza
Bâties en 1761, ces arènes à la faça baroque comptent parmi les plus anciennes d'Espagne ❸

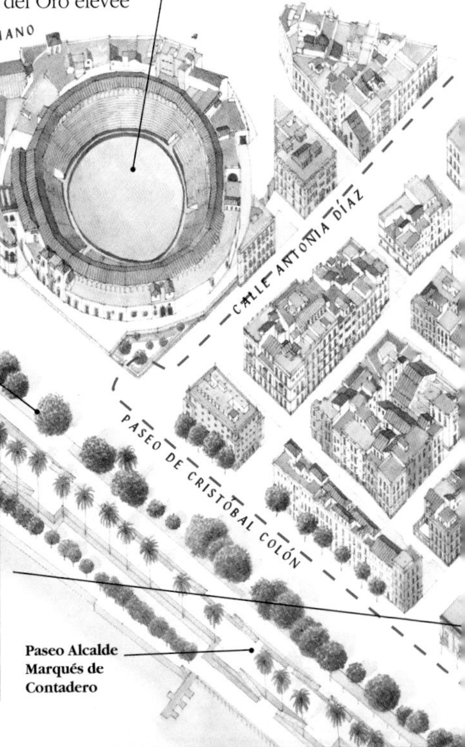

Carmen *(p. 427)*, sculptée dans le bronze, se dresse face aux arènes.

Paseo Alcalde Marqués de Contadero

Le Teatro de la Maestranza, siège de l'Orquesta Sinfónica de Sevilla, propose également une programmation internationale de danse et d'opéra.

Le Guadalquivir connaissait autrefois des crues catastrophiques. Régulé par un barrage construit après des inondations en 1947, il se prête à des promenades en bateau depuis la Torre del Oro.

À NE PAS MANQUER

- ★ La Plaza de Toros de la Maestranza
- ★ L'Hospital de la Caridad
- ★ La Torre del Oro

El Buzo (le Scaphandrier) est l'un des nombreux bars à tapas et *freidurías* sur ou près de la calle Arfe. Non loin, le Mesón Sevilla Jabugo I sert du *jamón ibérico (p. 438).*

Carte de situation
Voir l'atlas des rues, plan 3

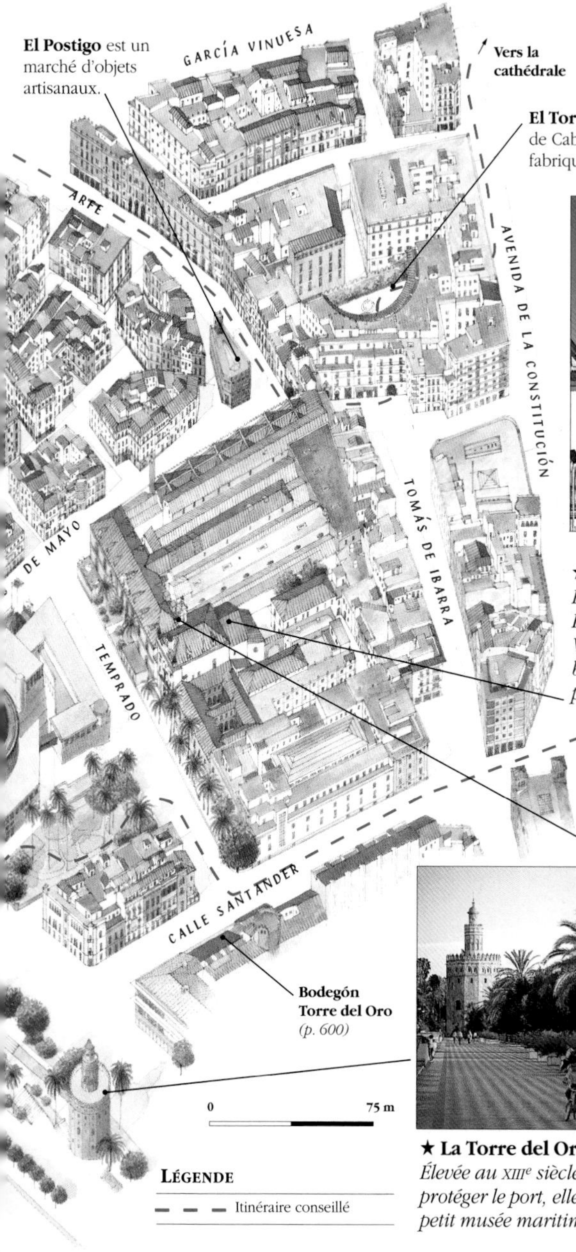

El Postigo est un marché d'objets artisanaux.

Vers la cathédrale

El Torno, sur la discrète plaza de Cabildo, vend des douceurs fabriquées dans les couvents.

★ L'Hospital de la Caridad
Des peintures de Bartolomé Esteban Murillo et Juan de Valdés Leal ornent l'église baroque de cet hospice pour personnes âgées ❹

Vers l'Alcázar

Maestranza de Artillería

Bodegón Torre del Oro *(p. 600)*

★ La Torre del Oro
Élevée au XIIIe siècle par les Maures pour protéger le port, elle abrite aujourd'hui un petit musée maritime ❺

Légende

– – – Itinéraire conseillé

Vierge à l'Enfant ornant l'église baroque de la Magdalena

Museo de Bellas Artes ❶

Plaza del Museo 9. **Plan** 1 B5. *954 22 07 90.* *43, C3.* *de 15 h à 20 h le mar., de 9 h à 20 h du mer. au sam., de 9 h à 14 h le dim. ; groupes sur r.-v.* *gratuit pour les Européens*

Achevé en 1612 par Juan de Oviedo et récemment restauré, le Convento de la Merced Calzada abrite l'un des plus intéressants musées d'art d'Espagne. L'édifice s'organise autour de trois cours intérieures plantées d'arbres et de fleurs et ornées de beaux azulejos *(p. 420)*. L'architecte Leonardo de Figueroa remania la plus grande, le Patio Mayor, en 1724.

La collection de peintures et de sculptures espagnoles, du Moyen Âge à l'époque moderne, est particulièrement riche en œuvres de l'école sévillane. Dans l'église, qui possède une coupole baroque décorée par Domingo Martínez, s'admire un ensemble de tableaux par Murillo, dont *La Servilleta* (1665-1668), Vierge à l'Enfant qu'il aurait peinte sur une serviette de table *(servilleta)*. Le talent de Juan de Valdés Leal s'exprima notamment dans d'intenses compositions religieuses, telle *La Inmaculada* (1672) visible dans la salle 8. La salle 10 est dédiée à Zurbarán et abrite entre autres son *San Hugo en el Refectorio* (1655) exécuté pour la Cartuja *(p. 428)*.

Iglesia de la Magdalena ❷

Calle San Pablo 10. **Plan** 3 B1. *954 22 96 03.* *43.* *de 7 h 30 à 11 h, de 18 h 30 à 21 h du lun. au sam., de 7 h 30 à 13 h 30, de 18 h 30 à 21 h le dim.*

Un clocher peint de couleurs vives domine la façade ouest de cette immense église baroque due à Leonardo de Figueroa et achevée en 1709. En cours de restauration, elle devrait bientôt retrouver sa splendeur d'antan. Dans l'angle sud-ouest se dresse la Capilla de la Quinta Angustia, chapelle mudéjare à trois coupoles. Elle faisait partie d'une église antérieure où le peintre Bartolomé Murillo reçut le baptême en 1618. Le baptistère du sanctuaire actuel abrite les fonts qui servirent en cette occasion.

San Jerónimo Penitente, Museo de Bellas Artes

Parmi les peintures de la Magdalena figurent *Saint Dominique à Soria* de Zurbarán, dans la Capilla Sacramental (à droite de la porte sud), et des fresques par Lucas Valdés. Un mur du bras nord du transept porte une représentation d'un *autodafé (p. 264)*.

Plaza de Toros de la Maestranza ❸

Paseo de Cristóbal Colón 12. **Plan** 3 B2. *954 22 45 77.* *C412.* *de 9 h 30 à 14 h, de 15 h à 19 h t.l.j.*

Construites entre 1761 et 1881, les célèbres arènes de Séville, peut-être les plus belles d'Espagne, peuvent contenir jusqu'à 14 000 spectateurs.

La visite guidée de cet immense édifice commence à l'entrée principale, sur le paseo de Cristóbal Colón. Sur le côté ouest s'ouvre la Puerta del Príncipe (porte du Prince) que les matadors qui ont triomphé franchissent portés par leurs admirateurs. Après l'*enfermería* (infirmerie) on peut voir une exposition de portraits, d'affiches et de costumes comprenant une cape peinte par Picasso, puis la chapelle où prient les toreros, et enfin les écuries des chevaux des picadors.

La saison des corridas débute avec la *feria* à Pâques et se poursuit jusqu'en octobre. La plupart des courses de taureaux ont lieu le dimanche soir. Les billets s'achètent sur place à la *taquilla* (guichet).

À côté de la Plaza de Toros se dresse le Teatro de la Maestranza dont la forme circulaire s'inspire de celle des arènes. Dessiné par Luis Marín de Terán et Aurelio de Pozo, l'austère opéra-théâtre de Séville ouvrit en 1991. Sa façade tournée vers le fleuve est ornée d'éléments en fer forgé provenant d'une fabrique de munitions du XIXe siècle qui occupait auparavant le site.

Arène de la Plaza de Toros de la Maestranza entreprise en 1761

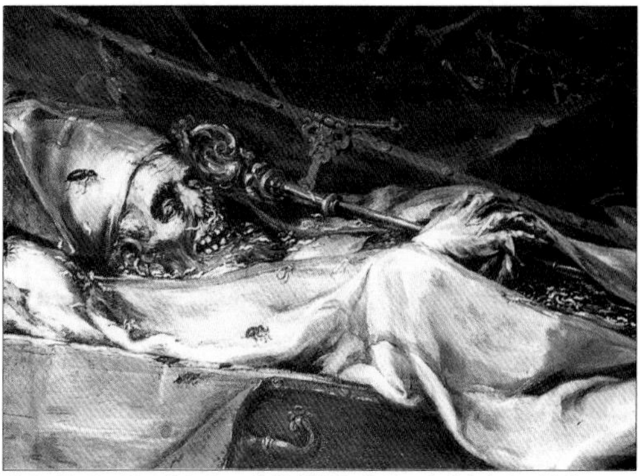

***Finis Gloriae Mundi* de Juan de Valdés Leal, Hospital de la Caridad**

Hospital de la Caridad ❹

Calle Temprado 3. **Plan** 3 B2. *954 22 32 32.* *C4.* *de 9 h à 13 h 30, de 15 h 30 à 19 h 30 du lun. au sam. ; de 9 h à 13 h dim. et jours fériés.*

Fondé en 1674, l'hôpital de la Charité abrite un hospice. Dans les jardins se dresse une statue de son bienfaiteur, Miguel de Mañara, dont la vie dissolue, avant qu'il ne rejoigne la confrérie, aurait inspiré le personnage de Don Juan.

Avec ses murs blancs, ses parements de pierre rougeâtre et ses azulejos, la façade offre un bel exemple de baroque sévillan. Derrière s'ouvrent deux patios carrés agrémentés de plantes, de carreaux de céramique hollandais du XVIIIe siècle et de fontaines ornées de statues italiennes représentant la Charité et la Miséricorde. À leur extrémité nord, un passage à droite conduit à une troisième cour qui renferme un arc du XIIIe siècle provenant d'anciens chantiers navals.

Pour décorer l'église, Mañara demanda à deux grands peintres sévillans d'illustrer deux thèmes au cœur de ses préoccupations : la vanité de l'existence terrestre et la charité. Deux tableaux de Juan de Valdés Leal, *Finis Gloriae Mundi* et *In Ictu Oculi*, montrent la Mort à l'œuvre. À leur pessimisme macabre s'oppose la douceur qui émane des six œuvres de Murillo (sur une série de onze pillée par le maréchal Soult pendant l'occupation napoléonienne), notamment *Saint Jean de Dieu portant un moribond sur ses épaules* et *Saint Jean-Baptiste enfant*.

Torre del Oro ❺

Paseo de Cristóbal Colón. **Plan** 3 B2. *954 22 24 19.* *C2, C3, C4, 21.* *de 10 h à 14 h du mar. au ven., de 11 h à 14 h sam. et dim.* *août et lun.* *gratuit le mar.*

Construite par les Almohades en 1220, la Tour de l'Or faisait partie des fortifications de la ville à l'époque maure et des remparts la reliaient à l'Alcázar *(p. 422-423)*. Une deuxième tour lui faisait pendant sur l'autre rive du Guadalquivir. Une chaîne tendue entre les deux édifices empêchait d'éventuels bateaux ennemis de remonter le fleuve. La Torre del Oro tirerait son nom des azulejos dorés qui la décoraient ou des trésors provenant du Nouveau Monde que l'on y déchargeait. Après avoir servi de poudrière, de chapelle, de prison et de bureau portuaire, elle abrite désormais le Museo Marítimo.

La Torre del Oro, édifice almohade

Fêtes de Séville

Feria d'avril *(2 semaines après Pâques)*. Pendant une semaine, la ville vit sur le champ de foire, de l'autre côté du fleuve. Familles, associations, syndicats ou groupes d'amis ou de voisins louent des abris de toile et de bois, les *casetas*, pour y passer la nuit à boire, à chanter et à danser des *sevillanas*. L'accès est généralement réservé aux invités. Tous les jours, à partir d'environ 13 h, cavaliers et cavalières paradent dans leurs plus beaux atours traditionnels. La Plaza de Toros de la Maestranza propose l'après-midi des corridas exceptionnelles.

***Paso* de la semaine sainte**

Semaine sainte *(mars-avril)*. Entre le dimanche des Rameaux et celui de Pâques, les membres des confréries portent en procession plus de 100 *pasos* (chars illustrant la Passion). Des spectateurs entonnent des *saetas*, incantations à la louange de la Vierge ou du Christ. Aux premières heures du vendredi saint, une foule fervente attend devant leurs églises la Virgen de la Macarena et la Virgen de la Esperanza. **Fête-Dieu** *(mai-juin)*. Les *seises*, garçons en costumes du XVIIe siècle, dansent devant le maître-autel de la cathédrale *(p. 419)*.

SANTA CRUZ

Ancien quartier juif de Séville et partie la plus pittoresque de la ville, le barrio de Santa Cruz offre à la flânerie un dédale de venelles et de patios blanchis. Nombre des monuments sévillans les plus renommés s'y trouvent : l'immense cathédrale gothique dominée par la tour maure de la Giralda ; l'Alcázar, avec les palais et les jardins luxuriants de Pierre le Cruel et de Charles Quint ; et l'Archivo de Indias dont les documents relatent l'exploration et la conquête du Nouveau Monde par les Espagnols.

Réverbère de la plaza del Triunfo

Au nord-est s'étend un lacis enchanteur de ruelles où vécut au XVIIe siècle Bartolomé Esteban Murillo, grand peintre du Siècle d'or. Son contemporain, Juan de Valdés Leal, décora l'Hospital de los Venerables de magnifiques fresques baroques. Plus au nord, la calle de las Sierpes est une des rues commerçantes les plus en vogue de Séville. Les places de marché voisines, telle la charmante plaza del Salvador, servirent de décor à certaines histoires écrites par Cervantes. L'ornementation des façades et des intérieurs de l'Ayuntamiento (hôtel de ville) et de la Casa de Pilatos, un joyau de l'architecture andalouse, témoignent de l'effervescence artistique financée au XVIe siècle par les richesses du Nouveau Monde.

LE QUARTIER D'UN COUP D'ŒIL

Bâtiments historiques

Archivo de Indias ❻
Ayuntamiento ❷
Casa de Pilatos ❹
Hospital de los Venerables ❺
Real Alcázar p. 422-423 ❼

Églises

Cathédrale et Giralda p. 418-419 ❶

Rue

Calle de las Sierpes ❸

COMMENT Y ALLER

Le quartier est bien desservi par les bus orange Tussam. Les lignes 21, 22, 23, 25, 26, 30, 31, 33, 34, 40, 41 et 42 vous conduiront à l'avenida de la Constitución, proche de la plupart des sites, le C3 et le C4 à la Puerta de Jerez.

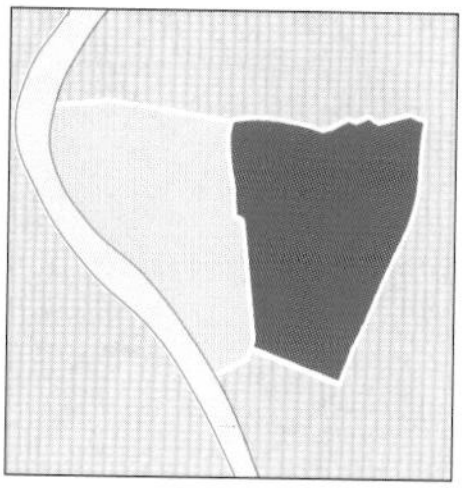

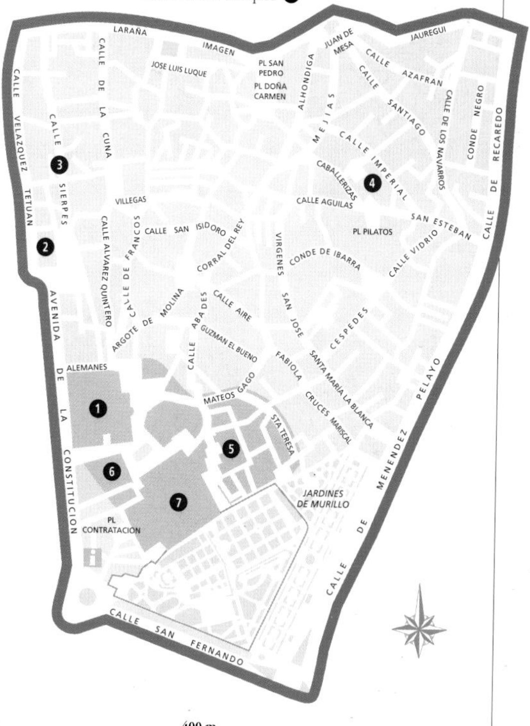

LÉGENDE

Plan pas à pas *(p. 416-417)*

Information touristique

0 400 m

◁ **La Giralda vue des jardins de l'Alcázar**

Santa Cruz pas à pas

Grille de fenêtre, Santa Cruz

C'est dans le dédale de ruelles qui s'étend à l'est de la cathédrale et de l'Alcázar que Séville présente son visage le plus romantique. Outre les inévitables boutiques de souvenirs, bars à tapas et musiciens de rue, le promeneur y découvrira venelles pittoresques, places discrètes et patios fleuris. Sur le site de l'ancien quartier juif, des immeubles restaurés aux ferronneries typiques abritent aujourd'hui des résidences chic et des établissements touristiques. Bars et restaurants justifient une visite en soirée.

Sur la plaza Virgen de los Reyes, ornée d'une fontaine du XXe siècle par José Lafita, des calèches proposent leurs services.

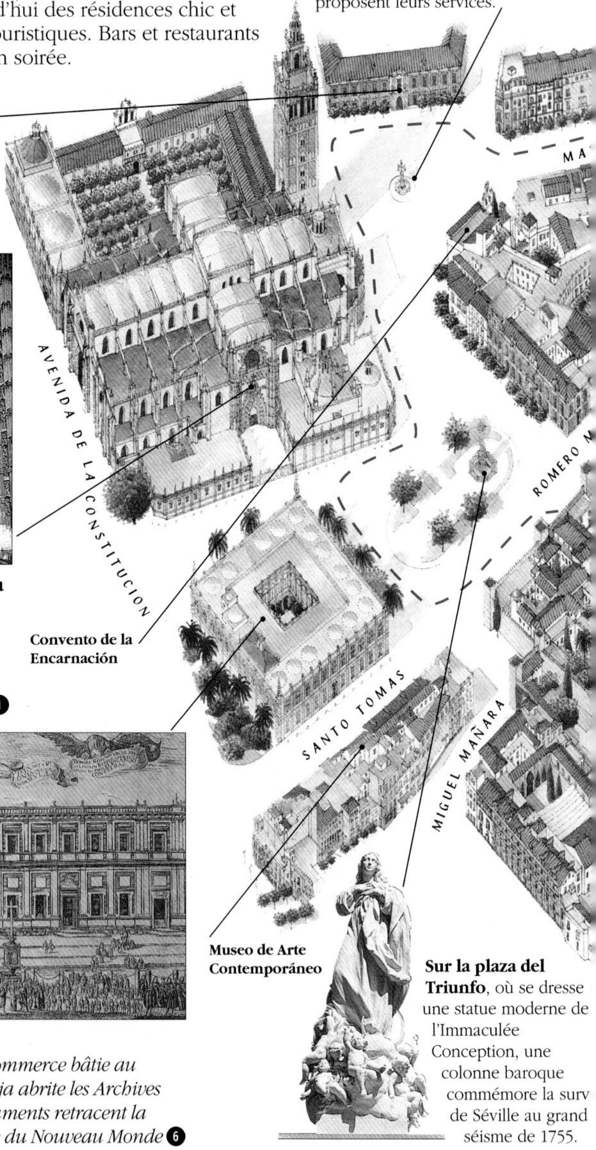

Le Palacio Arzobispal du XVIIIe siècle est toujours utilisé par le clergé de Séville.

★ La cathédrale et la Giralda
Un clocher maure flanque l'un des plus vastes édifices gothiques du monde ❶

Convento de la Encarnación

Archivo de Indias
Ancienne Bourse de commerce bâtie au XVIe siècle, la Casa Lonja abrite les Archives des Indes dont les documents retracent la colonisation espagnole du Nouveau Monde ❻

Museo de Arte Contemporáneo

Sur la plaza del Triunfo, où se dresse une statue moderne de l'Immaculée Conception, une colonne baroque commémore la surv de Séville au grand séisme de 1755.

La calle Mateos Gago plantée d'orangers recèle boutiques de souvenirs et cafés. Parmi ses bars à tapas, le Bar Giralda, au nº 2, offre un large choix d'en-cas sous les voûtes d'anciens bains maures.

Carte de situation
Voir l'atlas des rues, plans 3-4

La plaza Santa Cruz abrite une croix en fer forgé de 1692.

★ Hospital de los Venerables
Cet hospice pour prêtres âgés (XVIIe s.) possède une église baroque superbement restaurée ❺

La callejón del Agua longe un ancien conduit alimentant l'Alcázar en eau. On y découvre des patios enchanteurs.

★ L'Alcázar
Les Palais Royaux de Séville allient ornements mudéjars (p. 422-423), *somptuosité royale et magnifiques jardins* ❼

0 50 m

Légende

— — — Itinéraire conseillé

À ne pas manquer

- ★ La cathédrale et la Giralda
- ★ L'Hospital de los Venerables
- ★ L'Alcázar

La cathédrale de Séville et la Giralda ❶

Vitrail du XVIe siècle

De la Grande Mosquée que les Almohades bâtirent à la fin du XIIe siècle sur ce site ne subsistent que le Patio de los Naranjos et la Giralda, ancien minaret qui offre de son sommet un panorama magnifique de Séville. La construction du sanctuaire chrétien commença en 1401 et demanda un peu plus d'un siècle. Immense édifice gothique comptant cinq nefs, la cathédrale, où repose Christophe Colomb, abrite dans ses chapelles latérales et la sacristie de nombreuses œuvres d'art.

★ La Giralda
Ce clocher doit son nom à la girouette (giraldillo) *en bronze représentant la Foi (XVIe siècle) qui couronne son sommet. Une réplique la remplace.*

★ Le Patio de los Naranjos
Les fidèles de la Grande Mosquée faisaient leurs ablutions dans la cour des Orangers avant la prière.

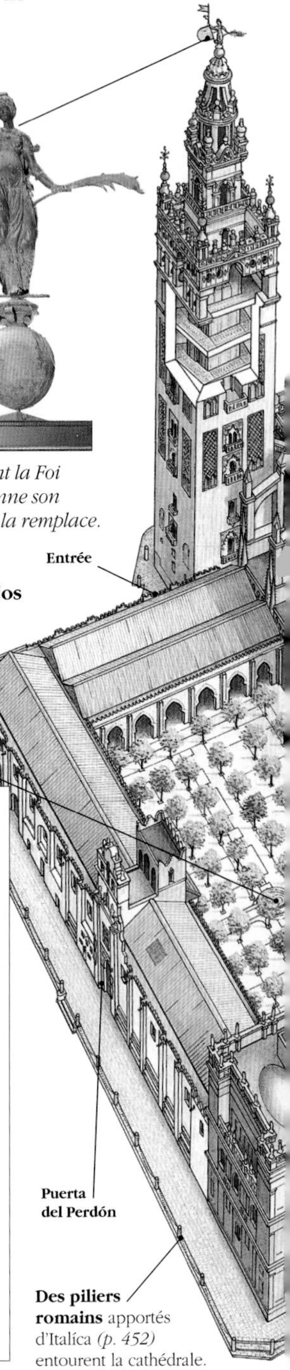

Entrée

Puerta del Perdón

Des piliers romains apportés d'Italica *(p. 452)* entourent la cathédrale.

L'Évolution de la Giralda

Des sphères de bronze couronnaient le minaret achevé en 1198. Des symboles chrétiens les remplacèrent au XIVe siècle. Après l'abandon d'un premier projet en 1557, Hernán Ruiz ajouta le clocher Renaissance en 1568.

1198 **1400** **1557 (projet)** **1568**

Retablo Mayor
Au-dessus du maître-autel, Santa María de la Sede, patronne de la cathédrale, se tient assise sous une cascade d'or : les 44 panneaux de l'immense retable sculpté entre 1482 et 1564 par des artistes espagnols et flamands.

Mode d'emploi

Avenida de la Constitución. **Plan** 3 C2. [tél.] *954 56 33 21.* [bus] *21, 22, 23, 31, 33, 40.* **Cathédrale et la Giralda** [ouvert] *de 11 h à 17 h du lun. au sam. ; de 14 h 30 à 18 h le dim.* [fermé] [messe] *8 h 30, 9 h, 10 h, 12 h, 17 h du lun. au sam. (20 h aussi le sam.); 10 h, 11 h, 12 h, 13 h, 17 h, 18 h le dim.*

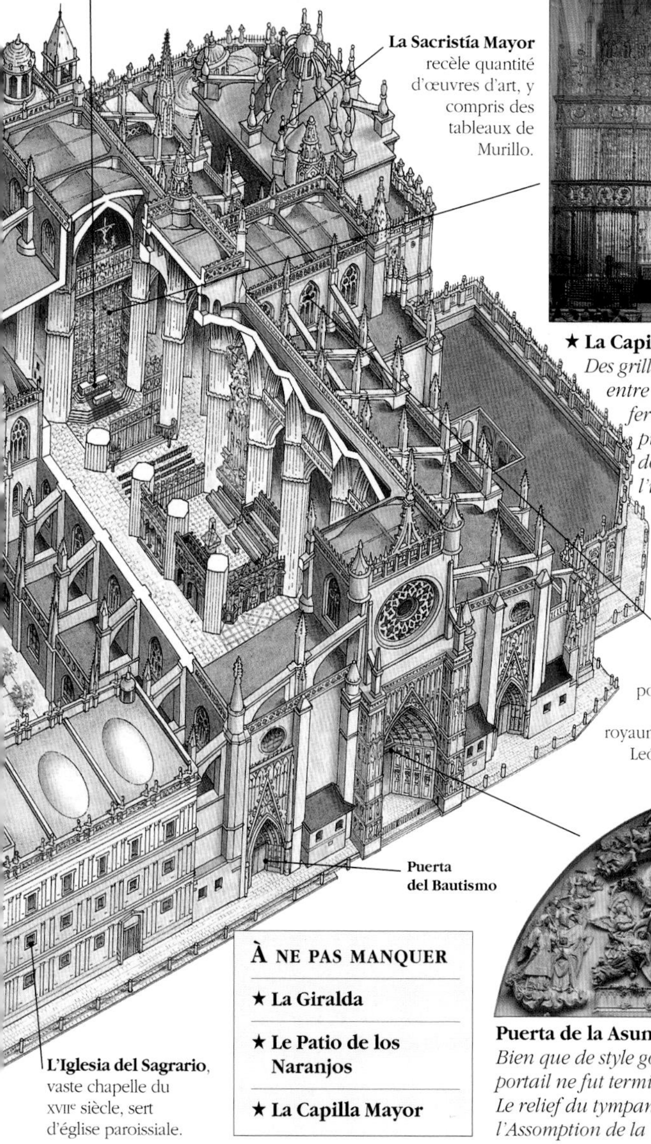

La Sacristía Mayor recèle quantité d'œuvres d'art, y compris des tableaux de Murillo.

★ La Capilla Mayor
Des grilles forgées entre 1518 et 1532 ferment la chapelle principale dominée par l'imposant Retablo Mayor.

Le tombeau de Colomb date des années 1890. Les porteurs du cercueil représentent les royaumes de Castille, de León, d'Aragón et de Navarre *(p. 50)*.

Puerta del Bautismo

L'Iglesia del Sagrario, vaste chapelle du XVIIe siècle, sert d'église paroissiale.

À ne pas manquer

- ★ **La Giralda**
- ★ **Le Patio de los Naranjos**
- ★ **La Capilla Mayor**

Puerta de la Asunción
Bien que de style gothique, ce portail ne fut terminé qu'en 1833. Le relief du tympan représente l'Assomption de la Vierge.

Fontaine génoise du Patio Principal de la Casa de Pilatos

Ayuntamiento 2

Plaza Nueva 1. **Plan** 3 C1. *954 59 01 01.* *21, 23, 25, 30, 33, 34, 35.* *de 17 h 30 à 18 h 30 du mar. au jeu., de 11 h 30 à 12 h 30 sam.*
www.ayunt-sevilla.es

Dessiné par Diego de Riaño et commencé en 1527, l'hôtel de ville de Séville sépare la plaza Nueva moderne de la plaza de San Francisco qu'il domine d'une belle façade plateresque *(p. 22)*. Sur cette place avaient jadis lieu les jugements publics de l'Inquisition. La façade ouest de l'Ayuntamiento fait partie d'une extension néo-classique datant de 1891.

Des plafonds richement sculptés ornent le vestibule et la Casa Consistorial (salle du conseil) inférieure qui abrite *L'imposition de la chasuble à saint Ildefonse* par Velázquez. La Casa Consistorial supérieure recèle un éblouissant plafond à caissons et des peintures par Zurbarán et Valdés Leal.

Calle de las Sierpes 3

Plan 3 C1. *21, 30.* **Casa de la Condesa Lebrija** *954 21 81 83.* *de 10 h 30 à 13 h, de 16 h 30 à 19 h du lun. au ven., de 10 h à 13 h le sam.*

Principale voie piétonne et commerçante de Séville, la rue des Serpents s'étire au nord de la plaza de San Francisco. De vénérables établissements proposant chapeaux andalous, éventails ou mantilles y côtoient des boutiques de vêtements et de souvenirs. De nombreux magasins bordent également les rues parallèles de Cuna et de Tetuán. À mi-chemin de la calle de las Sierpes, la calle Jovellanos conduit à gauche à la Capillita de San José (XVIIe siècle). Plus loin, au croisement avec la calle Pedro Caravaca, le Real Círculo de Labradores, club privé fondé en 1856, a conservé une atmosphère surannée.

En face se dresse une demeure du XVe siècle dont l'entrée se trouve sur la calle Cuna. La Casa de la Condesa Lebrija offre l'occasion d'avoir un aperçu de l'intérieur d'un palais sévillan. Une mosaïque romaine provenant d'Itálica *(p. 452)* et des azulejos ornent le patio principal.

Au bout de la rue, La Campana est la pâtisserie la plus connue de la capitale andalouse.

Casa de Pilatos 4

Plaza de Pilatos 1. **Plan** 4 D1. *954 22 52 98.* *C3, C4.* **Rez-de-chaussée** *de 9 h à 18 h l'hiver, de 9 h à 19 h l'été.* **1er étage** *de 10 h à 14 h et de 15 h à 19 h.* *rez-de-chaussée.*

Le premier marquis de Tarifa acheva cette somptueuse demeure entreprise au XVe siècle après avoir voyagé vers 1520 en Europe et en Terre sainte. La légende veut qu'il prit pour modèle la maison de Ponce Pilate à Jérusalem. La décoration du palais, aujourd'hui résidence des ducs de Medinaceli, témoigne de la séduction qu'exerça sur lui la Renaissance italienne.

L'entrée se fait par un portail de marbre commandé en 1529 à des artisans génois. Après l'Apeadero (cour des équipages) s'ouvre le Patio Principal orné de stucs mudéjars et d'*azulejos*. Quatre statues antiques se dressent dans les angles. Trois sont romaines et représentent Minerve, une Muse et Cérès. L'Athena grecque date du Ve siècle av. J.-C.

Traversez à droite le Salón del Pretorio aux volets marquetés et au superbe plafond à caissons pour

Azulejos

Introduits par les Maures, qui s'en servaient pour composer sur les murs des palais des mosaïques aux motifs géométriques raffinés, ces carreaux émaillés partout visibles à Séville tirent leur nom de l'arabe *azzulayj* (petite pierre). De nouvelles techniques apparurent au XVIe siècle, puis l'usage des azulejos s'étendit, entre autres, aux panneaux publicitaires.

Publicité pour la marque Studebaker (1924), calle Tetuán

***Triomphe de la croix* de Juan de Valdés Leal, Hospital de los Venerables**

atteindre le Corredor de Zaquizamí. Parmi les antiquités exposées dans les pièces adjacentes figurent un bas-relief de *Léda et le cygne* et deux reliefs romains commémorant la bataille d'Actium (31 av. J.-C.).

De retour dans le Patio Principal, vous entrez à droite dans le Salón de Descanso de los Jueces. Au-delà s'ouvre une chapelle gothique décorée de stucs mudéjars. Sur l'autel se trouve la copie d'une sculpture du IVe siècle conservée au Vatican : le *Bon Pasteur*. À gauche, par le Gabinete de Pilatos, vous rejoindrez le Jardín Grande.

Dans le Patio Principal, derrière la statue de Cérès, un escalier carrelé sous une magnifique coupole *media naranja* (demi-orange) de 1537 conduit au premier étage. Portraits de famille, meubles d'époque et objets d'art emplissent plusieurs pièces dont certaines sont dotées de plafonds mudéjars.

Hospital de los Venerables ❺

Plaza de los Venerables 8. **Plan** 3 C2.
954 56 26 96. C3, C4. de 10 h à 14 h, de 16 h à 20 h t.l.j. 25 déc., 1er jan., ven. Saint.

Leonardo de Figueroa acheva en 1695 la construction, entreprise 20 ans plus tôt, de cet ancien hospice pour prêtres âgés. Situé au cœur du barrio de Santa Cruz, l'édifice abrite le centre culturel de la FOCUS (Fundación Fondo de Cultura de Sevilla).

Depuis le patio central, un escalier dessert les étages supérieurs aménagés, à l'instar de l'infirmerie et du cellier, en lieux d'exposition. Une visite guidée permet de découvrir l'église, fleuron du baroque, ornée de fresques par Juan de Valdés Leal et son fils Lucas Valdés. Pedro Roldán exécuta les statues de saint Pierre et de saint Ferdinand qui flanquent la porte est. Au haut du retable du maître-autel s'admire l'*Apothéose de saint Ferdinand* de Lúcas Valdés. Une frise en grec recommande de « Craindre Dieu et honorer le prêtre ».

Le *Triomphe de la croix*, peinture en trompe-l'œil de Juan de Valdés Leal, décore le plafond de la sacristie.

Archivo de Indias ❻

Avda de la Constitución. **Plan** 3 C2.
954 21 12 34. C3, C4, 21, 26, 31, 33, 34, 40. fermé jusqu'en 2003

Construite entre 1584 et 1598 d'après des plans de Juan de Herrera, l'architecte de l'Escorial *(p. 312-313)*, la Casa Lonja était à l'origine une Bourse de commerce. Charles III décida en 1785 d'y réunir les archives espagnoles liées à la découverte et à la conquête du Nouveau Monde (les « Indes »). Elles comprennent 8 000 cartes et dessins et 86 millions de pages manuscrites, notamment des lettres de Christophe Colomb, Cortés et Cervantes, ainsi que l'importante correspondance de Philippe II. Certains documents sont maintenant conservés sur CD-ROM.

Dans les salles de la bibliothèque, à l'étage, des vitrines présentent des cartes, des dessins et des reproductions de documents régulièrement renouvelés.

Façade de l'Archivo de Indias dessinée par Juan de Herrera

Alcázar ❼

Stuc mudéjar

L'ensemble formé par les palais royaux de l'Alcázar (los Reales Alcázares) représente l'aboutissement de plusieurs siècles d'architecture. Les Maures commencèrent sa construction en 844, mais leur héritage reste surtout présent grâce aux artisans qu'employèrent les souverains chrétiens, notamment Pierre Ier le Cruel qui commanda en 1364 le Palacio Pedro I, un joyau de l'art mudéjar. D'autres monarques marquèrent l'Alcázar de leur empreinte. Isabelle de Castille y donna naissance à son fils et Charles Quint fit construire de somptueux appartements.

Jardín de Troya

Patio del Crucero, au-dessus des anciens bains

Jardins de l'Alcázar
Agrémentés de terrasses, de fontaines et de pavillons, ils sont une véritable oasis de calme et de fraîcheur au cœur de la ville.

★ Les Salones de Carlos V
Tapisseries et azulejos du XVIe siècle décorent les appartements et la chapelle de Charles Quint.

★ Le Patio de las Doncellas
Les meilleurs artisans de Grenade créèrent les stucs du patio des Demoiselles.

Plan de l'Alcázar

Résidence des rois espagnols pendant près de sept siècles, le palais reste utilisé, à l'étage, par la famille royale.

Légende

- Partie illustrée ci-dessus
- Jardins

★ Le Salón de Embajadores
La magnifique coupole en bois gravé et doré du salon des Ambassadeurs date de 1427.

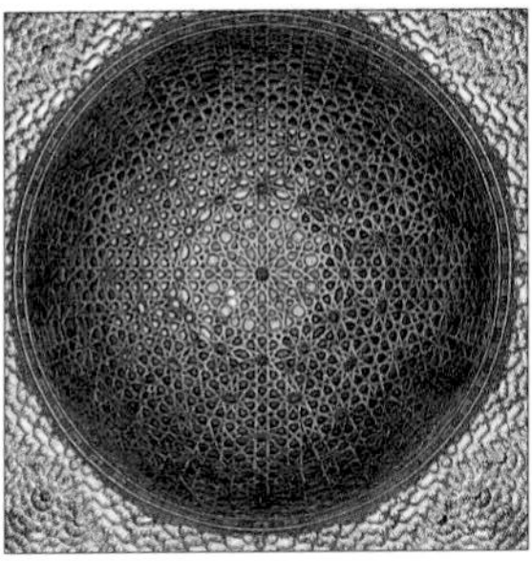

MODE D'EMPLOI

Patio de Banderas. **Plan** 3 C2. *954 50 23 23. C3, C4, 21, 22, 23, 25, 26. 9h30-19h : mar.-sam., 9h30-17h dim. et j. fériés ; oct.-mars : jusqu'à 17 h mar.-sam.*

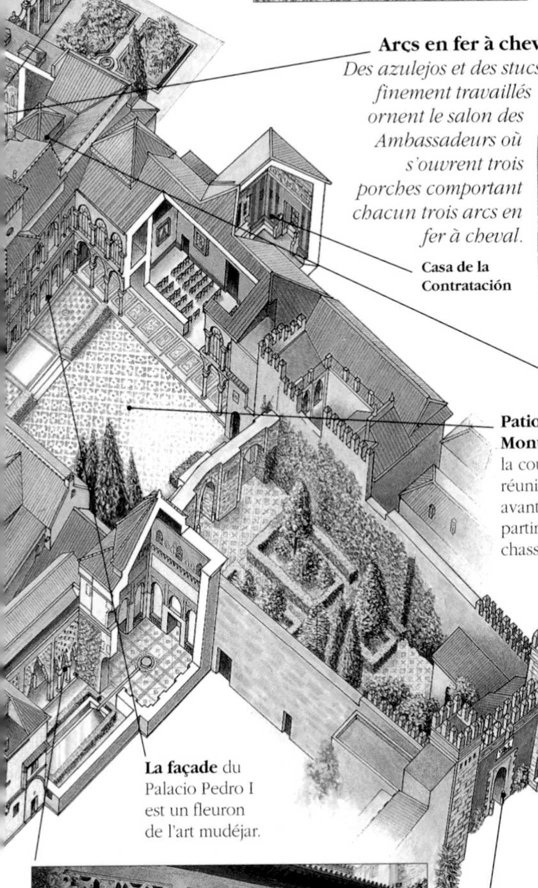

Arcs en fer à cheval
Des azulejos et des stucs finement travaillés ornent le salon des Ambassadeurs où s'ouvrent trois porches comportant chacun trois arcs en fer à cheval.

Casa de la Contratación

Patio de la Montería où la cour se réunissait avant de partir chasser.

Patio de las Muñecas
Le patio des Poupées, nommé d'après deux petits visages ornant l'un des arcs, formait avec les chambres qui l'entourent le cœur domestique du palais.

La façade du Palacio Pedro I est un fleuron de l'art mudéjar.

Puerta del León (entrée)

Patio del Yeso
Le patio du Plâtre, jardin fleuri rafraîchi par un canal, conserve des éléments de l'Alcázar almohade du XIIe siècle.

À NE PAS MANQUER

- ★ **Les Salones de Carlos V**
- ★ **Le Patio de las Doncellas**
- ★ **Le Salón de Embajadores**

En dehors du centre

Le nord de Séville se présente comme une mosaïque pittoresque d'églises baroques et mudéjares décrépites et de bars à tapas à l'ancienne. La Basílica de la Macarena y abrite l'une des Vierges les plus vénérées de la ville : la Virgen de la Esperanza Macarena. Le quartier compte de nombreux établissements religieux, dont le Convento de Santa Paula qui offre l'occasion de jeter un coup d'œil derrière les murs d'une communauté de religieuses cloîtrées.

Colonne romaine, Alameda de Hércules

Au sud de la ville s'étend le vaste Parque María Luisa dont une grande partie appartenait à l'origine à une demeure baroque, le Palacio de San Telmo. La plupart des bâtiments historiques du parc datent de l'Exposition hispano-américaine de 1929. Le luxueux Hotel Alfonso XIII et la plaza de España constituent les deux héritages les plus marquants de ce regain de fierté andalouse. Non loin, la Fábrica de Tabacos, qui fait aujourd'hui partie de l'université, reste depuis plus d'un siècle associée à une gitane imaginée par Prosper Mérimée : Carmen.

En face du centre-ville, sur l'autre rive du Guadalquivir, le quartier de Triana garde l'atmosphère populaire du vieux Séville avec ses rues pavées et ses boutiques de céramique. Christophe Colomb résida à plusieurs reprises dans le Monasterio de Santa María de las Cuevas, chartreuse fondée au nord de Triana en 1400. Le site qui l'entoure entre deux bras du fleuve, l'Isla de la Cartuja, devint celui d'Expo '92, l'exposition universelle célébrant le 500e anniversaire de la découverte du continent américain. En cours de reconversion, il doit devenir un pôle culturel et de loisirs.

Les sites d'un coup d'œil

Bâtiments historiques
Palacio de San Telmo ❹
Universidad ❺

Églises et couvent
Basílica de la Macarena ❶
Convento de Santa Paula ❷
Iglesia de San Pedro ❸

Sites historiques
Isla de la Cartuja ❽
Parque María Luisa ❻
Triana ❼

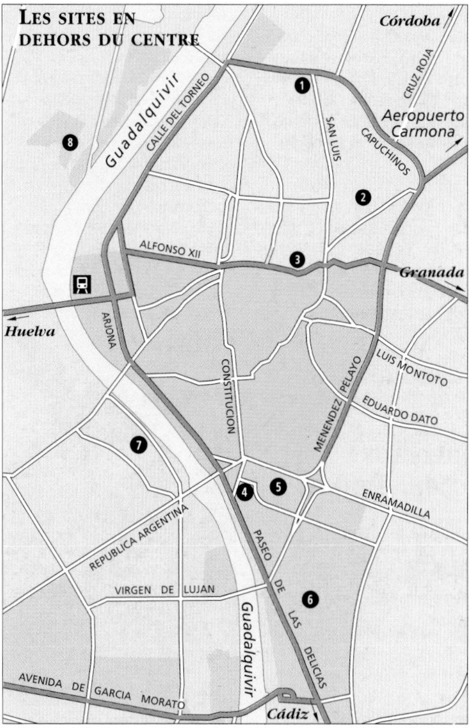

0 1 km

Légende
Centre-ville
Parcs et espaces verts
Gare
Route principale
Route secondaire

◁ **Le Pabellón de Andalucía (pavillon d'Andalousie) construit sur l'Isla de la Cartuja pour Expo '92**

***Saint Jean-Baptiste* par Montañés au Convento de Santa Paula**

Basílica de la Macarena ❶

Calle Bécquer 1. **Plan** 2 D3. ☎ *954 37 01 95.* 🚌 *C1, C2, 2, 10, 13, 14.* ◯ *de 9 h 30 à 13 h, de 17 h à 19 h t.l.j.* ◯ *Pâques.* **Trésor** ◯ *de 9 h 30 à 13 h, de 17 h à 20 h t.l.j.*

Construite en 1949 par Gómez Millán pour offrir un nouveau toit à la célèbre Virgen de la Macarena, cette basilique néo-baroque jouxte l'Iglesia de San Gil, entreprise au XIIIe siècle sur le site d'une mosquée, qui abrita la statue vénérée jusqu'à un incendie en 1936.

Attribuée à Luisa Roldán (1656-1703), la femme artiste la plus talentueuse de l'école de Séville, l'effigie de la Vierge domine le maître-autel. Rafael Rodríguez Hernández exécuta en 1982 les peintures murales du sanctuaire. Un musée, dans le trésor, présente notamment les habits et bijoux qui parent la Virgen lors des processions.

Convento de Santa Paula ❷

Calle Santa Paula 11. **Plan** 2 E5. ☎ *954 53 63 30.* 🚌 *10, 11.* ◯ *10h-12h 45, 16h30-18h mar.-dim. groupes seulement le mat.*

Une communauté de 40 religieuses occupe toujours ce couvent fondé en 1475, mais le musée peut se visiter. Ses deux galeries abritent peintures religieuses et objets liturgiques. Les confitures confectionnées par les sœurs sont en vente dans une salle près de la sortie.

On traverse un jardin clos pour atteindre l'église dont la nef possède un plafond en bois sculpté datant de 1623. Parmi les statues figurent un saint Jean l'Évangéliste et un saint Jean-Baptiste par Juan Martínez Montanez.

Iglesia de San Pedro ❸

Plaza San Pedro. **Plan** 2 D5. ☎ *954 21 68 58.* 🚌 *10, 11, 12, 24, 27, 32.* ◯ *8 h 30-11 h 30, 19 h-20 h 30 lun.-sam. ; 9 h 30-13 h 30, 19-20h 30 dim.* ♿

L'église où Velázquez reçut le baptême en 1599 présente un mélange de styles typiquement sévillan. Sous un clocher baroque, sa tour en brique conserve des éléments mudéjars. Le portail principal (1613), œuvre de Diego de Quesada, donne sur la plaza de San Pedro.

À l'intérieur, peu éclairé, le plafond en bois et la porte ouest sont mudéjars. Des motifs géométriques en briques entrelacées ornent la voûte d'une des chapelles.

Derrière l'église, dans la calle Doña María Coronel, des pâtisseries s'achètent par le tour (une sorte de tambour pivotant) du Convento de Santa Inés fondé au XIVe siècle. Devant l'église du monastère, des fresques peintes au XVIIe siècle par Francisco de Herrera décorent un patio à arcades.

Azulejos modernes ornant la façade de l'Iglesia de San Pedro

Palacio de San Telmo ❹

Avenida de Roma. **Plan** 3 C3. ☎ *955 03 55 05.* 🚌 *C3, C4, 5, 34.* ◯ *sur rendez-vous seulement.*

Construit en 1682 pour accueillir l'École navale destinée à former les officiers de marine, cet imposant palais porte le nom du patron des navigateurs. En 1849, il devint la résidence des ducs de Montpensier. L'actuel Parque María Luisa fit partie jusqu'en 1893 de son vaste parc.

Le gouvernement régional, la Junta de Andalucía, occupe désormais l'édifice, qui présente comme élément architectural le plus marquant un exubérant portail

Parque María Luisa ❻

Plan 4 D4. 🚌 *C1, C2, 30, 31, 33, 34, 70, 72.* ♿ **Museo Arqueológico** ☎ *954 23 24 01.* ◯ *de 15 h à 20 h le mar., de 9 h à 20 h du mer au sam., de 9 h à 14 h le dim.* *gratuit pour les Européens.* **Museo de Artes y Costumbres Populares** ☎ *954 23 25 76.* ◯ *voir ci-dessus.*   ♿

En 1893, la princesse Marie-Louise d'Orléans fit don à la ville d'une partie des

La plaza de España offre des bassins où canoter.

La Glorieta de Bécquer est décorée de sculptures illustrant les étapes de l'amour, un hommage au poète Gustavo Adolfo Bécquer.

churrigueresque dessiné par Leonardo de Figueroa et achevé en 1734. Les figures allégoriques en avant des colonnes ioniques représentent les Arts et les Sciences. Saint Ferdinand, portant l'épée, et San Hermenegildo, tenant la croix, entourent San Telmo aux bras chargés d'un bateau et de cartes. Susillo orna en 1895 la façade nord d'effigies de célébrités sévillanes telles que Montañés, Murillo et Velázquez.

En face se dresse l'Hotel Alfonso XIII. Bâti entre 1916 et 1928, il possède un grand patio agrémenté d'une fontaine et planté d'orangers. Le bar et le restaurant sont ouverts aux non-résidents.

Universidad ❺

Calle San Fernando 4. **Plan** 3 C3.
954 55 10 00. C3, C4, 5, 25, 26, 34. de 8 h à 20 h 30 du lun. au ven. jours fériés.

L'université de Séville occupe l'ancienne Real Fábrica de Tabacos (Manufacture royale des tabacs) où, au XIXe siècle, quelque 3 000 *cigarreras* roulaient les trois quarts des cigares européens. Réputées pour la vivacité de leur tempérament, ces ouvrières inspirèrent à Prosper Mérimée le personnage de Carmen.

Construite entre 1728 et 1781, la fabrique est le plus vaste édifice historique d'Espagne après l'Escorial *(p. 312-313)*. Le fossé et les tours témoignent de l'importance qu'avait pour la couronne ce monopole.

Fontaine baroque d'un des patios de l'Universidad

jardins du Palacio de San Telmo pour permettre la création de ce parc aménagé par l'architecte Jean Forestier. Dans ce cadre eut lieu en 1929 l'Exposition ibéro-américaine, pour laquelle Aníbal Gonzalez édifia la plaza de España, décorée d'azulejos évoquant l'histoire des provinces espagnoles, et la plaza de América où se dresse le Pabellón Mudéjar. Il abrite le Museo de Artes y Costumbres Populares (musée des Arts et Traditions populaires). Provenant du site romain d'Itálica *(p. 452)*, les collections du Museo Arqueológico occupent à côté le Pabellón de Bellas Artes de style néo-Renaissance.

Museo Arqueológico

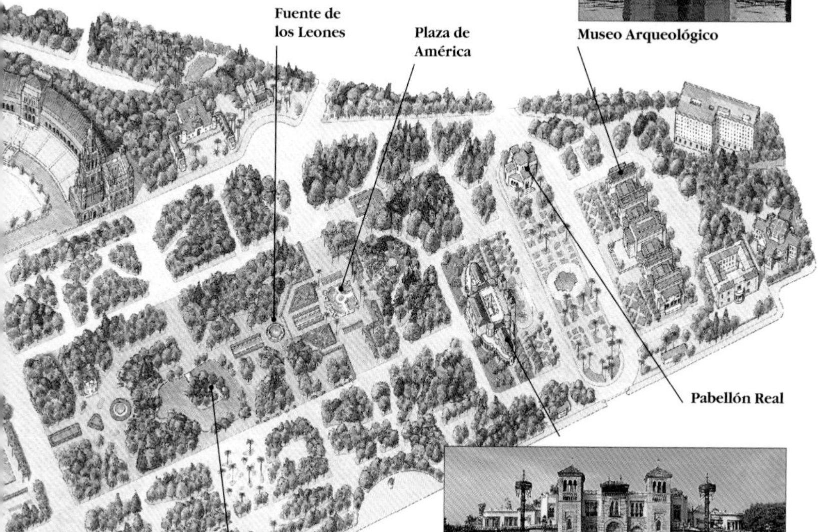

L'Isleta de los Patos pare un lac où s'ébattent cygnes et canards.

Museo de Artes y Costumbres Populares

Azulejos d'un magasin de céramiques de Triana : Cerámica Santa Ana

Triana ⑦

Plan 3 A2. *C3, 40, 43.*

Nommé d'après l'empereur romain Trajan, l'ancien quartier gitan de Séville garde une atmosphère populaire, ainsi qu'un esprit d'indépendance affirmé. Les boutiques de céramiques bordant ses rues fleuries entretiennent une tradition vieille de plusieurs siècles. Fondée en 1870, la plus connue, Cerámica Santa Ana, occupe le n° 31, calle San Jorge.

Le Puente de Isabel II relie le centre-ville à Triana. Il conduit à la plaza del Altozano que dominent des balcons vitrés ou *miradores*. Non loin, la calle Rodrigo de Triana présente un aspect typique avec ses maisons blanches et ocre. Elle porte le nom du marin andalou qui fut le premier à apercevoir le Nouveau Monde.

L'Iglesia de Santa Ana, construite au XIIIe siècle dans le style gothico-mudéjar, mais plusieurs fois remaniée, a fait l'objet d'une splendide rénovation. Son baptistère abrite la Pila de los Gitanos, fonts baptismaux censés transmettre le don du *cante flamenco* aux enfants des fidèles.

Isla de la Cartuja ⑧

Plan 1 B2. *954 46 00 89.* www.junta-andalucia.es-cultura *C1, C2.* **Monasterio de Santa María de las Cuevas** *d'avril à sept. : de 10 h à 21 h du mar. au sam., de 10 h à 15 h le dim. ; d'oct. à mars : de 10 h à 20 h du mar. au sam, de 10 à 15 h le dim.* **Centro Andaluz de Arte Contemporaneo** *955 03 70 70.* *voir ci-dessus.* *gratuit le mar.* **Isla Mágica** *902 16 17 16.* *en mars et avr. : de 11 h à 19 h ou 21 h t.l.j. ; de mai à sept. : de 11 h à 22 h ou minuit t.l.j.* *de déc. à fév.* www.islamagica.es

Un important programme d'aménagement est en train de transformer l'Isla de la Cartuja, site d'Expo '92 *(p. 64-65)*, en un vaste ensemble de musées et d'aires de loisirs.

Entre les deux bras du Guadalquivir, le quartier doit son nom à une chartreuse fondée en 1400, le Monasterio de Santa María de las Cuevas. Christophe Colomb y séjourna et, de 1507 à 1542, son corps reposa dans la crypte de la Capilla de Santa Ana.

Près du fleuve, au sud, se trouvent le musée maritime du Pabellón de la Navegación et une réplique du *Nao Victoria*, un voilier du XVIe siècle. Non loin, le cinéma Omnimax présente des films sur un écran hémisphérique de 24 m de diamètre. Un musée des Sciences occupera à côté le Pabellón de los Descubrimientos (pavillon des Découvertes).

Au cœur d'un parc à thème, l'Isla Mágica, le lago de España prend l'aspect d'un océan miniature où sont proposées des reconstitutions de batailles navales.

Entrée principale du Monasterio de Santa María de las Cuevas, chartreuse fondée en 1400

ATLAS DES RUES DE SÉVILLE

Cette carte précise la zone couverte par les plans de l'atlas des rues de Séville. Les références cartographiques données dans les articles décrivant les sites et monuments de la ville renvoient à ces plans qui vous permettront également de situer hôtels *(voir p. 561-562)* et restaurants *(voir p. 600-601)*. La liste des symboles utilisés dans ces plans figure en bas de page.

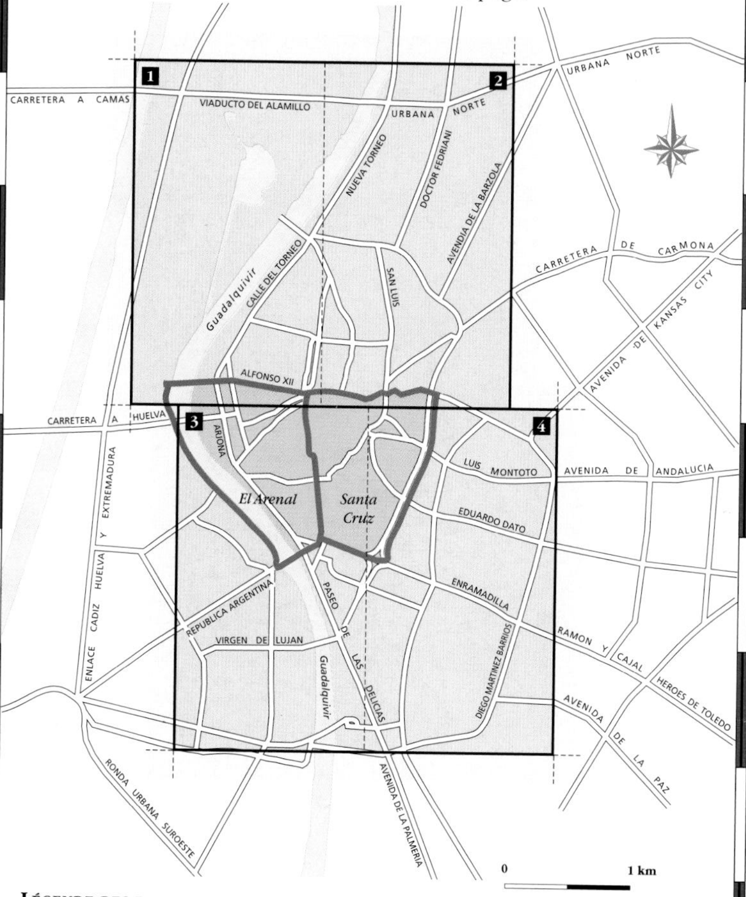

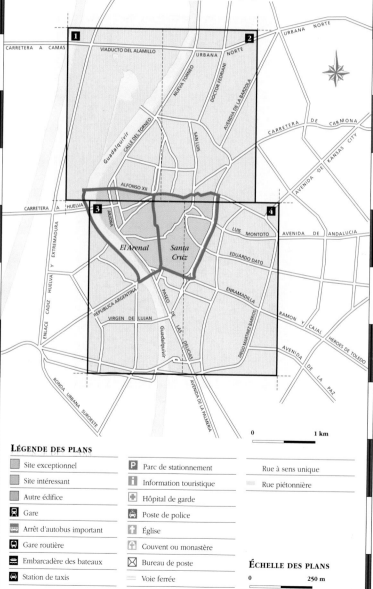

LÉGENDE DES PLANS

- Site exceptionnel
- Site intéressant
- Autre édifice
- Gare
- Arrêt d'autobus important
- Gare routière
- Embarcadère des bateaux
- Station de taxis
- Parc de stationnement
- Information touristique
- Hôpital de garde
- Poste de police
- Église
- Couvent ou monastère
- Bureau de poste
- Voie ferrée
- Rue à sens unique
- Rue piétonnière

ÉCHELLE DES PLANS

0 250 m

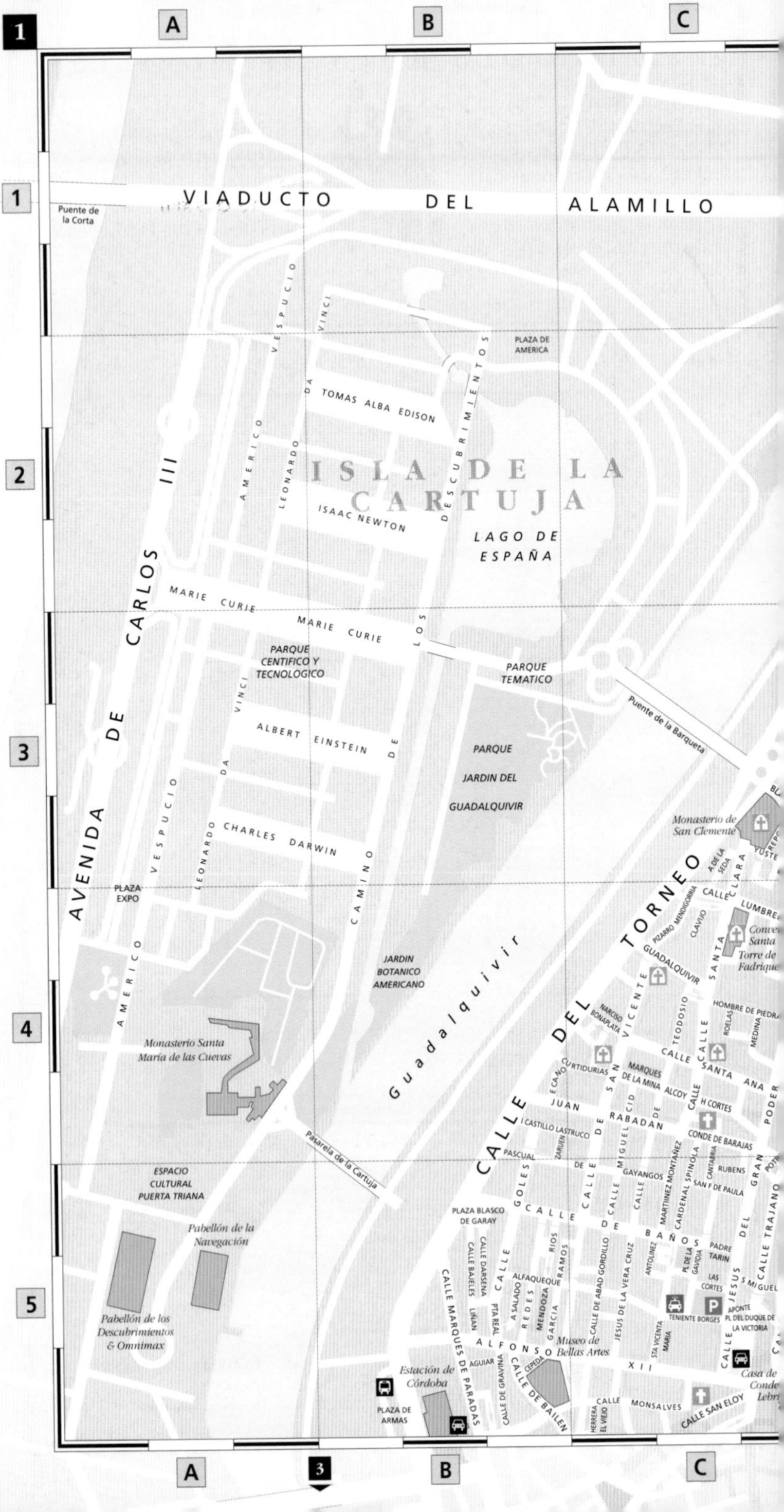
1
A
B
C
1
2
3
4
5
Puente de la Corta
VIADUCTO DEL ALAMILLO
PLAZA DE AMERICA
TOMAS ALBA EDISON
AMERICO VESPUCIO
LEONARDO DA VINCI
CAMINO DE LOS DESCUBRIMIENTOS
ISLA DE LA CARTUJA
ISAAC NEWTON
LAGO DE ESPAÑA
AVENIDA DE CARLOS III
MARIE CURIE
PARQUE CENTIFICO Y TECNOLOGICO
PARQUE TEMATICO
Puente de la Barqueta
ALBERT EINSTEIN
PARQUE JARDIN DEL GUADALQUIVIR
CHARLES DARWIN
Monasterio de San Clemente
PLAZA EXPO
JARDIN BOTANICO AMERICANO
Guadalquivir
CALLE DEL TORNEO
Monasterio Santa María de las Cuevas
Pasarela de la Cartuja
ESPACIO CULTURAL PUERTA TRIANA
Pabellón de la Navegación
Pabellón de los Descubrimientos & Omnimax
Estación de Córdoba
PLAZA DE ARMAS
CALLE MARQUES DE PARADAS
CALLE DE BAILEN
ALFONSO XII
Museo de Bellas Artes
PLAZA BLASCO DE GARAY
CALLE GOLES
CALLE JUAN RABADAN
CALLE BAÑOS
CALLE SAN VICENTE
CALLE SANTA CLARA
CALLE LUMBRERAS
CALLE SANTA ANA
CALLE TEODOSIO
CALLE MIGUEL CID
CALLE DE ABAD GORDILLO
JESUS DE LA VERA CRUZ
CALLE JESUS DEL GRAN PODER
CALLE TRAJANO
MONSALVES
CALLE SAN ELOY
CONDE DE BARAJAS
GAYANGOS
RUBENS
PADRE TARIN
TENIENTE BORGES
PL DEL DUQUE DE LA VICTORIA
Casa de Conde Lebrija
Torre de Fadrique
HOMBRE DE PIEDRA
MARQUES DE LA MINA
ALCOY
CURTIDURIAS
PASCUAL
ALFAQUEQUE
CALLE GRAVINA
CALLE DARSENA
CALLE BAJELES
AGUIAR
CEPEDA
MENDOZA RIOS
RAMOS
STA VICENTA MARIA
ANTOLINEZ
CARDENAL SPINOLA
SAN F DE PAULA
APONTE
LAS CORTES
CALLE SAN MIGUEL
CALLE EL VIEJO HERRERA
YUSTE
ADE LA SEDA
CLAVIJO
PIZARRO MENDIGORRIA
GUADALQUIVIR
NARCISO BONAPLATA
ROELAS
MEDINA
H CORTES
CALLE MARTIINEZ MONTAÑEZ
CANTABRIA
LINAN
PTA REAL
ASALADO
REDES
GARCIA
3

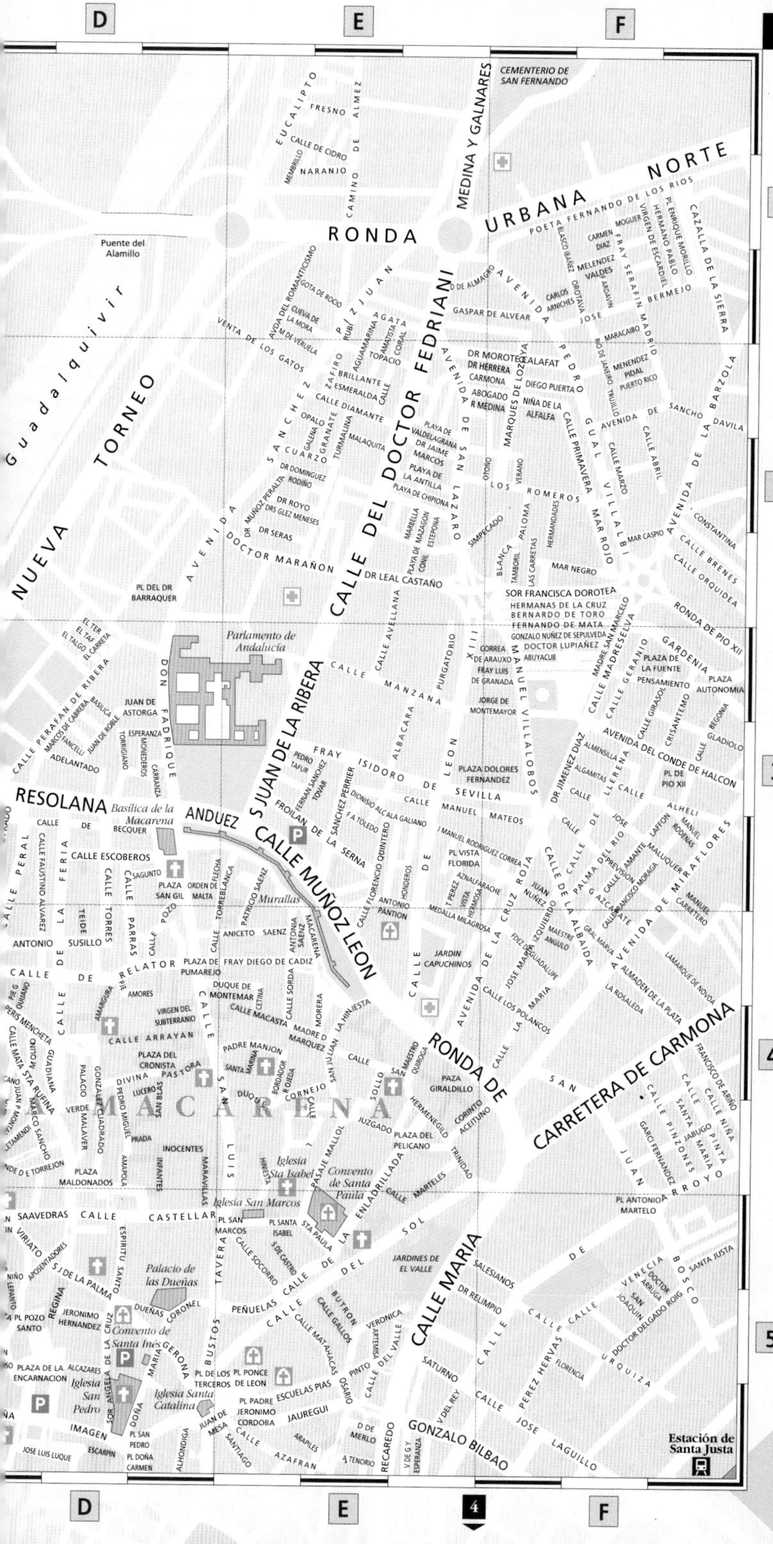
D
E
F
1
2
3
4
5
CEMENTERIO DE SAN FERNANDO
RONDA URBANA NORTE
MEDINA Y GALNARES
Puente del Alamillo
Guadalquivir
NUEVA TORNEO
CALLE DEL DOCTOR FEDRIANI
AVENIDA DE SAN LAZARO
AVENIDA PEDRO GUAL VILLALBI
AVENIDA DOCTOR MARAÑON
AVENIDA SANCHEZ PIZJUAN
VENTA DE LOS GATOS
AVDA DEL ROMANTICISMO
EUCALIPTO
FRESNO
CALLE DE CIDRO
NARANJO
CAMINO DE ALMEZ
MEMBRILLO
POETA FERNANDO DE LOS RIOS
CAZALLA DE LA SIERRA
BERMEJO
GASPAR DE ALVEAR
AVENIDA DE SANCHO DAVILA
AVENIDA DE LA BARZOLA
CALLE PRIMAVERA
CALLE MARZO
CALLE ABRIL
LOS ROMEROS
MAR ROJO
MAR NEGRO
MAR CASPIO
CONSTANTINA
CALLE BRENES
CALLE ORQUIDEA
RONDA DE PIO XII
DR LEAL CASTAÑO
SOR FRANCISCA DOROTEA
HERMANAS DE LA CRUZ
BERNARDO DE TORO
FERNANDO DE MATA
GONZALO NUÑEZ DE SEPULVEDA
DOCTOR LUPIAÑEZ
PL DEL DR BARRAQUER
Parlamento de Andalucía
DON FADRIQUE
S JUAN DE LA RIBERA
CALLE MANZANA
CALLE AVELLANA
PURGATORIO
FRAY ISIDORO DE SEVILLA
CALLE MANUEL MATEOS
MANUEL VILLALOBOS
PLAZA DOLORES FERNANDEZ
PLAZA DE LA FUENTE
PLAZA AUTONOMIA
GARDENIA
PENSAMIENTO
AVENIDA DEL CONDE DE HALCON
PL DE PIO XII
RESOLANA
Basílica de la Macarena
ANDUEZ
CALLE MUÑOZ LEON
CALLE PERAFAN DE RIBERA
ADELANTADO
CALLE ESCOBEROS
CALLE FERIA
PLAZA SAN GIL
Murallas
ANICETO SAENZ
PLAZA DE PUMAREJO
FRAY DIEGO DE CADIZ
RELATOR
DUQUE DE MONTEMAR
CALLE MACASTA
CALLE ARRAYAN
PLAZA DEL CRONISTA
MACARENA
CALLE SAN LUIS
RONDA DE CAPUCHINOS
JARDIN CAPUCHINOS
AVENIDA DE LA CRUZ ROJA
CALLE DE LA ALBAIDA
AVENIDA DE MIRAFLORES
CARRETERA DE CARMONA
PAZA GIRALDILLO
PLAZA DEL PELICANO
Iglesia Sta Isabel
Convento de Santa Paula
Iglesia San Marcos
CALLE CASTELLAR
SAAVEDRAS
CALLE DEL SOL
ENLADRILLADA
CALLE MARIA AUXILIADORA
JARDINES DE EL VALLE
JUAN ARROYO
PL ANTONIO MARTELO
JOSE DE BOSCO
DOCTOR DELGADO ROIG
URQUIZA
Palacio de las Dueñas
Convento de Santa Inés
Iglesia San Pedro
Iglesia Santa Catalina
PLAZA DE LA ENCARNACION
PL PONCE DE LEON
CALLE GERONA
BUSTOS TAVERA
PEÑUELAS
GONZALO BILBAO
CALLE JOSE LAGUILLO
CALLE PEREZ HERVAS
AZAFRAN
IMAGEN
Estación de Santa Justa

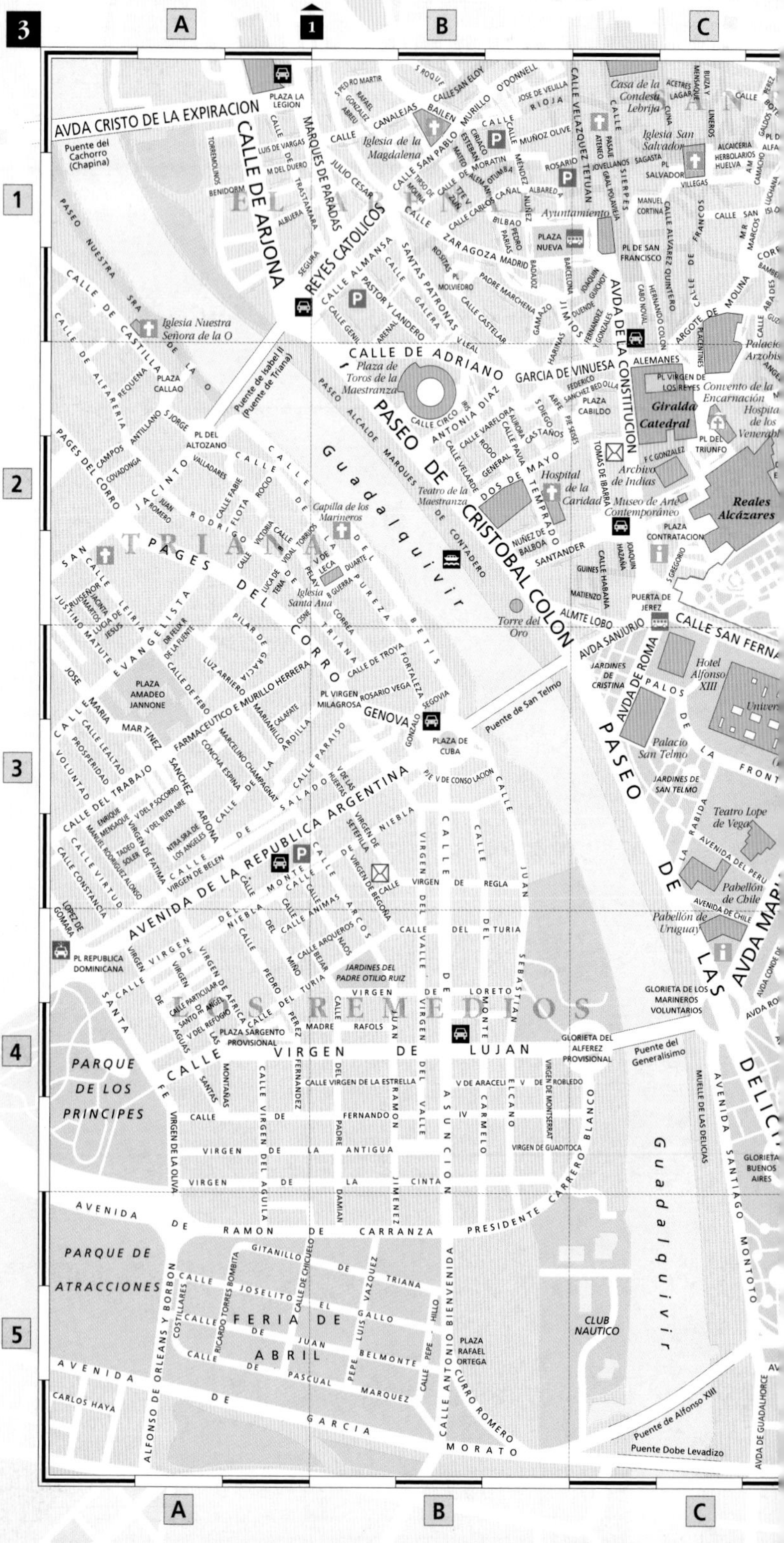
A
1
B
C
AVDA CRISTO DE LA EXPIRACION
Puente del Cachorro (Chapina)
PLAZA LA LEGION
CALLE DE ARJONA
MARQUES DE PARADAS
REYES CATOLICOS
EL ARENAL
Iglesia de la Magdalena
BAILEN
CALLE SAN PABLO
CANALEJAS
O'DONNELL
RIOJA
CALLE VELAZQUEZ TETUAN
Casa de la Condesa Lebrija
Iglesia San Salvador
PL SALVADOR
ALCAICERIA
Ayuntamiento
PLAZA NUEVA
PL DE SAN FRANCISCO
CALLE ALVAREZ QUINTERO
ZARAGOZA
CALLE ALMANSA
PASTOR Y LANDERO
SANTAS PATRONAS
CALLE GALERA
CALLE CASTELAR
PADRE MARCHENA
AVDA DE LA CONSTITUCION
ARGOTE DE MOLINA
PASEO NUESTRA SRA DE LA O
CALLE DE CASTILLA
Iglesia Nuestra Señora de la O
PLAZA CALLAO
CALLE DE ALFARERIA
Puente de Isabel II (Puente de Triana)
CALLE DE ADRIANO
Plaza de Toros de la Maestranza
GARCIA DE VINUESA
ALEMANES
PL VIRGEN DE LOS REYES
Giralda
Catedral
Convento de la Encarnación
Hospital de los Venerables
PL DEL TRIUNFO
PASEO ALCALDE MARQUES DE CONTADERO
PASEO DE CRISTOBAL COLON
PLAZA CABILDO
Archivo de Indias
Hospital de la Caridad
Teatro de la Maestranza
DOS DE MAYO
TOMAS DE IBARRA
Museo de Arte Contemporáneo
Reales Alcázares
PLAZA CONTRATACION
PL DEL ALTOZANO
PAGES DEL CORRO
SAN JACINTO
RODRIGO
Capilla de los Marineros
Guadalquivir
TRIANA
CALLE PAGES DEL CORRO
Iglesia Santa Ana
PUREZA
BETIS
SANTANDER
Torre del Oro
PUERTA DE JEREZ
ALMTE LOBO
AVDA SANJURJO
CALLE SAN FERNANDO
JARDINES DE CRISTINA
Hotel Alfonso XIII
AVDA DE ROMA
2
EVANGELISTA
PILAR DE GRACIA
LUZ ARRIERO
PLAZA AMADEO JANNONE
FARMACEUTICO E MURILLO HERRERA
PL VIRGEN MILAGROSA
ROSARIO VEGA
CALLE DE TROYA
FORTALEZA
GENOVA
PLAZA DE CUBA
Puente de San Telmo
PASEO DE LAS DELICIAS
Palacio San Telmo
JARDINES DE SAN TELMO
PALOS DE LA FRONTERA
3
CALLE DEL TRABAJO
CALLE PARAISO
SALADO
AVENIDA DE LA REPUBLICA ARGENTINA
NIEBLA
VIRGEN DE REGLA
Teatro Lope de Vega
AVENIDA DEL PERU
Pabellón de Chile
Pabellón de Uruguay
AVDA MARIA LUISA
CALLE VIRGEN DEL VALLE
CALLE DEL TURIA
PL REPUBLICA DOMINICANA
JARDINES DEL PADRE OTILIO RUIZ
LOS REMEDIOS
GLORIETA DE LOS MARINEROS VOLUNTARIOS
PLAZA SARGENTO PROVISIONAL
CALLE VIRGEN DE LUJAN
GLORIETA DEL ALFEREZ PROVISIONAL
Puente del Generalísimo
4
PARQUE DE LOS PRINCIPES
CALLE FERNANDO IV
VIRGEN DE LA ANTIGUA
VIRGEN DE LA CINTA
CARRERO BLANCO
AVENIDA SANTIAGO MONTOTO
GLORIETA BUENOS AIRES
AVENIDA DE RAMON DE CARRANZA
PRESIDENTE CARRERO BLANCO
PARQUE DE ATRACCIONES
FERIA DE ABRIL
CALLE ANTONIO BIENVENIDA
PLAZA RAFAEL ORTEGA
CLUB NAUTICO
5
AVENIDA DE GARCIA MORATO
CARLOS HAYA
ALFONSO DE ORLEANS Y BORBON
CURRO ROMERO
Puente de Alfonso XIII
Puente Dobe Levadizo
AVDA DE GUADALHORCE

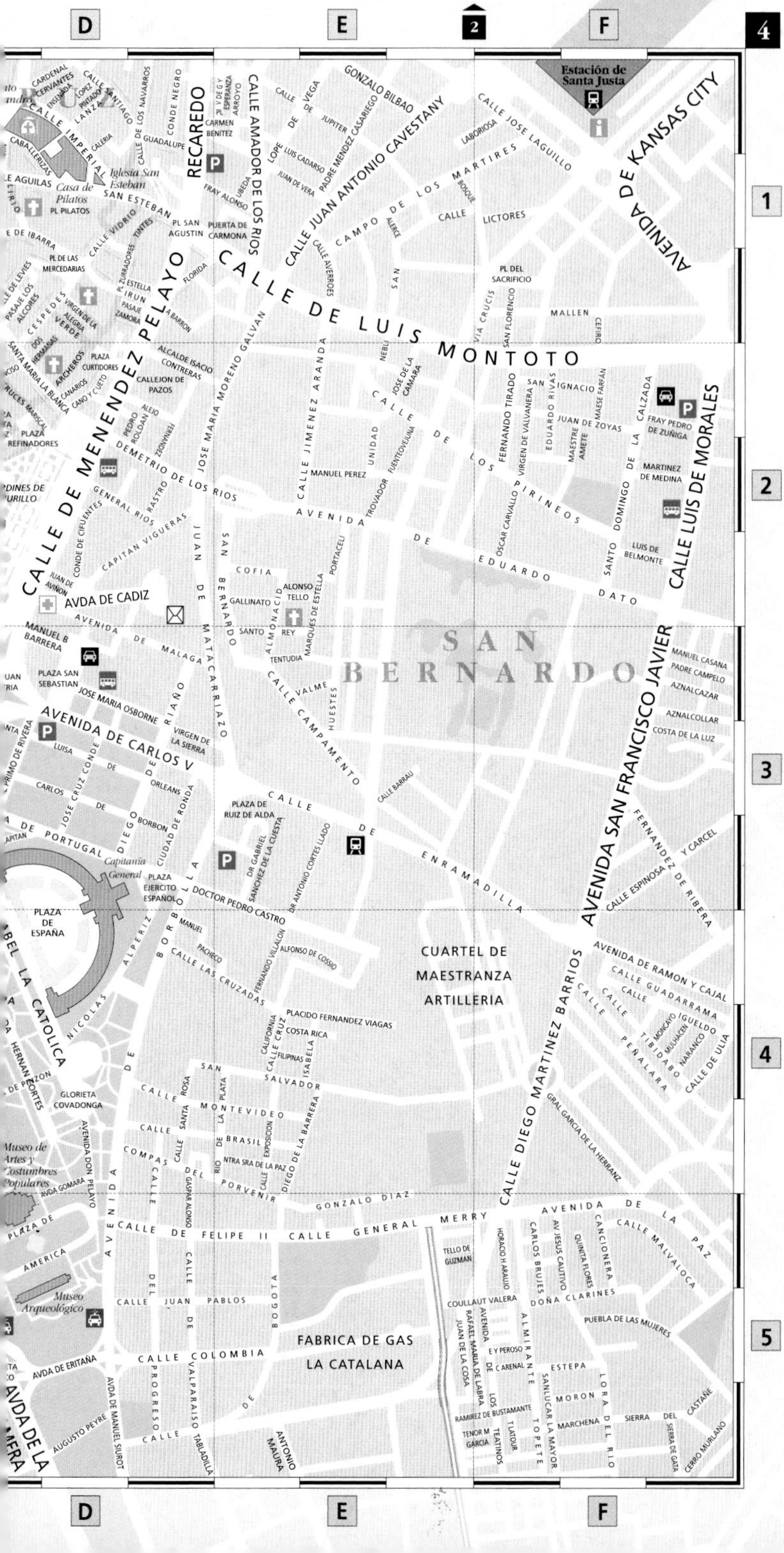
D
E
2
F
4
1
2
3
4
5
Estación de Santa Justa
AVENIDA DE KANSAS CITY
CALLE JOSE LAGUILLO
LABORIOSA
GONZALO BILBAO
CALLE DE VEGA
JUPITER
CALLE JUAN ANTONIO CAVESTANY
PADRE MENDEZ CASARIEGO
LUIS CADARSO
JUAN DE VERA
LOPE DE
CAMPO DE LOS MARTIRES
BOSQUE
CALLE LICTORES
ALERCE
CALLE AVERROES
SAN
PL DEL SACRIFICIO
VIA CRUCIS
SAN FLORENCIO
MALLEN
CEFIRO
CALLE AMADOR DE LOS RIOS
RECAREDO
PL V DE G Y ESPERANZA ARROYO
CARMEN BENITEZ
FRAY ALONSO
UBEDA
PUERTA DE CARMONA
PL SAN AGUSTIN
CALLE DE LUIS MONTOTO
CARDENAL CERVANTES
ENSENADA
LOPEZ PINTADO
CALLE SANTIAGO
LANZA
CALLE IMPERIAL
CABALLERIZAS
CALERIA
GUADALUPE
CALLE DE LOS NAVARROS
CONDE NEGRO
Iglesia San Esteban
Casa de Pilatos
LE AGUILAS
PL PILATOS
SAN ESTEBAN
CALLE VIDRIO
TINTES
E DE IBARRA
PL DE LAS MERCEDARIAS
PL ZURBARADORES
ESTELLA
IRUN
PASAJE ZAMORA
VIRGEN DE LA ALEGRIA
CESPEDES
VERDE
DOS HERMANAS
ALCORES
PASAJE LOS
LA BARRON
FLORIDA
PELAYO
CALLE DE MENENDEZ
PLAZA CURTIDORES
ARCHEROS
CANARIOS
CANO Y CUETO
SANTA MARIA LA BLANCA
ALCALDE ISACIO CONTRERAS
CALLEJON DE PAZOS
PEDRO ROLDAN
ALEJO FERNANDEZ
PLAZA REFINADORES
DEMETRIO DE LOS RIOS
JOSE MARIA MORENO GALVAN
CALLE JIMENEZ ARANDA
NEBLI
JOSE DE LA CAMARA
CALLE DE LOS PIRINEOS
UNIDAD
FUENTEOVEJUNA
TROVADOR
MANUEL PEREZ
FERNANDO TIRADO
VIRGEN DE VALVANERA
EDUARDO RIVAS
SAN IGNACIO
MAESE FARFAN
JUAN DE ZOYAS
MAESTRE AMETE
CALZADA
FRAY PEDRO DE ZUÑIGA
CALLE LUIS DE MORALES
MARTINEZ DE MEDINA
SANTO DOMINGO DE LA
OSCAR CARVALLO
LUIS DE BELMONTE
AVENIDA DE EDUARDO DATO
PORTACELI
GENERAL RIOS
RASTRO
CONDE DE CIFUENTES
CAPITAN VIGUERAS
JUAN DE MATA CARRIAZO
SAN BERNARDO
COFIA
GALLINATO
ALONSO TELLO
ALMONACID
MARQUES DE ESTELLA
SANTO REY
TENTUDIA
JUAN DE AVIÑON
AVDA DE CADIZ
AVENIDA DE MALAGA
MANUEL B BARRERA
PLAZA SAN SEBASTIAN
JOSE MARIA OSBORNE
RIAÑO
VIRGEN DE LA SIERRA
AVENIDA DE CARLOS V
SAN BERNARDO
CALLE VALME
HUESTES
CALLE CAMPAMENTO
CALLE BARRAU
MANUEL CASANA
PADRE CAMPELO
AZNALCAZAR
AZNALCOLLAR
COSTA DE LA LUZ
AVENIDA SAN FRANCISCO JAVIER
FERNANDEZ Y CARCEL
CALLE ESPINOSA
DE RIBERA
LUISA DE
CONDE
CARLOS DE
JOSE CRUZ
ORLEANS
BORBON
DIEGO
CIUDAD DE RONDA
PORTUGAL
PLAZA DE RUIZ DE ALDA
DR GABRIEL SANCHEZ DE LA CUESTA
DR ANTONIO CORTES LLADO
CALLE DE ENRAMADILLA
Capitania General
PLAZA EJERCITO ESPAÑOL
DOCTOR PEDRO CASTRO
PLAZA DE ESPAÑA
BORBOLLA
ALPERIZ
MANUEL PACHECO
CALLE LAS CRUZADAS
FERNANDO VILLALON
ALFONSO DE COSSIO
CUARTEL DE MAESTRANZA ARTILLERIA
AVENIDA DE RAMON Y CAJAL
CALLE GUADARRAMA
CALLE IGUELDO
MONCAYO
MULHACEN
NARANCO
CALLE DE ULIA
TIBIDABO
CALLE PEÑALARA
CALLE DIEGO MARTINEZ BARRIOS
GRAL GARCIA DE LA HERRANZ
LA CATOLICA
NICOLAS
PLACIDO FERNANDEZ VIAGAS
CALIFORNIA
CALLE CRUZ
COSTA RICA
FILIPINAS
ISABELA
SAN SALVADOR
CALLE ROSA
SANTA
LA PLATA
CALLE MONTEVIDEO
DE BRASIL
RIO
EXPOSICION
NTRA SRA DE LA PAZ
DIEGO DE LA BARRERA
CALLE COMPAS DEL PORVENIR
GONZALO DIAZ
GLORIETA COVADONGA
HERNAN CORTES
Museo de Artes y Costumbres Populares
AVENIDA DON PELAYO
AVDA GOMARA
PLAZA DE AMERICA
Museo Arqueológico
AVENIDA DE
CALLE DE FELIPE II
CALLE GENERAL MERRY
GASPAR ALONSO
CALLE DEL
CALLE JUAN PABLOS
BOGOTA
CALLE COLOMBIA
FABRICA DE GAS LA CATALANA
AVDA DE ERITAÑA
AVDA DE LA
AVDA DE MANUEL SIUROT
AUGUSTO PEYRE
PROGRESO
VALPARAISO
CALLE TABLADILLA
ANTONIO MAURA
TELLO DE GUZMAN
HORACIO H ARAUJO
CARLOS BRUJES
AV JESUS CAUTIVO
QUINTA FLORES
CANCIONERA
AVENIDA DE LA PAZ
CALLE MALVALOCA
DOÑA CLARINES
COULLAUT VALERA
AVENIDA RAFAEL MARIA DE LABRA
JUAN DE LA COSA
ALMIRANTE
E Y PEROSO
C ARENAL
ESTEPA
PUEBLA DE LAS MUJERES
MORON
MARCHENA
SIERRA DEL
LORA DEL RIO
SIERRA DE GATA
CASTAÑE
CERRO MURIANO
RAMIREZ DE BUSTAMANTE
TENOR M GARCIA
LOS TEATINOS
T LATOUR
TOPETE
SANLUCAR LA MAYOR
D
E
F

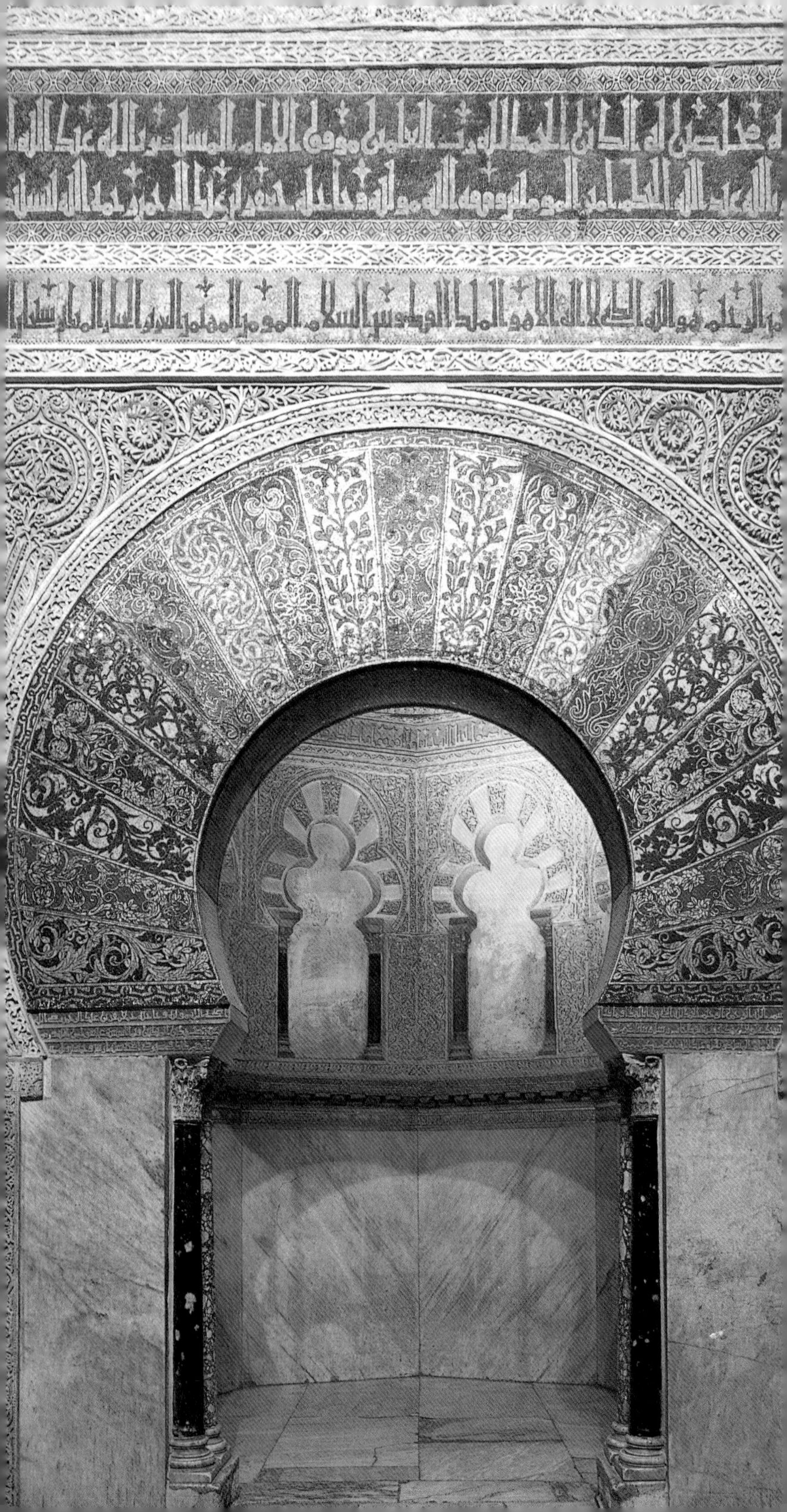

ANDALOUSIE

HUELVA · CADIX · MÁLAGA · GIBRALTAR · SÉVILLE
CORDOUE · GRENADE · JAÉN · ALMERÍA

Corridas, plages écrasées de soleil, flamenco, villages blancs, fêtes endiablées, tapas, processions religieuses empreintes de ferveur… L'Andalousie évoque de nombreux clichés. Mais au-delà du folklore, c'est avant tout une région magnifique et d'une grande richesse artistique dont le peuple défend avec le sourire une identité née de nombreux métissages culturels.

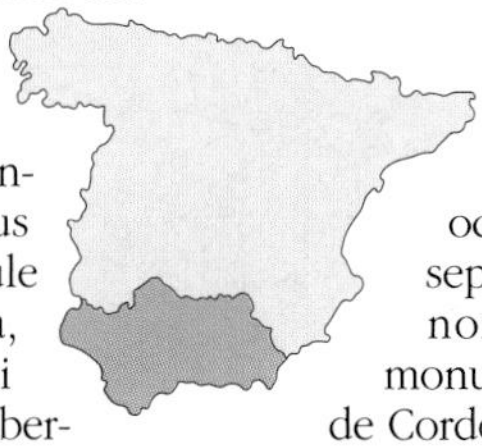

Traversée par l'un des plus longs fleuves du pays, le Guadalquivir, l'Andalousie, où s'élève le plus haut massif de la péninsule Ibérique, la sierra Nevada, compte huit provinces qui s'étendent du désert de Tabernas, à l'est, jusqu'à l'océan Atlantique et la frontière portugaise. Un col, le desfiladero de Despeñaperros, relie la région au plateau central. Son littoral méditerranéen mérite bien son nom de Costa del Sol (côte du Soleil). Une singularité historique et géographique, Gibraltar, en constitue la limite occidentale.

Ses envahisseurs successifs ont marqué l'Andalousie de leur empreinte. Les Romains firent de Cordoue la capitale de la province de la Bétique et fondèrent Itálica dont subsistent les ruines près de Séville. Les Maures, qui occupèrent la région pendant sept siècles, lui donnèrent son nom et d'extraordinaires monuments comme la Mezquita de Cordoue et le palais de l'Alhambra de Grenade. Mais l'Andalousie recèle d'autres richesses que ses grandes villes et ses plages. Plusieurs sites de la province de Huelva, le long du Portugal, évoquent Christophe Colomb qui en partit en 1492 pour découvrir l'Amérique. Les paysages désertiques de l'arrière-pays d'Almería éveillent le souvenir des nombreux westerns qui y furent tournés. Au cœur des oliveraies qui couvrent la province de Jaén se nichent deux ravissantes cités Renaissance : Úbeda et Baeza.

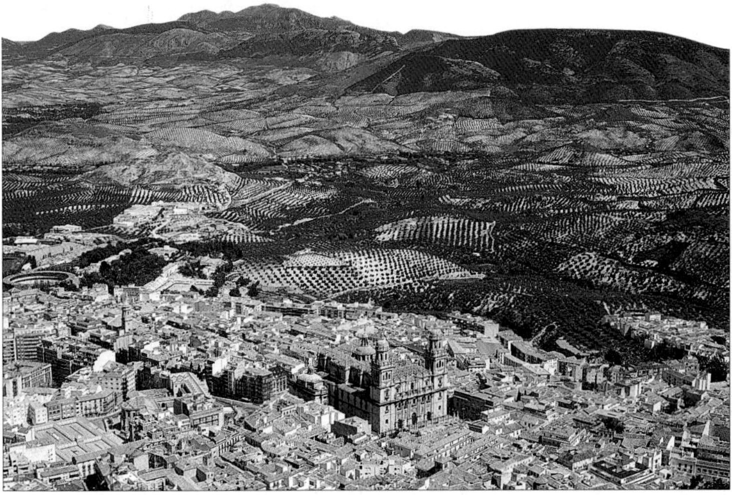

La ville de Jaén entourée d'oliveraies vue du Castillo de Santa Catalina

◁ **Arc du *mibrab* (niche tournée vers La Mecque) de la Mezquita de Cordoue**

À la découverte de l'Andalousie

La région la plus variée d'Espagne permet de se croire au Far West dans le désert de Tabernas, de jouir des plages de la Costa del Sol, de skier dans la sierra Nevada ou de déguster du xérès à Jerez. Des marécages de Doñana aux sommets de Cazorla, les réserves naturelles présentent la même diversité. Les Maures ont laissé leur empreinte sur Grenade et Cordoue. Úbeda et Baeza sont des joyaux de la Renaissance, et la blanche Ronda évoque l'Orient.

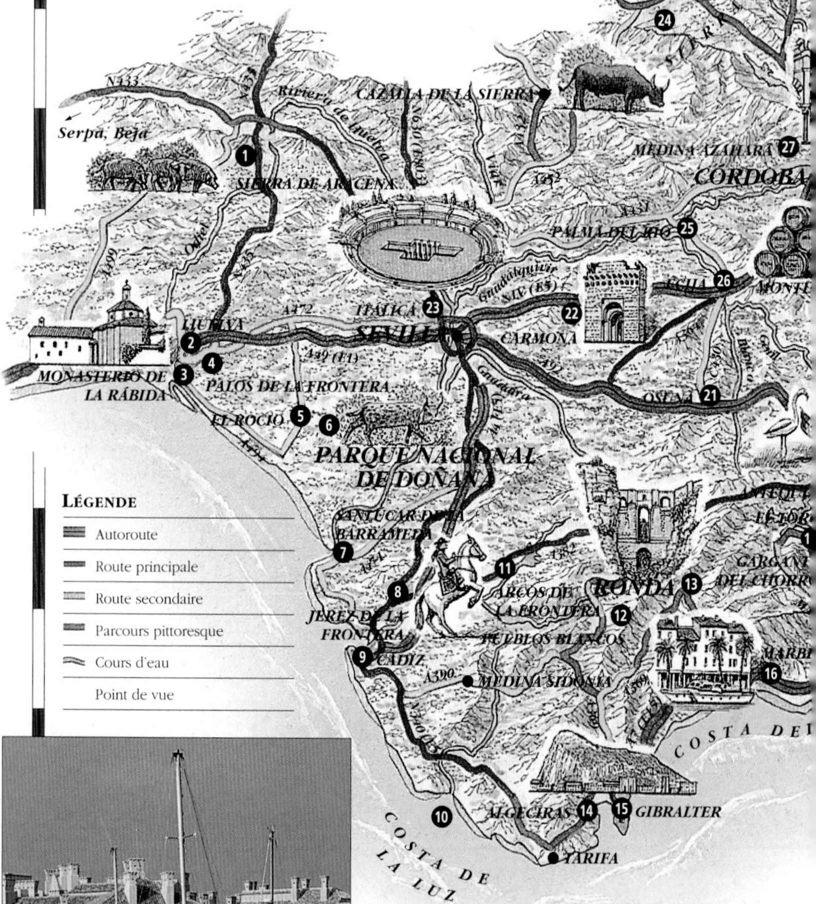

Port de plaisance de Sotogrande

CIRCULER

Málaga, Séville et Jerez possèdent les aéroports les plus importants. Modernisé, le réseau routier a pour axe principal la N IV (E5) qui suit la vallée du Guadalquivir et dessert Cordoue, Séville et Cadix. Le train à grande vitesse AVE relie Séville et Cordoue à Madrid. La fréquence des autres liaisons ferroviaires peut se révéler très variable. Une voiture sera plus pratique que le car, parfois lent, pour découvrir les régions isolées.

Voir aussi

- ***Hébergement*** p. 563-567
- ***Restaurants et bars*** p. 601-605

Musiciennes en costumes traditionnels lors d'une fête de village

L'Andalousie d'un coup d'œil

Algésiras 14
Almería 49
Almuñécar 33
Andújar 42
Antequera 20
Arcos de la Frontera 11
Baeza p. 474–475 43
Cadix 9
Carmona 22
Cordoue p. 454-457 28
Costa de la Luz 10
Écija 26
Garganta del Chorro 18
Gibraltar 15
Grenade p. 462-468 38
Guadix 40
Huelva 2
Itálica 23
Jaén 41
Jerez de la Frontera 8
Lacalahorra 39
Lanjarón 34
Laujar de Andarax 36
Málaga 17
Marbella 16
Medina Azahara 27
Mojácar 47
Monasterio de la Rábida 3
Montefrío 31
Montilla 29
Nerja 32
Osuna 21
Palma del Río 25
Palos de la Frontera 4
Parque Nacional de Doñana p. 440-441 6
Parque Natural de Cabo de Gata 50
Parque Natural de Cazorla 45
Priego de Córdoba 30
El Rocío 5
Ronda p. 446-447 13
Sanlúcar de la Barrameda 7
Sierra de Aracena 1
Sierra Morena 24
Sierra Nevada 37
Tabernas 48
El Torcal 19
Úbeda 44
Vélez Blanco 46

Excursions

Las Alpujarras 35
Pueblos Blancos 12

Le fameux *jamón ibérico* dans un bar de Jabugo, sierra de Aracena

Sierra de Aracena ❶

Huelva. *El Repilado.* *Aracena.* *Aracena, 959 12 82 06.* *sam.*

Ce massif montagneux boisé, l'une des parties les plus isolées et les moins visitées d'Andalousie, possède pour capitale Aracena. La ville s'étage sur le flanc d'une colline que couronnent les ruines d'un château maure. On peut y visiter la **Gruta de las Maravillas**, une grotte riche en concrétions polychromes qui renferme un lac.

Le village de **Jabugo** est réputé pour son *jamón ibérico* ou *pata negra* *(p. 401)*.

Minas de Riotinto doit son nom à des mines à ciel ouvert de pyrite, de cuivre et d'argent exploitées depuis les Phéniciens. Au village, le **Museo Minero** évoque leur histoire.

Gruta de las Maravillas
Pozo de la Nieve. *959 12 83 55.*
t.l.j.

Museo Minero
Plaza del Museo. *959 59 00 25.*
t.l.j.

Huelva ❷

Huelva. *140 000.*
Avda Alemania 12, 959 25 74 03. *ven.* *Las Colombinas (3 août).*

L'ancienne Onuba phénicienne connut son apogée à l'époque romaine. En 1755, le tremblement de terre de Lisbonne la raya presque de la carte. Des faubourgs industriels se développent aujourd'hui autour des quais bordant le río Odiel.

Christophe Colomb partit pour sa traversée de l'Atlantique du port de Palos de la Frontera, de l'autre côté de l'estuaire, et le **Museo Provincial** célèbre cet événement. Il présente aussi des pièces archéologiques et retrace l'histoire des mines de Riotinto.

Cruche, Museo Provincial de Huelva

Au début du XXe siècle, la compagnie qui les exploitait construisit pour ses employés les pavillons donnant des allures de banlieue anglaise au barrio Reina Victoria, à l'est du centre-ville. Au sud, à la punta del Sebo, se dresse le Monumento a Colón (1929).

Aux environs
Trois stations balnéaires proposent des plages de sable près de Huelva : **Punta Umbria**, proche des marismas del Odiel emplis d'oiseaux ; **Isla Cristina**, port de pêche aux excellents restaurants de poisson ; et **Mazagón** dotée de kilomètres de dunes.

À l'est de Huelva, une région de collines, **El Condado**, produit certains des meilleurs vins d'Andalousie. Bollullos del Condado possède la plus grosse coopérative. **Niebla** conserve des remparts et le **Castillo de los Guzmanes** (XIIe siècle) d'origine maure.

Museo Provincial
Alameda Sundheim 13. *959 25 93 00.* *du mar. au sam.*

Castillo de los Guzmanes
Campo Castillo, Niebla. *959 36 22 70.* *t.l.j.*

Monasterio de la Rábida ❸

Huelva. *depuis Palos de la Frontera.* *959 35 04 11.* *du mar. au dim.*

En 1491, après que les Rois Catholiques *(p. 52-53)* eurent rejeté son projet de rejoindre l'Inde par l'ouest, Christophe Colomb trouva refuge à quatre kilomètres au nord de Palos de la Frontera dans ce monastère franciscain fondé au XVe siècle. Mais son prieur, Juan Pérez, était le confesseur d'Isabelle de Castille et il la persuada de revenir sur sa décision.

L'intérieur abrite des fresques peintes en 1930 par Daniel Vázquez Díaz à la gloire de l'explorateur génois. Le cloître mudéjar, le jardin fleuri et la salle capitulaire ajoutent à l'intérêt de la visite.

Fresques illustrant la vie de Colomb au Monasterio de la Rábida

Palos de la Frontera ❹

Huelva. 7 000. Parque Botánico José Celestino Mutis Paraje, 959 53 05 35. sam. Santa María de la Rábida (3 et 16 août).

Le 3 août 1492, Christophe Colomb leva l'ancre du bassin de cette petite ville agricole d'où étaient originaires les deux capitaines de l'expédition : Vincente et Martin Pinzón. Une statue de ce dernier orne la grand-place et sa demeure est devenue un petit musée : la **Casa Museo de Martín Alonso Pinzón**.

De style gothico-mudéjar, l'**Iglesia de San Jorge** (XVe siècle) possède un beau portail que franchit Colomb après avoir écouté la messe avant son départ.

Aux environs

Belle ville blanche, **Moguer** recèle un ermitage du XVIe siècle, Nuestra Señora de Montemayor, et un hôtel de ville néo-classique. Le **Convento de Santa Clara** et le Monasterio de San Francisco possèdent de jolis cloîtres.

Casa Museo de Martín Alonso Pinzón
Calle Colón 24. *959 35 01 99.*
du lun. au sam.

Convento de Santa Clara
Plaza de las Monjas. *959 37 01 07.*
du mar. au sam. jours fériés.

El Rocío ❺

Huelva. 1 200. Avda de la Canaliega, 959 44 38 08. mar. Romería (mai-juin). www.donana.es

En bordure des marais du Parque Nacional de Doñana *(p. 440-441)*, El Rocío doit son renom à sa *romería* qui attire chaque année près d'un million de personnes. La plupart sont des pèlerins. Ils se rendent, pour certains dans des charrettes richement décorées, à l'**Iglesia de Nuestra Señora del Rocío**. Elle abrite une Vierge gothique à qui la tradition attribue des guérisons miraculeuses depuis 1280. Le lundi matin, des hommes d'Almonte se disputent la statue pour la porter en procession au milieu d'une foule qui se presse dans l'espoir de la toucher.

Iglesia de Nuestra Señora del Rocío, El Rocío

Fêtes d'Andalousie

Procession en l'honneur de la statue miraculeuse d'El Rocío

Carnaval *(fév.-mars)*, Cadix. Toute la ville se pare de ses plus beaux atours pour l'un des carnavals les plus colorés d'Europe. Des groupes de chanteurs ironisent sur les modes, les célébrités et les hommes politiques du moment.

Romería de la Virgen de la Cabeza *(der. dim. d'avril)*, Andújar (Jaén). Pèlerinage jusqu'à un sanctuaire isolé de la sierra Morena.

Día de la Cruz *(1re sem. de mai)*, Grenade et Cordoue. Des associations de quartier rivalisent dans l'élaboration de croix ornées de fleurs.

Fête des patios *(mi-mai)*, Cordoue. Dans la vieille ville, les patios se parent de fleurs et s'ouvrent au public.

El Rocío *(mai-juin)*. Plus de 70 confréries de pèlerins rendent hommage à la Virgen del Rocío.

Fête de Christophe Colomb *(fin juil.-déb. août)*, Huelva. Chaque année, la musique et les danses d'un pays d'Amérique latine différent sont à l'honneur.

Exaltación al Río Guadalquivir *(mi-août)*, Sanlúcar de la Barrameda (Cadix). Courses de chevaux sur la plage à l'embouchure du río Guadalquivir.

Parque Nacional de Doñana 6

Observation des oiseaux

Dans l'une des plus vastes étendues marécageuses d'Europe, le parc national du Coto de Doñana fondé en 1969 et les zones protégées qui l'entourent couvrent une superficie de 75 000 ha de marais et de dunes. La région ne fut jamais propice à l'installation de l'homme et elle servait de réserve de chasse aux ducs de Medina Sidonia. Elle offre en effet un habitat naturel favorable à de nombreuses espèces animales. Des milliers d'oiseaux migrateurs y font halte en hiver quand les marais sont de nouveau inondés après des mois de sécheresse.

Végétation arbustive
Derrière les dunes s'étend un épais tapis de lavandes, cistes et autres plantes basses.

Pin parasol
Cette variété de pin (pinus pinea) *enfonce profondément ses racines dans les dunes, mais le sable recouvre parfois les arbres.*

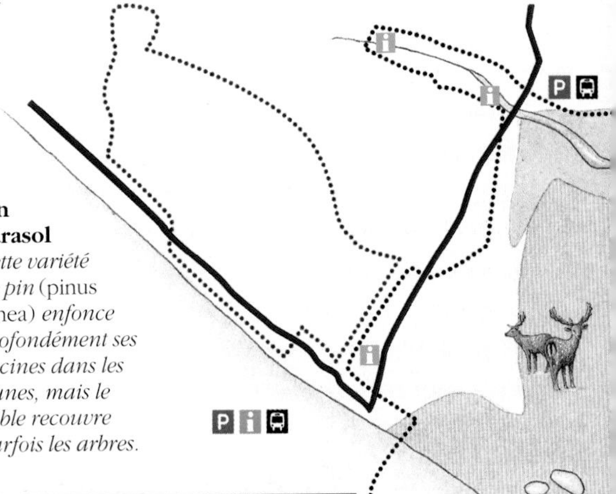

Dunes côtières
Les dunes de sable blanc du littoral peuvent atteindre 30 m de haut. Les vents de l'Atlantique les déplacent en permanence.

Le monte de Doñana boisé offre un refuge aux lynx, aux cerfs et aux sangliers.

Visite guidée
Une stricte réglementation limite le nombre de visiteurs admis à l'intérieur du parc. Des visites guidées offrent le seul moyen de découvrir sa faune protégée.

LÉGENDE

- Marais
- Dunes
- Limites du parc national
- Zones protégées
- Route
- Point de vue
- Information touristique
- Parc de stationnement
- Arrêt d'autocars

Cervidés
Le daim (dama dama) *et le cerf élaphe* (cervus elaphus) *vivent en liberté. Les mâles se livrent des combats acharnés à la fin de l'été, saison des accouplements.*

Mode d'emploi

Huelva & Sevilla. **Extérieur du parc** *t.l.j.* *1er et 6 jan., Pentecôte, 25 déc.* **La Rocina** 959 44 23 40. **Palacio del Acebrón :** *exposition « l'Homme et Doñana ».* **El Acebuche :** *accueil, exposition audiovisuelle, café, boutique.* 959 44 87 11. **Sentiers ouverts au public :** *La Rocina et Charco de la Boca (90 mn) ; El Acebrón depuis Palacio del Acebrón (45 mn) ; Laguna del Acebuche depuis Acebuche (45 mn).* **Parc** *de mai à sept. : du lun. au sam. ; d'oct. à avril : du mar. au dim. Visites guidées seul. Départs d'El Acebuche à 8 h 30 et 15 h. Réservations* 959 43 04 32.

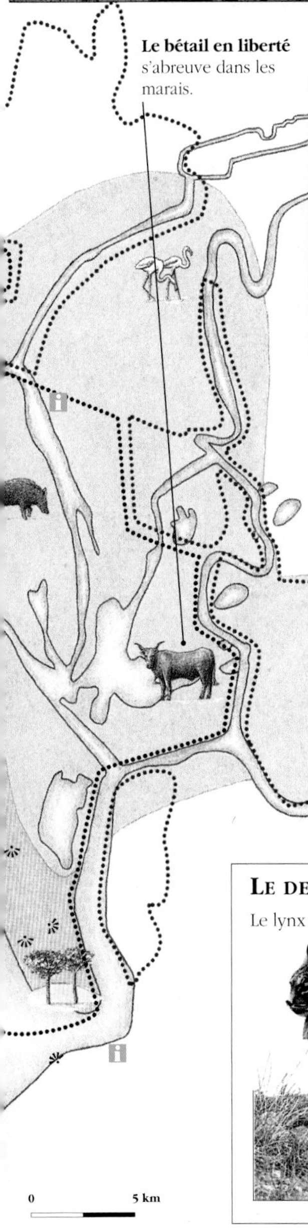

Le bétail en liberté s'abreuve dans les marais.

Aigle impérial
(Aquila heliaca adalberti) *est un des oiseaux les plus rares de Doñana.*

Flamants roses
Pendant les mois d'hivers, lagunes et marais fournissent aux flamants roses (phoenicopterus ruber) *leur aliment favori : des crustacés.*

Le dernier refuge du lynx

Le lynx est l'un des mammifères les plus rares d'Europe, mais environ soixante couples de lynx espagnols *(lynx pardellus)* vivent à Doñana. Cet animal nocturne au pelage fauve tacheté de brun et aux oreilles pointues garnies de touffes de poils noirs tend à se cacher dans les broussailles et reste mal connu. Il se nourrit principalement de lapins et de canards.

L'observation du lynx demande beaucoup de patience

Sanlúcar de Barrameda ❼

Cádiz. 62 000. Calzada del Ejército, 956 36 61 10. mer. Exaltación al Río Guadalquivir et courses de chevaux (mi-août).

C'est de ce port de pêche dominé par un **château** maure à l'embouchure du Guadalquivir que partirent Christophe Colomb, en 1498, pour sa troisième expédition, et Magellan, en 1519, pour réaliser le premier tour du monde. Du quai, des bateaux conduisent au parc de Doñana *(p. 440-441)*.

Sanlúcar est surtout connu par le manzanilla, un xérès sec et léger produit notamment par les **Bodegas Barbadillo**.

Aux environs
Petite station balnéaire animée, **Chipiona** possède une belle plage. À l'intérieur des terres, **Lebrija** recèle derrière ses remparts une église aménagée dans une mosquée du XIIe siècle.

Bodegas Barbadillo
C/ Luis de Eguilaz 11.
956 38 55 00. lun.-ven. sur rendez-vous.

Entrée de la *bodega* Barbadillo à Sanlúcar de Barrameda

Jerez de la Frontera ❽

Cádiz. 250 000. Plaza del Arenal, 956 35 96 54. lun. Vendanges (sept.).

Une visite de la capitale du xérès *(p. 402-403)* se doit d'inclure celle d'une *bodega*. Parmi les marques les plus connues figurent **González Byass** et **Pedro Domecq**.

La ville tire aussi sa renommée de la **Real Escuela Andaluza de Arte Ecuestre**. Cette école d'art équestre propose un spectacle éblouissant le jeudi, mais vous pouvez assister à une séance de dressage les autres jours.

À proximité, le **Museo de Relojes** possède l'une des plus riches collections d'horloges d'Europe. Sur la plaza de San Juan, le Centro Andaluz de Flamenco *(p. 406-407)* occupe le **Palacio de Penmartín** (XVIIIe siècle). Partiellement restauré, l'**Alcázar** du XIe siècle comprend une mosquée transformée en église. Non loin, au nord, la sacristie de la **collégiale** abrite la *Vierge enfant endormie* de Zurbarán.

Aux environs
El Puerto de Santa María, port d'exportation du xérès où plusieurs *bodegas*, telles celles d'**Osborne** et de **Terry**, peuvent se visiter, possède un château du XIIIe siècle et des arènes parmi les plus vastes d'Espagne.

Real Escuela Andaluza de Arte Ecuestre
Duque de Abrantes. 956 31 80 08 (sur rendez-vous). du lun. au ven.

Museo de Relojes
Calle Cervantes 3. 956 18 21 00. pour rénovation.

Palacio de Penmartín
Plaza de San Juan 1. 956 34 92 65. fermé pour rénovation.

Alcázar
Alameda Vieja. 956 31 97 98. t.l.j. jours fériés.

Sherry Bodegas
téléphoner pour les horaires de visite. **González Byass**, C/ Manuel María González 12, Jerez. 956 35 70 00. **Pedro Domecq**, C/ San Ildefonso 3, Jerez. 956 15 15 00. **Sandeman**, C/ Pizarro 10, Jerez. 956 15 17 00. **Osborne**, C/ de los Moros, Puerto de Santa María. 956 86 91 00. **Terry**. C/Tonelero, Puerta de Santa Maria. 956 85 77 00.

Real Escuela Andaluza de Arte Ecuestre, Jerez de la Frontera

Cadix (Cádiz) 9

Masque égyptien, Museo de Cádiz

Selon la légende, c'est Hercule qui fonda, sur un rocher presque entièrement cerné par la mer, cette cité parmi les plus anciennes d'Europe. L'histoire attribue toutefois ce mérite aux Phéniciens qui créèrent la colonie de Gadir vers 1100 av. J.-C. Occupée successivement par les Carthaginois, les Romains et les Maures, la ville prospéra après la Reconquête *(p. 50-51)* grâce au commerce avec le Nouveau Monde. Mise à sac par les Anglais en 1596, elle devint en 1812, pour quelque temps, la capitale de l'Espagne où les Cortes promulguèrent la première constitution du pays *(p. 50)*.

Mode d'emploi

Cádiz. 155 000. Plaza de Sevilla, 902 24 02 02. Plaza de la Hispanidad, 956 21 17 63. Calle Nueva 6, 956 25 86 46 ; Plaza de San Juan de Dios 11, 956 24 10 01. lun. Carnaval (fév.-mars). www.cadizayto.es

À la découverte de Cadix

Le meilleur moyen d'apprécier Cadix consiste à flâner sur son front de mer aux jardins bien entretenus et aux places aérées avant de se lancer dans l'exploration du dédale de ruelles animées de la vieille ville. Le carnaval *(p. 439)* donne lieu à d'intenses réjouissances où chansons et libations jouent un grand rôle.

Cathédrale

Baptisée Catedral Nueva car construite pour remplacer un sanctuaire plus ancien, cette église baroque et néo-classique à la coupole couverte de tuiles jaunes vernissées est une des plus vastes d'Espagne.
Dans la crypte repose le compositeur Manuel de Falla (1876-1946). Le trésor est exposé dans la Casa de la Contaduria, située derrière la cathédrale.

Museo de Cádiz

Plaza de Mina. 956 21 22 81. du mar. au dim. jours fériés.
Le rez-de-chaussée présente des vestiges archéologiques. À l'étage se découvre l'une des plus riches collections de peintures d'Andalousie, avec des œuvres de Rubens, Zurbarán et Murillo. Le dernier niveau abrite des marionnettes fabriquées pour les fêtes de villages.

Torre Tavira

Calle Marquès del Real tesoro 10. 956 21 29 10. t.l.j.
La tour qui date du XVIIIe siècle offre une vue magnifique sur la ville.

Oratorio de San Felipe Neri

Un tableau de Murillo, l'*Immaculée Conception*, orne le maître-autel de cette église du XVIIIe siècle où, pendant la guerre d'indépendance *(p. 58-59)*, et alors que les Français assiégeaient la ville, les Cortes se réunirent en 1812 pour proclamer la première constitution espagnole. Ferdinand VII l'abolit dès 1814.

Saint Bruno en extase **de Zurbarán au Museo de Cádiz**

La cathédrale de Cadix

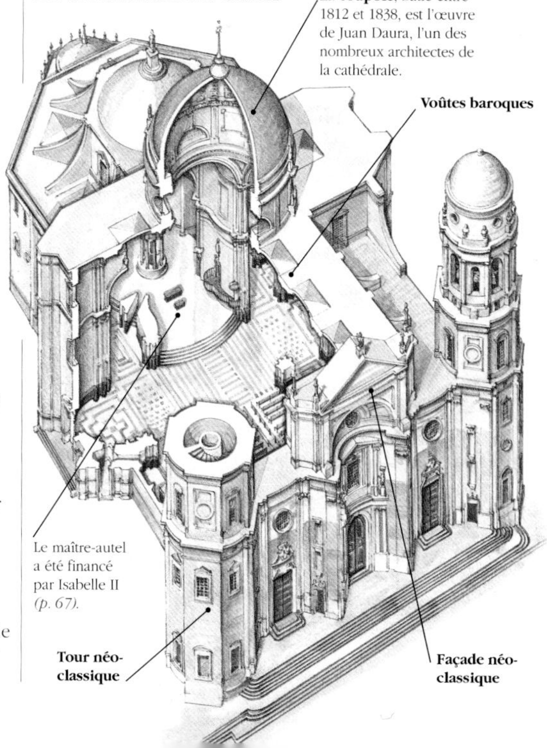
La coupole, bâtie entre 1812 et 1838, est l'œuvre de Juan Daura, l'un des nombreux architectes de la cathédrale.
Voûtes baroques
Le maître-autel a été financé par Isabelle II *(p. 67)*.
Tour néo-classique
Façade néo-classique

Bateaux de pêche à Zahara de los Atunes sur la Costa de la Luz

Costa de la Luz ❿

Cádiz. 🚉 Cádiz. 🚌 Cádiz, Tarifa.
ℹ *Plaza San Antonio, 956 80 70 61.*

Ses plages blanches baignées d'une lumière pure et intense ont valu à la portion de littoral qui s'étend à la pointe sud de l'Espagne, entre Cadix et Tarifa, son nom de côte de la Lumière. Depuis la sierra del Cabrito, à l'ouest d'Algesiras, la clarté de l'air permet souvent de discerner la silhouette de Tanger, de l'autre côté du détroit de Gibraltar, et le paysage aride qui s'étend au pied du massif du Rif marocain.

À l'endroit où débarqua au VIIIe siècle Tarif ben Maluk, l'un des chefs de guerre de la conquête musulmane *(p. 48-49)*, **Tarifa** a conservé le château du Xe siècle que défendit un héros légendaire, Guzmán, lors d'un siège mené par les Maures en 1292. Des éoliennes se dressent sur les collines. Les vents qui les actionnent ont fait de Tarifa la capitale européenne de la planche à voile.

Depuis la N 340 (E5), une longue route étroite sinue dans une étendue sauvage où poussent cactus, tournesols et rares chênes-lièges. Elle mène à **Zahara de los Atunes**, une modeste station balnéaire proposant quelques hôtels. À l'ouest, **Conil de la Frontera** est plus animée et plus construite.

C'est au large du **cabo de Trafalgar** que l'amiral Nelson vainquit en 1805 une flotte franco-espagnole.

Excursion aux pueblos blancos ⓬

À une époque où vivre en plaine signifiait s'exposer au danger des razzias, les villages perchés et fortifiés se multiplièrent en Andalousie. Les *pueblos blancos* doivent leur surnom à leurs maisons blanches fidèles à la tradition mauresque *(p. 22)*. Bourgs agricoles actifs, ils semblent avoir traversé les siècles sans changer d'aspect.

Ubrique ②
Blotti au pied de la sierra de Ubrique, ce *pueblo* est réputé pour sa maroquinerie.

Jimena de la Frontera ⑨
Le bétail paît en liberté dans les collines plantées d'oliviers et de chênes-lièges qui entourent ce village dominé par les ruines d'un château maure.

Arcos de la Frontera ①

Légende

- Circuit recommandé
- Autres routes

Carnet de route

Itinéraire : *205 km.*
Où faire une pause : *Vous trouverez partout hôtels et restaurants, mais Ronda offre le plus large choix* (p. 566 et 605) *et Arcos possède un parador* (p. 563).

Gaucín ⑧
Gaucín offre une vue sans équivalent sur la Méditerranée, l'Atlantique, le rocher de Gibraltar et, de l'autre côté du détroit, le Rif marocain.

Arcos de la Frontera ⑪

Cádiz. *30 000.* *Plaza del Cabildo, 956 70 22 64.* *ven.* *Velada de Nuestra Señora de las Nieves (du 4 au 6 août).*
www.ayuntamientoarcos.org

Bien que la légende l'attribue à un fils de Noé, l'ancienne Arcobriga romaine doit plus probablement sa fondation aux Ibères. Elle devint la forteresse de Medina Arkosh pendant le califat de Cordoue *(p. 48)* et Arcos de la Frontera semble être aujourd'hui un archétype de la ville blanche d'origine maure avec son dédale de ruelles serpentant vers un château médiéval.

Sur la plaza de España se dressent le **parador** *(p. 563)* et l'**Iglesia de Santa María de la Asunción**. De style gothique flamboyant malgré un portail baroque, elle abrite un retable et des stalles intéressants. Près de l'**Iglesia de San Pedro**, perchée près d'un à-pic au-dessus du río Guadalete, le **Palacio del Mayorazgo** présente une façade Renaissance très décorée. L'**hôtel de ville** *(ayuntamiento)* possède un beau plafond mudéjar.

Aux environs

La famille Guzmán reçut au XVe siècle le duché de **Medina Sidonia**, ville blanche couronnant une colline conique. Elle en fit le plus puissant d'Espagne grâce à ses investissements en Amérique. De style gothique, le plus beau monument, l'Iglesia de Santa María la Coronada, abrite une intéressante collection d'art sacré de la Renaissance.

Iglesia de Santa María de la Asunción à Arcos de la Frontera

Palacio del Mayorazgo
C/ San Pedro 2. *956 70 30 13 (Casa de Cultura).* *du lun. au ven.*

Ayuntamiento
Plaza del Cabildo. *956 70 00 02.* *sur autorisation.* *jours fériés.*

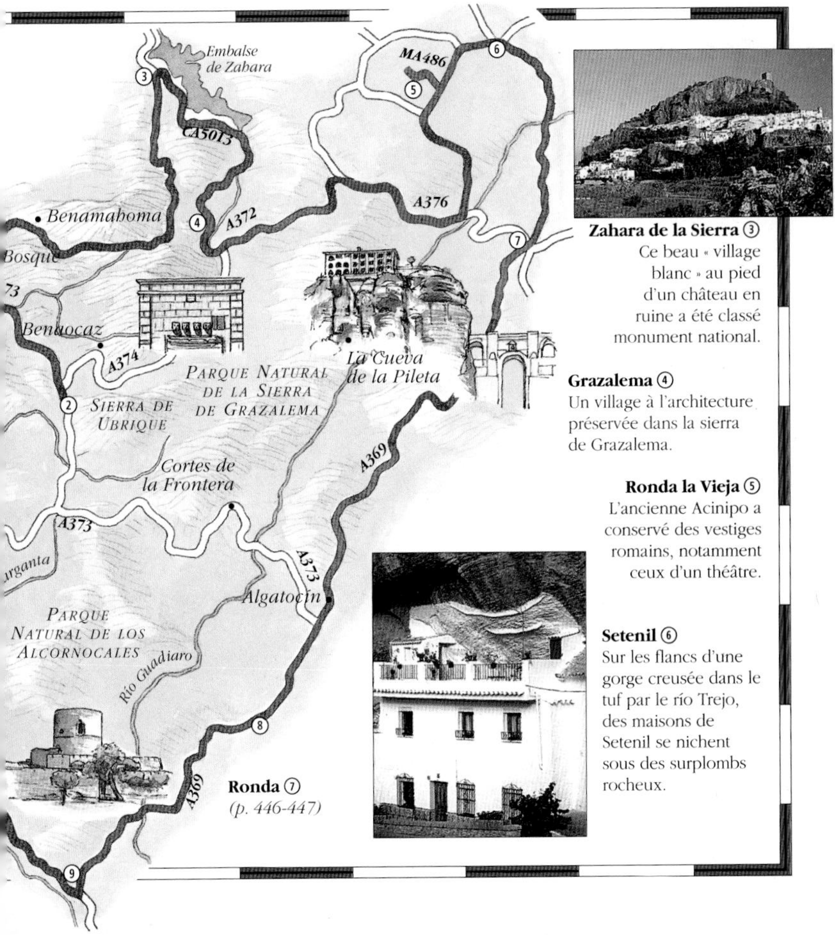

Zahara de la Sierra ③
Ce beau « village blanc » au pied d'un château en ruine a été classé monument national.

Grazalema ④
Un village à l'architecture préservée dans la sierra de Grazalema.

Ronda la Vieja ⑤
L'ancienne Acinipo a conservé des vestiges romains, notamment ceux d'un théâtre.

Setenil ⑥
Sur les flancs d'une gorge creusée dans le tuf par le río Trejo, des maisons de Setenil se nichent sous des surplombs rocheux.

Ronda ⑦
(p. 446-447)

Ronda pas à pas ⓭

Assiette décorée à la main, Ronda

Bâtie sur le rebord d'un plateau qu'entaille une gorge profonde de plus de 100 m, Ronda occupe un site spectaculaire. Ses défenses naturelles en firent un des derniers bastions musulmans d'Andalousie et les chrétiens ne s'en emparèrent qu'en 1485. Appelé le Tajo, le ravin sépare la ville en deux parties. La plus ancienne, au sud, un *pueblo blanco* (*p. 444-445*) typique, abrite la majorité des monuments historiques. Le Puente Nuevo la relie au Mercadillo, qui renferme une des plus vieilles arènes d'Espagne, et aux quartiers modernes.

★ Le Puente Nuevo

Construit au XVIIIe siècle au-dessus du Tajo, le Pont Neuf offre une superbe vue sur le ravin qui sépare la vieille ville, ou Ciudad, du Mercadillo.

Casey del Rey Moro

De cette maison du XVIIIe siècle bâtie sur les fondations d'un palais maure, 365 marches mènent à la rivière.

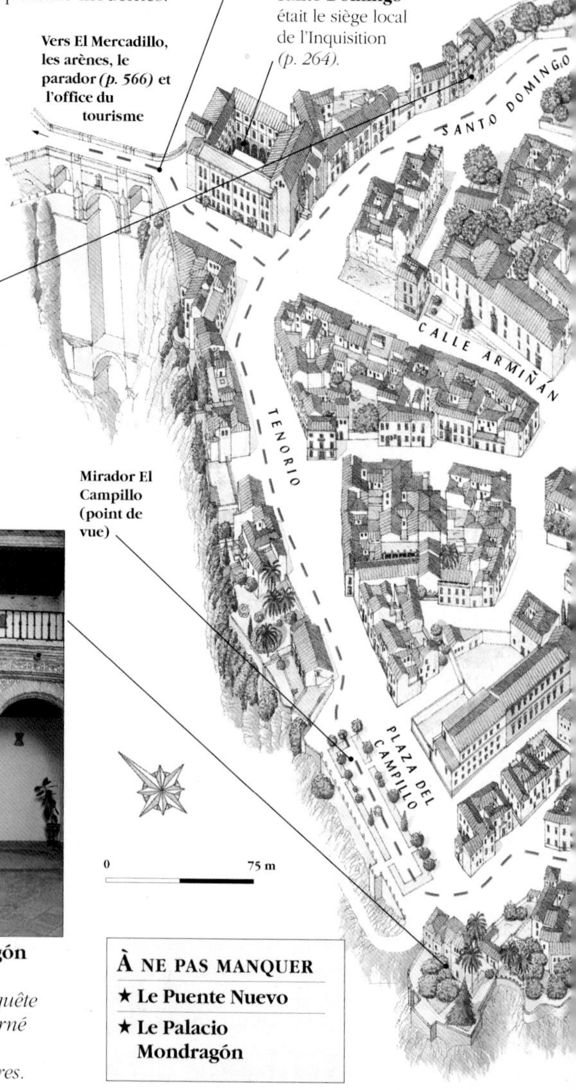

Le Convento de Santo Domingo était le siège local de l'Inquisition (*p. 264*).

Vers El Mercadillo, les arènes, le parador (*p. 566*) **et l'office du tourisme**

Mirador El Campillo (point de vue)

★ Le Palacio de Mondragón

Bien qu'en majeure partie reconstruit après la Reconquête (p. 50-51), *ce palais reste orné dans ses deux patios de mosaïques et de stucs maures.*

À NE PAS MANQUER

★ Le Puente Nuevo

★ Le Palacio Mondragón

Palacio del Marqués de Salvatierra
D'insolites représentations d'Indiens d'Amérique du Sud supportent le fronton de ce palais de style Renaissance édifié au XVIIIe siècle.

Mode d'emploi

Málaga. 34 000. Avenida de Andalucía, 952 87 16 73. Plaza Concesión García Redondo, 952 35 00 61. Plaza de España 1, 95 287 12 72. dim. www.andalucia.org Semana Santa (semaine de Pâques), Feria de la Primavera (21 mai), Feria de Pedro Romero (sept.). **Casa del Rey Moro** jardins seult. **Palacio Mondragón** t.l.j. **Plaza de Toros et Museo Taurino** t.l.j.

Santa María la Mayor
La cathédrale occupe le site d'une mosquée du XIIIe siècle dont subsistent le minaret et le mihrab.

Ayuntamiento
Des arcades rythment la façade de l'hôtel de ville. Remanié au XXe siècle, il incorpore des éléments d'édifices antérieurs, tel un plafond mudéjar.

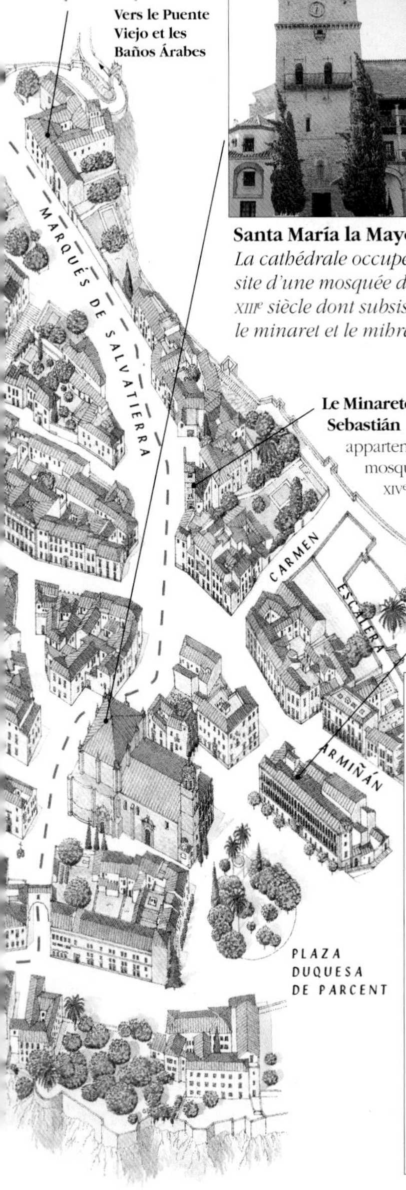

Vers le Puente Viejo et les Baños Árabes

Le Minarete San Sebastián appartenait à une mosquée du XIVe siècle.

Légende

— — — Itinéraire conseillé

La tauromachie à Ronda

Pôle spirituel de la tauromachie, la Plaza de Toros de Ronda, inaugurée en 1785, fait partie des plus anciennes et des plus importantes arènes d'Espagne. En septembre, la *corrida goyesca*, regardée par des millions de téléspectateurs, y fait revivre l'époque de Goya. Petit-fils de Francisco Romero, qui établit les règles de la corrida, Pedro Romero (1754-1839) développa le style classique de Ronda, plus austère que l'exubérante école de Séville. De nombreux *aficionados* voient en lui le père de la tauromachie moderne.

Romero, qui tua plus de 6 000 taureaux

Algésiras ⓮

Cádiz. 180 000. Calle Juan de la Cierva, 956 57 26 36. mar. Feria Real (du 24 juin au 2 juil.).

Cette ville industrielle est un grand port de pêche et le principal point d'embarquement européen pour l'Afrique du Nord, en particulier Tanger et les territoires espagnols de Ceuta et Melilla. Elle offre une belle vue de Gibraltar, situé à 14 km de l'autre côté de la baie.

Gibraltar ⓯

Colonie de la couronne britannique. 31 500. Maison du duc de Kent, Cathedral Square, 956 77 49 50. mer. et sam. Nat Day (10 sept.). www.gibraltar.gi

Près de 4 millions de visiteurs traversent chaque année la frontière à La Línea de la Concepcíon pour se rendre sur ce promontoire rocheux long de 4,8 km et large de 1,4 km dont le traité d'Utrecht accorda en 1713 la souveraineté aux Anglais.

Les principaux sites de Gibraltar témoignent de son importance stratégique.

La grotte de Saint-Michel servit d'hôpital pendant la guerre

Partie basse d'un château maure du VIIIe siècle, le **Keep** (donjon) sert toujours de prison. Des casernes souterraines, les **Siege Tunnels**, s'étendent sur 80 km. La **St Michael's Cave** accueille désormais des concerts, mais cette grotte fit office d'hôpital pendant la Deuxième Guerre mondiale.

Près d'Europa Point, pointe sud de Gibraltar, des singes vivent en liberté dans l'**Apes' Den**. Selon la légende, quand ils partiront, les Anglais le feront aussi. Un téléphérique conduit au **Top of the Rock** (450 m), point culminant de la colonie dont le **Gibraltar Museum** retrace l'histoire.

Keep, Siege Tunnels, St Michael's Cave, Apes' Den
Upper Rock Area. 956 77 49 50. t.l.j. 1er jan., 25 déc.

Gibraltar Museum
18 Bombhouse Lane. 956 77 42 89 du lun. au sam. jours fériés.

La Costa del Sol

300 jours de soleil par an et un littoral varié permettent de pratiquer en toute saison un grand nombre d'activités sur la Costa del Sol qui s'étend entre Gibraltar et Almeria. Elle compte notamment plus de 30 terrains de golf parmi les plus agréables d'Europe. À côté de stations luxueuses comme Marbella, beaucoup d'autres s'adressent à une clientèle populaire.

Puerto Banús est le port de plaisance de Marbella. Boutiques, restaurants et boîtes de nuit s'adressent à une clientèle fortunée.

À Estepona, les familles avec de jeunes enfants jouissent de soirées calmes. Derrière les hauts hôtels s'ouvrent des places plantées d'orangers.

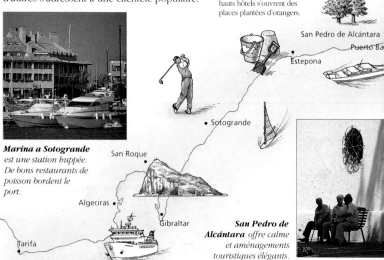

Marina a Sotogrande *est une station huppée. De bons restaurants de poisson bordent le port.*

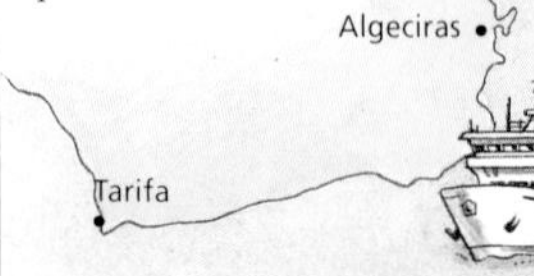
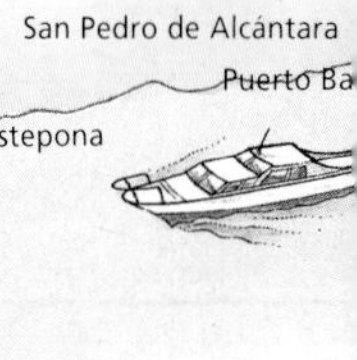

San Pedro de Alcántara *offre calme et aménagements touristiques élégants.*

Dans le port de Marbella, station balnéaire huppée fréquentée par la jet set internationale

Marbella ⓰

Málaga. 150 000. Glorieta de la Fontanilla, Paseo Marítimo, 952 77 14 42. lun. San Bernabé (11 juin). www.marbella2000.com

Têtes couronnées et vedettes de cinéma fréquentent cette station balnéaire parmi les plus huppées d'Europe. Dans la vieille ville se dresse l'**Iglesia de Nuestra Señora de la Encarnación** remaniée dans le style baroque. Le **Museo de Grabado Español Contemporáneo** présente quelques gravures peu connues de Picasso.

La vie nocturne coûte cher, mais les plages, Babaloo, Victor's, Don Carlos, Cabopino et Las Dunas, sont gratuites.

Museo de Grabado Español Contemporáneo

C/ Hospital Bazan. 952 82 50 35. du dim. au ven. jours fériés, dim. en été.

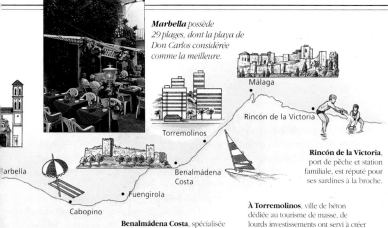

***Marbella** possède 29 plages, dont la playa de Don Carlos considérée comme la meilleure.*

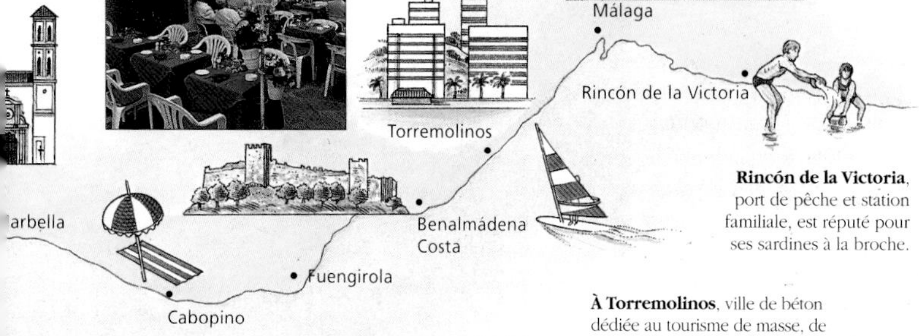

Rincón de la Victoria, port de pêche et station familiale, est réputé pour ses sardines à la broche.

À Torremolinos, ville de béton dédiée au tourisme de masse, de lourds investissements ont servi à créer de nouvelles places, une promenade et des espaces verts, ainsi qu'à importer des millions de tonnes de sable doré.

Benalmádena Costa, spécialisée dans les séjours organisés, propose de nombreuses distractions touristiques et un vaste port de plaisance.

Cabopino offre aux nudistes une large plage de sable près d'un port de plaisance moderne.

0 10 km

***Fuengirola** occupe un site superbe au pied de montagnes ocre et reste un port de pêche actif malgré le développement d'une importante station balnéaire à la clientèle principalement britannique.*

Transept de la cathédrale de Málaga consacrée en 1588

Málaga ⓱

Málaga. 650 000.
Pasaje de Chinitas 4, 952 04 88 04.
dim. *Carnaval (fév.-mars), Féria (du 2e sam. au 3e dim. d'août).*
www.andalucia.org

La deuxième ville d'Andalousie est redevenue le port dynamique qu'elle fut du temps des Phéniciens (sous le nom de Malaca), puis des Romains et des Maures. Elle connut également une période de prospérité au XIXe siècle grâce au malaga, un vin liquoreux, mais le phylloxéra ravagea les vignes de la région en 1876.

Entreprise en 1528 par Diego de Siloé, la **cathédrale** présente un curieux mélange de styles. Une de ses tours, laissée inachevée en 1765, lui vaut son surnom de Manquita (Manchotte). Le Museo de Bellas Artes va devenir le **Museo de Picasso** qui exposera les œuvres du maître. La maison où ce peintre passa son enfance, la **Casa Natal de Picasso**, abrite désormais le siège de la Fondation Picasso.

Les ruines d'un théâtre romain ont été partiellement mises au jour près de l'entrée de la vaste **Alcazaba** *(p. 49)* construite entre le VIIIe et le XIe siècle. À l'intérieur de l'ancienne forteresse, le **Museo Arqueológico** présente des pièces phéniciennes, romaines et maures. Le **Castillo de Gibralfaro** (XIVe siècle) couronne une colline derrière l'Alcazaba.

Aux environs
Aigles et sangliers peuplent les belles collines que protège au nord et l'est de la ville le **Parque Natural de los Montes de Málaga**. Les randonneurs apprécieront ses sentiers fléchés. Plus au nord sur la C 345 se visite une petite cave viticole qui a conservé son aspect du milieu du XIXe siècle.

Museo de Picasso
Calle San Agustín 8. *952 60 27 31.*
jusqu'à mi-2003.

Alcazaba et Museo Arqueológico
Calle Alcazabilla. *952 21 60 05.*
du mer. au dim.

Garganta del Chorro ⓲

Málaga. *El Chorro.* *Parque Ardeles.* *Avenida de la Constitución, Álora, 95 249 83 80.* www.ayto-alora.org

Peu après le village d'El Chorro, dans la fertile vallée du Guadalhorce, s'ouvre dans la roche calcaire une des merveilles naturelles de l'Andalousie : la gorge du Chorro, cañon de 180 m de profondeur dont la largeur ne dépasse pas 10 m par endroits. En aval, une centrale hydroélectrique jure quelque peu avec l'aspect sauvage du lieu. Depuis le village, une passerelle accrochée à la paroi, le **Camino del Rey**, conduit à un pont en mauvais état franchissant le ravin. Il est fermé au public.

Aux environs
12 km plus bas dans la vallée, **Álora** est un village blanc *(p. 444-445)* qui possède une église du XVIIIe siècle et un château maure en ruine.

Depuis Álora, la sinueuse MA 441 conduit à **Carratraca**, village à la gloire fanée où la haute société européenne venait au tournant du siècle profiter des vertus curatives de sources sulfureuses. L'eau jaillit toujours à un débit de 700 litres par minute et les installations thermales en plein air restent ouvertes.

La Garganta del Chorro où coule le río Guadalhorce

Rochers calcaires d'El Torcal sculptés par l'érosion

El Torcal ⓳

Málaga. *Antequera.* *Antequera.* *Antequera, 952 70 25 05.*

Dans un massif calcaire où l'érosion a sculpté des formes insolites et creusé gorges et grottes, le Parque Natural d'El Torcal offre aux randonneurs un vaste réseau de sentiers rayonnant depuis son centre d'accueil. Des flèches jaunes jalonnent les parcours de moins de deux heures. Elles sont rouges pour les autres.

Le parc ne protège pas qu'un patrimoine géologique, mais aussi des plantes rares, notamment des orchidées sauvages, et une faune qui comprend renards, belettes, aigles, faucons et vautours.

Antequera ⓴

Málaga. *40 000.* *Pl San Sebastián 7, 952 70 25 05.* *mar.* *Ferias (fin mai et mi-août).*

L'ancienne Anticaria des Romains devint sous les Maures une forteresse qui défendait Grenade. C'est aujourd'hui une ville de marché animée.

Parmi ses nombreuses églises, ne manquez pas l'**Iglesia de Nuestra Señora del Carmen** et son grand retable baroque. De l'autre côté de la ville, la **Plaza de Toros** bâtie au XIXe siècle propose un musée de la tauromachie.

Au sommet de la colline, le **château** en ruine date du XIIIe siècle et occupe le site d'un fort romain. L'Arco de los Gigantes érigé au XVIe siècle donne accès à ses remparts. Dans la partie la mieux conservée de la muraille, une belle vue s'offre depuis la Torre de Papabellotas.

Le **Palacio de Nájera** (XVIIIe siècle) abrite le musée municipal dont un bronze romain, l'Éphèbe d'Antequera, constitue le fleuron.

À la sortie nord-est de la ville subsistent trois **dolmens**, anciennes chambres funéraires datant de 2500 av. J.-C. à 1800 av. J.-C.

Aux environs

Au nord d'Antequera, les flamants viennent se reproduire dans la **laguna de la Fuente de Piedra** après avoir hiverné en Afrique. Depuis la N 334, une route conduit à un point de vue au bord du lac. Le village de Fuente de la Piedra abrite un centre d'information. À l'est, sur la N 342, **Archidona** mérite un arrêt par sa remarquable plaza Ochavada.

L'Arco de los Gigantes érigé au XVIe siècle à Antequera

Cette place octogonale du XVIIIe siècle marie style français et éléments andalous.

Plaza de Toros
Carretera de Sevilla. *952 70 81 42.* *du mar. au dim.* **Museo Taurino** *sam., dim., jours fériés.*

Palacio de Nájera
Coso Viejo. *952 70 40 21.* *du mar. au dim.* *jours fériés.*

Osuna ㉑

Sevilla. *17 000.* *Plaza Mayor, 954 81 57 32.* *lun.* *San Alcadio (12 jan.), Virgen de la Consolación (8 sept.).*

Palacio del Marqués de la Gomera achevé en 1770 à Antequera

Cette ancienne ville de garnison romaine connut son âge d'or au XVIe siècle grâce aux puissants ducs d'Osuna. Il faut traverser leur panthéon pour entrer dans la **Colegiata de Santa María** construite en 1539. Elle abrite cinq tableaux par José de Ribera. L'ancienne **Université**, fondée en 1548, est un édifice plutôt austère au beau patio plateresque. Quelques riches demeures baroques, tel le **Palacio del Marqués de la Gomera**, bordent toujours rues et places.

Aux environs

À l'est, **Estepa** doit sa renommée à ses biscuits, *polvorones* et *mantecados* *(p. 401)*. L'Iglesia del Carmen présente une façade baroque blanche et noire.

Tombe de Servilia, nécropole romaine de Carmona

Carmona ㉒

Sevilla. 25 000. Arco de la Puerta de Sevilla, 954 19 09 55. lun. et jeu. Feria (mai), Fiestas Patronales (du 8 au 16 sept.).
www. turismo.carmona.org

Première ville importante sur la N IV à l'est de Séville, Carmona étend ses faubourgs modernes dans une plaine, mais son quartier ancien couronne une colline. Derrière la **Puerta de Sevilla**, porte fortifiée des remparts maures, s'ouvre un dense lacis de rues sinueuses bordées de maisons blanches, de palais et d'églises mudéjares.

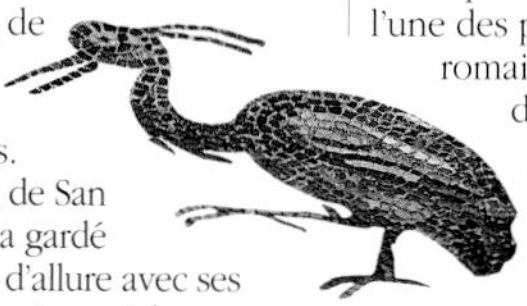

Mosaïque d'Itálica

La plaza de San Fernando a gardé beaucoup d'allure avec ses demeures seigneuriales et la façade Renaissance du vieil **Ayuntamiento**. À quelques pas de la place, l'actuel hôtel de ville date du XVIIIe siècle. Des mosaïques romaines ornent son patio. Non loin, la plus belle église de Carmona, l'**Iglesia de Santa María la Mayor** (XVe siècle), s'élève sur le site d'une mosquée dont subsiste un patio.

Les ruines de l'**Alcázar del Rey Pedro** dominent la ville. Un parador *(p. 563)* occupe désormais une partie de cet ancien palais de Pierre Ier le Cruel. Juste à la sortie de Carmona se visite la **Necrópolis Romana**. Un musée expose des objets, tels que bijoux et statues, découverts dans 800 tombes.

Ayuntamiento
Calle Salvador 2. *954 14 00 11. du lun. au ven. jours fériés.*
Necrópolis Romana
Avenida Jorge Bonsor 9.
954 14 08 11. du mar. au dim. lun. et dim. l'été ; jours fériés.

Itálica ㉓

Sevilla. *955 99 73 76. depuis Séville. avril-sept. : 8 h 30 - 20 h 30 mar.-sam., 9 h - 15 h dim. ; oct. - mars : 9 h - 17 h 30 mar. - sam., 10 h - 16 h dim.*

Fondée en 206 av. J.-C. par Scipion l'Africain, Itálica, l'une des plus anciennes cités romaines d'Espagne, devint aussi l'une des plus importantes au IIe et au IIIe siècles apr. J.-C. Deux grands empereurs y virent le jour : Trajan et Hadrien. Les archéologues ont émis l'hypothèse qu'un changement du cours du Guadalquivir aurait entraîné son abandon pendant l'époque maure.

L'imposant **amphithéâtre** pouvait accueillir 25 000 spectateurs. Il en reste l'arène et une partie des gradins. À côté sont exposés quelques-uns des objets découverts sur le site. La plupart se trouvent toutefois au Museo Arqueológico de Séville *(p. 427)*.

En dehors du tracé des rues et de quelques pavements de mosaïques, il ne subsiste malheureusement que peu de chose.

Tout près du site archéologique, le village de **Santiponce** recèle des vestiges romains mieux conservés, notamment ceux d'un théâtre et de thermes.

Sierra Morena ㉔

Sevilla et Córdoba. *Estación de Cazalla y Constantina. Constantina, Cazalla. El Robledo, 955 88 15 97.*

Boisée de chênes et de pins, la sierra Morena, qui incorpore des massifs plus petits portant leurs propres noms, s'étend au nord des provinces de Séville et de Cordoue et forme une frontière naturelle entre l'Andalousie et les plaines de l'Estrémadure et de la Manche.

Lope de Vega (p. 280) immortalisa **Fuente Obejuna**, au nord-ouest de Cordoue, en relatant une révolte populaire qui s'y déroula en 1476. **Hinojosa del Duque** possède une vaste église gothico-Renaissance. Le donjon massif d'un château du XVe siècle en ruine domine **Belalcázar**. À l'est de ce village, sur le plateau de la **valle de los Pedroches**, des cigognes nichent sur les clochers.

La principale ville de la sierra au nord de Séville, **Cazalla de la Sierra**, jouit d'une certaine animation grâce aux jeunes *Sevillanos* qui s'y rendent les week-ends. La spécialité locale, la liquor de Guindas, est un mélange d'alcool de cerise et d'anis.

Plus calme, **Constantina**, à l'est, a conservé un charmant quartier médiéval et offre une superbe vue sur la campagne.

Pâturages de la sierra Morena, au nord de Séville

Palma del Río ㉕

Córdoba. 19 000. Cardenal Portocarrero, 957 64 43 70. mar. Ferias (du 19 au 21 mai et du 18 au 20 août).
www. interbook.net/ayuntamiento/palmadelrio

Fondée il y a près de 2 000 ans, cette ancienne colonie romaine occupait une position stratégique sur la route entre Cordoue et Itálica. Les vestiges de remparts du XIIe siècle rappellent que, sous les Almohades *(p. 50)*, la ville se trouvait à la frontière entre territoires maure et chrétien. L'**Iglesia de la Asunción** est un édifice baroque du XVIIIe siècle. Le **Monasterio de San Francisco** abrite désormais un hôtel *(p. 566)* où le dîner se prend dans l'ancien réfectoire (XVe siècle) des franciscains. Le célèbre matador El Cordobés naquit à Palma del Río. Publiée en 1967, sa biographie, *Ou tu porteras mon deuil*, décrit sa vie à Palma del Río et les jours sombres qui suivirent la guerre civile.

Clocher de La Asunción

Aux environs
Reconstruit par Pierre Ier le Cruel, mais conservant des éléments du VIIIe siècle, le château qui domine **Almodóvar del Río** et ses champs de coton dessine contre le ciel une silhouette particulièrement théâtrale.

Castillo de Almodóvar del Río
957 63 51 16. dim.-lun.

Écija ㉖

Sevilla. 38 000. Plaza de España 1, Ayuntamiento, 955 90 29 33. jeu. Feria (du 21 au 24 sept.). www. ecija.org

La chaleur qui règne en été à Écija lui vaut le surnom de « poêle à frire de l'Andalousie » et les palmiers plantés sur la plaza de España, où les habitants viennent flâner le soir, procurent une ombre bienvenue.

Le plus ornementé des onze clochers baroques, souvent décorés d'azulejos *(p. 420)*, qui parent la ville domine la place. Il appartient à l'**Iglesia de Santa María** bâtie au XVIIe siècle. Celui de l'**Iglesia de San Juan** possède aussi beaucoup d'élégance. De style gothique, l'**Iglesia de Santiago** abrite un retable isabélin et un crucifix de Pedro Róldan.

Des demeures seigneuriales bordent la calle Caballeros, notamment le **Palacio de Peñaflor**, édifice baroque au portail en marbre rose surmonté de colonnes torses. Un beau balcon en fer forgé court le long de sa façade.

Palacio de Peñaflor
Calle Caballeros 32. 954 83 02 73. t.l.j. (patio seulement).

Medina Azahara ㉗

Córdoba. 957 32 91 30. Córdoba. de 10 h à 18 h 30 du mar. au sam. dim., lun.

Le calife Abd al-Rahman III entreprit l'édification de cette ville palatiale en 936 et lui donna le nom de son épouse favorite, Zahara. Il employa plus de 15 000 mules, 4 000 dromadaires et 10 000 ouvriers pour apporter des matériaux de construction d'autres régions d'Andalousie et d'Afrique du Nord.

Panneau de bois sculpté, salon principal de Medina Azahara

Étagé sur trois niveaux, l'ensemble de bâtiments comprenait une mosquée, la résidence du calife et de superbes jardins *(p. 404-405)*. Marbre, ébène, jaspe, albâtre et même, pense-t-on, des bassins de mercure, paraient ses nombreuses salles.

Ce faste ne fut toutefois qu'éphémère. Saccagée en 1010 par des rebelles berbères, Medina Azahara se vit ensuite peu à peu dépouillée au fil des siècles. En cours de restauration, ses ruines n'offrent aujourd'hui qu'un pâle reflet de sa splendeur passée, par exemple les reliefs en marbre.

Fresque de la façade baroque du Palacio de Peñaflor, Écija

Cordoue pas à pas ㉘

Statue de Maimonide

À l'ouest de la Mezquita, l'ancien quartier juif constitue le cœur de Cordoue (Córdoba). La vieille ville renferme la plupart des principaux monuments. Avec ses rues pavées trop étroites pour les voitures, ses balcons en fer forgé et ses ateliers d'orfèvres, elle donne l'impression d'avoir peu changé depuis le Xe siècle, époque où la cité était une des plus civilisées d'Occident. La vie moderne reprend ses droits plus au nord, autour de la plaza de Tendillas. À l'est de cette place, un marché quotidien se tient sur la plaza de la Corredera (XVIIe siècle) bordée d'arcades.

Sinagoga
Des inscriptions hébraïques ornent les murs de cette synagogue médiévale.

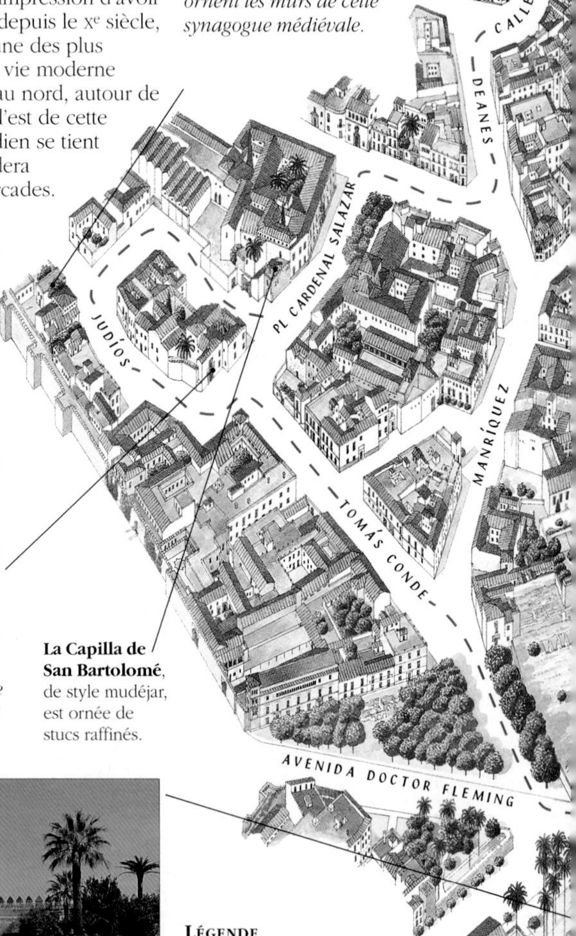

Museo Taurino
Ce musée de la Tauromachie présente un moulage de la tombe du célèbre matador Manolete et la peau du taureau qui le tua (p. 25).

La Capilla de San Bartolomé, de style mudéjar, est ornée de stucs raffinés.

★ L'Alcázar de los Reyes Cristianos
Bassins et terrasses ajoutent au charme paisible des jardins de ce palais du XIVe siècle où les Rois Catholiques (p. 52-53) *séjournèrent pendant la Reconquête.*

LÉGENDE

– – – Itinéraire conseillé

À NE PAS MANQUER

★ L'Alcázar de los Reyes Cristianos

★ La Mezquita

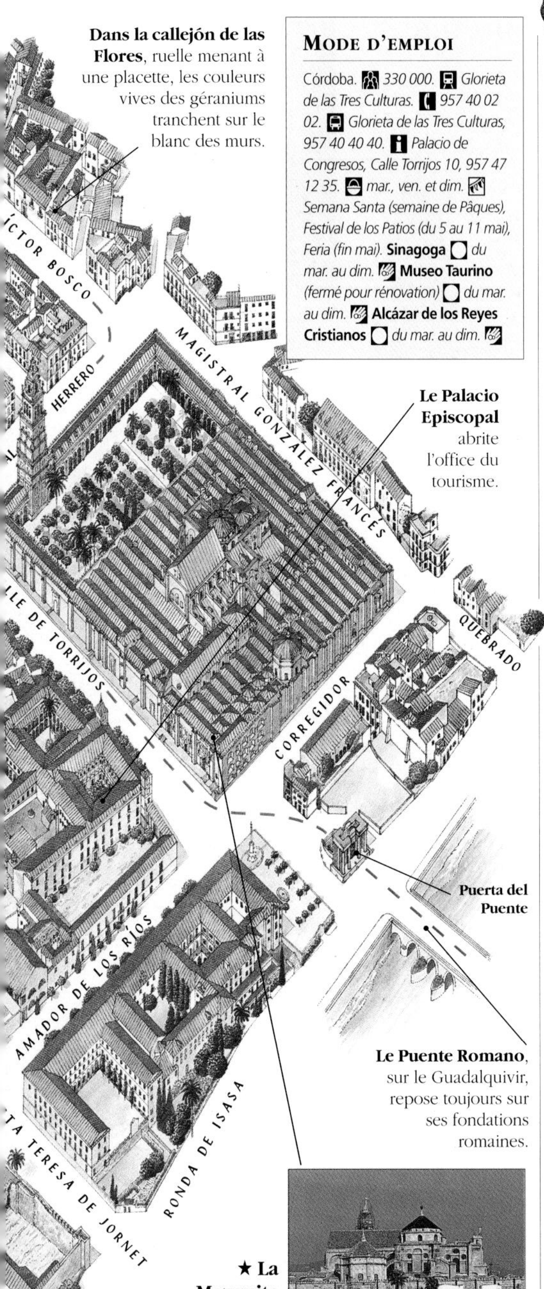

Dans la callejón de las Flores, ruelle menant à une placette, les couleurs vives des géraniums tranchent sur le blanc des murs.

MODE D'EMPLOI

Córdoba. 330 000. Glorieta de las Tres Culturas. 957 40 02 02. Glorieta de las Tres Culturas, 957 40 40 40. Palacio de Congresos, Calle Torrijos 10, 957 47 12 35. mar., ven. et dim. Semana Santa (semaine de Pâques), Festival de los Patios (du 5 au 11 mai), Feria (fin mai). **Sinagoga** *du mar. au dim.* **Museo Taurino** *(fermé pour rénovation) du mar. au dim.* **Alcázar de los Reyes Cristianos** *du mar. au dim.*

Le Palacio Episcopal abrite l'office du tourisme.

Puerta del Puente

Le Puente Romano, sur le Guadalquivir, repose toujours sur ses fondations romaines.

★ La Mezquita
La Grande Mosquée (p. 456-457) *renferme une forêt de colonnes et d'arcatures et un éblouissant* mihrab.

Bronze provenant de Medina Azahara, Museo Arqueológico

À la découverte de Cordoue

Cordoue borde un méandre du río Guadalquivir que le Puente Romano franchit entre la Torre de la Calahorra (XIVe siècle) et la vieille ville. Avec son obsédant calvaire de pierre entouré de lampes en fer forgé, la plaza de los Capuchinos est une des places les plus évocatrices d'Espagne, surtout au clair de lune.

Museo de Bellas Artes

Plaza del Potro 1. *957 47 33 45. du mar. au dim.*
L'ancien hospice de la Charité abrite des sculptures de Mateo Inurria (1867-1924) et des tableaux d'artistes de l'école sévillane comme Valdés Leal, Zurbarán et Murillo.

Museo Arqueológico

Plaza Jerónimo Páez 7. *957 47 40 11. du mar. au dim.*
Installé dans un palais Renaissance, il présente des œuvres et objets d'art romains et de remarquables antiquités islamiques.

Palacio de Viana

Plaza Don Gome 2. *957 49 67 41. du lun. au sam. du 1er au 15 juin, jours fériés.*
Meubles, tapisseries, peintures et porcelaines ornent cette demeure du XVIIe siècle qui compte quatorze patios et jardins.

Museo Romero de Torres

Plaza del Potro 1. *957 49 19 09. du mar. au dim.*
Julio Romero de Torres (1874-1930), peintre de la beauté des femmes de Cordoue, naquit dans cette maison.

La Mezquita de Cordoue

La Grande Mosquée de Cordoue offre un magnifique témoignage de la civilisation musulmane. Entreprise en 785 par Abd al-Rahman Ier *(p. 48)*, la mosquée originelle connut de nombreux agrandissements et remaniements, notamment pendant le règne d'al-Hakam II (961-976) qui fit édifier le superbe *mihrab* (niche orientée vers La Mecque) et la *maqsura* (espace réservé au calife). Au XVIe siècle, la création d'une cathédrale au centre du monument entraîna la destruction d'une partie de sa célèbre forêt de colonnes.

Patio de los Naranjos
Les fidèles y procédaient à leurs ablutions avant la prière.

Torre del Alminar
Haut de 93 m, ce clocher incorpore le premier étage de l'ancien minaret. Un escalier mène au sommet qui offre une vue splendide.

La Puerta del Perdón, de style mudéjar, date de l'époque chrétienne (1377). Les pénitents y recevaient l'absolution.

La Puerta de San Esteban a été percée dans un mur d'une ancienne église wisigothique.

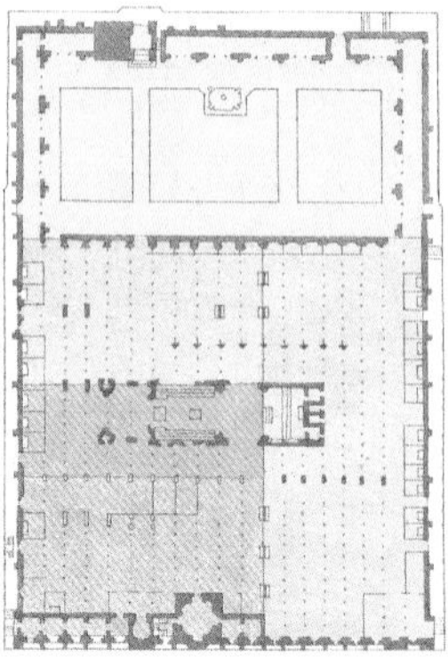

Agrandissements de la Mezquita

Abd al-Rahman Ier construisit la mosquée d'origine qu'agrandirent Abd al-Rahman II, al-Hakam II et Al Mansour.

Légende

- Mosquée d'Abd al-Rahman Ier
- Agrandissement par Abd al-Rahman II
- Agrandissement par al-Hakam II
- Agrandissement par al Mansur
- Patio de los Naranjos

À ne pas manquer

★ **Le mihrab**

★ **La Capilla de Villaviciosa**

★ **La forêt de colonnes**

Cathédrale
Commencée en 1523, la cathédrale, dotée d'une coupole italianisante, est en grande partie l'œuvre de la famille de Hernán Ruiz.

MODE D'EMPLOI

Calle Torrijos. *957 47 05 12.*
avril-juin : 10 h-19 h 30, juil.-oct. : 10 h-17 h ; nov. et fév. : 10 h-18 h ; déc. et jan. : 10 h-17 h 30 ; mars : 10 h-19 h du lun. au sam.
9 h 30 du lun. au sam. ; 11 h, 12 h et 13 h dim.et jours fériés.

★ La forêt de colonnes
Plus de 850 colonnes de granit, de jaspe et de marbre soutiennent le toit. Beaucoup proviennent d'édifices romains et wisigothiques.

Le chœur abrite des stalles churrigueresques sculptées par Pedro Duque Cornejo en 1758.

Capilla Mayor

Capilla Real

★ La Capilla de Villaviciosa
Des artisans mudéjars (p. 51) *édifièrent en 1371 la première chapelle chrétienne construite dans la mosquée.*

★ Le mihrab
Les fidèles qui en faisaient sept fois le tour à genoux ont usé les dalles de cette niche à prière richement décorée qui abritait une précieuse copie du Coran.

La Fuente del Rey inspirée du baroque, Priego de Córdoba

Montilla 29

Córdoba. 23 000. Capitan Alonso de Vargas 3, 957 65 24 62. ven. Vendanges (fin août).

Au cœur d'une importante région viticole produisant, sans ajout d'alcool, un excellent fino blanc *(p. 402)*, Montilla renferme plusieurs *bodegas*, tels **Alvear** et **Pérez Barquero**, qui peuvent se visiter sur rendez-vous.

De style mudéjar, le **Convento de Santa Clara** date de 1512. La bibliothèque occupe la **Casa del Inca** où vécut au XVIe siècle l'Inca Garcilaso de la Vega, auteur d'un des premiers ouvrages sur son peuple.

Aux environs
À 13 km au sud, **Aguilar** possède une curieuse place octogonale, la plaza de San José (1810), et plusieurs demeures seigneuriales.

Baena, à 40 km à l'ouest de Montilla, produit une huile d'olive qu'appréciaient déjà les Romains. Palais à arcades du XVIIIe siècle, la Casa del Monte borde la plaza de la Constitución. Pour la semaine sainte, les rues s'emplissent de joueurs de tambours.

Bodega Alvear
Avda María Auxiliadora 1. 957 66 40 14. du lun. au sam. jours fériés.

Bodega Pérez Barquero
Avda de Andalucía 27. 957 65 05 00. du lun. au ven. jours fériés.

Priego de Córdoba 30

Córdoba. 23 000. Calle del Río 33, 957 70 06 25. sam. Feria Real (du 1er au 6 sept.).
www.aytopriegodecordoba.es

Au XVIIIe siècle, l'industrie de la soie apporta la prospérité à cette petite ville qui revendique le titre de capitale baroque de la région, une prétention qu'appuient les sculptures, ferronneries et dorures décorant de nombreuses maisons et, plus encore, les églises.

Dans le blanc quartier médiéval, le **barrio de la Villa**, une forteresse maure restaurée se dresse non loin de l'étonnante **Iglesia de la Asunción**, sanctuaire gothique remanié dans le style baroque par Jerónimo Sánchez de Rueda. Ne manquez pas sa chapelle du Sagrario à la foisonnante décoration de stucs exécutée en 1784 par un artiste local, Francisco Javier Pedrajas. Le maître-autel est plateresque *(p. 21)*.

La Asunción, Priego de Cordóba

Elle aussi baroque, l'**Iglesia de la Aurora** abrite le siège d'une confrérie dont les membres défilent dans les rues chaque samedi à minuit en chantant des hymnes à la Vierge.

D'imposantes demeures bordent la calle del Río qui conduit à la **Fuente del Rey**, fontaine de 139 jets dont la statuaire exubérante a pour centre le char de Neptune.

Aux environs
Zuheros, l'un des plus jolis villages d'Andalousie, se perche sur un rocher au nord-ouest de Priego. **Rute**, au sud-ouest, est réputée pour son *anís (p. 577)*.

Dominée par les ruines d'un château et d'une église, **Alcalá la Real**, à l'est de Priego, possède deux monuments Renaissance sur sa grand-place : la Fuente de Carlos V et le Palacio Abacia.

Montefrío 31

Granada. 7 000. Plaza España 7, 958 33 60 04. lun. Fiesta patronal (du 14 au 18 août).

Quand on l'approche par le sud, Montefrío offre un superbe spectacle avec ses maisons blanches à toits de tuiles montant à l'assaut d'un rocher escarpé. Les vestiges de fortifications maures et l'**Iglesia de la Villa**, édifice gothique du XVIe siècle attribué à Diego de Siloé, dominent ce bourg typiquement andalou réputé pour sa charcuterie. Dans le centre, l'**Iglesia de la Encarnación** se reconnaît aisément à son ample coupole. Ventura Rodríguez (1717-1785) aurait dessiné les plans de ce sanctuaire néo-classique.

Aux environs
Les Rois Catholiques fondèrent **Santa Fé** à la fin du XVe siècle sur le site où leur armée

Barriques de montilla dans la ville du même nom

Le château d'Almuñécar, station balnéaire de la Costa Tropical

campait pendant le siège de Grenade et où les Maures présentèrent officiellement leur reddition en 1491 *(p. 52-53)*.

Située au-dessus d'une gorge, **Alhama de Granada** porte toujours son nom arabe, al-Hamma, qui signifie source chaude. Près de l'endroit où l'eau jaillit du sol à la sortie de la ville, d'anciens bains maures peuvent se voir à l'Hotel Balneario.

Sur le río Genil, près des gorges de los Infiernos, **Loja** doit son surnom de « ville de l'eau » aux sources qui alimentent ses fontaines.

Nerja 32

Málaga. *18 000.* *Calle Puerta del Mar 2, 952 52 15 31.* *mar.* *Feria (du 8 au 12 oct.).* www.nerja.net

Au pied de la sierra de Almijara, cette station balnéaire de la Costa del Sol s'étend sur une falaise creusée d'anses sablonneuses. Une promenade bordée de cafés et de restaurants court le long d'un promontoire rocheux aménagé en jardin : **El Balcón de Europa**. Il offre une vue panoramique sur la côte.

On découvrit en 1959 à l'est de la ville une série de vastes cavernes, les **Cuevas de Nerja**. Elles abritent des peintures rupestres vieilles d'environ 20 000 ans. Seules quelques-unes de ces immenses salles souterraines sont ouvertes au public. Aménagée en salle de spectacle, l'une d'elles accueille des concerts en été.

Aux environs

Les ruines de la Fortaleza de Belén, une forteresse maure, dominent à **Vélez-Málaga** le quartier médiéval appelé barrio de San Sebastián.

Cuevas de Nerja

Carretera de las Cuevas de Nerja. *952 52 95 20.* *t.l.j.*

Almuñécar 33

Granada. *21 000.* *Avda Europa, 958 63 11 25.* *ven.* *Virgen de la Antigua (15 août).* www.almunecar-ctropical.org

Sur cette portion de côte aujourd'hui baptisée **Costa Tropical**, car son climat permet la culture de fruits exotiques, les Phéniciens fondèrent vers 800 av. J.-C. un comptoir appelé Sexi. Les Romains le dotèrent d'un aqueduc dont subsistent des vestiges. L'essor du tourisme a aujourd'hui hérissé le front de mer d'immeubles modernes le long d'une promenade plantée de palmiers.

Le **château**, construit par les Maures et remanié au XVIe siècle, domine la vieille ville, le **Parque Ornitológico** (jardin botanique et volière) et les ruines d'une conserverie de poissons romaine. Le **Museo Arqueológico** présente divers objets phéniciens.

Aux environs

Plus à l'est sur la côte, des champs de canne à sucre entourent la ville blanche de **Salobreña** ; les ruelles du quartier ancien escaladent une colline jusqu'à un château arabe d'où s'ouvre une belle vue sur la Sierra Nevada *(p. 461)*.

Parque Ornitológico

Plaza de Abderraman. *958 63 11 25.* *t.l.j.*

Museo Arqueológico

Casco Antiguo. *du mar. au sam.*

Castillo de Salobreña

Falda del Castillo. *958 61 03 14* *du mar. au dim.*

Anse sablonneuse près de Nerja

Les sommets majestueux de la Sierra Nevada s'élèvent pour certains àplus de 3 000 m d'altitude

Lanjarón ㉞

Granada. 24 000. Plaza de la Constitución 29, 958 77 00 02. mar. et ven. San Juan (24 juin).

Les eaux issues de la fonte des neiges de la sierra Nevada ressurgissent sur le flanc sud du massif montagneux à Lanjarón, ville au long passé thermal qui attire de juin à octobre de nombreux curistes souffrant d'arthrite ou de troubles digestifs ou nerveux. Mise en bouteille, l'eau de Lanjarón est également vendue dans tout le pays.

Une grande fête commence la nuit du 23 juin et se termine aux premières heures du lendemain, le Día de San Juan, par une grande bataille où tout le monde s'asperge. Quiconque se risque dans les rues finit arrosé.

Depuis Lanjarón, des routes sinueuses s'enfoncent dans la région de Las Alpujarras où terrasses à flanc de collines, profondes vallées et villages blancs isolés composent des paysages préservés.

Excursion dans les Alpujarras ㉟

Plantées de châtaigniers, de noyers et de peupliers, les fertiles vallées de montagne de Las Alpujarras s'étendent au sud de la sierra Nevada. Avec leurs maisons blanches aux formes irrégulières et aux toits plats et gris, les villages qui s'accrochent à flanc de colline offrent un aspect unique en Espagne. Parmi les spécialités d'une région jalouse de son identité figurent les jambons de Trevélez et des tapis de couleurs vives tissés à la main.

Trevélez ④
Dans l'ombre du Mulhacén, le plus haut village d'Espagne produit de délicieux jambons séchés.

Orgiva ①
Une église baroque domine la grand-rue de la principale ville de la région où a lieu le jeudi un marché animé.

Vallée de Poqueira ②
Cette jolie vallée renferme trois villages typiques : Capileira, Bubión et Pampaneira.

Fuente Agria ③
On vient de loin boire l'eau minérale riche en fer de cette source.

Laujar de Andarax ㊱

Almería. 2 000. *Carretera Laujar-Berja km 1, 950 51 35 48.* *le 3 et le 17 de chaque mois.* *San Vicente (22 jan.), San Marcos (25 avr.), Virgen de la Salud (19 sept.).*

Selon la légende, un petit-fils de Noé fonda sur les contreforts arides de la sierra Nevada ce village qui regarde vers le sud, au-delà de la vallée d'Andarax, vers la sierra de Gadór.

Au XVIe siècle, Abén Humeya, chef de la plus grande rébellion de morisques *(p. 55)*, y établit son quartier général. Les troupes chrétiennes écrasèrent brutalement la révolte et un traître assassina Abén Humeya.

Annonciation, Iglesia de la Encarnación

Bâtie au XVIIe siècle, l'église de Laujar, l'**Iglesia de la Encarnación**, abrite une Vierge sculptée par Alonso Cano. À côté de l'**hôtel de ville** baroque, une fontaine porte quelques vers écrits par un poète et dramaturge local, Francisco Villespa : « Mon village a six fontaines/Celui qui boit de leurs eaux/Jamais ne les oubliera/Tant leur saveur est divine. »

El Nacimiento, un parc à l'est du village, offre un cadre agréable pour un pique-nique accompagné d'un des robustes vins rouges de la région. Plus à l'est, au-dessus de la vallée d'Andarax, **Ohanes**, joli village aux rues pentues, est réputé pour son raisin de table.

Sierra Nevada ㊲

Granada. *depuis Grenade.* *Plaza de Andalucía, Cetursa Sierra Nevada, 958 24 91 19.*

Ce massif montagneux compte quatorze cimes dépassant 3 000 m d'altitude et la neige s'y accroche jusqu'en juillet et retombe dès l'automne. La plus haute route d'Europe dessert **Solynieve**, station de ski en pleine expansion à 2 100 m d'altitude, puis conduit au **Pico Veleta** (3 398 m) proche du point culminant, le **Mulhacén** (3 482 m).

Aigles royaux et papillons rares peuplent la sierra Nevada où altitude et proximité de la Méditerranée se conjuguent pour permettre à une faune et une flore particulièrement variées de s'épanouir. Plusieurs refuges fourniront un abri aux randonneurs et alpinistes expérimentés.

Yegen ⑥
Ce petit village offre une vue magnifique sur un cirque de montagnes.

Puerto de la Ragua ⑧
Ce col permet de rejoindre Guadix, mais, à près de 2 000 m d'altitude, il est souvent enneigé en hiver.

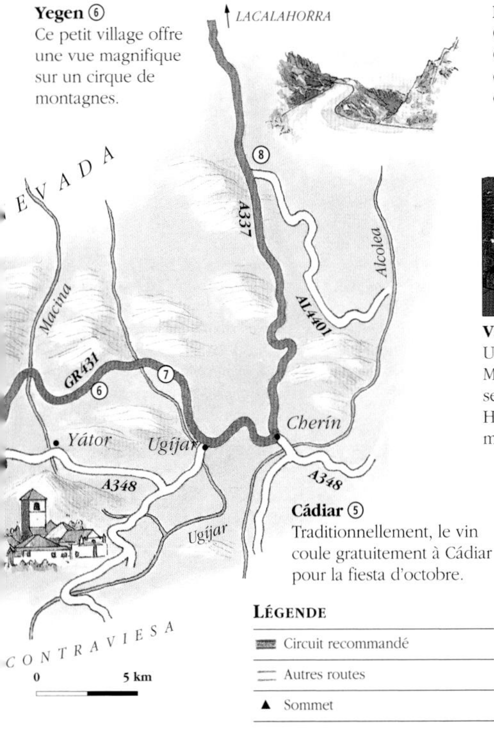

Válor ⑦
Une bataille commémorative entre Maures et chrétiens a lieu à la mi-septembre dans le village natal d'Abén Humeya, chef de la rébellion des morisques au XVIe siècle.

Cádiar ⑤
Traditionnellement, le vin coule gratuitement à Cádiar pour la fiesta d'octobre.

Légende

- Circuit recommandé
- Autres routes
- ▲ Sommet

Carnet de route

Itinéraire : *85 km.*
Où faire une pause : *Il y a des bars et des restaurants à Capileira, ainsi qu'à Orgiva, Bubión (p. 602) et Trevélez qui possèdent de bons hôtels (p. 563-567). Pas d'essence entre Orgiva et Cádiar.*

Grenade 38

Relief, Museo Arqueológico

Au pied de la sierra Nevada, Grenade escalade trois collines depuis une plaine fertile, la *vega*. Le guitariste Andrés Segovia (1893-1987) décrivit la ville comme un « lieu de rêve où le Seigneur a déposé la semence de la musique dans mon âme ». À l'époque des Maures, la cité connut son apogée entre 1238 et 1492 sous la dynastie nasride *(p. 51)*. Érudits, artistes et savants en firent alors un des grands foyers culturels européens. Conquise en 1492 par les Rois Catholiques au terme d'un long siège *(p. 52-53)*, elle se pare pendant la Renaissance de nombreux monuments. Après une période de déclin au XIXe siècle, Grenade suscite aujourd'hui un regain d'intérêt et l'on s'efforce de lui rendre sa grandeur passée.

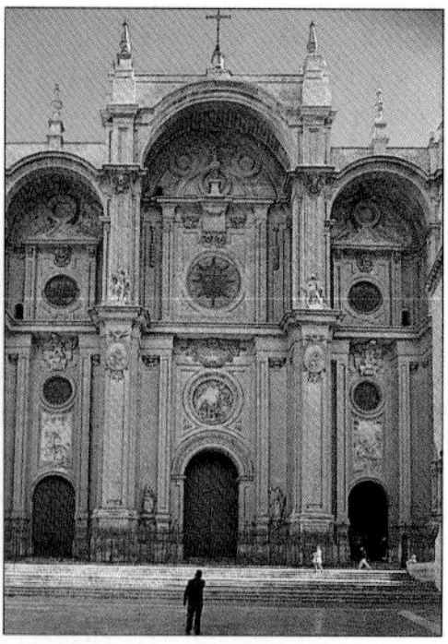
Façade de la cathédrale

À la découverte de Grenade

Dédale de ruelles à sens unique, le quartier de la cathédrale renferme l'Alcaicería, reconstitution d'un marché maure ravagé par un incendie en 1843. Non loin du sanctuaire s'ouvrent les deux principales places de la ville, la plaza Bib-Rambla et la plaza Nueva d'où la cuesta de Gomérez conduit à l'Alhambra et au Generalife. Sur la colline qui leur fait face s'étend le quartier de l'Albaicín. Parmi les églises dignes d'une visite figurent San Juan de Dios, de style baroque, et l'Iglesia de San Jerónimo datant de la Renaissance.

Cathédrale

Chargé à partir de 1528 de la construction de cette église commencée dans le style gothique en 1523 par Enrique de Egas, un maître de la Renaissance, Diego de Siloé, lui donna notamment sa magnifique Capilla Mayor circulaire. Sous sa coupole, des vitraux exécutés au XVIe siècle par Juan del Campo illustrent la Passion. C'est un artiste baroque natif de Grenade, Alonso Cano, qui dessina la façade ouest. La cathédrale abrite son tombeau et maintes de ses œuvres.

Capilla Real

Entreprise en 1506 par Enrique de Egas pour les Rois Catholiques et achevée en 1521, la chapelle royale abrite, derrière une grille plateresque de Maître Bartolomé de Jaén, les gisants en marbre de Ferdinand et d'Isabelle et de Jeanne la Folle, leur fille, et de son époux Philippe le Beau. Leurs cercueils se trouvent dans la crypte. La sacristie renferme de superbes œuvres d'art, notamment des peintures de Botticelli et de Van der Weyden, ainsi que la couronne d'Isabelle et l'épée de Ferdinand.

Arc d'entrée du mihrab du Palacio de la Madraza

Palacio de la Madraza

Calle Oficios 14. *958 22 34 47 ou 958 22 13 00.* *de sept. à juil. : du lun. au ven.*

Ancienne école coranique, cet édifice qui fut un temps l'hôtel de ville recèle derrière une façade du XVIIIe siècle un oratoire du XIVe siècle au mihrab élégamment décoré.

Corral del Carbón

Calle Mariana Pineda. *958 22 59 90.* *de 9 h à 19 h t.l.j.*

Caravansérail animé à l'époque maure, cette cour entourée de portiques accueillit après la Reconquête des représentations théâtrales, puis une Bourse au charbon. Elle abrite aujourd'hui des boutiques d'artisanat et un bureau de l'office du tourisme.

Casa de los Tiros

Calle Pavaneras. *958 22 10 72.* *de 14 h 30 à 20 h du lun. au ven.*

Ce palais-forteresse de style mudéjar bâti au XVIe siècle appartenait à l'origine à la famille qui avait reçu le Generalife après la chute de

Grille de Maître Bartolomé de Jaén, Capilla Real

Coupole du Santa Sanctorum du Monasterio de la Cartuja

Grenade. Parmi ses possessions figurait une ancienne épée de Boabdil, représentée sur la façade qu'ornent les effigies de Mercure, d'Hector, d'Hercule, de Thésée et de Jason. Le bâtiment doit son nom aux mousquets de ses créneaux (*tiros* signifie coups de feu).

Alhambra et Generalife
Voir p. 466-467.

El Bañuelo
Carrera del Darro 31. 958 22 59 90. *du mar. au sam.* *jours fériés.*
Ces bains maures à voûtes en brique datent du XIe siècle. Des chapiteaux d'origines romaine, wisigothique et arabe coiffent les colonnes.

Museo Arqueológico
Carrera del Darro 43. *958 22 56 40.* *t.l.j.* *lun. et mar. après-midi, dim.*

MODE D'EMPLOI
Granada. *250 000.* *12 km au Sud-Ouest de la ville.* *Avenida de Andalucia, 902 24 02 02.* *Carretera de Jaen, 958 24 71 28.* *Corral del Carbón, C/ Mariana Pineda, 958 24 71 28.* *sam. et dim.* *Semana Santa (semaine de Pâques), Día de la Cruz (3 mai), Fête-Dieu (mai-juin).*

Installé dans la Casa de Castril, palais Renaissance au portail plateresque *(p. 21)*, ce musée présente des antiquités ibères, phéniciennes et romaines de la région.

Monasterio de la Cartuja
Un prestigieux général, El Gran Capitán, fonda cette chartreuse hors de Grenade commencée en 1516. La coupole est d'Antonio Palomino, la décoration extravagante de la sacristie de Luis de Arévalo et Luis Cabeallo.

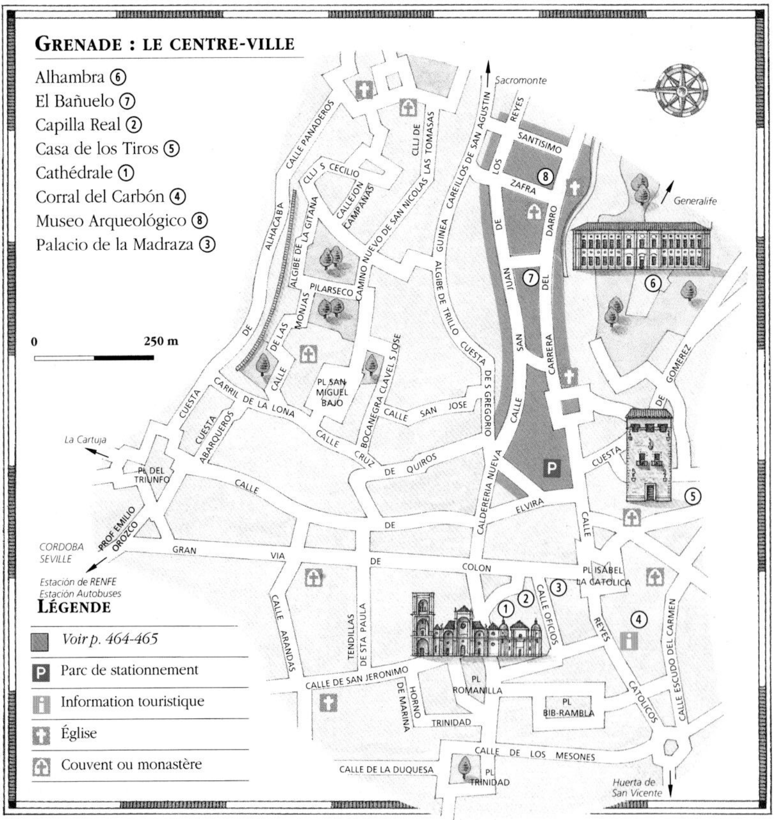

L'Albaicín pas à pas

Plaque d'une villa de l'Albaicín

C'est dans ce quartier étagé sur le flanc de la colline qui fait face à l'Alhambra que les origines arabes de Grenade restent les plus présentes. Ce dédale recelait jadis plus de 30 mosquées dont il subsiste quelques éléments dans les églises, souvent bâties aux mêmes emplacements. Les murs blancs bordant les ruelles protègent des jardins secrets et fleuris, ceux des *cármenes* (villas grenadines). Le soir, quand le parfum du jasmin se répand dans l'air, montez jusqu'au Mirador de San Nicolás. Les toits de l'Alhambra offrent au soleil couchant un spectacle magique.

Rue de l'Albaicín
Les rues de l'Albaicín, qui portent souvent le nom de cuesta *(montée), forment un dédale escarpé.*

Real Chancillería
Achevée en 1587, la chancellerie royale possède une façade Renaissance et un patio attribué à Diego de Siloé.

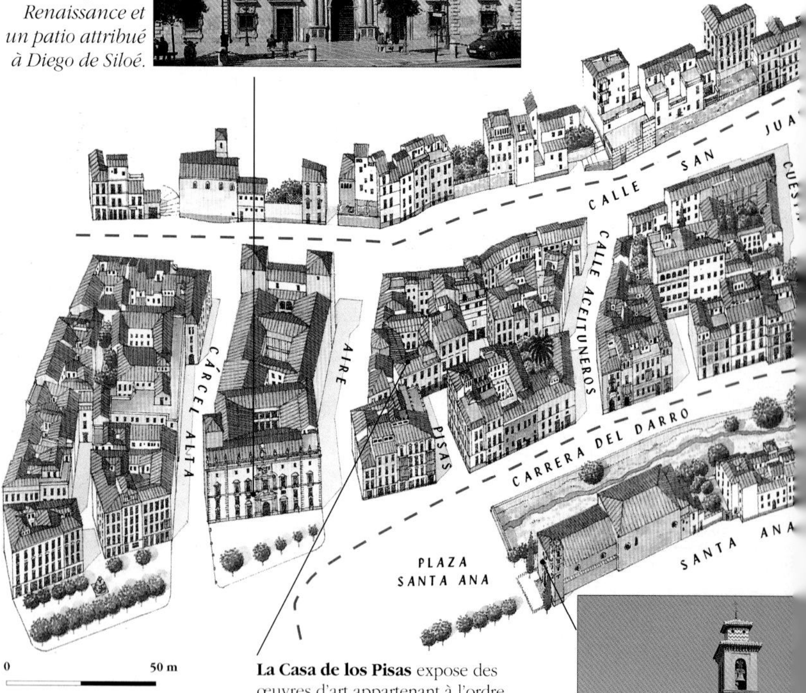

La Casa de los Pisas expose des œuvres d'art appartenant à l'ordre des Frères hospitaliers fondé par saint Jean de Dieu (1495-1550).

★ L'Iglesia de Santa Ana
Sur la plaza Nueva, cette église du XVIe *siècle en brique recèle derrière un portail plateresque un beau plafond à caissons.*

À NE PAS MANQUER

- ★ L'Iglesia de Santa Ana
- ★ Le Museo Arqueológico
- ★ El Bañuelo

Carrera del Darro
La voie qui suit le río Darro révèle de belles façades d'édifices anciens en cours de restauration.

★ Le Museo Arqueológico
Les reliefs de sa façade plateresque comprennent ces deux boucliers. Ils portent des motifs héraldiques de la dynastie des Nasrides vaincue par les Rois Catholiques en 1492 (p. 52-53).

LÉGENDE

– – – Itinéraire conseillé

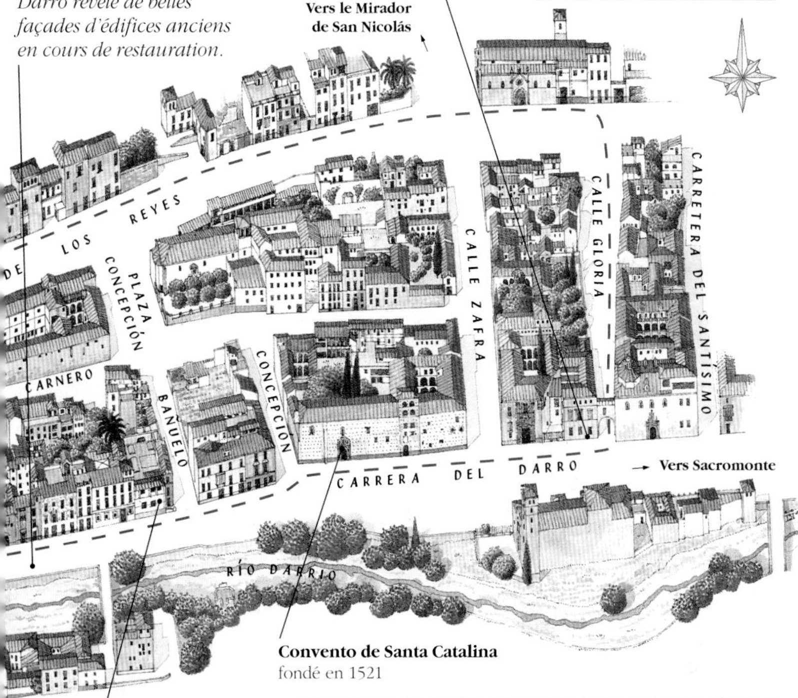

Convento de Santa Catalina
fondé en 1521

★ El Bañuelo
De petites ouvertures en forme d'étoile assuraient l'éclairage de ces bains maures du XIe siècle.

SACROMONTE

De nombreux gitans vivaient jadis dans les grottes qui creusent cette colline crayeuse, et les voyageurs du siècle dernier pouvaient assister à des représentations spontanées de flamenco. De qualité inégale, les spectacles donnés aujourd'hui à l'intention des touristes *(p. 406-407)* ont perdu cette authenticité. Au sommet de la colline, un monastère bénédictin, l'**Abadía del Sacromonte**, conserve les reliques de San Cecilio, le patron de Grenade.

Gitans dansant le flamenco, XIXe siècle

L'Alhambra

Les palais, édifiés pour l'essentiel à partir du XIVe siècle, et les jardins de l'Alhambra (la Rouge en arabe) forment une véritable cité à l'intérieur de ses remparts. Les émirs nasrides cherchèrent à y créer une image du paradis sur terre afin d'exorciser la triste réalité à laquelle ils étaient confrontés, celle d'un pouvoir sur le déclin. Ils le firent en employant avec un art consommé des matériaux modestes tels que céramique, stucs et bois et en jouant avec subtilité de l'espace, de la lumière, de l'eau et de l'ornementation. Malgré les injures du temps, l'Alhambra, restaurée, est un monument exceptionnel.

★ Le Salón de Embajadores
Le plafond de la somptueuse salle des Ambassadeurs représente les sept ciels de la cosmogonie musulmane.

Sala de la Barca

★ Le Patio de Arrayanes
Bordé de gracieuses arcades, le bassin de la cour des Myrtes reflète la lumière dans les salles voisines.

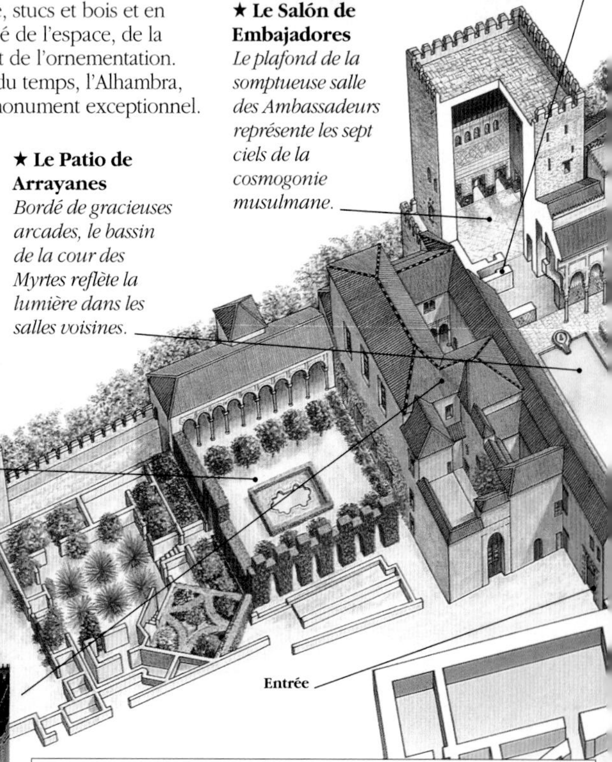

Patio del Mexuar
C'est dans la salle du Conseil achevée en 1365 que l'émir écoutait les suppliques de ses sujets et réunissait ses ministres.

PLAN DE L'ALHAMBRA

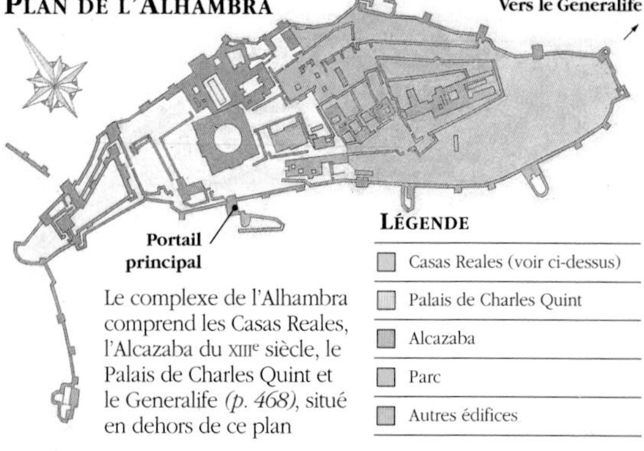

Le complexe de l'Alhambra comprend les Casas Reales, l'Alcazaba du XIIIe siècle, le Palais de Charles Quint et le Generalife *(p. 468)*, situé en dehors de ce plan

LÉGENDE

- Casas Reales (voir ci-dessus)
- Palais de Charles Quint
- Alcazaba
- Parc
- Autres édifices

Palacio del Partal
Du plus ancien palais de l'Alhambra, il ne reste qu'une tour et un pavillon doté d'un portique à cinq arches.

Mode d'emploi

Pour l'Alhambra et le Generalife. ☎ *902 22 44 60.* **Réservations** *(indispensables)* ☎ *958 22 09 12.* 🚌 *2.* 🕒 *été : de 8 h 30 à 20 h du lun. au sam., de 9 h à 18 h le dim. ; hiver : de 8 h 30 à 18 h t.l.j.* **Dernière entrée :** *15 mn avant la ferm.* **Nocturnes :** *été : de 22 h à minuit t.l.j. ; hiver de 20 h à 22 h ven. et sam.*

Appartements occupés par Washington Irving

Baños Reales

Jardín de Lindaraja

La Sala de las Dos Hermanas possède une superbe coupole à stalactites.

Sala de los Reyes
Cette vaste salle de banquets où se tenaient de grandes fêtes présente au plafond des peintures sur cuir du XIVe siècle représentant des scènes de chasse et de chevalerie.

Puerta de la Rawda

★ La Sala de los Abencerrajes
Selon la légende, c'est dans cette salle que Boabdil (p. 52-53) *fit massacrer lors d'un banquet les Abencérages, ses rivaux. Le dessin de la coupole à stalactites s'inspire du théorème de Pythagore.*

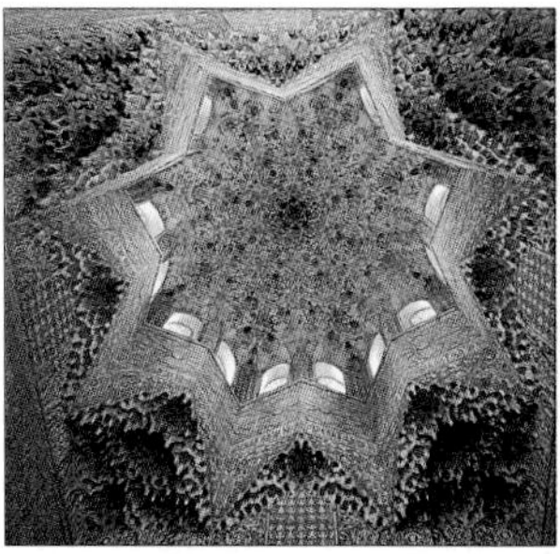

Le Palais de Charles Quint (1526) abrite une collection d'art islamique dont le fleuron est le vase de l'Alhambra *(p. 48).*

★ Le Patio de los Leones
124 colonnes délicates portent les arcades qui entourent dans la cour des Lions une fontaine dont la vasque repose sur 12 lions de marbre.

À ne pas manquer

- ★ Le Salón de Embajadores
- ★ Le Patio de Arrayanes
- ★ La Sala de los Abencerrajes
- ★ Le Patio de los Leones

Grenade : le Generalife

Depuis le nord de l'Alhambra, un sentier conduit au Generalife, ou Djannat al-Arif, qui servait de résidence d'été aux souverains nasrides. Parmi les diverses significations prêtées à son nom arabe, la plus séduisante est sans doute celle de « jardin du paradis suprême ». Plus proche du ciel que de la ville, le site, qui comportait vergers et pâturages au XIIIe siècle, offre un cadre idéal où oublier les vicissitudes de la vie quotidienne ou assister aux spectacles du Festival international de musique et de danse *(p. 37)*.

Le Patio de la Acequia *est un jardin oriental clos où chantent les gracieux jets d'eau d'un long bassin central.*

Sala Regia

Jardines Altos (jardins suspendus)

L'Escalera del Agua est descendue par un filet d'eau courante.

Le Patio de los Cipreses, ou patio de la Sultane, est, selon une légende, l'endroit où Zoraya, épouse de l'émir Abu al-Hassan, retrouvait son amant, chef des Abencérages.

Entrée

Patio de Polo, cour où les visiteurs venus au palais à cheval laissaient leur monture.

Le Patio del Generalife *s'étend juste avant l'enceinte principale et au-dessus des Jardines Bajos (jardins d'en bas) que le sentier venant de l'Alhambra traverse tout d'abord.*

Les remparts du château de Lacalahorra protègent un patio Renaissance

Castillo de Lacalahorra 39

Lacalahorra (Granada). *958 67 70 98.* *Guadix.* *mer.*

D'austères remparts et des tours cylindriques trapues défendent le château qui domine le village de Lacalahorra. Rodrigo de Mendoza, fils aîné du cardinal Mendoza, le fit édifier pour sa femme entre 1509 et 1512. Derrière les murailles, un escalier et des piliers en marbre de Carrare, œuvres d'artisans italiens, ornent un patio à arcades Renaissance.

Guadix 40

Granada. *20 000.* *Carretera de Granada, 958 66 26 65.* *sam.* *Fiesta et Feria (du 31 août au 5 sept.).* www. guadixymarquesado.org

Son quartier troglodytique aux 2 000 cavernes habitées depuis des siècles constitue la principale attraction de Guadix. Le **Cueva-Museo** offre un aperçu de la vie dans ces abris souterrains.

La **cathédrale** marie plusieurs styles. Entreprise en 1510 dans le style gothique, elle possède un chevet Renaissance par Diego de Siloé et connut au XVIIIe siècle un remaniement baroque. Le musée conserve les reliques de San Torcuato qui fonda le premier évêché d'Espagne. Près de l'**Alcazaba** maure, l'**Iglesia de Santiago** mudéjare présente un beau plafond à caissons. Le **Palacio de Penaflor** (XVIe siècle) est en cours de restauration.

Cueva-Museo Al Fareria
C/San Miguel. *lun.-sam.*

Jaén 41

113 000. *Calle Maestra 13, 953 14 04 55.* *jeu.* *Nuestra Señora de la Capilla (11 juin), San Lucas (18 oct.), Romería de Santa Catalina (25 nov.).*

Occupant une position stratégique sur la route entre Andalousie et Castille, Jaén portait à l'époque islamique le nom de Djayyan (lieu de passage des caravanes). Une puissante forteresse la protégeait. Reconstruite après la prise de la ville par Ferdinand III en 1246, et aujourd'hui baptisée **Castillo de Santa Catalina**, elle jouxte un parador *(p. 565)* de style médiéval.

Dessinée en 1525 par Andrés de Vandelvira, architecte de plusieurs beaux édifices Renaissance d'Ubeda *(p. 472-473)*, la **cathédrale** présente une façade dont la décoration baroque date du XVIIe siècle.

Le **Palacio Villardompardo** (XVIe siècle) abrite un musée des arts et traditions populaires et donne accès au **Baños Árabes**. Ces bains maures du XIe siècle ont conservé des arcs en fer à cheval et deux bassins en céramique qui servaient à s'immerger. Bordant une ruelle, la **Capilla de San Andrés**, chapelle mudéjare fondée au XVIe siècle par Guttiérrez González, trésorier du pape Léon X, renferme une magnifique grille dorée, œuvre de Maître Bartolomé de Jaén.

Créé au XIIIe siècle, le **Real Monasterio de Santa Clara** possède un cloître plein de charme datant de la fin du XVIe siècle. L'église a gardé un plafond à caissons.

Le **Museo Provincial** comprend un intéressant département archéologique qui présente des sculptures et des mosaïques romaines et des céramiques ibères, grecques et romaines.

Arc en fer à cheval des Baños Árabes de Jaén

Castillo de Santa Catalina
Carretera al Castillo. *953 12 07 33.* *mer.*

Palacio Villardompardo
Plaza Santa Luisa de Marillac. *953 23 62 92.* *du mar. au dim.* *jours fériés.* www. promojaen.es

Museo Provincial
Po de la Estación 27. *953 25 06 00.* *du mar. au dim.* *jours fériés.*

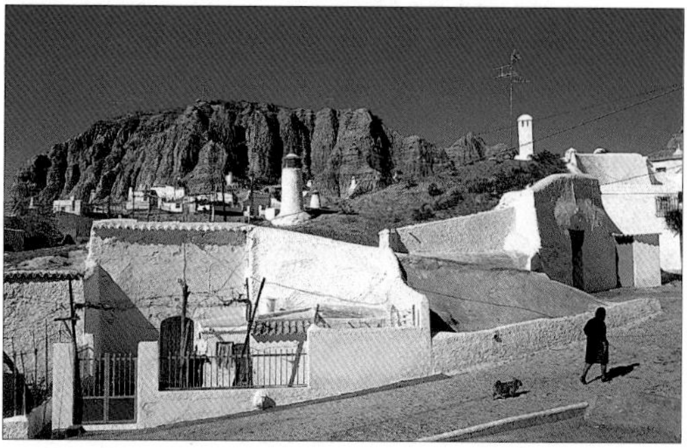

Maisons troglodytiques à Guadix

Pont romain de 15 arches franchissant le Guadalquivir à Andújar

Andújar 42

Jaén. 39 000. P/ Santa Maria, Torre del Reloj, 953 50 49 59. mar. Romería (der. dim. d'avril).

Renommée pour son huile d'olive et ses poteries, Andújar occupe l'emplacement de la cité ibère d'Illiturgi détruite par Scipion l'Africain pendant les guerres puniques *(p. 46)*. Un pont romain franchit le Guadalquivir.

De style gothique, l'**Iglesia de San Miguel** ornée de tableaux d'Alonso Cano borde la grand-place. L'**Iglesia de Santa María la Mayor**, à la façade Renaissance et au clocher mudéjar, abrite le *Christ au jardin des oliviers* peint par El Greco vers 1605.

Un pèlerinage a lieu en avril au **Santuario de la Virgen de la Cabeza**.

Aux environs

Construite en 967 par al-Hakam II, la forteresse de **Baños de la Encina** conserve 15 tours. Plus au nord, la route (N IV) et la voie ferrée vers Madrid empruntent le **desfiladero le Despeñaperros**, gorge creusée dans la sierra Morena.

Baeza 43

Voir p. 474-475.

Úbeda 44

Jaén. 34 000. Palacio Marqués de Contadero, C/ Baja del Marqués 4, 953 75 08 97. dim. San Miguel (28 sept.).

Cette ancienne place forte des Maures, qui élevèrent en 852 des remparts dont l'enceinte médiévale de la vieille ville suit le tracé, est un véritable musée d'architecture Renaissance. Elle le doit à certains des hommes les plus influents de l'Espagne du XVIe siècle, notamment le secrétaire d'État Francisco de los Cobos et son petit-neveu, Juan Vázquez de Molina, qui donna son nom à la plus belle place d'Úbeda.

Fondé vers 1562 à l'initiative de l'évêque de Jaén et dessiné par Andrés de Vandelvira, l'imposant **Hospital de Santiago** possède une façade flanquée de deux tours carrées. Des tuiles bleues et blanches donnent à l'une d'elles une toiture très typique. L'édifice abrite désormais le Palacio de Congresos y Exposiciones. Installé dans la Casa Mudéjar (XVe siècle), le **Museo Arqueológico** expose

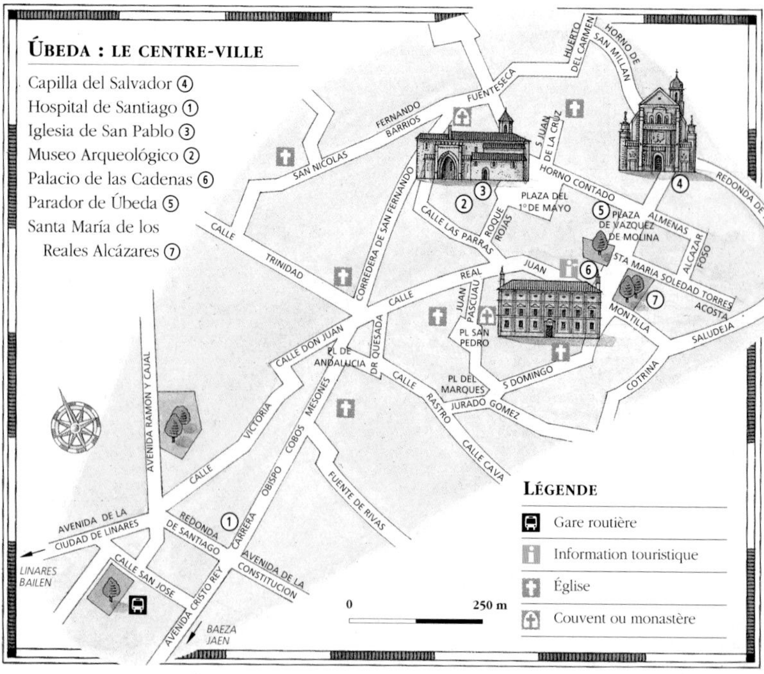

◁ **Champ de coquelicots et oliveraie au sud d'Andújar dans la province de Jaén**

Laguna de Valdeazores dans le Parque Natural de Cazorla

des vestiges datant du néolithique à l'époque islamique.

Un clocher plateresque achevé en 1537 domine l'**Iglesia de San Pablo** qui comprend une abside du XIIIe siècle et une magnifique chapelle du XVIe siècle par Vandelvira.

Un monument au poète et mystique saint Jean de la Croix (1549-1591) se dresse près de la **plaza de Vázquez de Molina** où s'élève la **Capilla del Salvador**, chapelle privée de Francisco de los Cobos due à trois grands artistes du XVIe siècle, Diego de Siloé, Andrés de Vandelvira et Esteban Jamete. Derrière, le palais de Cobos présente une façade Renaissance et l'Hospital de los Honorados Viejos s'ouvre sur la plaza de Santa Lucía. De là, la redonda de los Miradores suit l'ancien chemin de ronde et offre de superbes vues de la campagne environnante.

Le **parador** *(p. 567)* borde lui aussi la plaza de Vázquez de Molina. Il occupe le palais construit au XVIe siècle, et très remanié au XVIIe, qu'habita Fernando Ortega Salido, doyen du chapitre de Málaga et chapelain d'El Salvador. À côté, le **Palacio de las Cadenas** édifié par Vandelvira pour Vázquez de Molina abrite l'hôtel de ville et l'office du tourisme. Il doit son nom aux chaînes *(cadenas)* jadis fixées aux colonnes de l'entrée principale.

De l'autre côté de la place, l'église **Santa María de los Reales Alcázares** date en partie du XIIIe siècle. À l'intérieur, belles grilles de Maître Bartolomé. Dans le **Cárcel del Obispo** (prison de l'Évêque) voisin étaient reclus les prêtres punis par l'évêque.

Museo Arqueológico
Casa Mudéjar, Calle Cervantes 6. *953 75 37 02.* *du mar. au dim.*

Hospital de Santiago
Calle Obispo Cubos 2.
953 75 08 42. *t.l.j.*

La Capilla del Salvador, église Renaissance à Úbeda

Parque Natural de Cazorla 45

Jaén. *Cazorla.* *Calle Juan Domingo 2, 953 72 01 15.*

Le Parque Natural de Cazorla, Segura y Las Villas protège une faune variée dans une région boisée où les plus hauts sommets dépassent 2 000 m. Sa beauté et sa richesse surprennent lors d'une première visite. La réserve naturelle, d'une superficie de 214 336 ha, s'atteint par la ville de Cazorla dont l'imposant château maure, le **Castillo de la Yedra**, abrite un musée folklorique. La route passe ensuite sous les vestiges de **La Iruela**, forteresse bâtie sur un éperon rocheux. Après avoir franchi un col, elle redescend jusqu'à un carrefour (El Empalme del Valle) dans la vallée du Guadalquivir d'où partent des routes conduisant aux sources du fleuve et au paisible parador *(p. 564)* moderne.

La principale route traversant le parc suit le Guadalquivir. Le centre d'accueil se trouve à Torre del Vinagre, à 17 km du carrefour.

Aux environs
À 30 km au nord du parc, **Segura de la Sierra** possède un château maure restauré et des arènes taillées dans le roc.

Castillo de la Yedra
953 71 00 39. *du mar. au dim.*
17 sept.-1er nov., 24 et 31 déc.
gratuit pour les Européens.

La faune de Cazorla

Plus de cent espèces d'oiseaux, certains très rares tels l'aigle royal et le vautour fauve, peuplent la seule réserve naturelle d'Espagne en dehors des Pyrénées où survivent des gypaètes barbus. Parmi les mammifères qui vivent dans ces montagnes boisées figurent la loutre, active à l'aube et au crépuscule, le mouflon, le sanglier et des bouquetins. Le cerf fut réintroduit en 1952. La flore qui y croît comprend une plante propre à la région, la violette de Cazorla.

Sangliers en quête de racines, d'insectes et de petits mammifères

Baeza pas à pas ㊸

Blason, Casa del Pópulo

Nichée au milieu des oliveraies qui couvrent la majeure partie de la province de Jaén, cette petite ville se distingue par sa richesse en édifices Renaissance. Baptisée Beatia par les Romains, elle devint la capitale d'une principauté maure avant sa conquête en 1227 par Ferdinand III. Première ville d'Andalousie définitivement reprise par les chrétiens, elle fut alors peuplée de chevaliers castillans et connut une période de splendeur qui atteignit son apogée au XVIe siècle avec la reconstruction de la cathédrale d'après des plans d'Andrés de Vandelvira. Au début du XXe siècle, Antonio Machado, l'un des plus grands poètes de sa génération, y vécut quelques années.

★ Le Palacio de Jabalquinto
Ce magnifique palais gothique présente une façade de style isabélin (p. 22) *flanquée de beaux contreforts arrondis.*

Antigua Universidad
De 1542 à 1825, l'une des premières universités d'Espagne occupa cet édifice Renaissance et baroque.

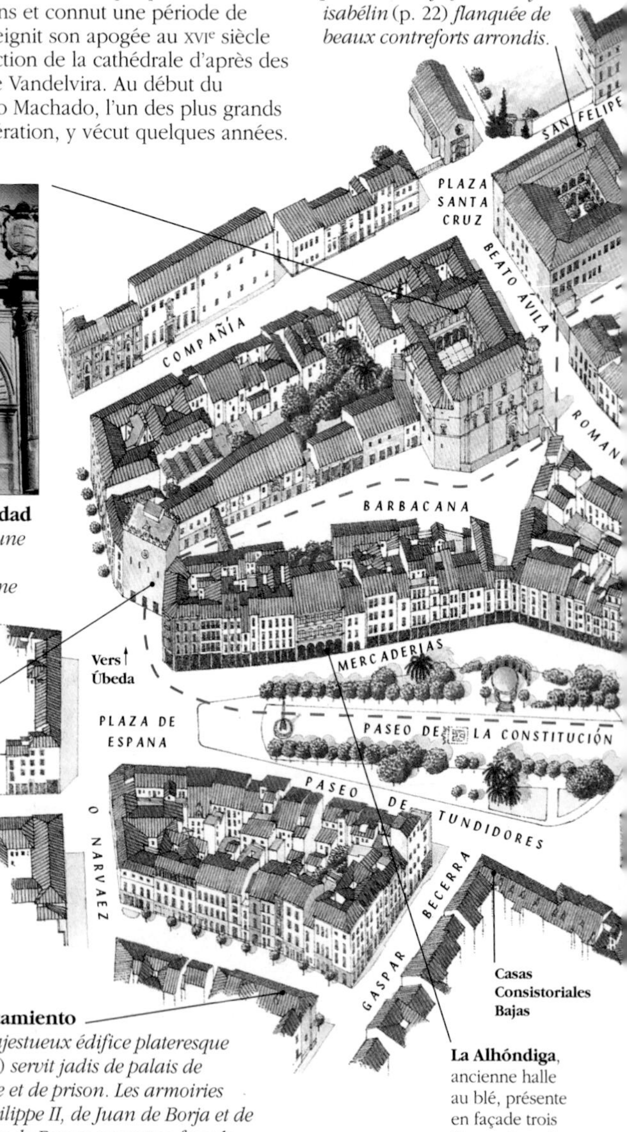

La Torres de los Aliatares est une tour bâtie par les Maures il y a 1 000 ans.

Ayuntamiento
Ce majestueux édifice plateresque (p. 21) *servit jadis de palais de justice et de prison. Les armoiries de Philippe II, de Juan de Borja et de la ville de Baeza ornent sa façade.*

Casas Consistoriales Bajas

La Alhóndiga, ancienne halle au blé, présente en façade trois étages d'arcades.

Mode d'emploi

Jaén. 18 000. Linares-Baeza 13 km, 953 65 02 02. Avenida Alcalde Puche Pardo, 953 74 04 68. Plaza del Pópulo, 953 74 04 44. mar. Semana Santa (Pâques), Feria (mi-août), Romería de la Yedra (début sept.). www.andalucia.org

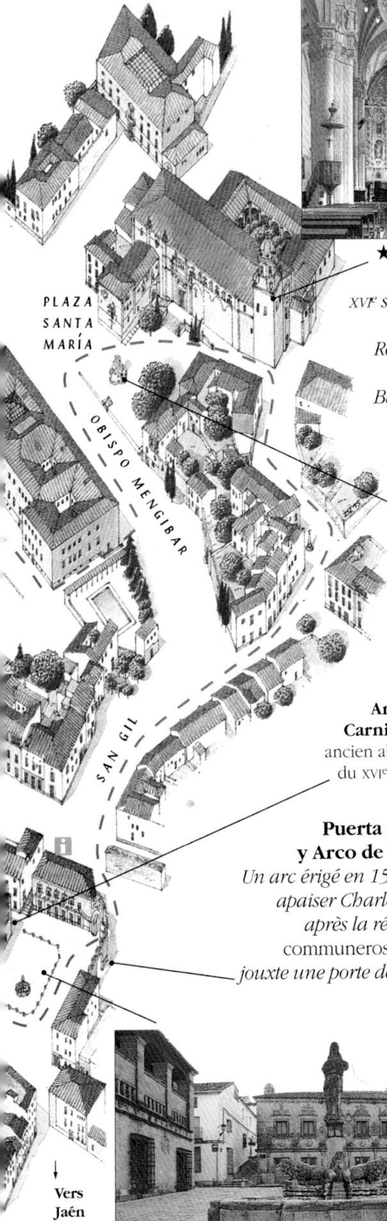

★ La cathédrale
Reconstruite au XVIe siècle, elle possède une décoration Renaissance, dont une grille par Bartolomé de Jaén dans la Capilla Sagrario.

Fuente de Santa María
Natif de Baeza, l'architecte sculpteur Ginés Martínez conçut cette fontaine en forme d'arc de triomphe achevée en 1564.

Antigua Carnicería, ancien abattoir du XVIe siècle

Puerta de Jaén y Arco de Villalar
Un arc érigé en 1521 pour apaiser Charles Quint après la révolte des communeros (p. 54), *jouxte une porte de la ville.*

★ La plaza del Pópulo
Un beau palais plateresque, la Casa del Pópulo, abrite l'office du tourisme sur cette place ornée par la Fuente de los Leones, fontaine dont les lions entourent une statue ibéro-romaine.

0 — 75 m

Légende

- Information touristique
- Itinéraire conseillé

À ne pas manquer

- ★ Le Palacio de Jabalquinto
- ★ La cathédrale
- ★ La plaza del Pópulo

Le village de Vélez Blanco au pied de son château Renaissance

Vélez Blanco ㊻

Almería. 2 400. Vélez Rubio. Ayuntamiento, Calle Corredera 38, 950 41 50 01. mer. Cristo de la Yedra (2e dim. d'août).

Ce joli village s'étend au pied du puissant **Castillo de Vélez Blanco** édifié entre 1506 et 1513 par le premier marquis de Vélez. Le château ne possède plus sa riche décoration Renaissance, exposée au Metropolitan Museum de New York, mais abrite la réplique d'un des patios d'origine.

À la sortie de Vélez Blanco, la **Cueva de los Letreros** renferme des peintures rupestres (v. 4000 av. J.-C.). L'une d'elles représente l'Indalo, personnage portant un arc-en-ciel adopté comme emblème par Almería.

Cueva de los Letreros
Camino de la Cueva de los Lestreros
t.l.j.

Mojácar ㊼

Almería. 5 000. Plaza Nueva, 950 61 50 25. mer., dim. Maures et chrétiens (2e week-end de juil.), San Agustín (28 août).

Miroitant, vues de loin, comme un mirage, les maisons blanches de Mojácar dévalent le flanc d'une colline à 2 km de longues plages de sable.

Après la guerre civile *(p. 62-63)*, le village tomba en ruine, la majorité de ses habitants ayant émigré, mais le tourisme ouvrit la voie à une nouvelle ère de prospérité dans les années 1960. Mojácar fut entièrement rebâti, hormis une ancienne porte des remparts, et des centres de vacances bordent désormais le littoral.

Au sud, de petites stations balnéaires et des villages de pêcheurs jalonnent la côte, l'une des moins construites d'Espagne.

Tabernas ㊽

Almería. 3 000. Ayuntamiento, Plaza del Pueblo 1, 950 36 50 02. mer. Virgen de las Angustias (du 11 au 15 août).

Dans l'unique désert d'Europe, une forteresse d'origine maure domine le village de Tabernas au milieu des collines érodées et des ravins qui servirent de cadre à de nombreux westerns italiens comme *Pour une poignée de dollars*. Situés respectivement à 1,5 km et 4 km du bourg, deux décors de cinéma peuvent se visiter : **Mini-Hollywood** et **Texas Hollywood**.

Non loin de Tabernas, les centaines d'héliostats d'un centre de recherche sur l'énergie solaire suivent la course du soleil andalou.

Aux environs
Perché au bord d'un profond ravin où coule le río de Aguas, **Sorbas** recèle deux édifices intéressants : l'Iglesia de Santa María (XVIe siècle) et un palais du XVIIe siècle qui aurait servi de résidence d'été au duc d'Albe.

La réserve naturelle de **Yesos de Sorbas** protège une région karstique dont les centaines de grottes ne s'explorent que sur autorisation des services de l'environnement andalous.

Mini-Hollywood
Carretera N340. 950 36 52 36.
t.l.j. lun. en hiver.

Texas Hollywood
Carretera N340, Tabernas.
950 16 54 58. t.l.j.

Paysage désertique évoquant le Far West près de Tabernas

LE FAR WEST ANDALOU

***Pour quelques dollars de plus* de Sergio Leone**

À l'ouest de Tabernas, la N 340 dessert deux villes du Far West. Ces *poblados del oeste*, où des cascadeurs simulent aujourd'hui des attaques de banques et des rixes de saloon, datent des années 1960 et 1970. Dans une région offrant à la fois canyons spectaculaires, coûts avantageux, soleil perpétuel et gitans pour incarner Indiens ou Mexicains, Sergio Leone, dont les « westerns spaghetti » renouvelèrent le genre à cette époque, fit édifier un ranch pour réaliser *Le Bon, la brute et le truand*, et des décors de cinéma surgirent dans ces étendues désertiques. Elles servent toujours de lieu de tournage à des publicités ou des séries télévisées.

L'Alcazaba du xᵉ siècle domine la vieille ville d'Almería

Almería 49

Almería. 170 000. Parque Nicolás Salmerón, 950 27 43 55. mar., ven. et sam. Feria (der. sem. d'août). www.almeria-turismo.org

Entreprise en 955, l'impressionnante **Alcazaba** d'Alméria, la plus vaste forteresse édifiée par les Maures en Espagne, protégeait l'un des principaux ports du califat de Cordoue *(p. 48-49)*. Appelée al Mariyat (le miroir de la mer), la ville, qui exportait des tissus de soie, de coton et de brocart, connut alors son âge d'or.

Pendant la Reconquête, l'Alcazaba résista à deux grands sièges avant de tomber en 1489 aux mains des Rois Catholiques *(p. 52-53)*. Leur blason orne la Torre del Homenaje érigée pendant leur règne. Restaurée, la forteresse renferme aussi une chapelle mudéjare et des jardins.

À côté s'étend **La Chanca**, le quartier des gitans et des pêcheurs où certaines familles vivent dans des grottes aux façades peintes de couleurs vives et aux intérieurs modernes. Un marché très animé s'y tient le lundi. Malgré son pittoresque, ce quartier est extrêmement pauvre et mieux vaut éviter de s'y risquer seul ou la nuit avec des objets de valeur.

Victime des incursions de pirates barbaresques, Alméria possède une **cathédrale** qui ressemble plus à une place forte qu'à un lieu de prière avec ses quatre tours, ses murs épais et ses étroites fenêtres. Elle occupe l'emplacement d'une mosquée convertie en église, puis détruite par un tremblement de terre en 1522. Sa reconstruction commença en 1524 sous la direction de Diego de Siloé. Derrière une façade Renaissance, œuvre de Juan de Orea qui sculpta également les stalles du chœur, se découvrent des nefs et un maître-autel gothiques.

Entrée d'une grotte dans le quartier de La Chanca

Le **Templo de San Juan** incorpore les vestiges d'une mosquée. La **plaza Vieja** est une belle place du XVIIᵉ siècle entourée d'arcades. La façade crème et rose de l'**hôtel de ville** (1899) la domine.

Aux environs

Près de Gádor, à 17 km au nord, **Los Millares** est l'un des plus importants sites de l'âge du bronze en Europe. Près de 2 000 personnes y vécurent entre 2 700 et 1 800 av. J.-C.

Alcazaba
Calle Almanzor. 950 27 16 17. mar.-dim. 1ᵉʳ jan., 25 déc. gratuit pour les Européens.

Los Millares
Calle Santa Fé de Mondújar. 950 23 50 10. du mer. au dim.

Parque Natural de Cabo de Gata 50

Almería. San José. Centro de Visitantes de las Amoladeras, route d'Alméria à Cabo de Gata, 950 16 04 35.

Hautes falaises volcaniques, dunes, salines et criques isolées composent des paysages caractéristiques dans cette réserve naturelle de 29 000 ha qui inclut quelques ports de pêche et la petite station balnéaire de San José à la belle plage de sable. Une route relie le village de Cabo de Gata à la pointe du cap dont il porte le nom et où se dresse un phare. La zone protégée s'étend en mer et la faune et la flore prospérant sur les fonds marins attirent de nombreux plongeurs.

Des milliers d'oiseaux migrateurs font étape dans les dunes et les marais salants hérissés de jujubiers épineux qui s'étendent entre le cap et la playa de San Miguel. Parmi les quelque 170 espèces recensées figurent le flamant, l'avocette et le vautour fauve.

Aux environs

Au cœur d'une oasis plantée d'agrumes en bordure de l'aride sierra de Alhamilla, **Níjar**, à la vieille ville typiquement andalouse, doit sa renommée à sa poterie colorée et aux *jarapas*, tissages artisanaux. De grandes serres de plastique ont permis de mettre en culture la plaine dénudée qui sépare Níjar de la mer.

Rochers volcaniques du Cabo de Gata, à l'est d'Almería

LES ÎLES ESPAGNOLES

Présentation des îles espagnoles

Les deux archipels espagnols se trouvent dans deux mers différentes : les Baléares sont en Méditerranée et les Canaries dans l'Atlantique au large des côtes sahariennes. Leur climat ensoleillé et la beauté de leurs plages ont entraîné dans ces îles le développement du tourisme de masse, mais elles ont plus à offrir que des murs d'hôtels, des fast-foods et des discothèques. Villages blancs, collines boisées, grottes et monuments préhistoriques jalonnent les Baléares. Aux Canaries se découvrent des paysages volcaniques extraordinaires.

Ibiza (p. 486-488) *est la plus animée des îles Baléares. Sa capitale et Sant Antoni, les deux principaux centres touristiques, offrent belles plages et intense vie nocturne.*

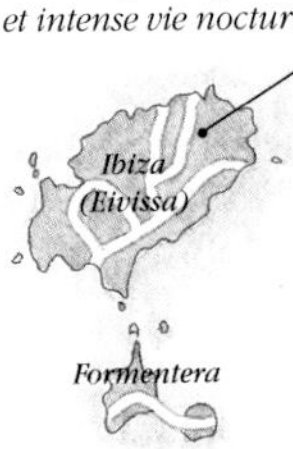

ÎLES CANARIES
(p. 504-527)

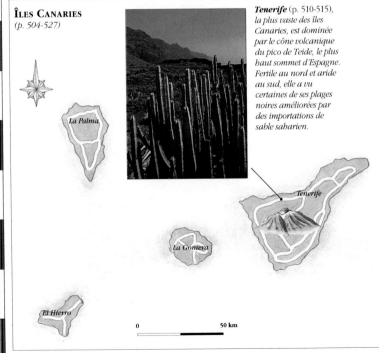

Tenerife (p. 510-515), *la plus vaste des îles Canaries, est dominée par le cône volcanique du pico de Teide, le plus haut sommet d'Espagne. Fertile au nord et aride au sud, elle a vu certaines de ses plages noires améliorées par des importations de sable saharien.*

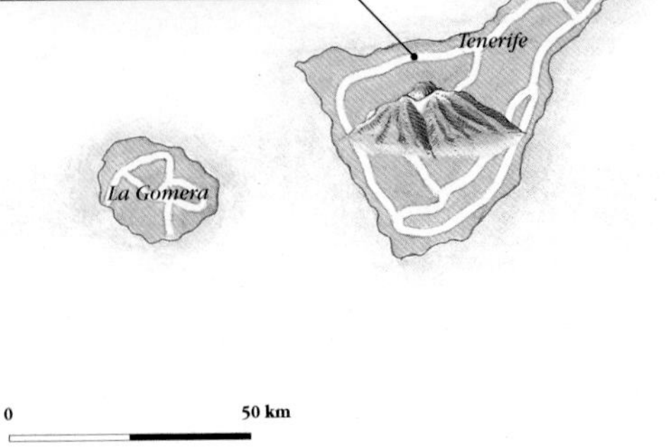

◁ **Cultures sur cendres volcaniques et à l'abri de murs de pierres sèches, sur Lanzarote**

Minorque (p. 498-503) *reste moins touchée par le tourisme que Majorque et Ibiza. Dans la campagne subsistent nombre de vestiges d'édifices mégalithiques datant de l'âge du bronze.*

Îles Baléares

(p. 482-503)

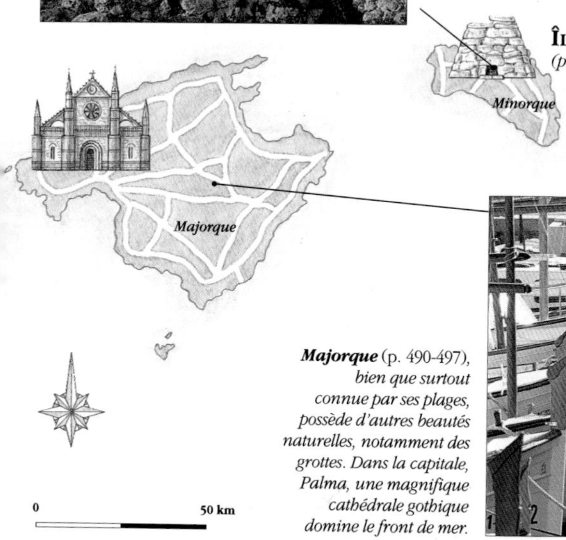

Majorque (p. 490-497), *bien que surtout connue par ses plages, possède d'autres beautés naturelles, notamment des grottes. Dans la capitale, Palma, une magnifique cathédrale gothique domine le front de mer.*

Lanzarote (p. 524-525), *aux maisons blanches se détachant sur des champs de cendres noires, est la plus fascinante des îles de l'archipel malgré ses paysages dénudés. Le parc de Timanfaya protège les spectaculaires montañas del Fuego.*

Gran Canaria (p. 518-521), *presque circulaire autour d'un haut volcan, recèle d'intéressants monuments et musées dans sa capitale, Las Palmas. La station balnéaire de Maspalomas, au sud, est la plus importante d'Espagne.*

7PM-1-80 52
KIKE

Les Baléares

Ibiza · Formentera · Mallorca · Menorca

De nombreuses et belles plages et un climat très agréable, ensoleillé mais pas trop chaud, ont fait des quatre principales îles de l'archipel des Baléares un des grands centres européens du tourisme de masse. Il suffit toutefois de s'écarter de la côte pour découvrir jolis villages, monastères, églises rurales, grottes et monuments préhistoriques au sein de campagnes paisibles.

Habitées depuis la préhistoire, les Baléares ont été colonisées ou pillées tour à tour par les Phéniciens, les Grecs, les Carthaginois, les Romains, les Arabes et les Turcs. Les Catalans qui s'y installent au XIIIe siècle apportent leur langue dont une forme particulière à l'archipel reste largement répandue aujourd'hui.

C'est dans la plus grande des îles, Majorque, que le tourisme de masse s'est développé le plus tôt. Au fond d'une baie bordée d'immeubles modernes, sa capitale, Palma, a conservé autour de sa majestueuse cathédrale gothique un quartier ancien riche en monuments. À Minorque, où le littoral demeure plus préservé, de belles maisons nobles parent les villes et des vestiges préhistoriques jalonnent la campagne. D'innombrables criques creusent la côte rocheuse d'Ibiza. Dans les collines de l'intérieur, hameaux et églises ont gardé un cachet caractéristique avec leurs murs blanchis. À quelques kilomètres au sud, la petite Formentera ne compte qu'une ville et le rythme de vie y reste paisible. Plusieurs îlots quasiment inhabités entourent ces quatre îles principales. Un parc national protège l'un d'eux : Cabrera (au large de Majorque).

À la fenêtre d'une maison traditionnelle d'Ibiza

◁ **La cathédrale gothique de Palma de Majorque domine le port**

À la découverte des Baléares

Pour de nombreux Européens, Allemands et Anglais en particulier, les Baléares n'évoquent que mer et soleil à tarif réduit dans le cadre de séjours « tout compris ». Ces îles à la riche histoire ont toutefois plus à offrir que de belles plages bordées de bars, de restaurants et d'hôtels. Les zones rurales et des villes telles que Palma, Ibiza, Maó et Ciutadella y restent en effet relativement préservées. C'est Majorque qui présente le plus d'intérêt culturel, grâce à ses musées notamment. Réputée pour ses monuments néolithiques, Minorque fut britannique au XVIIIe siècle et conserve d'élégants édifices de cette époque. Leurs maisons blanches et rustiques donnent leur aspect caractéristique aux vieux villages d'Ibiza, île dont les boîtes de nuit font partie des plus en vogue d'Europe. Formentera est un havre de paix aux plages de sable blanc baignées d'eau cristalline.

Poblat des Pescadors dans le village touristique de Binibeca

Le petit matin à Port de Pollença, Minorque

0 25 km

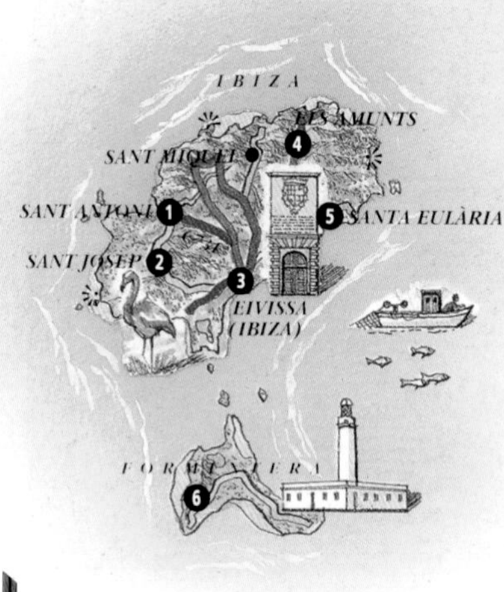

CIRCULER

La majorité des visiteurs des Baléares arrivent par avion : de nombreux vols relient Majorque, Minorque et Ibiza aux principales villes européennes, ainsi qu'à Madrid, Barcelone et Valence. Plusieurs compagnies desservent le reste de l'Espagne au départ de l'aéroport de Palma. Des ferries de la Transmediterránea et de la Flebasa circulent entre les îles qui peuvent aussi s'atteindre par bateau depuis Barcelone, Valence, Alicante ou Denía. À Majorque, des trains joignent Palma à Sóller et à Inca. Bien que l'état des routes se dégrade plus on s'éloigne des zones touristiques, la voiture reste le meilleur moyen de circuler, sauf à Formentera où c'est le vélo.

Les Baléares d'un coup d'œil

Sur la plage Sant Miquel à Ibiza

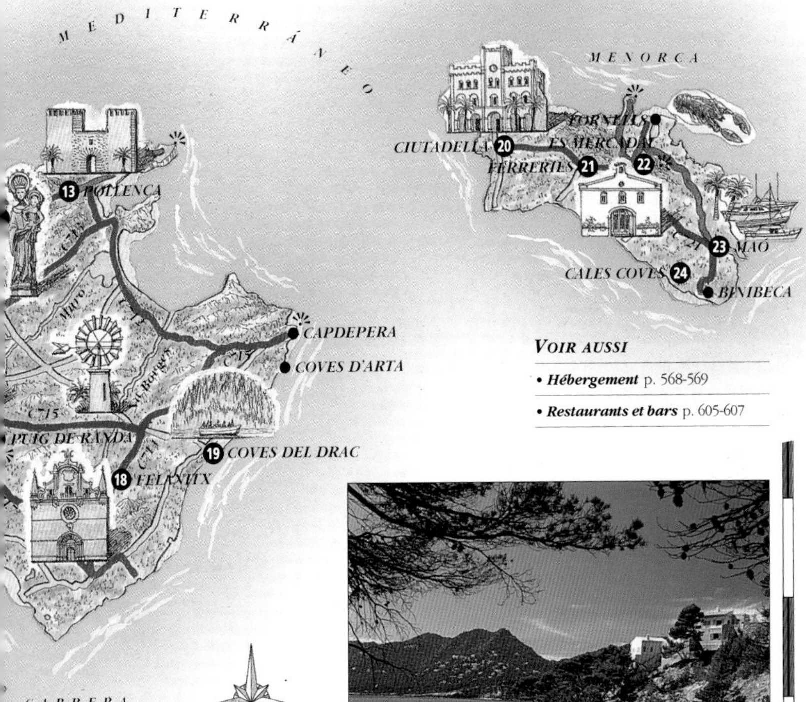

Voir aussi

- ***Hébergement*** p. 568-569
- ***Restaurants et bars*** p. 605-607

Légende

- Autoroute
- Route principale
- Route secondaire
- Parcours pittoresque
- Cours d'eau
- Point de vue

Côte rocheuse des environs des coves d'Artá à Majorque

Ibiza

D'une superficie de 572 km², l'île des Baléares la plus proche des côtes espagnoles restait peu touchée par le tourisme quand les hippies la découvrirent au milieu des années 1960. Elle commença alors à apparaître dans les brochures des agences de voyages à côté de Benidorm et de Torremolinos. Depuis, des immeubles de béton ont défiguré de nombreux paysages, mais Ibiza (Eivissa) garde une magie indéfinissable et n'a pas entièrement perdu son caractère. Dans la campagne, notamment au nord, des champs d'oliviers, d'amandiers et de figuiers forment un patchwork typiquement méditerranéen. Dans la capitale, la ville haute a conservé son aspect médiéval.

Bergère d'Ibiza

Le port de plaisance de la station balnéaire de Sant Antoni

Sant Antoni ❶

Baleares. 15 500. Passeig de Ses Fonts, 971 34 33 63. Sant Antoni (17 jan.), Sant Bartolomé (24 août). www.santantoni.net

Deuxième ville d'Ibiza par la taille, Sant Antoni de Portmany portait à l'époque romaine le nom de Portus Magnus à cause de son vaste port naturel. Cet ancien village de pêcheurs au creux d'une large baie est devenu au cours des dernières décennies un port de plaisance et une station balnéaire où les hauts immeubles modernes bordant le front de mer écrasent de leur masse l'église paroissiale, édifice fortifié du XIVe siècle reconstruit au XVIe siècle.

Au nord de Sant Antoni, sur la route de Cala Salada, se trouve la chapelle **Santa Agnès** (à ne pas confondre avec le village du même nom), insolite sanctuaire du début du christianisme qui contenait, lors de sa découverte en 1907, des armes maures et des fragments de poteries.

Sant Josep ❷

Baleares. 13 700. Carrer Pedro Escanellas 39, 971 80 01 25. Sant Josep (19 mars).

Centre administratif de la partie sud-ouest d'Ibiza, la petite ville de Sant Josep s'étend au pied du point culminant de l'île, Sa Talaiassa (475 m), d'où la vue porte par temps clair jusqu'à la côte de la péninsule Ibérique. Pour découvrir de plus près l'îlot d'**Es Vedrá**, énorme rocher pyramidal jaillissant de la mer, prenez la route côtière jusqu'à Cala d'Hort, crique abritant une plage paisible et de bons restaurants.

Ses Salines, refuge de nombreux oiseaux

Aux environs
Avant le tourisme, la production de sel était la principale industrie d'Ibiza grâce aux marais salants de **Ses Salines** qui, bien que toujours en activité, offrent un refuge à de nombreux oiseaux tels que les flamants. Depuis le port de Sa Canal, le sel est exporté vers les pays scandinaves et les îles Féroé où il sert à la conservation du poisson. À 3 km à l'est, une plage de sable blanc s'étend à **Es Cavallet**.

Ibiza ❸

Baleares. 32 700. Calle Antonio Riquer 2, Andenes del Puerto, 971 30 19 00. du lun. au sam. (en été seulement). Fiestas Patronales (1er-8 août), San Juan Bautista (24 juin). www.visitbalears.com

Dalt Vila, la ville haute de la cité d'Ibiza, capitale de l'île, a gardé son aspect médiéval au sein de ses remparts du XVIe siècle. Hors des murs, l'**Església de Santo Domingo** élève vers le ciel ses trois coupoles aux tuiles rouges. Sous des voûtes en berceau, l'intérieur baroque recèle des murs ornés de fresques.

Édifié en 1585, le **Portal de ses Taules**, qui s'ouvre au nord dans l'enceinte fortifiée, porte les armoiries de

Philippe II. Juste derrière, le **Museu d'Art Contemporani** présente des œuvres d'artistes tels que Manoli Millares, Erwin Bechtold et Antoni Tàpies. Au sommet de la colline, la **cathédrale** entreprise dans le style gothique catalan au XIIIe siècle connut un important remaniement au XVIIe. Le Museo de la Sacristia expose quelques beaux exemples d'art sacré.

Les Carthaginois fondèrent une colonie à Ibiza au VIIe siècle av. J.-C. et ils considéraient comme un honneur de reposer dans son sol jugé sacré. On estime à plus de 4 000 le nombre de tombes de la **nécropole de Puig d'es Molins**.

Au pied de Dalt Vila, sur un promontoire rocheux, les maisons blanches de l'ancien quartier de pêcheurs de **Sa Penya** dessinent un dédale devenu le centre de la vie nocturne de la ville.

Ruelle du quartier de Sa Penya dans la ville d'Ibiza

Port et ville haute de la capitale d'Ibiza

Le village de **Jesús**, à 3 km au nord d'Ibiza, mérite une visite pour sa jolie église du XVIe siècle que décore un superbe retable par Rodrigo de Osona le Jeune.

Museu d'Art Contemporani
Ronda Narces Puget. *971 30 27 23.*
du lun. au sam. *jours fériés.*

Nécropole de Puig d'es Molins
Via Romana 31. *971 30 17 71.*
du mar. au dim.

Els Amunts ❹

Baleares. *Sant Miquel.* *Santa Eulària d'es Riu, 971 33 07 28.*

Els Amunts est le nom local des « monts » qui s'élèvent dans le nord de l'île d'Ibiza entre Sant Antoni, sur la côte occidentale, et Sant Vicenç au nord-est. Bien que peu élevés – le point culminant, Es Fornás, n'a que 450 m d'altitude –, ils créent suffisamment d'obstacles à la circulation pour être restés préservés. Entre des collines verdoyantes, des vallées fertiles au sol rouge planté d'oliviers, d'amandiers, de figuiers et, par endroits, de vignes composent de splendides paysages. Quelques petites stations balnéaires comme Port de Sant Miquel, Portinatx et Sant Vicenç jalonnent le littoral, mais, à l'intérieur des terres, des villages tels que Sant Joan et Santa Agnès évoquent le passé rural de l'île.

De belles églises blanches constituent les édifices les plus intéressants de la région. Devant celle de **Sant Miquel** ont lieu chaque semaine en été des danses folkloriques. À la sortie de Sant Llorenç, le paisible hameau fortifié de **Balàfia**, aux maisons à toits en terrasse, renferme une tour de guet qui servait de forteresse lors des incursions turques.

Les nuits les plus folles d'Ibiza

La vie nocturne en été d'Ibiza mérite amplement sa réputation. Elle possède deux pôles principaux : la calle de la Virgen, dans le quartier du vieux port, où abondent bars, boutiques de mode et restaurants, et de gigantesques discothèques situées à la périphérie comme le Ku Privilege, le Pachá, l'Amnesia et Es Paradis. C'est quand celles-ci ferment leurs portes, vers 7 h du matin, que la boîte de nuit la plus folle, le Space, ouvre les siennes. Les célébrités qui ont établi la renommée d'Ibiza se sont faites plus discrètes ces derniers temps, mais quelques visages bien connus s'aperçoivent souvent le soir au restaurant La Dos Dunas, et, pendant la journée, sur la plage de Ses Salines.

Bain de mousse à l'Amnesia

L'une des nombreuses plages de la côte sauvage de l'île de Formentera

Santa Eulària 5

Baleares. 21 100. Carrer Mariano Riquer Wallis 4, 971 33 07 28. mer. Es Cana (15 août).

Malgré sa vocation touristique, la ville de Santa Eulària d'es Riu (Santa Eulalia del Río), à l'embouchure de l'unique fleuve de l'île, a conservé plus de personnalité que maintes stations balnéaires espagnoles.

Le quartier ancien se serre autour d'une église fortifiée du XVIe siècle au sommet d'une petite colline, le **Puig de Missa**, où la population pouvait se défendre des attaques des pirates.

Aménagée avec goût, une ancienne ferme attenante à l'église abrite le **Museu Ethnològic** dont l'exposition, étiquetée en catalan, comprend des costumes traditionnels, des instruments agricoles, des jouets, un pressoir à huile et de vieilles photographies qui montrent l'étendue des changements irréversibles qu'a connus Ibiza ces 50 dernières années.

Coupole de l'église du XVIe siècle de Santa Eulària

Museu Etnològic
Puig de Missa. 971 33 28 45.
du lun. au sam.

Formentera 6

Baleares. 6 000. depuis Ibiza. Calle Calpe, La Savina, 971 32 20 57. www.illadeformentera.com

Un trajet d'une heure en bateau vous conduira du port d'Ibiza jusqu'à cette île aux eaux limpides et au rythme de vie paisible.

Depuis le débarcadère de Sa Savina, des bus desservent plusieurs destinations, mais louer une voiture, un vélomoteur ou une bicyclette (plusieurs boutiques en proposent) se révélera beaucoup plus pratique.

Située à 3 km de Sa Savina, la principale localité de Formentera, **Sant Francesc** (San Francisco Javier), possède une jolie église (1729) sur la place principale et un musée consacré aux traditions locales. Au sud, une petite route cahoteuse rejoint la pointe du cap de Barbaria où se dressent une tour défensive du XVIIIe siècle et un phare.

Le petit plateau de **La Mola** forme la partie orientale de l'île. Depuis le port de pêche d'Es Caló, une route sinueuse dépasse le Restaurante Es Mirador, d'où s'admire une vue panoramique, pour atteindre le hameau de Nostra Senyora del Pilar. À environ 3 km à l'ouest, le phare de la Mola bâti au point culminant de Formentera (192 m) domine une falaise. Non loin a été érigé un monument à Jules Verne (1828-1905) dont un roman, *Hector Servadac*, utilise l'île comme décor.

La plupart des nombreux panneaux routiers promettant à Formentera des sites d'intérêt culturel ne conduisent qu'à des déceptions. La sépulture mégalithique de **Ca Na Costa** (1800-1600 av. J.-C.), cercle de pierres levées unique dans son genre aux Baléares, mérite cependant un détour.

Ce qui donne son attrait à Formentera, ce sont ses paysages à la beauté subtile et dénudée et certains des derniers espaces côtiers préservés de la Méditerranée. Les plages les plus agréables sont sans doute celles de Migjorn, Tramuntana et Cala Saona, au sud-ouest de Sant Francesc, mais celles d'Illetes et de Llevant, de part et d'autre d'une longue bande sablonneuse, au nord de l'île, sont également superbes. Depuis l'endroit où elles se rejoignent, le Pas d'es Trocadors, vous pouvez rejoindre en marchant dans l'eau (par mer calme) l'île d'**Espalmador**, aux plages magnifiques, située entre Formentera et Ibiza.

Les spécialités des îles Baléares

Les habitants des Baléares redécouvrent leurs recettes traditionnelles. Elles varient d'île en île mais découlent de la cuisine catalane. Le porc est la principale viande. Tomates, aubergines, oignons et poivrons entrent dans de nombreux plats et potages. La capitale de Minorque, Maó, revendique l'invention de la mayonnaise, souvent servie avec poissons et crustacés. À Majorque se fabriquent la *sobrassada (p. 493)*, une délicieuse saucisse épicée, et l'*ensaimada*, un gâteau de pâte feuilletée.

Mayonnaise

Les huevos a la sollerica, *œufs au plat garnis de* sobrassada, *se servent avec une sauce aux pois cassés.*

La langosta a la parrilla *se déguste accompagnée d'une mayonnaise préparée avec de l'huile d'olive.*

Les berenjenas rellenas *sont des aubergines farcies de pain, d'oignons et, souvent, de tomates et de porc.*

Le tumbet, *sorte de ratatouille aux pommes de terre, cuit dans une marmite en poterie, la* greixera.

Le coca de trampó, *des légumes tels qu'oignons et poivrons étalés sur une pâte, évoque la pizza.*

L'ensaimada, *gâteau de Majorque en forme de spirale, se savoure au petit déjeuner ou à l'heure du thé.*

Boissons

Les marins anglais de la force d'occupation de Minorque au XVIIIe siècle y introduisirent le gin et une variante très parfumée de cet alcool reste fabriquée dans l'île. Les Baléares possèdent de nombreuses autres liqueurs traditionnelles comme le *palo* qui tire sa saveur de coquilles d'amandes écrasées. L'archipel produit en revanche peu de vins. La principale région viticole, une *denominación de origen (p. 576)* s'étendant autour de Binissalem à Majorque, donne surtout des blancs légers et des rosés. Toutes les boissons populaires telles qu'*anís*, cognac, bière et sangria *(p. 577)* sont bien entendu partout disponibles.

Liqueur de plantes

Liqueur d'amandes

Gin

Majorque

D'une superficie de 3 640 km², la plus vaste des Baléares est souvent comparée à un petit continent et la diversité de ses visages surprend toujours, même ceux qui n'y viennent que pour se distraire. Peu d'autres îles offrent une telle variété de paysages, des fertiles plaines centrales jusqu'aux sommets presque alpins de la Tramuntana. La douceur de son climat et la beauté de ses plages en ont fait un des grands centres européens du tourisme de masse et l'on oublie parfois une richesse culturelle dont témoigne la cathédrale de Palma *(p. 496-497)*. Un autre grand attrait de Majorque est d'avoir conservé une économie productrice et des espaces agricoles entretenus.

Terrasses plantées d'orangers dans la sierra Tramuntana

Andratx 7

Baleares. 8 500. *Plaça Miguel Moner 1, 971 62 80 00.* *mer.* *San Pedro (29 juin).* www.balearweb.com

Dans l'ombre du puig de Galatzó qui culmine à 1 026 m, cette petite ville nichée dans une vallée plantée d'amandiers offre, avec ses maisons ocre et blanches et de vieilles tours de guet dressées à flanc de collines, un spectacle plein de charme.

Une route descend au sud-ouest jusqu'à **Port d'Andratx**, situé à 5 km. Dans cet ancien port de pêche protégé par une rade presque fermée se serrent désormais, sous de luxueuses résidences de villégiature, de coûteux bateaux de plaisance. Mieux vaut oublier toute image de la Majorque profonde en se rendant à Port d'Andratx afin d'apprécier l'endroit pour ce qu'il est : une station balnéaire chic.

La Granja 8

Carretera de Esporles Bufar. 971 61 00 32. *t.l.j.*

La Granja est un domaine privé, ou *possessió*, près de la petite localité rurale d'Esporles. Ancien couvent cistercien, il appartient désormais à la famille Seguí qui propose au public, en lui ouvrant sa demeure du XVIIIe siècle en grande partie préservée, une sorte de musée vivant où découvrir un aperçu de l'existence jadis menée par la haute bourgeoisie de Majorque.

Des paons se promènent dans le jardin, morue et jambons sèchent dans la cuisine, la salle de bal résonne des accents des *Noces de Figaro* de Mozart et une légère impression de chaos ajoute au charme de la visite.

Luxueux bateaux de plaisance mouillés à Port d'Andratx

Valldemossa 9

Baleares. 1 650. *Plaza Cartuja 11, 971 61 21 06.* *dim.* *Santa Catalina Tomas (28 juil.), San Bartolomé (24 août).* www.valldemossa.com

Cet agréable village de montagne reste lié au souvenir de George Sand qui y passa l'hiver 1838-1839 et qui fit une description peu flatteuse des Majorquins dans *Un hiver à Majorque*. Frédéric Chopin séjourna avec elle à la **Real Cartuja de Jesús de Nazaret**, chartreuse désaffectée en 1835 où l'on peut visiter la cellule qu'il aurait louée. Donnant sur la cour principale du monastère, elle abrite le piano sur lequel il composa les *Préludes*.

Buste de Frédéric Chopin à Valldemossa

Quelques portes plus loin, une pharmacie du XVIIIe siècle conserve des remèdes aussi exotiques que la « poudre d'ongles de la bête ». Le cloître abrite un musée d'art contemporain présentant des œuvres de Tàpies, Hartung, Miró et du Majorquin Juli Remis (1909-1990). La collection comprend également une série d'illustrations par Picasso intitulée *L'Enterrement du comte d'Orgaz* et inspirée par le tableau du même nom peint par El Greco *(p. 28)*.

Real Cartuja de Jesús de Nazaret

Plaça de la Cartuja de Valldemossa. 971 61 21 06. *t.l.j.*

Alfàbia ⑩

À 17 km de Sóller. 971 61 31 23.
Excursions depuis Palma.
sam. ap.-m. et dim.

Très peu de *possessións* de Majorque sont ouvertes au public, ce qui rend la visite d'Alfàbia d'autant plus digne d'intérêt. Un Maure construisit cette demeure seigneuriale au XIVe siècle, mais seuls le plafond du porche et les fontaines de la pergola évoquent encore cette époque. Le jardin est une somptueuse création du XIXe siècle qui fait un usage inventif des jeux d'eau et d'ombre.

Sóller ⑪

Baleares. 11 000.
Plaça Constitució 1, 971 63 80 08.
sam. 2e dim. de mai.

Cette petite ville s'est enrichie grâce aux oliveraies et aux orangeraies qui s'étagent sur les pentes de la sierra Tramuntana. Nombre de ses habitants émigrèrent en France à partir du XIXe siècle pour commercialiser cette production agricole et ils édifièrent à leur retour d'élégantes maisons souvent de style Art nouveau.

Un pittoresque petit train à voie étroite, toujours doté de wagons en bois, se prend devant la gare, sur la plaça d'Espanya. Il rejoint, à 5 km à l'ouest, Port de Sóller, village de pêcheurs au fond d'une baie circulaire devenu une agréable station balnéaire.

Aux environs
Au sud de Sóller, une route longe la spectaculaire côte occidentale de Majorque jusqu'à **Deià** (Deyá). Ce village perché au milieu d'amandiers et d'oliviers attira de nombreux artistes et écrivains, dont le poète et romancier anglais Robert Graves (1895-1985) qui s'y installa en 1929. Il repose dans le petit cimetière. Dirigé par l'archéologue William Waldren, le **Museu Arqueològic** offre un aperçu de l'île à la préhistoire. À l'extérieur du village, le domaine **Son Marroig** appartint à l'archiduc autrichien Louis Salvator (1847-1915) qui consacra une importante étude aux Baléares.

Arbres et maisons étroitement mêlés à Deià

Museu Arqueològic
Es Clot Deià. 971 63 90 01.
du ven. au dim.

La statue de la Moreneta, Santuario de Lluc

Santuario de Lluc ⑫

Lluc. depuis Palma. 971 87 15 25. t.l.j. musée seulement.

Isolé dans les montagnes de la sierra Tramuntana, le village de Lluc recèle une institution considérée par de nombreux Majorquins comme le cœur spirituel de l'île. Fondé au XIIIe siècle, le Santuario de Lluc date, dans sa forme actuelle, d'une reconstruction aux XVIIe et XVIIIe siècles. Son église baroque abrite la statue de pierre de la Moreneta, la Vierge noire de Lluc, qu'un jeune berger aurait trouvée au XIIIe siècle sur une colline voisine. Un chemin pavé, le Camí dels Misteris, conduit à son sommet. Il est bordé de bas-reliefs en bronze par Antoni Gaudí *(p. 136-137)*. Près de la grand-place, la plaça dels Pelegrins, se trouve un café, une pharmacie et une boutique proposant de l'artisanat, des spécialités culinaires et des vins locaux. Situé au premier étage, un musée présente entre autres des peintures majorquines et des manuscrits médiévaux. Le monastère comprend une hôtellerie *(p. 568)* bâtie au XXe siècle.

Depuis Lluc, une route tortueuse sinue dans les collines jusqu'à la magnifique crique rocheuse de **Sa Calobra** d'où part un sentier qui conduit au torrent de Pareis, gorge profonde débouchant sur la mer.

La crique de Sa Calobra s'ouvre entre de hautes falaises

Cloître du Convent de Santo Domingo à Pollença

Pollença ⓭

Baleares. 14 000. *Calle Juan 23, 971 86 54 67.* *dim.* *Sant Antoni (17 jan.).* www.ajpollenca.net

Bien que cette petite ville située en bordure de terres agricoles fertiles soit devenue très touristique, elle garde un aspect préservé avec ses maisons en pierre ocre et ses ruelles sinueuses. Une atmosphère d'une autre époque règne sur la Plaça Major bordée de cafés fréquentés principalement par la population locale.

Pollença renferme plusieurs édifices religieux, dont la **Parròquia de Nostra Senyora dels Angels** bâtie au XVIIIe siècle et le Convent de Santo Domingo qui abrite l'exposition archéologique du **Museu Municipal**. En août et début septembre, le cloître sert de cadre aux concerts d'un festival de musique. Une chapelle érigée au sommet d'une colline, **El Calvari**, s'atteint soit par la route, soit par un escalier de 365 marches. Un Christ en bois sculpté orne l'autel.

Aux environs
À 10 km à l'est, des remparts du XIVe siècle percés de deux portes majestueuses entourent **Alcúdia**. Près du centre-ville, le **Centro Cultural de Pollença** expose des statues, bijoux et autres objets découverts sur le site romain de Pollentia situé à 1,5 km au sud.

Museu Municipal
Carrer Santo Domingo. *971 53 66 15.* *t.l.j.*

Museu Monografico de Pollença
Calle San Jaume 30, Alcúdia.
971 54 70 04. *mar.-dim.*

Palma de Majorque ⓮

Voir p. 494-497.

Puig de Randa ⓯

8 km au nord-est de Llucmajor.
jusqu'à Llucmajor puis taxi.
El Arenal, 971 44 04 14.

Au milieu d'une plaine fertile appelée la *pla* s'élève une petite montagne haute de 548 m, le puig de Randa. Le philosophe Raymond Lulle s'y retira en ermite à la fin du XIIIe siècle et c'est là qu'il aurait composé son traité religieux, l'*Ars Magna*. En gravissant le massif se découvrent deux petits monastères, le Santuari de Sant Honorat (XVIIIe siècle) et le Santuari de Nostra Senyora de Gràcia abrité par un surplomb rocheux. Il comprend une chapelle du XVe siècle ornée de beaux carreaux valenciens et offre un large panorama de la *pla*.

Au sommet du *puig*, d'où la vue porte jusqu'à Palma, se trouve le **Santuari de Cura** occupé par des franciscains. Installé dans une ancienne école du XVIe siècle donnant sur la cour centrale, construite dans la pierre beige typique de Majorque, un petit musée possède certains des manuscrits de Raymond Lulle.

Le philosophe Raymond Lulle

Capocorb Vell ⓰

14 km au sud de Llucmajor.
971 18 01 55. *depuis El Arenal.*
du ven. au mer.

Majorque n'est pas aussi riche que Minorque en vestiges mégalithiques, mais ce village talayotique *(p. 503)* dans les terres basses et rocailleuses du littoral méridional mérite une visite

– en particulier un jour de saison creuse où vous pourrez vous promener en paix parmi les ruines.

Cet établissement de la fin de l'âge du bronze, vieux d'environ 3 000 ans, comprenait cinq *talayots* (tours en gros blocs de pierre que coiffait sans doute une structure en bois) et 28 bâtiments plus petits. On sait peu de chose de ses habitants et de l'usage qu'ils faisaient de certaines des pièces, telle une minuscule galerie souterraine.

Le charme de la campagne alentour, où des murs en pierres sèches séparent des vergers, ajoute à l'attrait d'un site qui, en dehors d'un snack-bar proche, reste préservé.

***Talayot* de Capocorb Vell**

Cabrera ⓱

Baleares. 🚢 depuis Colònia Sant Jordi. 🛈 Carrer Doctor Barraquer 5, Colònia Sant Jordi, 971 65 60 73 (l'été) ; 971 64 91 17 (l'hiver).

Depuis les plages d'Es Trenc et Sa Ràpita, sur la côte sud de Majorque, s'aperçoit à l'horizon l'île de Cabrera haute de 172 m. C'est la plus vaste d'un archipel qui porte le même nom et que protège un parc national *(p. 26-27)*. Située à 18 km de la pointe la plus méridionale de Majorque, elle abrite plusieurs plantes, reptiles et oiseaux de mer rares, tel le faucon d'Éléonore, et ses eaux recèlent une faune et une flore marines importantes.

Un château érigé au XIVᵉ siècle rappelle que l'île de Cabrera servit pendant des siècles de base militaire.

Une rue de Felanitx

Felanitx ⓲

Baleares. 🏠 15 000. 🚌 🛈 Ronda Crucero Balear, 971 58 00 51. 🚢 dim. 🎉 Sant Joan Pelós (24 juin).

Dans ce bourg agricole animé naquit l'architecte de la Llotja de Palma *(p. 494)*, Guillem Sagrera (1380-1456), et le peintre du XXᵉ siècle Miquel Barceló. Trois raisons principales justifient une visite : la façade imposante d'une église du XIIIᵉ siècle, l'**Esglesia de Sant Miquel**, la *sobrassada de porc negre* (saucisse épicée fabriquée avec la viande du porc noir majorquin) et ses célébrations religieuses, notamment celle de Sant Joan Pelós *(p. 499)*.

À environ 5 km au sud-est, le **Castell de Santueri**, fondé par les Maures mais reconstruit au XIVᵉ siècle par les rois d'Aragon, se dresse à 400 m au-dessus de la plaine. Bien qu'en ruine, il mérite un détour par la vue qu'il offre depuis sa situation élevée.

Coves del Drac ⓳

1,5 km au sud de Porto Cristo. 🚌 depuis Porto Cristo. 🛈 971 82 07 53. ◯ t.l.j. ● 1ᵉʳ jan., 25 déc. 📷

Majorque compte d'innombrables grottes allant de simples trous dans le sol à de véritables cathédrales souterraines. Une abrupte volée de marches conduit à la première des quatre vastes salles des **coves del Drac** : le « Bain de Diane » superbement éclairé. Dans une autre s'étend le lac Martel long de 177 m. S'y promener en barque est une expérience presque aussi inoubliable que d'y assister à un intermède musical. Également spectaculaires, les deux autres salles portent les noms évocateurs de « Théâtre des fées » et de « Cité enchantée ».

Aux environs
Les **coves dels Hams** doivent leur nom à des stalactites en forme d'hameçons (*hams* en majorquin). Longues de 500 m, elles renferment la « Mer de Venise », lac souterrain où des musiciens se produisent en barque.

L'entrée des **coves d'Artá** se trouve à 40 m au-dessus du niveau de la mer et offre une vue magnifique. Une stalagmite haute de 22 m constitue le fleuron de ces grottes.

🚐 **Coves dels Hams**
À 11 km de Manacor vers Porto Cristo. 🛈 971 82 09 88. ◯ t.l.j. ● 1ᵉʳ jan., 25 déc.
🚐 **Coves d'Artá**
Carretera Canyamel. 🛈 971 84 12 93. ◯ t.l.j. ● 1ᵉʳ jan., 25 déc. 📷

Dans les coves d'Artá

Palma pas à pas ⓮

Pâtisserie Forn des Teatre

Après l'avoir conquise en 1229, Jacques Ier d'Aragon écrivit de la Madina Mayurqa maure : « Elle me semblait [...] la plus belle cité que nous ayons jamais vue. » Aujourd'hui, la capitale de la Communauté autonome des Baléares surprend par sa richesse culturelle sur une île dont le nom évoque surtout le tourisme de masse. Avec ses bâtiments historiques, sa vieille ville paraît presque étrangère à la station balnéaire qui l'entoure. Sur le passeig des Born, cœur de la vie sociale de Palma, des cafés des années trente invitent à goûter l'une des spécialités culinaires de Majorque, l'*ensaimada* *(p. 489)*.

Palau de l'Almudaina
Cette ancienne forteresse maure transformée en palais abrite un musée. Le tinell *(salon) est gothique. La chapelle Santa Ana s'ouvre par un portail roman.*

À NE PAS MANQUER

★ **La cathédrale**

★ **La Basílica de Sant Francesc**

Forn des Teatre est une vieille pâtisserie réputée pour ses *ensaimadas* et le *gató* aux amandes.

La Fundació la Caixa, jadis le Gran Hotel, est un centre culturel.

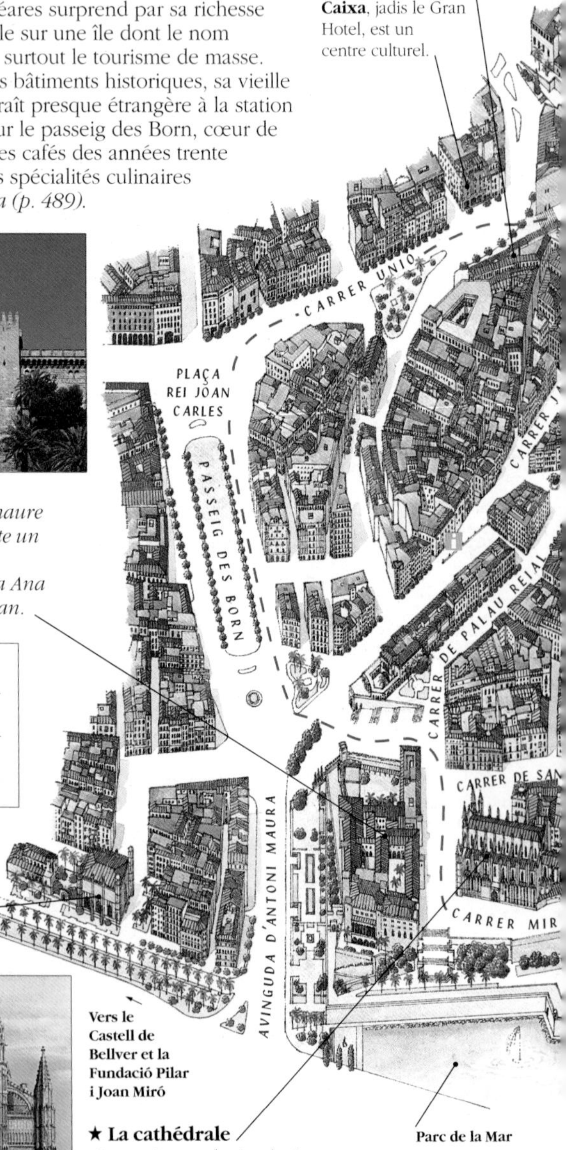

La Llotja est un magnifique édifice gothique du XVe siècle.

Vers le Castell de Bellver et la Fundació Pilar i Joan Miró

Parc de la Mar

★ **La cathédrale**
Construit en calcaire doré de Santanyi, ce majestueux sanctuaire gothique entrepris en 1230 domine le front de mer.

LÉGENDE

— — — Itinéraire conseillé

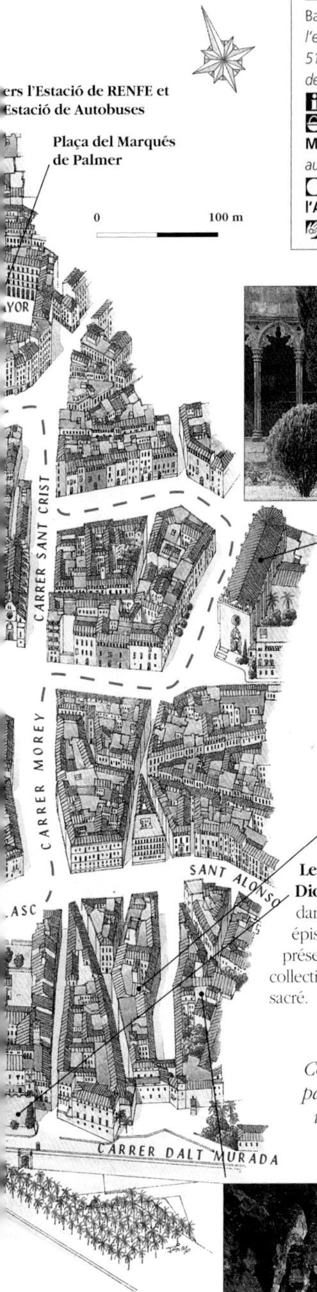

Mode d'emploi

Baleares. 327 000. 9 km à l'est. Plaça Espanya, 971 75 20 51. Plaça Espanya. Muelle de Peraires, 902 45 46 59.
Plaça Reina 2, 971 71 22 16.
sam. San Sebastián (20 jan.).
Museu de Mallorca du mar. au dim. **Banys Àrabs** t.l.j. **Palau de l'Almudaina** du lun. au sam. www.palma.com

★ La Basílica de Sant Francesc
Comme son cloître, la basilique Saint-François est de style gothique malgré une façade du XVIIe siècle.

Le Museu Diocesà, dans le palais épiscopal, présente une collection d'art sacré.

Museu de Mallorca
Cette statue de guerrier fait partie de ses collections qui illustrent l'art, l'histoire et l'architecture de l'île.

Banys Àrabs
âtis au Xe siècle, ils restent le seul vestige intact d'une cité jadis parmi les plus importantes d'Al Andalus.

Galeries d'arcades du Castell de Bellver

Castell de Bellver

Du côté ouest de la baie de Palma.
971 73 06 57. t.l.j.

Ce château gothique se dresse à environ 2,5 km du centre. Résidence d'été dessinée par Pere Salvà et commandée par Jacques II pendant la courte existence du royaume de Majorque (1276-1349), il devint peu après une prison et le resta jusqu'en 1915. Construit à 113 m d'altitude sur une colline d'où il offre une vue magnifique sur la baie de Palma, l'édifice obéit à un plan circulaire inhabituel. Détaché de l'enceinte principale, contrairement aux trois autres tours, le donjon se rejoint par un passage couvert. Deux étages de galeries aux arcs délicats entourent la cour centrale.

Fundació Pilar i Joan Miró

Carrer Joan de Saridakis 29. 971 70 14 20. du mar. au dim.

Quand Joan Miró mourut en 1982, sa femme entreprit de transformer son ancienne demeure de Son Abrines en un centre artistique. Surnommé la « Forteresse d'albâtre » par la presse espagnole, le bâtiment moderne dessiné par l'architecte navarrais Rafael Moneo incorpore l'ancien atelier du peintre (où restent en place des tableaux inachevés) et présente une collection permanente d'œuvres qu'il légua. La fondation comprend également une boutique, une bibliothèque et un auditorium.

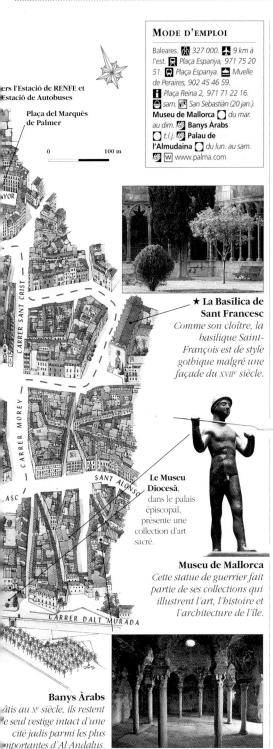

La cathédrale de Palma

Selon la légende, quand une tempête surprit Jacques Ier d'Aragon alors qu'il naviguait vers Majorque pour la conquérir en 1229, il fit le vœu d'édifier une vaste église si Dieu l'épargnait. Les travaux commencèrent dès l'année suivante sur le site de l'ancienne mosquée de la cité maure. La construction de Sa Seu, surnom affectueux donné par les Majorquins à l'une des plus belles cathédrales gothiques d'Espagne, dura jusqu'en 1601. La façade ouest dut être reconstruite après un tremblement de terre en 1851, mais elle a conservé un portail plateresque. Au début du XXe siècle, Antoni Gaudí *(p. 136-137)* remania l'aménagement intérieur du sanctuaire.

Clocher
Cette robuste tour bâtie en 1389 renferme neuf cloches dont la plus grosse porte le nom d'Aloi (Louange).

Cathédrale de Palma
Dominant ce qui fut jadis le port, elle occupe un site magnifique.

À NE PAS MANQUER

★ **La grande rosace**

★ **Le baldaquin**

Musée de la cathédrale
Le reliquaire de la Vraie Croix (XVe siècle) incrusté de pierres précieuses est un des fleurons de la collection exposée dans la salle capitulaire.

★ La grande rosace
La plus grande des sept rosaces de la cathédrale domine le maître-autel. Construite en 1370, ornée de vitraux au XVIe siècle, elle a un diamètre de 12,5 m.

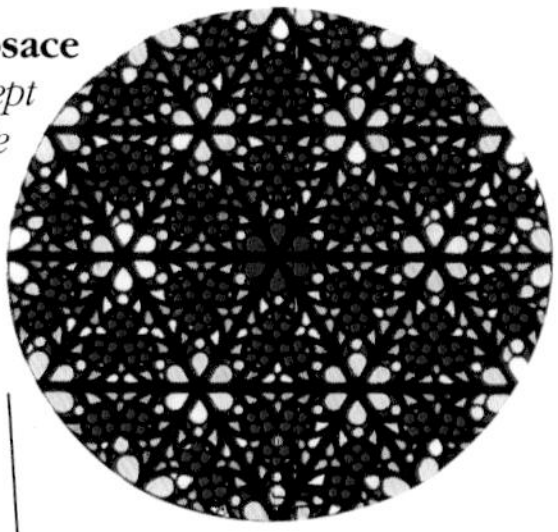

MODE D'EMPLOI

Plaça Salmoina. *971 72 31 30.* *d'avril à oct. : 10 h-17 h 30 lun.-ven. ; de nov. à mars : 10 h-14 h 30 lun.-ven., 10 h-13 h 30 le sam. toute l'année.* *jours fériés.* *9 h, 19 h, t.l.j. (d'oct. à mars : 9 h, 19 h les sam. et dim).*

Les grandes orgues (1795) au buffet néo-gothique furent restaurées en 1993 par Gabriel Blancafort.

Capella de la Trinitat
Cette petite chapelle (1329) abrite les tombeaux en albâtre de Jacques II et Jacques III d'Aragon

La Capella Reial fut remaniée par Antoni Gaudí entre 1904 et 1914.

Trône épiscopal
Sculpté en 1269 dans du marbre de Carrare, il s'inscrit dans une niche gothique.

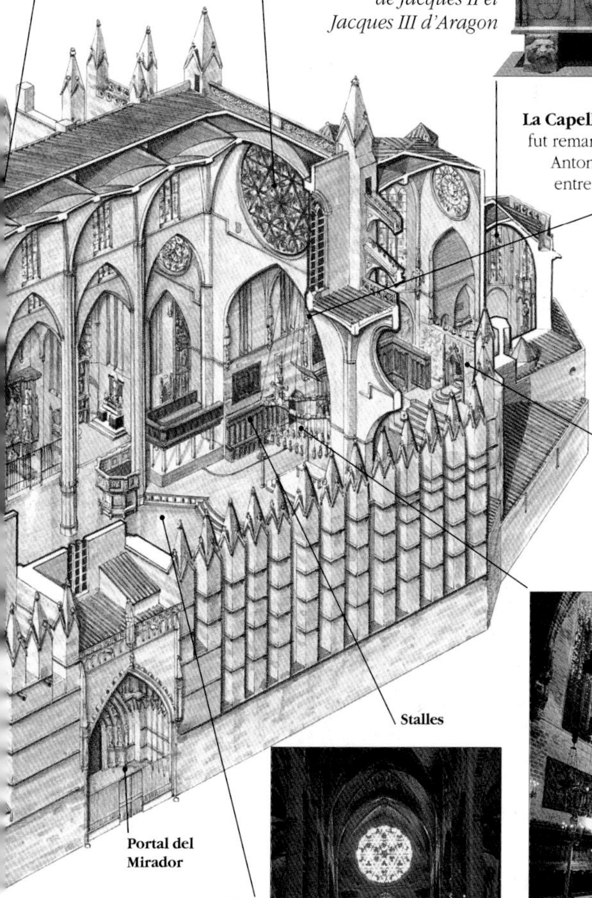

Nef
Haute de 44 m, la voûte repose sur 14 piliers élancés. Large de plus de 19 m, c'est l'une des plus amples voûtes gothiques du monde.

★ Le baldaquin
Des stalles Renaissance encadrent dans la chapelle royale cette œuvre en fer forgé (1912) d'Antoni Gaudí.

Minorque

La deuxième île des Baléares par la superficie (669 km²) est aussi la plus éloignée de la péninsule Ibérique. Le tourisme s'y est peu développé et ses côtes restent sans doute les moins défigurées d'Espagne. Des murets de pierres sèches quadrillent les campagnes dont l'élevage bovin constitue la principale activité. Les vieilles villes de Ciutadella et de Maó, la capitale où les Anglais élevèrent au XVIIIe siècle des demeures georgiennes, abondent en édifices historiques et en belles places. Témoignages d'un passé plus ancien, de nombreux monuments datant de l'âge du bronze dressent partout dans l'île leurs ruines mégalithiques. Au vin couramment consommé dans le reste de l'Espagne, les Minorquins préfèrent souvent le genièvre *(ginebra)* local.

Pêcheurs réparant leurs filets dans le port de Ciutadella

Le paisible front de mer de Ciutadella au crépuscule

Ciutadella ⓴

Baleares. 22 300. Plaça de la Catedral 5, 971 38 26 93. ven. et sam. Sant Joan (24 juin). www.visitmenorca.org

L'histoire de Ciutadella (Ciudadella) bascula en 1558 quand les Turcs s'emparèrent de la ville et décimèrent ses habitants, envoyant 3 495 d'entre eux sur les marchés aux esclaves d'Istanbul. Des principaux édifices publics parant alors la cité, seule l'**Església Catedral de Menorca**, belle église de style gothique catalan derrière une façade du XVIIIe siècle, échappa au désastre sans trop de dommages… pour se voir dépouillée de ses ornements par des extrémistes républicains pendant la guerre civile.

Aménagée par les Maures pour des parades militaires, la **plaça des Born** voisine fut progressivement reconstruite dans le style Renaissance après 1558. Bordée de cafés et plantée de palmiers, elle possède en son centre un obélisque commémorant l'« Any de Desgràcia » (l'Année du Malheur). L'**hôtel de ville** *(ajuntament)* inspiré du gothique, le **Teatre Municipal des Born** de la fin du XIXe siècle et des demeures aristocratiques aux façades italianisantes l'entourent. Reconnaissable à ses deux loggias latérales, la plus intéressante de ces dernières, le **Palau de Torre-Saura**, date du début du XIXe siècle. L'extrémité nord de la place offre une belle vue du petit port bien abrité de Ciutadella.

La vaste plaça des Born, centre de Ciutadella

Si vous prenez la carrer Major des Born, vous atteindrez, après la cathédrale, une allée bordée de maisons blanches : **Ses Voltes**. Tournez à droite dans la carrer des Seminari pour rejoindre l'**Església dels Socors** baroque et le **Museo Diocesà** qui présente une collection d'objets religieux. De nombreux palais dominent les ruelles de la vieille ville, mais seul le **Palau Salort** (début du XIXe siècle), dans la carrer Major des Born, est ouvert au public. Le gracieux **marché** Art nouveau (1895) dresse non loin sa structure métallique.

Tous les ans au mois de juin, pendant une semaine, Ciutadella ne vit que pour la Festa de Sant Joan, célébrations spectaculaires copieusement arrosées de genièvre *(ginebra)* par la population.

Museu Diocesà
Seminari 5. 971 48 12 97. t.l.j.

Palau Salort
Carrer Major del Born 9. 971 38 00 56. avr. - oct. : lun. - sam.

Ferreries 21

Baleares. 4 000. Carrer Sant Bartomeu 55, 971 37 30 03. mar., ven., sam. Sant Bartomeu (du 23 au 25 août).

Entre Maó et Ciutadella, ce joli village dont les maisons blanches s'étagent à flanc de colline doit son existence à la route construite entre les deux principales villes de l'île par le gouverneur anglais Sir Richard Kane. Son église, Sant Bartomeu, date de 1770.

La baie de **Santa Galdana**, à 10 km au sud, est superbe. Depuis la plage, une agréable promenade suit un ravin : le barranc d'Algendar.

Patio du Santuari del Toro

Es Mercadal 22

Baleares. 2 500. Carrer Major 16, 971 37 50 02. dim. Sant Martí (3e dim. de juillet).

Ce bourg rural, l'un des trois, avec Alaior et Ferreries, situés sur la route entre Maó et Ciutadella, n'a rien de remarquable en lui-même, mais se trouve à courte distance de trois sites dignes d'intérêt.

À 3 km à l'est, **El Toro** (358 m) est non seulement le point culminant de Minorque, mais aussi le cœur spirituel de l'île. Dans le Santuari del Toro bâti en 1670 à son sommet est vénérée la Vierge du Taureau.

À environ 10 km au nord d'Es Mercadal, le village de pêcheurs de **Fornells** se transforme chaque été en un avant-poste de Saint-Tropez où des Catalans fortunés se retrouvent dans le Bar Palma. Dans le port, de luxueux bateaux de plaisance voisinent avec des barques de pêche. La *caldereta de llagosta* (bouillabaisse de langouste) proposée dans les restaurants se révèle souvent chère et de qualité inégale.

La route cahoteuse qui conduit au **Cap de Cavalleria**, à 13 km au nord d'Es Mercadal, traverse l'un des plus beaux paysages des Baléares. Ce promontoire rocheux battu par le vent du nord s'enfonce dans une mer agitée qui ressemble plus en hiver à l'Atlantique nord qu'à la Méditerranée. Sur l'arête occidentale de la péninsule s'étendent les vestiges de Sanitja, village phénicien mentionné par Pline au Ier siècle apr. J.-C. Au terme de la route se découvrent un phare et des falaises hautes de 90 m. Des faucons pèlerins, des pygargues et des cerfs-volants planent dans la tramontane.

Plus à l'ouest, la côte offre de belles plages préservées, mais d'accès difficile, telles Cala Pregonda, Cala del Pilar et La Vall d'Algaiarens.

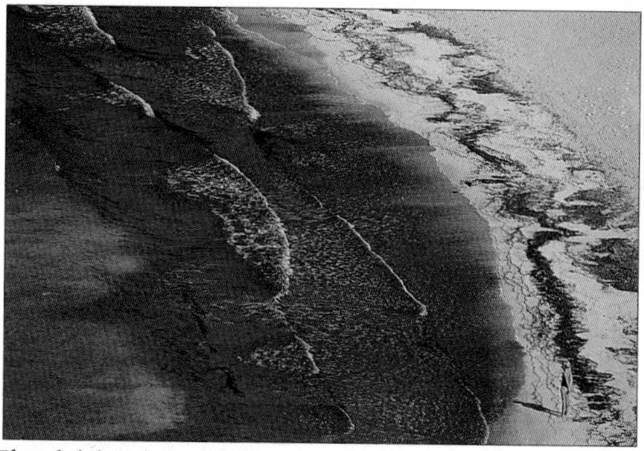

Plage de la baie de Santa Galdana

Cheval cabré à la fête de Sant Lluis

Fêtes des îles Baléares

Sant Antoni Abat *(17 jan.)*, Majorque. La bénédiction d'animaux et des défilés rythment cette fête célébrée dans toute l'île de Majorque et à Sant Antoni, à Ibiza.

Sant Joan *(24 juin)*, Ciutadella (Minorque). Pour la Saint-Jean, dans les rues et sur les places de Ciutadella, d'élégants cavaliers exécutent avec leurs montures des figures héritées du Moyen Âge. Lors d'une cavalcade sur la plaça des Born, ils font se cabrer leurs chevaux sous lesquels les spectateurs viennent se presser. La plus noble conquête de l'homme joue aussi un rôle majeur dans la fête annuelle de Sant Lluís qui se déroule à la fin du mois d'août.

Sant Joan Pelós *(24 juin)*, Felanitx (Majorque). Au cours des célébrations religieuses, un homme se vêt de peau de mouton pour représenter saint Jean-Baptiste.

Romeria de Sant Marçal *(30 juin)*, Sa Cabeneta (Majorque). Pendant la fête sont vendus des *siurells*, sifflets traditionnels.

Notre-Dame-de-la-Mer *(16 juil.)*, Formentera. Une flottille de bateaux de pêche rend hommage à la patronne des pêcheurs, la Virgen del Carmen, lors de la principale fête de l'île.

Maó s'étage au-dessus de son port

Maó ㉓

Baleares. 23 000. Plaça de S'Esplanada 40, 971 36 23 71. mar., sam. Fiestas de Gracia (du 7 au 8 sept.), Fiesta de Sant Antoni (17 jan.).

Cité d'une élégance sereine, Maó a donné son nom espagnol, Mahón, à la mayonnaise *(p. 489)*. Les Anglais, qui occupèrent Minorque pendant la majeure partie du XVIIIe siècle, en firent la capitale de l'île. Ils lui ont laissé de sobres demeures dotées de volets vert foncé et de fenêtres à guillotine.

Depuis le port, l'un des plus remarquables de la Méditerranée, la costa de Ses Voltes grimpe vers la ville haute. Elle conduit à l'**Església del Carme**, ancienne église carmélite du XVIIIe siècle dont le cloître, frais et clair, abrite désormais un marché de fruits et légumes. Derrière ce marché se trouve le seul musée actuellement ouvert de Maó, la **Col·lecció Hernández Mora** qui présente des œuvres d'art et des pièces archéologiques minorquaines. Sur la plaça Constitució voisine, l'église Santa Maria renferme un immense orgue construit en 1810. À côté, l'**hôtel de ville** *(ajuntament)* possède une façade néo-classique ornée d'une horloge offerte par Sir Richard Kane (1660-1736), premier gouverneur britannique de l'île.

Située au terme de la carrer Isabel II, l'**Església de Sant Francesc** associe un portail roman et une façade baroque. Elle abrite le Museu de Menorca en cours de réaménagement. Deux minutes de marche la séparent de la plaça de S'Esplanada, la place principale de Maó, derrière laquelle l'**Ateneu Científic Lliterat Artistic**, où mieux vaut demander l'autorisation avant de fureter, recèle une bibliothèque et des collections de céramiques et de cartes. Du côté nord du port se dresse une demeure connue sous les noms de **Sant Antoni** ou de Golden Farm. Le plus bel exemple d'architecture palladienne de la ville, elle possède une façade peinte en rouge agrémentée d'arches blanches. L'amiral Nelson y séjourna. Elle abrite des souvenirs l'évoquant et une belle bibliothèque, mais est fermée au public.

Col·lecció Hernández Mora
Claustre del Carme 5. *971 35 05 97.* *du lun. au sam.*

Ateneu Científic Lliterat Artistic
C/ Rovellada de Dalt 25. *971 36 05 53.* *dim., jours fériés.*

Cales Coves ㉔

Baleares. *Sant Climent puis 25 mn à pied.* *Maó, 971 36 37 90.*

Les abris troglodytiques de Cales Coves, dont certains sont longs de 9 m, creusent le rocher de part et d'autre d'une jolie baie. Habités, pense-t-on, depuis la préhistoire, ils sont aujourd'hui occupés par une communauté refusant le mode de vie de la société moderne. Certaines des grottes ont des portes d'entrée, des cheminées et même des réchauds à gaz.

À environ 8 km à l'ouest, sur la côte, le Poblat de Pescadors construit il y a une vingtaine d'années dans la crique de Binibeca ressemble à un village de pêcheurs traditionnel avec ses maisons blanches enchevêtrées.

Sculpture moderne devant l'un des abris de Cales Coves

◁ Une plage de rêve à Cala Turqueta sur l'île de Minorque

La Minorque préhistorique

Sa richesse en vestiges préhistoriques a valu à Minorque d'être décrite comme un immense musée en plein air. La culture talayotique de l'âge du bronze qui se développa dans les Baléares au deuxième millénaire avant notre ère édifia la majorité des monuments mégalithiques dispersés dans l'île, notamment les *talayots* en forme de tours auxquels elle doit son nom. Le plus souvent accessibles au public, gratuitement, ces sites ouvrent à l'imagination les portes d'un monde depuis longtemps révolu.

***Talayot* du site de Trepucó**

Les différents monuments

Les monuments mégalithiques dispersés dans les îles de Minorque et, dans une moindre mesure, de Majorque se divisent en trois catégories principales : les *taulas*, les *talayots* et les *navetas*.

Les taulas *en forme de « T » sont constitués de deux dalles de pierre posées l'une sur l'autre. Ils servaient probablement d'autels.*

Les talayots, *vastes structures circulaires ou carrées, ont jusqu'à 40 m de diamètre.*

Les navetas, *en forme de bateau renversé, associaient sans doute lieu d'habitation et de sépulture. Il en reste au moins dix à Minorque.*

***Taula* haute de trois mètres à Talatí de Dalt**

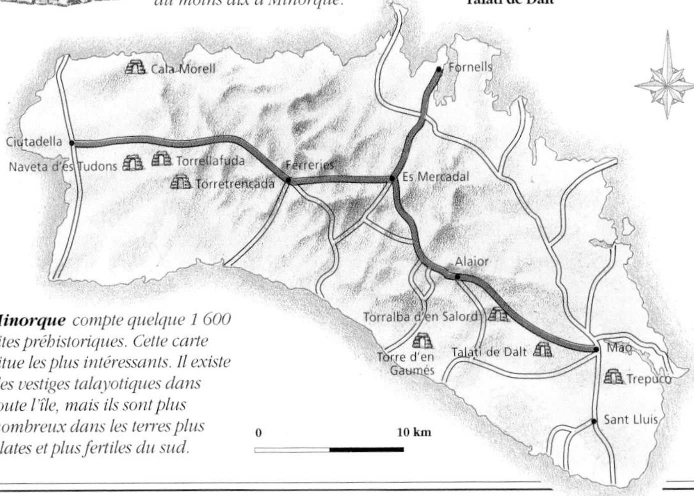

Minorque *compte quelque 1 600 sites préhistoriques. Cette carte situe les plus intéressants. Il existe des vestiges talayotiques dans toute l'île, mais ils sont plus nombreux dans les terres plus plates et plus fertiles du sud.*

Les Canaries

La Palma · El Hierro · La Gomera · Tenerife
Gran Canaria · Fuerteventura · Lanzarote

Proches du tropique du Cancer au large des côtes sahariennes, les Canaries jouissent d'un climat ensoleillé que tempèrent les alizés. Cratères volcaniques, dunes de sable et forêts luxuriantes y composent des paysages contrastés. Sur les principales îles, les vieilles villes ont gardé un cachet qui évoque l'Espagne coloniale.

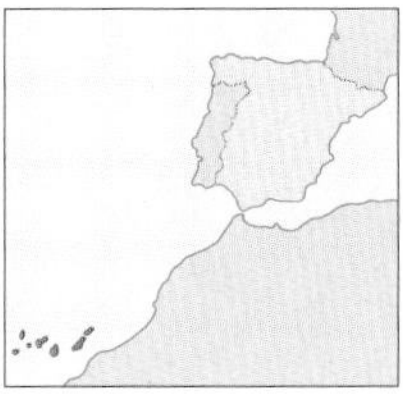

Sept îles et une demi-douzaine d'îlots d'origine volcanique forment l'archipel des Canaries où la dernière éruption, celle du Teneguía de La Palma, eut lieu en 1971.

Connues depuis l'antiquité, les anciennes îles Fortunées de Pline échappèrent aux convoitises des grandes civilisations jusqu'à leur conquête au XVe siècle par un seigneur normand soutenu par le roi de Castille. Elles étaient jusqu'alors habitées par le peuple des Guanches resté à l'âge de la pierre. Il ne subsiste malheureusement que peu de traces de sa culture.

L'archipel est divisé en deux provinces. Celle de Santa Cruz de Tenerife réunit les quatre îles occidentales, toutes montagneuses. Un volcan colossal, le Teide, domine Tenerife. La Palma, El Hierro et La Gomera demeurent relativement préservées du tourisme de masse.

Les trois îles orientales forment la province de Las Palmas, du nom de la capitale de Gran Canaria, île aux superbes reliefs boisés. Lanzarote est hérissée de cratères volcaniques. Fuerteventura offre de longues plages sauvages.

Champ de dunes près de Playa del Inglés, station balnéaire très fréquentée de Gran Canaria

◁ **Bananeraie de La Rambla sur la côte nord de Tenerife**

À la découverte des Canaries occidentales

Outre Tenerife, l'île des Canaries offrant le plus de distractions touristiques, la province de Santa Cruz de Tenerife inclut les petites îles de La Palma, La Gomera et El Hierro. Toutes trois disposent d'hôtels confortables, y compris des paradors, mais restent des havres de paix bien qu'elles accueillent de plus en plus de visiteurs. Comparées aux Canaries orientales, elles possèdent toutefois peu de plages de sable et proposent moins d'activités ou d'excursions organisées. La beauté de leurs paysages séduira néanmoins les amoureux de la nature.

Plage artificielle de Las Teresitas, Santa Cruz de Tenerife

Les Canaries d'un coup d'œil

- Candelaria 8
- Los Cristianos 4
- La Gomera 3
- El Hierro 2
- La Laguna 9
- Montes de Anaga 10
- La Orotava 7
- La Palma 1
- *Parque Nacional del Teide p. 514-515* 5
- Puerto de la Cruz 6
- Santa Cruz de Tenerife 11

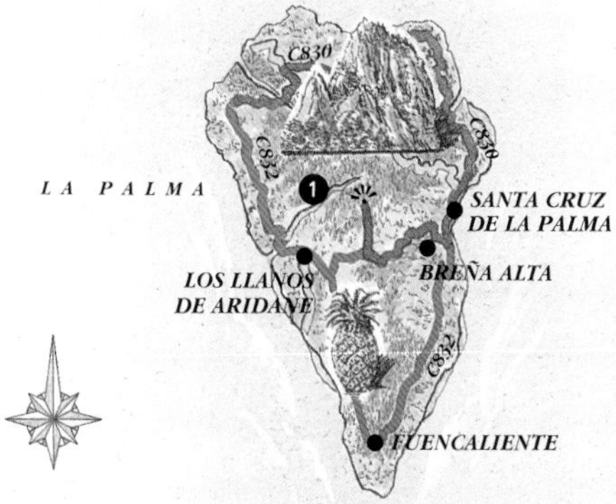

Roque Bonanza sur la côte orientale d'El Hierro

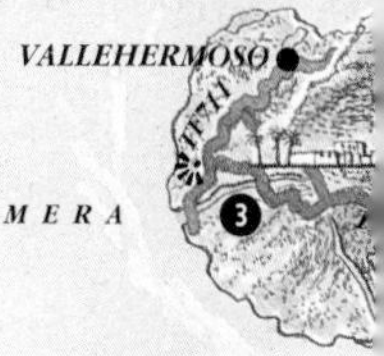

ATLÁNTICO

Légende

- Autoroute
- Route principale
- Route secondaire
- Parcours pittoresque
- Cours d'eau
- Point de vue

Cultures en terrasses dans la verte valle Gran Rey, dans l'ouest de La Gomera

CIRCULER

Plusieurs compagnies aériennes *(p. 628)* et maritimes *(p. 629)* desservent les Canaries depuis l'Espagne péninsulaire. Les petites îles se rejoignent principalement depuis Tenerife. La Gomera s'atteint par mer depuis Los Cristianos ou par avion depuis Gran Canaria ou Tenerife. Des vols réguliers relient les petits aéroports de La Palma et d'El Hierro à celui de Los Rodeos au nord de Tenerife. Hors des excursions organisées, une voiture se révèle nécessaire pour circuler. Les routes s'améliorent, mais attention en montagne.

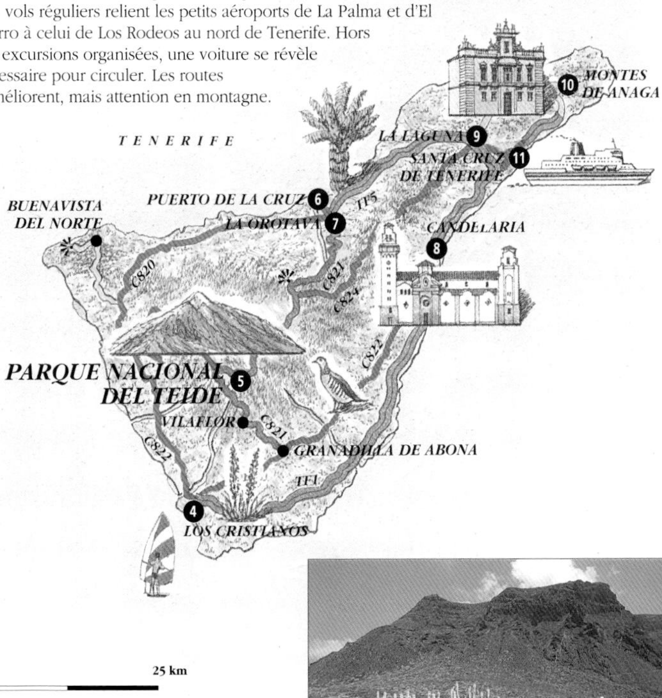

La Punta de Teno dans l'ouest de Tenerife

VOIR AUSSI

- ***Hébergement*** p. 570-571
- ***Restaurants et bars*** p. 608-609

La Palma ❶

Santa Cruz de Tenerife. 82 400.
Santa Cruz de la Palma. *Calle O'Daly 22, Santa Cruz de la Palma, 922 41 21 06.*
www.la-palmaturismo.com

Culminant à 2 433 m pour une superficie de 728 km², La Palma est l'île la plus pentue du monde. Formant la pointe nord-ouest de l'archipel des Canaries, elle jouit d'un climat doux et humide qui lui donne une végétation verdoyante. Pins, lauriers et fougères géantes couvrent les reliefs de l'intérieur.

Au centre de l'île, un parc national témoigne de l'importance botanique et géologique de la **Caldera de Taburiente**, impressionnant cratère de 9 km de diamètre. L'observatoire international d'astrophysique couronne son sommet. Les routes qui sinuent dans les montagnes

Façades pastel et gracieux balcons à Santa Cruz, La Palma

Le Parque Nacional de la Caldera de Taburiente, La Palma

de La Palma ménagent de superbes panoramas des cratères de La Cumbrecita et de Roque de los Muchachos.

Capitale et principal port de l'île, **Santa Cruz de la Palma** étage à flanc de colline ses vieilles maisons à balcons. La ville recèle de belles églises et quelques édifices du XVIe siècle. La rue pavée située derrière le font de mer, la calle O'Daly, porte le nom d'un négociant de bananes irlandais. Elle est bordée par l'Iglesia de San Salvador ornée d'un plafond à caissons mudéjar et par l'hôtel de ville *(ayuntamiento)* installé dans l'ancien palais Renaissance d'un cardinal. Une réplique grandeur nature en béton de la *Santa María*, le navire amiral de Christophe Colomb, se dresse sur la plaza Alameda.

Au sud-ouest de Santa Cruz, une route franchit les montagnes de Las Cumbres, via Breña Alta, pour atteindre le village d'**El Paso** réputé pour sa production de soie et ses cigares artisanaux.

Au milieu des vergers et des vignobles du sud de La Palma, des coulées de lave rappellent l'activité récente du Teneguia *(p. 527)*.

Cratères à El Hierro, l'île la plus occidentale des Canaries

El Hierro ❷

Santa Cruz de Tenerife. *8 000.* *Puerto de Estaca.* *Calle Doctor Quintero Magdaleno 4, Valverde, 922 55 03 02.* www.el-hierro.org

Pauvre en plages de sable, la plus occidentale et la plus petite des Canaries (278 km²) n'a pas connu le même afflux touristique que le reste de l'archipel mais a plutôt éveillé l'intérêt des naturalistes par sa faune et sa flore inhabituelles.

Depuis sa capitale, **Valverde**, située à 600 m d'altitude, s'offre un superbe panorama. Des pins des Canaries et des genévriers étrangement tordus

LE LANGAGE SIFFLÉ DE LA GOMERA

Les problèmes de communication créés par les reliefs de La Gomera ont conduit ses habitants à développer une forme de langage original appelé El Silbo. L'origine de ce système de sifflements modulés offrant l'avantage de porter sur de longues distances reste mystérieuse, mais d'aucuns prétendent qu'il aurait été inventé par les Guanches *(p. 523)*. Peu de jeunes insulaires en ont encore l'usage aujourd'hui et il aurait probablement disparu sans les démonstrations effectuées au parador et au restaurant de Las Rosas.

« Siffleur » de La Gomera

couvrent les montagnes de l'intérieur où sentiers et points de vue jalonnent les routes. Une arête boisée forme d'est en ouest un arc de cercle à travers l'île. Elle marque la limite d'un ancien cratère volcanique devenu une dépression fertile baptisée El Golfo.

Tout à l'ouest, l'**Ermita de los Reyes** est le point de départ de la plus importante célébration religieuse d'El Hierro. Elle a lieu tous les quatre ans en juillet.

Les eaux turquoise de la côte méridionale attirent de nombreux plongeurs sous-marins qui se retrouvent dans le petit village de pêcheurs de **La Restinga**.

Cultures en terrasses dans la fertile valle Gran Rey, La Gomera

La Gomera ❸

Santa Cruz de Tenerife. 17 150. Calle Real 4, San Sebastián de la Gomera, 922 14 15 12. www.gomera-island.com

D'une superficie de 378 km², La Gomera est la plus accessible et la plus visitée des petites îles occidentales des Canaries dans la mesure où on peut s'y rendre en 40 mn en hydroglisseur (90 mn en ferry) depuis Tenerife, ou en avion depuis Tenerife ou Gran Canaria grâce au nouvel aéroport. De nombreux touristes n'y viennent que pour une journée, souvent pour participer à une excursion organisée qui en parcourt environ la moitié. D'autres louent une voiture, mais les profonds ravins qui creusent le plateau central et les innombrables virages en épingle à cheveux qu'ils obligent à négocier rendent épuisante l'exploration de La Gomera en un seul jour.

L'idéal consiste à y séjourner quelque temps pour la découvrir à loisir sans hésiter à marcher. L'île offre des paysages exceptionnels. Dans les zones sauvages, des aiguilles rocheuses dominent des pentes abruptes plantées de fougères. Sur les terrasses retenant un sol fertile à flanc de colline poussent palmiers, bananiers et cultures maraîchères. La partie la plus belle de l'île, le **Parque Nacional de Garajonay**, appartient au patrimoine mondial recensé par l'Unesco.

C'est à **San Sebastián**, la ville principale qui enserre une petite plage de sable sur la côte est, que Christophe Colomb compléta ses réserves d'eau avant d'entreprendre la traversée de l'Atlantique. Dans le bâtiment de la douane, un puits porte l'inscription : « Avec cette eau, l'Amérique fut baptisée. »

Au-delà des collines arides qui s'élèvent au sud s'étend la plage de galets de **Playa de Santiago**, la seule véritable station balnéaire de La Gomera. À l'ouest de l'île, la magnifique et fertile **valle Gran Rey** a vu s'établir de nombreux étrangers aux modes de vie « alternatifs ». Au nord, des routes étroites sinuent entre plusieurs jolis villages, plongeant par endroits vers de petites plages de galets. Un centre d'information et un restaurant panoramique font de **Las Rosas** une des étapes favorites des cars de tourisme.

Depuis Las Rosas, la route vers la côte traverse le village de **Vallehermoso** qu'écrase l'énorme masse de lave solidifiée du **Roque de Cano**. Près de la plage se dressent **Los Órganos**, colonnes de basalte évoquant les tuyaux d'un orgue.

Genévriers tordus par le vent à El Hierro

Tenerife

Dans le langage des anciens habitants des Canaries, les Guanches, Tenerife signifie « montagne enneigée » un nom que l'île la plus vaste de l'archipel (2 053 km²) doit à sa caractéristique géographique la plus frappante, le cône volcanique du pico de Teide, le plus haut sommet d'Espagne (3 718 m). Il sépare l'île en deux zones de climats différents. Alors qu'au sud règne une aridité presque désertique, une végétation luxuriante pousse dans le nord mieux arrosé. Tenerife offre aux visiteurs une grande variété d'activités : découverte de paysages spectaculaires, sports nautiques et vie nocturne animée. Le sable noir de ses plages invite cependant peu à la baignade et ses principales stations balnéaires ne se prêtent pas, avec leurs hauts immeubles modernes, à la recherche du calme ou de l'authenticité.

Bananes dans le nord de Tenerife

Los Cristianos ❹

Santa Cruz de Tenerife. 29 800. Calle General Franco, 922 75 71 37. dim. Fiesta del Carmen (1er dim. de sept.).

Le village de pêcheurs de Los Cristianos s'est transformé en une ville touristique qui s'étend au pied de collines dénudées. Des ferries et des hydroglisseurs assurent des navettes régulières entre son petit port et La Gomera *(p. 509)*.

Au nord, la plus importante station balnéaire de l'île, la moderne **Playa de las Américas**, s'est développée sur une côte sablonneuse. À quelques kilomètres à l'intérieur des terres se trouvent le village ancien d'**Adeje** et le **barranco del Infierno**, gorge sauvage où coule une belle cascade (deux heures de marche d'Adeje).

À l'est sur le littoral, l'aménagement de la **Costa del Silencio** ponctuée de villages de pêcheurs est resté relativement respectueux des sites. Des restaurants de poisson animés bordent le petit port de Los Abrigos. **El Médano**, qui s'abrite sous un ancien volcan, possède deux plages appréciées des véliplanchistes.

Parque Nacional del Teide ❺

Voir p. 514-515.

Puerto de la Cruz ❻

Santa Cruz de Tenerife. 24 000. Plaza Europa, 922 38 60 00. sam. Carnaval (fév.-mars), Fiesta del Carmen (2e dim. de juil.).

Les Anglais distingués qui s'y rendaient en convalescence ont fondé la vocation touristique de cette ville qui acquit son importance en 1706 quand une éruption volcanique détruisit le principal port de Tenerife : Garachico. Le centre historique a gardé son caractère.

Dessiné par César Manrique, architecte originaire de Lanzarote *(p. 524)*, le magnifique lago Martiánez compense l'absence de bonnes plages avec ses piscines d'eau de mer, ses palmiers et ses fontaines. À découvrir également, le jardin botanique de **Loro Parque** où l'on peut voir aussi des dauphins.

Hors de la ville, la **Bananera El Guanche** propose une exposition sur la culture de plantes tropicales. À quelques kilomètres à l'ouest, à **Icod de los Vinos**, un dragonnier aurait 2 500 ans.

Loro Parque
C/Bencomo s/n, Punta Brava.
922 37 38 41. t.l.j.

Bananera El Guanche
Carretera Botánico, La Orotava.
922 33 18 53. t.l.j.

Le lago Martiánez dessiné par Manrique à Puerto de la Cruz

Le dragonnier

Espèce primitive de la famille des liliacées, le dragonnier *(dracaena draco)*, une des plantes les plus insolites poussant aux Canaries, ressemble un peu à un cactus géant dont le tronc principal se diviserait en branches épaisses portant des touffes d'aiguilles. Entaillé, il laisse s'écouler une sève rouge investie jadis de pouvoirs magiques et curatifs. Les dragonniers ne formant pas d'anneaux de croissance, leur âge reste un mystère. Certains pourraient avoir des milliers d'années. Le plus ancien se trouve à Icod de los Vinos.

La Orotava 7

Santa Cruz de Tenerife. 37 800.
Carrera del Escultor Estevez 2, 922 32 30 41. *Carnaval (fév.-mars), Fête-Dieu (mai-juin).*

À courte distance de Puerto de la Cruz, dans les collines fertiles de la vallée de La Orotava, cette belle ville historique serre son quartier ancien autour de l'**Iglesia de Nuestra Señora de la Concepción**, construction baroque (XVIIIe siècle) dotée de tours jumelles et élevée sur le site d'un sanctuaire détruit par des tremblements de terre. Elle abrite un retable sculpté par Lázaro González. Vieilles églises, couvents et maisons seigneuriales aux balcons de bois délicatement ajourés bordent les rues et places alentour. La **Casa de los Balcones** et la **Casa del Turista** possèdent toutes deux de jolis patios accessibles au public.

Statue d'un chef guanche sur le front de mer de Candelaria

Nuestra Señora de la Candelaria, sainte patronne des Canaries

Candelaria 8

Santa Cruz de Tenerife. 13 300.
Plaza del Cit, 922 50 04 15. *sam., dim.* *Nuestra Señora de la Candelaria (14-15 août).*

Cette ville côtière doit son renom à **Nuestra Señora de la Candelaria**, la patronne des Canaries dont une église moderne, sur la grand-place, abrite l'effigie entourée de fleurs et de cierges. Deux bergers guanches auraient trouvé cette statue sur une plage avant la conquête de l'île par des chrétiens. Un raz de marée la rendit à la mer en 1826, mais une réplique reste chaque mois d'août l'objet d'un pèlerinage. Sur le front de mer se dressent les statues d'anciens chefs guanches.

La Laguna 9

Santa Cruz de Tenerife. 128 000.
c/ Obispo Rey Redondo 1, 922 63 11 94. *t.l.j.* *San Benito (15 juil.).* www.historiaviva.org

Ville universitaire animée, l'ancienne capitale de l'île conserve un pittoresque quartier ancien à découvrir à pied. Riche en édifices historiques et en places pleines de cachet, il recèle plusieurs musées de qualité. La plupart des lieux les plus intéressants se trouvent entre l'**Iglesia de Nuestra Señora de la Concepción** construite en 1511 et la plaza del Adelantado bordée par l'hôtel de ville, un couvent au beau balcon de bois canarien et l'élégant **Palacio de Nava**.

Montes de Anaga 10

Santa Cruz de Tenerife. *Santa Cruz de Tenerife, La Laguna.*

Leur climat humide maintient fraîches et vertes les montagnes au nord de Santa Cruz et de nombreux oiseaux peuplent une végétation variée comprenant cactus et lauriers. La randonnée y est très populaire et l'office du tourisme fournit des cartes indiquant la plupart des meilleurs itinéraires. Près de la magnifique plage artificielle de Las Teresitas, une route abrupte et fléchée grimpe depuis le village de San Andrés. Les sentiers ménagent de superbes panoramas, notamment depuis le pico del Inglés (973 m) et Bailadero.

En redescendant à travers la forêt de las Mercedes et la pittoresque vallée de Tejina, on atteint **Tacoronte** qui possède d'intéressantes églises, un musée ethnographique et une *bodega* où goûter les vins locaux.

Fêtes des Canaries

Carnaval *(fév.-mars)*, Santa Cruz de Tenerife. Interdit pendant des années par le régime franquiste qui craignait toute manifestation populaire spontanée, ce carnaval est un des plus importants d'Europe. Les festivités, où danses et costumes extravagants jouent le premier rôle, commencent par l'élection d'une reine et montent en puissance jusqu'au grand défilé du mardi gras. Le mercredi des Cendres a lieu l'« enterrement » d'une gigantesque sardine. Le carnaval se fête aussi sur les îles de Lanzarote et de Gran Canaria.

Fêtards costumés au carnaval de Tenerife

Fête-Dieu *(mai-juin)*, La Orotava (Tenerife). Des tapis de fleurs ornent les rues de la ville et des reproductions d'œuvres d'art en sable coloré parent la plaza del Ayuntamiento.
Descente de la Vierge des Neiges *(juil., tous les 5 ans : 2005, 2010)*, Santa Cruz de la Palma.
Romería de la Virgen de la Candelaria *(15 août)*, Candelaria (Tenerife). Des milliers de pèlerins se rassemblent pour vénérer la patronne des Canaries.
Fiesta del Charco *(7-11 sept.)*, San Nicolás de Tolentino (Gran Canaria). Les participants se jettent dans une vaste mare d'eau salée pour attraper des mulets.

Ferry mouillé dans le port de Santa Cruz de Tenerife

Santa Cruz de Tenerife ⓫

Santa Cruz de Tenerife. 213 000. Plaza de España 1, 922 23 95 22 dim. Carnaval (fév.-mars), Día de la Cruz (3 mai), Nuestra Señora del Carmen (16 juil.).
www.cabtfe.es

La capitale de la province occidentale des Canaries possède un port capable d'accueillir des navires de fort tonnage. Sa plage la plus belle, Las Teresitas, s'étend 8 km plus au nord. Il a fallu, pour la créer, importer du Sahara des millions de tonnes de sable doré et construire une digue. Bien qu'artificiel, le résultat, que n'a pas enlaidi l'édification de murs de béton, dépasse tout ce dont la nature a doté Tenerife.

Près du port, la **plaza de España** et la plaza de la Candelaria, d'où part la principale rue commerçante, la calle de Castillo, forment le cœur de Santa Cruz. Non loin se dressent les deux églises les plus intéressantes de la ville : l'**Iglesia de Nuestra Señora de la Concepción** du XVIe siècle et l'**Iglesia de San Francisco** de style baroque.

Installé dans le Palacio Insular, le **Museo de la Naturaleza y el Hombre** présente notamment des momies guanches. On peut aussi y voir le canon dont serait parti le boulet qui emporta le bras droit de l'amiral Nelson lors d'une attaque infructueuse de la ville en 1797.

Les amateurs d'arts visiteront également le **Museo de Bellas Artes**, qui expose des œuvres de maîtres anciens et modernes souvent inspirées d'événements ou de paysages locaux, et le **Parque Municipal García Sanabria** aménagé en 1926 et décoré de sculptures contemporaines.

Le matin, ne manquez pas de vous rendre au pittoresque **Mercado de Nuestra Señora de África**. Les éventaires installés à l'extérieur proposent des ustensiles, ceux de l'intérieur, des légumes, des aromates, des fleurs ou des poulets vivants. Santa Cruz est très animée pendant son magnifique carnaval.

Museo de la Naturaleza y el Hombre

Calle Fuentes Morales. 922 20 93 20. du mar. au dim.

Museo de Bellas Artes

Calle José Murphy 12. 922 24 43 58. du lun. au ven.

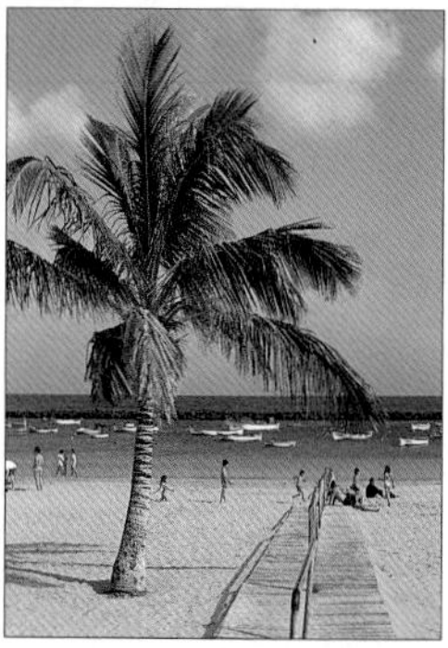

La plage artificielle de Las Teresitas à Santa Cruz

Les spécialités des îles Canaries

Bien qu'il soit parfois difficile de trouver où la déguster, les Canaries possèdent une cuisine originale qui tire parti des richesses naturelles et qui a su assimiler des végétaux importés d'autres continents tels que le maïs ou la banane. La mer fournit de nombreux poissons, telle la *vieja* multicolore qui s'accompagne de *mojo*, sauce à base d'huile d'olive et de basilic dont la couleur varie selon qu'elle comprend du paprika ou de la coriandre. Vous pourrez également y tremper des *papas arrugadas*, petites pommes de terre à l'eau qui se mangent avec la peau. Le *gofio*, une farine de céréales, sert à épaissir les potages ou à faire du pain. Le *bienmesabe* se prépare avec des amandes, du miel, du jaune d'œuf et de la cannelle et entre dans la composition de divers desserts.

Maïs

Le sancocho, *un poisson blanchi, se sert souvent avec des pommes de terre et des patates douces.*

La sama frita con mojo verde *est un poisson frit nappé d'une sauce où entrent ail, coriandre et vinaigre.*

Le potaje de berros, *une soupe nourrissante, inclut cresson, porc, maïs, pomme de terre, haricots et cumin.*

Le conejo al salmorejo, *un ragoût de lapin et de tomates, prend tout son intérêt avec des* papas arrugadas.

L'arroz con verduras *associe riz et légumes tels que poivrons, maïs, haricots verts et tomates.*

Le puchero *est un ragoût parfumé au safran où entrent chorizo, haricots, pois chiches et pommes de terre.*

Les bananes des Canaries *appartiennent à la variété de La Gomera, petite et parfumée. Elles se dégustent en beignets ou en tartes, avec des œufs et du riz, ou nappées d'une sauce à la viande.*

Rhum brun des Canaries

BOISSONS

Les Canaries sont réputées depuis le XVIIe siècle pour leur malvoisie, vin doux fortement alcoolisé et de couleur ambrée. Le meilleur provient de Lanzarote. Sur Tenerife, la région de Tacoronte-Acentejo produit des rouges et des blancs moins puissants. Plusieurs spiritueux sont aussi fabriqués localement. Brun ou blanc, le rhum *(ron)* se révèle souvent excellent. Il existe aussi un âpre *coñac* et des liqueurs parfumées au café, à l'orange ou à la banane.

Parque Nacional del Teide ❺

Il y a des millions d'années, un gigantesque volcan explosa, laissant derrière lui les vestiges d'un cratère de 12 km de diamètre, Las Cañadas, où se dresse aujourd'hui le pico del Teide, le plus haut sommet d'Espagne avec 3 718 m d'altitude. Tout autour, nappes de cendres, coulées de lave et rochers teintés par des sels minéraux composent un paysage d'une âpre beauté. Une seule route traverse le plateau de Las Cañadas. Elle dessert un parador, une station de téléphérique et un bureau d'information. Emprunter les sentiers fléchés permet de découvrir tous les aspects de ce site protégé.

Paysages volcaniques
Un trajet de 8 minutes en téléphérique conduit à 160 m au-dessous du sommet. Du sentier s'offrent des panoramas inoubliables.

Le pico del Teide conserve une activité volcanique.

Le pico Viejo, aussi appelé montaña Chahorra, eut sa dernière éruption au XVIIIe siècle.

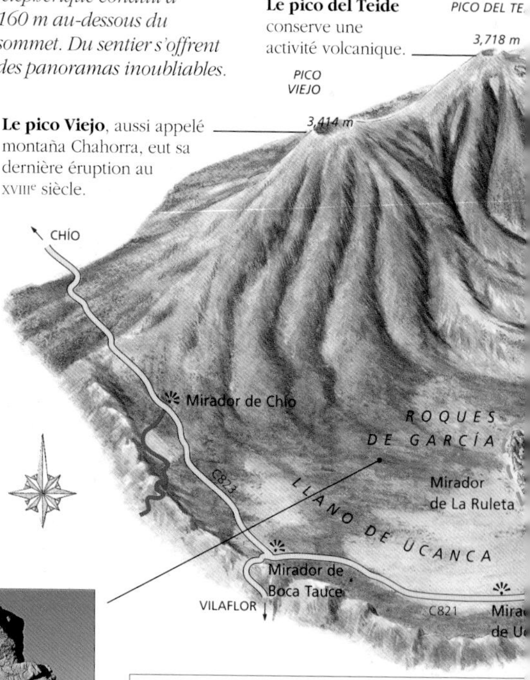

Légende

- Route
- Chemin
- Sentier pédestre

Roques de García
Leurs formes insolites valent à ces rochers proches du parador d'inspirer de nombreux photographes. Non loin, ceux de Los Azulejos doivent à des dépôts de cuivre leurs reflets bleu vert.

Fleurs sauvages

Des plantes rares et superbes ont colonisé les sols inhospitaliers de Las Cañadas. Certaines ne poussent qu'aux Canaries. L'*echium wildprettii*, une vipérine qui peut atteindre deux mètres de haut au début de l'été, fait partie des plus remarquables, mais le genêt du Teide, le patystémon et une espèce particulière de violette ne manquent pas non plus d'élégance. Mai-juin constitue la meilleure période où venir découvrir ces plantes qu'une exposition au centre d'information vous aidera à identifier. Attention : n'en cueillez ni n'en déterrez aucune ! Toute la végétation du parc fait l'objet d'une stricte protection.

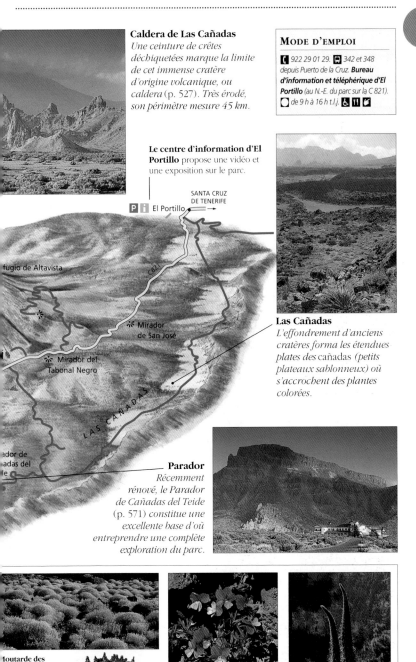

Caldera de Las Cañadas
Une ceinture de crêtes déchiquetées marque la limite de cet immense cratère d'origine volcanique, ou caldera (p. 527). *Très érodé, son périmètre mesure 45 km.*

MODE D'EMPLOI

922 29 01 29. 342 et 348 depuis Puerto de la Cruz. **Bureau d'information et téléphérique d'El Portillo** (au N.-E. du parc sur la C 821). de 9 h à 16 h t.l.j.

Le centre d'information d'El Portillo propose une vidéo et une exposition sur le parc.

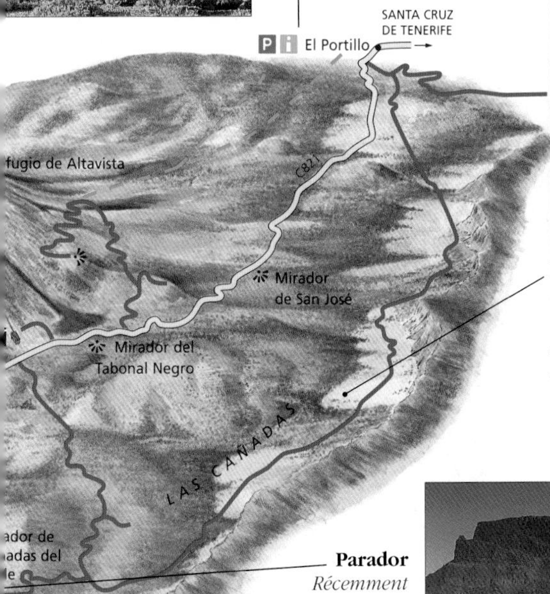

Las Cañadas
L'effondrement d'anciens cratères forma les étendues plates des cañadas *(petits plateaux sablonneux) où s'accrochent des plantes colorées.*

Parador
Récemment rénové, le Parador de Cañadas del Teide (p. 571) *constitue une excellente base d'où entreprendre une complète exploration du parc.*

Moutarde des Canaries *(Sisymbrium bourgaenum)*

Érysimon du Teide *(Erysium scoparium)*

Violette du Teide *(Viola cheiranthifolia)*

Vipérine du Teide *(Echium wildprettii)*

À la découverte des Canaries orientales

Les îles qui forment la province de Las Palmas : Gran Canaria, Lanzarote et Fuerteventura, offrent toutes des sites exceptionnels, un climat privilégié et de belles plages de sable, mais possède chacune sa propre personnalité. Sur Gran Canaria se trouve la seule ville véritablement importante, Las Palmas, centre administratif de la province, et la plus grosse station balnéaire, Maspalomas, vouée, avec Playa del Inglés, au tourisme de masse. Les longues plages blanches de Fuerteventura n'ont pas connu un développement de cette ampleur et il reste possible de jouir de l'intimité entre leurs dunes. Lanzarote propose aussi de belles plages. L'activité volcanique a créé à l'intérieur des terres des paysages étranges.

La plage de Corralejo au nord de Fuerteventura

Le port de plaisance de Puerto Rico, dans le sud de Gran Canaria

Circuler

La longueur du trajet en bateau, depuis Cadix *(p. 629)*, fait de l'avion *(p. 628)* le moyen de transport le plus utilisé pour gagner les Canaries orientales. Des vols intérieurs desservent toutes les îles de l'archipel. Des ferries assurent en outre des navettes régulières. Pratiques dans les villes, taxis et transports publics se révèlent coûteux sur de longues distances. Des loueurs de voitures proposent leurs services aux aéroports et aux débarcadères des ferries. Les routes principales sont parfois engorgées sur Gran Canaria. Atteindre certaines plages isolées requiert un véhicule tout terrain.

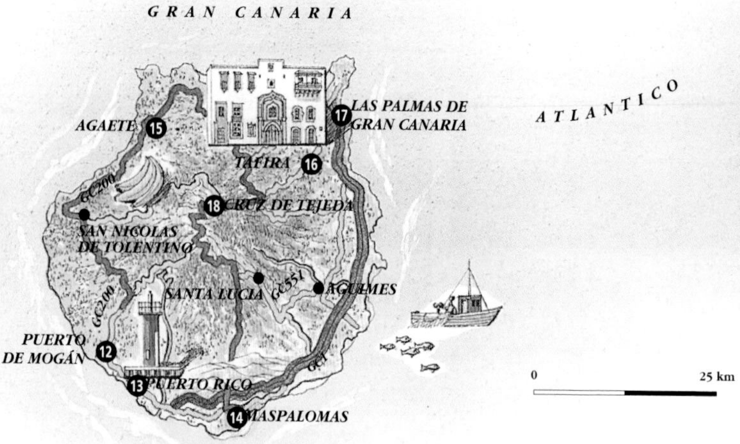

Les Canaries orientales d'un coup d'œil

Légende

- Autoroute
- Route principale
- Route secondaire
- Parcours pittoresque
- Cours d'eau
- Point de vue

Voir aussi

- ***Hébergement*** p. 570-571
- ***Restaurants et bars*** p. 608-609

Volcans des montañas de Fuego, Parque Nacional de Timanfaya, Lanzarote

Gran Canaria

Fermier et son âne

Trois millions de visiteurs se rendent chaque année à Gran Canaria (la Grande Canarie) et l'île possède avec Las Palmas la cité la plus peuplée de l'archipel.

Maspalomas-Playa del Inglés, au sud, est l'une des plus importantes stations balnéaires d'Espagne. Le développement touristique a entraîné dans les deux agglomérations la construction de hauts immeubles et d'ensembles résidentiels, mais il suffit de s'en éloigner un peu pour découvrir de magnifiques paysages dont la variété, des étendues arides du sud aux gorges creusant le haut volcan central, vaut à cette île de 1 532 km² d'être comparée à un continent en miniature.

Puerto de Mogán ⓬

Las Palmas. 1 500. *Avenida Tomás Roca Bosch, 928 56 91 00.* *ven.* *Virgen del Carmen (juil.).*

Au débouché de la verte vallée de Mogán, voici l'un des aménagements modernes les plus réussis de Gran Canaria. À l'opposé de la débauche de béton de Playa del Inglés, il évoque un village avec ses jolies maisons blanches agrémentées de plantes grimpantes qui entourent un petit port de pêche. L'ensemble comprend également un hôtel, des boutiques, des bars et des restaurants.

Abritée entre des falaises, la plage de sable se révèle cependant un peu petite pour le nombre des visiteurs et mieux vaut disposer d'une voiture, ou prendre le ferry, pour profiter des possibilités offertes par Maspalomas.

Bain de soleil à Puerto Rico

Puerto Rico ⓭

Las Palmas. 1 800. *Avenida de Mogán, 928 56 00 29.* *María de Auxiliadora (mai).*

Des immeubles envahissent désormais les falaises dénudées situées à l'ouest de Maspalomas. Devenue une station trop développée, Puerto Rico possède néanmoins une des plages les plus agréables de l'île et propose un large éventail d'activités nautiques. Avec le plus fort taux d'ensoleillement d'Espagne, c'est un bon endroit où se détendre en bronzant, apprendre à nager, ou s'initier à la plongée sous-marine ou à la planche à voile.

Vacanciers sur la plage de sable doré de Puerto Rico

Arcs fleuris dans une rue de Puerto de Mogán

Maspalomas ⓮

Las Palmas. 38 700. *Avda de España, 928 76 25 91.* *mer. et sam.* *San Bartolomé (24 août).* www.maspalomas-web.org

En arrivant de l'aéroport de Las Palmas par l'autoroute, cette immense station balnéaire forme au premier abord un ensemble indistinct, mais trois agglomérations séparées se découvrent peu à peu. **San Agustín**, à l'est, offre plus de calme que les autres avec ses plages de sable sombre abritées par des falaises basses, ses promenades aménagées en jardins et son casino.

La sortie suivante conduit à **Playa del Inglés**, la station la plus vaste et la plus animée, triangle de terre faisant saillie dans une longue ceinture de sable doré. Son développement touristique commença dans les années 1950 et un dédale de routes relie de gigantesques blocs d'immeubles. La plupart des hôtels disposent d'une piscine, mais beaucoup n'ont pas vue sur la mer. À la tombée du jour s'allument les néons de plus de 300 restaurants et 50 boîtes de nuit.

À l'ouest de Playa del Inglés s'étendent les **Dunas de Maspalomas**, réserve naturelle protégée de toutes nouvelles constructions. Un groupe d'hôtels de luxe se dresse à leur limite occidentale marquée par un phare. Derrière les dunes, des bungalows entourent un golf.

L'éventail des distractions proposées inclut différents sports nautiques, des excursions organisées, la pratique du kart, des promenades en dromadaire et des parcs d'attractions. Parmi ces derniers, les plus agréables sont le **Palmitos Park** aux jardins subtropicaux peuplés d'oiseaux exotiques et **Sioux City** inspiré de l'univers du western.

Palmitos Park
Barranco de los Palmitos.
928 14 12 76. *t.l.j.*

Sioux City
Cañón del Águila. *928 76 25 73.*
du mar. au dim.

Côte rocheuse et falaises près d'Agaete

Agaete ⓯

Las Palmas. *5 800.* *Calle Antonio de Armas 1, 928 89 80 02.*
Fiesta de la Rama (4 août).

Gran Canaria possède sur son flanc nord, où des plantations de bananiers s'étagent sur les pentes dominant le littoral, une végétation bien plus luxuriante qu'au sud.

Agaete, aux maisons blanches à terrasses dispersées autour d'une baie rocheuse, se transforme actuellement en petite station balnéaire. En août s'y déroule la Fiesta de la Rama, rituel hérité des Guanches *(p. 523)*. Portant des branchages, des villageois descendent en procession des collines au-dessus du village jusqu'à la mer où ils battent l'eau pour faire tomber la pluie.

Le petit **Ermita de las Nieves** abrite un beau triptyque flamand du XVIe siècle et des maquettes de bateaux de pêche. Pour visiter le **Huerto de las Flores**, un jardin botanique, demandez la clé à l'hôtel de ville situé dans la même rue.

Aux environs

Un bref détour à l'intérieur des terres par le barranco de Agaete vous conduira dans une vallée fertile plantée de papayers, de manguiers et de citronniers. Au nord d'Agaete, les villes de Guía et de Gáldar présentent peu d'intérêt hors de leurs églises paroissiales qu'ornent des œuvres de José Luján Pérez, sculpteur canarien du XVIIIe siècle.

Non loin, en direction de la côte nord, se découvre le **Cenobio de Valerón**, falaise percée de quelque 300 grottes sous un arc en basalte. Les Guanches s'en servaient, pense-t-on, comme réserves de grains et refuges en cas d'attaque. Les jeunes filles s'y retiraient avant leur mariage.

Huerto de las Flores
Calle Huertas. *t.l.j.*

Les dunes de Maspalomas s'étendent sur plusieurs kilomètres

Tafira ⓰

Las Palmas. 23 000.
Jardín Canario, 928 35 36 04.
San Francisco (oct.).

Les collines au sud-ouest de Las Palmas sont depuis longtemps un lieu de résidence apprécié et Tafira garde une légère atmosphère coloniale avec ses villas patriciennes. Le principal intérêt d'une visite réside toutefois dans son jardin botanique, le **Jardín Canario** fondé en 1952. Il reconstitue les habitats naturels de plantes de toutes les Canaries.

Près de La Atalaya se trouve l'un des sites les plus impressionnants de Gran Canaria : la **caldera de la Bandama**, cratère circulaire d'un diamètre de 1 km et d'une profondeur de 200 m dont le mirador de Bandama offre la meilleure vue. Au sud, le **barranco de Guayadeque**, vallée aux rochers rougeâtres, recèle des habitats troglodytiques, dont certains creusés à la fin du XVe siècle.

Palmiers dans leur environnement naturel au Jardín Canario, Tafira

Jardín Canario
Carretera de Dragonal, Tafira.
928 35 36 04. t.l.j.
www.step.es/jardcan

Las Palmas de Gran Canaria ⓱

Las Palmas. 355 000.
Parque de Santa Catalina, 928 21 96 00. Carnaval (fév.-mars).

La plus grande ville des Canaries possède un port très actif où accostent un millier de bateaux chaque mois. La cité a connu un développement en plusieurs étapes et son organisation peut se révéler déconcertante.

Le port commercial moderne, le puerto de la Luz, s'étend sur la rive orientale d'un isthme qui rejoint l'ancienne île de La Isleta, un quartier militaire et de pêcheurs. Une longue bande de sable doré forme de l'autre côté de l'isthme la **playa de las Canteras** bordée d'une promenade, de bars, de restaurants et d'hôtels.

Depuis l'isthme, le centre-ville s'étire le long de la côte. Pour le découvrir en vous promenant, commencez près du port par le **Parque Santa Catalina** agrémenté de cafés et de kiosques à journaux. Dans le quartier résidentiel de Ciudad Jardín se trouvent le casino Santa Catalina et le Parque Doramas qui comprend le **Pueblo Canario** où les visiteurs peuvent assister à des danses folkloriques, acquérir de l'artisanat local et admirer des œuvres du peintre Néstor de la Torre (1887-1937). Gravir la colline en direction du quartier d'Altavista et du paseo Cornisa ménage une vue plongeante sur cette partie de Las Palmas.

Chien de bronze, plaza Santa Ana

Au bout de la ville s'atteint le barrio Vegueta dont la fondation remonte à la conquête espagnole. Entreprise en 1497, la **Catedral de Santa Ana** marie styles gothique et Renaissance et abrite à la croisée du transept des sculptures par José Luján Pérez. À côté s'ouvre le **Museo Diocesano de Arte Sacro**. Les chiens de bronze qui gardent la place rappellent que le nom des Canaries découlerait du mot latin « *canis* ».

Non loin, la **Casa de Colón**, maison de la fin du XVe siècle où séjourna Christophe Colomb, propose un musée consacré à ses découvertes. Il présente des cartes et des maquettes. Le **Museo Canario** offre un aperçu de la culture des Guanches à travers des momies, poteries, outils et bijoux.

La Casa de Colón, musée de Las Palmas consacré à Christophe Colomb

Museo Diocesano de Arte Sacro
Calle Espiritu Santo 20. 928 31 49 89.
du lun. au sam. jours fériés.

Casa de Colón
Calle Colón. 928 31 23 84. t.l.j.

Museo Canario
Calle Doctor Verneau 2. 928 33 68 00. t.l.j.

Excursion de Cruz de Tejeda ⑱

Depuis n'importe quel point de la côte, l'intérieur montagneux de Gran Canaria se prête merveilleusement à une excursion. Préférez toutefois une belle journée pour jouir pleinement des panoramas. Au départ de Maspalomas, l'itinéraire emprunte des gorges arides qui deviennent plus fertiles avec l'altitude. Près du centre de l'île, les routes sinuent à flanc de montagne entre de jolis villages et des points de vue d'où peut s'apercevoir le pico del Teide *(p. 514-515)*. Sur le flanc nord, beaucoup plus vert, poussent fruits exotiques et eucalyptus.

Fermes sur la route de Teror

Artenara ②
Une des grottes artificielles creusées dans le tuf de ce village abrite une petite église, une autre un restaurant insolite : le Mesón de la Silla.

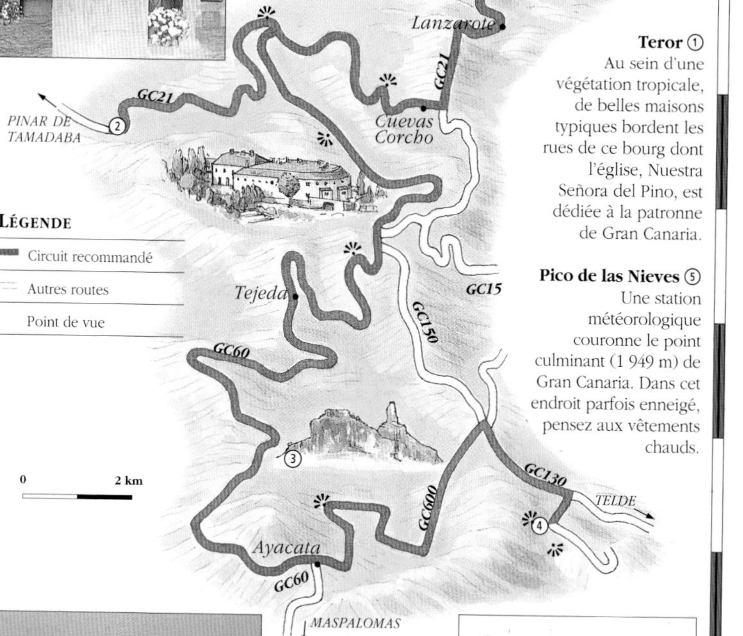

Teror ①
Au sein d'une végétation tropicale, de belles maisons typiques bordent les rues de ce bourg dont l'église, Nuestra Señora del Pino, est dédiée à la patronne de Gran Canaria.

Pico de las Nieves ⑤
Une station météorologique couronne le point culminant (1 949 m) de Gran Canaria. Dans cet endroit parfois enneigé, pensez aux vêtements chauds.

Roque Nublo ④
Cette aiguille de basalte haute de 68 m se dresse à 1 700 m d'altitude. Avec le Roque Bentayga voisin, elle était sacrée pour les Guanches. L'ascension est rude.

Carnet de route

Itinéraire : *35-45 km.*
Où faire une pause : *Pour déjeuner, au Mesón de la Silla d'Artenara.*
Avertissement : *méfiez-vous de l'étroitesse des routes et des nappes de brumes qui peuvent surgir brusquement.*

Fuerteventura

Située à 115 km des côtes du Sahara et brûlée par ses vents, Fuerteventura, d'une superficie de 1 731 km², est l'île des Canaries la plus vaste après Tenerife, mais aussi la moins densément peuplée. Tout en longueur et d'une altitude maximale de 900 m, elle compte moins d'habitants (30 000) que de chèvres. Rasées par les colons européens pour faire du bois d'œuvre, ses anciennes forêts ont laissé place à une garrigue soumise à l'érosion, et la sécheresse impose d'importer de l'eau. Bien que le tourisme constitue sa seule ressource significative, cette industrie reste peu développée par rapport au reste de l'archipel. Plus de 150 plages superbes attirent cependant un nombre croissant d'amoureux du soleil, de la mer et de la nature, notamment des plongeurs sous-marins et des naturistes.

Troupeau de chèvres près de l'aéroport de Fuerteventura

Península de Jandía ⓳

Las Palmas. Costa Calma, Morro Jable. (vedette) depuis Gran Canaria. Centro Comercial, Plage de Jandía, local n°88, 928 54 07 76.

De superbes plages de sable clair bordent la longue péninsule qui s'étire au sud de Fuerteventura et une série d'*urbanizaciones* (ensembles résidentiels) jalonnent désormais une grande partie de sa côte orientale (Sotavento), la plus protégée.

Costa Calma, où bourgeonnent des immeubles modernes, possède les plages les plus intéressantes, longues bandes de sable entrecoupées de falaises basses et de criques. Au delà de **Morro Jable**, village de pêcheurs étouffé par des constructions récentes, la route se transforme en une piste cahoteuse qui continue en direction du phare isolé de Punta de Jandía.

Accessibles uniquement en véhicule tout terrain, de belles plages s'étendent également sur la côte ouest exposée au vent (Barlovento). Leurs eaux recèlent une faune marine subtropicale qui les rend populaires auprès des plongeurs.

Jandía appartenait pendant la Deuxième Guerre mondiale à un entrepreneur allemand et des rumeurs d'espionnage, de sous-marins et de bases secrètes nazies continuent aujourd'hui de circuler.

Betancuria ⓴

Las Palmas. 735. Calle Amador Rodríguez 6, 928 87 80 92. San Buenaventura (14 juil.).

À l'intérieur de l'île, les cônes de volcans éteints séparés par de larges plaines composent des paysages d'une grandeur austère. Quelques villages sévères et des moulins qui servaient jadis à pomper l'eau des puits ponctuent les basses terres parfois assez fertiles pour porter de maigres plantations ou des palmiers. Au-delà se découpe la silhouette dénudée des collines. De loin, elles paraissent brunes et grises. En approchant, les rochers présentent une étonnante palette de mauves, de roses et d'ocres, un spectacle à apprécier au coucher du soleil.

Décor d'autel doré dans l'Iglesia Santa María, Betancuria

Village au creux d'un petit volcan, Betancuria doit son nom à l'aventurier normand Jean de Béthencourt qui conquit l'île en 1402 et fonda ici sa capitale pour se protéger des pirates. L'**Iglesia de Santa María** abrite des autels au décor doré, des poutres peintes et des reliques. Demandez la clé dans la maison d'à côté. Le **Museo Arqueológico** présente des objets liés aux Guanches et découverts dans la région.

Aux environs

Au sud, le joli village de **Pájara** possède une église du XVIIe siècle au portail décoré de motifs aztèques tels que soleils, serpents et autres animaux étranges. Elle abrite les statues d'une radieuse Vierge à l'Enfant, argent et blanche, et de la Virgen de los Dolores, en noir.

Les troupes espagnoles avaient jusqu'au XIXe siècle leur quartier général à **La Oliva**, au nord. La Casa de los Coroneles est un grand bâtiment d'un jaune délavé à la façade percée de très nombreuses fenêtres. Des plafonds à caissons ornent l'intérieur. L'église fortifiée mérite également une visite, ainsi que le centre d'exposition qui présente des œuvres d'artistes canariens.

Museo Arqueológico

Calle Roberto Roldán. 928 87 82 41. du mar. au dim.

Caleta de Fustes 21

Las Palmas. 785. Calle dos Avenidas 10, El castillo, 928 16 32 86. sam. Día del Carmen (16 juil.).

Au sud de Puerto del Rosario, sur la côte orientale de l'île, les immeubles bas de centres de vacances forment un ensemble harmonieux autour d'une baie en fer à cheval où descend en pente douce une plage de sable fin. Le plus important de ces complexes résidentiels, El Castillo, tire son nom d'une tour de guet du XVIIIe siècle proche du port. Près de la plage, boutiques et restaurants forment autour d'une place centrale le Pueblo Majorero.

La beauté du site, son calme et la possibilité de pratiquer de nombreux sports nautiques et de s'initier à la plongée sous-marine et à la planche à voile font de Caleta une station très agréable.

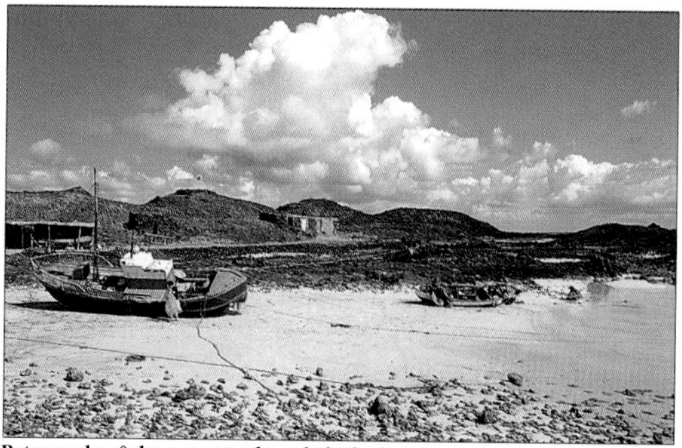

Bateaux de pêche sur une plage de l'isla de Lobos au large de Corralejo

Puerto del Rosario 22

Las Palmas. 28 200. Avenida de la Constitución 5, 928 53 08 44 El Rosario (7 oct.).

Fondée en 1797, la capitale commerciale et administrative de Fuerteventura portait à l'origine le nom de Puerto de Cabras (Port des Chèvres) à cause d'une gorge voisine où s'abreuvaient les troupeaux. On décida en 1957 de la rebaptiser afin d'améliorer son image. La ville manque cependant de charme malgré l'animation créée par son port où accostent les ferries circulant entre les îles de l'archipel. La légion étrangère espagnole y occupe une grande caserne.

Les Guanches

Quand Français et Espagnols entreprirent la conquête des Canaries à partir du début du XVe siècle, ils affrontèrent un peuple de haute taille et à la peau claire qui ne connaissait pas les métaux et momifiait ses morts. « Guanche » était le nom d'une tribu de Tenerife, mais il devint générique pour les Européens et aucun autre n'est resté. Les origines des Guanches demeurent méconnues, mais, bien qu'ils ne fabriquaient pas de bateaux, il semble probable qu'ils arrivèrent dans l'archipel en provenance d'Afrique du Nord au IIe ou au Ier siècle av. J.-C. Ceux qui ne périrent pas pendant l'invasion furent vendus comme esclaves ou se fondirent dans la population des conquérants. Il ne subsiste que peu de traces de leur culture.

***Les témoignages** laissés par les Guanches, exposés dans plusieurs musées des Canaries, comprennent des corps momifiés et des vêtements en peau, ainsi que des outils et des bijoux en pierre, en coquillages, en os ou en bois.*

Mortier en pierre

Panier guanche

Corralejo 23

Las Palmas. 5 700. Plaza Pública, 928 86 62 35. lun., mar., jeu., ven. Día del Carmen (16 juil.).

Ce village de pêcheurs est devenu, avec la péninsule de Jandía, l'une des deux stations balnéaires les plus importantes de l'île. De magnifiques dunes évoquant par endroits le Sahara s'étendent au sud. La décision d'en faire une réserve naturelle a malheureusement été prise trop tard pour empêcher la construction de deux hôtels sur la plage.

Un quartier animé où abondent les restaurants de poisson entoure le port d'où partent des ferries pour Lanzarote, une traversée de 40 mn.

La petite isla de Lobos doit son nom aux phoques moines *(lobos marinos)* qui s'y pressaient jadis. Ce sont aujourd'hui les plongeurs sous-marins et les véliplanchistes qui profitent de ses eaux limpides. Les visiteurs au tempérament moins sportif peuvent emprunter des vedettes à fond vitré pour la rejoindre.

Lanzarote

D'une superficie de 813 km², la plus orientale des îles Canaries ne porte pratiquement pas un arbre et souffre en permanence du manque d'eau. De nombreux visiteurs la considèrent pourtant comme la plus belle de l'archipel avec ses cultures sur cendres noires, ses longues plages de couleurs variées et ses étranges paysages volcaniques dont le parc national de Timanfaya protège la partie la plus spectaculaire. Ses habitants tirent fierté d'avoir su préserver Lanzarote des pires effets du tourisme, notamment les murs de béton. Une démarche pour laquelle l'artiste César Manrique fit beaucoup.

Le vent fournit à Lanzarote une partie de son électricité

Playa Blanca ㉔

Las Palmas. 4 000. Calle El Varadero 2, 928 51 90 18. Nuestra Señora del Carmen (juil.).

Ancien village de pêcheurs dont le souvenir reste visible autour du port, cette agréable station balnéaire visant une clientèle familiale garde du caractère. Elle propose de nombreux cafés, restaurants et boutiques et plusieurs grands hôtels. Les bâtiments sont toutefois suffisamment dispersés pour que le calme règne, sauf exception, la nuit.

Les plages les plus séduisantes ne sont pas les plus proches de la ville mais se cachent derrière les promontoires rocheux situés à l'est dans des criques aux eaux limpides et tièdes où tout vêtement semble superflu. Si vous ne souhaitez pas vous contenter de la plus célèbre, la **playa Papagayo**, quelques efforts devraient vous permettre d'en trouver une où jouir de la solitude. Mieux vaut toutefois disposer d'un véhicule tout terrain pour emprunter les pistes étroites conduisant en ces lieux isolés.

Plage de Las Coloradas près de Playa Blanca dans le sud de l'île

Parque Nacional de Timanfaya ㉕

Las Palmas Yaiza. Icoma, 928 84 02 38. depuis Arrecife. t.l.j. www.mma.es

Entre 1730 et 1736, les coulées de lave produites par une succession d'éruptions recouvrirent onze villages de Lanzarote et quelque 200 km² de ses terres les plus fertiles. Par miracle il n'y eut pas de victimes, mais le désastre contraignit à l'émigration de nombreux habitants de l'île.

Aujourd'hui, les volcans qui la dévastèrent lui offrent une de ses attractions les plus lucratives : les **montañas de Fuego**. Ces montagnes de Feu font partie du Parque Nacional de Timanfaya fondé en 1974. Du petit village de Yaiza, vous pourrez gravir à dos de dromadaire les pentes volcaniques pour découvrir une vue extraordinaire du parc dont l'entrée se trouve quelques kilomètres plus au nord. Après avoir repris votre voiture et acquitté un péage, vous traverserez un paysage dantesque, où de lugubres cônes rouge-noir dominent des cendres nues, avant d'atteindre

César Manrique (1920-1992)

Après plusieurs années passées en Espagne péninsulaire et aux États-Unis, l'artiste César Manrique revint en 1968 s'installer à Lanzarote où il fit campagne pour le respect de l'architecture et de l'environnement, entre autres par le biais de critères esthétiques imposés aux nouvelles constructions. Des douzaines de sites touristiques des Canaries portent la marque de son talent et de son enthousiasme.

César Manrique en 1992

Promenade à dos de dromadaire dans les montañas de Fuego

finalement **Islote de Hilario**. Vous pourrez vous garer au restaurant panoramique El Diablo. De là, des bus emmènent les visiteurs pour d'enthousiasmantes excursions d'une heure à travers un territoire désolé et lunaire.

De retour à El Diablo, le guide fera la démonstration que le volcan n'est qu'en sommeil. Des fagots poussés dans des crevasses s'enflamment presque immédiatement, tandis que de l'eau versée dans des tubes enterrés jaillit dans un nuage de vapeur.

La route entre Yaiza et la côte conduit aux **salinas de Janubio** aménagées dans un ancien cratère volcanique. Non loin se trouvent les sources d'eau bouillante de **Los Hervideros** et, plus au nord, l'étrange lagune d'**El Golfo**.

Puerto del Carmen 26

Las Palmas. 13 700. *Avenida de la Playa, 928 51 53 37.* *Nuestra Señora del Carmen (juil.).* www.turismolanzarote.com

Plus de 60 % des touristes de Lanzarote séjournent dans cette vaste station balnéaire où, pendant plusieurs kilomètres, la route côtière traverse un alignement continu de banques, de bureaux de change, de boutiques, de bars, de restaurants, de boîtes de nuit et d'agences de location de voitures. Derrière les arcades la bordant se découvrent d'innombrables villas, immeubles et hôtels blancs.

Malgré leur densité, les édifices, aux lignes agréables, ne forment pas un décor oppressant. Tous jouissent d'un accès aisé à une longue plage de sable doré, la playa Blanca. Le village original se trouve à l'ouest du port.

Pêcheur dans le port d'Arrecife

Arrecife 27

Las Palmas. 42 200. *Blas Cabrera Felipe, 928 81 17 62.* *sam.* *San Ginés (25 août).*

Malgré ses édifices modernes et ses rues animées, le centre administratif et commercial de Lanzarote a conservé beaucoup de charme avec ses promenades plantées de palmiers, une belle plage et deux petits forts. César Manrique a rénové le **Castillo de San José** (1779). Le musée d'art contemporain qui l'occupe présente une de ses peintures. La **Casa de los Arroyo**, qui contient une remarquable bibliothèque scientifique, est ouverte au public.

La Casa de los Arroyo
Arrecife. *928 80 17 29.*
du lun.- ven.

Castillo de San José
Puerto de Naos. *928 81 23 21.*
t.l.j. *1er jan., 24 déc.*

Costa de Teguise 28

10 km au nord d'Arrecife. *Avda Islas Canarias 11-12, 928 82 72 92.*

Cette station balnéaire en grande partie financée par un groupe minier a transformé les terres arides au nord d'Arrecife en une vaste juxtaposition d'immeubles résidentiels, de clubs de vacances et d'hôtels de luxe qui offre un contraste frappant avec la vieille ville de Teguise, ancienne capitale de Lanzarote. Des boulevards bordés de plantes artificielles et de lampadaires traversent un paysage de cendres dénudées pour donner accès à des villas blanches alignées le long de petites plages de sable. Les investisseurs ont partiellement réussi à séduire la clientèle huppée qu'ils visaient et le roi Juan Carlos a une propriété ici.

Plage aménagée à Puerto del Carmen

Iglesia de San Miguel sur la place principale de Teguise

Teguise 29

Las Palmas. 11 500. Plaza General Franco 1, 928 84 50 72. dim. Día del Carmen (16 juil.), Las Nieves (5 août).

Capitale de Lanzarote jusqu'en 1618, Teguise évoque l'Espagne coloniale avec ses larges rues pavées et ses maisons patriciennes groupées autour de l'**Iglesia de San Miguel**. Le dimanche, des danses folkloriques animent un marché d'artisanat. À la sortie de la ville, le château de Santa Bárbara abrite le **Museo del Emigrante Canario** consacré aux émigrants canariens en Amérique latine.

Aux environs
La route intérieure au sud de Teguise traverse l'étrange région agricole de **La Geria**. Déposées dans des creux protégés du vent, des cendres volcaniques retiennent l'humidité et permettent, entre autres, la culture de la vigne. Le village de **Mozaga** est le principal centre de production viticole. Non loin s'admire le *Monumento al Campesino*, sculpture moderne par Manrique *(p. 524)* dédiée aux paysans de Lanzarote.

À mi-chemin de Teguise et d'Arrecife, la **Fundación César Manrique** occupe l'ancienne demeure de l'artiste qui incorpore cinq grottes. Elle présente certaines de ses œuvres et sa collection d'art contemporain.

Museo del Emigrante Canario
Montaña de Guanapay.
928 84 50 74. t.l.j.

Fundación César Manrique
Taro de Tahíche.
928 84 31 38. t.l.j.

Haría 30

Las Palmas. 4 000. Plaza de la Constitución 1, 928 83 52 51. San Juan (24 juin).

Palmiers et blanches maisons cubiques donnent un cachet oriental à ce village pittoresque. La route qui en part vers le nord offre des vues superbes sur des falaises et le monte Corona (609 m).

Aux environs
Depuis le **mirador del Río** conçu par Manrique se découvrent les petites îles de la Graciosa, de la Montaña Clara et d'Alegranza. La Graciosa s'atteint en bateau depuis le charmant village de pêcheurs d'**Orzola**. Au sud de celui-ci s'étendent les plantations de figuiers de Barbarie de la Mala. On extrait une teinture écarlate des cochenilles infestant ces cactées. Non loin, le **Jardín de Cactus**, riche en plantes grasses, possède un élégant restaurant dessiné lui aussi par Manrique.

Mirador del Río
Haría. *928 17 35 36. t.l.j.*

Jardín de Cactus
Guatiza. *928 52 93 97. t.l.j.*

Culture sur cendres volcaniques, La Geria

Piscine aménagée au-dessus des grottes de Jameos del Agua

Jameos del Agua 31

Las Palmas. 928 84 80 20. t.l.j.

Dans les grottes formées à Jameos del Agua par l'effondrement de la croûte de lave, César Manrique créa de 1965 à 1968 un complexe comprenant un restaurant, une boîte de nuit, une piscine bordée de palmiers et des jardins. Des marches descendent jusqu'à une nappe peu profonde d'eau de mer où des crabes blancs et aveugles, inconnus ailleurs à Lanzarote, luisent doucement dans la lumière tamisée. Une exposition sur la géologie, la flore et la faune des Canaries mérite également un coup d'œil. Ce cadre original accueille régulièrement des danses folkloriques en soirée.

Aux environs
Des visites guidées permettent de découvrir non loin la **cueva de los Verdes**, grotte tubulaire de 6 km.

Cueva de los Verdes
Haría. *928 17 32 20. t.l.j.*

Îles volcaniques

Son origine volcanique a donné à l'archipel des Canaries des paysages particuliers et très variés : champs de scories, coulées de laves ou immenses volcans aux profonds cratères. Les îles ne présentent pas toutes les mêmes stades d'évolution. Une activité volcanique subsiste à Lanzarote, comme le prouvent les expériences visibles aux montañas de Fuego *(p. 524)*, ainsi qu'à Tenerife, El Hierro et La Palma où eut lieu en 1971 la dernière éruption.

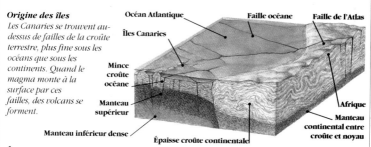

Origine des îles
Les Canaries se trouvent au-dessus de failles de la croûte terrestre, plus fine sous les océans que sous les continents. Quand le magma monte à la surface par ces failles, des volcans se forment.

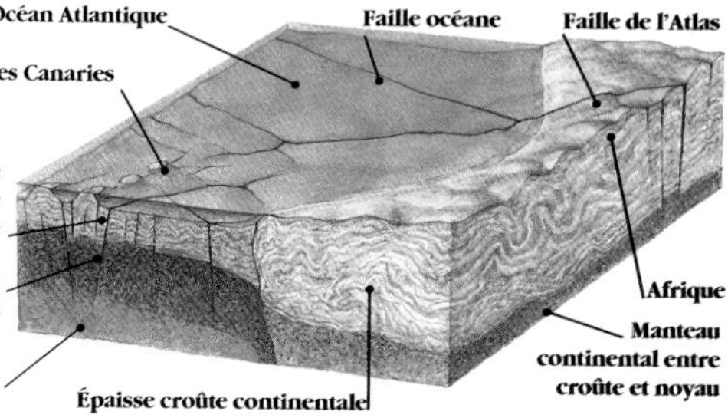

Évolution des Canaries

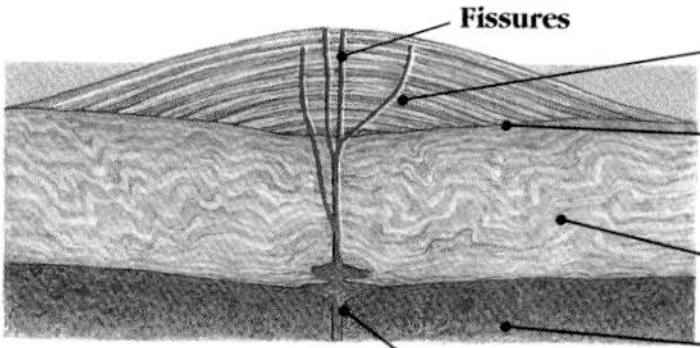

1 ***Lanzarote, El Hierro et La Palma*** *sont de larges volcans boucliers peu pentus et posés sur le fond de l'océan. Composés de basalte issu d'un magma dense, ils déforment sous leur poids la croûte flexible.*

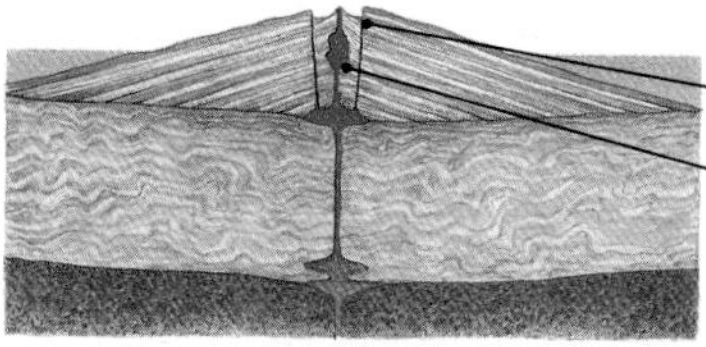

2 ***Une éruption explosive*** *peut vider une chambre magmatique. Sans support, sa voûte s'effondre sous le poids du sommet du volcan et il se forme une dépression, ou caldera, telle celle de Las Cañadas à Tenerife. D'importantes coulées de lave accompagnent ce processus.*

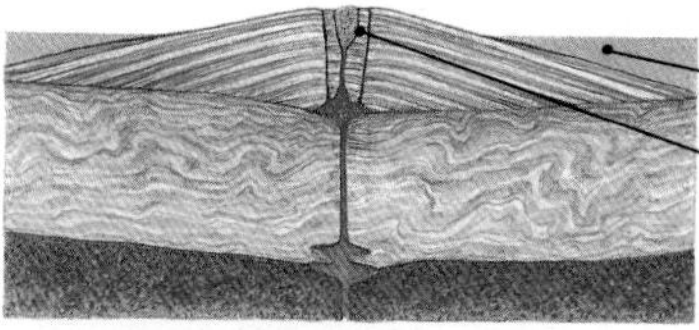

3 ***Si les éruptions cessent****, la mer, le vent et la pluie érodent le volcan. Le plus important de Gran Canaria n'est qu'au premier stade de cette érosion, contrairement à celui de Fuerteventura dont affleurent des chambres magmatiques au contenu solidifié.*

Coulée de lave, La Restinga, El Hierro

Cratère du pico Viejo, près du Teide, Tenerife *(p. 514)*

RESTAURANTE
Heger

Les bonnes adresses

Hébergement

Châteaux médiévaux transformés en hôtels de luxe et manoirs en auberges de jeunesse témoignent de la diversité des hébergements en Espagne. Le tourisme est un des piliers de l'économie du pays qui compte près de 10 000 établissements, soit 1 million de lits environ. Les suites aménagées dans d'anciens palais royaux et les palaces des plages de la Costa del Sol, des Baléares et des Canaries sont les plus somptueux. On peut aussi loger dans des fermes, des villas ou des maisons anciennes à louer. Ceux qui ont un petit budget peuvent résider dans les pensions, dans les *casas rurales* familiales, dans les chambres d'hôtes, campings et refuges. Nous avons sélectionné, dans chaque style et pour tous les prix, certains des meilleurs établissements de toutes catégories *(pages 536 à 571)*.

Enseigne d'un hôtel cinq étoiles

Hotel de la Reconquista à Oviedo, demeure du XVIIIe siècle *(p. 539)*

Le classement des hôtels et le service

Les hôtels sont classés en plusieurs catégories par les autorités touristiques régionales. Les hôtels (indiqués par un H sur une plaque bleue près de la porte) peuvent avoir de une à cinq étoiles. Les hostals (Hs) et les pensions (P) ont moins de commodités, mais sont moins chers que les hôtels.

L'attribution des étoiles dépend du nombre et de la gamme des installations disponibles (climatisation, ascenseur, etc.), plutôt que de la qualité du service.

La plupart des hôtels ont des restaurants ouverts aux non-résidents. Les hotel-residencias (HR) et les hostal-residencias (HsR) n'ont pas de salle de restaurant, mais certains servent le petit déjeuner. **Grupo Sol-Meliá, Grupo Riu** et **NH** comptent parmi les principales chaînes d'hôtels d'Espagne.

Les paradors

Les paradors, classés de trois à cinq étoiles, sont des hôtels gérés par le gouvernement. Le premier ouvrit dans la sierra de Gredos en 1928 *(p. 556)*, mais il en existe maintenant un vaste réseau sur le continent et dans les îles. À proximité les uns des autres, il ne faut jamais plus d'un jour de voiture pour atteindre le plus proche. Les meilleurs sont installés dans d'anciens pavillons de chasse royaux, monastères, châteaux, etc., et les modernes se trouvent souvent dans des sites spectaculaires ou dans des villes historiques *(p. 534-535)*.

Si le parador n'est pas forcément le meilleur hôtel de la ville, il offre assurément un haut niveau de confort. Les chambres, généralement vastes et confortables, sont meublées d'une façon qui varie peu d'un parador à l'autre.

Si vous comptez voyager en pleine saison ou résider dans de petits paradors, mieux vaut réserver à l'avance par le **Central de Reservas** à Madrid, ou à Paris auprès de **Paradors et Pousadas**.

Les prix

Les hôteliers doivent afficher les prix à la réception et dans les chambres. Plus un hôtel a d'étoiles, plus il est cher. Une chambre double pour une nuit peut coûter 18 euros dans un hostal une étoile, mais plus de 180 euros dans un hôtel cinq étoiles et exceptionnellement plus de 240 euros.

Les tarifs varient selon la chambre, la région ou la saison. Une suite ou une chambre dotée d'une belle vue, d'un balcon ou de tout autre avantage peut coûter plus cher que la moyenne. Les hôtels de banlieue ou de campagne sont en général moins chers que ceux du centre-ville. Les prix indiqués aux pages 536 à 571 sont basés sur les tarifs de demi-saison ou de haute saison

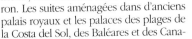

Le parador de Jaén, extension moderne d'un château médiéval *(p. 565)*

◁ ***Madrileños* profitant d'un après-midi ensoleillé à la terrasse d'un café de la Plaza Mayor** (juillet et août). Cette dernière va d'avril à octobre dans certaines régions et correspond à l'hiver aux Canaries.

La plupart des hôtels augmentent leurs tarifs durant la semaine de Pâques *(p. 34)*, la féria de Séville *(p. 413)* en avril, Los Sanfermines à Pampelune *(p. 128)* et le carnaval de Santa Cruz de Tenerife *(p. 35)*.

En général, le tarif des chambres et le prix des repas par personne ne comprend pas la TVA (IVA), qui est de 7 % dans presque toute l'Espagne, mais de 5 % aux Canaries.

La coupole de verre du hall du Palace Hotel à Madrid *(p. 553)*

Réservation et arrivée

Hors saison, dans les villages et les petites villes, il n'est pas indispensable de réserver. Si vous comptez voyager à la haute saison ou loger dans un hôtel précis, il vaut mieux réserver, directement ou par une agence de voyages. De même si vous voulez une chambre spéciale : ne donnant pas sur la rue, avec un lit double (les lits jumeaux sont la norme), au rez-de-chaussée, etc.

Les hôtels des stations balnéaires ferment souvent de l'automne au printemps. Vérifiez que votre hôtel est bien ouvert à cette période.

Normalement, on ne verse pas d'acompte à la réservation ; on peut vous en demander un, de 20 à 25 %, pour un séjour en période d'affluence ou de plusieurs nuits. Payez-le par carte de paiement ou chèque postal si vous êtes en Espagne. Sinon, réglez par carte de paiement ou chèque bancaire. Pour annuler votre réservation, faites-le au moins une semaine à l'avance ou vous pourriez perdre tout ou une partie de votre acompte.

Les réservations ne sont valables que jusqu'à 20 heures dans la plupart des hôtels sauf s'ils manquent de clients. En cas de retard, prévenez l'hôtel.

À votre arrivée, présentez votre passeport ou une carte d'identité pour être enregistré conformément à la réglementation de la police espagnole. Normalement, vos papiers vous seront remis dès que les informations vous concernant auront été notées.

Vous devez quitter votre chambre le dernier jour à midi ou payer pour une autre nuit.

Le paiement

Les hôtels acceptant les cartes de paiement sont indiqués aux pages 536 à 571. À votre arrivée, si on vous demande de signer une « facturette » de carte de paiement en blanc, refusez. Cette pratique est frauduleuse.

Certains hôtels acceptent les Eurochèques. Les chèques personnels, même garantis ou tirés sur une banque espagnole, sont refusés. Dans certains hôtels bon marché, le liquide est la seule forme de paiement acceptée.

Le pourboire pour un employé d'hôtel est de 1,5 à 2 euros environ.

La jolie plage de l'hôtel Meliá Salinas à Lanzarote *(p. 571)*

Les casas rurales

Les *casas rurales* sont des maisons à la campagne dont les propriétaires accueillent des visiteurs, en général à la haute saison. On en trouve surtout dans les Asturies, en Navarre, Aragon et Catalogne (où elles sont appelées *cases de pagès*), et aussi en Andalousie, Galice et Cantabrie *(casonas)*.

On trouve toute sorte de *casas rurales*, du manoir à la ferme isolée. Certaines n'offrent que le petit déjeuner, d'autres le dîner ou la pension complète.

Les *casas rurales* ne proposent pas un service ou des équipements de type hôtelier, mais pour un prix modique on trouve parfois un accueil chaleureux et une bonne cuisine.

Vous pouvez réserver directement ou par les associations régionales : **RAAR** (Andalousie) ; **Rutastur** (Asturies) ; **TVR** (Aragon) ; **Turisvero** (Catalogne).

El Nacimiento à Turre, ravissante *casa rural* andalouse *(p. 567)*

Les locations

Villas et appartements loués à la semaine sont légion le long des côtes espagnoles. À la campagne, dans de belles régions, vous trouverez maintes *casas rurales* (fermes et maisons de village) à louer à la journée. Pour plus de détails sur les *casas rurales*, contactez leurs organisations régionales *(p. 531)*.

Pour louer une villa ou un appartement, on peut s'adresser aux agents de voyages, agents immobiliers locaux ou aux propriétaires. Ceux-ci mettent des annonces dans les journaux français. Des tours-opérateurs comme **Havas** ou **Lagrange** proposent locations, appartements hôtels et villages de vacances.

Le prix de ces logements varie selon leur type, leur emplacement et la saison. Une villa pour quatre avec piscine peut coûter moins de 240 euros par semaine si elle est située dans les terres, 960 ou plus si elle est sur la côte.

L'appartement hôtel, appelé *villa turística* en Andalousie, est un nouveau type de logement. Mi-hôtel, mi-appartement de vacances, il permet de préparer ses repas (les chambres ont une cuisine) ou d'aller au restaurant de l'hôtel. De même pour les villages de vacances qui, eux, correspondent souvent à des centres d'intérêt spécifiques. Ainsi celui d'Ainsa, dans les montagnes aragonaises *(p. 547)* où sont pratiqués divers sports, offre-t-il plusieurs possibilités : camping, hôtel, restaurants et bars.

Villas de vacances typiques à Puerto del Carmen, île de Lanzarote, Canaries

Auberges de jeunesse et refuges de montagne

Pour loger dans les *albergues juveniles* (auberges de jeunesse), il faut une carte de la FUAJ (Fédération Unie des Auberges de Jeunesse) de votre pays ou une carte internationale en vente dans les auberges. Elles coûtent moins cher que les hôtels et accueillent des clients de tous les âges. Vous pouvez réserver directement ou par le **Red Española de Albergues Juveniles** (Réseau Espagnol des Auberges de Jeunesse).

Les passionnés de montagne peuvent dormir dans les *refugios* (refuges). Ils sont chauffés, proposent des dortoirs et des installations pour cuisiner. Cela va de la cabane avec quelques lits superposés au chalet de 50 lits.

Les *refugios* sont indiqués sur les cartes à grande échelle des zones montagneuses et des parcs nationaux. Gérés par les associations régionales d'alpinisme, ils appartiennent en général à des clubs. **La Federación Española de Montañismo** et les offices de tourisme locaux vous donneront leur adresse.

Le reposant monastère de La Oliva, en Navarre *(p. 126)*

Monastères et couvents

Qui aime la paix et l'austérité peut loger dans une des 150 institutions religieuses accueillant des hôtes. La plupart appartiennent aux ordres bénédictin et cistercien. Elles sont bon marché, mais ce ne sont pas des hôtels (réservez par écrit ou par téléphone). Quelques-unes sont dotées de téléphones privés et de la télévision. On peut vous demander de nettoyer votre chambre, d'observer les horaires stricts des repas et de participer à la vaisselle. Certains couvents n'acceptent que des femmes, certains monastères que des hommes.

Auberge de jeunesse en bordure de la réserve naturelle de Cazorla, Jaén

Le camping

L'Espagne compte plus de 600 campings, pour la plupart sur les côtes. Certains sont situés près des grandes villes, d'autres à la campagne dans les lieux les plus fréquentés. La plupart ont l'électricité et l'eau courante. Certains possèdent laveries, terrains de jeux, restaurants, boutiques, piscine, etc.

La carte camping internationale, en vente à la **Fédération Française de Camping Caravaning (F.F.C.C.)**, sert à s'inscrire dans les campings. Elle vient en complément de la carte d'adhérent à la F.F.C.C. qui vous apporte les garanties d'assurance.

Chaque année, Turespaña publie le guide *Guía Oficial de Campings*. Pour plus de détails ou pour réserver, contactez la **Federación Española de Empresarios de Campings y Ciudades de Vacaciones** (Fédération Espagnole des Campings et des Camps de Vacances). En Espagne, le camping n'est permis que dans les campings officiels.

Camping

Personnes handicapées

Les hôteliers vous renseigneront sur l'accès des personnes en fauteuil roulant et le personnel leur viendra volontiers en aide. Les hôtels sont rarement bien équipés, contrairement aux auberges de jeunesse. **Servi-COCEMFE** (Confederación Coordinadora Estatal de Minusválidos Fisicos de España) gère un hôtel à Madrid pour les groupes d'handicapés. Servi-COCEMFE et Viajes 2000 *(p. 613)* vous conseillent sur les hôtels pour les handicapés ayant des besoins spécifiques. **IHD France** (International Help for the Disabled France) se charge des problèmes d'hébergement et de transport.

Vue du refuge Cabina Verónica, dans les Pics d'Europe

Pour plus d'informations

Le guide *Guia oficial de hoteles*, publié chaque année par Turespaña, présente tous les hostals, hôtels et pensions du pays et indique leurs étoiles et leurs prix.

Il se vend dans les librairies et les kiosques d'Espagne et peut être consulté dans les offices espagnols du tourisme. Ceux-ci disposent aussi de listes régionales d'hébergements fournies par chaque *comunidad autónoma*.

Carnet d'adresses

Chaînes hôtelières

Grupo Riu
971 49 08 21.
FAX 971 74 38 98.
www.riuhotels.com

Grupo Sol-Meliá
902 14 44 44.
FAX 915 79 13 92.
www.solmelia.com

NH - Hoteles
914 51 97 18.
FAX 914 42 44 02.
www.nh-hoteles.es

Paradors

Central de Reservas
Calle Requena 3, 28013 Madrid.
915 16 66 66.
FAX 915 16 66 57.
www.parador.es

Paradors d'Espagne Marsans Intern.
10, rue du Fbg Montmartre, 75009 Paris.
01 53 34 40 00.
FAX 01 53 34 40 10.

Locations et séjours chez l'habitant

Associacion Gallega de Turismo Rural
Recinto Ferial, Apdo 26, Silleda 36540 Pontevedra.
986 58 00 50.
FAX 986 58 01 62.

RAAR
Apartado de Correos 2035, 04080 Almeria.
950 26 50 18.
FAX 950 27 04 31.
www.raar.es

Rutastur
C/Marques de Canillejas 12, Bajo, 33500 Llanes (Asturias).
902 10 70 70.
FAX 985 40 25 41.

Turisvero
Plaça Sant Josep Oriol 4, 08002 Barcelona.
934 12 69 84.
FAX 934 12 50 16.

TVR
C/Porches de Galicia 4, 22002 Huesca.
974 29 41 41.
FAX 974 29 41 29.

Auberges de jeunesse

Red Española de Albergues Juveniles
Gran Via 10, 28004 Madrid. 915 80 42 16.
FAX 914 02 21 94.
www.mtas.es/injuve

Refuges

Federación de Montañismo
C/ Floridablanca 75, 08015 Barcelona.
934 26 42 67.
FAX 934 26 33 87.

Camping

Fédération Française de Camping Caravaning
78, rue de Rivoli, 75004 Paris.
01 42 72 84 08.
FAX 01 42 72 70 21.

Federación de Empresarios de Campings
C/ San Bernardo 97-99, 28015 Madrid.
914 48 12 34.
FAX 914 48 12 67.
www.vayacamping.net

Personnes handicapées

IHD France
BP 62, 83480 Puget-sur-Argens.
04 94 81 61 51.
FAX 04 94 81 61 43.

Servi-COCEMFE
C/ Luis Cabrera 63, 28002 Madrid
917 44 36 00.
FAX 914 13 19 96.

Pour plus d'informations

Office du tourisme espagnol
43, rue Decamps, 75784 Paris Cedex 16.
01 45 03 82 50.
FAX 01 45 03 82 51.

Le meilleur de l'Espagne : les paradors

Le mot parador désigne en ancien espagnol un logement pour voyageurs respectables. À la fin des années 1920 fut créé un réseau national d'hôtels gérés par l'État ou paradors. Ces quelque 90 établissements sont souvent d'anciens châteaux, palais ou monastères. Certains ont été bâtis récemment dans des sites touristiques. Bien indiqués, les paradors ont des prix équivalents à ceux des autres hôtels de luxe. Tous offrent un confort et un service excellents et sont dotés de restaurants servant des plats régionaux.

***L'Hotel de los Reyes Católicos** est peut-être un des plus vieux au monde. Cet ancien hôpital fondé en 1499* (p. 537) *est un des plus beaux édifices de Compostelle* (p. 86).

***Le parador de León** est situé dans l'Hostal San Marcos, un des plus beaux édifices Renaissance d'Espagne* (p. 21). *Sa salle principale offre un beau plafond* (p. 556).

Le parador de Guadalupe, hospice bâti au XVIe siècle pour les pèlerins, est proche d'un célèbre monastère d'Estrémadure *(p. 560).*

***Le parador de Arcos de la Frontera** est dans un* pueblo blanco *(village blanc) typique. Sa grande terrasse en demi-cercle donne sur le château maure, le río Guadalete et un paysage agricole vallonné* (p. 563).

***Le parador de Granada** est situé dans un couvent du XVe siècle bâti dans les jardins de l'Alhambra sur ordre des Rois Catholiques. De vieux meubles espagnols ornent ses salles et ses chambres. Son patio est en fait une vieille chapelle sans toit. Réservez à l'avance* (p. 565).

***Le parador de Sigüenza**, imposant château sur une colline, est bâti autour d'une grande cour. Forteresse wisigothe puis maure, il est relié à la vieille ville en contrebas par une rue pavée et pentue* (p. 559).

Le parador de Viella, situé dans la spectaculaire Vall d'Arán, est entouré de sommets élevés. Les activités de plein air sont variées : ski, chasse et pêche *(p. 547)*.

***Le parador d'Alcañiz** est situé dans un château-monastère bâti au XIIe siècle par les chevaliers de Calatrava. Malgré sa taille, il n'a que 12 chambres. Le cloître est désormais un jardin paisible* (p. 548).

Le parador de Cuenca, dans l'ancien couvent de San Pablo (XVIe siècle), offre une vue superbe sur la vieille ville *(p. 558)*.

***Le parador de Cañadas del Teide**, récemment rénové, est situé dans le parc national du mont Teide* (p. 514-515) *à Tenerife. De ses terrasses, on admire le paysage volcanique* (p. 571).

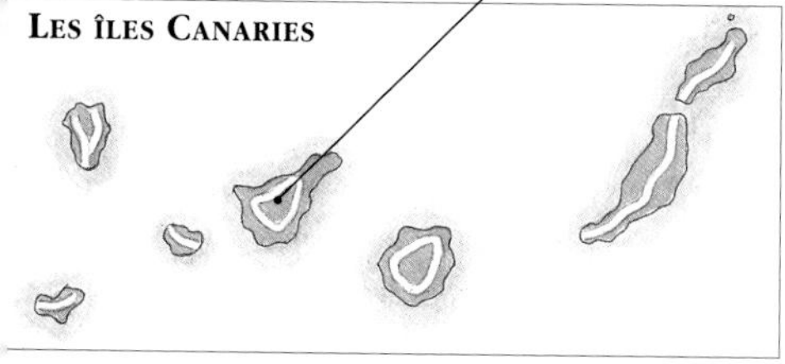

Choisir un hôtel

Les établissements présentés ici ont été choisis dans un vaste éventail de prix pour la qualité de leurs prestations ou leur emplacement. Beaucoup possèdent un bon restaurant.
Les hôtels sont présentés par région, en commençant par le Nord ; à chaque page un repère de couleur indique les régions concernées. Pour les restaurants, voir les pages 578 à 609.

GALICE

	Cartes bancaires	Nombre de chambres	Parc de stationnement	Piscine	Jardin ou terrasse
ALFOZ : *Pazo Galea.* €€ Castro de Ouro, 27776 (Lugo). *982 55 83 23.* FAX *982 55 83 23.* *Pazo* (manoir galicien) du XIXe siècle doté d'un beau jardin et de chambres simples et modernes. Les propriétaires font fonctionner un vieux fouloir et un moulin pour la plus grande joie des visiteurs. TV		5	■		■
BAIONA : *Villa Sol.* €€ C/ Palos de la Frontera 12, 36300 (Pontevedra). *986 35 56 91.* FAX *986 35 67 02.* Hôtel tenu par une famille dans une vieille maison de campagne décorée d'antiquités. Les enfants ne sont pas admis à la haute saison. *oct.-mai.*	MC V	6	■		■
BAIONA : *Parador de Baiona.* www.parador.es €€€€€ Carretera de Baiona, 36300 (Pontevedra). *986 35 50 00.* FAX *986 35 50 76.* Ce parador, bâti dans le style d'un vieux manoir ou *pazo*, se trouve à l'intérieur du château de Monte Real. TV	AE DC MC V	122	■	●	■
BRIÓN : *Hotel Casa de Rosalía.* romanulloa@interbook.net €€ Calle Soigrexia, Los Ángeles, 15280 (A Coruña). *981 88 75 80.* FAX *981 88 75 57.* Près de la côte et de Saint-Jacques-de-Compostelle, dans une maison de campagne en pierre entourant un cloître, cet hôtel propose des chambres simples. Restaurant dans l'hôtel. TV	DC MC V	30		●	■
CAMBADOS : *Parador de Cambados.* www.parador.es €€€ Paseo de Cervantes, 36630 (Pontevedra). *986 54 22 50.* FAX *986 54 20 68.* Sur un estuaire des Rías Baixas, ce parador occupe un beau *pazo*. Les boissons sont servies dans la grande cour centrale fleurie. Spécialités galiciennes et vins locaux au restaurant. TV	AE DC MC V	63	■		■
CERVO : *Pousada O'Almacén.* €€ Carretera de Sargadelos 2, 27891 (Lugo). *982 55 78 36.* FAX *982 55 78 94.* Ce bâtiment du XVIIIe siècle était jadis un magasin d'alimentation pour les hameaux voisins. Les meilleures chambres donnent sur le río Xunco. TV	AE DC MC V	7	■		
CORNIDE : *Casa Grande de Cornide.* casagcornide@teleline.es €€€ Calo, Teo, 15886 (A Coruña). *981 80 55 99.* FAX *981 80 57 51.* Petite maison rénovée et accueillante près de Saint-Jacques-de-Compostelle. Dotée d'une bibliothèque et d'un jardin avec deux *hórreos* (greniers sur pilotis) traditionnels et un colombier du XVIIIe siècle. TV	AE DC MC V	10	■	●	■
A CORUÑA : *Ciudad de La Coruña.* €€€ Paseo de Adormideras, 15002. *981 21 21 00.* FAX *981 22 46 10.* Près d'une plage, cet hôtel, donnant sur la baie de La Corogne, possède de grandes chambres modernes et des installations sportives et thermales. TV	AE DC MC V	131	■	●	■
A ESTRADA : *Pazo de Leira Herminia.* €€ Calle Carballeira 6, Nigoi, 36684 (Pontevedra). *986 57 32 00.* FAX *986 57 32 00.* Hôtel calme et douillet dans une maison de campagne en pierre restaurée, près de la source du río Liñares. Bon point de départ pour visiter les Rías Baixas. Petit déjeuner uniquement.		4	■	●	■
FERROL : *Parador de Ferrol.* www.parador.es €€€€ C/ Almirante Fernández Martín, 15401 (A Coruña). *981 35 67 20.* FAX *981 35 67 21.* Ce vaste parador du centre-ville, entouré de jardins, est orné de souvenirs du passé maritime de Ferrol. Les fenêtres de ses chambres offrent une large vue sur le port. TV	AE DC MC V	38	■		■
A GUARDA : *Convento de San Benito.* €€ Plaza de San Benito, 36780 (Pontevedra). *986 61 11 66.* FAX *986 61 15 17.* Dans cet ancien couvent du XVIe siècle, les cellules des religieuses, transformées en chambres, entourent un petit cloître agrémenté d'un palmier et d'une fontaine de pierre. TV	AE DC MC V	24			■

Les prix correspondent à une nuit en chambre double, service et petit déjeuner compris.

- € moins de 50 euros
- €€ de 50 à 75 euros
- €€€ de 75 à 100 euros
- €€€€ de 100 à 125 euros
- €€€€€ plus de 125 euros

CARTES BANCAIRES
Un symbole indique que les cartes American Express (AE), Diner's Club (DC), Master Card/Access (MC), Visa (V) sont acceptées.

PARCS DE STATIONNEMENT
Possibilité de garer son véhicule, soit au parking de l'établissement, soit dans un garage à proximité. Certains hôtels font payer l'utilisation de leur parking privé.

PISCINE
Piscine à ciel ouvert sauf indication contraire.

JARDIN
Hôtel disposant d'un jardin, d'une cour intérieure ou d'une terrasse, avec des tables permettant de prendre les repas à l'extérieur.

	CARTES BANCAIRES	NOMBRE DE CHAMBRES	PARC DE STATIONNEMENT	PISCINE	JARDIN OU TERRASSE
NEDA : *Pazo da Merced.* @ pazomerced@arrakis.es €€€ Pazo da Merced, 15510 (A Coruña). ☎ *981 38 29 00.* FAX *981 38 01 04.* Au bout de la ría de Ferrol, ce manoir de pierre restauré du XVIIe siècle possède sa propre chapelle. TV	AE DC MC V	8	■	●	■
POBRA DE TRIVES : *Casa Grande de Trives.* W www.casagrandedetrives.com €€ Calle Marqués de Trives 17, 32780 (Ourense). ☎ *988 33 20 66.* FAX *988 33 20 66.* *Pousada* (petit hôtel) dans un manoir du XVIIIe siècle, avec des armoiries sur sa tour centrale. Antiquités et toiles anciennes ornent l'intérieur confortable. La chapelle est dotée d'un beau reredos. TV	AE DC MC V	9	■		■
PONTEVEDRA : *Parador de Pontevedra.* W www.parador.es €€€€ Calle Barón 19, 36002. ☎ *986 85 58 00.* FAX *986 85 21 95.* Dans un manoir de la vieille ville, ce parador est décoré d'antiquités, miroirs dorés, lustres et tapisseries. TV	AE DC MC V	47	■		■
RIBEIRA : *Fonteclara.* €€ C/ Sta Marina de Ribeira 6, 36685 (Pontevedra). ☎ *986 57 32 09.* FAX *981 36 49 99.* Située dans la vallée du río Ulloa, cette vieille maison de campagne de caractère est paisible. Son salon est doté d'une cheminée. Petit déjeuner uniquement.	V	8	■	●	■
SAINT-JACQUES-DE-COMPOSTELLE : *Hesperia Compostella* €€€€€ C/ Horreo 1, (A Coruña). ☎ *981 58 57 00.* FAX *981 58 52 90.* Cet hôtel proche de la cathédrale était jadis une école pour franciscains. Il a été récemment rénové. Restaurant dans l'hôtel. TV	AE DC MC V	99	■		
SAINT-JACQUES-DE-COMPOSTELLE : *Parador Reyes Católicos.* €€€€€ Praza do Obradoiro 1, 15705 (A Coruña). ☎ *981 58 22 00.* W www.parador.es Bâti sous les Rois Catholiques pour les pèlerins pauvres, ce parador du XVIe siècle est un des plus somptueux hôtels du monde *(p. 86).* Ses quatre patios à arcades sont agrémentés de fontaines. TV	AE DC MC V	136	■		■
O SAVIÑAO : *Torre de Vilariño.* € Calle Fión 47, 27548 (Lugo). ☎ *982 45 22 60.* FAX *982 45 22 60.* Ancienne auberge du XVIIe siècle, offrant le lit et le petit déjeuner principalement aux touristes suivant la « route de l'art roman ». Les propriétaires accompagnent les plats de leur propre vin. TV	DC V	9	■	●	■
SISÁN-CAMBADOS : *Pazo Carrasqueira.* @ p.carrasqueira@eresmas.net €€€ Calle Carrasqueira, 36638 (Pontevedra). ☎ *986 71 00 32.* FAX *986 71 00 32.* Pension de famille dans une demeure de campagne. Bel escalier de granite sculpté et chambres douillettes au dernier étage. Poissons, fruits de mer et Albariño (vin produit sur place). TV	AE MC V	9	■	●	■
A TOXA : *Gran Hotel de La Toja.* €€€€€ O Grove, 36991 (Pontevedra). ☎ *986 73 00 25.* FAX *986 73 00 26.* Sur une île plantée de palmiers et de pins, cette demeure de la fin du XIXe siècle est reliée à la terre ferme par un pont de fer. L'hôtel possède une salle de bal et des équipements sportifs. TV	AE DC MC V	197	■	●	■
TUI : *Parador de Tui.* W www.parador.es €€€ Avenida de Portugal, 36700 (Pontevedra). ☎ *986 60 03 09.* FAX *986 60 21 63.* Les salons et les chambres de ce parador donnent sur la ville et le río Miño qui marque la frontière avec le Portugal. Plats locaux comprenant des anguilles et des huîtres. TV	AE DC MC V	30	■	●	■
VERÍN : *Parador de Verín.* W www.parador.es €€€ Monterrei, 32600 (Ourense). ☎ *988 41 00 75.* FAX *988 41 20 17.* Au sommet d'une colline, ce parador, entouré d'arbres et de pelouses, domine une vallée et, au-delà, le château médiéval de Monterrei. *V* Les vins de la vallée sont servis au restaurant. TV	AE DC MC	23	■	●	■

Les prix correspondent à une nuit en chambre double, service et petit déjeuner compris.

- € moins de 50 euros
- €€ de 50 à 75 euros
- €€€ de 75 à 100 euros
- €€€€ de 100 à 125 euros
- €€€€€ plus de 125 euros

Cartes bancaires
Un symbole indique que les cartes American Express (AE), Diner's Club (DC), Master Card/Access (MC), Visa (V) sont acceptées.

Parcs de stationnement
Possibilité de garer son véhicule, soit au parking de l'établissement, soit dans un garage à proximité. Certains hôtels font payer l'utilisation de leur parking privé.

Piscine
Piscine à ciel ouvert sauf indication contraire.

Jardin
Hôtel disposant d'un jardin, d'une cour intérieure ou d'une terrasse, avec des tables permettant de prendre les repas à l'extérieur.

	Cartes bancaires	Nombre de chambres	Parc de stationnement	Piscine	Jardin ou terrasse
Vilagarcía de Arousa : *Pazo O'Rial.* www.pazorial.com €€€ Calle El Rial 1, 36600 (Pontevedra). *986 50 70 11.* FAX *986 50 16 76.* Sols carrelés, murs de pierre font le charme de ce vieux manoir. Coussins et belles étoffes. Ambiance confortable. TV	AE DC MC V	60	■	●	■
Villalba : *Parador de Villalba.* www.parador.es €€€€ Valeriano Valdesuso, 27800 (Lugo). *982 51 00 11.* FAX *982 51 00 90.* Petit parador dans une tour médiévale octogonale, aux murs épais et aux fenêtres étroites. Réserver à l'avance. TV	AE DC MC V	48	■		■
Villalonga : *Pazo El Revel.* €€€ Camino de la Iglesia 15, 36990 (Pontevedra). *986 74 30 00.* FAX *986 74 33 90.* Manoir du XVIIe siècle à la façade couverte de plantes grimpantes. Jardins à la française et terrasse à colonnes. TV	V	22	■	●	■
Asturies et Cantabrie					
Cangas de Onís : *Aultre Naray.* www.aultrenaray.com €€€ Peruyes, 33547 (Asturias). *98 584 08 08.* FAX *985 84 08 48.* Cette maison de campagne, offrant une vue sur les montagnes, dans un coin méconnu du Nord, possède des chambres toutes différentes. TV	AE DC MC V	10	■		■
Castropol : *Palacete Peñalba.* €€€ C/ El Cotarelo, Figueras, 33794 (Asturias). *985 63 61 25.* FAX *985 63 62 47.* Dans une demeure Art nouveau bâti en 1912 par un compagnon de Gaudí, cet hôtel est doté de balcons ovales et d'escaliers incurvés. TV	AE DC MC V	12	■		■
Colombres: *La Casona de Villanueva.* €€ Villanueva, Ribadedeva, 33590 (Asturias). *98 541 25 90.* FAX *985 41 25 14.* Dans cette maison villageoise du XVIIIe siècle, restaurée dans le style traditionnel, règne une atmosphère paisible. @ casanovillanueva@inicia.es	MC V	8	■		■
Colombres : *Mirador de La Franca.* €€€ Playa de La Franca, La Franca, 33590 (Asturias). *98 541 21 45.* FAX *98 541 21 53.* Vue superbe depuis le salon et le restaurant de cet hôtel situé dans une anse rocheuse, derrière la plage de La Franca. Vous pouvez pratiquer les sports aquatiques et la pêche sous-marine dans la baie. TV @ lafranca@hotelmirador.com	AE DC MC V	61	■		■
Comillas : *Casal del Castro.* €€ Calle San Jerónimo, 39520 (Cantabria). *942 72 00 36.* FAX *942 72 00 61.* Cette grande maison du XVIIe siècle est meublée d'antiquités. En bordure de la ville, elle est proche de très belles plages. TV	MC V	45	■		■
Cosgaya : *Hotel del Oso.* €€ Ctra Potes–Fuente Dé, 39539 (Cantabria). *942 73 30 18.* FAX *942 73 30 36.* Situé dans la partie est des Pics d'Europe, cet hôtel confortable, entouré de montagnes, est très prisé des touristes étrangers. TV @ hoteldeloso@mundivia.es	DC MC V	51	■	●	■
Escalante : *San Román de Escalante.* www.relais-châteaux.fr €€€€€ Km2 Ctra Escalante–Castillo, 39795 (Cantabria). *942 67 77 45.* FAX *942 67 76 43.* Dans une maison du XVIIe siècle, cet hôtel joliment décoré donne sur les arbres et les prairies. Non loin se dresse une chapelle romane. TV	AE DC MC V	16	■	●	■
Fuente Dé : *Parador de Fuente Dé.* €€€ Fuente Dé, 39588 (Cantabria). *942 73 66 51.* FAX *942 73 66 54.* Ce parador moderne au pied du funiculaire des Pics d'Europe propose des chambres agréables et de longues galeries. Point de départ idéal pour la pêche et les randonnées en montagne. TV www.parador.es	AE DC MC V	78	■		■
Gijón : *La Casona de Jovellanos.* €€ Plaza de Jovellanos 1, 33201 (Asturias). *98 534 20 24.* FAX *98 535 61 51.* Ce petit hôtel, dans un bâtiment du XVIIIe siècle, domine une placette de la vieille ville, proche de la plage San Lorenzo. TV @ hotel-lacasona@jazzfree.com	AE MC V	13			

GIJÓN : *Parador Molino Viejo.* [W] www.parador.es €€€€
Parque de Isabel la Católica, 33203 (Asturias). ☎ *98 537 05 11.* FAX *98 537 02 33.*
Au cœur d'un des plus jolis parcs d'Espagne, ce parador est établi dans un ancien moulin à vent d'un genre courant à Gijón du XVe au XVIIIe siècle. Le vieux cours d'eau, préservé, coule toujours dans le domaine. [P] [≡] [TV]

LIÉRGANES : *Posada del Sauce.* @ grupocastlar@mundivia.es €€€
C/ José Antonio s/n, 39722 (Cantabria). ☎ *942 52 80 23.* FAX *942 52 81 17.*
Dans un beau village, cette imposante maison montagnarde du XIXe siècle offre une piscine couverte, mais ses chambres sont plutôt petites. [P] [TV]

LLANES : *Gran Hotel Paraíso.* €€€
Calle Pidal 2, 33500 (Asturias). ☎ *98 540 19 71.* FAX *98 540 25 90.*
Ses sols en marbre blanc, ses antiquités et son piano à queue donnent à cet hôtel un air kitsch. Réserver un parking à l'avance car l'hôtel donne sur une des rues les plus animées de la ville. [P] [≡] [TV] @ ampudia@jazzfree.com

LLANES : *La Posada de Babel.* @ laposadadebabel@retemail.es €€€
La Pereda, 33509 (Asturias). ☎ *98 540 25 25.* FAX *98 540 26 22.*
En partie moderne, ce petit hôtel, tenu par une famille, au pied des grandioses Pics d'Europe, a gardé de grandes cheminées traditionnelles. Une des chambres est un ancien *hórreo* (grenier sur pilotis). ● 15 déc.-15 fév. [P] [TV]

OVIEDO : *Hotel de la Reconquista.* €€€€€
Calle Gil de Jaz 16, 33004 (Asturias). ☎ *98 524 11 00.* FAX *98 524 11 66.*
D'imposantes armoiries en pierre dominent l'entrée principale de ce bâtiment du XVIIIe siècle. Ses pièces communes s'ordonnent autour de plusieurs cours dotées d'arcades et de balcons. [P] [≡] [TV] [W] www.hoteldelareconquista.com

PECHÓN : *Don Pablo.* @ donpablo@donpablohotel.com €€
Afueras, 39594 (Cantabria). ☎ *942 71 95 00.* FAX *942 71 95 23.*
Trois maisons réunies donnent un air de demeure ancestrale à cet hôtel proche de la mer. Les chambres sont confortables et l'accueil chaleureux. Les deux chambres sous les combles sont très appréciées. [P] [TV]

POTES : *El Jisu.* €€
Ctra Potes–Camaleño, 39587 (Cantabria). ☎ *942 73 30 38.* FAX *942 73 03 15.*
Cet hôtel, dans un chalet de la vallée de la Liébana, donne sur les Pics d'Europe. Les salons confortables sont ornés d'antiquités. [P] [TV]

PRAVIA : *Casa del Busto.* €€€
Plaza del Rey Don Silo 1, 33120 (Asturias). ☎ *98 582 27 71.* FAX *98 582 27 72.*
Dans une maison du XVIe siècle, au mobilier ancien, cet hôtel est situé près de la mer dans une belle ville. Les chambres donnent sur une cour centrale où l'on peut prendre ses repas. [P] [TV]

QUIJAS : *Hostería de Quijas.* €€
Calle Barrio Vinueva, 39590 (Cantabria). ☎ *942 82 08 33.* FAX *942 83 80 50.*
Près de Torrelavega, sur la route entre Santander et Oviedo, cette demeure en pierre du XVIIIe siècle possède un large avant-toit, des fenêtres en saillie, des poutres apparentes et un beau jardin. ● déc. et jan. [P] [TV] @ quijas@teleline.es

QUIJAS : *Posada de la Torre de Quijas.* €€
Calle Barrio Vinueva 76, 39590 (Cantabria). ☎ *942 82 06 45.* FAX *942 83 82 55.*
Cet hôtel, situé dans une maison de pierre du XIXe siècle, est doté de fenêtres de bois en saillie. Décoré d'outils de ferme, il a un charme rustique. Il se trouve sur la route principale. [P] [TV]

RIBADESELLA : *Gran Hotel del Sella.* €€€€
Calle Ricardo Cangas 17, 33560 (Asturias). ☎ *98 586 01 50.* FAX *98 585 74 49.*
Ancien palais d'été du marquis d'Argüelles, cet hôtel tenu par une famille a été doté d'une aile nouvelle. Il est situé hors de la ville, sur la plage. Piscine, courts de tennis et vastes jardins. ● oct.-avr. [P] [TV] [♿] @ granhoteldelsella@hotmail.com

SALAS : *Castillo de Valdés-Salas.* €€
Plaza de la Campa, 33860 (Asturias). ☎ *98 583 22 22.* FAX *98 583 22 99.*
Château restauré du XVIe siècle transformé en un hôtel simple qui a conservé beaucoup du caractère du bâtiment d'origine. Le syndicat d'initiative local se trouve dans la réception de l'hôtel. [P] [TV]

SANTANDER : *Las Brisas.* @ abrisas@cantabria.org €€€
Travesía de los Castros 14, 39005 (Cantabria). ☎ *942 27 50 11.* FAX *942 28 11 73.*
Hôtel simple dans une villa du XIXe siècle près de la plage de Sardinero. Le petit déjeuner peut être pris en terrasse avec vue sur la mer. [P] [TV] ● déc.-fév.

Hôtel	Cartes	Chambres				
Gijón : Parador Molino Viejo	AE DC MC V	40	■			■
Liérganes : Posada del Sauce	AE MC V	50			●	■
Llanes : Gran Hotel Paraíso	AE DC MC V	18	■			
Llanes : La Posada de Babel	AE DC MC V	11	■			■
Oviedo : Hotel de la Reconquista	AE DC MC V	142	■			
Pechón : Don Pablo	MC V	30	■			■
Potes : El Jisu	MC V	9	■			■
Pravia : Casa del Busto	AE DC MC V	28	■			■
Quijas : Hostería de Quijas	AE DC MC V	19	■		●	■
Quijas : Posada de la Torre de Quijas	AE DC MC V	20	■			■
Ribadesella : Gran Hotel del Sella	AE DC MC V	82	■		●	■
Salas : Castillo de Valdés-Salas	AE DC MC V	12				■
Santander : Las Brisas	AE DC MC V	13	■			■

Les prix correspondent à une nuit en chambre double, service et petit déjeuner compris.

€ moins de 50 euros
€€ de 50 à 75 euros
€€€ de 75 à 100 euros
€€€€ de 100 à 125 euros
€€€€€ plus de 125 euros

Cartes bancaires
Un symbole indique que les cartes American Express (AE), Diner's Club (DC), Master Card/Access (MC), Visa (V) sont acceptées.

Parcs de stationnement
Possibilité de garer son véhicule, soit au parking de l'établissement, soit dans un garage à proximité. Certains hôtels font payer l'utilisation de leur parking privé.

Piscine
Piscine à ciel ouvert sauf indication contraire.

Jardin
Hôtel disposant d'un jardin, d'une cour intérieure ou d'une terrasse, avec des tables permettant de prendre les repas à l'extérieur.

	Cartes bancaires	Nombre de chambres	Parc de stationnement	Piscine	Jardin ou terrasse
Santander : *Hotel Real.* €€€€€ Paseo Pérez Galdós 28, 39005 (Cantabria). ☎ *942 27 25 50.* FAX *942 27 45 73.* Ce bel hôtel, sur la plus haute colline de la ville, fut bâti à la fin du XIXe siècle pour les nobles qui accompagnaient la famille royale en vacances. Ses balcons donnent sur la baie. [P] [menu] [TV] [♿] @ realsantander@husa.es	AE DC MC V	123	■		■
Santillana del Mar : *Posada de Santa Juliana.* € Calle Carrera 19, 39330 (Cantabria). ☎ *942 84 01 06.* FAX *942 84 01 70.* Cette petite pension de famille, au-dessus d'un magasin de souvenirs, ne paye pas de mine, mais ses chambres sous les combles sont adorables. Vous pouvez manger dans un bar de l'autre côté de la rue. [P] [TV]	AE DC MC V	6			
Santillana del Mar : *Altamira.* @ info@hotelaltamira.com €€ Calle Cantón 1, 39330 (Cantabria). ☎ *942 81 80 25.* FAX *942 84 01 36.* Cet hôtel du centre-ville occupe un palais restauré du XVIe siècle. Un escalier ancien en bois mène aux chambres dotées de poutres apparentes. [P] [TV]	AE DC MC V	32			■
Santillana del Mar : *Parador Gil Blas.* [W] www.parador.es €€€€ Plaza Ramón Pelayo 11, 39330 (Cantabria). ☎ *942 81 80 00.* FAX *942 81 83 91.* Cette demeure commencée au XVe siècle possède un joli patio. Ses murs nus et ses sols carrelés contribuent à l'atmosphère médiévale. [P] [TV] [♿]	AE DC MC V	54	■		■
San Vicente de Toranzo : *Posada del Pas.* €€ Ctra N623 Burgos–Santander, 39699 (Cantabria). ☎ *942 59 44 11.* FAX *942 59 43 86.* Hôtel très apprécié dans une maison montagnarde en pierre du XVIIIe siècle, dans une vallée verdoyante sur la route entre Santander et Burgos. [P] [TV]	AE DC MC V	32	■	●	■
Solares : *Hosteria Palacio los Marqueses de Valbuena* €€ Calle General Mola 6, 39710 (Cantabria). ☎ *942 52 28 66.* FAX *942 52 21 76.* Ce monastère médiéval, à l'imposante façade, possède une chapelle. Ses salles sont spacieuses et ses chambres confortables. [P] [TV]	AE DC MC V	27	■		■
Taramundi : *La Rectoral.* @ larectoral@infonegocio.com €€€€ Taramundi, 33775 (Asturias). ☎ *985 64 67 67.* FAX *98 564 67 77.* Cet ancien presbytère, en pleine campagne, fut transformé en un hôtel calme et plein de charme. Ses chambres donnent sur les montagnes. [P] [menu] [TV]	AE DC MC V	18	■		■

Pays basque, Navarre et Rioja

	Cartes bancaires	Nombre de chambres	Parc de stationnement	Piscine	Jardin ou terrasse
Anguiano : *Abadía de Valvanera.* € Monasterio de Valvanera, 26323 (La Rioja). ☎ *941 37 70 44.* FAX *941 37 71 94.* Isabelle Ire résida en 1482 dans ce monastère bénédictin. Les environs sont beaux, les chambres simples et la nourriture délicieuse. [P] @ hosval@fer.es	AE DC MC V	29	■		■
Argomániz : *Parador de Argomániz.* €€€ Carretera NI, 01192 (Álava). ☎ *945 29 32 00.* FAX *945 29 32 87.* Des rois logèrent dans ce palais de pierre du XVIIe siècle, sur les pentes du mont Zabalgaña. Calme, il offre une belle vue. [P] [TV] @ argomaniz@parador.es	AE DC MC V	53	■		■
Axpe-Atxondo : *Mendi Goikoa.* €€€ Calle Barrio de San Juan 33, 48292 (Vizcaya). ☎ *946 82 08 33.* FAX *94 682 11 36.* Ces maisons jumelles en pierre du XVIIIe siècle ont été transformées en un hôtel agréable au cœur de la paisible valle de Atxondo. [P] [menu] @ mendigoikoa@terra.es	DC MC V	12	■		■
Bakio : *Hostería del Señorío de Bizkaia.* @ hostbizkaia@hosteriasreales.com €€€ Calle José María Cirarda 4, 48130 (Vizcaya). ☎ *946 19 47 25.* FAX *94 619 47 25.* L'hôtel est situé dans un bâtiment de pierre aux balcons de bois. L'été, des concerts ont lieu dans le jardin. La plage de Bakio est à proximité. [P] [TV]	AE DC MC V	16	■		■
Bilbao (Bilbo) : *Iturrienea* €€ Calle Santa Maria 14, 48007 (Vizcaya). ☎ *944 16 15 00* FAX *94 416 89 29.* Cet ancien et vénérable hôtel a récemment été rénové et propose des chambres en forme de bâteau avec un décor moderne. [P] [TV]	DC MC V	21			

BILBAO (BILBO) : *De Deusto.* €€€€ Calle Francisco Macia 9, 48014 (Vizcaya). ☎ *944 76 00 06.* FAX *94 476 21 99.* Cet hôtel agréable a acquis une bonne réputation depuis son ouverture en 1992. Très proche du Guggenheim. TV W www.nh-hoteles.es	AE DC MC V	70	■		
BILBAO (BILBO) : *Conde Duque* €€€€ Paseo Campo Volantin 22, 48007 (Vizcaya). ☎ *944 45 60 00.* FAX *94 445 60 66.* Cet établissement est très original : ses chambres ont été conçues tout spécialement pour des femmes. TV @ reservas@condeduque.com	AE DC MC V	67	■		
BILBAO (BILBO) : *Gran Hotel Ercilla.* €€€€€ Calle Ercilla 37–9, 48011 (Vizcaya). ☎ *944 70 57 00.* FAX *944 43 93 35.* Cet hôtel central et confortable est le plus grand de Bilbao. Accueillant et animé, il propose un très bon restaurant. TV @ ercilla@hotelercilla.es	AE DC MC V	345	■		
DONAMARIA : *Donamaria'ko Benta.* €€ Barrio Ventas 4, 31750 (Navarra). ☎ *948 45 07 08.* FAX *948 45 07 08.* Ce petit hôtel, tenu par une famille dans une maison pyrénéenne en pierre, propose cinq chambres dans une annexe. Les propriétaires ont su créer une atmosphère fort agréable. Le restaurant est excellent. @ donamariako@jet.es	V	5	■		
ELIZONDO : *Casa Urruska.* € Barrio de Bearzun, 31700 (Navarra). ☎ *(& FAX) 948 45 21 06.* Cette ferme de pierre isolée au bout d'une jolie vallée est tenue par une famille. Petit déjeuner à base de bons produits de la ferme.	MC V	5	■		
EZCARAY : *Albergue de La Real Fábrica.* € Carretera de Santo Domingo, 20280 (La Rioja). ☎ *941 35 44 74.* FAX *941 35 41 44.* Dans une usine textile restaurée d'une petite ville, cet hôtel bon marché et calme offre une bonne nuit de repos aux promeneurs.	AE DC MC V	36			
FITERO : *Gustavo Adolfo Bécquer.* €€ C/ Extramuros, Baños de Fitero, 31593 (Navarra). ☎ *948 77 61 00.* FAX *948 77 62 25.* L'un des deux hôtels du site des thermes romains, cet établissement a une source thermale au sous-sol. Il propose bains, massages et soins, et possède toutes sortes d'équipements sportifs. TV @ balneario@fitero.com	V	194	■	●	■
HARO : *Los Agustinos.* €€€€ Calle San Agustín 2, 26200 (La Rioja). ☎ *941 31 13 08.* FAX *941 30 31 48.* Son vaste salon voûté, tendu de tapisseries, est un des attraits de cet ancien monastère augustinien. À voir aussi, son patio central dans l'ancien cloître. TV @ hagustinos@hagustinos.tsai.com	AE DC MC V	62	■		■
HONDARRIBIA (FUENTERRABIA) : *Pampinot.* €€€€ Calle Nagusia 5, 20280 (Guipúzcoa). ☎ *943 64 06 00.* FAX *943 64 51 28.* L'équipe féminine qui tient cet hôtel a su créer une atmosphère chaleureuse dans cette demeure du XVIe siècle du vieux Hondarribia. TV	AE DC MC V	8			
HONDARRIBIA (FUENTERRABIA) : *Parador de Hondarribia.* €€€€ Plaza de Armas 14, 20280 (Guipúzcoa). ☎ *943 64 55 00.* Ce parador élégant est aménagé dans la forteresse restaurée de la ville. Des armes et des souvenirs de son riche passé ornent ses murs. TV W www.parador.es	AE DC MC V	36	■		■
LAGUARDIA : *Posada Mayor de Migueloa.* €€€ Calle Mayor de Migueloa 20, 01300 (Álava). ☎ *941 12 11 75.* FAX *941 12 10 22.* Belle demeure dans la vieille ville piétonne. Bâtie en 1640, elle a toujours ses murs de granite, poutres et sols carrelés d'origine. TV W www.mayordemigueloa.com	AE MC V	8	■		■
LECUMBERRI : *Ayestarán.* € Calle Aralar 22, 31870 (Navarra). ☎ *948 50 41 27.* FAX *948 50 41 27.* Une partie de cet hôtel familial, sur la route entre Pampelune et Saint-Sébastien, date des années 1920. Le personnel y est très chaleureux.	MC V	91	■	●	■
LOGROÑO : *Herencia Rioja.* €€€€ Calle Marqués de Murrieta 14, 26005 (La Rioja). ☎ *941 21 02 22.* FAX *941 21 02 06.* Cet hôtel moderne, près du quartier historique de Logroño, possède de jolies et confortables chambres. Son restaurant est de très bonne qualité. TV W www.nh-hoteles.es	AE DC MC V	83	■		

Légende des symboles, voir rabat de couverture

Les prix correspondent à une nuit en chambre double, service et petit déjeuner compris.

€ moins de 50 euros
€€ de 50 à 75 euros
€€€ de 75 à 100 euros
€€€€ de 100 à 125 euros
€€€€€ plus de 125 euros

Cartes bancaires
Un symbole indique que les cartes American Express (AE), Diner's Club (DC), Master Card/Access (MC), Visa (V) sont acceptées.

Parcs de stationnement
Possibilité de garer son véhicule, soit au parking de l'établissement, soit dans un garage à proximité. Certains hôtels font payer l'utilisation de leur parking privé.

Piscine
Piscine à ciel ouvert sauf indication contraire.

Jardin
Hôtel disposant d'un jardin, d'une cour intérieure ou d'une terrasse, avec des tables permettant de prendre les repas à l'extérieur.

	Cartes bancaires	Nombre de chambres	Parc de stationnement	Piscine	Jardin ou terrasse
Mundaka : *El Puerto.* €€ Calle Portu Kalea 1, 48360 (Vizcaya). *94 687 67 25.* FAX *94 687 67 26.* Sur le port, cette maison de pêcheur à deux étages a été transformée en un hôtel simple et confortable. TV hotelpuerto@euskalnet.net	DC MC V	11	■		
Mundaka : *Atalaya.* reservas@hotel-atalaya-mundaka.com €€€ Paseo de Txorrokopunta 2, 48360 (Vizcaya). *94 617 70 00.* FAX *94 687 68 99.* Cet hôtel du début du siècle, proche du port de pêche, à l'embouchure d'un bras de mer, est propre et bien tenu. Il est doté de petites chambres plaisantes, de galeries aux grandes fenêtres et d'un jardin. TV	AE DC MC V	11	■		■
Olite : *Casa Zanito.* €€ Rua Mayor 16, 31390 (Navarra). *948 74 00 02.* FAX *948 71 20 87.* Une famille tient cet hôtel-restaurant sans prétention, mais situé dans une ruelle du joli centre historique. TV	AE DC MC V	6			
Olite : *Parador de Olite.* www.parador.es €€€€ Plaza de los Teobaldos 2, 31390 (Navarra). *948 74 00 00.* FAX *948 74 02 01.* Dans une partie d'un château du XVe siècle, palais de Charles III, roi de Navarre, ce parador propose quelques chambres modernes, et d'autres plus charmantes, mais plus chères, dans la vieille partie du château. TV	AE DC MC V	43	■		■
Pampelune (Iruña) : *Tres Reyes.* hotel3reys@abc.ibernet.com €€€€€ Jardines de la Taconera, 31001 (Navarra). *948 22 66 00.* FAX *948 22 29 30.* Ce grand bâtiment moderne à la limite de la vieille et de la nouvelle ville est en bordure des jardins Taconera. Chambres avec balcons, salles de sport, sauna, salon de coiffure et entretien des vêtements. TV	AE DC MC V	160	■	●	■
Puente la Reina : *Mesón del Peregrino.* elperegrino@teleline.es €€€ Ctra Pamplona–Logroño, 31100 (Navarra). *948 34 00 75.* FAX *948 34 11 90.* Cet hôtel-restaurant de bon goût est aménagé dans une vieille maison, près du croisement des deux routes du pèlerinage de Compostelle. TV	MC V	14	■	●	■
Roncevaux (Orreaga) : *La Posada.* € Carretera de Francia, 31650 (Navarra). *948 76 02 25.* FAX *948 76 02 25.* Cette auberge ouvrit en 1612 pour loger les pèlerins allant à Compostelle. Ses chambres austères aux sols carrelés sont toujours bon marché.	MC V	18	■		
Saint-Sébastien (Donostia) : *La Galeria.* www.hotellagaleria.com €€€ Infanta Cristina 1–3, 20008 (Guipúzcoa). *943 21 60 77.* FAX *943 21 12 98.* Ce nouvel hôtel sur la plage d'Ondarreta est aménagé dans un bâtiment de la fin du XIXe siècle. Deux jolies chambres sous les combles. TV	MC V	23	■		
Saint-Sébastien (Donostia) : *Niza.* €€€€ Calle Zubieta 56, 20007 (Guipúzcoa). *943 42 66 63.* FAX *943 44 12 51.* Hôtel Belle Époque sur la plage de la Concha avec des chambres ensoleillées. La terrasse de son café donne sur la plage. TV niza@adegi.es	AE DC MC V	41	■		■
Saint-Sébastien (Donostia) : *De Londres y de Inglaterra.* €€€€€ Calle Zubieta 2, 20007 (Guipúzcoa). *943 44 07 70.* FAX *943 44 04 91.* Ce palais du XIXe siècle, bien situé sur la plage de la Concha, fut transformé en hôtel en 1902. Les monarques y venaient l'été en villégiature. TV	AE DC MC V	148	■		■
Saint-Sébastien (Donostia) : *Monte Igueldo.* €€€€ Paseo del Faro 134, 20008 (Guipúzcoa). *943 21 02 11.* FAX *943 21 50 28.* Idéalement situé sur le monte Igueldo, cet hôtel offre une belle vue sur la ville et la baie. Piscine sur le toit. TV hotel@monteigueldo.com	AE DC MC V	125	■	●	■
Saint-Sébastien (Donostia) : *María Cristina.* €€€€€ 20004 (Guipúzcoa). *943 42 49 00.* Bien situé, ce luxueux hôtel bâti en 1912, et décoré dans le style Belle Époque, est le rendez-vous des cinéphiles lors du festival annuel du film. TV	AE DC MC V	136	■		■

SANTO DOMINGO DE LA CALZADA : *Parador de Santo Domingo.* €€€€€ Plaza del Santo 3, 26250 (La Rioja). *941 34 03 00.* FAX 941 *34 03 25.* Ce parador situé dans un hôpital fondé au XIIe siècle accueille les pèlerins sur le chemin de Compostelle. Il offre un imposant salon voûté et un beau plafond sculpté. www.parador.es	AE DC MC V	61	■			■
VITORIA (GASSEIZ) : *General Álava.* hga@hga.info €€€€ Avenida Gasteiz 79, 01009 (Alava). *945 22 22 00.* FAX *945 24 83 95.* Hôtel moderne et confortable dans la nouvelle ville près du Palacio de Congresos. Le restaurant sert des plats régionaux.	AE DC MC V	114	■			
YESA : *Hospedería de Leyre.* €€ Monasterio de Leyre, 31410 (Navarra). *948 88 41 00.* FAX *948 88 41 37.* Cet hôtel occupe une partie d'un monastère du XIe siècle, au pied de rochers escarpés, dans un paysage magnifique. Ses chambres sont simples et propres et son restaurant est très bon. www.monasterio-de-leyre.com	AE DC MC V	29	■			■
ZARAUTZ : *Karlos Arguiñano.* hotel-ka@telelines.es €€€€ Calle Mendilauta 13, 20800 (Guipúzcoa). *943 13 00 00.* FAX *943 13 34 50.* Dans une demeure dotée d'une tour donnant sur la mer, cet hôtel élégant appartient à un cuisinier présentateur de télévision. Excellent restaurant.	AE DC MC V	12	■			

BARCELONE

VIEILLE VILLE : *Lloret.* **Plan 5 A1.** €€ Rambla de Canaletas 125, 08002. *93 317 33 66.* FAX *93 301 92 83.* Le hall de cet hôtel à la mode, près de la plaça de Catalunya, offre une jolie vue sur la ville. Les chambres sur la rue peuvent être bruyantes. Ce vieil édifice a gardé en grande partie sa décoration d'origine.	MC V	56				
VIEILLE VILLE : *Rembrandt.* **Plan 5 A2.** €€ Carrer de Portaferrissa 23, 08002. *93 318 10 11.* FAX *93 318 10 11.* Hôtel simple dans le Barri Gòtic, apprécié des étudiants. Vous pouvez profiter de sa cour carrelée. Des chambres ont des salles de bains communes.		24				■
VIEILLE VILLE : *Toledano.* **Plan 5 A1.** www.hoteltoledano.com €€ Ramblas 138, 08002. *93 301 08 72.* FAX *93 412 31 42.* Petit hôtel, proche de la plaça de Catalunya, dont le hall donne sur les Ramblas. Ses chambres, très simples, sont parfois bruyantes.	AE DC MC V	28				
VIEILLE VILLE : *España.* **Plan 2 F3.** www.hotelespanya.com €€€ Carrer de Sant Pau 9-11, 08001. *93 318 17 58.* FAX *93 317 11 34.* L'architecte moderniste Domènech i Montaner conçut le rez-de-chaussée de cet hôtel. Les chambres sont toutes modernes.	AE DC MC V	84				
VIEILLE VILLE : *Jardí.* hoteljardi@retemail.es €€€ Plaça Sant Josep Oriol 1, 08002. *943 01 59 00.* . Hôtel très apprécié donnant sur une place verdoyante. Certaines chambres ont été rénovées et offrent une belle vue ; les autres sont moins chères.	AE DC MC V	40				
VIEILLE VILLE : *Atlantis.* **Plan 2 F1.** hotelatlantis@retemail.es €€€€ Carrer de Pelai 20, 08001. *93 318 90 12.* FAX *93 412 09 14.* Hôtel moderne et bon marché, proche de la plaça de Catalunya. Les chambres offrent toutes sortes de commodités.	AE DC MC V	42	■			
VIEILLE VILLE : *Gaudí.* **Plan 2 F3.** www.hotelgaudi.es €€€ Carrer Nou de la Rambla 12, 08001. *93 317 90 32.* FAX *93 412 26 36.* Hôtel plaisant, aux chambres confortables et bien équipées, dans une rue donnant sur la rambla de Catalunya, près du Palau Güell de Gaudí.	AE DC MC V	73	■			
VIEILLE VILLE : *Mesón Castilla.* **Plan 2 F1.** €€€€ Carrer de Valdonzella 5, 08001. *93 318 21 82.* FAX *93 412 40 20.* Près du centre artistique Casa de la Caritat, cet hôtel, occupant un bâtiment à la façade moderniste, est confortable bien qu'un peu désuet.	AE DC MC V	57	■			■
VIEILLE VILLE : *Oriente.* **Plan 2 F3.** hoteloriente@husa.es €€€€ Ramblas 45–7, 08002. *93 302 25 58.* FAX *93 412 38 19.* Hôtel romantique dans un ancien monastère franciscain. Le cloître a été transformé en salle de bal. Certaines chambres ont des balcons donnant sur les Ramblas.	AE MC DC V	142				
VIEILLE VILLE : *San Agustín.* **Plan 2 F3.** hotelsa@hotelsa.com €€€€ Plaça de Sant Agustí 3, 08001. *93 318 16 58.* FAX *93 317 29 28.* Hôtel avec au rez-de-chaussée un salon agréable et un bar donnant sur une place. Certaines chambres ont des meubles catalans.	AE DC MC V	75				

Les prix correspondent à une nuit en chambre double, service et petit déjeuner compris.

€ moins de 50 euros
€€ de 50 à 75 euros
€€€ de 75 à 100 euros
€€€€ de 100 à 125 euros
€€€€€ plus de 125 euros

Cartes bancaires
Un symbole indique que les cartes American Express (AE), Diner's Club (DC), Master Card/Access (MC), Visa (V) sont acceptées.

Parcs de stationnement
Possibilité de garer son véhicule, soit au parking de l'établissement, soit dans un garage à proximité. Certains hôtels font payer l'utilisation de leur parking privé.

Piscine
Piscine à ciel ouvert sauf indication contraire.

Jardin
Hôtel disposant d'un jardin, d'une cour intérieure ou d'une terrasse, avec des tables permettant de prendre les repas à l'extérieur.

	Cartes bancaires	Nombre de chambres	Parc de stationnement	Piscine	Jardin ou terrasse
Vieille ville : *Arts.* **Plan 6 E4.** www.harts.es €€€€€ Carrer de la Marina 19–21, 08005. *932 21 10 00.* FAX *932 21 10 70.* Hôtel moderne, très luxueux, au bord de la plage, dans l'une des plus hautes tours d'Espagne. Piscine immense et équipements de remise en forme.	AE DC MC V	482	■	●	■
Vieille ville : *Colón.* **Plan 5 B2.** www.hotelcolon.es €€€€€ Avinguda de la Catedral 7, 08002. *933 01 14 04.* FAX *933 17 29 15.* Les fenêtres du Colón donnent sur la plaça de la Catedral où l'on danse la sardane (danse folklorique catalane) chaque dimanche matin.	AE DC MC V	147			
Vieille ville : *Le Meridien.* **Plan 5 A1.** meridien@meridienbarcelona.com €€€€€ Rambla dels Estudis 111, 08002. *933 18 62 00.* FAX *933 01 77 76.* Élégant hôtel sur les Ramblas, fréquenté par les stars de cinéma et de rock. Lors d'une tournée, les Rolling Stones ont réservé tout l'hôtel. Suite présidentielle immense et centre d'affaires.	AE DC MC V	208			
Vieille ville : *Nouvel.* **Plan 5 A1.** €€€€€ Carrer de Santa Anna 18–20, 08002. *933 01 82 74.* FAX *933 01 83 70.* Dans une rue calme à l'écart des Ramblas, près de la plaça de Catalunya, cet hôtel de style ancien est bien tenu et décoré avec goût.	MC V	71			
Vieille ville : *Suizo.* **Plan 5 B2.** €€€ Plaça del Ángel 12, 08002. *933 10 61 08.* FAX *932 68 90 62.* Cet hôtel, derrière la cathédrale, rappelle les bâtiments parisiens du XIXe siècle. Les chambres lumineuses aménagées sous les combles ont beaucoup de cachet.	AE DC MC V	50	■		
Vieille ville : *Park.* **Plan 5 C3.** parkhotel@parkhotelbarcelona.com €€€€€ Avda Marquès de l'Argentera. *933 19 60 00.* FAX *933 19 45 19.* Un rare exemple d'architecture des années 50 rénové en 1990. Intime et confortable avec une fascinante vue sur les toits de la ville et le port.	AE DC MC V	91			
Vieille ville : *Rivoli Ramblas.* **Plan 5 A1.** reservas@rivolihotels.com €€€€€ Rambla dels Estudis 128, 08002. *933 02 66 43.* FAX *933 18 87 60.* Hôtel sur les Ramblas à la décoration contemporaine et aux chambres spacieuses. Belle vue de la ville depuis sa terrasse sur le toit.	AE DC MC V	129	■		■
Eixample : *Felipe II.* **Plan 3 C4.** www.lasguias.com € Carrer de Mallorca 329, 08037. *934 58 77 58.* FAX *932 07 21 04.* Hôtel simple et propre dans un vieil immeuble doté d'un bel ascenseur ancien. Certaines chambres ont des salles de bains communes.		11			
Eixample : *Gran Vía.* **Plan 3 A5.** hgranvia@nnhotels.es €€€€ Avda Gran Vía de les Corts Catalanes 642, 08007. *933 18 19 00.* FAX *933 18 99 97.* Hôtel de la fin du XIXe siècle à la splendeur un peu passée, au nord de la plaça de Catalunya, dans une rue donnant dans le passeig de Gràcia.	AE DC MC V	55			■
Eixample : *Catalunya Plaza.* **Plan 5 A1.** catalunya@city-hotels.es €€€€€ Plaça de Catalunya 7, 08002. *933 17 71 71.* FAX *933 17 78 55.* Apprécié des hommes d'affaires, cet hôtel du centre-ville est aménagé dans un bâtiment du XIXe siècle doté de grands salons ornés de fresques.	AE DC MC V	46			
Eixample : *Claris.* **Plan 3 B4.** claris@derbyhotels.es €€€€€ Carrer Pau Claris 150, 08009. *934 87 62 62.* FAX *932 15 79 70.* Kilims anciens, beaux meubles anglais et français ornent cet hôtel situé dans l'ancien palais Vedruna, près du passeig de Gràcia. Il propose même un musée privé d'art égyptien.	AE DC MC V	120	■	●	■
Eixample : *Condes de Barcelona.* **Plan 3 A4.** €€€€€ Passeig de Gràcia 73-5, 08008. *934 67 47 81.* Hôtel moderniste dont le vestibule pentagonal pavé de marbre est éclairé par une verrière. Réserver à l'avance. www.condesdebarcelona.com	AE DC MC V	183	■	●	■

EIXAMPLE : *Ducs de Bergara.* **Plan** 5 A1. €€€€€
Carrer de Bergara 11, 08002. *933 01 51 51.* www.hoteles-catalonia.es
Hôtel de luxe proche de la plaça de la Catedral dans un ravissant bâtiment moderniste ayant gardé certains éléments d'origine. Grandes chambres bien meublées et salons modernes.

AE DC MC V · 150 · ● ■

EIXAMPLE : *Gran Hotel Calderón.* **Plan** 3 A5. €€€€€
Rambla de Catalunya 26, 08007. *933 01 00 00.* FAX *934 12 41 93.*
Hôtel moderne, près de la plaça de Catalunya, ayant de grandes chambres confortables, des piscines (intérieure et sur le toit) et une bonne table.

AE DC MC V · 253 · ■ ● ■

EIXAMPLE : *Majestic.* **Plan** 3 A4. www.hotelmajestic.es €€€€€
Passeig de Gràcia 70, 08008. *934 88 17 17.* FAX *934 88 18 80.*
Hôtel néo-classique dans une rue très chic (donnant dans la carrer de Valencia). Chambres bien équipées et insonorisées.

AE DC MC V · 303 · ■ ● ■

EIXAMPLE : *Regente.* **Plan** 3 A4. www.hccwap.com €€€€€
Rambla de Catalunya 76, 08008. *934 87 59 89.* FAX *934 87 32 27.*
Hôtel dans un bâtiment moderniste doté de beaux vitraux. Petite piscine sur le toit dominant Montjuïc.

AE DC MC V · 79 · ● ■

EIXAMPLE : *Ritz.* **Plan** 3 B5. www.ritzbcn.com €€€€€
Avda Gran Vía de les Corts Catalanes 668, 08010. *933 18 52 00.* FAX *933 18 01 48.*
Le plus élégant des grands hôtels de Barcelone, près de la plaça de Catalunya, propose de vastes et luxueuses chambres de style classique.

AE DC MC V · 122 · ■ ■

EN DEHORS DU CENTRE (NORD-OUEST) : *Gran Derby.* €€€€€
Loreto 28, 08029. *933 22 32 15.* FAX *934 19 68 20.* www.derbyhotels.es
Cet hôtel ne propose que de belles suites. Il ne dispose pas de restaurant, mais on peut dîner à l'hôtel Derby, de l'autre côté de la rue.

AE DC MC V · 40 · ■ ● ■

EN DEHORS DU CENTRE (OUEST) : *Princesa Sofía Intercontinental.* €€€€€
Plaça de Pius XII 4, 08028. *935 08 10 00.* FAX *935 08 10 01.*
Vaste hôtel de luxe, orné de marbre, de bois et de bronze. Il possède plusieurs restaurants dont un au 19e étage. barcelona@interconti.com

AE DC MC V · 500 · ■ ● ■

CATALOGNE

ALBONS : *Albons Hotel.* www.hotelalbons.com €€€€
Ctra Figueres–La Bisbal, 17136 (Girona). *972 78 85 00.* FAX *972 78 86 58.*
Hôtel ultramoderne et original au cœur de la région Empordà. Les salles de bains sont superbes et la table excellente. On peut pratiquer, entre autres, la plongée, le vol à voile et l'équitation. *16 déc.-17 fév.*

AE DC MC V · 32 · ■ ● ■

ANDORRA LA VELLA : *Andorra Park Hotel.* €€€€€
Les Canals 24 (Andorra). *00 - 37682 09 79*
Cet hôtel moderne, un des plus luxueux de la ville, est bâti à flanc de colline. Il offre une bibliothèque, une piscine taillée dans le roc, et est situé près d'un grand magasin. www.andorraparkhotel.com

AE DC MC V · 40 · ■ ● ■

ARTIES : *Parador Don Gaspar de Portolà.* €€€€
Ctra a Baqueira-Beret, 25599 (Lleida). *973 64 08 01.* FAX *973 64 10 01.*
Parador moderne, accueillant et confortable, près des stations de ski de la Vall d'Arán. Il est proche d'une chapelle médiévale.

AE DC MC V · 57 · ■ ● ■

AVINYONET DE PUIGVENTÓS : *Mas Pau.* www.maspau.com €€€
Ctra Figueres-Olot, 17742 (Girona). *972 54 61 54.* FAX *972 54 63 26.*
Bel hôtel, dans une maison du XVIIe siècle, au cœur d'un paysage boisé. Chambres et suites donnent sur un jardin.

AE DC MC V · 20 · ■ ● ■

BAQUEIRA-BERET : *Royal Tanau.* www.solmelia.com €€€€€
Carretera de Beret, 25598 (Lleida). *973 64 44 46.* FAX *973 64 43 44.*
Luxueux hôtel dans la zone skiable du Tanau avec un téléphérique menant aux pistes. Jacuzzi et cabines de bronzage. *avr.-juin., sept.-nov.*

AE DC MC V · 30 · ■ ● ■

BEGUR (BAGUR) : *Aigua Blava.* www.aiguablava.com €€€€€
Platja de Fornells, 17255 (Girona). *972 62 20 58.* FAX *972 62 21 12.*
Hôtel charmant sur une petite plage dans un bel endroit de la Costa Brava. Magnifique vue sur la mer. *nov.-mi-fév.*

AE MC V · 88 · ■ ● ■

BOLVIR DE CERDANYA : *Torre del Remei.* www.torredelremei.com €€€€€
Camí Reial, 17539 (Girona). *972 14 01 82.* FAX *972 14 04 49.*
Dans un grand jardin, demeure de style Art nouveau transformée en un hôtel raffiné. Nombreux équipements ajoutant au confort comme les magnétoscopes dans les chambres.

AE DC MC V · 11 · ■ ● ■

Les prix correspondent à une nuit en chambre double, service et petit déjeuner compris.

€ moins de 50 euros
€€ de 50 à 75 euros
€€€ de 75 à 100 euros
€€€€ de 100 à 125 euros
€€€€€ plus de 125 euros

CARTES BANCAIRES
Un symbole indique que les cartes American Express (AE), Diner's Club (DC), Master Card/Access (MC), Visa (V) sont acceptées.

PARCS DE STATIONNEMENT
Possibilité de garer son véhicule, soit au parking de l'établissement, soit dans un garage à proximité. Certains hôtels font payer l'utilisation de leur parking privé.

PISCINE
Piscine à ciel ouvert sauf indication contraire.

JARDIN
Hôtel disposant d'un jardin, d'une cour intérieure ou d'une terrasse, avec des tables permettant de prendre les repas à l'extérieur.

	Cartes bancaires	Nombre de chambres	Parc de stationnement	Piscine	Jardin ou terrasse
CADAQUÉS : *Misty.* €€ Carretera Nova Port, Lligat, 17488 (Girona) *972 25 89 62.* FAX *972 15 90 90* Trois bâtiments et une piscine entourés de jardin font de cet hôtel l'un des plus plaisants de la Costa Brava. *janv.* TV	DC MC V	11	■	●	■
CASTELLDEFELS : *Gran Hotel Rey Don Jaime.* €€€€€ Avenida del Hotel 22, 08860 (Barcelona). *93 665 13 00.* www.grup-sateras.com Cet hôtel, de style méditerranéen, avec des murs blanchis à la chaux et des voûtes, est perché sur une colline et offre une belle vue de la côte. TV	AE DC MC V	234	■	●	■
CASTELLÓ D'EMPÚRIES : *Allioli.* €€ Urbanització Castell Nou, 17486 (Girona). *972 25 03 20.* FAX *972 25 03 00.* Cette ferme de caractère du XVIIe siècle est situé tout près de la route principale entre Rosas et Figueres. Le dimanche, les gens de la région viennent déjeuner au restaurant. TV	AE DC MC V	42	■	●	■
L'ESPLUGA DE FRANCOLÍ : *Hostal del Senglar.* €€ Pl de Montserrat Canals 1, 43440 (Tarragona) *977 87 01 21.* FAX *977 87 01 27.* Hôtel de trois étages, blanchi à la chaux, avec jardin. Sa cuisine régionale traditionnelle est délicieuse. TV www.hostaldelsenglar.com	AE DC MC V	40	■	●	■
L'ESPLUGA DE FRANCOLÍ : *Masía del Cadet.* €€ Les Masies de Poblet, 43449 (Tarragona). *977 87 08 69.* FAX *977 87 08 69.* Hôtel bon marché près du monastère de Poblet. Les chambres de cette maison du XVe siècle, restaurée avec goût, sont austères et calmes. Cuisine catalane traditionnelle. *nov.-déb. déc.* TV masiadelcadet@yahoo.es	AE DC MC V	12	■		■
LA GARRIGA : *Blancafort.* www.balnearioblancafort.com €€€€ Carrer Banys 59, 08530 (Barcelona). *93 871 46 00.* FAX *93 871 57 50.* Hôtel du XIXe siècle dans une ville d'eau tranquille près de Barcelone. Ses chambres sont calmes. Jeux dans les salons. TV	MC V	56	■	●	■
LA GARRIGA : *La Garriga.* www.termes.com €€€€€ Carrer Banys 23, 08530 (Barcelona). *93 871 70 86.* FAX *93 871 78 87.* Depuis 1876, les riches Barcelonais fréquentent cette station thermale pour ses eaux. Les enfants ne sont pas admis dans cet hôtel. TV	AE MC V	22	■	●	■
GRANOLLERS : *Fonda Europa.* €€€ Carrer Anselm Clavé 1, 08400 (Barcelona). *93 870 03 12.* FAX *93 870 79 01.* Ce petit hôtel est une auberge pour voyageurs depuis 1714. Les chambres, situées au deuxième étage, sont de style Art déco. TV	AE DC MC V	7			
LLORET DE MAR : *Santa Marta.* www.hstamarta.com €€€€€ Platja Santa Cristina, 17310 (Girona). *972 36 49 04.* FAX *972 36 92 80.* Cet hôtel moderne, avec courts de tennis et autres installations sportives, se trouve dans une pinède qui s'étend jusqu'à une anse calme. *15 déc.-mi-fév.* TV	AE DC MC V	78	■	●	■
MONTSENY : *San Bernat.* www.husa.es €€€€ Finca El Cot, 08460 (Barcelona). *93 847 30 11.* FAX *93 847 32 20.* Imposante maison de campagne à la façade couverte de plantes, dans la sierra de Montseny. Beau domaine avec pelouses et étang. TV	AE V	20	■	●	■
PERAMOLA : *Can Boix.* hotel@canboix.com €€€€ Afueras, 25790 (Lleida). *973 47 02 66.* FAX *973 47 02 81.* Hôtel simple, de qualité, tenu par une famille d'excellents restaurateurs. Bien situé pour se promener au pied des Pyrénées. *mi-janv.-mi-fév., 1er nov.-mi-nov.* TV	AE DC MC V	41	■	●	■
S'AGARÓ : *Hostal de la Gavina.* www.lagavina.com €€€€€ Plaça de la Rosaleda, 17248 (Girona). *972 32 11 00.* FAX *972 32 15 73.* Belle maison de plage de style méditerranéen où règne une atmosphère unique. Son domaine comprend de beaux jardins. *mi-oct.-Pâques.* TV	AE DC MC V	74	■	●	■

SANTA CRISTINA D'ARO : *Mas Torrellas.* €€ Carretera Sta Christina-Platja d'Aro, 17246 (Girona). ☎ *972 83 75 26.* FAX *972 83 75 27.* Demeure campagnarde du XVIIIe siècle. La chambre la plus confortable est dans une tour jaune bâtie plus tard. ● *nov.-fév.* TV	AE DC MC V	17	■	●	■
SANT SADURNÍ DE NOVA : *Sol i Vi* W www.solivi.com €€ Ctra Sant Sadurni-Villafranca, 08739 (Barcelone). ☎ *938 99 32 04.* FAX *938 99 34 35.* Depuis trois générations, ce charmant hôtel, aux pieds des vignes, a fait sa réputation. Les chambres sont claires, aérées et rustiques. ● *2 sem. en janv.* TV	AE DC MC V	25	■	●	■
LA SEU D'URGELL : *El Castell.* W www.hotelcastell.com €€€€€ Carretera N260, 25700 (Lleida). ☎ *973 35 07 04.* FAX *973 35 15 74.* Hôtel somptueux dans un bâtiment bas, moderne, au pied du château médiéval de La Seu d'Urgell. Vue superbe sur les montagnes d'El Cadi ; les pistes de ski d'Andorre sont toutes proches. TV	AE DC MC V	38	■	●	■
LA SEU D'URGELL : *Parador de La Seu d'Urgell.* W www.parador.es €€€€ Carrer Sant Domenec 6, 25700 (Lleida). ☎ *973 35 20 00.* FAX *973 35 23 09.* Hôtel proche de la cathédrale de La Seu (XIIe siècle), dans un ancien couvent dont il ne reste que le cloître (l'actuel salon). Des verrières couvrent la salle à manger et la piscine intérieure. TV	AE DC MC V	80	■	●	
SITGES : *La Santa María.* €€ Passeig Ribera 52, 08870 (Barcelona). ☎ *938 94 09 99.* FAX *938 94 78 71.* Hôtel pimpant et moderne de cinq étages derrière une façade plus ancienne ornée de moulures en plâtre. Le restaurant donne sur la mer. ● *déc.-fév.* TV	AE DC MC V	53	■		■
SITGES : *Capri Veracruz.* €€€ Avinguda de Sofía 13–15, 08870 (Barcelona). ☎ *938 11 02 67.* FAX *938 94 51 88.* Hôtel des années 1950 près de la plage, dans un des endroits les plus calmes de Sitges. Chambres simples. Atmosphère familiale. TV	AE DC MC V	69		●	■
SITGES : *San Sebastián Playa.* W www.solmelia.com €€€€€ Carrer Port Alegre 53, 08870 (Barcelona). ☎ *938 94 86 76.* FAX *938 94 04 30.* Nouvel hôtel, sur la plage, près du vieux quartier de la ville. Personnel très attentionné. Chambres confortables. TV	AE DC MC V	51	■	●	■
TAVÉRNOLES : *El Banús.* W www.elbanus.com €€€€€ El Banús, 08519 (Barcelona). ☎ *938 12 26 91.* FAX *938 88 70 12.* Ferme, en partie du XVe siècle, meublée avec les antiquités de la famille Banús. Chambres simples avec salles de bains communes. Petit déjeuner. ● *nov.-mars.*	AE MC V	13	■	●	■
TARRAGONE : *Lauria.* W www.hlauria.es €€ Rambla Nova 20, 43004. ☎ *977 23 67 12.* FAX *977 23 67 00.* Hôtel moderne et fonctionnel, au centre-ville et près de la mer. TV	AE DC MC V	72	■	●	■
TORRENT : *Mas de Torrent.* €€€€€ Afueras, 17123 (Girona). ☎ *972 30 32 92.* FAX *972 30 32 93.* Maison rustique du XVIIIe siècle, superbement transformée. Grands jardins en terrasses. Vue magnifique. TV	AE DC MC V	39	■	●	■
TORTOSA : *Parador Castillo de La Zuda.* W www.parador.es €€€€ Castillo de la Zuda, 43500 (Tarragona). ☎ *977 44 44 50.* FAX *977 44 44 58.* Parador dans un château médiéval bâti par les Maures en haut d'une colline. Vue sur la ville et la vallée de l'Èbre. TV	AE DC MC V	72	■	●	■
TREDÒS : *Hotel de Tredòs.* W www.hoteltredos.com €€€ Carretera a Baqueira-Beret, 25598 (Lleida). ☎ *973 64 40 14.* FAX *973 64 43 00.* Skieurs et randonneurs apprécient cet hôtel de la Vall d'Arán, bâti dans le style local en pierre et en ardoises. ● *oct., nov., mai, juin.* TV	MC V	43	■		
VIELHA (VIELLA) : *Parador Valle de Arán.* W www.parador.es €€€ Carretera del Túnel, 25530 (Lleida). ☎ *973 64 01 00.* FAX *973 64 11 00.* Ce parador moderne a un salon semi-circulaire d'où l'on peut apprécier les majestueuses montagnes. TV	AE DC MC V	118	■	●	■
VILADRAU : *Hostal de la Glòria.* @ hostalgloria@infomail.lacaixa.es €€ Carrer Torreventosa 12, 17406 (Girona). ☎ *93 884 90 34.* FAX *93 884 94 65.* Au-dessus de la sierra de Montseny, maison catalane traditionnelle, ornée de pots et de lampes en cuivre. Ambiance familiale. ● *fêtes de Noël.* TV	MC V	23	■	●	■
VILANOVA I LA GELTRÚ : *César.* @ hotelcesar@terra.es €€ Carrer Isaac Peral 4-8, 08800 (Barcelona). ☎ *93 815 11 25.* FAX *93 815 67 19.* Cet hôtel, près de la plage Ribes Roges, appartient à deux sœurs qui veillent au moindre détail dans les chambres comme dans leur restaurant. TV	AE DC MC V	36		●	■

Les prix correspondent à une nuit en chambre double, service et petit déjeuner compris.

- € moins de 50 euros
- €€ de 50 à 75 euros
- €€€ de 75 à 100 euros
- €€€€ de 100 à 125 euros
- €€€€€ plus de 125 euros

Cartes bancaires
Un symbole indique que les cartes American Express (AE), Diner's Club (DC), Master Card/Access (MC), Visa (V) sont acceptées.

Parcs de stationnement
Possibilité de garer son véhicule, soit au parking de l'établissement, soit dans un garage à proximité. Certains hôtels font payer l'utilisation de leur parking privé.

Piscine
Piscine à ciel ouvert sauf indication contraire.

Jardin
Hôtel disposant d'un jardin, d'une cour intérieure ou d'une terrasse, avec des tables permettant de prendre les repas à l'extérieur.

Aragon

Hôtel	Cartes bancaires	Nombre de chambres	Parc de stationnement	Piscine	Jardin ou terrasse
Ainsa : *Casa Cambra.* W www.morillodetou.com € Morillo de Tou, Ctra Barbastro–Ainsa, 22395 (Huesca). ☎ (& FAX) 974 50 07 93. Cet hôtel est un des trois de ce village pyrénéen jadis abandonné puis transformé en complexe de vacances avec camping, restaurants et bars. On peut y pratiquer presque tous les sports de montagne.	MC V	17	■	●	■
Albarracín : *Arabia.* W www.montesuniversales.com €€ Calle Bernardo Zapater 2, 44100 (Teruel). ☎ 978 71 02 12. FAX 978 71 02 37. Hôtel dans un couvent restauré du XVIIe siècle. Certaines chambres donnent sur les toits d'Albarracín et les collines alentour. TV	MC V	21	■		■
Albarracín : *Casa de Santiago.* €€ Calle Subida a las Torres 11, 44100 (Teruel). ☎ 978 70 03 16. Cet hôtel, le plus beau de la ville, se trouve dans une demeure restaurée près de la Plaza Mayor. De belles étoffes et des meubles en fer et en bois fabriqués par des artisans locaux décorent l'intérieur. ● mi-fév-mars.	MC V	9			
Albarracín : *Albarracín.* W www.gargallohoteles.com €€€ Calle Azagra, 44100 (Teruel). ☎ 978 71 00 11. FAX 978 71 00 36. Cette demeure gothique du XVIe siècle, située dans une rue pentue bordée de maisons médiévales, offre une vue superbe. TV	AE DC MC V	43			■
Alcañiz : *Parador de Alcañiz.* @ alcañiz@parador.es €€€€€ Castillo de Calatravos, 44600 (Teruel). ☎ 978 83 04 00. FAX 978 83 03 66. Sur une colline, ce château-couvent du XIIe siècle, ayant appartenu aux chevaliers de Calatrava, domine la ville. Sa décoration illustre une interprétation moderne du style des châteaux médiévaux. TV	AE DC MC V	37			■
Alquézar : *Villa de Alquézar.* € Pedro Arnal Cavero 12, 22145 (Huesca). ☎ 974 31 84 16. FAX 974 31 84 16. Vieille maison dans un village médiéval au bord du río Vero, près de la réserve de la sierra de Guara. Certaines chambres donnent sur les montagnes. ● 15 jours en fév. TV	MC V	31	■		■
Benasque : *Ciria.* W www.hotelciria.com €€€ Avenida de los Tilos, 22440 (Huesca). ☎ 974 55 16 12. FAX 974 55 16 86. Hôtel tenu par une famille efficace et amicale. Bon rapport qualité-prix. Chambres confortables sous les combles. Vélos à louer. TV	MC V	44	■		■
Bielsa : *Parador de Bielsa.* W www.parador.es €€€€ Valle de Pineta de Bielsa, 22350 (Huesca). ☎ 974 50 10 11. FAX 974 50 11 88. Parador bien situé dans la région boisée qui borde le parc national d'Ordesa, en face du monte Perdido. L'intérieur est chaleureux ; le salon est doté de boiseries et de canapés en cuir. ● 6 janv.-15 fév. TV	AE DC MC V	39			■
Canfranc-Estación : *Santa Cristina de Somport.* €€ Ctra de Francia N330, 22880 (Huesca). ☎ 974 37 33 00. FAX 974 37 33 10. Hôtel proche du col du Somport que les pèlerins venant de France franchissent pour se rendre à Compostelle. L'été, l'hôtel organise des promenades guidées en montagne. ● mi-oct.-déc. TV W www.santacristina.com	AE DC MC V	58	■		■
Fuentespalda : *Torre del Visco.* @ torredelvisco@mixmail.com €€€€€ Apto de Valderrobres, 44587 (Teruel). ☎ 978 76 90 15. FAX 978 76 90 16. Ferme du XVe siècle semi-fortifiée dans une vallée isolée où coule une rivière, à la frontière entre les provinces de Teruel et de Tarragone. Les prix comprennent le petit déjeuner et le dîner à base de produits de la ferme. ● 8-18 janv.	V MC	14	■		■
Huesca : *Pedro I de Aragón.* €€€€€ Calle del Parque 34, 22003. ☎ 974 22 03 00. FAX 974 22 00 94. Ce bel hôtel moderne du centre-ville est très bien équipé. Les chambres, dont dix avec terrasse privée, sont insonorisées. TV	AE DC MC V	130	■	●	■

JACA : *Conde Aznar.* www.jaca.com €€
Paseo de la Constitución 3, 22700 (Huesca). *974 36 10 50.* FAX *974 36 07 97.*
Hôtel simple et accueillant, dans une vieille demeure sur une belle avenue. Bon rapport qualité-prix. Bon restaurant de spécialités locales. TV
AE MC V — 24

JACA : *Gran Hotel.* gh@inturmark.es €€€
Paseo de la Constitución 1, 22700 (Huesca). *974 36 09 00.* FAX *974 36 40 61.*
Hôtel moderne, au centre, près d'un parc, avec accès aux pistes de ski autour du col du Somport. Parking payant. *avr., mai et nov.* TV
AE DC MC V — 165

MORA DE RUBIELOS : *Jaime I.* €€
Plaza de la Villa, 44400 (Teruel). et FAX *978 80 00 67*
Beau bâtiment de pierre avec des balcons en bois et des chambres simples dans cette ville à la limite de la région du Maestrazgo aux nombreuses belles demeures. TV
AE DC MC V — 35

NUÉVALOS : *Monasterio de Piedra.* www.monasteriopiedra.com €€€
Monasterio de Piedra, 50210 (Zaragoza). *976 84 90 11.* FAX *976 84 90 54.*
Ancien monastère cistercien transformé en hôtel, non loin d'une réserve naturelle. Parmi les éléments d'origine, des fenêtres aux carreaux d'albâtre. TV
AE DC MC V — 61

SALLENT DE GÁLLEGO : *Almud.* www.hotelalmud.com €€€
Espadilla 3, 22640 (Huesca). *(& FAX) 974 48 85 40.*
Hôtel des Pyrénées simple et charmant. Toutes ses chambres sont ornées d'antiquités. Le bar est dans les anciennes écuries, dans la cave. TV
AE DC MC V — 10

SALLENT DE GÁLLEGO : *Villa de Sallent.* www.valledepena.com €€€
Urbanización El Formigal, 22640 (Huesca). *974 49 02 23.* FAX *974 49 01 50.*
Au pied des pistes de la station de Formigal, cet hôtel agréable est tenu par une famille. Il propose des cheminées et des chambres accueillantes. TV
AE DC MC V — 81

SARAGOSSE : *Hesperia Zaragoza.* www.hoteles-hesperia.es €€€
Conde de Aranda 48, 50003. *976 28 45 00.* FAX *976 28 27 17.*
Cet hôtel confortable, proche du centre-ville, est apprécié des hommes d'affaires. TV
AE DC MC V — 86

SARAGOSSE : *Gran Hotel.* nhgranhotel@nh-hoteles.es €€€€
Calle Joaquín Costa 5, 50001. *976 22 19 01.* FAX *976 23 67 13.*
Cet hôtel du centre-ville fut inauguré en 1929 par Alphonse XIII. Ses colonnades et son salon à coupole sont superbes. TV
AE DC MC V — 134

SARAGOSSE : *Tibur.* €€€
Plaza de la Seo 2 & 3, 50001. *976 20 20 00.* FAX *976 20 20 02.*
Cet hôtel bien situé, dans le centre historique, donne sur la Basílica del Pilar. Ses chambres sont bien équipées. TV
AE DC MC V — 50

SOS DEL REY CATÓLICO : *Parador de Sos del Rey Católico.* €€€€
Arquitecto Sainz de Vicuna 1, 50680 (Zaragoza). *948 88 80 11.* FAX *948 88 81 00.*
Ce parador, à une extrémité du rempart médiéval, est en harmonie avec l'architecture historique de la ville. Le parador ménage une jolie vue sur la campagne aux environs. *7 janv.-21 fév.* TV
AE DC MC V — 65

TERUEL : *Parador de Teruel.* www.parador.es €€€
Ctra a Zaragoza, 44080. *978 60 18 00.* FAX *978 60 86 12.*
Parador entouré de verdure un peu en dehors de la ville, en retrait d'une grande route. Bar plaisant sur la terrasse couverte. TV
AE DC MC V — 60

TERUEL : *Reina Cristina.* €€€€
Paseo del Ovalo 1, 44001. *978 60 68 60.* FAX *978 60 53 63.*
Hôtel moderne du centre-ville. Accès facile aux principaux monuments. Certaines chambres possèdent une terrasse. TV
AE DC MC V — 81

VILLANÚA : *Faus Hütte.* €€
Ctra de Francia, 22870 (Huesca). *974 37 81 36.* FAX *974 37 81 98.*
Cet hôtel au cœur des Pyrénées, sur la route de Saint-Jacques-de-Compostelle, appartient à un guide de montagne. Idéal pour le ski, les randonnées et autres activités de montagne. TV
AE DC MC V — 12

COMMUNAUTÉ VALENCIENNE ET MURCIE

ÀGUILAS : *Carlos III.* www.hotelcarlosiii.com €€€
Calle Rey Carlos III 22, 30880 (Murcia). *968 41 16 50.* FAX *968 41 16 58.*
Hôtel moderne du centre-ville, près de la plage de cette petite station balnéaire. Produits de la mer et spécialités locales dans son restaurant. TV
AE DC MC V — 32

Légende des symboles, voir rabat de couverture

Les prix correspondent à une nuit en chambre double, service et petit déjeuner compris.

€ moins de 50 euros
€€ de 50 à 75 euros
€€€ de 75 à 100 euros
€€€€ de 100 à 125 euros
€€€€€ plus de 125 euros

Cartes bancaires
Un symbole indique que les cartes American Express (AE), Diner's Club (DC), Master Card/Access (MC), Visa (V) sont acceptées.

Parcs de stationnement
Possibilité de garer son véhicule, soit au parking de l'établissement, soit dans un garage à proximité. Certains hôtels font payer l'utilisation de leur parking privé.

Piscine
Piscine à ciel ouvert sauf indication contraire.

Jardin
Hôtel disposant d'un jardin, d'une cour intérieure ou d'une terrasse, avec des tables permettant de prendre les repas à l'extérieur.

	Prix	Cartes bancaires	Nombre de chambres	Parc de stationnement	Piscine	Jardin ou terrasse
Alicante (Alacant) : *Les Moges Palace* San Augusin 4, 03002. *965 21 50 46.* FAX *965 14 71 89.* Dominant la ville baroque d'Alicante, cette pension de famille offre un bon rapport qualité-prix avec des chambres individuelles décorées de meubles d'époque.	€	DC MC V	18	■		
Alicante (Alacant) : *Sidi San Juan.* www.hotelsidi.com La Doblada, Cabo las Huertas, 03540. *965 16 13 00.* FAX *965 16 33 46.* Hôtel de luxe en dehors d'Alicante, avec chambres sur la mer et accès à la plage par les jardins. Centre d'amaigrissement.	€€€€€	AE DC MC V	176	■	●	■
Archena : *Termas.* reservas@balneario-archena-sa.es Ctra Balneario, 30600 (Murcia). *968 67 01 00.* FAX *968 68 80 11.* Cet hôtel, dans une station thermale, possède un intérieur de style mudéjar avec ornements en plâtre, coupoles et voûtes maures. Les galeries au sous-sol sont chauffées par l'eau des thermes.	€€€	AE MC V	71	■	●	■
Bocairent : *L'Estació de Bocairent.* Parque de la Estación, 46880 (Valencia). *962 90 52 11.* FAX *962 90 54 23.* Petit hôtel confortable installé par l'office du tourisme régional dans une ancienne gare en bordure d'une jolie ville médiévale.	€€	DC MC V	14	■		■
Calp : *Venta la Chata.* Carretera de Valencia, 03710 (Alicante). *(& FAX) 965 83 03 08.* Ancien relais de poste sur la route principale entre Alicante et Valence. Mélange de meubles anciens et récents dans les chambres. Certaines possèdent une terrasse sur le jardin.	€	DC MC V	17	■		■
Carthagène : *Los Habaneros.* www.hotelhabaneros.com Calle San Diego 60, 30202 (Murcia). *968 50 52 50.* FAX *968 50 91 04.* À la limite du quartier historique, cet hôtel confortable reste abordable. Son restaurant connaît un grand succès.	€	AE DC MC V	63	■		■
Castell de Castells : *Pensión Castells.* castells@darburn.com Calle San Vicente 18, 03793 (Alicante). *et* FAX *965 51 82 54.* Cette vieille maison, dans un village de l'intérieur, proche de la Costa Blanca, possède des chambres ravissantes, notamment pour les randonneurs qui visitent les collines alentour. Petit déjeuner uniquement. ● *juil.-août*	€€	MC V	4			■
Chulilla : *Balneario de Chulilla.* Afueras, 46167 (Valencia). *961 65 70 13.* FAX *961 65 70 31.* Hôtel thermal au bord d'un cours d'eau. Bon marché, il est idéal pour qui veut explorer les bois et les collines de la région. Il a tout pour une cure de repos : sauna, salle de sport, courts de tennis et jacuzzi. ● *fin déc.-fév.*	€€€	V	85		●	■
Denia : *Rosa.* Las Marinas, 03700 (Alicante). *965 78 15 73.* FAX *966 42 47 74.* Villa blanche, moderne, proche de la plage. Elle a été bâtie et est dirigée par un Parisien qui se dépense sans compter pour satisfaire ses clients. Chambres confortables et ensoleillées. Balcons de style florentin.	€€€	MC V	35	■	●	■
Elche : *Huerto del Cura.* www.huertodelcura.com Porta de la Morera 14, 03203 (Alicante). *966 61 00 11* FAX *96 542 19 10.* Cet hôtel isolé est situé dans la plus grande palmeraie d'Europe qu'entoure un domaine joliment aménagé. Ses chambres sont dans des bungalows de style méditerranéen. Le restaurant a une excellente réputation.	€€€€	AE DC	86	■	●	■
Forcall : *Palau dels Ossets.* Plaza Mayor 16, 12310 (Castellón). *964 17 75 24.* FAX *964 17 75 56.* Demeure du XVIe siècle sur la place principale d'un village calme au cœur d'El Maestrat. Rénovée avec goût, elle possède des poutres apparentes et de beaux sols carrelés. Chambres bien équipées.	€€€	MC V	20			

FORTUNA : *Balneario.* www.leana.es €€
Calle Balneario, 30630 (Murcia). *968 68 50 11.* FAX *968 68 50 87.*
Avec ses portes de style Art nouveau et son bel escalier, le Balneario rappelle les grands hôtels de jadis. Apprécié des curistes, il offre une piscine chauffée naturellement. TV
AE MC V — 164

LA MANGA DEL MAR MENOR : *Regency Hyatt.* €€€€€
La Manga Club Resort, 30385 (Murcia). *968 33 12 34.* www.lamanga.hyatt.com
Luxueux hôtel faisant partie d'un complexe réservé à une clientèle fortunée. Bâti dans le style d'un village espagnol, il est entouré de palmiers et d'oliviers. 3 parcours de golf, 18 courts de tennis et 4 piscines. TV
AE DC MC V — 192

MORAIRA : *Swiss Hotel Moraira.* €€€€€
Calle Haya, 03724 (Alicante). *96 574 71 04.* FAX *96 574 70 74.*
Hôtel réservé à la clientèle fortunée parmi les villas de vacances d'un domaine proche de la côte. Chambres spacieuses avec terrasses ensoleillées. *janv.-mi-fév.* TV
AE DC MC V — 25

MORATALLA : *Cenajo.* www.barcelo.com €€
Embalse del Cenajo, 30440 (Murcia). *968 72 10 11.* FAX *968 72 06 45.*
Hôtel calme, proche du bassin du Cenajo, dans un coin de la campagne murcienne. Nombreuses activités possibles dont l'équitation. TV
AE DC MC V — 70

MORELLA : *Cardenal Ram.* hotelcardenalram@ctv.es €€
Cuesta Suñer 1, 12300 (Castellón). *964 17 30 85.* FAX *964 17 32 18.*
Cette demeure rénovée du XVIe siècle, aux voûtes de pierre et aux poutres apparentes, donne sur la rue principale avec ses portiques. TV
MC V — 19

MURCIE : *Conde de Floridablanca.* www.hoteles-catalonia.es €€€€
Princesa 18, 30002. *968 21 46 26.* FAX *968 21 32 15.*
Bon rapport qualité-prix pour cet hôtel confortable qu'une rivière sépare du centre-ville. Meublé d'antiquités, il est orné de vitraux. TV
AE DC MC V — 82

MURCIE : *Arco de San Juan.* www.arcosanjuan.com €€€€€
Plaza de Ceballos 10, 30003. *968 21 04 55.* FAX *968 22 08 09.*
La restauration de cet hôtel proche de la cathédrale a été primée plusieurs fois. La décoration allie matériaux contemporains et antiquités. TV
AE DC MC V — 96

PENÁGUILA : *Mas de Pau.* €€
Ctra Alcoi–Penáguila km 9, 03815 (Alicante). *96 551 31 11.* FAX *96 551 31 09.*
Maison du XIXe siècle, entourée d'amandiers et d'oliviers, près d'Alcoy. Petites chambres, dont certaines donnent sur la sierra Aitana. TV
AE DC MC V — 18

PEÑISCOLA : *Benedicto XIII.* benexiii@arrabis.es €€€
Urbanización Las Atalayas, 12598 (Castellón). *964 48 08 01.* FAX *964 48 95 23.*
Villa blanche dans un domaine calme sur une colline dominant Peñiscola. Ses terrasses et ses fenêtres voûtées donnent sur la ville. *oct.-mars.* TV
AE DC MC V — 30

PEÑISCOLA : *Hostería del Mar.* www.hosteriadelmar.net €€€€€
Avenida Papa Luna 18, 12598 (Castellón). *964 48 06 00.* FAX *964 48 13 63.*
Hôtel moderne en bord de plage avec nombre de chambres sur la mer. Les banquets médiévaux animés sont la spécialité de la maison. TV
AE DC MC V — 86

PUZOL : *Monte Picayo.* www.hrsl.com €€€€€
Autopista A7, sortie 7, 46530 (Valencia). *96 142 01 00.* FAX *96 142 21 68.*
Cet hôtel est près de l'autoroute qui évite la traversée de Valence, mais quel luxe ! Entouré de jardins, il a son propre casino et son arène. Certaines chambres ont un jardin privé et une piscine. TV
AE DC MC V — 83

EL SALER : *Parador de El Saler.* www.parador.es €€€€€
Avda de los Pinares 151, 46012 (Valencia). *96 161 11 86.* FAX *96 162 70 16.*
Parador moderne, calme, proche de la mer près de L'Albufera et entouré d'un terrain de golf réputé. TV
AE DC MC V — 58

VALENCE : *Ad Hoc.* adhoc@nexo.net €€€€
Calle Boix 4, 46003. *96 391 91 40.* FAX *96 391 36 67.*
Hôtel chic dans un édifice du XIXe siècle rénové et insonorisé dans le quartier historique de la ville, près des jardins du río Turia. TV
AE DC MC V — 28

VALENCE : *Inglés.* www.solmelia.es €€€€
Calle Marqués de Dos Aguas 6, 46002. *96 351 64 26.* FAX *96 394 02 51.*
Hôtel du centre-ville dans l'ancien palais des ducs de Cardona, près du musée national de la céramique. Toutes les chambres sont sur rue.
TV
AE DC MC V — 63

Légende des symboles, voir rabat de couverture

Les prix correspondent à une nuit en chambre double, service et petit déjeuner compris.

- € moins de 50 euros
- €€ de 50 à 75 euros
- €€€ de 75 à 100 euros
- €€€€ de 100 à 125 euros
- €€€€€ plus de 125 euros

CARTES BANCAIRES
Un symbole indique que les cartes American Express (AE), Diner's Club (DC), Master Card/Access (MC), Visa (V) sont acceptées.

PARCS DE STATIONNEMENT
Possibilité de garer son véhicule, soit au parking de l'établissement, soit dans un garage à proximité. Certains hôtels font payer l'utilisation de leur parking privé.

PISCINE
Piscine à ciel ouvert sauf indication contraire.

JARDIN
Hôtel disposant d'un jardin, d'une cour intérieure ou d'une terrasse, avec des tables permettant de prendre les repas à l'extérieur.

Hôtel	Cartes bancaires	Nombre de chambres	Parc de stationnement	Piscine	Jardin ou terrasse
VALENCE : *Reina Victoria.* www.husa.es €€€€€ Calle Barcas 4, 46002. *96 352 04 87.* FAX *96 352 27 21.* Dans le centre-ville, près de la plaza del Ayuntamiento, ce bel hôtel de la fin du XIXe siècle possède des chambres modernes.	AE DC MC V	97			
LA VILA JOIOSA (VILLAJOYOSA) : *El Montiboli.* www.servigroup.es €€€€€ Partida El Montiboli, 03570 (Alicante). *96 589 02 50.* FAX *96 589 38 57.* Hôtel en dehors de la ville, sur une falaise basse, au-dessus d'une plage isolée. Les chambres sont toutes différentes et chacune propose une terrasse sur la mer.	AE DC MC V	58	■	●	■
XÀBIA (JÁVEA) : *Solymar* €€€ Montañar 1, Avda del Mediterráneo 83, 03730 (Alicante). *96 646 19 19.* FAX *96 646 19 07.* Ce petit hôtel est situé entre le bourg de Jávea et la plage d'Arenal. Ses chambres sont simples mais tout à fait agréables dont certaines ont un balcon donnant sur la mer.	AE DC MC V	38	■		■
XÀBIA (JÁVEA) : *Parador de Jávea.* www.paradores.es €€€€ Avenida Mediterráneo 7, 03730 (Alicante). *96 579 02 00.* FAX *96 579 03 08.* Ce parador se trouve sur la plage Arenales. La terrasse de la salle à manger donne sur de splendides jardins. Les chambres ont un balcon sur la mer. Installations pour sports aquatiques à proximité.	AE DC MC V	70	■	●	■

MADRID

Hôtel	Cartes bancaires	Nombre de chambres	Parc de stationnement	Piscine	Jardin ou terrasse
LE VIEUX MADRID : *Hostal Buenos Aires.* **Plan 1 D1.** €€ Gran Vía 61, 28013. *91 542 01 02.* FAX *91 542 28 69.* Hôtel simple et bon marché, bien situé dans la très animée Gran Via. Salles communes joliment décorées. Chaque chambre a un balcon.	DC MC V	25			
LE VIEUX MADRID : *Inglés.* **Plan 5 A1.** €€€€ Calle de Echegaray 8, 28014. *91 429 65 51.* FAX *91 420 24 23.* Bon rapport qualité-prix pour cet hôtel tenu par une famille. Les chambres sur rue sont ensoleillées, celles à l'arrière sont plus calmes.	AE DC MC V	58	■		
LE VIEUX MADRID : *Arosa.* **Plan 2 F2.** www.bestwestern.com €€€€€ Calle de la Salud 21, 28013. *91 532 16 00.* FAX *91 531 31 27.* Hôtel central, proche de la Gran Vía et de la Puerta del Sol, apprécié des étrangers et des hommes d'affaires séjournant à Madrid. Les chambres confortables sont toutes bien insonorisées.	AE DC MC V	134	■		
LE VIEUX MADRID : *Carlos V.* **Plan 2 E3.** www.hotelcarlosv.com €€€€€ Calle Maestro Vitoria 5, 28013. *91 531 41 00.* FAX *91 531 37 61.* Cet hôtel central, dans une rue piétonne, près de la Puerta del Sol, est tenu par une famille. Il propose des chambres communicantes, familiales, avec un balcon ou avec une terrasse.	AE DC MC V	67			
LE VIEUX MADRID : *Gaudí.* **Plan 2 E2.** www.hoteles-catalonia.es €€€€€ Gran Via 9, 28013. *915 31 22 22.* FAX *915 31 54 69.* Hôtel central avec des éléments de décor à la Gaudí dans les chambres. Les suites du dernier étage sont particulièrement agréables, avec jacuzzis et vue magnifique.	AE DC MC V	185		●	
LE VIEUX MADRID : *Tryp Gran Vía.* **Plan 2 F2.** www.solmelia.com €€€€€ Gran Vía 25, 28013. *91 522 11 21.* FAX *91 521 24 24.* Hôtel faisant partie d'une chaîne dans une des rues les plus animées. Certains meubles sont de style années 1960 et 1970.	AE DC MC V	174			
LE VIEUX MADRID : *Tryp Rex.* **Plan 2 E2.** www.solmelia.com €€€€€ Gran Vía 43, 28013. *91 547 48 00.* FAX *91 547 12 38.* Cet hôtel appartenant à une chaîne dans un bâtiment ancien, entre la plaza del Callao et la plaza de España, est proche d'un grand parking public. Vastes salons, chambres bien équipées avec leur propre coffre-fort.	AE DC MC V	144			

LE MADRID DES BOURBONS : *Mora.* **Plan 5 C2.** €€ Paseo del Prado 32, 28014. *91 420 15 69.* FAX *91 420 05 64.* Hôtel des années 1930 avec une belle entrée, des chambres et des installations fonctionnelles, bien que bon marché. Central, il est près du Jardín Botánico et du Prado. TV	AE DC MC V	61			
LE MADRID DES BOURBONS : *Santander.* **Plan 5 A1.** €€ Calle de Echegaray 1, 28014. *91 429 46 44.* FAX *91 369 10 78.* Ce petit et amical hôtel de famille propose des chambres simples et confortables aux nombreux voyageurs qu'il reçoit depuis 1920. TV	MC V	35			
LE MADRID DES BOURBONS : *Palace.* **Plan 5 B1.** €€€€€ Plaza de las Cortes 7, 28014. *91 360 80 00.* W www.luxurycollection.com Cet hôtel Belle Époque est doté d'une coupole de verre et d'une colonnade. Des hommes d'État y résidèrent, ainsi que l'espionne Mata Hari. Ses chambres sont élégantes, le personnel aimable et efficace. TV	AE DC MC V	465	■		
LE MADRID DES BOURBONS : *Ritz.* **Plan 5 C1.** W www.ritz.es €€€€€ Plaza de la Lealtad 5, 28014. *91 521 28 57.* FAX *91 532 87 76.* Inauguré en 1910, cet hôtel, alors fréquenté par l'aristocratie, reste un des plus beaux d'Espagne *(p. 274).* Il possède un hall circulaire décoré et une terrasse agrémentée de plantes. Thés musicaux et « brunches ». TV	AE DC MC V	158	■		■
LE MADRID DES BOURBONS : *Suecia.* **Plan 3 B5.** €€€€€ Calle del Marqués de Casa Riera 4, 28014. *91 531 69 00.* W www.hotelsuecia.com Situé au centre, près de la Puerta del Sol, le Suecia offre au 7e étage une petite terrasse où l'on peut se relaxer et bronzer. TV	AE DC MC V	128	■		■
LE MADRID DES BOURBONS : *Suite Prado.* **Plan 5 A1.** €€€€€ Manuel Fernández y González 10, 28014. *91 420 23 18.* W www.suiteprado.com Hôtel chic ne comportant que des suites luxueuses, proche du Prado et du Museo Thyssen-Bornemisza. TV	AE DC MC V	18			
LE MADRID DES BOURBONS : *Tryp Reina Victoria.* **Plan 5 A1.** €€€€€ Plaza Santa Ana 14, 28012. *91 531 45 00.* FAX *91 522 03 07.* Hemingway logea dans ce bel hôtel historique, rendez-vous traditionnel des aficionados de corrida. TV	AE DC MC V	201	■		
LE MADRID DES BOURBONS : *Villa Real.* **Plan 5 B1.** €€€€€ Plaza de las Cortes 10, 28014. *91 420 37 67.* FAX *91 420 25 47.* W www.derbyhotels.es Proche du Prado, cet hôtel chic occupe un édifice du début du XIXe siècle. Copies de meubles anciens en acajou et broderies représentant des scènes pastorales décorent les pièces communes. TV	AE DC MC V	115	■		
LE MADRID DES BOURBONS : *Wellington.* **Plan 4 F4.** €€€€€ Calle de Velázquez 8, 28001. *91 575 44 00.* W www.hotel-wellington.com Les passionnés de corrida se retrouvent dans cet élégant hôtel du début des années 1950, proche du Parque del Retiro. TV	AE DC MC V	288	■	●	■
EN DEHORS DU CENTRE (EST) : *Colón.* W www.fiesta-hotels.com €€€€€ Calle Doctor Esquerdo 119, 28007. *91 573 59 00.* FAX *91 573 08 09.* Hôtel confortable dans une tour entre le Parque del Retiro et le Parque de Roma. Salle de sport et équipements pour hommes d'affaires. TV	AE DC MC V	389	■		■
EN DEHORS DU CENTRE (EST) : *NH Alcalá.* W www.nh-hoteles.com €€€€€ Calle de Alcalá 66, 28009. *91 435 10 60.* FAX *91 435 11 05.* Hôtel sympathique, en face du Parque del Retiro. Les chambres à l'arrière donnent sur un joli jardin. TV	AE DC MC V	146	■		
EN DEHORS DU CENTRE (NORD) : *Hostal Sil.* **Plan 3 A4.** €€ Calle Fuencarral 95, 28004. *91 448 89 72.* FAX *91 447 48 29.* Dans un joli quartier, hôtel confortable et bien situé avec des chambres et des salles de bains au mobilier de qualité et pourtant bon marché. TV	MC V	20			
EN DEHORS DU CENTRE (NORD) : *Mónaco.* **Plan 3 B4.** €€€ Calle Barbieri 5, 28004. *91 522 46 30.* FAX *91 521 16 01.* La décoration de cet hôtel, jadis la plus célèbre maison close de Madrid, est kitsch à souhait. Les chambres ont gardé certaines de leurs caractéristiques d'autrefois. TV	AE DC MC V	34			
EN DEHORS DU CENTRE (NORD) : *Castellana Intercontinental.* €€€€€ Paseo de la Castellana 49, 28046. *91 310 02 00.* W www.interconti.com Cet hôtel, dans le centre commercial de Madrid, est un des préférés des hommes d'affaires. Les clients ont le choix entre deux restaurants. TV	AE DC MC V	313	■		■

Les prix correspondent à une nuit en chambre double, service et petit déjeuner compris.

€ moins de 50 euros
€€ de 50 à 75 euros
€€€ de 75 à 100 euros
€€€€ de 100 à 125 euros
€€€€€ plus de 125 euros

Cartes bancaires
Un symbole indique que les cartes American Express (AE), Diner's Club (DC), Master Card/Access (MC), Visa (V) sont acceptées.

Parcs de stationnement
Possibilité de garer son véhicule, soit au parking de l'établissement, soit dans un garage à proximité. Certains hôtels font payer l'utilisation de leur parking privé.

Piscine
Piscine à ciel ouvert sauf indication contraire.

Jardin
Hôtel disposant d'un jardin, d'une cour intérieure ou d'une terrasse, avec des tables permettant de prendre les repas à l'extérieur.

	Cartes bancaires	Nombre de chambres	Parc de stationnement	Piscine	Jardin ou terrasse
En dehors du centre (nord) : *Miguel Ángel.* €€€€€ Calle Miguel Ángel 31, 28010. *91 442 81 99.* www.occidental-hoteles.com Près du paseo de la Castellana, cet hôtel allie le confort moderne au style classique. Un de ses deux restaurants organise des dîners dansants jusqu'à 3 heures du matin.	AE DC MC V	271	■	●	■
En dehors du centre (nord) : *Santo Mauro.* €€€€€ Calle Zurbano 36, 28010. *91 319 69 00.* FAX *91 308 54 77.* Ce palais bâti en 1894 dans l'une des plus belles rues de Madrid a abrité différentes ambassades. La piscine se trouve dans un sous-sol voûté, le restaurant dans l'ancienne bibliothèque. www.ac-hoteles.com	AE DC MC V	37	■	●	■
En dehors du centre (nord) : *Villamagna.* Plan 3 D2. €€€€€ Paseo de la Castellana 22, 28046. *91 587 12 34.* Entouré de jardins, cet hôtel apprécié des hommes d'affaires allie une décoration du XVIIIe siècle au luxe moderne. www.madrid.hyatt.com	AE DC MC V	182	■		■
En dehors du centre (nord-est) : *Conde de Orgaz.* €€€€€ Avenida Moscatelar 24, 28043. *91 388 40 99.* www.zenithhoteles.com Hôtel moderne aux chambres vastes et confortables, proche de l'aéroport et du centre d'exposition de Campo de las Naciones.	AE DC MC V	91	■		
En dehors du centre (nord-est) : *NH Príncipe de Vergara* €€€€€ Calle Principe de Vergara 92, 28006. *91 563 26 95.* www.nh-hoteles.com Faisant partie d'une chaine d'hôtels réputée, cet hôtel propose de bons petits-déjeuners ainsi qu'un bon rapport qualité-prix.	AE DC MC V	173	■		
En dehors du centre (nord-ouest) : *Tirol.* www.hotel-tyrol.com €€€€€ Calle de Marqués de Urquijo 4, 28008. *91 548 19 00.* FAX *91 541 39 58.* Bon rapport qualité-prix pour cet hôtel bien situé, près de la plaza de España et du quartier des étudiants. Chambres spacieuses et soignées.	MC V	95			
En dehors du centre (nord-ouest) : *Trip Monte Real.* €€€€€ Calle Arroyo Fresno 17, 28035. *91 316 21 40.* www.solmelia.com Dans une zone résidentielle, près du golf de la Puerta de Hierro, cet imposant hôtel moderne est paisible. Balcons donnant sur la piscine et les jardins.	AE DC MC V	80	■	●	■
En dehors du centre (sud-est) : *Agumar.* Plan 6 F4. €€€€€ Paseo de Reina Cristina 7, 28014. *91 552 69 00.* www.h-santos.es Hôtel possédant beaucoup de cachet près des grands musées. Il abrite de belles peintures ainsi que des tapis de la Real Fábrica de Tapices.	AE DC MC V	245	■		
En dehors du centre (sud-ouest) : *Reyes Católicos.* Plan 1 C5. €€€€€ Calle del Ángel 18, 28005. *91 365 86 00.* FAX *91 365 98 67.* Cet hôtel moderne, central, est très fréquenté et toujours animé. Les enfants sont les bienvenus. Les chambres ont un double vitrage pour l'insonorisation. La terrasse sur le toit offre une belle vue sur la ville.	AE DC MC V	38	■		
La province de Madrid					
Alameda del Valle : *La Posada de Alameda.* €€€ Calle Grande 34, 28749. *91 869 13 37.* www.laposadadealameda.com Ferme restaurée avec goût dans la paisible vallée de Lozoya, à environ une heure de Madrid. Les chambres, dont deux sont installées dans d'anciens silos, sont bien équipées et certaines donnent sur la campagne.	MC V	22	■		■
Chinchón : *Parador de Chinchón.* €€€€€ Avenida del Generalísimo 1, 28370. *91 894 08 36.* FAX *91 894 09 08.* Cet ancien monastère du XVIIe siècle, aux murs très épais, entoure un jardin vert spacieux. *Azulejos (p. 420),* fresques et antiquités agrémentent l'établissement. www.parador.es	AE DC MC V	38	■	●	■

RASCAFRÍA : *Santa María de El Paular.* €€€€€ Carretera C 604 km 26500, 28741. ☎ *91 869 10 11.* FAX *91 869 10 06.* Cet hôtel occupe une partie d'un monastère bénédictin dans un coin tranquille des monts Guadarrama. Vous avez le choix entre la salle à manger et un *mesón* (bar-restaurant) plus décontracté. ● *jan.* ▣ TV W www.sierranorte.com	AE DC MC V	44	■	●	■
TORREJÓN DE ARDOZ : *La Casa Grande.* €€€€ Calle Madrid 2, 28850. ☎ *916 75 39 00.* FAX *91 675 06 91.* W www.lacasagrande.es Cet hôtel luxueux, dans une maison du XVIe siècle, est orné d'antiquités qui appartinrent jadis à la famille royale russe. Catherine II aurait dormi dans le lit occupant actuellement la suite principale. ▣ ▤ TV	AE DC MC V	8	■		■
CASTILLE-LEÓN					
AGUILAR DE CAMPOO : *Posada de Santa María la Real.* €€ Avenida Cervera, 34800 (Palencia). ☎ *979 12 20 00.* FAX *979 12 56 80.* Une partie de l'Institut des Études Romanes se trouve dans ce monastère ; l'entrée de l'hôtel est située à l'arrière et n'est pas signalée. Les chambres petites et simples donnent sur un jardin. Atmosphère sympathique. ● *mi-janv.-1er fév.* ▣ TV	MC V	18	■		■
LA ALBERCA : *Las Batuecas.* @ lasbatuecas@teleline.es €€€ Avda de las Batuecas 6, 37624 (Salamanca). ☎ *923 41 51 88.* FAX *923 41 50 55.* En bordure d'un joli village, au cœur d'une vallée verdoyante, cet hôtel est idéal pour qui veut visiter la sierra de Francia. Bâti en pierre et en bois, il possède une terrasse couverte au premier étage. ● *10 janv.-1er fév.* ▣ ▤ TV	MC V	38	■		■
ASTORGA : *Gaudí.* W www.mundicamino.com €€ Plaza Eduardo de Castro 6, 24700 (León). ☎ *987 61 56 54.* FAX *987 61 50 40.* Cet hôtel a beaucoup de cachet. Il se trouve sur la place du palais épiscopal néo-gothique de Gaudí. Les chambres donnent sur le palais et la cathédrale. ▣ TV ♿	AE DC MC V	35	■		
ÁVILA : *Hostería de Bracamonte.* €€ Calle Bracamonte 6, 05001. ☎ *920 25 12 80.* FAX *920 25 38 38.* Hôtel traditionnel castillan aux poutres apparentes et aux sols carrelés. Calme, plein de charme, il est proche de la cathédrale et des remparts. Les chambres sont joliment décorées. ▣ TV	MC V	24			■
ÁVILA : *Palacio Valderrábanos.* W www.palaciovalderrabanos.com €€€€ Plaza de la Catedral 9, 05001. ☎ *920 21 10 23.* FAX *920 25 16 91.* Hôtel désuet, spacieux, dans une belle demeure du XVe siècle, proche de la cathédrale. Il possède une suite dans la tour de guet. ▣ ▤ TV	AE DC MC V	73	■		■
ÁVILA : *Parador de Ávila.* W www.parador.es €€€€ C/ Marqués de Canales de Chozas 2, 05001. ☎ *920 21 13 40.* FAX *920 22 61 66.* Près des remparts, ce parador est installé dans une demeure du XVe siècle. Au printemps, on peut voir des cigognes nicher au-dessus d'une porte. ▣ ▤ TV	AE DC MC V	61	■		■
BENAVENTE : *Parador de Benavente.* W www.parador.es €€€€€ Paseo de Ramón y Cajal, 49600 (Zamora). ☎ *980 63 03 00.* FAX *980 63 03 03.* Ne reste du château de Benavente détruit par les armées de Napoléon que la tour del Caracol. Faisant partie du parador, elle offre un salon extraordinaire avec un plafond mudéjar provenant d'une église. ▣ ▤ TV ♿	AE DC MC V	30	■		■
EL BURGO DE OSMA : *Virrey II.* W www.virreypalafox.com €€€€ Calle Mayor 4, 42300 (Soria). ☎ *975 34 13 11.* FAX *975 34 08 55.* Ce luxueux hôtel proche de la vieille ville est très confortable. Son personnel est efficace et aimable et son restaurant de qualité. Très bien situé pour visiter la province de Soria. ▣ TV ♿	AE DC MC V	52	■		■
BURGOS : *Mesón del Cid.* @ mesondelcid@terra.es €€€€€ Plaza de Santa María 8, 09003. ☎ *947 20 87 15.* FAX *947 26 94 60.* Bel hôtel sur une placette, face à la cathédrale, il est dédié au Cid, héros conquérant du Moyen Âge. ▣ ▤ TV	AE DC MC V	50	■		
BURGOS : *Landa Palace.* W www.landapalace.es €€€€€ Carretera Madrid–Irún km 235, 09001. ☎ *947 25 77 77.* FAX *947 26 46 76.* Hôtel extravagant à la périphérie de Burgos. Les voûtes en pierre de la salle à manger qui semblent gothiques datent, comme la piscine, des années 1960. La tour médiévale provient d'un village voisin. ▣ ▤ TV ♿	MC V	36	■	●	■
CASTRILLO DE LOS POLVAZARES : *Cuca la Vaina.* €€ Calle El Jardín, 24718 (León). ☎ *987 69 10 78.* FAX *987 69 10 78.* Hôtel calme, charmant, dans une maison de pierre rénovée, joliment décorée, dans un village préservé de la région dite la Maragatería. ▣ TV	MC V	7			■

Légende des symboles, voir rabat de couverture

Les prix correspondent à une nuit en chambre double, service et petit déjeuner compris.

- € moins de 50 euros
- €€ de 50 à 75 euros
- €€€ de 75 à 100 euros
- €€€€ de 100 à 125 euros
- €€€€€ plus de 125 euros

Cartes bancaires
Un symbole indique que les cartes American Express (AE), Diner's Club (DC), Master Card/Access (MC), Visa (V) sont acceptées.

Parcs de stationnement
Possibilité de garer son véhicule, soit au parking de l'établissement, soit dans un garage à proximité. Certains hôtels font payer l'utilisation de leur parking privé.

Piscine
Piscine à ciel ouvert sauf indication contraire.

Jardin
Hôtel disposant d'un jardin, d'une cour intérieure ou d'une terrasse, avec des tables permettant de prendre les repas à l'extérieur.

	Cartes bancaires	Nombre de chambres	Parc de stationnement	Piscine	Jardin ou terrasse
Ciudad Rodrigo : *Parador de Ciudad Rodrigo.* W www.parador.es €€€€ Plaza del Castillo 1, 37500 (Salamanca). *923 46 01 50.* FAX *923 46 04 04.* Premier parador aménagé dans un bâtiment historique, il garde un peu de l'atmosphère du XIIe siècle. La meilleure suite est dotée d'une chambre circulaire avec un toit à coupole. TV	AE DC MC V	35	■		■
Collado Hermosa : *Molino de Río Viejo.* €€€ Carretera N110, 40170 (Segovia). *921 40 30 63.* FAX *921 40 30 51.* Hôtel confortable dans un vieux moulin parmi les peupliers, près du río Viejo. Bien situé pour visiter la campagne de la province de Ségovie. Chevaux disponibles pour ceux qui aiment monter. Réserver absolument.	MC V	6	■		■
Covarrubias : *Arlanza.* W www.ctv.es/users/arlanza €€ Calle Mayor 11, 09346 (Burgos). *947 40 64 41.* FAX *947 40 63 59.* Situé dans un village médiéval, l'Arlanza donne sur une place piétonne pavée. Logement simple dans un bâtiment ancien aux poutres noires et à la belle cage d'escalier. ● *mi-déc.-1er mars.* TV	AE DC MC V	38			■
Hoyos del Espino : *El Milano Real.* W www.elmilanoreal.com €€€ Calle Toleo, 05634 (Ávila). *920 34 91 08.* FAX *920 34 91 56.* Une touche personnelle, une atmosphère agréable et des nuits silencieuses font du Milano Real un bon hôtel pour les vacances. Excursions à cheval dans la pittoresque sierra de Gredos. TV	AE DC MC V	21	■		■
León : *Alfonso V.* W www.iova-sa.com €€€€€ Avenida Padre Isla 1, 24002. *987 22 09 00.* FAX *987 22 12 44.* Intérieur contemporain pour cet hôtel confortable du centre-ville. Son extravagante cage d'escalier incurvée offrant d'intéressantes perspectives est l'élément le plus marquant du décor. TV	AE DC MC V	62	■		
León : *Parador de San Marcos.* W www.parador.es €€€€€ Plaza de San Marcos 7, 24001. *987 23 73 00.* FAX *987 23 34 58.* Ce parador est aménagé dans l'Hostal San Marcos, un ancien couvent parmi les plus beaux édifices Renaissance. Magnifique salle dotée d'un plafond à caissons. Les chambres anciennes et modernes sont luxueuses. TV	AE DC MC V	230	■		■
Navarredonda de Gredos : *Parador de Gredos.* W www.parador.es €€€€ Carretera Barraco-Bejar, km 43, 05635 (Ávila). *920 34 80 48.* FAX *920 34 82 05.* Le premier parador d'Espagne, inauguré en 1928 par Alphonse XIII, est situé dans une belle pinède de la sierra de Gredos. Calme, il est bien placé pour explorer les montagnes alentour. TV	AE DC MC V	76	■		■
Pedraza de la Sierra : *El Hotel de la Villa.* W www.estancias.com €€€€ Calle Calzada 5, 40172 (Segovia). *921 50 86 51.* FAX *921 50 86 53.* Ce charmant hôtel n'a pas deux chambres semblables, mais toutes sont ornées de papier peint fleuri et de meubles anciens, lits à baldaquin et fauteuils confortables. TV	AE DC MC V	26	■		
Pedraza de la Sierra : *La Posada de Don Mariano.* €€€ Calle Mayor 14, 40172 (Segovia). *921 50 98 86.* FAX *921 50 98 86.* Difficile de dire quel est le meilleur hôtel de ce joli village. L'intérieur du Don Mariano et celui de l'Hotel de la Villa sont l'œuvre du même décorateur. Chaque chambre semble sortie d'un magazine de décoration. TV	AE DC MC V	18			
Ponferrada : *El Temple.* W www.hostelerialeon.com €€ Avenida de Portugal 2, 24400 (León). *987 41 00 58.* FAX *987 42 35 25.* La façade est une réplique du château des Templiers de la ville. La décoration, avec ses murs de pierre et ses antiquités, évoque le Moyen Âge. TV	AE DC MC V	112	■		■
Salamanque : *Las Torres.* W www.mmteam.interbook.net €€€€€ Plaza Mayor 26, 37002. *923 21 21 00.* FAX *923 21 21 01.* Le restaurant de cet hôtel domine la superbe Plaza Mayor. Les résidents peuvent profiter de maints extras : service rapide d'entretien des vêtements, produits pour la toilette. TV	AE DC MC V	44			■

Hôtel	Cartes	Chambres			
SALAMANQUE : *Rector.* www.terra.es €€€€€ Paseo del Rector Esperabé 10, 37008. *923 21 84 82.* FAX *923 21 40 08.* La façade de cet hôtel semble ancienne, mais il fut bâti dans les années 1940 par un architecte spécialisé dans la reproduction de styles anciens. Canapés de cuir et vitraux donnent une élégance discrète à son intérieur. TV	AE DC MC V	13	■		
SALAMANQUE : *Gran Hotel.* www.helcom.es €€€€€ Plaza Poeta Iglesias 3, 37001. *923 21 35 00.* FAX *923 21 35 00.* Cet hôtel aux grandes chambres calmes se trouve près de la belle Plaza Mayor, très appréciée des toreros et de leur entourage. TV	AE DC MC V	136	■		■
SANTA MARÍA DE MAVE : *Hostería El Convento.* www.turpalencia.com €€ Santa María de Mave, 34422 (Palencia). *979 12 36 11.* FAX *979 12 54 92.* Près de la N 661, au sud d'Aguilar, cet hôtel tenu par une famille occupe un ancien couvent au cœur d'une jolie campagne. Cuisine castillane traditionnelle au restaurant.	AE DC MC V	25	■		■
SANTO DOMINGO DE SILOS : *Tres Coronas de Silos.* €€€ Plaza Mayor 6, 09610 (Burgos). *947 39 00 47.* FAX *947 39 00 65.* Cette auberge modeste installée dans une demeure du XVIIIe siècle dominant la place du village possède une porte voûtée et de belles armoiries. Atmosphère agréable. TV	AE DC MC V	16			
SÉGOVIE : *Infanta Isabel.* www.hotelinfantaisabel.com €€€€ Plaza Mayor, 40001. *921 46 13 00.* FAX *921 46 22 17.* Hôtel moderne mariant le style fin de siècle à la décoration traditionnelle de Ségovie. Chambres confortables. TV	AE DC MC V	27	■		
SÉGOVIE : *Los Linajes.* www.estancias.com €€€ Calle Doctor Velasco 9, 40003. *921 46 04 75.* FAX *921 46 04 79.* À côté des murs de la ville, cet hôtel moderne, doté d'une ancienne façade de briques rouges à colombage, est bâti sur huit niveaux sur le versant de la colline. Plus les chambres sont hautes, plus la vue est belle. TV	AE DC MC V	53	■		■
SÉGOVIE : *Parador de Segovia.* www.parador.es €€€€€ Carretera de Valladolid, 40003. *921 44 37 37.* FAX *921 43 73 62.* Parador de luxe stratégiquement situé juste en dehors de Ségovie, de sorte que ses hôtes peuvent admirer la ville en bronzant dans les jardins. Diverses installations dont une salle de sports et une piscine intérieure. TV	AE DC MC V	113	■	●	■
SIGUERUELO : *Posada de Sigueruelo.* www.situral.com €€€ Calle Badén 40, 40590 (Segovia). *(& FAX) 921 50 81 35.* Les propriétaires de cette maison rurale proposent des chambres avec petit déjeuner et dîner compris, et organisent des promenades à cheval, à vélo, à pied et en canoë.	MC V	6			■
SOLOSANCHO : *Sancho de Estrada.* hotellesmayoral@hotellesmayoral.com €€€ Castillo de Villaviciosa, 05130 (Ávila). *920 29 10 82.* FAX *920 29 10 82.* Le château médiéval de Villaviciosa, bâti pour défendre les routes romaines traversant la sierra de Gredos, a été restauré. Armoiries et autres éléments médiévaux ornent les chambres. *mi-jan.-7 fév.* TV	DC MC V	12	■		
SORIA : *Valonsadero.* €€€ Carretera de Burgos km 359, 42005. *975 18 00 06.* FAX *975 18 01 01.* Ce châleureux hôtel de montagne est un coin tranquille situé à 5 km de Soria. La marche et la course à pied le long des cascades vous sont proposés. TV	AE MC V	8			■
SORIA : *Parador de Soria.* www.parador.es €€€€ Parque del Castillo, 42005. *975 24 08 00.* FAX *975 24 08 03.* Le portrait et les textes du poète espagnol Antonio Machado ornent les murs de ce parador. Situé dans un parc en haut d'une colline, il domine la vallée boisée du río Duero. TV	AE DC MC V	34	■		■
VALLADOLID : *Lasa.* hotellasa@cempresarial.com €€€ Calle Acera de Recoletos 21, 47004. *983 39 02 55.* FAX *983 30 25 61.* Immeuble rénové du XIXe siècle situé dans le centre-ville. Les chambres sont équipées de double vitrage. TV	AE DC MC V	62			■
VILLAFRANCA DEL BIERZO : *Parador de Villafranca.* €€€€ Avenida de Calvo Sotelo, 24500 (León). *987 54 01 75.* www.parador.es Ce parador rural possède des jardins bien entretenus et une belle salle à manger. La ville, fondée par des pèlerins français, est une étape traditionnelle sur le chemin de Compostelle. TV	AE DC MC V	39	■		■

Les prix correspondent à une nuit en chambre double, service et petit déjeuner compris.

€ moins de 50 euros
€€ de 50 à 75 euros
€€€ de 75 à 100 euros
€€€€ de 100 à 125 euros
€€€€€ plus de 125 euros

CARTES BANCAIRES
Un symbole indique que les cartes American Express (AE), Diner's Club (DC), Master Card/Access (MC), Visa (V) sont acceptées.

PARCS DE STATIONNEMENT
Possibilité de garer son véhicule, soit au parking de l'établissement, soit dans un garage à proximité. Certains hôtels font payer l'utilisation de leur parking privé.

PISCINE
Piscine à ciel ouvert sauf indication contraire.

JARDIN
Hôtel disposant d'un jardin, d'une cour intérieure ou d'une terrasse, avec des tables permettant de prendre les repas à l'extérieur.

	CARTES BANCAIRES	NOMBRE DE CHAMBRES	PARC DE STATIONNEMENT	PISCINE	JARDIN OU TERRASSE
ZAMORA : *Hostería Real de Zamora.* @ hostzamora@wanadoo.es €€ Cuesta de Pizarro 7, 49027. *980 53 45 45.* FAX *980 53 45 45.* L'Inquisition occupa jadis cette demeure du XVIe siècle proche du rempart de la ville et du río Duero. À présent, c'est un hôtel, avec une jolie cour centrale, offrant un bon rapport qualité-prix. Cuisine basque. TV	AE DC MC V	18			■
ZAMORA : *Parador de Zamora.* W www.parador.es €€€€€ Plaza de Viriato 5, 49001. *980 51 44 97.* FAX *980 53 00 63.* Parador du centre-ville aménagé dans une demeure Renaissance. L'escalier de la cour, bordée de piliers de pierre sculptés, mène à une grande galerie ensoleillée ornée d'antiquités et de plantes vertes. TV	AE MC DC V	52	■	●	■

CASTILLE-LA MANCHE

	CARTES BANCAIRES	NOMBRE DE CHAMBRES	PARC DE STATIONNEMENT	PISCINE	JARDIN OU TERRASSE
ALARCÓN : *Parador de Alarcón.* W www.parador.es €€€€€ Avda Amigos de los Castillos 3, 16213 (Cuenca). *969 33 03 15.* FAX *969 33 03 03.* Forteresse médiévale magnifiquement située au-dessus de la vallée du río Júcar, aux confins des plaines de la Manche. Le salon et la salle à manger voûtés sont dotés de murs épais. TV	AE DC MC V	13	■		■
ALBACETE : *Los Llanos.* W www.solmelia.com €€€€ Avenida de España 9, 02002. *967 22 37 50.* FAX *967 23 46 07.* Cet hôtel moderne, donnant sur un parc verdoyant, possède une discothèque, un salon de coiffure et une salle de télévision avec écran géant. TV	AE DC MC V	102	■		
ALBACETE : *Parador de Albacete.* W www.parador.es €€€€ Carretera N301 km 251, 02000. *967 24 53 21.* FAX *967 24 32 71.* Bâti récemment, ce parador avec terrasses ombragées et piscine est orné de jougs de bœufs et autres objets rustiques. TV	AE DC MC V	70	■	●	■
ALMAGRO : *Almagro.* W www.confortelalmagro.com €€€ Carretera de Bolaños, 13270 (Ciudad Real). *926 86 00 11.* FAX *926 86 06 18.* Dans la nouvelle ville, ce bâtiment en briques de deux étages avec un balcon appartient à une chaîne hôtelière. Équipements pour hommes d'affaires. Vélos à louer. TV	AE DC MC V	50	■	●	■
ALMAGRO : *Parador de Almagro.* W www.parador.es €€€€€ Ronda de San Francisco 31, 13270 (Ciudad Real). *926 86 01 00.* FAX *926 86 01 50.* Ce parador, dans un couvent du XVIe siècle, est un des plus beaux d'Espagne. La plupart des chambres donnent sur une de ses 14 cours. Une dentellière, perpétuant la tradition, travaille dans l'une d'elles. TV	AE DC MC V	54	■	●	■
AYNA : *Felipe II.* W www.paralelo40.org €€ Avenida Manuel Carrera 9, 02125 (Albacete). *(& FAX) 967 29 50 83.* Le plan semi-circulaire de cet hôtel moderne, tenu par une famille, dans les montagnes d'Albacete permet à chaque chambre d'avoir un balcon avec vue panoramique sur la ville et la vallée. TV	AE DC MC V	42	■	●	■
BALLESTEROS DE CALATRAVA : *Palacio de la Serna.* €€€€€ Calle Cervantes 18, 13432 (Ciudad Real). *926 84 22 08.* W www.palaciodelaserna.com Ferme du XVIIIe siècle des plaines de la Manche, alliant les styles moderne et castillan. Calme et confortable. Possibilité de promenades à cheval ou en V.T.T. dans les collines des environs. *2e sem. de janv.* TV	AE DC MC V	19	■	●	■
BETETA : *Los Tilos.* @ lostilos@faec.org € Extrarradio, 16870 (Cuenca). *969 31 80 98.* FAX *969 31 82 99.* Près d'une source dans la Serranía de Cuenca, cette maison traditionnelle, blanchie à la chaux, propose des chambres simples à des prix raisonnables pour les promeneurs et les amoureux de la nature. Cuisine régionale. *mi-janv.-1er mars.* TV	AE DC MC V	24			■
CUENCA : *Posada de San José.* W www.posadasanjose.com €€ Calle Julián Romero 4, 16001. *969 21 13 00.* FAX *969 23 03 65.* Ce charmant hôtel original, vrai dédale décoré d'antiquités et de fresques, est situé dans un bâtiment historique de la vieille ville.	AE DC MC V	30			■

CUENCA : *La Cueva del Fraile.* W www.hotelcuevadelfraile.com €€€€ Carretera Cuenca–Buenache km 7, 16001. *969 21 15 71.* FAX *969 25 60 47.* Dans une verte vallée aux environs de Cuenca, cet hôtel est bâti autour d'un patio blanc. Courts de tennis et vélos à louer. *2ᵉ janv.-6 fév.* TV	AE DC MC V	60	■	●	■
CUENCA : *Leonor de Aquitania.* W www.hotelleonordeaquitania.com €€€€ Calle San Pedro 58–60, 16001. *969 23 10 00.* FAX *969 23 10 04.* Des trophées de chasse ornent le hall de cet hôtel de la vieille ville. Certaines de ses chambres, accueillantes et confortables, donnent sur la gorge du río Huécar. TV	AE DC MC V	46			
CUENCA : *Parador de Cuenca.* W www.parador.es €€€€€ Paseo Hoz del Huécar, 16001. *969 23 23 20.* FAX *969 23 25 34.* Beau parador dans le couvent de San Pablo, du XVᵉ siècle, séparé de la ville par le río Huécar. Les chambres donnent sur les célèbres maisons suspendues de Cuenca *(p. 367).* TV	AE DC MC V	63	■	●	■
GUADALAJARA : *España.* €€ Calle Teniente Figueroa 3, 19001. *(949) 21 13 03.* FAX *(949) 21 13 05.* Hôtel tenu par une famille dans une demeure du XIXᵉ siècle située dans le centre-ville. Des touches originales viennent embellir l'intérieur modernisé. Le personnel vous conseille sur les sites à voir. TV	AE DC MC V	40	■		
MANZANARES : *Parador de Manzanares.* W www.parador.es €€€€ Ctra Madrid–Cádiz km 174, 13200 (Ciudad Real). *926 61 04 00.* FAX *926 61 09 35.* Ce parador situé dans une des principales villes de la plus importante région viticole de la Manche est idéal pour visiter le pays de Don Quichotte. TV	AE DC MC V	50	■	●	■
OROPESA : *Parador de Oropesa.* W www.parador.es €€€€ Plaza del Palacio 1, 45560 (Toledo). *(925) 43 00 00.* FAX *(925) 43 07 77.* Cette forteresse médiévale, avec la sierra de Gredos à l'arrière-plan, domine une plaine plantée d'oliviers et de vignes. On y trouve tout le confort moderne, y compris un jacuzzi dans une chambre. TV	AE DC MC V	48	■	●	■
OSSA DE MONTIEL : *Albamanjón.* W www.albamanjon.com €€€ Laguna de San Pedro 16, 02611 (Albacete). *926 69 90 48.* FAX *926 69 91 20.* Ce complexe moderne alliant les styles local et andalou est le meilleur hôtel à proximité des lagunas de Ruidera. Il est décoré de céramique et de plantes grimpantes. TV	AE MC V	8			■
PASTRAÑA : *Hospedería Real de Pastrana.* W www.hosteriasreales.com €€ Convento del Carmen, 19100 (Guadalajara). *(& FAX) (949) 37 10 60.* Hôtel aux chambres simples et calmes, dans une aile du Monasterio del Carmen, fondé par sainte Thérèse d'Ávila, avec d'un côté la vallée du Tage et de l'autre la pittoresque ville de Pastrana. TV	AE DC MC V	27	■		■
PUERTO LÀPICE : *Aprisco de Puerto Lápice.* € Carretera Madrid–Cádiz, km 134, 13650 (Ciudad Real). *(& FAX)* 926 *57 61 50.* Hébergement bon marché pour une nuit, près d'un restaurant souvent bondé sur la route entre Madrid et l'Andalousie. De nombreux ornements, dont une tête de sanglier, décorent le salon de style rustique.	MC V	17	■	●	■
SIGÜENZA : *El Molino de Alcuneza.* W www.molinodealcuneza.com €€€€ Ctra de Alboreca km 0,5, 19264 (Guadalajara). *949 39 15 01.* FAX *949 34 70 04.* Cet ancien moulin dans l'Alcarria a des chambres décorées avec beaucoup de goût. Le dinner est servi à partir de produits frais du jardin. TV	AE DC MC V	11	■	●	■
SIGÜENZA : *Parador de Sigüenza.* W www.parador.es €€€€ Plaza del Castillo, 19250 (Guadalajara). *949 39 01 00.* FAX *949 39 13 64.* Cet imposant château domine Sigüenza du haut d'une colline. Les Rois Catholiques, entre autres, y résidèrent jadis *(p. 52-53).* Ameublement de style royal. Les chambres donnent sur une cour. TV	AE DC MC V	81	■		■
TALAVERA DE LA REINA : *Beatriz.* €€€ Avenida de Madrid 1, 45600 (Toledo). *925 80 76 00.* FAX *925 81 58 08.* Hôtel moderne à la limite de la ville, sur la route de Madrid. Le propriétaire a fait bâtir un abri anti-atomique au sous-sol. TV	AE DC MC V	164	■		
TOLÈDE : *La Almazara.* W www.hotelalmazara.com €€ Carretera Toledo-Argés, 45080. *925 22 38 66.* FAX *925 25 05 62.* Hôtel dans une demeure du XVIᵉ siècle sur une colline boisée hors de Tolède avec une vue magnifique. Les chambres sont simples et les équipements sommaires, mais le personnel est fort aimable.	AE DC MC V	28	■		■

Les prix correspondent à une nuit en chambre double, service et petit déjeuner compris.

€ moins de 50 euros
€€ de 50 à 75 euros
€€€ de 75 à 100 euros
€€€€ de 100 à 125 euros
€€€€€ plus de 125 euros

Cartes bancaires
Un symbole indique que les cartes American Express (AE), Diner's Club (DC), Master Card/Access (MC), Visa (V) sont acceptées.

Parcs de stationnement
Possibilité de garer son véhicule, soit au parking de l'établissement, soit dans un garage à proximité. Certains hôtels font payer l'utilisation de leur parking privé.

Piscine
Piscine à ciel ouvert sauf indication contraire.

Jardin
Hôtel disposant d'un jardin, d'une cour intérieure ou d'une terrasse, avec des tables permettant de prendre les repas à l'extérieur.

	Cartes bancaires	Nombre de chambres	Parc de stationnement	Piscine	Jardin ou terrasse
Tolède : *Hostal del Cardenal.* www.carenal.asernet.es €€€€ Paseo de Recaredo 24, 45004. *925 22 49 00.* FAX *925 22 29 91.* Cette demeure du XVIIIe siècle proche des remparts était jadis la résidence de l'archevêque de Tolède. Ses plafonds sculptés sont splendides, ses cours de brique adorables. TV	AE DC MC V	27			■
Tolède : *Pintor El Greco.* www.hotelpintorelgreco.com €€€€ Calle Alamillos del Tránsito 13, 45002. *925 21 42 50.* FAX *925 21 58 19.* Maison du XVIIe siècle dans l'ancien quartier juif. Agrandie, elle a gardé sa façade et son patio d'origine. Fer forgé et céramiques traditionnelles ajoutent au cachet de cet hôtel. TV	AE DC MC V	33			
Tolède : *Parador de Toledo.* www.parador.es €€€€€ Cerro del Emperador, 45002. *925 22 18 50.* FAX *925 22 51 66.* Sur une colline dominant la ville, ce parador offre une vue spectaculaire sur Tolède. Réservez à l'avance, car il est très apprécié des amateurs de beaux paysages et des photographes. TV	AE DC MC V	76		●	■
Tragacete : *Hostal El Gamo.* € Plaza de los Caídos 2, 16150 (Cuenca). *969 28 90 08.* FAX *969 28 92 28.* Bon rapport qualité-prix pour cet hôtel-restaurant dans un village calme qu'entourent collines et bois dans la Serranía de Cuenca, près de la source du río Cuervo.	MC V	75			
Valdepeñas : *Meliá El Hidalgo.* www.solmelia.com €€€€ Ctra Madrid–Cádiz km 194, 13300 (Ciudad Real). *926 31 30 88.* FAX *926 31 33 36.* Motel bâti dans les années 1960 au bord d'une route dans un paysage de vignobles. Les chambres sont situées dans de grands bungalows clairs ayant chacun un parking et l'accès direct à la piscine. TV	AE DC MC V	54	■	●	■

Estrémadure

	Cartes bancaires	Nombre de chambres	Parc de stationnement	Piscine	Jardin ou terrasse
Almendral : *Rocamador.* www.rocamador.com €€€€€ Carretera Badajoz-Huelva, 06800 (Badajoz). *924 48 90 00.* FAX *924 48 90 01.* Il règne une atmosphère très spéciale dans cet ancien monastère transformé avec beaucoup de soins en hôtel. Le rafinnement est dans le moindre détail afin que le client passe un agréable séjour. TV	AE DC MC V	26	■	●	■
Badajoz : *Río.* @ hotelrio@hotelrio.net €€€€ Avenida Adolfo Díaz Ambrona 13, 06006. *924 27 26 00.* FAX *924 27 38 74.* Cet hôtel moderne et confortable du centre-ville propose, outre les installations usuelles, une salle de bingo et un solarium. TV	AE DC MC V	101	■	●	■
Cáceres : *Parador de Cáceres.* www.parador.es €€€€ Calle Ancha 6, 10003. *927 21 17 59.* FAX *927 21 17 29.* Petit parador aménagé dans le palais de Torreorgaz du XIVe siècle. L'intérieur est un labyrinthe d'escaliers, portes, patios et couloirs. TV	AE DC MC V	31	■		■
Cáceres : *Meliá Cáceres.* www.solmelia.com €€€€€ Plaza de San Juan 11, 10003. *927 21 58 00.* FAX *927 21 40 70.* Demeure du XVIe siècle, près des remparts, rénovée par une chaîne d'hôtels. Certaines chambres ont des plafonds voûtés. TV	AE DC MC V	86			
Guadalupe : *Hospedería del Real Monasterio.* €€ Plaza de Juan Carlos I, 10140 (Cáceres). *927 36 70 00.* www.monasterioguadalupe.com Cette *hospedería* fait partie d'un monastère franciscain du XVIe siècle dominant Guadalupe. Maintes chambres donnant sur la cour en pierre étaient jadis des cellules monacales. *mi-jan.-mi-fév.*	MC V	47	■		■
Guadalupe : *Parador de Guadalupe.* www.parador.es €€€€ C/ Marqués de la Romana 12, 10140 (Cáceres). *927 36 70 75.* FAX *927 36 70 76.* Ancien hospice destiné aux pèlerins au XVIe siècle. Les chambres de l'annexe sont grandes, mais ont moins de succès que celles du vieux bâtiment. TV	AE DC MC V	41	■	●	■

Jarandilla de la Vera : *Parador de Jarandilla.* www.parador.es €€€€ Avenida de García Prieto 1, 10450 (Cáceres). *927 56 01 17.* FAX *927 56 00 88.* Imposant château du XVe siècle où l'empereur Charles Quint passa un an. Modernisé, il a gardé son charme médiéval. Il possède des roseraies, un court de tennis et une aire de jeux pour enfants. TV	AE DC MC V	53	■	●	■
Jerez de los Caballeros : *Los Templarios.* €€ Carretera de Villanueva, 06380 (Badajoz). *924 73 16 36.* FAX *924 75 03 38.* Hôtel moderne dont le nom rend hommage aux Templiers qui jouèrent un grand rôle dans l'histoire locale. Toutes les chambres donnent sur la vallée. Vaste terrasse autour de la piscine. TV	AE DC MC V	49	■	●	■
Losar de la Vera : *Antigua Casa del Heno.* € Finca Valdepimienta, 10460 (Cáceres). *(& FAX) 927 19 80 77.* Vieille ferme de pierre entourée de chênes et de prairies. Appréciée particulièrement au printemps lors de la floraison des cerisiers. Petit déjeuner uniquement. *10 janv.-10 fév.*	MC V	7	■		
Losar de la Vera : *Hostería Fontivieja.* www.geocities.com/fontivieja €€ Calle Mártires 11, 10460 (Cáceres). *(& FAX) 927 57 01 08.* Ce petit hôtel hors de la ville, entouré d'oliviers, est tenu par une famille. Deux chambres possèdent des terrasses donnant sur la campagne. TV	MC V	20	■	●	■
Malpartida De Plasencia : *Cañada Real.* www.hotelcreal.es €€€ Ctra Comarcal 511, 10680 (Cáceres). *927 45 94 07.* FAX *927 45 94 34.* Cet hôtel moderne est idéalement placé entre Plasencia et la réserve. Les chambres sont confortables et spacieuses. TV	AE DC MC V	61	■	●	■
Mérida : *Velada Mérida.* www.veladahoteles.com €€€€ Avenida Princesa Sofia, 06800 (Mérida). *924 31 51 10.* FAX *924 31 15 52* Situé près du centre culturel de Mérida, cet hôtel est bien relié au reste de la ville. Le restaurant sert les spécialités locales, en terrasse durant les mois d'été. TV	AE DC MC V	99	■	●	■
Mérida : *Emperatriz.* €€€ Plaza de España 19, 06800 (Badajoz). *924 31 31 11.* FAX *924 31 33 05.* Sur la place principale, austère demeure en granite, du XVIe siècle, avec une cour fermée et un bar à la cave. Le jour, les chambres avec balcon donnant sur la place peuvent être bruyantes. TV	AE MC V	41			■
Mérida : *Parador de Mérida.* www.parador.es €€€€ Plaza de la Constitución 3, 06800 (Badajoz). *924 31 38 00.* FAX *924 31 92 08.* Sur une place ombragée, ce couvent baroque du XVIIe siècle a conservé ses colonnes romaines, inscriptions en arabe et chapiteaux wisigoths. Salon dans une ancienne chapelle. TV	AE DC MC V	82	■	●	■
Mérida : *Tryp Medea.* www.solmelia.com €€€€€ Avenida de Portugal, 06800 (Badajoz). *924 37 24 00.* FAX *924 37 30 20.* Proche du pont romain, cet hôtel moderne dont la structure évoque celle d'un amphithéâtre possède deux piscines (une intérieure), une salle de sport, un sauna et un court de squash. TV	AE DC MC V	126	■	●	■
Plasencia : *Alfonso VIII.* www.hotelalfonsoviii.com €€€€€ Avenida Alfonso VIII 32, 10600 (Cáceres). *927 41 02 50.* FAX *927 41 80 42.* Personnel très attentionné dans cet hôtel moderne, au centre-ville, près du Parque de la Isla où l'on trouve une piscine. TV	AE DC MC V	55	■		
Trujillo : *Mesón La Cadena.* € Plaza Mayor 8, 10200 (Cáceres). *927 32 14 63.* FAX *927 32 31 16.* Moins cher que le parador, ce restaurant avec chambres est situé dans une maison de granite sur la place principale. Les chambres, décorées de tissus de fabrication locale, sont au 3e étage. TV	AE MC V	8			
Trujillo : *Parador de Trujillo.* www.parador.es €€€€ Calle Santa Beatriz de Silva 1, 10200 (Cáceres). *927 32 13 50.* FAX *927 32 13 66.* Ce beau parador des années 1980 abrite des parties d'un couvent du XVIe siècle, dont l'ancien cloître. Hôtel calme, tout proche des monuments de Trujillo. TV	AE DC MC V	46	■		
Zafra : *Huerta Honda.* www.hotelhuertahonda.com €€€ Avenida López Asme 30, 06300 (Badajoz). *924 55 41 00.* FAX *924 55 25 04.* Nombre d'habitués estiment que cet hôtel est aussi confortable que le parador voisin. Bon restaurant. TV	AE MC V	48	■		■

Les prix correspondent à une nuit en chambre double, service et petit déjeuner compris.

- € moins de 50 euros
- €€ de 50 à 75 euros
- €€€ de 75 à 100 euros
- €€€€ de 100 à 125 euros
- €€€€€ plus de 125 euros

Cartes bancaires
Un symbole indique que les cartes American Express (AE), Diner's Club (DC), Master Card/Access (MC), Visa (V) sont acceptées.

Parcs de stationnement
Possibilité de garer son véhicule, soit au parking de l'établissement, soit dans un garage à proximité. Certains hôtels font payer l'utilisation de leur parking privé.

Piscine
Piscine à ciel ouvert sauf indication contraire.

Jardin
Hôtel disposant d'un jardin, d'une cour intérieure ou d'une terrasse, avec des tables permettant de prendre les repas à l'extérieur.

Hôtel	Cartes bancaires	Nombre de chambres	Parc de stationnement	Piscine	Jardin ou terrasse
Zafra : *Parador de Zafra.* www.parador.es €€€€ Pl del Corazón de María 7, 06300 (Badajoz). *924 55 45 40.* FAX *924 55 10 18.* Ce château aux tours rondes fut bâti au XVe siècle sur les ruines d'une forteresse maure. De la cour, dotée d'une galerie à arcades, un bel escalier mène aux chambres. TV	AE DC MC V	45		●	■
SÉVILLE					
El Arenal : *La Rábida.* Plan 3 B1. hotel-rabida@sol.com €€ Calle Castelar 24, 41001. *954 22 09 60.* FAX *954 22 43 75.* Cet hôtel, situé dans un des vieux palais des rues résidentielles proches de la cathédrale, propose quelques chambres modernes. Belles salles communes autour de deux cours, dont une sous une verrière en vitraux. TV	AE DC MC V	87			■
El Arenal : *Simón.* Plan 3 B2. hotel-simon@yet.es €€ Calle García de Vinuesa 19, 41001. *954 22 66 60.* FAX *954 56 22 41.* Hôtel central dans une maison du XVIIIe siècle avec un joli patio où poussent des fougères. La taille et la qualité des chambres peuvent varier. Certaines ont un balcon sur la rue.	AE DC MC V	30			■
El Arenal : *Taberna del Alabardero.* Plan 3 B1. €€€€ Calle Zaragoza 20, 41001. *954 56 06 37.* www.tabernaalabardero.com Cet adorable hôtel-restaurant, aménagé dans une demeure du XIXe siècle, possède une cour centrale éclairée par une verrière garnie de vitraux. Les chambres au dernier étage sont très douillettes. TV	AE DC MC V	7	■		■
El Arenal : *Las Casas de los Mercaderes.* Plan 3 C1. €€€€€ Calle Álvarez Quintero 9–13, 41004. *954 22 12 98.* FAX *954 22 98 84.* Bien qu'entouré des plus beaux monuments, cet hôtel a pour habitués des hommes d'affaires. La façade de cette demeure sévillane cache un intérieur aménagé. TV	AE DC MC V	47	■		■
Santa Cruz : *Murillo.* Plan 6 E4. murillo@nexo.es €€€ Calle Lope de Rueda 7 & 9, 41004. *954 21 60 95.* FAX *954 21 96 16.* Hôtel agréable, aux prix abordables, dans un vieil édifice prés de la plaza Alfaro et de la cathédrale. Réserver longtemps à l'avance pour la semaine sainte et la feria. La direction loue aussi des appartements.	AE DC MC V	57			
Santa Cruz : *Las Casas de la Judería.* Plan 3 D2. €€€€ Callejón de las Dos Hermanas 7, 41004. *954 41 51 50.* www.casasypalacios.com Il s'agit plus d'un labyrinthe de suites, parfois avec terrasse privée, que d'un hôtel. Loin du tourbillon de la ville, il est idéal pour se reposer. TV	AE DC MC V	95	■		■
Santa Cruz : *Hotel Virgen de los Reyes.* Plan 3 C2. €€€€€ Calle luis Montoto 129-131, 41007. *954 57 66 10.* www.andalunet.com/virgenreyes Cet hôtel moderne est situé dans le quartier animé de Séville. Les chambres ont un balcon. Le patio traditionnel est au calme. TV	AE DC MC V	80	■		
En dehors du centre (La Macarena) : *Patio de la Cartuja.* €€€ Calle Lumbreras 8 & 10, 41002. Plan 1 C4. *954 90 02 00.* FAX *954 90 20 56.* Groupe de maisons anciennes transformées en hôtel. Dans cette ville animée, on apprécie le calme de ses appartements d'excellente qualité et à des prix très compétitifs. TV	AE MC V	57	■		■
En dehors du centre (La Macarena) : *Baco.* Plan 2 E5. €€€€ Plaza Ponce de León 15, 41003. *954 56 50 50.* FAX *954 56 36 54.* Maison ancienne transformée en hôtel moderne dans le style sévillan. Un bel escalier en colimaçon part de la réception. Les chambres sur l'arrière, plus calmes, donnent sur des patios carrelés bien fleuris. TV	AE DC MC V	25			

En dehors du centre (La Macarena) : *San Gil.* **Plan 2 D4.** €€€€
Calle Parras 28, 41002. *954 90 68 11.* FAX *954 90 69 39.* @ hsangil@arrakis.es
Belle demeure du début du siècle classée comme un des 100 édifices les plus importants de Séville. Elle offre de vastes pièces élégamment meublées et un jardin calme planté de palmiers et de vieux cyprès.
AE DC MC V — 60

En dehors du centre (Parque María Luisa) : *Alfonso XIII.* **Plan 3 C3.**
Calle San Fernando 2, 41004. *954 91 70 00.* W www.westin.com €€€€€
Élégance et service raffiné sont de mise dans ce grand hôtel de Séville de style néo-mudéjar, à l'ombre des palmiers. Lustres et statues ornent l'intérieur.
AE DC MC V — 146

En dehors du centre (sud) : *Ciudad de Sevilla.* **Plan 4 D5.** €€€€€
Avenida Manuel Siurot 25, 41013. *954 23 05 05.* W www.ac-hoteles.com
À l'écart du centre, derrière sa vieille façade se cache un hôtel moderne doté de grandes chambres claires et d'une piscine sur le toit.
AE DC MC V — 94

Andalousie

Alcalá de Guadaira : *Hotel Oromana.* W www.hoteloromana.com €€€
Avenida de Portugal, 41500 (Sevilla). *(& FAX) 955 68 64 00.*
En bordure de la ville, avec accès facile à Séville, l'Oromana est situé à l'ombre des pins. Personnes handicapées et familles avec enfants sont les bienvenues.
MC V — 30

Almería : *Torreluz IV.* W www.amtorreluz.com €€€€
Plaza Flores 5, 04001. *950 23 49 99.* FAX *950 23 47 09.*
Hôtel chic du centre, avec un bel escalier en colimaçon et une piscine sur le toit. Les hôtels Torreluz II et III, tout proches, sont moins chers.
AE DC MC V — 102

Aracena : *Sierra de Aracena.* @ hotelsierradearacena@wanadoo.es €
Gran Vía 21, 21200 (Huelva). *959 12 61 75.* FAX *959 12 62 18.*
Hôtel calme dans le centre d'Aracena. Les chambres sur l'arrière donnent sur le château de cette jolie ville.
AE DC MC V — 42

Aracena : *Finca Buen Vino.* W www.buenvino.com €€€€€
Los Marines, 21293 (Huelva). *959 12 40 34.* FAX *959 50 10 29.*
Élégante villa moderne sur une colline au cœur d'une réserve naturelle boisée. Dans cette maison privée ouverte règne une atmosphère décontractée. Dîner aux chandelles, cuisine digne d'un cordon bleu.
AE DC — 4

Arcos de la Frontera : *Cortijo Faín.* €€€
Carretera de Algar km 3, 11630 (Cádiz). *(& FAX) 956 23 13 96.*
Ferme du XVIIe siècle dans un domaine planté d'oliviers. Chambres au mobilier ancien. Vieux lits en cuivre dans certaines. Piscine cachée au milieu des oliviers.
AE DC MC V — 11

Arcos de la Frontera : *Parador de Arcos de la Frontera.* €€€€
Plaza del Cabildo, 11630 (Cádiz). *956 70 05 00.* W www.parador.es
Belle demeure ayant appartenu à un magistrat, sur la place principale. Vue superbe depuis la terrasse dominant un précipice.
AE DC MC V — 24

Ayamonte : *Riu Canela.* W www.riu-hotels.com €€€€€
Playa de Isla Canela, 21470 (Huelva). *959 47 71 24.* FAX *959 47 71 70.*
Avec trois piscines (une pour les enfants), le Riu Palace est plus un centre de vacances qu'un hôtel. Il se trouve sur une plage de l'isla Canela près de la frontière portugaise, non loin de l'Algarve.
AE DC MC V — 349

Baeza : *Hospedería Fuentenueva.* @ fuentenueva@mx4.redeste.es €€
Paseo Arca del Agua s/n, 23440 (Jaén). *953 74 31 00.* FAX *953 74 32 00.*
Hôtel inhabituel que l'ancienne prison pour femmes de cette ville Renaissance. Géré par une coopérative de cinq jeunes hôteliers, il propose des chambres décorées avec goût et un salon avec un plafond à coupole.
AE DC MC V — 12

Benaoján : *Molino del Santo.* W www.andalucia.com/molino ₧₧₧
Calle Barriada Estación s/n, 29370 (Málaga). *95 216 71 51.* FAX *95 216 73 27.*
Cet ancien moulin à eau ensoleillé, dans les collines près de Rondail, est tout à fait propice à la relaxation. On peut également profiter d'une belle piscine et louer des V.T.T.
AE DC MC V — 17

Bubión : *Villa Turística de Bubión.* W www.ctv.es/alpujarr ₧₧₧
Calle Barrio Alto s/n, 18412 (Granada). *958 76 31 11.* FAX *958 76 31 36.*
Dans ce mini-village avec ses toits plats et ses hautes cheminées, dans le style typique des Alpujarras, vous pouvez préparer vos repas dans votre cuisine ou les prendre au restaurant. Promenades à pied ou à cheval.
AE DC MC V — 43

Les prix correspondent à une nuit en chambre double, service et petit déjeuner compris.

- € moins de 50 euros
- €€ de 50 à 75 euros
- €€€ de 75 à 100 euros
- €€€€ de 100 à 125 euros
- €€€€€ plus de 125 euros

CARTES BANCAIRES
Un symbole indique que les cartes American Express (AE), Diner's Club (DC), Master Card/Access (MC), Visa (V) sont acceptées.

PARCS DE STATIONNEMENT
Possibilité de garer son véhicule, soit au parking de l'établissement, soit dans un garage à proximité. Certains hôtels font payer l'utilisation de leur parking privé.

PISCINE
Piscine à ciel ouvert sauf indication contraire.

JARDIN
Hôtel disposant d'un jardin, d'une cour intérieure ou d'une terrasse, avec des tables permettant de prendre les repas à l'extérieur.

Hôtel	Prix	Cartes bancaires	Nombre de chambres	Parc de stationnement	Piscine	Jardin ou terrasse
CARMONA : *Parador de Carmona.* W www.parador.es Calle Alcázar s/n, 41410 (Sevilla). ☎ *954 14 10 10.* FAX *954 14 17 12.* Parador sur une falaise, dans une forteresse bâtie par les Maures qui devint le palais du roi chrétien Pierre le Cruel. Carmona, localité historique, est bien située pour visiter la province de Séville. TV	€€€€	AE DC MC V	63	■	●	■
CARMONA : *Casa de Carmona.* W www.casadecarmona.com Plaza de Lasso 1, 41410 (Sevilla). ☎ *954 14 33 00.* FAX *954 19 01 89.* Cet ancien palais du XVIe siècle alliant divers styles ancien et moderne a figuré dans des magazines de décoration. TV	€€€€€	AE DC MC V	32	■	●	■
CASTELLAR DE LA FRONTERA : *Casa Convento La Almoraima.* Finca La Almoraima, 11350 (Cádiz). ☎ *956 69 30 02.* W www.la-almoraima.com Hôtel dans un des plus vastes domaines d'Europe (à présent propriété de l'État). La maison bâtie par les ducs de Medinaceli au XVIIe siècle était leur pavillon de chasse. TV	€€€€	AE DC MC V	17	■	●	■
CASTILLEJA DE LA CUESTA : *Hacienda de San Ygnacio.* Calle Real 190, 41950 (Sevilla). ☎ *954 16 04 30.* FAX *954 16 14 37.* @ signacio@arrakis.es Ferme andalouse du XVIIe siècle dotée d'un patio planté de palmiers. La salle à manger était jadis un moulin à huile d'olive. TV	€€€€	AE DC MC V	18	■	●	■
CAZALLA DE LA SIERRA : *Las Navazuelas.* @ navazuela@arrakis.es Apartado 14, 41370 (Sevilla). ☎ *954 88 47 64.* FAX *954 48 45 94.* Les chambres de cette jolie ferme tenue par une famille sont décorées d'étoffes fabriquées à la main. Il est rare de pouvoir vivre ainsi dans un vrai *cortijo* (une ferme) andalou.	€	MC V	10	■	●	■
CAZALLA DE LA SIERRA : *Hospedería La Cartuja.* W www.skill.es/cartuja Carretera Cazalla–Constantina km 25, 41370 (Sevilla). ☎ *95 488 45 16.* FAX *95 488 47 07.* Vieux monastère restauré de façon excentrique par ses propriétaires qui en ont fait un refuge pour artistes. Les murs sont ornés de leurs toiles. Les produits de la ferme sont utilisés dans la cuisine. TV	€€€	AE MC V	12	■	●	■
CAZORLA : *Molino de la Fárraga.* W www.molinofarraga.com Apartado 1, 23470 (Jaén). ☎ *(& FAX) 953 72 12 49.* Près de la plaza Santa María, ce moulin vieux de 200 ans et récemment rénové permet une halte reposante. Appartement à louer dans l'annexe.	€€		7	■	●	■
CAZORLA : *Parador de Cazorla.* W www.parador.es Cazorla, 23470 (Jaén). ☎ *953 72 70 75.* FAX *953 72 70 77.* Forêts et montagnes de la sierra de Cazorla, une des principales réserves naturelles d'Andalousie, forment l'écrin de ce parador moderne. TV	€€€	AE DC MC V	34	■	●	■
CORDOUE : *Maestre.* W www.hotelmaestre.com Calle Romera Barros 4-6, 14003. ☎ *957 47 24 10.* FAX *957 47 53 95.* Près de la Mezquita dans le centre de Cordoue, hôtel simple, très bon marché, aux installations sanitaires modernes. TV	€	AE DC MC V	26	■		■
CORDOUE : *Alfaros.* W www.maciahoteles.com Calle Alfaros 18, 14001. ☎ *957 49 19 20.* FAX *957 49 22 10.* Situé dans une rue animée, cet hôtel insonorisé possède trois cours de style néo-mudéjar. TV	€€€€	AE DC MC V	133	■	●	■
CORDOUE : *Occidental.* W www.occidental-hoteles.com Calle Poeta Alonso Bonilla 7, 14012. ☎ *957 76 74 76.* FAX *957 40 04 39.* Plafonds à caissons et lanternes en cuivre ornent cet hôtel moderne situé dans une banlieue résidentielle au nord de la ville. TV	€€€€	AE DC MC V	153	■	●	■
DÚRCAL : *Cortijo la Solana.* La Solana Alta 3, Apartado de Correos 43, 18650 (Granada). ☎ *(& FAX) 958 78 05 75.* Maison de campagne avec un vaste domaine dans une vallée peu connue des montagnes de Grenade. Petit déjeuner seulement.	€		3			■

GIBRALTAR : *The Rock.* www.rockhotelgibraltar.com €€€€€ 3 Europa Road. *956 77 30 00.* FAX *956 77 35 13.* Premier hôtel cinq étoiles de Gibraltar, The Rock domine la ville et le port. Son vieux style colonial et son service impeccable sont ses atouts majeurs. Belle vue sur la baie. Maintes célébrités y ont résidé. TV	*AE DC MC V*	104	■	●	■
GRENADE : *Hotel Navas.* €€€ C/ Navas 22-24, 18009. *958 22 59 59.* FAX *958 22 75 23* Cet hôtel est situé dans le secteur piétonnier de Grenade, le long d'une rue où sont ouverts plusieurs bars à tapas. C'est un bâtiment moderne, inauguré en 1993. TV	*AE DC MC V*	40	■		
GRENADE : *América.* h-america@moebius.es €€€€ Calle Real de la Alhambra 53, 18009. *958 22 74 71.* FAX *958 22 74 70.* Hôtel confortable et pas trop cher, tenu par une famille, dans la même rue que le parador de Grenade, près de l'Alhambra. L'été, la cuisine maison se savoure dans un patio plein de plantes. Réserver toujours longtemps à l'avance. *déc.-fév.*	*AE DC MC V*	17			■
GRENADE : *Alhambra Palace.* www.h-alhambrapalace.com €€€€€ Calle Peña Partida 2 & 4, 18009. *958 22 14 68.* FAX *958 22 64 04.* Bâtiment kitsch imitant le style maure sur la même colline que l'Alhambra. Superbe terrasse avec vue sur le vieux Grenade. TV	*AE DC MC V*	126	■		■
GRENADE : *Parador de Granada.* www.parador.es €€€€€ Calle Real de la Alhambra, 18009. *958 22 14 40.* FAX *958 22 22 64.* Ce parador élégant dans les jardins de l'Alhambra était jadis un couvent. Très prisé vu la beauté des lieux. Réserver des mois à l'avance. TV	*AE DC MC V*	36	■		■
JAÉN : *Parador de Jaén.* www.parador.es €€€€ Carretera Sta Catalina, 23001. *953 23 00 00.* FAX *953 23 09 30.* Ce château au-dessus de Jaén offre une belle vue sur la sierra Morena. Couloirs peu éclairés, petites fenêtres voûtées, portes énormes et armures contribuent à l'atmosphère médiévale. TV	*AE DC MC V*	45		●	■
LOJA : *La Bobadilla.* www.la-bobadilla.com €€€€€ Finca La Bobadilla, 18300 (Granada). *958 32 18 61.* FAX *958 32 18 10.* Rappelant un village andalou labyrinthique, cet hôtel entouré d'un domaine est un des plus luxueux d'Europe. De nombreux sports et activités y sont proposés. TV	*AE DC MC V*	62	■	●	■
MÁLAGA : *Don Curro.* www.infonegocio.com/doncurro €€€ Calle Sancha de Lara 7, 29015. *95 222 72 00.* FAX *95 221 59 46.* Hôtel qui ne paye pas de mine, mais dont l'intérieur est charmant et confortable. Ambiance sympathique. Bon accueil. TV	*AE DC MC V*	118			
MARBELLA : *El Fuerte.* www.fuertehoteles.com €€€€€ Avenida El Fuerte, 29600 (Málaga). *95 286 15 00.* FAX *95 282 44 11.* Cet hôtel, le premier bâti à Marbella, reste un des meilleurs. Certaines chambres donnent sur la montagne, d'autres sur la mer. Piscine chauffée derrière des baies vitrées et centre de remise en forme. TV	*AE DC MC V*	263	■	●	■
MARBELLA : *Marbella Club Hotel.* www.marbellaclub.com €€€€€ Blvr Príncipe von Hohenlohe, 29600 (Málaga). *95 282 22 11.* FAX *95 282 98 84.* Complexe réservé à une clientèle fortunée. Construction basse sur une plage entre Marbella et Puerto Banús. Deux piscines (une intérieure) et des jardins subtropicaux avec un choix de lieux où manger et se détendre. TV	*AE DC MC V*	137	■	●	■
MAZAGÓN : *Parador de Mazagón.* www.parador.es €€€€€ San Juan del Pto a Matalascañas km 30, 21130. *959 53 63 00.* FAX *959 53 62 28.* Parador moderne, sur la côte d'Huelva, entre une grande plage de sable et une forêt de pins. Bien situé pour découvrir la réserve biologique du parc national de Doñana, à proximité. TV	*AE DC MC V*	43	■	●	■
MIJAS : *Club Puerta del Sol.* www.clubpuertadelsol.galeon.com €€€ Ctra Fuengirola–Mijas km 4, 29650 (Málaga). *95 248 64 00.* FAX *95 248 54 62.* Bel hôtel bas, en forme de U, au pied de la sierra de Mijas. Vue sur Fuengirola et la côte depuis les jardins, la piscine et les terrasses. Courts de tennis, salle de sport. TV	*AE DC MC V*	130	■	●	■
MOJÁCAR : *Parador de Mojácar.* www.parador.es €€€€ Avda Mediterraneo s/n, 04638 (Almería). *950 47 82 50.* FAX *950 47 81 83.* Parador bâti récemment sur la côte sèche et ensoleillée d'Almería. Son architecture rappelle celle des maisons blanches cubiques de Mojácar. Équipements pour sports aquatiques. TV	*AE DC MC V*	98	■	●	■

Légende des symboles, voir rabat de couverture

Les prix correspondent à une nuit en chambre double, service et petit déjeuner compris.

€ moins de 50 euros
€€ de 50 à 75 euros
€€€ de 75 à 100 euros
€€€€ de 100 à 125 euros
€€€€€ plus de 125 euros

Cartes bancaires
Un symbole indique que les cartes American Express (AE), Diner's Club (DC), Master Card/Access (MC), Visa (V) sont acceptées.

Parcs de stationnement
Possibilité de garer son véhicule, soit au parking de l'établissement, soit dans un garage à proximité. Certains hôtels font payer l'utilisation de leur parking privé.

Piscine
Piscine à ciel ouvert sauf indication contraire.

Jardin
Hôtel disposant d'un jardin, d'une cour intérieure ou d'une terrasse, avec des tables permettant de prendre les repas à l'extérieur.

	Cartes bancaires	Nombre de chambres	Parc de stationnement	Piscine	Jardin ou terrasse
Nerja : *Hostal Avalón.* €€ Calle Punta Lara, 29780 (Málaga). ☎ (& FAX) 95 252 06 98. Petit hôtel sympathique au-dessus de la route côtière tout près de Nerja. Ses chambres, propres et agréables, donnent toutes sur la mer, sauf une. Salon dotés de canapés confortables.	MC V	8	■	●	■
Ojén : *Refugio de Juanar.* @ juanar@spde.es €€€ Sierra Blanca, 29610 (Málaga). ☎ 95 288 10 00. FAX 95 288 10 01. Dans les sierras de Ojén, cet ancien pavillon de chasse abrite un hôtel calme et confortable. Faune et flore intéressantes dans ces collines boisées derrière Marbella. Gastronomie régionale. TV	AE DC MC V	26	■	●	■
Orjiva : *Taray.* W www.rusticblue.com/za119htm €€€ Ctra Tablate–Albuñol km 18,5,18400 (Granada). ☎ 958 78 45 25. FAX 958 78 45 31. Hôtel dans un jardin planté d'oliviers et d'orangers. Ses vastes chambres sont presque de petits appartements. Bonne région pour les promenades à cheval (organisées) ou à pied. TV	AE DC MC V	27	■	●	■
Palma del Río : *Hospedería de San Francisco.* W www.lascasas.zoom.es €€€ Avenida Pío XII 35, 14700 (Córdoba). ☎ 957 71 01 83. FAX 957 71 01 83. Hôtel dans un ancien monastère franciscain du XVe siècle. Dans les chambres, cellules monacales d'antan, cuvettes peintes à la main et dessus-de-lit tissés par des religieuses. Repas dans le cloître. TV	MC V	21	■		■
Pechina : *Balneario de Sierra Alhamilla.* €€ Pechina, 04259 (Almería). ☎ 950 31 74 13. FAX 950 16 02 57. Hôtel thermal dans de paisibles collines. Restauré, il a retrouvé sa splendeur du XVIIIe siècle. Thermes romains au sous-sol et, non loin, piscine chauffée naturellement. TV W www.gratisweb.com/sierralhamilla	AE DC MC V	18	■	●	■
Pinos Genil : *Labella María.* €€€ Carretera Sierra Nevada km 8,2, 18191 (Granada). ☎ 958 48 87 46. FAX 958 48 87 26. Hôtel moderne, tenu par une famille, tout près de Grenade. Bien situé pour visiter la ville et la sierra Nevada. Chambres confortables et spacieuses, parfois assez grandes pour quatre. TV	AE DC MC V	24	■		■
Prado del Rey : *Cortijo Huerta Dorotea.* €€ Ctra Vilamartín–Ubrique km 11, 11660 (Cádiz). ☎ 956 72 42 91. FAX 956 72 42 89. Nouvel hôtel géré par une coopérative, sur une colline, au milieu des oliviers, près de la ville blanche de Prado del Rey. Choix entre chambres ou cabanes en rondins. L'équitation est une des activités possibles. TV	AE MC V	25	■	●	■
El Puerto de Santa María : *Monasterio San Miguel.* €€€€€ Calle Larga 27, 11500 (Cádiz). ☎ 956 54 04 40. W www.jale.com/monasterio Hôtel élégant, assez luxueux, bien situé pour visiter Cadix et Jerez de la Frontera. On y a recréé une ambiance monacale rappelant l'ancienne fonction de cet édifice baroque. TV	AE DC MC V	150	■	●	■
El Rocio : *Hotel Toruño.* @ h.toruño@autovia.com €€ Plaza Acebuchal 22, 21750 (Huelva). ☎ 959 44 23 23. FAX 959 44 23 38 Dans une demeure de style typiquement andalou, cet hôtel moderne possède un patio entouré d'arches. TV	AE DC MC V	30	■		■
Ronda : *Husa Reina Victoria.* W www.husa.es €€€€ Calle Jerez 25, 29400 (Málaga). ☎ 95 287 12 40. FAX 95 287 10 75. Cet hôtel perché au bord de la falaise offre un panorama superbe. Grand hôtel de Ronda jusqu'à ce qu'un parador y soit construit. TV	AE DC MC V	90	■	●	■
Ronda : *Parador de Ronda.* W www.parador.es €€€€€ Plaza España, 29400 (Málaga). ☎ 95 287 75 00. FAX 95 287 81 88. Au bord de la falaise de Ronda et près du centre-ville, ce parador moderne ménage une belle vue sur la gorge, surtout depuis les suites du dernier étage. TV	AE DC MC V	78	■	●	■

Hôtel	Cartes	Chambres			
SAN JOSÉ : *Cortijo los Pinos de Alborani.* €€€ Cortijo los Pinos de Alborani, 04550 (Almería). Tél. *950 35 31 88.* FAX *950 35 37 07.* Ce nouvel hôtel s'élève dans un paysage typiquement andalou qui combine la verdure du parc naturel de Sierra Nevada et la sécheresse du désert d'Almeria.	AE DC MC V	8	■		■
SANLÚCAR DE BARRAMEDA : *Los Helechos.* €€ Plaza Madre de Dios 9, 11540 (Cádiz). Tél. *956 36 13 49.* FAX *956 36 96 50.* Agrémenté de céramiques et de plantes en pots, Los Helechos est un élégant havre de paix. Visite du Parque Nacional de Doñana.	AE DC MC V	56	■		■
SANLÚCAR LA MAYOR : *Hacienda de Benazuza.* @ rvasbenazuza@jet.es €€€€€ Virgen de las Nieves, 41800 (Sevilla). Tél. *95 570 33 44.* FAX *95 570 34 10.* Certaines parties de cet hôtel de luxe auraient 1 000 ans. Situé sur une colline, meublé dans le style andalou traditionnel, il propose plusieurs suites, trois restaurants, une réserve de chasse et un héliport.	AE DC MC V	44	■	●	■
SAN ROQUE : *Hotel Casa Señorial La Solana.* €€€ Ctra Cádiz–Málaga N340, 11360 (Cádiz). Tél. *956 78 02 36.* FAX *956 78 02 36.* Halte utile pour les voyageurs vers Tanger. Petit hôtel plaisant dans une maison vieille de 200 ans. Son petit domaine est en retrait de l'autoroute. Les 12 chambres et les 6 suites sont toutes différentes.	AE DC MC V	18	■	●	■
SIERRA NEVADA : *Santa Cruz.* @ santacruz@eh.etursa.es €€€ Ctra Sierra Nevada, 18196 (Granada). Tél. *958 48 48 00.* FAX *958 48 48 06.* Les fenêtres et les balcons de cet hôtel, en haute altitude, donnent sur les pics enneigés de la sierra Nevada. L'hiver, du feu dans les cheminées réchauffe ce bâtiment moderne.	AE DC MC V	91	■	●	■
TARIFA : *Hurricane.* W www.hotelhurricane.com €€€€ Carretera N340, 11380 (Cádiz). Tél. *956 68 49 19.* FAX *956 68 03 29.* Tarifa est la Mecque des véliplanchistes, l'Hurricane le temple des sports et de la culture physique. Architecture originale pour cet édifice très ouvert, dans des jardins subtropicaux. Vue sur la mer et l'Afrique.	AE DC MC V	33	■	●	■
TORREMOLINOS : *Hotel Miami.* €€€ Calle Aladino 14, 29620 (Málaga). Tél. *95 238 52 55.* Le Miami, entre Torremolinos et Malaga, diffère pour notre bonheur des constructions modernes de la Costa del Sol. Il est doté de murs blanchis à la chaux, balcons, grilles de fer, céramiques et plantes en pots.	AE MC V	26	■	●	■
TREVÉLEZ : *Mesón La Fragua.* € Calle San Antonio 4, 18417 (Granada). Tél. *958 85 86 26.* FAX *958 85 86 14.* Ce *mesón* (auberge) est situé dans un village qui serait le plus haut d'Espagne. Sa terrasse sur le toit offre une belle vue de la vallée. La taille et le style des chambres varient beaucoup.	MC V	14			■
TURRE : *El Nacimiento.* € Cortijo El Nacimiento, 04639 (Almería). Tél. *950 52 80 90.* Maison pleine de charme, tenue par un couple sympathique. Il propose le lit et le petit déjeuner et sert des produits biologiques de sa ferme.		5			■
TURRE : *Finca Listonero.* €€€ Cortijo Grande, 04639 (Almería). Tél. *950 47 90 94.* FAX *950 47 90 94.* Hôtel dans une ferme restaurée dans la campagne près de Mojácar. Légumes du jardin aux repas. Petits déjeuners copieux.	V	5	■	●	■
ÚBEDA : *Palacio de La Rambla.* €€€ Plaza del Marqués 1, 23400 (Jaén). Tél. *953 75 01 96.* FAX *953 75 02 67.* Petit hôtel central sélect tenu par le propriétaire de cette demeure aristocratique du XVIIe siècle. Meubles de famille dans les chambres donnant sur un patio qui serait de Vandelvira, architecte de la Renaissance.	AE DC MC V	8	■		■
ÚBEDA : *Parador de Úbeda.* W www.parador.es €€€€ Plaza Vázquez de Molina 1, 23400 (Jaén). Tél. *953 75 03 45.* FAX *953 75 12 59.* Dominant la monumentale place centrale d'Úbeda, ce parador est une ancienne demeure aristocratique du XVIe siècle. Des céramiques blanches et bleues ornent la jolie cour du palais.	AE DC MC V	36			■
ZUHEROS : *Zuhayra.* € Calle Mirador 10, 14870 (Córdoba). Tél. *957 69 46 93.* FAX *957 69 47 02.* Principal atout de cet hôtel simple : son emplacement dans une ville blanche bâtie au bord d'une chaîne de hautes collines. Édifice dont le style rappelle celui de la noble demeure qu'il a remplacée.	AE DC MC V	18			■

Légende des symboles, voir rabat de couverture

Les prix correspondent à une nuit en chambre double, service et petit déjeuner compris.

- € moins de 50 euros
- €€ de 50 à 75 euros
- €€€ de 75 à 100 euros
- €€€€ de 100 à 125 euros
- €€€€€ plus de 125 euros

Cartes bancaires
Un symbole indique que les cartes American Express (AE), Diner's Club (DC), Master Card/Access (MC), Visa (V) sont acceptées.

Parcs de stationnement
Possibilité de garer son véhicule, soit au parking de l'établissement, soit dans un garage à proximité. Certains hôtels font payer l'utilisation de leur parking privé.

Piscine
Piscine à ciel ouvert sauf indication contraire.

Jardin
Hôtel disposant d'un jardin, d'une cour intérieure ou d'une terrasse, avec des tables permettant de prendre les repas à l'extérieur.

Baléares

Hôtel	Cartes bancaires	Nombre de chambres	Parc de stationnement	Piscine	Jardin ou terrasse
Formentera, Es Pujols : *Sa Volta.* €€€ Calle Miramar 94, 07871. Tél. *971 32 81 25.* Fax *971 32 82 28.* Hôtel économique, tenu par une famille, dans un immeuble moderne de trois étages près de la plage d'une des principales stations balnéaires de Formentera. Chambres avec terrasse.	AE DC MC V	18		●	■
Ibiza (Eivissa), Ibiza : *Hostal La Marina.* @ hmarina@eresmas.com €€ Calle Barcelona 7, 07800. Tél. *971 31 01 72.* Fax *971 31 48 94.* Vieil hôtel à l'intérieur modernisé, mais dont la décoration date pour l'essentiel de 1862. Vastes chambres sur le port.	AE DC MC V	24			■
Ibiza (Eivissa), Ibiza : *El Palacio.* €€€€€ Calle de la Conquista 2, 07800. Tél. *971 30 14 78.* Fax *971 39 15 81.* Hôtel de la vieille ville ayant pour thème le septième art : souvenirs de films dans les salons, suites consacrées à Marilyn au dernier étage, et dans le jardin empreintes de mains comme sur Hollywood Boulevard. ● *nov.-avril.*	AE DC MC V	7			■
Ibiza (Eivissa), Sant Antoni : *Pikes.* @ pikes@ctv.es €€€€€ Camino Sa Vorera, 07820. Tél. *971 34 22 22.* Fax *971 34 23 12.* Des célébrités résident parfois dans cette demeure restaurée avec goût sur une colline plantée de pins.	AE DC MC V	20	■	●	■
Ibiza (Eivissa), Sant Miquel : *Hacienda Na Xamena.* €€€€€ Apto 423, Urb Na Xamena, 07815. Tél. *971 33 45 00.* Fax *971 33 46 06.* Cet hôtel moderne perché sur une falaise domine une belle anse rocheuse. Ses chambres et son beau solarium avec piscine offrent une vue unique absolument étourdissante. ● *nov.-avril.*	AE DC MC V	59	■	●	■
Ibiza (Eivissa), Santa Eulària d'es Riu : *Les Terrasses.* €€€€€ Apto 1235, Carretera de Santa Eulària, 07600 Tél. *971 33 26 43.* Fax *971 33 89 78.* Maison de campagne blanche, bleue et jaune, à la décoration simple mais élégante, dans le style d'Ibiza. Les chambres sont toutes différentes. Coins tranquilles pour lire ou se détendre à l'intérieur et à l'extérieur. ● *nov.-jan.*	MC V	8	■	●	■
Majorque, Andratx : *Villa Italia.* €€€€€ Camino Sant Carles 13, Port d'Andratx, 07157. Tél. *971 67 40 11.* Fax *971 67 33 50.* Villa de style florentin qu'un riche Italien fit bâtir dans les années 1920 pour son aimée. Plafonds ornés de stucs, sols en marbre, colonnes à chapiteaux romains décorent l'intérieur. ● *mi-nov.-mi-fév.*	AE MC V	16		●	■
Majorque, Banyalbufar : *Sa Baronía.* €€ Calle Sa Baronía 16, 07191. Tél. *971 61 81 46.* Fax *971 61 81 46.* Une famille tient cet hôtel, extension moderne d'une tour seigneuriale du XVIIe siècle. Situé dans un village de la côte nord-ouest, encore préservée. Toutes les chambres ont une terrasse sur la mer. ● *nov.-avril.*	MC V	39	■	●	■
Majorque, Binissalem : *Scott's Hotel.* W www.scottshotel.com €€€€€ Plaza de la Inglesia 12, 07350. Tél. *971 87 01 00.* Fax *971 87 02 67.* Dans une maison de ville du XVIIIe siècle très bien restaurée, cet hôtel propose jacuzzi, bibliothèque, bar et snacks le soir.	MC V	17	■	●	■
Majorque, Deià : *La Residencia.* @ reservas@hotel-laresidencia.com €€€€€ Finca Son Canals, 07179. Tél. *971 63 90 11.* Fax *971 63 93 70.* Cet hôtel, à l'entrée du village de Deià, est formé de deux manoirs restaurés du XVIe siècle. La plupart des chambres possèdent des lits à baldaquin. Toutes ont des meubles espagnols traditionnels.	AE DC MC V	63	■	●	■
Majorque, Lluc : *Santuari de Lluc.* @ info@lluc.net € Santuari de Lluc, 07315. Tél. *971 87 15 25.* Fax *971 51 70 96.* On n'accède qu'en voiture au Santuari de Lluc, perché dans les monts Tramuntana. Chambres simples dans les bâtiments du monastère.	MC V	89	■		■

MAJORQUE, PALMA DE MAJORQUE : *Born.* @ hotel-born@hotmail.com €€€ Calle Sant Jaume 3, 07012. *971 71 29 42.* FAX *971 71 86 18.* La demeure du marquis de Ferrandel, bâtie au XVIe siècle et rénovée au XVIIIe siècle, abrite un hôtel doté d'un escalier splendide et d'une cour majorquine typique où poussent des palmiers. TV	AE MC V	30			■
MAJORQUE, POLLENÇA : *Illa d'Or.* W www.fehm.es €€€ Paseo de Colón 265, 07470. *971 86 51 00.* FAX *971 86 42 13.* Cet hôtel des années 1930, bâti pour l'élite du nord de l'Europe qui passait l'été sur l'île, a gardé le mobilier et l'atmosphère d'antan. TV	AE DC V	120		●	■
MAJORQUE, POLLENÇA : *Formentor.* W www.fehm.es €€€€€ Playa de Formentor, 07470. *971 89 91 00.* FAX *971 86 42 13.* Le Dalaï Lama, comme maints écrivains, divas et acteurs, signa le livre d'or de cet hôtel de luxe situé sur la presqu'île au nord-est de Majorque. Centre de beauté et de remise en forme. ● *oct.-avr.* TV	AE DC MC V	127	■	●	■
MAJORQUE, RANDA : *Es Recó de Randa.* W www.fehm.es €€€€ Font 13, 07629. *971 66 09 97.* FAX *971 66 25 58.* Restaurant avec chambres dans une maison ancienne en pierre, dans un village paisible au pied du mont Puig de Randa. Certaines chambres offrent une belle vue du village et des montagnes. TV	AE MC V	14	■	●	■
MAJORQUE, SES SALINES : *Es Turó.* W www.globalred.com €€€€ Ses Salines, 07640. *971 64 95 31.* FAX *971 64 95 48.* Calme, confort, élégance et nonchalance majorquine font de cette vieille ferme un paradis. Entourée d'oliviers et d'amandiers, elle abrite un petit musée de la vie locale. ● *déc.-fév.* TV	DC MC V	12	■	●	■
MAJORQUE, SÓLLER : *Ca N'Aí.* W www.canai.com €€€€€ Camí de Son Salas 501, 07100. *971 63 24 94.* FAX *971 63 18 99.* Ancienne maison majorquine bâtie sur un versant de la vallée Sóller plantée d'orangers et de palmiers. La décoration est raffinée, la cuisine excellente et le service a une touche personnelle. ● *nov.-fév.*	AE DC MC V	13	■	●	■
MAJORQUE, VALLDEMOSSA : *Vistamar.* @ info@vistamarhotel.es €€€€€ Ctra de Valldemossa–Andratx, 07170. *971 61 23 00* FAX *971 61 23 00.* Hôtel paisible dans une villa du début du siècle, au sommet d'une falaise. Les chambres meublées d'antiquités donnent sur une cour. Chopin et George Sand ont rendu célèbre le monastère voisin. TV	AE DC MC V	19	■	●	■
MINORQUE, CIUTADELLA : *Hostal Ciutadella.* € Calle San Eloy 10, 07760. *et* FAX *971 38 34 62.* À quelques minutes à pied de la plaça des Borne, cet hôtel moderne, sans fioritures, offre un bon rapport qualité-prix. Les chambres sont impeccables. Des repas simples sont servis au bar.	DC MC V	17			
MINORQUE, CIUTADELLA : *Patricia.* @ hotel@hesperia-patricia.com €€€€ Paseo San Nicolás 90–92, 07760. *971 38 55 11.* FAX *971 48 11 20.* Hôtel moderne faisant partie d'une chaîne. Façade crème et fenêtres blanches en saillie sur une des principales avenues, près du port. TV	AE DC MC V	44		●	■
MINORQUE, MAHÓN : *Del Almirante.* €€ Carretera de Es Castell, 07780. *971 36 27 00.* FAX *971 36 27 04.* L'hôtel est aménagé dans une maison du XVIIIe siècle dont le style georgien évoque l'Angleterre. Elle appartint en effet à un amiral britannique. L'hôtel a une nouvelle aile bâtie autour de la piscine. ● *nov.-avril.*	MC V	36	■	●	■
MINORQUE, MAHÓN : *Capri.* @ rtm@rtmhotels.com €€€ Calle San Esteban 8, 07703. *971 36 14 00.* FAX *971 36 73 46.* Hôtel de cinq étages, moderne et central, proche des boutiques, du port et de la plage. La plupart des chambres ont une terrasse. TV	AE DC MC V	75		●	
MINORQUE, MAHÓN : *Catalonia Mirador des Port.* €€€ Calle Dalt Vilanova 1, 07701. *971 36 00 16.* FAX *971 36 73 46.* Hôtel moderne, confortable, à l'extrémité ouest de la ville. Maintes chambres ont des terrasses à volets, idéales pour les soirs d'été. Le bar chic au sous-sol est l'œuvre d'un décorateur. TV	AE DC MC V	69		●	■
MINORQUE, MAHÓN : *Port Mahón.* @ portmahon@sethotels.com €€€€ Fort de L'Eau 13, 07701. *971 36 26 00.* FAX *971 35 10 50.* Hôtel dans un édifice rouge et blanc, de style colonial, dominant le port de Mahón. Il met à disposition de grandes terrasses et une piscine incurvée entourée de pelouses. TV	AE DC MC V	82		●	■

Légende des symboles, voir rabat de couverture

Les prix correspondent à une nuit en chambre double, service et petit déjeuner compris.

- € moins de 50 euros
- €€ de 50 à 75 euros
- €€€ de 75 à 100 euros
- €€€€ de 100 à 125 euros
- €€€€€ plus de 125 euros

Cartes bancaires
Un symbole indique que les cartes American Express (AE), Diner's Club (DC), Master Card/Access (MC), Visa (V) sont acceptées.

Parcs de stationnement
Possibilité de garer son véhicule, soit au parking de l'établissement, soit dans un garage à proximité. Certains hôtels font payer l'utilisation de leur parking privé.

Piscine
Piscine à ciel ouvert sauf indication contraire.

Jardin
Hôtel disposant d'un jardin, d'une cour intérieure ou d'une terrasse, avec des tables permettant de prendre les repas à l'extérieur.

Canaries

Hôtel	Cartes bancaires	Nombre de chambres	Parc de stationnement	Piscine	Jardin ou terrasse
Fuerteventura, Antigua : *Barcelo Club El Castillo.* €€ Caleta de Fuste, 36610. *928 16 31 00.* FAX *928 16 30 42.* @ ecastillo@barcello.com Ces beaux appartements dans un complexe en forme de village disposent d'un accès direct à une belle plage et à une place centrale bordée de boutiques, bars et restaurants. Idéal pour les sports aquatiques.	DC MC V	384	■	●	■
Fuerteventura, Corralejo : *Riu Palace Tres Islas.* €€€€€ Grandes Playas, 35660. *928 53 57 00.* FAX *928 53 58 58.* W www.riuhotels.com Toutes les chambres de ce vaste hôtel disposent de balcons sur la mer. Ses jardins sont dotés de deux immenses piscines. TV	AE DC MC V	365	■	●	■
Fuerteventura, Costa Calma : *Riu Fuerteventura Playa.* €€€€ Urb Cañada del Río, Polígono C1, 35627. *928 54 73 44.* W www.riuhotels.com Les deux ailes de cet hôtel bordent jardins et piscines. Dans un lieu isolé, il offre un accès direct à la plage. Toutes les chambres sont grandes et sont dotées d'un balcon sur la mer. TV	AE DC MC V	300	■	●	■
La Gomera, Playa de Santiago : *Jardín Tecina.* €€€€€ Lomada de Tecina, 38811. *922 14 58 50.* FAX *922 14 58 51.* Les diverses installations de ce complexe, dans les collines derrière la playa de Santiago, en font presque une station balnéaire. Un ascenseur le long de la falaise amène les clients au club de la plage. TV	AE DC MC V	434	■	●	■
La Gomera, San Sebastían : *Parador de San Sebastián.* €€€€€ San Sebastián de La Gomera, 38800. *922 87 11 00.* W www.parador.es Ce parador entouré de jardins tropicaux est situé sur une falaise dominant la principale ville de La Gomera et son port. L'intérieur est directement sous le toit incliné. Des bois sombres décorent les chambres. ● *nov. 2002.* TV	AE DC MC V	58	■	●	■
Gran Canaria, Agaete : *Princesa Guayarmina.* €€ Los Berrazales, 35480. *928 89 80 09.* FAX *928 89 85 25.* Petit hôtel de montagne dont les chambres simples donnent sur une vallée tropicale. Excellent rapport qualité-prix. Personnel très aimable.	AE MC V	33	■	●	■
Gran Canaria, Maspalomas : *Riu Maspalomas Oasis.* €€€€€ Playa de Maspalomas 3, 35106. *928 14 14 48.* FAX *928 14 11 92.* W www.riuhotels.com Hôtel calme et isolé à l'ombre des palmiers, près des dunes. Les clients séjournent dans d'élégantes suites sur différents niveaux, aux chambres spacieuses. Le personnel est efficace et agréable. TV	AE DC MC V	342	■	●	■
Gran Canaria, Las Palmas : *NH Imperial Playa.* €€€€€ Calle Ferreras 1, 35008. *928 46 88 54.* FAX *928 46 94 42.* W www.nh-hoteles.es Petit hôtel moderne et confortable, prisé des hommes d'affaires, dominant la plage de Las Canteras, près du port et des commerces. TV	AE DC MC V	142			
Gran Canaria, Las Palmas : *Santa Catalina.* €€€€€ Calle León y Castillo 227, 35005. *928 24 30 40.* FAX *928 24 27 64.* Cet hôtel fort ancien, à l'atmosphère coloniale, est typique des Canaries avec ses balcons de bois travaillés. Il possède un grand parc et un casino luxueux. TV	AE DC MC V	200	■	●	■
Gran Canaria, Playa del Inglés : *Parque Tropical.* €€€€€ Avenida de Italia 1, 35100. *928 77 40 12.* FAX *928 76 81 37.* Bel hôtel dans le style local avec des chambres confortables et l'accès direct au bord de mer. Bons équipements sportifs. Réserver. TV	AE DC MC V	235		●	■
Gran Canaria, Puerto de Mogán : *Club de Mar.* €€€ Puerto de Mogán, 35138. *928 56 50 66.* FAX *928 56 54 38.* W www.clubdemar.com Chambres et appartements dans de beaux bâtiments autour d'une petite baie dotée d'une plage de sable et d'une marina. Le domaine, la piscine et les bars locaux animés sont agréables. TV	AE MC V	56		●	■

EL HIERRO, FRONTERA : *Punta Grande.* €€ Las Puntas, 38911. *922 55 90 81.* FAX *922 55 90 81.* Les clients adorent cet hôtel, le plus petit du monde ainsi que le décrit le livre des records : « quatre chambres et un salon dans ce qui était jadis un bureau de douane ».		4	■		
EL HIERRO, VALVERDE : *Parador El Hierro.* €€€€ Valverde, 38910. *922 55 80 36.* FAX *922 55 80 86.* W www.parador.es Des falaises noires se dressent derrière cet hôtel moderne, sur une plage isolée. Calme et bien décoré, il offre une atmosphère intime et décontractée. Idéal pour les randonneurs. TV	AE DC MC V	47	■	●	■
LANZAROTE, ARRECIFE : *Lancelot.* @ hlancelot@terra.es €€ Avenida Mancomunidad 9, 35500. *928 80 50 99.* FAX *928 80 50 39.* Nouvel hôtel élégant, proche d'une plage de sable clair. Récifs de corail pas loin du bord. Bons restaurants à l'hôtel et dans la ville. TV	AE DC MC V	113		●	
LANZAROTE, COSTA TEGUISE : *Meliá Salinas.* W www.solmelia.com €€€€€ Urbanización Costa Teguise, 35509. *928 59 00 40.* FAX *928 59 03 90.* L'atrium avec ses jardins centraux, son bassin et ses plantes ornementales est le point de mire de cet hôtel contemporain. Grandes chambres paisibles, boutiques, installations sportives. Belle plage. TV	AE DC MC V	310	■	●	■
LANZAROTE, PUERTO DEL CARMEN : *Los Fariones.* €€€€ Calle Roque del Oeste 1, 35510. *928 51 01 75.* FAX *928 51 02 02.* W www.infolanz.es Hôtel isolé et paisible sur une belle plage. Confortable et très bien équipé, il dispose de chambres spacieuses. TV	AE DC MC V	247		●	■
LANZAROTE, YAIZA : *Lanzarote Princess.* @ lanpr@h10.es €€€ Calle Maciot Playa Blanca 35570. *928 51 71 08.* FAX *928 51 70 11.* Hôtel dans une station balnéaire appréciée des familles. Frais et clair, il offre des espaces sur différents niveaux ornés de jardins et d'une petite cascade. Grande piscine. TV	AE DC MC V	410	■	●	■
LA PALMA, BARLOVENTO : *La Palma Romántica.* €€€ Calle Las Llanadas, 38726. *922 18 62 21.* W www.hotellapalmaromantica.com Hôtel à flanc de colline, au-dessus de la mer. Clair et spacieux, il possède de grandes chambres, une piscine intérieure, un sauna et un solarium. TV	MC V	41	■	●	■
TENERIFE, ARONA : *Estefanía.* €€€€€ Carretera de Arona, 38660. *922 72 93 22.* FAX *922 75 95 33.* @ info@hotel-estefania.com Hôtel dans les collines derrière la playa de las Américas, doté de chambres luxueuses et d'une décoration raffinée. TV	AE DC MC V	35	■	●	■
TENERIFE, LA OROTAVA : *Parador de Cañadas del Teide.* €€€€ Apto de Correos 15, Cañadas del Teide, 38300. *922 38 64 15.* W www.parador.es Ce parador moderne, tel un chalet alpin, ménage une bonne vue sur le mont Teide. Situé dans le parc national, c'est une bonne base pour visiter cette région volcanique. TV	AE DC MC V	37	■	●	■
TENERIFE, PLAYA DE LAS AMÉRICAS : *Jardín Tropical.* €€€€€ Urbanización San Eugenio, 38660. *922 74 60 00.* FAX *922 74 60 60.* Hôtel moderne et original, doté de patios carrelés et de tourelles, au cœur de la station balnéaire. Accès direct au bord de mer. TV	AE DC MC V	432	■	●	■
TENERIFE, PUERTO DE LA CRUZ : *Monopol.* @ monopol@interbook.net €€€€ Calle Quintana 15, 38400. *922 38 46 11.* FAX *922 37 03 10.* Hôtel de style ancien, tenu par une famille, doté d'un restaurant au sous-sol et de grandes chambres modernes. De nombreuses plantes ornent son patio aux balustrades en bois. Personnel stylé et efficace. TV	AE DC MC V	94		●	■
TENERIFE, PUERTO DE LA CRUZ : *Botánico.* €€€€€ Calle Richard J Yeoward, 38400. *922 38 14 00.* W www.hotelbotanico.com Cet hôtel reposant, près des jardins botaniques, est un peu loin de la mer, mais il est bien équipé pour les loisirs. TV	AE DC MC V	252	■	●	■
TENERIFE, SANTA CRUZ DE TENERIFE : *Náutico.* @ nautico@a-caledonia.com €€€ C/ Profesor Peraza de Ayala 13, 38001. *922 24 70 66.* FAX *922 24 72 76.* Petit hôtel moderne derrière le port, près de l'arrêt de l'autobus allant à la plage de Las Teresitas. Son café sert un bon petit déjeuner espagnol. TV	AE DC MC V	40	■		
TENERIFE, VILAFLOR : *Alta Montaña.* € Calle Morro del Cano 1, 38613. *922 70 90 00.* FAX *922 70 92 93.* Ce petit hôtel simple, offrant une vue superbe, est tenu par un couple de Belges. Cuisine à base de produits biologiques.	AE DC MC V	10	■	●	■

Légende des symboles, voir rabat de couverture

Restaurants et bars

La convivialité des Espagnols ajoute au plaisir d'aller manger dehors. Du début de la journée jusqu'à minuit passé, on peut voir attablés familles et amis. La cuisine espagnole est marquée par les influences régionales. Les restaurants traditionnels étaient jadis des tavernes et des bars à tapas servant des plats à base de produits locaux. L'Espagne compte aussi nombre d'excellentes tables, notamment au Pays basque.

Carrelage mural vantant un restaurant

Les restaurants des pages 578 à 609 ont été choisis pour leur cuisine et leur accueil. Les pages 574 à 577 présentent certaines des meilleures tapas et boissons. Les cinq parties de ce guide, consacrées aux différentes régions, comportent des remarques sur les spécialités et les vins locaux.

Les bodegas sont des bars à vins où on ne peut manger

Restaurants et bars

Les bars et les cafés servant des tapas sont les lieux meilleur marché et où le service est le plus rapide. Certains bars ne servent pas à manger, notamment les *pubs*. On peut prendre un repas bon marché dans les *bar-restaurantes, ventas, posadas, mesones, fondas* (mots anciens pour différents types d'auberges) familiaux. Les *chiringuitos* sont des bars de plage, ouverts en été.

Les meilleurs tables se trouvent en général au Pays basque, en Galice, en Catalogne, à Barcelone et Madrid.

La plupart des restaurants ferment un jour par semaine (certains uniquement pour le déjeuner ou le dîner) et lors des congés annuels. Ils sont aussi fermés lors de certaines fêtes légales. Les grandes périodes de fermeture sont indiquées pour les restaurants présentés *(p. 578-609)*. Vérifiez à la réservation.

L'heure des repas

Les Espagnols prennent deux petits déjeuners *(desayunos)*. Le premier est composé d'un *café con leche* (café au lait) avec soit des biscuits, soit du pain grillé avec de l'huile d'olive ou du beurre et de la confiture. Le second se prend entre 10 et 11 h, parfois au café. Il consiste en une épaisse tranche de *tortilla de patatas* (omelette aux pommes de terre) ou en un *bocadillo* (sandwich) avec une saucisse, du jambon ou du fromage et un jus de fruit, un café ou une bière.

À partir de 13 h, les Espagnols vont au bar prendre une bière ou une *copa* (verre) de vin avec des tapas. *La comida* (déjeuner), principal repas de la journée, a lieu à 14 h.

Cafés, *salones de té* (salons de thé) et *pastelerías* (pâtisseries) se remplissent vers 17 h 30 pour *la merienda* (goûter). On y déguste alors sandwiches, viennoiseries ou gâteaux, avec du café, du thé ou des jus de fruits. On peut aussi acheter aux éventaires des en-cas tels les *churros* (bâtons de pâte à crêpe frits).

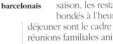

Ornement, bar barcelonais

Vers 19 h, les Espagnols vont au bar prendre des tapas avec du xérès, du vin ou de la bière. *La cena* (dîner) ne débute qu'à 22 h, mais les restaurants avancent parfois leur service pour les touristes. L'été, les Espagnols ne dînent souvent qu'à minuit. Le week-end, surtout à la belle saison, les restaurants bondés à l'heure du déjeuner sont le cadre de réunions familiales animées.

Comment s'habiller

Veste et cravate sont rarement exigées, bien que les Espagnols s'habillent pour sortir. Au bord de la mer, les tenues sont décontractées, mais le soir le short est parfois mal vu.

Restaurant du parador de Pedraza de la Sierra, près de Ségovie *(p. 595)*

Terrasse d'une cafétéria de Cadaqués sur la Costa Brava

Lire la carte

Dans les restaurants espagnols, les choix meilleur marché, hormis les tapas, sont les *platos combinados* à prix fixe (viande ou poisson avec des légumes et habituellement des pommes de terre) et le *menú del día*. Le *plato combinado* n'est servi que dans les établissements bon marché. La plupart des restaurants offrent un *menú del día*, en général composé de trois plats. Les restaurants gastronomiques proposent un *menú de degustación* avec six ou sept spécialités du chef, au choix.

La carta (carte) commence par des *sopas* (soupes), *ensaladas* (salades), *entremeses* (hors-d'œuvre), *huevos y tortillas* (œufs et omelettes) et *verduras y legumbres* (légumes). Les plats principaux sont les *pescados y mariscos* (poissons et coquillages) et les *carnes y aves* (viandes et volailles). Paella et autres plats de riz peuvent être servis en entrée et suivis de viande. Vous pouvez aussi commencer par du jambon *serrano* ou de la salade, puis prendre une paella.

Hormis les fruits habituels, la gamme des *postres* (desserts) est en général limitée. Les meilleurs restaurants offrent un choix restreint, parfois des *natillas* (crèmes) et du *flan* (crème caramel). Les restaurants gastronomiques ont des desserts plus originaux.

Les végétariens seront peu favorisés en Espagne, mais dans les grandes villes, comme Madrid, il y a de nombreux restaurants végétariens. Beaucoup de plats sont à base de légumes ou d'œufs.

Les enfants sont les bienvenus dans tous les restaurants qui servent des petites portions à la demande.

Las Torres de Ávila *(p. 185)*, un bar original de Barcelone

Les vins

Les vins secs finos vont avec les coquillages, les olives, les soupes, le jambon *serrano* et la plupart des entrées. Avec les plats principaux on boira des vins de Ribera del Duero, Rioja, Navarre ou Penedès. Un bar typique peut servir des vins de Valdepeñas ou des vignobles locaux. Les vins olorosos *(p. 577)* sont souvent pris en digestif.

Fumeurs/non-fumeurs

Les restaurants raffinés offrent des *puros* (cigares) avec le café et le cognac. Nombre d'Espagnols fument et très peu d'établissements ont des tables pour non-fumeurs.

Prix et moyens de paiement

Si vous prenez *la carta*, l'addition peut dépasser celle du *menú del día*, surtout si vous commandez des plats chers : fruits de mer, poisson du jour ou jambon *ibérico* *(p. 438)*. Si un poisson cher comme la sole ou l'espadon est proposé à un prix avantageux, il est sans doute surgelé. Le prix du bar et autres poissons appréciés, ainsi que de certains crustacés (crabe, langoustine, homard), est fonction du poids.

La cuenta (addition) comprend le service et parfois le couvert. Les prix de la carte n'incluent pas la TVA *(IVA)* de 7 %, généralement ajoutée au moment de l'addition. Les Espagnols laissent rarement plus de 5 % de pourboire. Ils se contentent souvent d'arrondir le total.

Les chèques sont peu utilisés en Espagne. Les chèques de voyage sont acceptés, mais le taux de change peut être défavorable. La plupart des restaurants prennent les principales cartes bancaires. Les petites auberges et la plupart des débits de boissons refusent les cartes de paiement.

Accès pour fauteuils roulants

Il est préférable d'appeler le restaurant (ou de demander au personnel de l'hôtel de le faire) pour savoir si tables et toilettes sont accessibles.

Décoration du début du siècle dans un bar de Madrid

Choisir les tapas

Xérès fino et léger

Les tapas, ou pinchos, sont des amuse-gueule. Elles furent crées au siècle dernier en Andalousie pour accompagner le xérès. Les serveurs couvraient jadis les verres avec une soucoupe ou *tapa* (couvercle) pour protéger la boisson des mouches. Puis on prit l'habitude de servir un gros morceau de fromage ou quelques olives avec les boissons. Les tapas, jadis gratuites, sont en général payantes. Il en existe toutes sortes de variétés : viandes froides, fromages, plats chauds de fruits de mer, viande ou légumes savamment préparés.

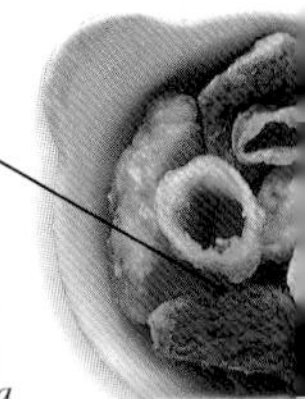

La fritura de pescado *est un mélange de poissons frits et de fruits de mer. Rougets, calmars, petits colins, etc., sont servis avec du citron.*

Les albondigas *sont de copieuses boulettes de viande, parfois à la sauce tomate.*

Le jamón serrano, *jambon salé, séché à l'air de la montagne* (serrano), *peut être servi en gros morceaux* (tacos) *ou en tranches fines* (lonchas) *souvent accompagnés de pain.*

Les gambas a la plancha *sont de grosses crevettes grillées non décortiquées.*

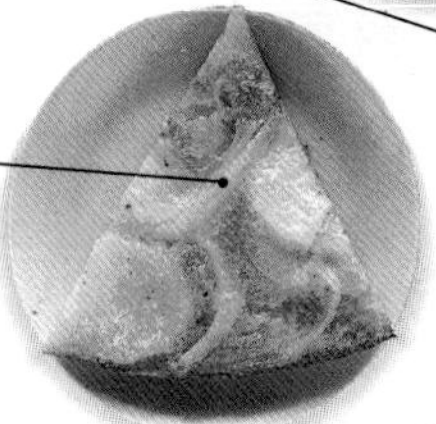

La tortilla a la española *est une épaisse omelette à l'oignon et aux pommes de terre. Elle est servie en parts ou en petits cubes.*

Les mejillones a la marinera *sont des moules avec une sauce mariant ail et oignon revenus, vin blanc, huile d'olive, jus de citron et persil.*

Les banderillas *sont de petites brochettes faites notamment de légumes et poisson mariné, œufs durs, crevettes, cornichons et olives. La* banderilla *doit être mangée en une fois pour obtenir un délicieux mélange de saveurs.*

Les almendas fritas *(amandes grillées salées) sont communes, les amandiers poussant dans maints endroits d'Espagne. Sont aussi servies pistaches* (pistachos), *cacahuètes salées* (cacahuetes) *et graines de tournesol* (pipas).

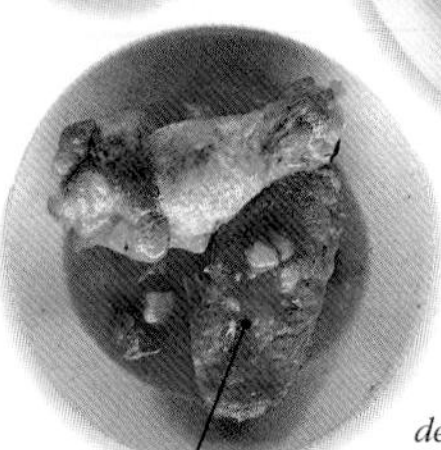

Le pollo al ajillo, *tapa très répandue, est faite de petits morceaux de poulet (souvent les ailes ou les cuisses) revenus à l'huile qui ont ensuite mijoté dans une sauce parfumée à l'ail.*

L'ensaladilla rusa, *salade composée de thon, crevettes, pommes de terre, carottes et petits pois à la mayonnaise, peut être garnie de poivrons ou d'œuf.*

Le chorizo *est une saucisse très appréciée, parfumée à l'ail et au paprika. On la mange généralement froide ou parfois grillée et chaude.*

Les patatas bravas *sont des pommes de terre frites enrobées d'une sauce tomate piquante aux piments rouges, à l'oignon, à l'ail, au persil et au vin blanc. Les morceaux de la taille d'une bouchée sont délicieux et rassasient.*

Les olives *sont communes mais variées, comme les* gordals, *de grosses olives de Séville, ou les* manzanillas *fourrées aux anchois, amandes ou pimientos. Certaines olives sont marinées avec des herbes dans de l'huile ou du vinaigre.*

Le salpicón de mariscos *est une salade composée de homard, crabe et crevettes et autres fruits de mer frais et de tomates en morceaux. Elle est assaisonnée avec une vinaigrette parfumée à l'oignon et aux poivrons rouges.*

Les calamares fritos *sont des calmars coupés en rondelles, farinés et frits à l'huile d'olive ou autre. Ils sont servis avec une tranche de citron.*

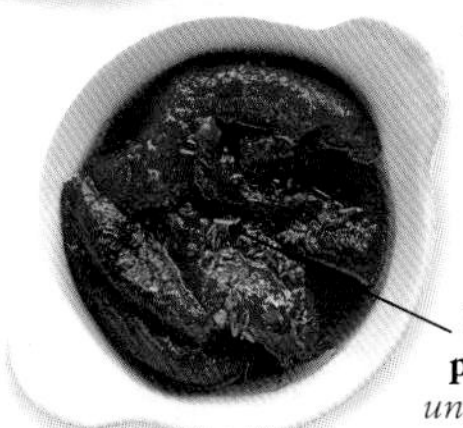

L'ensalada de pimientos rojos *est une salade colorée de poivrons rouges et de tomates grillées. Les jus de cuisson sont mélangés à de l'huile d'olive et du vinaigre pour assaisonner cette salade.*

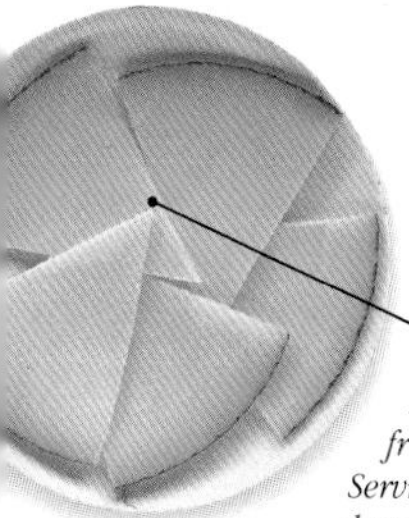

Le queso manchego, *fromage de brebis de la Manche* (p. 321), *est le fromage favori des Espagnols. Servi avec du pain, il peut être doux* (semicurado) *ou bien fait et fort* (curado).

Les bars à tapas

Le moindre village a au moins un bar où prendre un verre entre amis et manger des tapas. Le dimanche et lors des vacances, les bars favoris sont remplis de familles entières savourant des tapas. Dans les localités plus importantes, on va de bar en bar goûter les spécialités de chacun. Une tapa convient à une personne, une *ración* à deux ou trois. Les *bocadillos* sont des sandwichs dont les ingrédients sont similaires à ceux des tapas. D'ordinaire on mange les tapas debout au comptoir plutôt qu'assis à une table pour laquelle il faut généralement payer un supplément.

Amis discutant autour d'une sélection de tapas dans un bar local

Que boire en Espagne

L'Espagne est un des plus grands producteurs de vin au monde. Les nombreux vins sont de bonne qualité comme les vins rouges de La Rioja et le xérès d'Andalousie. Les cafés et les bars, lieux essentiels de la vie espagnole, servent beaucoup d'autres boissons, alcoolisées ou non. Les Espagnols aiment aussi beaucoup le café. L'été, outre la bière toujours disponible, toutes sortes de boissons rafraîchissantes sont proposées. Le cognac et diverses liqueurs, comme l'*anís*, sont consommés en apéritifs et en digestifs, de même que le xérès fino, servis frais, de couleur or pale.

Clients prenant un verre en terrasse à Séville

Chocolat chaud

***Churros* (bâtons de pâte à crêpes)**

Café con leche

Camomille

Tilleul

Les boissons chaudes

Le *café* peut être *con leche* (au lait), *cortado* (express avec un soupçon de lait) ou *solo* (noir). Le chocolat chaud est souvent accompagné de *churros* (bâtons de pâte à crêpes frits). Les tisanes comprennent la *manzanilla* (camomille) et la *tila* (tilleul).

Les boissons fraîches

Dans la plupart des villes espagnoles, l'eau du robinet est potable, mais on lui préfère généralement l'eau minérale plate *(sin gas)* ou gazeuse *(con gas)*. Hormis les sodas, il existe beaucoup de boissons désaltérantes, dont l'*horchata* *(p. 243)*, boisson sucrée et laiteuse à base de *chufas* de terre (amandes de terre). La *leche merengada* (lait glacé à la surface duquel flotte une meringue) est aussi une boisson rafraîchissante très appréciée. La *gaseosa*, limonade pétillante, peut être bue telle quelle ou mélangée, généralement avec du vin. Le *zumo de naranja natural* (jus d'oranges pressées) étanche très bien la soif.

Eaux minérales gazeuse et plate

Horchata* à base de *chufas

Les vins espagnols

Dans la péninsule Ibérique, on produisait déjà du vin avant l'arrivée des Romains. Aujourd'hui, il en existe une grande variété et certains, comme celui de La Rioja, sont réputés. Appellation capitale pour l'industrie vinicole, la *Denominación de Origen* (DO) garantit l'origine et la qualité d'un vin. Le *vino de la Tierra*, classe inférieure à la DO, assure que plus de 60 % des raisins proviennent d'une région précise. Le *vino de Mesa* est la catégorie la plus basse, attribuée aux vins de table. Pour plus de renseignements sur les principales régions vinicoles d'Espagne, consultez les pages sur le Nord *(p. 74-75)*, l'Est *(p. 192-193)*, le Centre *(p. 322-323)* et le Sud de l'Espagne *(p. 402-403)*.

Vin blanc de Penedès **Vin rouge de La Rioja** **Vin mousseux *(cava)***

Les spiritueux et liqueurs

Le cognac espagnol *(coñac)* est vieilli en fût ; il provient surtout des bodegas de Jerez. La plupart en produisent au moins trois sortes à des prix différents. Le magno est un bon cognac. Le lepanto et le larios sont de qualité supérieure. L'*anís* est une liqueur à l'anis appréciée. Le *pacharán*, à base de prunelles, est doux et a aussi un goût d'anis. La licor 43 est une liqueur à la vanille, le ponche un cognac vieilli, parfumé aux herbes.

Anís

Pacharán

Licor 43

Ponche

La bière

Bières en bouteille

La bière *(cerveza)* espagnole est en général une bière blonde en bouteille, parfois à la pression. La San Miguel, la Cruzcampo Mahou et l'Aguila sont appréciées. On peut prendre un verre de bière *(una caña)* ou une bière sans alcool *(sin alcohol)*, vendue dans la plupart des bars.

Deux marques de xérès fino

Le xérès

Le xérès est produit en Andalousie à Jerez et dans les villes proches, Sanlúcar de Barrameda et El Puerto de Santa María *(p. 402-403)*. Des vins de même type sont produits à Montilla, près de Cordoue, mais ne sont pas des xérès. Le fino pale, sec et léger, est un excellent apéritif. L'amontillado ambré (fino vieilli) a un goût de terroir. L'oloroso a du corps et une belle couleur.

Sangria

Les cocktails

La sangria est un mélange de vin rouge, de *gaseosa* (limonade) et d'autres ingrédients dont des fruits en morceaux et du sucre. Le vin dilué avec de la limonade est appelé *vino con gaseosa*. L'*Agua de Valencia*, mélange de *cava* (vin mousseux) et de jus d'orange, est aussi très appréciée. Les jeunes boivent souvent des *cubalibres*, du cola avec du rhum ou du gin.

Cubalibre ***Vino con gaseosa***

Lire l'étiquette

L'étiquette vous renseigne sur l'arôme et la qualité d'un vin. Elle indique son nom, celui de son producteur ou de sa bodega *(p. 619)*, son cru le cas échéant, et sa *Denominación de Origen* (DO) s'il entre dans cette catégorie. Le mot *cosecha* désigne les vins récents, les moins chers. Les vins *crianza* et *reserva*, eux, ont vieilli au moins deux ou trois ans, dont un certain temps dans des fûts en chêne, et sont donc plus chers. Le vin de table *(vino de Mesa)* peut être *tinto* (rouge), *blanco* (blanc) ou *rosado* (rosé). Le *cava* est un vin mousseux produit dans des régions précises selon la méthode champenoise.

Choisir un restaurant

Les restaurants de cette sélection ont été choisis dans une large gamme de prix pour leur bon rapport qualité-prix, la qualité de leur cuisine et l'attrait de leur emplacement. Ils sont présentés par région, en commençant par la Galice. Les repères de couleur correspondant aux différentes régions décrites dans le guide vous permettent de trouver celle qui vous intéresse.

Galice

Restaurant	Cartes bancaires	Bar à tapas	Menu à prix fixe	Bonne carte des vins	Tables en terrasse
Baiona : *Moscón.* €€ Calle Alférez Barreiro 2 (Pontevedra). 986 35 50 08. Cuisine galicienne, dont un savoureuse *caldeirada* de poisson (poisson en cocotte) relevé au paprika. Belle vue sur le port.	AE DC MC V			●	
Betanzos : *La Casilla.* € Avenida de Madrid 90 (A Coruña). 981 77 01 61. Cette maison de pierre ancienne en bordure de route est connue dans toute l'Espagne pour ses omelettes. De la terrasse on peut admirer le jardin. ● *lun.*	DC MC V		■	●	■
Bueu : *A Centoleira.* €€€ Playa de Beluso 28 (Pontevedra). 986 32 08 96. Choisissez votre homard dans l'aquarium ou essayez le colin aux clams accompagné de bon vin d'Albariño. ● *lun. et oct.*	AE DC MC V	●	■	●	■
La Corogne : *La Penela.* €€ Plaza de María Pita 12. 981 20 92 00. Cuisine sans prétention à savourer à l'intérieur ou à l'extérieur. Ses spécialités sont le veau rôti, l'omelette et la lotte à la galicienne. ● *dim.*	AE DC MC V			●	■
La Corogne : *Casa Pardo.* €€€ Calle Novoa Santos 15. 981 28 00 21. Taverne sur le port réputée pour sa lotte, préparée de différentes manières. La crème caramel aux mûres est délicieuse. ● *dim., 2 dernières semaines de juin.*	AE DC MC V		■	●	
O Grove : *Crisol.* €€€ Calle Hospital 10–12 (Pontevedra). 986 73 00 29. Grand choix de plats de fruits de mer et de coquillages avec les meilleurs produits. La salle donne sur la mer. ● *lun.*	AE MC V		■	●	
A Guarda : *Anduriña.* €€€ Calle Calvo Sotelo 58 (Pontevedra). 986 61 11 08. Ce restaurant sur le port permet de regarder les pêcheurs ramener leur prise en dégustant un colin frais, un turbot ou du poisson en cocotte.	AE DC MC V	●	■	●	■
Lugo : *Alberto.* €€ Calle Cruz 4. 982 22 83 10. Le chef a été récompensé pour ses mets délicats, dont l'entrecôte de bœuf avec une sauce aux navets et le bar aux civelles. ● *dim.*	AE DC MC V	●	■	●	
Lugo : *Verruga.* €€€ Calle Cruz 12. 982 22 98 55. Ce restaurant offre un grand choix de fruits de mer de son vivier. Les poivrons rouges farcis au crabe sont exquis, ainsi que les *filloas* (crêpes) maison préparées de différentes façons. ● *lun.*	AE DC MC V	●	■	●	
Ourense : *Pingallo.* € Rúa San Miguel 6. 988 22 00 57. Plats sains, faits maison, dont le *lacón con grelos* (épaule de porc aux feuilles de navet) typiquement galicien et les côtes de bœuf ou de cabri. ● *mer.*	AE MC V	●	■	●	■
Ourense : *San Miguel.* €€€ Rúa San Miguel 12–14. 988 22 12 45. Cuisine galicienne innovatrice, spécialisée dans les fruits de mer. Le bar à la sauce à l'écrevisse, les huîtres et les coques sont conseillés.	AE DC MC V	●	■	●	
Padrón : *Casa Ramallo.* €€ Calle Castro 5, Rois (A Coruña). 981 80 41 80. Ce restaurant rustique sert des ragoûts de légumes du jardin et des poissons en cocotte et la *xobiña guisada* (sardines cuites en cocotte avec des pommes de terre et de la tomate). Délicieux desserts maison. ● *lun.*	AE DC MC V			●	

Prix moyen par personne pour un dîner comprenant trois plats et une demi-bouteille de vin de la maison, taxe et service compris :

€ moins de 20 euros
€€ de 20 à 30 euros
€€€ de 30 à 40 euros
€€€€ plus de 40 euros

BAR À TAPAS
Outre la salle principale, un bar sert des tapas *(p. 574-575)* et des *raciones* (portions plus importantes).
MENU À PRIX FIXE
Menu en général composé de trois plats, proposé au déjeuner et/ou au dîner. Bon rapport qualité-prix.
BONNE CARTE DES VINS
Le restaurant propose un vaste choix de bons vins ou une sélection particulière de vins locaux.
REPAS À L'EXTÉRIEUR
Possibilité de manger en terrasse, dans un jardin, une cour ou un patio, souvent avec une belle vue.

	CARTES BANCAIRES	BAR À TAPAS	MENU À PRIX FIXE	BONNE CARTE DES VINS	TABLES EN TERRASSE
PONTEVEDRA : *Doña Antonia.* €€ Calle Soportales, Plaza de la Herrería 9, primer piso. ☎ *986 84 72 74.* Cuisine européenne moderne dans un cadre raffiné dominant la jolie plaza de la Herrería. La salade tiède de lotte et la glace au nougat avec des noisettes et des pistaches sont exceptionnelles. ● *dim.* ▤	MC V			●	
SAN SALVADOR DE POYO : *Casa Solla.* €€€ Avenida Sineiro 5 (Pontevedra). ☎ *986 87 28 84.* Les spécialités de ce restaurant élégant dans un *pazo* (manoir) ancien comprennent la salade de homard avec une vinaigrette à la tomate et le bar sur un lit de poireaux. ● *lun., mar. soir, dim. soir, 25 déc.* ▤ ♿	AE DC MC V			●	■
SAINT-JACQUES-DE-COMPOSTELLE : *Moncho Vilas* €€€ Avenida de Villagarcia 21 (A Coruña). ☎ *981 59 83 87.* Plats traditionnels du Galice : les poissons, les fruits de mer et les coquillages sont très frais, et les viandes et empanadas excellents. À côté, un bar sert des tapas. ▤	AE DC MC V	●	■	●	
SAINT-JACQUES-DE-COMPOSTELLE : *Toñi Vicente.* €€€€ Avenida Rosalía de Castro 24 (A Coruña). ☎ *981 59 41 00.* Les adeptes de la gastronomie galicienne retournent toujours dans ce temple de la cuisine. La salade de bar mariné et le colin dans une croûte de pomme de terre sont deux de ses nombreuses créations. ● *dim., 2 sem. en janv., 2 sem. en août.* ▤ ♿	AE DC MC V		■	●	
SANXENXO : *La Taberna de Rotilio.* €€€€ Avenida del Puerto (Pontevedra). ☎ *986 72 02 00.* Ce restaurant élégant est devenu célèbre par son approche novatrice de la cuisine galicienne. Les créations du chef comprennent une *caldeirada* de lotte, une des meilleures qui soient. ● *lun. et de mi-déc. à mi-jan.* ▤	AE DC MC V		■	●	
VEDRA : *Roberto.* €€€ Calle San Julián de Sales (A Coruña). ☎ *981 51 17 69.* Avec une prédilection pour les poissons et les légumes, Roberto Crespo utilise des produits du jardin pour créer des plats intéressants comme le bar aux feuilles de navet. Un magnolia vieux de 300 ans parfume le jardin. ● *dim. soir, lun. et janv.* ♿	AE MC V		■	●	■
VERÍN : *Gallego.* €€ Carretera N525, Albarellos de Monterrei (Ourense). ☎ *988 41 82 02.* Savourez les plats galiciens traditionnels, dont une grande variété de fruits de mer, dans ce restaurant clair avec vue sur la campagne. ▤ ♿	AE DC MC V	●	■	●	■
VIGO : *El Castillo.* €€€ Parque del Castro (Pontevedra). ☎ *986 42 11 11.* Ce restaurant sur une colline donne sur Vigo et la ria. Ses spécialités sont les grillades de poissons et de viande. ● *lun.* ▤	AE DC MC V		■	●	
VILAGARCÍA DE AROUSA : *El Lagar.* €€ Pazo Sobrán, Villajuan de Arosa (Pontevedra). ☎ *986 50 09 09.* Ce bâtiment situé dans un grand *pazo* (manoir) du XIe siècle serait plus vieux que la cathédrale de Compostelle. Atmosphère détendue et bonne cuisine régionale. ● *dim. soir* ♿	AE MC V	●	■		
VILAGARCÍA DE AROUSA : *Chocolate.* €€€ Avenida de Cambados 151 (Pontevedra). ☎ *986 50 11 99.* Manolo Cores, personnalité locale qui officie au gril, vous offre un choix équilibré de fruits de mer et de viande. Il vous dira qu'il n'y a pas meilleurs maïs et tourtes aux coques que ceux de sa femme. ● *dim. soir* ▤	AE MC V			●	
VILLAFRAMIL : *La Villa.* €€ Carretera Oviedo–A Coruña (Lugo). ☎ *982 12 30 01.* Maison de village vieille de 300 ans, savamment restaurée, où l'on sert la cuisine régionale traditionnelle. Le colin accompagné de caviar et le veau galicien bien tendre sont conseillés. ♿	AE DC MC V		■	●	■

Légende des symboles, voir rabat de couverture

Prix moyen par personne pour un dîner comprenant trois plats et une demi-bouteille de vin de la maison, taxe et service compris :

€ moins de 20 euros
€€ de 20 à 30 euros
€€€ de 30 à 40 euros
€€€€ plus de 40 euros

BAR À TAPAS
Outre la salle principale, un bar sert des tapas *(p. 574-575)* et des *raciones* (portions plus importantes).

MENU À PRIX FIXE
Menu en général composé de trois plats, proposé au déjeuner et/ou au dîner. Bon rapport qualité-prix.

BONNE CARTE DES VINS
Le restaurant propose un vaste choix de bons vins ou une sélection particulière de vins locaux.

REPAS À L'EXTÉRIEUR
Possibilité de manger en terrasse, dans un jardin, une cour ou un patio, souvent avec une belle vue.

ASTURIES ET CANTABRIE

	CARTES BANCAIRES	BAR À TAPAS	MENU À PRIX FIXE	BONNE CARTE DES VINS	TABLES EN TERRASSE
AVILÉS : *Real Balneario de Salinas.* €€€ Calle Juan Sitges 3, Salinas (Asturias). ☎ *98 551 86 13.* Ce joli restaurant de la station balnéaire de Salinas appartient à un prestigieux restaurateur d'Avilés. Le menu de saison privilégie les fruits de mer. Les petites anguilles sont la spécialité de la maison. ● *jan.* ▤ ♿	AE DC MC V	●	■	●	■
CANGAS DE ONÍS : *La Cabaña.* €€ Calle Susierra 34 (Asturias). ☎ *98 594 00 84.* Grill-room apprécié où cochons de lait et agnelets sont rôtis au feu de bois. Finissez par le fromage ou la tarte aux pommes. ● *mer. soir, jeu. et fév.* ▤ ♿	AE DC MC V		■		■
CASTAÑEDA : *Hostería de Castañeda.* €€ Calle Villabañez (Cantabria). ☎ *942 59 81 13.* Après avoir visité les grottes voisines de Puente Viesgo, arrêtez-vous dans les anciennes écuries de cette ferme du XVIIe siècle pour goûter le sanglier aux fines herbes ou le faux-filet aux champignons. ▤	AE DC MC V		■	●	■
CASTRO URDIALES : *Mesón del Marinero.* €€€€ Calle Correría 23 (Cantabria). ☎ *942 86 00 05.* Cet élégant restaurant de fruits de mer est aménagé dans un bâtiment ancien classé. Proche du port de pêche, il sert des produits frais. Les portions sont copieuses et le choix des vins excellent.	AE DC MC V	●	■	●	■
CASTROPOL : *El Risón de Peñamar.* €€ Calle del Puerto (Asturias). ☎ *98 563 50 65.* Jolie maison de campagne avec terrasse, sur les rives de l'Eo, où l'on sert la vraie cuisine asturienne. Les crêpes aux fruits de mer *(frixuelos)* et le bar au vin blanc d'Albarino sont exquis. ● *lun. et nov.* ♿	AE DC MC V	●	■	●	■
COMILLAS : *El Capricho de Gaudí.* €€€ Barrio de Sobrellano (Cantabria). ☎ *942 72 03 65.* L'architecture fantaisiste de Gaudí offre un cadre unique à ce restaurant raffiné. Le saumon à la crème d'anchois et le turbot aux pousses d'ail sont recommandés. ● *lun. en hiver et de mi-jan. à mi-fév.* ▤ ♿	AE DC MC V		■	●	
COSGAYA : *Mesón del Oso.* €€ Carretera Potes–Fuente Dé (Cantabria). ☎ *942 73 30 18.* Ravissant hôtel-restaurant à la campagne, près du río Deva, donnant sur les Pics d'Europe. Les spécialités locales sont les steaks de veau et le *cocido lebaniego* (ragoût de porc aux pois chiches). ● *de jan. à mi-fév.*	DC MC V	●	■	●	■
CUDILLERO : *Mariño.* €€€ Playa de la Concha de Artedo (Asturias). ☎ *98 559 01 86.* Les poissons en cocotte *(calderadas)* sont la spécialité de la maison. Le *curadillo* (poisson de la famille des requins) en sauce est un plat typique. ● *fév.* ♿	AE DC MC V	●	■	●	■
ESCALANTE : *San Román de Escalante.* €€€€ Carretera Escalante–Castillo (Cantabria). ☎ *942 67 77 28.* Ancienne maison de montagne dotée d'une chapelle du XIIe siècle et de jardins. Cadre charmant où savourer une cuisine à la française. ● *de mi-déc. à mi-jan.* ▤ ♿	AE DC MC V	●	■	●	■
LAREDO : *Risco.* €€€€ Calle la Arenosa 2 (Cantabria). ☎ *942 60 50 30.* Réservez une table près d'une des grandes fenêtres sur la baie pour vous régaler avec un ragoût de colin aux pommes de terre, des clams à la *salsa verde* (sauce à l'ail et au persil) ou une morue aux poivrons frits.	AE DC MC V	●		●	■
LASTRES : *El Cafetín.* €€ Calle Matemático Pedrayes (Asturias). ☎ *98 585 00 85.* Produits frais de la mer et spécialités régionales, dont le *pote asturiano* (ragoût de haricots blancs et de chair à saucisse). ● *mer.*	AE DC MC V	●	■		■

LUARCA : *Villa Blanca.* Avenida de Galicia 25–27 (Asturias). ☎ *98 564 10 79.* Après vous être servi en cidre au bar rustique, dégustez le *pitu de aldea* (poulet aux petits pois et petites pommes de terre). ● *lun.* ▤ ♿	€€	AE DC MC V	●	■		■
OVIEDO : *El Raitán.* Plaza de Trascorrales 6 (Asturias). ☎ *98 521 42 18.* Découvrez la variété de la cuisine asturienne avec le *menú de degustación* (neuf plats) servi à midi par des garçons en costume régional. ● *dim. soir* ▤	€€	AE DC MC V	●	■	●	
POTES : *Martín.* Calle Roscabao, Urbanización Ivana (Cantabria). ☎ *942 73 02 33.* Authentiques plats du terroir, dont le *cocido lebaniego* (ragoût de porc aux pois chiches) et les poivrons farcis au Treviso, un fromage local. Belle vue sur la campagne. ● *jan.* ♿	€	AE MC V	●	■	●	■
PRENDES : *Casa Gerardo.* Carretera N632 (Asturias). ☎ *98 588 77 97.* Ce restaurant ravissant est réputé servir la meilleure *fabada* (riche ragoût de haricots blancs et de boudin noir) d'Espagne. ● *dim.-mar. soir et jan.* ▤ ♿	€€€	AE MC V	●	■	●	
PUENTE ARCE : *El Molino.* Carretera Nacional (Cantabria). ☎ *942 57 50 55.* Ce restaurant est le meilleur de la région tant pour son esthétique que pour sa table. Situé dans un ancien moulin avec vue sur un cours d'eau, il propose une cuisine cantabrique raffinée. ● *lun. en hiver.* ♿	€€€€	AE DC MC V			●	■
RAMALES DE LA VICTORIA : *Río Asón.* Calle Barón de Adzaneta 17 (Cantabria). ☎ *942 64 61 57.* Hors des sentiers battus, ce restaurant méconnu des touristes est un des meilleurs de Cantabrie. Le saumon est pêché dans le río Asón voisin et le menu de saison ravira même les palais les plus fins. ● *lun. et jan.* ▤ ♿	€€€€	AE DC MC V			●	
REINOSA : *Vejo.* Avenida de Cantabria 83 (Cantabria). ☎ *942 75 17 00.* La spécialité de ce restaurant moderne est le veau bien tendre. Le faux-filet au foie gras et aux truffes est un régal. Le plateau de fromages rappelle que la Cantabrie est réputée pour ses produits laitiers.	€€	AE DC MC V	●	■	●	■
SANTANDER : *Bodega del Riojano.* Calle Río de la Pila 5 (Cantabria). ☎ *942 21 67 50.* Cette bodega pittoresque est connue tant pour ses tonneaux de vin peints par des artistes espagnols que pour sa cuisine délicieuse. Ses poivrons rouges farcis seraient les meilleurs du monde. Bon choix de tapas. ● *lun. en hiver.* ▤	€€	AE DC MC V	●	■	●	
SANTANDER : *Zacarías.* Calle Hernán Cortés 38 (Cantabria). ☎ *942 21 23 33.* Ce restaurant proposant de vrais plats cantabriques est aussi un bar à tapas animé. On peut y savourer toutes les spécialités régionales. ▤ ♿	€€	AE DC MC V	●	■	●	
TARAMUNDI : *El Mazo.* Cuesta de la Rectoral (Asturias). ☎ *98 564 67 60.* Ancien presbytère, dans un cadre rural enchanteur, proposant des plats simples comme le faux-filet au Cabrales, fromage bleu local. ● *mer.* ▤	€€	AE DC MC V		■	●	■
PAYS BASQUE, NAVARRE ET RIOJA						
AOIZ : *Beti Jai.* Calle Santa Agueda 2 (Navarra). ☎ *948 33 60 52.* Située sur la place principale, cette maison donnant sur le fleuve propose des plats navarrais et des spécialités locales comme les tripes de mouton *(menudicos)*, les pieds de porc et le gâteau maison. ▤	€€	MC V	●	■	●	■
AZPEITIA : *Kiruri Jatetxea.* Barrio de Loiola 23 (Guipúzcoa). ☎ *943 81 56 08.* La famille Guridi prépare des mets basques traditionnels comme le *txangurro* (araignée de mer au four servie dans sa carapace) ou la *lubina al txacoli* (bar cuisiné au vin blan local). ▤ ♿	€€	AE DC MC V	●	■	●	■
BILBAO (BILBO) : *Zortziko.* Calle Alameda Mazarredo 17 (Vizcaya). ☎ *94 423 97 43.* Grande cuisine contemporaine dans un édifice classé monument historique. La carte, qui varie selon la saison, et la cuisine basque inventive sont sublimes. ● *dim.* ▤	€€€€	AE DC MC V	●	■	●	

Légende des symboles, voir rabat de couverture

Prix moyen par personne pour un dîner comprenant trois plats et une demi-bouteille de vin de la maison, taxe et service compris :

€ moins de 20 euros
€€ de 20 à 30 euros
€€€ de 30 à 40 euros
€€€€ plus de 40 euros

Bar à tapas
Outre la salle principale, un bar sert des tapas *(p. 574-575)* et des *raciones* (portions plus importantes).

Menu à prix fixe
Menu en général composé de trois plats, proposé au déjeuner et/ou au dîner. Bon rapport qualité-prix.

Bonne carte des vins
Le restaurant propose un vaste choix de bons vins ou une sélection particulière de vins locaux.

Repas à l'extérieur
Possibilité de manger en terrasse, dans un jardin, une cour ou un patio, souvent avec une belle vue.

Cintruénigo : *Maher.* €€€€
Calle Ribera 19 (Navarra). ☎ *948 81 11 50.*
Ce restaurant en sous-sol propose une cuisine novatrice très bien présentée, avec des spécialités maison : le flan aux asperges, le lièvre avec du riz et les côtes d'agneau de lait à la sauce aux champignons. ● *dim. soir, lun.* ▤

Egües : *Mesón Egües.* €€€
Carretera de Aoiz (Navarra). ☎ *948 33 00 81.*
Ce restaurant à l'ambiance rustique propose de la viande et des poissons excellents. Parmi ses spécialités : le turbot, les steaks grillés et le foie gras frais. Bons desserts maison. ● *lun.* ▤ ♿

Elorrio : *Nico.* €€€
Plaza Arbol de Guernika 4 (Vizcaya). ☎ *946 82 04 69.*
Vieille maison biscaïenne aux poutres apparentes et à la décoration rustique. Plats simples mais savoureux. ● *août.*

Estella (Lizarra) : *Navarra.* €€
Calle Gustavo de Maeztu 16, Los Llanos (Navarra). ☎ *948 55 10 69.*
Cuisine traditionnelle et régionale dans une demeure où des céramiques représentent les anciens rois de Navarre. La *blanca de navarra* (glace au citron et au miel servie avec de la crème fraîche et des noix) est exquise. ● *lun.* ▤

Ezcaray : *Echaurren.* €€€
Calle Héroes del Alcázar 2 (La Rioja). ☎ *941 35 40 47.*
L'Echaurren, tenu par la famille Paniego, est un des restaurants emblématiques de La Rioja. Les légumes de la région sont cuisinés à la perfection. Grande variété de vins de La Rioja et d'Albarino. ● *dim. soir et nov.* ▤ ♿

Galdácano : *Aretxondo.* €€€€
Calle Elexalde 20 (Vizcaya). ☎ *944 56 76 71.*
Cette table, une des meilleures de la région, atteste le raffinement de la cuisine basque. À 10 km de Bilbao, elle vaut le détour, mais avant de prendre sa voiture mieux vaut réserver. ● *lun.* ▤ ♿

Getaria : *Elkano.* €€€€
Calle Herrerita 2 (Guipúzcoa). ☎ *943 14 06 14.*
Pedro Arregui est réputé pour ses poissons grillés. Le calmar à l'encre et le turbot sont excellents. La maison a en réserve du Txomín Echaniz, le meilleur des vins basques *txacoli*. ● *dim. soir, lun. en hiver.* ▤ ♿

Haro : *Terete.* €€
Calle Lucrecia Arana 17 (La Rioja). ☎ *941 31 00 23.*
Ce four à bois sert aux grillades d'agneaux depuis 1877. Assis à l'une des longues tables en bois, savourez les spécialités de La Rioja avec du vin de la maison. ● *lun.* ▤ ♿

Hondarribia (Fuenterrabbia) : *Sebastián.* €€€
Calle Mayor 9–11 (Guipúzcoa). ☎ *943 64 01 67.*
Dans cette maison du XVIe siècle, dans le quartier historique, on sert de la cuisine basque et française. On peut déguster du gibier en saison de chasse. ● *dim. soir, lun., fév. et nov.* ♿

Kortezubi : *Lezika.* €€€
Barrio Basondo 8, Santimamiñe (Vizcaya). ☎ *94 625 29 75.*
Maison de campagne du XVIIIe siècle, près des grottes de Santimamiñe. Cuisine basque traditionnelle (colin à la *salsa verde*, haricots rouges avec du jambon et des saucisses) et bon choix de vins. ● *dim.-mer. soir* ▤ ♿

Laguardia : *Posada Mayor de Migueloa.* €€€
Calle Mayor de Migueloa 20 (Álava). ☎ *945 62 11 75.*
Le palais de Viana (XVIIe siècle), bien restauré, abrite un des meilleurs restaurants de La Rioja. L'agneau rôti et les pommes de terre à la mode de La Rioja *(a la riojana)* sont deux de ses nombreuses spécialités. ● *Noël - fin jan.* ▤ ♿

Restaurant	Cartes bancaires	Bar à tapas	Menu à prix fixe	Bonne carte des vins	Tables en terrasse
Cintruénigo : Maher	AE DC MC V	●	■	●	
Egües : Mesón Egües	AE DC MC V			●	
Elorrio : Nico	AE MC V		■		
Estella (Lizarra) : Navarra	AE MC V	●	■	●	■
Ezcaray : Echaurren	AE DC MC V		■	●	
Galdácano : Aretxondo	AE MC V		■	●	
Getaria : Elkano	AE DC MC V			●	
Haro : Terete	MC V		■	●	
Hondarribia (Fuenterrabbia) : Sebastián	AE DC MC V		■	●	
Kortezubi : Lezika	AE DC MC V	●	■	●	■
Laguardia : Posada Mayor de Migueloa	AE DC MC V	●	■	●	■

LASARTE : *Martín Berasategui.* €€€€
Calle Loidi 4 (Guipúzcoa). (943 36 64 71.
Cette ancienne ferme est un des meilleurs restaurants de la région. La soupe froide de pommes de terre au lard fumé est une des créations de Martín qui vous concoctera un menu selon votre budget. ● *dim. soir, lun., mar., sam. midi.* &

AE
DC
MC
V

LEKEITIO : *Mesón Arropain.* €€€
Carretera de Marquina, Arropain, Ispaster (Vizcaya). (946 84 03 13.
Cette ferme propose fruits de mer et spécialités, dont le turbot grillé, l'écrevisse au four et l'araignée de mer. La *cuajada* maison (gâteau au lait caillé) est typique de la région. ● *mer. et de mi-déc. à mi-jan.* &

AE
DC
MC
V

LOGROÑO : *El Cachetero.* €€€
Calle Laurel 3 (La Rioja). (941 22 84 63.
Restaurant confortable servant une cuisine familiale locale, dont des légumes excellents tout comme le chevreau rôti. Les desserts comprennent l'*arroz con leche* (gâteau de riz). ● *dim. et du 1er au 15 août.* 🍴 &

DC
MC
V

OIARTZUN : *Zuberoa.* €€€€
Calle Iturriotz Auzoa 8 (Guipúzcoa). (943 49 12 28.
Ce restaurant, un des meilleurs d'Espagne, est situé dans une ferme vieille de 600 ans. Les frères Arbelaitz sont de véritables artistes et leur foie gras à la sauce aux pois chiches est un classique. ● *lun. et dim. soir.* 🍴 &

AE
DC
MC
V

PAMPELUNE (IRUÑA) : *Alhambra.* €€€
Calle Bergamín 7 (Navarra). (948 24 50 07.
Restaurant accueillant servant une cuisine navarraise typique. Les artichauts, la purée de légumes aux truffes et le risotto aux champignons sont tous de délicieuses entrées. Bonne sélection de vins locaux. ● *dim.* 🍴 &

AE
DC
MC
V

PAMPELUNE (IRUÑA) : *Europa.* €€€
Calle Espoz y Mima 11, Olave (Navarra). (948 22 18 00.
Situé dans la vieille ville, près de la cathédrale, ce restaurant propose de la cuisine traditionnelle navarraise. L'une de ses spécialités est un plat de légumes, le *menestre de verdura*. ● *dim.* &

AE
MC
V

PASAI DONIBANE : *Casa Cámara.* €€
Pasajes de San Juan 79 (Guipúzcoa). (943 52 36 99.
Dégustez le homard que vous aurez choisi dans l'aquarium ou savourez une araignée de mer au four en contemplant l'Océan. ● *lun. et dim. soir.* &

MC
V

PUENTE LA REINA : *Mesón el Peregrino.* €€€
Carretera Pamplona–Logroño (Navarra). (948 34 00 75.
Cette auberge de campagne offre une cuisine régionale raffinée dans un cadre paisible. Les joues de veau à la sauce à l'oignon sont recommandées. ● *lun.* 🍴

DC
MC
V

SAINT-SÉBASTIEN (DONOSTIA) : *Akelaré.* €€€€
Paseo Padre Orcolaga 56, Barrio de Igueldo (Guipúzcoa). (943 21 20 52.
Ce temple de la gastronomie espagnole donne sur des collines plongeant dans la mer. Pour savourer les spécialités du chef, prenez le *menú de degustación* à sept plats. Tenue correcte exigée. ● *lun., dim. soir, fév. et début oct..* 🍴 &

AE
DC
MC
V

SAINT-SÉBASTIEN (DONOSTIA) : *Arzak.* €€€€
Calle Alto del Miracruz 21 (Guipúzcoa). (943 27 84 65.
Ce restaurant serait, selon les dires de gourmets, le meilleur d'Espagne, et son chef, Juan Mari Arzak, a acquis une réputation internationale pour sa cuisine basque novatrice. ● *dim. soir, lun., fin juin et nov.* 🍴 &

AE
DC
MC
V

TAFALLA : *Túbal.* €€€
Plaza de Navarra 6 (Navarra). (948 70 08 52.
Cet édifice historique dispose de 18 balcons donnant sur la place. Goûtez les crêpes fourrées à la bourrache, légume navarrais traditionnel. ● *dim. soir, lun.* 🍴 &

AE
DC
MC
V

VIANA : *Borgia.* €€€€
Calle Serapio Urra (Navarra). (948 64 57 81.
Ce petit restaurant du quartier historique propose un menu de saison intéressant et des spécialités : artichauts au foie gras sur un lit de cresson et agneau mariné aux herbes avec une sauce au genièvre. ● *dim. et août.*

AE
DC
MC
V

VITORIA (GASTEIZ) : *Dos Hermanas.* €€€
Madre Vedruna 10 (Álava). (945 13 29 34.
Cuisine régionale classique avec un menu de saison. Le thon servi sur un lit de poivrons et le ragoût de queue de bœuf sont excellents. ● *dim.* 🍴 &

AE
DC
MC
V

Légende des symboles, voir rabat de couverture

Prix moyen par personne pour un dîner comprenant trois plats et une demi-bouteille de vin de la maison, taxe et service compris :

€ moins de 20 euros
€€ de 20 à 30 euros
€€€ de 30 à 40 euros
€€€€ plus de 40 euros

Bar à tapas
Outre la salle principale, un bar sert des tapas *(p. 574-575)* et des *raciones* (portions plus importantes).
Menu à prix fixe
Menu en général composé de trois plats, proposé au déjeuner et/ou au dîner. Bon rapport qualité-prix.
Bonne carte des vins
Le restaurant propose un vaste choix de bons vins ou une sélection particulière de vins locaux.
Repas à l'extérieur
Possibilité de manger en terrasse, dans un jardin, une cour ou un patio, souvent avec une belle vue.

	Cartes bancaires	Bar à tapas	Menu à prix fixe	Bonne carte des vins	Tables en terrasse
Vitoria (Gasteiz) : *Ikea.* €€€€ Portal de Castilla 27 (Álava). ☎ *945 14 47 47.* José Ramón Berriozabal marie avec maestria cuisine basque traditionnelle et influence française. Le filet de colin à la *salsa verde* est un classique. La terrine de foie gras et le pigeon de Bresse sont exquis. ● *lun.* ▤	AE DC MC V		■	●	
Barcelone					
Vieille ville : *Egipte.* **Plan 2 F2.** € Ramblas 79. ☎ *933 17 74 80.* Ce lieu animé, où jadis vivaient des moines, propose des spécialités méditerranéennes et dix recettes de morue salée. ▤ ♿	AE DC MC V		■	●	
Vieille ville : *Les Quinze Nits.* **Plan 5 A3.** € Plaça Reial 6. ☎ *93 317 30 75.* Ce beau restaurant bien situé attire nombre de jeunes qui y savourent de bons plats catalans pour un prix modique. ● *24 et 25 déc.* ▤ ♿	AE DC MC V		■	●	■
Vieille ville : *Romesco.* **Plan 2 F3.** € Carrer de Sant Pau 28. ☎ *933 18 93 81.* Tout près des Ramblas, ce lieu animé propose une cuisine familiale à des prix imbattables. Les *frijoles* (plat cubain de riz, haricots noirs, banane frite et œufs) sont sa spécialité. ● *dim. et août.*		●	■		
Vieille ville : *Agut.* **Plan 5 A3.** € Carrer Gignàs 16. ☎ *933 15 17 09.* Restaurant jadis fréquenté par des peintres qui échangeaient une toile contre un copieux repas catalan. Aujourd'hui, la terrine d'aubergines et les délicieux steaks saignants de Gérone sont deux de ses spécialités. ● *dim. soir, lun. et août.*	MC V		■	●	
Vieille ville : *Amaya.* **Plan 5 A1.** €€ Ramblas 20-24. ☎ *933 02 10 37.* Ce restaurant basque et catalan, en vogue, propose un bon choix de tapas au bar et une longue carte où de nombreux plats peuvent être servis en demi-portions. Extraordinaire carte des vins. ▤ ♿	AE DC MC V	●	■	●	■
Vieille ville : *Cal Pep.* **Plan 5 B3.** €€ Plaça de les Olles 8. ☎ *933 10 79 61.* Selon certains connaisseurs, le *pescado frito* (poisson frit) de Pep est le meilleur du monde ! Sont aussi conseillés les clams au jambon, les petits calmars frits et les écrevisses à l'oignon. ● *lun. midi, dim., j. fériés, Pâques, août, 24, 25 et 26 déc.* ▤	AE DC MC V	●			
Vieille ville : *Can Culleretes.* **Plan 5 A2.** € Carrer Quintana 5. ☎ *933 17 30 22.* Le plus vieux restaurant de la ville (1786) propose des mets catalans traditionnels, dont la *pica pica de pescado* (mélange de produits de la mer). ● *dim. soir, lun. et 3 sem. en juil.* ▤ ♿	MC V		■	●	
Vieille ville : *Can Majó.* **Plan 5 B5.** €€€ Carrer de l'Almirall Aixada 23. ☎ *932 21 54 55.* Célèbre restaurant de fruits de mer de Barceloneta proposant de bonnes paellas et un *suquet* (ragoût de pommes de terre et de poisson). ● *dim. soir et lun.* ▤ ♿	AE DC MC V		■	●	■
Vieille Ville : *Estevet.* **Plan 2F1.** €€ Carrer de Valldonzella 46. ☎ *933 02 41 86.* Ce restaurant charmant et traditionnel est décoré de céramiques et de peintures de la région. Vous serez accueillis par le pétulent propriétaire. Son chèvre rôti est très populaire. ● *dim. et j. fériés.* ▤ ♿	AE DC MC V		■	●	
Vieille ville : *Café de l'Academia.* **Plan 2 F3.** €€ Carrer de l'Edó 1. ☎ *933 15 00 26.* Ce restaurant animé propose une nouvelle version de la cuisine catalane traditionnelle. Peintures et design animent au bonheur les murs de pierre. ● *sam., dim. et jours fériés.* ▤ ♿	AE DC MC V		■		■

VIEILLE VILLE : *Fonda Senyor Parellada.* **Plan** 5 B3. €
Carrer de la Argentería 37. *933 10 50 94.*
Bancs de bois, lustres anciens et chandeliers ornent ce restaurant vivement conseillé pour sa cuisine catalane authentique et ses prix raisonnables.
AE DC MC V — ●

VIEILLE VILLE : *Reial Club Marítim de Barcelona.* **Plan** 5 A4. €€€
Moll d'Espanya. *93 221 62 56.*
Restaurant d'un club nautique où, en contemplant le port, on savoure des mets raffinés comme la terrine d'aubergines avec du fromage de chèvre et la daurade avec des pommes et une sauce au cidre. *dim. soir, 24 et 25 déc.*
DC MC V — ● ■

VIEILLE VILLE : *Set Portes.* **Plan** 5 B3. €€€
Passeig de Isabel II 14. *933 19 29 50.*
Ce restaurant à la décoration luxueuse rappelle un élégant café parisien. Ses spécialités comprennent 11 sortes de paellas et des cannellonis faits maison. Service efficace et bonne carte des vins.
AE DC MC V — ●

VIEILLE VILLE : *Talaia Mar.* **Plan** 6 E5. €€€€
Anexo Torre Mapfre, Carrer de la Marina 16. *932 21 90 90.*
Ce ravissant restaurant circulaire donne sur la marina. Sa cuisine est exquise et sa carte varie selon la saison. Vous pouvez commander des demi-portions *(pica pica)* de la plupart des plats.
AE DC MC V — ● ●

EIXAMPLE : *Amaltea.* **Plan** 3 A5. €
Carrer de la Diputacion 164. *934 54 86 13.*
Un restaurant végétarien qui propose une nourriture simple mais innovante, à base de légumes de saison.
MC V — ● ■ ■

EIXAMPLE : *El Tragaluz.* **Plan** 3 A3. €€€
Passeig Concepció 5. *934 87 06 21.*
Deux possibilités vous sont offertes : un bar de sushi au deuxième étage ou cuisine méditerranéenne contemporaine au troisième. Le logo du restaurant a été conçu par le graphiste Javier Mariscal.
AE DC MC V — ● ■ ●

EIXAMPLE : *La Venta.* (Pts)(Pts)(Pts)
Plaça Doctor Andreu. *932 12 64 55.*
Ce beau restaurant, au pied du Tibidabo, dispose de terrasses qu'on ferme l'hiver par des verrières. Elles sont alors transformées en de belles serres avec vue sur la ville. Cuisine franco-catalane. *dim.*
AE DC MC V — ● ■

EIXAMPLE : *Roig Robí.* **Plan** 3 A2. €€€€
Carrer de Séneca 20. *932 18 92 22 ou 932 17 97 38*
L'été, on mange dans la cour intérieure de ce restaurant intime. Sa cuisine catalane est authentique. Ses terrines, salades, plats de riz ou de fruits de mer ne peuvent que plaire. *sam. midi, dim. et jours fériés.*
AE DC MC V — ■ ● ■

EN DEHORS DU CENTRE (NORD-OUEST) : *Chicoa.* €€
Carrer d'Aribau 73. *93 453 11 23.*
Les amateurs de morue salée ont le choix entre au moins dix recettes de la fameuse *bacallà*. Nombreux autres plats de produits de la mer et viandes. Bon rosé de Penedès de la maison. *dim., lun. soir, août et jours fériés.*
AE DC MC V — ●

EN DEHORS DU CENTRE (NORD-OUEST) : *Giardinetto Notte.* **Plan** 3 A2. €€€
Carrer Granada del Penedès 22. *932 18 75 36.*
Cuisine méditerranéenne et italienne dans un cadre romantique. Accompagnez les pâtes faites maison de vin catalan. *sam. midi, dim., août et jours fériés.*
AE DC MC V — ■ ●

EN DEHORS DU CENTRE (NORD-OUEST) : *Tiro Mimet.* €€
Carrer de Sant Marius 22. *932 11 77 66.*
Gibier (en saison), foies de canards chauds et froids et champignons variés vous sont proposés dans ce restaurant. Sa cuisine peut être décrite comme franco-catalane. Bon choix de vins catalans et *cavas*. *dim. et août.*
AE MC V — ■ ●

EN DEHORS DU CENTRE (NORD-OUEST) : *La Balsa.* €€€€
Carrer de Infanta Isabel 4. *932 11 50 48.*
La terrasse de ce restaurant offre une belle vue de Barcelone. Plats catalans, dont un bon foie d'oie en entrée.
lun. midi, dim., 25 et 26 déc., Pâques, à midi en août.
AE DC MC V — ■ ● ■

EN DEHORS DU CENTRE (NORD-OUEST) : *Botafumeiro.* **Plan** 3 A2. €€€€
Carrer Gran de Gràcia 81. *932 18 42 30.*
Restaurant proposant des produits de la mer et des spécialités galiciennes excellents. Les plats de fruits de mer sont copieux et les desserts mettent l'eau à la bouche. Longue carte de vins. *3 sem.en août.*
AE DC MC V — ●

Légende des symboles, voir rabat de couverture

Prix moyen par personne pour un dîner comprenant trois plats et une demi-bouteille de vin de la maison, taxe et service compris :

- € moins de 20 euros
- €€ de 20 à 30 euros
- €€€ de 30 à 40 euros
- €€€€ plus de 40 euros

Bar à tapas
Outre la salle principale, un bar sert des tapas *(p. 574-575)* et des *raciones* (portions plus importantes).

Menu à prix fixe
Menu en général composé de trois plats, proposé au déjeuner et/ou au dîner. Bon rapport qualité-prix.

Bonne carte des vins
Le restaurant propose un vaste choix de bons vins ou une sélection particulière de vins locaux.

Repas à l'extérieur
Possibilité de manger en terrasse, dans un jardin, une cour ou un patio, souvent avec une belle vue.

	Cartes bancaires	Bar à tapas	Menu à prix fixe	Bonne carte des vins	Tables en terrasse
En dehors du centre (nord-ouest) : *Jaume de Provença.* €€€€ Carrer de Provença 88. *934 30 00 29.* La cuisine catalane de son chef, originale et créative, fait de ce restaurant un des plus raffinés de la ville. Décoration impersonnelle mais nourriture excellente et service attentionné. *dim. soir, lun. et août.*	AE DC MC V		■	●	
En dehors du centre (ouest) : *Peixerot.* Plan 1 B1. €€€ Torre Catalunya, Carrera de Tarragona 177. *934 24 69 69.* Produits de la mer de premier choix dans ce restaurant moderne et confortable. Excellents plats de riz et de fruits de mer. *sam. soir, dim., lun., août.*	AE DC MC V			●	
En dehors du centre (ouest) : *Neichel.* €€€€ Beltrán i Rózpide 16. *932 03 84 08.* Ce restaurant, un des plus prestigieux de la ville, propose une gastronomie européenne aux influences catalanes. Excellent choix de fromages et plus de 350 vins. *dim, lun., août et jours fériés.*	AE DC MC V		■	●	

Catalogne

	Cartes bancaires	Bar à tapas	Menu à prix fixe	Bonne carte des vins	Tables en terrasse
Altafulla : *Faristol.* €€ Carrer de Sant Martí 5 (Tarragona). *977 65 00 77.* On faisait jadis du vin dans cette maison du XVIIIe siècle, aux meubles anciens. La mousse au chocolat est exquise. *d'oct. à mai : du lun. au jeu ; juin-15 sept. à midi.*	DC MC V			●	■
Andorra la Vella : *Borda Estevet.* €€ Carretera de la Comella 2 (Andorra). *376 86 40 26.* Maison ancienne, à la décoration rustique, où le tabac provenant des champs voisin était encore utilisé jusqu'à peu. La viande *a la « llosa »* (servie sur une ardoise chaude) est conseillée. *1er janv.*	AE MC V			●	■
Arenys de Mar : *Hispania.* €€€€ Carrer Real 54, Carretera NII (Barcelona). *937 91 04 57.* Cuisine catalane authentique, reconnue localement et au-delà. Le *suquet* aux clams (sorte de fricassée) et la *crema catalana* (crème caramel riche) sont délicieux. *dim. soir, mar., oct., Pâques.*	AE DC MC V			●	
Arties : *Casa Irene.* €€€ Hotel Valarties, Calle Mayor 3 (Lleida). *973 64 43 64.* Restaurant, dans un village pittoresque, proposant une merveilleuse cuisine d'influence française et trois *menús de degustación.* *lun., mar. midi, nov.*	AE DC MC V		■	●	■
Berga : *Sala.* €€€ Passeig de la Pau 27 (Barcelona). *938 21 11 85.* Mets catalans traditionnels, dont beaucoup comportent des champignons, et gibier en saison. *dim. soir, lun.*	AE DC MC V			●	
Bolvir de Cerdanya : *Torre del Remei.* €€€€ Camí Reial (Girona). *972 14 01 82.* Ce palais entouré de jardins, savamment restauré, abrite un élégant restaurant et un hôtel. Vous serez ravi par les plats gastronomiques du chef et l'extraordinaire sélection de vins.	AE DC MC V		■	●	■
Calafell Playa : *Giorgio.* €€ Carrer Ángel Guimerá 4 (Tarragona). *977 69 11 59.* Excellent restaurant italien avec terrasse sur la mer. Le pain, les desserts et les pâtes, dont les fameuses lasagnes, sont faits maison. Réservez, car le restaurant ne dispose que de dix tables. *ven., sam., dim., jours fériés, t.l.j. en été.*			■	●	■
Cambrils : *Joan Gatell-Casa Gatell.* €€€€ Passeig Miramar 26, Cambrils Port (Tarragona). *977 36 00 57.* Le poisson est la spécialité de la maison. Les plats de riz, les fruits de mer et le homard en cocotte sont exquis. *dim. soir, lun., mi-déc. à mi-jan., 1er au 15 mai.*	AE DC MC V		■	●	■

Castell-Platja d'Aro : *Cal Rei.* €€
Barri de Crota 3 (Girona). ☎ *972 81 79 25.*
Adorable *masía* (ferme) du XIVe siècle, décorée dans le style de l'époque. Cuisine novatrice de la région Empordà, dont des cuisses de grenouilles avec du céleri et une sauce au basilic. ● *lun. soir, mar. et nov.* ▤ ♿
AE DC MC V — ■ ● ■

Figueres : *Emporda.* €€€€€
Hotel Emporda, Carretera NII (Girona). ☎ *972 50 05 62.*
Les gourmets se réunissent ici pour goûter la cuisine légendaire de Josep Mercader. Les fèves fraîches à la menthe et la morue salée à la mousseline d'ail sont exquises. Charmante terrasse pour dîners d'été. ▤ ♿
AE DC MC V — ■ ● ■

Gérone : *El Celler de Can Roca.* €€€€€
Carretera Taialá 40. ☎ *972 22 21 57.*
Ce restaurant est le meilleur de Gérone. Juan Roca y invente des plats comme l'agneau farci aux ris et à la cannelle. ● *dim., lun., 1er-15 juil., 25 déc.* ▤ ♿
AE DC MC V — ■ ●

Lleida (Lérida) : *Forn del Nastasi.* €€€
Carrer Salmerón 10. ☎ *973 23 45 10.*
Excellente cuisine régionale. Légumes grillés au charbon de bois *(escalivada)* et escargots *a la llauna* (au four). ● *dim. soir, lun., début août.* ▤ ♿
AE DC MC V — ■ ●

Lloret de Mar : *El Trull.* €€€
Ronda Europa, Cala Canyellas (Girona). ☎ *972 36 49 28.*
Cette salle à la décoration marine est dotée d'un aquarium. Vous pouvez y choisir votre homard, puis le voir cuire sur le gril. L'*arrosat* (nouilles aux fruits de mer) est aussi conseillé. ● *24 déc.* ▤ ♿
AE DC MC V — ■ ● ■

Martinet : *Boix.* €€€
Carretera N260 (Lleida). ☎ *973 51 50 50.*
Ce restaurant catalan réputé est situé sur la rive du río Segre. Son gigot d'agneau rôti est si tendre qu'on peut le manger à la cuiller. ▤ ♿
AE DC MC V — ■ ● ■

Peralada : *Castell de Peralada.* €€€
Casino Castell de Peralada, Carrer San Joan (Girona). ☎ *972 53 81 25.*
Tous les plats de la région Empordà sont conseillés, ainsi que le vin de ce château transformé en casino où vous mangerez dans un cadre médiéval incomparable. ▤
AE MC V — ■ ● ■

Reus : *El Pa Torrat.* €€
Avinguda Reus 24, Castellvell del Camp (Tarragona). ☎ *977 85 52 12.*
Bonne cuisine familiale et régionale avec des plats comme les *calamares* (calmars) farcis. ● *dim. soir, lun. soir, mar., fin août, 22 déc.-6 jan.* ▤ ♿
AE MC V — ■ ●

Roses : *El Bulli.* €€€€
Cala Montjoi (Girona). ☎ *972 15 04 57.*
Ce restaurant, considéré par beaucoup comme un des meilleurs d'Espagne et un des plus beaux d'Europe, est un passage obligé pour les gourmets. Il est cher mais le repas vaut bien le prix. ● *30 sept.-début avr.*
AE DC MC V — ■ ● ■

Sant Carles de la Ràpita : *Miami Can Pons.* €€€
Avinguda Constitució 35 (Tarragona). ☎ *977 74 05 51.*
La famille Pons vous sert une cuisine catalane de qualité. Le *suquet* et la *crema catalana* sont deux de ses nombreuses spécialités. ● *3 sem. en jan.* ▤
AE DC MC V — ■ ●

Sant Celoni : *El Racó de Can Fabes.* €€€€
Carrer de Sant Joan 6 (Barcelona). ☎ *938 67 28 51.*
Santi Santamaría, un des meilleurs chefs d'Espagne, fait de ce restaurant à la campagne un paradis gastronomique. Le menu de saison, composé de toutes sortes de produits frais régionaux, varie en permanence. ● *dim. soir, lun., 2 sem en fév.* ▤ ♿
AE DC MC V — ■ ●

Sant Feliú de Guixols : *Can Toni.* €€
Carrer Garrofers 54 (Girona). ☎ *972 32 10 26.*
Savoureuse cuisine traditionnelle de la région Empordà. Nombreux plats aux champignons de septembre à mars. ● *lun.* ▤ ♿
DC MC V — ● ■ ●

Sant' Feliú de Guixols : *Eldorado Petit.* €€€€
Rambla de Vidal 23 (Girona). ☎ *972 32 18 18.*
Des ingrédients de premier choix sont proposés dans cette cuisine méditerranéenne comme les carpaccios de viandes et de poissons. ● *mer. en hiver.* ▤ ♿
DC MC V — ●

Sant Sadurni d'Anoia : *El Mirador de les Caves.* €€€
Carretera Sant Sadurni–Ordal km 4, Subirats (Barcelona). ☎ *93 899 31 78.*
Le canard avec une sauce au foie gras et aux truffes est un des plats extraordinaires de ce restaurant. ● *dim. soir, lun. soir, 8-23 août, 23 déc.-7 janv.* ▤ ♿
AE DC MC V

Prix moyen par personne pour un dîner comprenant trois plats et une demi-bouteille de vin de la maison, taxe et service compris :

€ moins de 20 euros
€€ de 20 à 30 euros
€€€ de 30 à 40 euros
€€€€ plus de 40 euros

Bar à tapas
Outre la salle principale, un bar sert des tapas *(p. 574-575)* et des *raciones* (portions plus importantes).

Menu à prix fixe
Menu en général composé de trois plats, proposé au déjeuner et/ou au dîner. Bon rapport qualité-prix.

Bonne carte des vins
Le restaurant propose un vaste choix de bons vins ou une sélection particulière de vins locaux.

Repas à l'extérieur
Possibilité de manger en terrasse, dans un jardin, une cour ou un patio, souvent avec une belle vue.

	Cartes bancaires	Bar à tapas	Menu à prix fixe	Bonne carte des vins	Tables en terrasse
La Seu d'Urgell : *El Castell.* €€€€ Carretera N260 km 229 (Lleida). ☎ *973 35 07 04.* Cet hôtel-restaurant de rêve est situé au pied du château de La Seu d'Urgell, au cœur d'un beau paysage. Il propose une cuisine catalane moderne, et sa carte des vins ravira même les connaisseurs. ▤ ♿	AE DC MC V			●	■
Sitges : *El Velero.* €€€ Passeig de la Ribera 38 (Barcelona). ☎ *938 94 20 51.* Restaurant au bord de la mer servant de la sole aux champignons avec une sauce au crabe. ● *dim., lun. en hiver, 23 déc.-7 janv., lun. et mar. en été.* ▤ ♿	AE DC MC V		■	●	
Tarragone : *El Merlot.* €€€ Carrer Caballers 6. ☎ *977 22 06 52.* Restaurant de la vieille ville où l'on goûte une cuisine méditerranéenne faite de produits locaux de premier choix. Spécialités, dont le gibier (en saison) et les desserts maison. ● *dim., lun. midi.* ▤	MC V		■	●	■
Valls : *Masía Bou.* €€€€ Carretera Lleida km 21 (Tarragona). ☎ *977 60 04 27.* Les *calçotadas* (oignons cuits sur la braise, servis avec une sauce *romesco*) sont la spécialité maison. ● *mar. en été.* ▤ ♿	AE DC MC V		■	●	■
Vic : *Floriac.* €€ Carretera Manresa–Vic N 141 Km 39,5, Collsuspina (Barcelona). ☎ *93 743 02 25.* *Masía* (ferme) du XVIe siècle entourée de bois où l'on savoure une délicieuse cuisine régionale. ● *2 sem. en fév., 2 sem. en juil.*	AE DC MC V		■	●	■
Vilafranca del Penedès : *Cal Ton.* €€€ Calle Casal 8 (Barcelone). ☎ *93 890 37 41.* C'est une cuisine méditerranéenne créative qui utilise les produits locaux. Le vin et le service sont à la hauteur de la cuisine. ● *dim. soir, lun., j. fériés.* ▤	AE DC MC V			●	

Aragon

	Cartes bancaires	Bar à tapas	Menu à prix fixe	Bonne carte des vins	Tables en terrasse
Ainsa : *Bodegas del Sobrarbe.* €€ Plaza Mayor 2 (Huesca). ☎ *974 50 02 37.* Dans la cave à vins voûtée de cette maison du XIe siècle règne une atmosphère médiévale. Plats typiquement pyrénéens, dont le *ternasco* (agneau de lait rôti au feu de bois). ● *janv.-fév.*	AE DC MC V		■	●	■
Alcañiz : *Meseguer.* €€ Avenida del Maestrazgo 9 (Teruel). ☎ *978 83 10 02.* Table appréciée pour sa cuisine familiale moderne et ses prix raisonnables. La carte de Félix Meseguer propose un délicieux ragoût de légumes *(menestra)* et du perdreau aux haricots blancs. Bons vins régionaux. ● *dim., fin sept.* ▤ ♿	AE DC MC V		■	●	
Barbastro : *Flor.* €€ Calle Goya 3 (Huesca). ☎ *974 31 10 56.* Menu de saison à base de produits frais de la vallée Nero et bonne cave. Le colin au four à l'ail et la salade de tomates au fromage frais et aux olives noires locales sont conseillés. ▤ ♿	AE DC MC V		■	●	
Biescas : *Casa Ruba.* €€ Calle Esperanza 18–20 (Huesca). ☎ *974 48 50 01.* La famille Ruba sert depuis 1884 des plats aragonais traditionnels dans ce bel hôtel de montagne. On y savoure du gibier (en saison), d'excellents champignons et des tourtes aux légumes. ● *mi-oct.-mi-nov.* ▤ ♿	AE MC V	●	■	●	■
Borja : *La Bóveda del Mercado.* €€ Plaza del Mercado 4 (Zaragoza). ☎ *976 86 82 51.* Cave à vins du XVIe siècle, restaurée, où l'on sert des plats originaux faits à partir de recettes juives et arabes comme les *delicias de sartén* (pâtisserie frite à l'anis et à la cannelle). ● *lun., fév. et j. fériés.*	MC V		■	●	

CANTAVIEJA : *Buj.* €€
Avenida del Maestrazgo 6 (Teruel). ☎ *964 18 50 33.*
Restaurant simple, tenu par une famille, en bordure de route. Vu leur succès, on sert toujours les pommes de terres farcies et la soupe aux champignons. Gibier en saison. Déjeuner uniquement. ● *fév.* ♿

CARIÑENA : *La Rebotica.* €€
Calle San José 3 (Zaragoza). ☎ *976 62 05 56.*
58 variétés de Cariñena (vin local) sont servies dans cette ancienne pharmacie de village. Le vin fait partie de la plupart des plats, dont le faux-filet de cochon de lait à la sauce au vin blanc. ● *lun., dim.-ven. soir, 3 sem. en août, 1 sem. après Pâques.*
MC V

ESQUEDAS : *Venta del Sotón.* €€
Carretera Tarragona–San Sebastián km 227 (Huesca). ☎ *974 27 02 41.*
Cette auberge, une des meilleures tables d'Aragon, propose une cuisine créative ; spécialités locales et excellentes grillades. ● *dim. soir, lun., 15 janv.-15 fév.* ▤ ♿
AE DC MC V

HUESCA : *Las Torres.* €€€
Calle María Auxiliadora 3. ☎ *974 22 82 13.*
Les frères Abadía proposent un menu de saison avec des créations comme le mérou croustillant sur un lit de pieds de porc avec une sauce aux raisins secs et aux pignons. ● *dim., Pâques, 15-30 août.* ▤ ♿
AE DC MC V

LA IGLESUELA DEL CID : *Casa Amada.* €
Calle Fuente Nueva 10 (Teruel). ☎ *964 44 33 73.*
Restaurant simple fréquenté par des habitués pour sa cuisine du terroir et ses prix abordables. ▤ ♿ ● *dim. soir en hiver, 24 et 25 déc.*
AE MC V

JACA : *La Cocina Aragonesa.* €€€
Calle Cervantes 5 (Huesca). ☎ *974 36 10 50.*
Sa cuisine régionale raffinée fait de cette table une des meilleures des environs. L'hiver, le perdreau farci au foie gras ou les boulettes de sanglier se dégustent autour de la cheminée. ● *mer.* ▤
AE MC V

NUÉVALOS : *Conventual.* €
Hotel Monasterio de Piedra (Zaragoza). ☎ *976 84 90 11.*
Une cuisine aragonaise typique est servie dans cet ancien monastère du XIIe siècle, dans une réserve naturelle. ▤ ♿
AE DC MC V

RUBIELOS DE MORA : *Portal del Carmén.* €€
Calle Glorieta 2 (Teruel). ☎ *978 80 41 53.*
Ancien monastère de carmélites avec un joli cloître, spécialisé dans la cuisine régionale. On y déguste saumons et truites, élevés non loin de là, et le *tocinillo de cielo* (dessert à base de jaune d'œuf et de sucre). ● *jeu., 5-25 mai.* ♿ ▤
AE DC MC V

SENEGÜÉ : *Casbas.* €
Carretera a Biescas (Huesca). ☎ *974 48 01 49.*
Restaurant, doté d'une grande cheminée, où skieurs et randonneurs savourent la cuisine du terroir. Très prisées, les pêches au vin vieux sont un dessert typique de la montagne. ● *sept.* ▤ ♿
AE DC MC V

TERUEL : *La Menta.* €€
Calle Bartolomé Esteban 10. ☎ *978 60 75 32.*
Ce restaurant, un des meilleurs des environs, propose une carte originale aux influences basque et catalane. Le *pastel ruso*, gâteau aragonais traditionnel, est fait de jaunes d'œufs et d'amandes. ● *dim., fin janv., fin juil.* ▤ ♿
AE DC MC V

UNCASTILLO : *Casa Sierra.* €€
Calle Mediavilla 71 (Zaragoza). ☎ *976 67 94 81.*
Mets régionaux simples mais bons comme les haricots blancs secs à l'huile d'olive et les *migas a la pastora* (petits bouts de pain et raisins). ● *sam., dim., j. fériés ; juil.-15 sept., t.l.j.* ▤ ♿
DC MC V

SARAGOSSE : *Gayarre.* €€€
Carretera del Aeropuerto 370. ☎ *976 34 43 86.*
Belle maison avec jardin, juste en dehors de la ville. Sa carte varie selon la saison et privilégie les légumes régionaux (bourrache) dans toutes sortes de salades. Bons service et carte des vins. ● *dim. soir, lun.* ▤ ♿
AE DC MC V

SARAGOSSE : *La Rinconada de Lorenzo.* €€
Calle la Salle 3. ☎ *976 55 51 08.*
Plats aragonais typiques comme les *migas con jamón* (petits bouts de pain au jambon) et le *ternasco al horno* (agneau rôti). Desserts maison, dont l'*higos con nueces* (figues avec des noisettes). ● *dim. soir et lun. en juil. et août, Pâques.* ▤ ♿
AE DC MC V

Légende des symboles, voir rabat de couverture

Prix moyen par personne pour un dîner comprenant trois plats et une demi-bouteille de vin de la maison, taxe et service compris :

€ moins de 20 euros
€€ de 20 à 30 euros
€€€ de 30 à 40 euros
€€€€ plus de 40 euros

BAR À TAPAS
Outre la salle principale, un bar sert des tapas *(p. 574-575)* et des *raciones* (portions plus importantes).

MENU À PRIX FIXE
Menu en général composé de trois plats, proposé au déjeuner et/ou au dîner. Bon rapport qualité-prix.

BONNE CARTE DES VINS
Le restaurant propose un vaste choix de bons vins ou une sélection particulière de vins locaux.

REPAS À L'EXTÉRIEUR
Possibilité de manger en terrasse, dans un jardin, une cour ou un patio, souvent avec une belle vue.

SARAGOSSE : *La Venta del Cachirulo.* €€€
Autovía de Logroño Km1,5 (Zaragoza). ☎ *976 46 01 46.*
Élégante maison aragonaise où l'on vous sert votre côte de bœuf sur un lit de braises salées. Nombreux plats de légumes. ● *dim. soir, 1er-15 août.* ▤ ♿

COMMUNAUTÉ VALENCIENNE ET MURCIE

ALICANTE (ALACANT) : *Dársena.* €€€
Marina Deportiva Muelle 6, Puerto. ☎ *965 20 75 89.*
Les 75 plats de riz de la carte sont servis en portions généreuses dans des plats à paella individuels. ● *dim. soir* ▤ ♿

ALICANTE (ALACANT) : *Nou Manolin.* €€€
Villegas 3. ☎ *965 20 03 68.*
Au cœur du centre historique, ce restaurant occupe la maison où est né l'écrivain Gabriel Miró. L'une des spécialités est le poisson cuit dans le sel (*dorada a la sal*). ▤ ♿

ALTEA : *Raco de Toni.* €€
Calle de la Mar 127 (Alicante). ☎ *965 84 17 63.*
Ce restaurant simple et confortable sert des plats régionaux, notamment à base de riz et de poisson. Le riz à la morue salée et aux légumes et les anchois farcis aux poivrons y sont des spécialités. ● *nov.* ▤ ♿

BENIDORM : *La Palmera-Casa Paco Nadal.* €€
Avenida Severo Ochoa, Rincón de Loix (Alicante). ☎ *965 85 32 82.*
Restaurant agréable juste en dehors de Benidorm proposant des spécialités régionales. 15 plats de riz, dont un particulièrement bon à la lotte et aux clams. ● *lun., 24 déc.-8 jan.* ▤ ♿

BENIDORM : *El Molino.* €€
Carretera Alicante–Valencia Km 123 (Alicante). ☎ *965 85 71 81.*
Des milliers de bouteilles de vin ornent ce restaurant. Le chef sert des mets traditionnels, dont les *nayuscas* (crêpes grillées au jambon et au caviar). ● *lun.* ▤ ♿

BENIMANTELL : *L'Obrer.* €
Carretera de Alcoi 27 (Alicante). ☎ *965 88 50 88.*
Restaurant dans le style rustique orné de céramiques locales. L'agneau rôti et les desserts maison sont conseillés. ● *ven. et juil.* ▤ ♿

BENIMANTELL : *Venta la Montaña.* €
Carretera de Alcoi 9, Benimantell (Alicante). ☎ *965 88 51 41.*
Auberge de montagne pittoresque ornée d'anciens outils de ferme. On y sert une cuisine saine et des plats comme la typique *olleta de trigo* (bouillon de porc, légumes et blé). ● *lun., le soir t.l.j. en hiver.* ▤ ♿

BENISSANÒ : *Levante.* €
Calle Virgen del Fundamento 27 (Valencia). ☎ *96 278 07 21.*
Vous ne pouvez quitter Valence sans goûter les paellas cuites au feu de bois de ce restaurant doté d'une des plus grandes et des meilleures caves à vins de la région. Déjeuner uniquement. ● *mar. et de mi-juil. à début août.* ▤ ♿

BUÑOL : *Venta L'Home.* €€
Autovía NIII Madrid–Valencia, sortie Ventamina (Valencia). ☎ *962 50 35 15.*
Relais de poste du XVIIe siècle, ce restaurant à la décoration rustique propose des plats valenciens comme le lapin au miel et l'agneau aux olives. Bons vins locaux. ▤ ♿

CASTELLÓ DE LA PLANA : *La Tasca del Puerto.* €€€
Avenida del Puerto 13, El Grao (Castellón). ☎ *964 28 44 81.*
Les spécialités maison comprennent les plats de riz, la *fideuà* (nouilles) et les *calderetas* (poissons en cocotte). Belle vue sur le port et la mer. ● *dim. soir, lun.* ▤ ♿

Restaurant	Cartes bancaires	Bar à tapas	Menu à prix fixe	Bonne carte des vins	Tables en terrasse
Saragosse : La Venta del Cachirulo	AE DC MC V		■	●	
Alicante (Alacant) : Dársena	AE DC MC V	●	■	●	
Alicante (Alacant) : Nou Manolin	AE DC MC V			●	
Altea : Raco de Toni	AE DC MC V	●	■	●	
Benidorm : La Palmera-Casa Paco Nadal	AE DC MC V			●	■
Benidorm : El Molino	AE DC MC V			●	■
Benimantell : L'Obrer	AE DC MC V		■	●	■
Benimantell : Venta la Montaña	AE DC	●	■	●	■
Benissanò : Levante	AE MC V		■	●	
Buñol : Venta L'Home	AE DC MC V	●	■	●	■
Castelló de la Plana : La Tasca del Puerto	AE DC MC V		■	●	

Cocentaina : *L'Escaleta.* €€€ Subida Estación Norte 205 (Alicante). *96 559 21 00.* Restaurant en sous-sol décoré avec goût de céramiques et d'anciens cuivres. On y déguste des plats originaux tels les filets de sole au *cava*. Excellents desserts, dont les poires à la menthe avec de la glace au miel. *lun., dim. soir.*	AE DC MC V			●	■
Cullera : *Casa Salvador.* €€ L'Estany de Cullera (Valencia). *961 72 01 36.* Situé au bord du lac Estany, ce restaurant occupant deux maisons propose 20 plats de riz différents et des spécialités de poissons. Certains proviennent du lac et les légumes sont du jardin.	AE DC MC V	●	■	●	■
Elche : *Mesón El Granaíno.* €€ Calle José María Buch 40 (Alicante). *965 46 01 47.* Le bar, très fréquenté, propose plus de 30 sortes de tapas. Des plats de la région et du Sud sont servis dans la salle de restaurant décorée dans le style andalou. Plus de 5 000 bouteilles de vin en réserve. *dim., 2 sem. en août.*	AE DC MC V	●	■	●	
Forcall : *Mesón de la Vila.* € Plaza Mayor 8 (Castellón). *964 17 11 25.* Dans le sous-sol voûté de cet édifice du XVe siècle (l'ancienne mairie), on sert des plats régionaux, dont un excellent lapin aux truffes et des escargots blancs de la région. *lun. et fin oct.*	AE DC MC V		■	●	
Gandia : *Gamba.* €€€€ Carretera Nazaret–Oliva, Gandía-Playa (Valencia). *962 84 13 10.* Bien que l'on ne voie pas la mer du restaurant, poissons et fruits de mer viennent tout droit des filets des pêcheurs. Le menu *(menú dirigido)* comprend des fruits de mer et un plat de riz. Déjeuner seulement. *à midi (sauf dim.) en été et nov.*	AE DC MC V		■	●	■
Moraira : *Girasol.* €€€€ Carretera Moraira–Calpe km 1,5 (Alicante). *96 574 43 73.* La cuisine méditerranéenne novatrice de Joachim Koerper a conquis les gourmets de toute l'Europe. Le plaisir de la table est accru par la décoration raffinée de cette villa au bord de la mer. *lun. en hiver et nov.*	AE DC MC V			●	■
Morella : *Casa Roque.* €€ Cuesta San Juan 1 (Castellón). *964 16 03 36.* On vient de loin pour savourer l'agneau farci aux truffes de Roque Gutiérrez. Le canard au vin rouge et à l'essence d'orange amère et les champignons servis avec des truffes sont exquis. *dim. soir, lun. sauf en juil. et août, fin oct.*	AE DC MC V		■	●	
Murcie : *Hispano.* €€€ Calle Arquitecto Cerdán 7. *968 21 61 52.* Plats régionaux, dont le *caldero marinero del Mar Menor* (ragoût de fruits de mer typique). La paella aux légumes et la tête de truie cuite au sel sont aussi délicieuses. Bonne sélection de vins régionaux. *dim. en juil. et en août*	AE DC MC V	●	■	●	
Murcie : *Morales.* €€ Avda de la Constitución. *968 23 10 26.* Ce restaurant du centre propose une grande variété de plats, dont la tarte de *turrón*. *sam. soir, dim., 15-31 août.*	AE DC MC V		■	●	■
Orihuela : *Casa Corro.* € Palmeral de San Antón (Alicante). *965 30 29 63.* Ce restaurant apprécié, tenu par une famille, sert des plats typiques tels l'*arroz con costra* (riz avec une croûte cuit au four). *lun. soir, 15 août-1er sept.*	MC V	●	■	●	■
Orihuela : *Cabo Roig.* €€ Urbanización Cabo Roig, Playas de Orihuela (Alicante). *966 76 02 90.* Ce restaurant en haut d'une falaise offre une vue superbe sur la Costa Blanca. Grande variété de fruits de mer et de plats de riz. L'ancienne tour de guet abrite une collection de plus de 20 000 bouteilles de vin.	AE DC MC V	●	■	●	■
Polop de la Marina : *Ca l'Angeles.* € Calle Gabriel Miró 12 (Alicante). *96 587 02 26.* Dans ces trois salles aux poutres apparentes et à la décoration rustique, on sert notamment du jeune chevreau rôti aux amandes. *mar. et juil.*	MC V			●	
Santa Pola : *Batiste.* €€ Avenida Pérez Ojeda 6, Playa de Poniente (Alicante). *965 41 14 85.* Ce restaurant classique, aux prix raisonnables, propose des poissons, des fruits de mer et de délicieux plats de riz comme l'*arroz a banda* (risotto au poisson). Le bar en pâte feuilletée est aussi une de ses spécialités. *19 mars soir, 6 sept. midi, 24 déc. soir*	AE DC MC V			●	■

Légende des symboles, voir rabat de couverture

Prix moyen par personne pour un dîner comprenant trois plats et une demi-bouteille de vin de la maison, taxe et service compris :

€ moins de 20 euros
€€ de 20 à 30 euros
€€€ de 30 à 40 euros
€€€€ plus de 40 euros

Bar à tapas
Outre la salle principale, un bar sert des tapas *(p. 574-575)* et des *raciones* (portions plus importantes).

Menu à prix fixe
Menu en général composé de trois plats, proposé au déjeuner et/ou au dîner. Bon rapport qualité-prix.

Bonne carte des vins
Le restaurant propose un vaste choix de bons vins ou une sélection particulière de vins locaux.

Repas à l'extérieur
Possibilité de manger en terrasse, dans un jardin, une cour ou un patio, souvent avec une belle vue.

Adresse	Cartes bancaires	Bar à tapas	Menu à prix fixe	Bonne carte des vins	Tables en terrasse
Valence : *La Rosa.* €€ Avenida del Neptuno 70. ☎ *963 71 20 76.* Restaurant de plage typique. 30 plats de riz différents et un bon assortiment de poissons et de fruits de mer frais. Déjeuner uniquement. ● *week-ends et fin juin-sept.*	AE MC V			●	■
Valence : *Albacar.* €€€€ Calle Sorní 35. ☎ *96 395 10 05.* Cuisine novatrice dans un cadre élégant. La salade tiède de poisson à la vinaigrette à l'estragon et le millefeuille aux pommes maison avec de la glace sont conseillés. ● *sam. midi, dim., j. fériés, Pâques, août-mi-sept.*	AE DC MC V			●	
Vinaròs : *El Langostino de Oro.* €€ Calle San Francisco 31. ☎ *964 45 12 04.* Composée avec soin, la carte de fruits de mer propose un *suquet* de fruits de mer. Les plats de riz, les *fideus rosetjats* (nouilles préparées spécialement) et la tarte aux dattes maison sont très appréciés. ● *lun., mi-sept-mi-oct.*	AE DC MC V		■	●	
MADRID					
Le vieux Madrid : *Malacatin.* **Plan 2 E5.** € Calle de la Ruda 5. ☎ *913 65 52 41.* Ce vieux bar n'offre qu'un seul menu : *cocido madrileño.* Il faut le commander la veille. Vins et desserts compris. ● *dim. et août.*	V	●	■		
Le vieux Madrid : *Casa Ciriaco.* **Plan 1 C4.** €€ Calle Mayor 84. ☎ *915 48 06 20.* Taverne traditionnelle, près du palais royal, réputée pour sa *gallina en pepitoria* (ragoût de poulet à l'œuf et au safran). ● *mer. et août.*	DC MC V	●	■	●	
Le vieux Madrid : *Casa Patas.* **Plan 5 A2.** €€ Calle Cañizares 10. ☎ *913 69 04 96.* Connue pour ses spectacles de flamenco le soir, la Casa Patas est aussi un restaurant original au cœur du vieux Madrid. Bar à tapas bien fourni et menu à un prix imbattable. ● *dim.*	AE DC MC V	●	■	●	
Le vieux Madrid : *Botín.* **Plan 2 E4.** €€€ Calle de Cuchilleros 17. ☎ *91 366 42 17.* Créé en 1725, ce restaurant serait le plus vieux du monde. Le four à bois d'origine sert encore à rôtir l'agneau et le cochon de lait, plats traditionnels castillans. Menu à prix raisonnable.	AE DC MC V		■	●	
Le vieux Madrid : *Lhardy.* **Plan 2 F3.** €€€€ Carrera de San Jerónimo 8. ☎ *915 21 33 85.* Créé en 1839, ce restaurant orné de lustres, miroirs et boiseries sombres n'a rien perdu de son caractère. On y sert indubitablement le *cocido madrileño* le plus classique qui soit. ● *dim. soir et août.*	AE DC MC V	●	■	●	
Le vieux Madrid : *El Estragón.* **Plan 1 C4.** € Plaza de la Paja 10. ☎ *913 65 89 82.* Situé sur une place tranquille près du Palacio Real, ce restaurant végétarien est est agréablement décoré. *rez-de-chaussée seulement.*	AE	●	■		
Le vieux Madrid : *Casa Lucio.* **Plan 2 D5.** €€€ Calle Cava Baja 35. ☎ *913 65 32 52.* Cette ancienne taverne sert des spécialités catalanes. L'omelette aux pommes de terre est délicieuse et le gâteau de riz réputé. ● *sam. midi et août.*	AE DC MC V	●		●	
Le Madrid des Bourbons : *Teatriz.* **Plan 4 E3.** €€€ Calle Hermosilla 15. ☎ *915 77 53 79.* Restaurant dans un vieux théâtre avec un bar à cocktails sur la scène. Cuisine d'inspiration italienne. *Carpaccio* de saumon et de sole.	AE DC MC V	●	■	●	

LE MADRID DES BOURBONS : *Al Mounia.* **Plan 4 D4.** €€€ Calle de Recoletos 5. ☎ *914 35 08 28.* Ce restaurant marocain, le meilleur de Madrid, sert des couscous et *tajine* (ragoût d'agneau) très copieux et un dessert maison au miel, aux amandes et à l'eau de fleur d'oranger. ● *dim., lun., Pâques et août.* ▤	AE DC MC V			●	
LE MADRID DES BOURBONS : *Alkalde.* **Plan 4 E3.** €€€€ Calle Jorge Juan 10. ☎ *915 76 33 59.* Spécialités basques servies en salle et dans le bar à tapas animé. La soupe à l'araignée de mer, les *chipirones* (petits calmars à l'encre) et les clams à la sauce au vin blanc, à l'ail et à l'oignon sont tous bons. ● *en juil. et en août : sam. et dim.* ▤	AE DC MC V	●		●	
LE MADRID DES BOURBONS : *Champagnería Gala.* **Plan 5 B2.** € Calle Moratín 22. ☎ *91 429 25 62.* On appréciera le patio, les spécialités catalanes du menu et les prix raisonnables. ▤		●	■		■
LE MADRID DES BOURBONS : *Pimiento Verde.* **Plan 4 E4.** €€ Calle Lagasca 46. ☎ *915 76 41 35.* Ce restaurant décoré comme un bar à cidre sert de la cuisine typiquement basque. Excellents tapas dans la taverne qui jouxte le restaurant. ● *dim.* ▤	AE MC V	●		●	
LE MADRID DES BOURBONS : *Paradis.* **Plan 5 B1.** €€€€ Calle Marqués de Cubas 14. ☎ *914 29 73 03.* Restaurant faisant partie d'une chaîne catalane à succès, offrant une excellente cuisine méditerranéenne. Légumes grillés et plats de riz en entrée peuvent être suivis de poissons frais. ● *sam. midi, dim. j. fériés.* ▤ ♿	AE DC MC V			●	
LE MADRID DES BOURBONS : *El Amparo.* **Plan 4 E4.** €€€€ Callejón de Puigcerdá 8. ☎ *914 31 64 56.* Nouvelle cuisine basque dans un restaurant, doté d'une verrière, qui est pour beaucoup de gens le plus joli de Madrid. Créations, dont une mousse au thon avec du homard et de l'huile au persil. ● *sam. midi, dim., j. fériés et août.* ▤	AE MC V			●	
LE MADRID DES BOURBONS : *Viridiana.* **Plan 6 D1.** €€€€ Calle Juan de Mena 14. ☎ *915 23 44 78.* Restaurant orné de photographies de *Viridiana*, un film de Luis Buñuel, proposant une cuisine espagnole novatrice et une longue liste de vins. La carte inventive change souvent. ● *dim. et août.* ▤	AE MC V			●	
EN DEHORS DU CENTRE (EST) : *La Taberna de la Daniela.* €€ Calle General Pardiñas 21. ☎ *915 75 23 29.* La carte de ce restaurant est courte, mais les plats sont bien choisis. À l'heure du déjeuner, on ne sert que du *cocido madrileño*, mais le bar propose toutes sortes de tapas. Bons desserts maison. ▤	AE MC V	●			
EN DEHORS DU CENTRE (NORD-EST) : *Baden* €€ Calle General Rodrigo 17. ☎ *915 53 87 96.* Un bar à tapas très vivant et un restaurant sont côte-à-côte dans ce lieu situé dans une cité étudiante. Le chuleton (côtelette) est imposant et les meilleures pizzas de Madrid sont ici. ▤	AE DC MC V	●			
EN DEHORS DU CENTRE (NORD) : *Casa Ricardo.* €€ Calle Fernando El Católico 31. ☎ *914 47 61 19.* Bar typiquement espagnol servant une bonne cuisine familiale. La soupe de queue de bœuf et les petits calmars à l'encre sont délicieux. ● *dim. soir.* ▤ ♿	DC MC V			●	
EN DEHORS DU CENTRE (NORD) : *La Barraca.* **Plan 3 A5.** €€ Calle de la Reina 29. ☎ *915 32 71 54.* Plus de dix plats de riz et paellas à la valencienne, faits avec des ingrédients de premier choix, sont proposés. Bons desserts maison. ▤	AE DC MC V		■	●	
EN DEHORS DU CENTRE (NORD) : *El Puchero.* **Plan 3 A2.** €€ Calle de Larra 13. ☎ *914 45 05 77.* Restaurant apprécié, calme, servant une cuisine familiale. Les jeunes fèves au jambon, le cochon de lait rôti et les ragoûts de gibier sont devenus aussi légendaires que ses serveuses revêches. ● *dim. et août.* ▤	AE MC V			●	
EN DEHORS DU CENTRE (NORD) : *Goizeko Kabi.* €€€€ Calle Comandante Zorita 37. ☎ *915 33 01 85.* Cuisine basque traditionnelle dans un cadre raffiné. Les créations du chef sont à base d'excellents produits frais et de fruits de mer. Bonne carte des vins et desserts exquis. ● *sam. midi, juil, et août .* ▤ ♿	AE DC MC V			●	

Légende des symboles, voir rabat de couverture

Prix moyen par personne pour un dîner comprenant trois plats et une demi-bouteille de vin de la maison, taxe et service compris :

€ moins de 20 euros
€€ de 20 à 30 euros
€€€ de 30 à 40 euros
€€€€ plus de 40 euros

Bar à tapas
Outre la salle principale, un bar sert des tapas *(p. 574-575)* et des *raciones* (portions plus importantes).

Menu à prix fixe
Menu en général composé de trois plats, proposé au déjeuner et/ou au dîner. Bon rapport qualité-prix.

Bonne carte des vins
Le restaurant propose un vaste choix de bons vins ou une sélection particulière de vins locaux.

Repas à l'extérieur
Possibilité de manger en terrasse, dans un jardin, une cour ou un patio, souvent avec une belle vue.

	Cartes bancaires	Bar à tapas	Menu à prix fixe	Bonne carte des vins	Tables en terrasse
En dehors du centre (nord) : *Jockey.* Plan 4 D2. €€€€ Calle Amador de los Ríos 6. ☎ *91 319 10 03.* Cette table, une des cinq meilleures de Madrid, fréquentée par les gourmets et les célébrités, propose un menu de saison. Plats de volaille et de gibier exquis. Excellente carte des vins. Tenue correcte exigée. ● *sam. midi, dim. et jours fériés.* ▤ ♿	AE DC MC V			●	
En dehors du centre (nord) : *Zalacain.* €€€€ Calle Álvarez de Baena 4. ☎ *915 61 48 40.* Cette table considérée comme la meilleure de Madrid fait honneur à sa réputation avec son exquise cuisine d'inspiration basque, son cadre luxueux et son service attentif. Tenue correcte exigée. ● *sam. midi, dim. Pâques, août et jours fériés.* ▤ ♿	AE DC MC V			●	
En dehors du centre (nord-est) : *Sacha.* €€€ Calle Juan Hurtado de Mendoza 11 Entrada Posterior. ☎ *913 45 59 52.* Décoré comme un bistro confortable, ce restaurant sert des spécialités comme le perdreau au riz et aux champignons. ● *jours fériés, dim. et août.* ▤ ♿	AE DC MC V			●	■
En dehors du centre (nord-est) : *Cabo Mayor.* €€€€ Calle Juan Ramón Jiménez 37. ☎ *913 50 87 76.* Un des meilleurs restaurants de produits de la mer de Madrid servant une cuisine de Cantabrie et de Navarre. Pâtes fraîches, salade de langoustines et lotte aux champignons sont délicieuses. ● *sam. midi, dim. et j. fériés.* ▤	AE DC MC V		■	●	■
En dehors du centre (nord-est) : *El Olivo.* €€€€ Calle General Gallegos 1. ☎ *913 59 15 35.* Excellente cuisine méditerranéenne avec l'huile d'olive comme thème culinaire dominant. Le propriétaire vous conseillera celle des 40 huiles d'olive qui accompagnera le mieux votre plat. ● *dim., lun., j. fériés et fin août.* ▤	AE DC MC V		■	●	
PROVINCE DE MADRID					
Aranjuez : *Casa Pablo.* €€€ Calle Almíbar 42. ☎ *918 91 14 51.* Taverne centrale offrant une solide cuisine familiale. Faisan aux raisins, asperges et fraises fraîches sont conseillés. ● *août.* ▤ ♿	AE MC V	●	■	●	
Chinchón : *Mesón de la Virreina.* €€ Plaza Mayor 28. ☎ *918 94 00 15.* Dans cet édifice du XVIe siècle, goûtez la cuisine castillane traditionnelle, dont la *sopa castellana* (soupe à l'ail et aux pois chiches) et l'agneau rôti. L'*anís* local est un excellent digestif. ▤ ♿	AE DC MC V	●	■	●	■
Moralzarzal : *El Cenador de Salvador.* €€€€ Avenida de España 30. ☎ *918 57 77 22.* Maints gourmets font la route de Madrid à Moralzarzal pour le simple plaisir de dîner dans ce joli chalet. L'exquise cuisine de saison ravira même les palais les plus fins. ● *dim. soir, lun.* ▤ ♿	AE DC MC V		■	●	■
Patones de Arriba : *El Poleo.* €€€ Travesía del Arroyo 1–3. ☎ *918 43 21 01.* Ville pittoresque aux toits d'ardoises dotée d'un merveilleux restaurant. Cuisine d'inspiration navarraise. Du vendredi au dimanche seulement. ● *ven.-dim.et jours fériés.* ▤	AE DC MC V	●		●	■
San Lorenzo de El Escorial : *Taberna La Cueva.* €€ Calle San Antón 4. ☎ *918 90 15 16.* L'architecte du Prado, Juan de Villanueva, conçut cette auberge du XVIIIe siècle. Les *huevos a la cueva* (œufs frits au jambon entourés de pommes de terre frites) sont une de ses spécialités. ● *lun.*	MC V	●	■	●	

Castille-León

		●	■	●	■
Aranda de Duero : *Mesón La Villa.* €€€ Plaza Mayor 3 (Burgos). ☎ 947 50 10 25. Excellente cuisine régionale avec une grande variété de plats castillans comme le perdreau mariné, les ris aux champignons et la *menestra de verduras* (ragoût de légumes). Choix de vins locaux impressionnant. ● lun. ▤	AE DC MC V	●		●	
Arévalo : *Asador La Cubas.* €€ Calle Figones 9 (Ávila). ☎ 920 30 01 25. Ancienne cave à vins avec des fûts d'argile encastrés dans les murs. Délicieux agneau et cochon de lait rôtis au feu de bois et desserts régionaux comme les beignets sucrés à la crème *(leche frita)*. ● dim.-ven. soir et fin juin. ▤	AE DC MC V		■	●	
Astorga : *La Peseta.* € Plaza de San Bartolomé 3 (León). ☎ 987 61 72 75. Cuisine saine et copieuse dans ce restaurant tenu par une famille. Accompagnez le porc aux haricots d'un bierzo (vin local). ● dim. soir, fin oct. ♿	AE MC V		■	●	
Ávila : *Mesón del Rastro.* €€ Plaza del Rastro 1. ☎ 920 21 12 18. Cuisine régionale dans un vrai restaurant castillan niché dans le rempart de la ville. Les *judías de El Barco de Ávila* (haricots blancs secs au chorizo avec une sauce épaisse) sont un des meilleurs plats qui soient. ▤ ♿	AE DC MC V	●	■	●	
Burgos : *Casa Ojeda.* €€€ Calle Vitoria 5. ☎ 947 20 90 52. Ce restaurant, le plus traditionnel de la ville, sert des plats classiques comme l'agneau de lait rôti et la *morcilla* (boudin noir) avec des poivrons rouges. Grand choix de vins de Ribera del Duero et de La Rioja. ● dim. soir. ▤	AE DC MC V	●		●	
Covarrubias : *El Galín.* € Plaza de Doña Urraca 4 (Burgos). ☎ 947 40 65 52. Restaurant simple et animé, sur la place principale. Succulent agneau de lait et autres mets régionaux copieux comme l'*olla podrida* (épaisse soupe aux haricots). Bon bar à tapas. ● mar. et sept.	AE DC MC V	●	■	●	
El Burgo de Osma : *Virrey Palafox.* €€€ Calle Universidad 7, El Burgo de Osma (Soria). ☎ 975 34 02 22. Ce restaurant, près du centre, est très fréquenté en février et en mars, quand il propose son « menu de cochon » : le cochon, tué le matin, est mangé dans la journée. ● dim. soir. ▤ ♿	AE DC MC V		■		
Frómista : *Hostería de Los Palmeros.* €€ Plaza San Telmo 4 (Palencia). ☎ 979 81 00 67. Ancienne auberge joliment restaurée sur la route de Compostelle. Sa carte propose des spécialités castillanes, dont un ragoût de jeune pigeon et un *tocinillo de cielo* (dessert à base de jaunes d'œufs au sucre). ● lun. soir et mar. ▤	AE DC MC V	●	■	●	■
La Granja de San Ildefonso : *Hilaria.* €€ Carretera Madrid-Valladolid, Km 124 (Segovia). ☎ 921 47 02 92. Restaurant tenu par une famille. Recette originale de ragoût aux haricots blancs et bons agneau et cochon de lait rôtis. ● lun. ▤ ♿	AE MC V	●	■	●	■
León : *Mesón Leonés del Racimo de Oro.* €€ Calle Caño Vadillo 2. ☎ 987 25 75 75. Cuisine traditionnelle dans d'anciennes écuries du XVIIe siècle. L'hiver, on sert des plats de gibier et des ragoûts comme le *cocido leonés* (ragoût de pois chiches, pommes de terre, lard, boudin et chou). ● dim. soir et mar. soir. ♿	AE DC MC		■	●	■
Palencia : *Casa Damián.* €€ Calle Ignacio Martínez de Azcoitia 9. ☎ 979 74 46 28. Restaurant sérieux. Spécialités provinciales, dont une *menestra de verduras* fraîche et de délicieux *buñuelos* (beignets sucrés). ● lun., dim. soir et août. ▤ ♿	AE DC MC V			●	
Pedraza de la Sierra : *Hostería Pintor Zuloaga.* €€ Calle Matadero 1 (Segovia). ☎ 921 50 98 35. Restaurant dans une ancienne maison de l'Inquisition. Plats castillans traditionnels comme le porc et l'agneau rôtis et de copieux ragoûts. ● mar. ▤	AE DC MC V	●	■	●	■
Ponferrada : *Azul-Montearenas.* €€ Carretera NVI Madrid–A Coruña km 380 (León). ☎ 987 41 70 12. Cuisine simple et familiale dans ce restaurant donnant sur les montagnes. Essayez les blettes farcies aux crevettes et à la lotte. ● dim. soir. ▤ ♿	AE DC MC V	●	■	●	

Légende des symboles, voir rabat de couverture

> **Prix moyen** par personne pour un dîner comprenant trois plats et une demi-bouteille de vin de la maison, taxe et service compris :
>
> € moins de 20 euros
> €€ de 20 à 30 euros
> €€€ de 30 à 40 euros
> €€€€ plus de 40 euros

BAR À TAPAS
Outre la salle principale, un bar sert des tapas *(p. 574-575)* et des *raciones* (portions plus importantes).

MENU À PRIX FIXE
Menu en général composé de trois plats, proposé au déjeuner et/ou au dîner. Bon rapport qualité-prix.

BONNE CARTE DES VINS
Le restaurant propose un vaste choix de bons vins ou une sélection particulière de vins locaux.

REPAS À L'EXTÉRIEUR
Possibilité de manger en terrasse, dans un jardin, une cour ou un patio, souvent avec une belle vue.

QUINTANA DE RANEROS : *Bodega El Cercao.* €€
Calle de la Bodega 4, Finca El Cercao (León). ☎ *987 28 01 28.*
Cette vaste cave à vins du XVIIe siècle est un dédale de passages souterrains et de salles à manger rustiques. Plats traditionnels comme la *morcilla* (boudin) avec des poivrons rouges cultivés localement.

SALAMANQUE : *Río de la Plata.* €€€
Plaza del Peso 1. ☎ *923 21 90 05.*
Minuscule restaurant à la mode, proche de la Plaza Mayor. Grand choix de poissons frais et de plats castillans, tous excellents. ● *lun. et juil.* ▤

SANTA MARÍA DE MAVE : *Hostería El Convento.* €€
Santa María de Mave (Palencia). ☎ *979 12 36 11.*
Cet ancien monastère bénédictin sur la rive du río Pisuerga est désormais une auberge servant des plats castillans traditionnels, dont l'agneau rôti au feu de bois et la *sopa castellana* (riche soupe à l'ail). ♿

SANTO DOMINGO DE SILOS : *Casa Emeterio.* €€
Hotel Tres Coronas de Silos, Plaza Mayor 6 (Burgos). ☎ *947 39 00 47.*
Après avoir admiré le monastère, vous pourrez savourer des plats régionaux dans la salle à manger de cette vaste maison du XVIIIe siècle. ♿

SÉGOVIE : *Mesón de Cándido.* €€€
Plaza del Azoguejo 5. ☎ *921 42 81 03.*
Ne quittez pas la ville sans vous arrêter au Mesón de Cándido, le grand restaurant de Ségovie. Belle vue sur l'aqueduc romain. Spécialités locales comme l'agneau et le cochon de lait rôtis. ▤ ♿

SEPÚLVEDA : *Cristóbal.* €€
Calle Conde de Sepúlveda 9 (Segovia). ☎ *921 54 01 00.*
Restaurant donnant sur les gorges du río Duratón. Son agneau rôti serait le meilleur de la région. Copieux ragoûts traditionnels. ● *mar., début sept. et fin déc.* ▤

TORDESILLAS : *El Torreón.* €€€
Calle Burgos Portugal 11 (Valladolid). ☎ *983 77 01 23.*
El Torreón possède une reproduction du plafond du Convento de Santa Clara. Sa spécialité : d'excellentes viandes grillées. Mieux vaut réserver. ● *dim., fin sept.* ▤

TORRECABALLEROS : *El Rancho de la Aldegüela.* €€
Plaza Marques de Lozoya 3 (Segovia). ☎ *921 40 10 46.*
Maison de campagne au décor rustique proposant des spécialités régionales comme le *revuelto de morcilla* (œufs brouillés au boudin). ● *oct.-juin : lun.-jeu. soir.* ▤

VALLADOLID : *La Fragua.* €€€
Paseo de Zorilla 10. ☎ *983 33 87 85.*
Restaurant castillan authentique comme le prouvent la soupe à l'ail, le ragoût de veau et celui d'agneau au vin blanc et aux légumes printaniers. Le poisson est aussi une de ses spécialités. Très bon bar à tapas. ● *dim. soir et août.* ▤ ♿

VILLAFRANCA DEL BIERZO : *La Charola.* €
Carretera NVI Madrid–A Coruña km 406 (León). ☎ *987 54 00 95.*
Située au bord de la route, cette maison sérieuse est tenue par une famille. Cuisine régionale copieuse, simple et bon marché. ▤ ♿

ZAMORA : *Pizarro.* €€
Cuesta de Pizarro 7. ☎ *980 53 45 45.*
Palais du XVIe siècle, jadis occupé par l'Inquisition. Spécialités régionales et basques comme la sole avec une sauce aux anchois.

ZAMORA : *Rey Sancho II.* €€
Parque de la Marina Española (Zamora). ☎ *980 52 60 54.*
Ce nouveau restaurant donne sur un parc, dans le centre moderne de la ville. La carte propose des plats de la région. ▤

	Cartes bancaires	Bar à tapas	Menu à prix fixe	Bonne carte des vins	Tables en terrasse
Quintana de Raneros	AE DC MC V	●	■	●	■
Salamanque	AE MC V	●	■	●	
Santa María de Mave	AE DC MC V	●	■	●	■
Santo Domingo de Silos	AE DC MC V	●	■	●	
Ségovie	AE DC MC V	●		●	■
Sepúlveda	AE DC MC V	●	■	●	
Tordesillas	AE DC MC V			●	
Torrecaballeros	AE DC MC V	●	■	●	■
Valladolid	AE DC MC V	●		●	
Villafranca del Bierzo	AE DC MC V	●	■	●	
Zamora : Pizarro	AE DC MC V		■	●	
Zamora : Rey Sancho II	AE DC MC V		■		■

CASTILLE-LA MANCHE

ALBACETE : *Nuestro Bar.* €€
Calle Alcalde Conangla 102. ☎ 967 24 33 73.
Son restaurant propose des plats régionaux et un *menú de degustación* avec
des spécialités de la Manche comme le *gazpacho manchego* (ragoût de gibier
épaissi avec des biscuits). Très bon bar à tapas. ● *dim. soir et juil.* ▤

	AE	●	▥	●	▥
DC				
MC				
V				

ALMAGRO : *El Corregidor.* €€
Calle Jerónimo Ceballos 2 (Ciudad Real). ☎ 926 86 06 48.
Cette vieille maison dotée de plusieurs salles à manger et d'un patio central
est un très joli restaurant. Cuisine régionale inventive servant la spécialité de
la ville : les aubergines macérées à l'huile et au vinaigre. ● *sept.-juin : le lun. ; août.* ▤

	AE	●	▥	●	
DC				
MC				
V				

ALMANSA : *Mesón de Picelín.* €€€
Calle Norias 10 (Albacete). ☎ 967 34 00 07.
Table considérée par beaucoup comme une des meilleures de la région. Plats
régionaux authentiques comme son fameux *gazpacho manchego* fait avec du
poulet, du lapin et du perdreau. ● *dim. soir, lun. et août.* ▤ ♿

	AE	●	▥	●	
DC				
MC				
V				

BETETA : *Hotel Los Tilos.* €€
Extrarradio (Cuenca). ☎ 969 31 80 98.
Restaurant d'un hôtel, simple et calme. Plats de la montagne comme la soupe
à l'oignon, les ragoûts de chevreuil et le *morteruelo* (pâté de gibiers). ♿

	AE	●	▥		
MC				
V				

BRIHUEGA : *Asador El Tolmo.* €€
Avenida de la Constitución 26 (Guadalajara). ☎ 949 28 04 76.
Le cadre de ce restaurant est castillan et traditionnel comme le sont ses plats,
dont le cabri rôti et le perdreau aux haricots. Desserts maison ▤ ♿

| | MC | ● | ▥ | ● | |
| V | | | | |

CIUDAD REAL : *Gran Mesón.* €€
Ronda de Ciruela 34. ☎ 926 22 72 39.
Grand menu aux spécialités régionales : *gachas* (gruau), *pisto* (mélange de
légumes), cochon de lait, vins et fromage locaux. ● *dim. soir.* ▤ ♿

	AE	●	▥	●	
MC				
V				

CUENCA : *Marlo.* €€€
Calle Colón 41. ☎ 969 21 11 73.
Carte moderne privilégiant poissons et fruits de mer. Bons plats de viande.
Le perdreau farci, le steak dans le filet à la sauce au fromage, la tourte à
l'aubergine et au fromage sont conseillés. ▤

	AE	●	▥	●	
MC				
V				

CUENCA : *Mesón Casas Colgadas.* €€€
Calle Canónigos. ☎ 969 22 35 09.
Restaurant dominant la gorge, dans une des fameuses maisons suspendues de
Cuenca. La vue et l'excellente cuisine régionale (plats de gibier) rendent le
repas inoubliable. ● *lun. soir.* ▤

	AE	●	▥	●	
DC				
MC				
V				

GUADALAJARA : *Minaya.* €€
Calle Mayor 23. ☎ 949 21 22 53.
Palais du XVIe siècle aux meubles d'époque. Menu de saison privilégiant les
viandes grillées et le cabri rôti. ● *dim.* ▤

	AE	●	▥	●	
DC				
MC				
V				

GUADALAJARA : *Amparito Roca.* €€€
Calle Toledo 19. ☎ 949 21 46 39.
Maison bien décorée proposant une cuisine espagnole traditionnelle aux
aspects inventifs comme le chevreuil à la sauce aux champignons et les œufs
brouillés aux pommes de terre et au saumon. ● *dim. et août.* ▤ ♿

	AE		▥	●	▥
MC				
V				

JADRAQUE : *El Castillo.* €€
Carretera de Soria (Guadalajara) Km 46. ☎ 949 89 02 54.
Après la visite du château, dégustez du cabri rôti ou un des plats castillans de
ce *mesón* (auberge) typique. ▤

	AE	●	▥	●	▥
DC				
MC				
V				

MANZANARES : *Mesón Sancho.* €
Calle Jesús del Perdón 26 (Ciudad Real). ☎ 926 61 10 16.
Restaurant simple servant des plats typiques consistants, comme la soupe à
l'ail, les *duelos y quebrantos* (œufs brouillés avec du porc), le lapin *a la
manchega* (en sauce), à accompagner d'un vin du pays. ▤ ♿

	AE	●	▥	●	
DC				
MC				
V				

LAS PEDROÑERAS : *Las Rejas.* €€€€
Avenida de Brasil (Cuenca). ☎ 967 16 10 89.
La capitale de l'ail possède une excellente table. Son menu de saison est
appétissant, sa soupe à l'ail inoubliable. Nombreux plats à base de produits
régionaux. Bonne salade au *manchego* (fromage) frais. ● *lun. et fin juil.* ▤ ♿

	AE		▥	●	
DC				
MC				
V				

Légende des symboles, voir rabat de couverture

Prix moyen par personne pour un dîner comprenant trois plats et une demi-bouteille de vin de la maison, taxe et service compris :

€ moins de 20 euros
€€ de 20 à 30 euros
€€€ de 30 à 40 euros
€€€€ plus de 40 euros

BAR À TAPAS
Outre la salle principale, un bar sert des tapas *(p. 574-575)* et des *raciones* (portions plus importantes).

MENU À PRIX FIXE
Menu en général composé de trois plats, proposé au déjeuner et/ou au dîner. Bon rapport qualité-prix.

BONNE CARTE DES VINS
Le restaurant propose un vaste choix de bons vins ou une sélection particulière de vins locaux.

REPAS À L'EXTÉRIEUR
Possibilité de manger en terrasse, dans un jardin, une cour ou un patio, souvent avec une belle vue.

	CARTES BANCAIRES	BAR À TAPAS	MENU À PRIX FIXE	BONNE CARTE DES VINS	TABLES EN TERRASSE
PUERTO LÁPICE : *Venta del Quijote.* €€ Calle Molino 4 (Ciudad Real). ☎ *926 57 61 10.* Au cœur du pays de Don Quichotte, cette auberge légendaire évoque le livre de Cervantes. Asseyez-vous en savourant des spécialités de la Manche autour de la cour pavée. ▤ ♿	AE DC MC V		■	●	■
SIGÜENZA : *El Motor.* €€€ Avenida Juan Carlos I, 2 (Guadalajara). ☎ *949 39 08 27.* Sont conseillés le cochon de lait et l'agneau rôtis, les petits bouts de pain frits *(migas)* et la soupe à l'ail *(sopa castellana).* ▤ ♿	AE MC V	●	■	●	■
TALAVERA DE LA REINA : *Antonio.* € Avenida de Portugal 8 (Toledo). ☎ *925 80 40 17.* Restaurant très apprécié pour son bar servant de bonnes tapas à des prix raisonnables et pour son excellente cuisine régionale. ● *dim. soir, 1er-15 juil.* ▤ ♿	AE DC MC V	●	■	●	
TOLÈDE : *Hostal del Cardenal.* €€ Paseo de Recaredo 24. ☎ *925 22 08 62.* Jadis résidence d'été du cardinal Lorenzana, ce palais du XVIIIe siècle possède toujours son beau jardin, dans l'enceinte de la ville. On y sert une soupe à l'ail, du cochon de lait et le fameux *mazapán* (massepain) de Tolède. ▤	AE DC MC V		■	●	■
TOLÈDE : *La Lumbre.* €€ Calle Real de Arrabal 3. ☎ *925 22 03 73.* Jolie maison ancienne, aux poutres apparentes, près de la puerta de Bisagra. Les viandes, dont le cochon et l'agneau de lait rôtis, sont particulièrement bonnes. Délicieux gâteau au fromage *manchego.* ● *dim. et juil.* ▤	AE DC MC V		■	●	
TOLÈDE : *Adolfo.* €€€ Calle de Granada 6. ☎ *925 22 73 21.* L'Adolfo, au cœur du quartier juif, est décoré de céramiques, colonnes et antiquités. Son plafond à caissons mudéjar date du XVe siècle. Il sert du gibier (l'hiver) et des truites fraîches du Tage. ● *dim. soir et fin juil.* ▤ ♿	AE DC MC V	●	■	●	
TRAGACETE : *El Gamo.* € Plaza Fuente del Pino 2 (Cuenca). ☎ *969 28 90 08.* Auberge de montagne avec un restaurant tenu par une famille. Cuisine familiale, dont du ragoût de chevreuil et du *morteruelo.* ♿	MC V	●	■		■
VALDEPEÑAS : *Baviera.* € Calle 6 de Junio 44 (Ciudad Real). ☎ *926 32 40 84.* Restaurant central servant la vraie cuisine de la Manche. Les *galianos* (plat typique de gibier) et le lapin de montagne à l'ail sont deux de ses spécialités. Bonne sélection de vins de Valdepeñas. ● *jeu. et fin août.* ▤	AE DC MC V	●	■	●	
VILLALBA DE LA SIERRA : *Nelia.* €€ Ruta de la Ciudad Encantada km 21 (Cuenca). ☎ *969 28 10 21.* Restaurant en pierre et bois, au bord du río Júcar. Les boulettes de sanglier, le chevreuil mariné et les légumes en pâte feuilletée sont exquis. Bons vins de Valdepeñas. ● *mer. et de mi-jan. à mi-fév.* ▤ ♿	AE MC V	●	■	●	■
ESTRÉMADURE					
ALMENDRALEJO : *Nando.* € Calle Ricardo Romero 12 (Badajoz). ☎ *924 66 12 71.* Le lapin avec du riz, les *judiones* (haricots, cultivés localement, avec du jarret de porc ou du perdreau) et les poissons frais sont servis en portions généreuses. Bon bar à tapas où goûter les spécialités locales. ● *dim. soir.* ▤	AE MC V	●	■		
BADAJOZ : *Aldebarán.* €€€ Avenida de Elvas, Urbanización Guadiana. ☎ *924 27 42 61.* Une des meilleures tables de la province. Cuisine élaborée dans un cadre élégant. Créations, dont la salade de porc mariné, les raviolis farcis aux champignons et au foie, le pigeon à la sauce au vin blanc. ● *dim.* ▤ ♿	AE DC MC V		■	●	

CÁCERES : *El Figón de Eustaquio.* €€
Plaza de San Juan 14. ☎ *927 24 81 94.*
Restaurant simple de la vieille ville où goûter la vraie cuisine d'Estrémadure comme la truite *a la extremeña* (farcie au jambon) et la soupe maison à la tomate avec des œufs pochés. ▤ ♿
AE DC MC V | – | ■ | ● | –

CÁCERES : *Atrio.* €€€
Avenida de España 30. ☎ *927 24 29 28.*
Cette table, la plus raffinée de Cáceres, propose une cuisine contemporaine novatrice dans un cadre élégant. Les tendres filets de chevreuil aux raisins muscat et aux poires sont une des nombreuses créations du chef. ● *dim. soir.* ♿
DC MC V | – | ■ | ● | –

GUADALUPE : *Hospedería del Real Monasterio.* €
Plaza de Juan Carlos I (Cáceres). ☎ *927 36 70 00.*
Restaurant appartenant aux franciscains. Plats régionaux simples. La soupe à la tomate, le cabri rôti et les *migas extremeñas* (bouts de pains avec du porc) sont recommandés. ● *de mi-jan. à mi-fév.* ▤
MC V | – | ■ | ● | ■

GUADALUPE : *Mesón El Cordero.* €€
Calle Alfonso Onceno 27 (Cáceres). ☎ *927 36 71 31.*
Spécialités régionales servies dans une salle confortable dotée de boiseries. Savourez une *menestra* de légumes frais (ragoût) ou du perdreau en cocotte, en contemplant les montagnes. ● *lun. et fév.* ▤
AE DC MC V | – | ■ | – | –

JARANDILLA DE LA VERA : *Cueva de Puta Parió.* €
Calle Francisco Pizarro 8 (Cáceres). ☎ *927 56 03 92.*
Taverne animée. Bons plats régionaux, dont la soupe à la tomate et l'agneau en cocotte. Vin de la maison produit localement. ● *lun. et fin sept.* ▤
AE DC MC V | ● | – | ● | –

JEREZ DE LOS CABALLEROS : *La Ermita.* €
Calle Doctor Benítez 9 (Badajoz). ☎ *924 73 14 76.*
Chapelle du XVIIe siècle transformée en cave à vins, puis en restaurant de cuisine locale. Le ragoût de perdreau et le *revuelto de espárragos* typique (œufs brouillés et pointes d'asperges) sont délicieux. ♿
MC V | ● | – | – | ■

LOSAR DE LA VERA : *Carlos V.* €
Avenida de Extremadura 45 (Cáceres). ☎ *927 57 06 36.*
Cuisine familiale dans ce restaurant donnant sur les montagnes et la vallée du Tiétar. Spécialités maison : le *revuelto con criadillas de tierra* (œufs brouillés aux truffes blanches), le cabri rôti et les steaks. ● *lun. et mi-oct.-nov.* ▤ ♿
AE DC MC V | ● | ■ | ● | –

MÉRIDA : *Nicolás.* €€
Calle Félix Valverde Lillo 13 (Badajoz). ☎ *924 31 96 10.*
Vous voudrez prendre un apéritif dans la petite cave à vins en brique avant de passer aux spécialités régionales comme l'agneau aux prunes ou le porc aux poivrons. Jolis jardin et terrasse. ● *dim. soir.* ▤
AE DC MC V | ● | ■ | ● | –

MÉRIDA : *Parador de Mérida.* €€€
Plaza de la Constitución 3 (Badajoz). ☎ *924 31 38 00.*
Cet ancien couvent abrite un hôtel et un restaurant méritant une visite. Spécialités régionales, dont les fromages d'Estrémadure, les viandes froides et la *calderata de cordero* (agneau en cocotte). ▤ ♿
AE DC MC V | ● | ■ | ● | ■

MÉRIDA : *Rufino* €€€
Plaza Santa Clara 2 (Badajoz). ☎ *924 31 20 01.*
Cuisine typique de la région dans ce restaurant de grand standing. Plats classiques comme les œufs brouillés aux truffes. ● *dim., 1er-15 sept.* ▤ ♿
AE DC MC V | ● | ■ | ● | ■

PLASENCIA : *Alfonso VIII.* €€€
Avenida Alfonso VIII 32 (Cáceres). ☎ *927 41 02 50.*
Cuisine inventive, essentiellement à base de produits locaux, selon des recettes traditionnelles. Bons ragoût de cabri et jambon ibérique. ▤ ♿
AE DC MC V | – | ■ | ● | –

PLASENCIA : *El Rincón Extremeño.* €€€
Calle Vidrieras 8 (Cáceres). ☎ *927 41 11 50.*
Plats locaux traditionnels comme les grenouilles à la *salsa verde*, le lézard (en saison), et mets plus « habituels » comme le cochon de lait. Le *Tío Pichu* est un bon dessert mariant framboises, fromage et miel. ▤ ♿
AE DC MC V | ● | ■ | – | –

PUEBLA DE LA REINA : *Mesón La Jara-Casa Andrés.* €
Calle Luis Chamizo 14 (Badajoz). ☎ *924 36 00 05.*
Charmant *mesón* devenu un sanctuaire de la vraie cuisine régionale. Les gros mangeurs peuvent prendre le menu à 14 plats. ▤
MC V | ● | ■ | ● | ■

Légende des symboles, voir rabat de couverture

Prix moyen par personne pour un dîner comprenant trois plats et une demi-bouteille de vin de la maison, taxe et service compris :

€ moins de 20 euros
€€ de 20 à 30 euros
€€€ de 30 à 40 euros
€€€€ plus de 40 euros

Bar à tapas
Outre la salle principale, un bar sert des tapas *(p. 574-575)* et des *raciones* (portions plus importantes).

Menu à prix fixe
Menu en général composé de trois plats, proposé au déjeuner et/ou au dîner. Bon rapport qualité-prix.

Bonne carte des vins
Le restaurant propose un vaste choix de bons vins ou une sélection particulière de vins locaux.

Repas à l'extérieur
Possibilité de manger en terrasse, dans un jardin, une cour ou un patio, souvent avec une belle vue.

	Cartes bancaires	Bar à tapas	Menu à prix fixe	Bonne carte des vins	Tables en terrasse
Trujillo : *Mesón La Troya.* € Plaza Mayor 10 (Cáceres). ☎ *927 32 13 64.* Ce *mesón* typique, du XVIe siècle, sert en portions généreuses des plats régionaux. Les *migas* (petits bouts de pain) avec du porc, les haricots blancs secs en sauce et l'agneau dans son jus sont conseillés. ▤	AE MC V	●	■	●	■
Trujillo : *Pizarro.* €€ Plaza Mayor 13 (Cáceres). ☎ *927 32 02 55.* Le cadre de ce restaurant a peu changé depuis son ouverture avant la guerre civile. Plats traditionnels comme la soupe à la tomate aux figues et aux raisins ou le poulet farci aux truffes. ● *mar.* ▤	MC V		■	●	
Zafra : *Barbacana.* €€€ Hotel Huerta Honda, Avenida López Asme 30 (Badajoz). ☎ *924 55 41 00.* Cette maison du XVIe siècle, décorée d'antiquités, offre un beau cadre pour savourer des plats régionaux et basques, dont l'agneau de lait rôti au romarin et le filet de colin aux clams. ● *dim. soir.* ▤	AE DC MC V		■	●	
SÉVILLE					
El Arenal : *Bodegón Torre del Oro.* **Plan 3 B2.** €€ Pastigo del Carbon 15. ☎ *954 22 08 80.* Bar avec restaurant spécialisé dans les *raciones*. Les *garbanzos con espinacas* (pois chiches aux épinards), les *puntillitas* (petites seiches grillées) ou la *punta de solomillo* (pointe de filet) sont conseillés. ♿	AE DC MC V	●	■	●	■
El Arenal : *El Burladero.* **Plan 3 B1.** €€€ Hotel Colón, Calle Canalejas 1. ☎ *954 22 29 00.* Orné de souvenirs tauromachiques, ce restaurant sert du caviar, du filet mignon et des plats locaux comme le *puchero* (pot-au-feu). ▤ ♿	AE DC MC V	●	■	●	
El Arenal : *Enrique Becerra.* **Plan 3 B1.** €€€ Calle Gamazo 2. ☎ *954 21 30 49.* Bar-restaurant luxueux, dont apéritifs et repas attirent une clientèle aisée. Bon choix de plats de poissons et de viandes. Les plats du jour mettent à l'honneur la cuisine familiale andalouse. ● *dim.* ▤	AE DC MC V	●		●	
El Arenal : *La Isla.* **Plan 3 B2.** €€€ Calle Arfe 25. ☎ *954 21 26 31.* Ce beau restaurant central propose d'excellents produits de la mer : turbot, dorade et de délicieux *percebes* (bernacles). ● *août.* ▤	AE DC MC V	●		●	■
Santa Cruz : *Las Meninas.* **Plan 3 D1.** € Calle Santo Tomás 3. ☎ *954 22 62 26.* Table appréciée pour sa cuisine copieuse et ses prix raisonnables. Grande variété de plats locaux, excellents, comme la queue de taureau braisée, le potage de pois chiches et de morue ou le gaspacho. ▤	AE DC MC V	●	■	●	■
Santa Cruz : *Casa Robles.* **Plan 3 C1.** €€ Calle Álvarez Quintero 58. ☎ *954 56 32 72.* Ce restaurant animé, au cœur de Séville, possède trois petites salles. Le poisson frit, au four ou avec du riz, est la spécialité de la maison. Excellent choix de crustacés. Plats de viandes et tapas savoureux. ▤	AE DC MC V	●	■	●	■
Santa Cruz : *Corral del Agua.* **Plan 3 C2.** €€ Callejón del Agua 6. ☎ *954 22 48 41.* Repas servis dans un patio frais, à l'abri des murs des jardins Reales Alcázares. Spécialités de saison, préparées et servies avec soin. ● *dim.*	AE DC MC V		■		■
Santa Cruz : *Hostería del Laurel.* **Plan 3 C2.** €€€ Plaza de los Venerables 5. ☎ *954 22 02 95.* Intérieur rustique aux fûts de bois et céramiques murales colorées. Spécialités locales : le jambon *serrano* et la *tortilla de patatas.* ▤ ♿	AE DC MC V	●	■	●	■

Santa Cruz : *Mesón de la Infanta.* **Plan 3 B2.** €€
Calle Dos de Mayo 26. ☎ *954 56 15 54.*
Installé dans un bâtiment ancien au cœur du charmant quartier d'El Arenal, ce restaurant propose un large choix de plats traditionnels. ● *mar.* ▤ ♿
Cartes : MC, V — ● | – | ● | –

Santa Cruz : *La Albahaca.* **Plan 3 D2.** €€€
Plaza de Santa Cruz 12. ☎ *954 22 07 14.*
Demeure des années 1920, meublée d'antiquités du XVIIe siècle. Dans ce cadre raffiné, on savoure une cuisine d'influence basque. ● *dim.* ▤
Cartes : AE, DC, MC, V — – | ■ | ● | ■

Santa Cruz : *Egaña Oriza.* **Plan 3 C3.** €€€€
Calle San Fernando 41. ☎ *954 22 72 11.* @ oriza@yet.es
Beau restaurant blotti contre les murs des jardins de l'Alcázar. Sa spécialité est le poisson. Plats de viandes et desserts superbes. ● *sam. midi, dim.* ▤
Cartes : AE, DC, MC, V — ● | ■ | ● | ■

En dehors du centre (ouest) : *Río Grande.* **Plan 3 B3.** €€
Calle Betis. ☎ *954 27 83 71.*
Magnifique terrasse où vous pourrez savourer un gaspacho ou un *rabo de toro* (queue de taureau braisée) en contemplant le Guadalquivir. ▤ ♿
Cartes : AE, DC, MC, V — ● | ■ | ● | ■

En dehors du centre (ouest) : *Ox's.* **Plan 3 C3.** €€€
Calle Betis 61. ☎ *95 427 62 75.*
Petit *asador* (grill-room) intime dont les spécialités sont les viandes grillées, les clams aux artichauts et les *angulas* (civelles). ● *lun.* ▤
Cartes : AE, DC, MC, V — – | – | ● | –

Andalousie

Aljaraque : *Las Candelas.* €€
Avenida de Huelva (Huelva). ☎ *959 31 84 33.*
Beau restaurant, avec une salle à la décoration rustique, servant de bons produits de la mer locaux et d'excellents plats de viandes. ● *dim.* ▤
Cartes : AE, DC, MC, V — – | ■ | ● | –

Almería : *Rincón de Juan Pedro.* €
Calle Federico Castro 2. ☎ *950 23 58 19.*
Spécialités andalouses à base de viande et de produits de la mer. Plats locaux comme le *trigo a la cortijera* (ragoût de blé, viande et saucisse). ● *lun.* ▤ ♿
Cartes : AE, DC, MC, V — ● | ■ | ● | –

Almería : *Bellavista.* €€€
Urbanizacion Llanos del Alquián. ☎ *950 29 71 56.*
Ce restaurant, hors de la ville, sert poissons et crustacés de premier choix, accommodés de diverses façons. ● *dim. soir, lun., mi-oct.-déc.* ▤
Cartes : AE, DC, MC, V — – | – | ● | ■

Almería : *Club de Mar.* €€€
Playa de la Almadravilla 1. ☎ *950 23 50 48.* @ restclubmar@larural.es
Restaurant au bord de la mer servant poissons frais et crustacés. Ses spécialités : la *bullabesa* (bouillabaisse espagnole) et la *fritura* (friture de poissons). ▤
Cartes : AE, DC, V — ● | ■ | ● | ■

Almuñécar : *El Bodegón.* €
Avenida del Mediterraneo 51, 18 690. ☎ *958 63 33 44.*
Dans ce restaurant du bord de mer, la cuisine mélange plats typiquement andalous et standards internationaux. Un pianiste crée l'ambiance. ▤
Cartes : AE, DC, MC, V — ● | ■ | ● | ■

Antequera : *La Espuela.* €€
Paseo de Maria Cristina, Plaza de Toros (Málaga). ☎ *952 70 34 24.*
Emplacement unique pour ce restaurant installé dans une arène. Plats andalous, dont la *porra* (épais gaspacho), spécialité de la ville. ♿
Cartes : AE, DC, MC, V — ● | ■ | ● | ■

Baeza : *Juanito.* €€
Avenida Arca del Agua s / n (Jaén). ☎ *953 74 00 40.*
Au cœur de la région des oliviers, le Juanito propose diverses huiles d'olive pour accompagner les plats. Spécialités, dont les épinards en cocotte. ● *lun. soir, dim.* ▤
Cartes : MC, V — – | – | ● | –

Baeza : *Andrés de Vandelvira.* €€€
Calle San Francisco 14 (Jaén). ☎ *953 74 81 72.*
Restaurant dans un monastère (XVIe siècle) bâti par Vandelvira, l'architecte qui embellit Jaén à la Renaissance. Cuisine régionale : *cardos* (cardons, sorte d'artichaut) avec une sauce à la crème et salade de perdreau. ● *lun.* ▤
Cartes : AE, DC, MC, V — ● | ■ | ● | ■

Bailén : *Zodíaco.* €€
Carretera Madrid–Cádiz km 294 (Jaén). ☎ *953 67 10 58.*
L'été, les soupes froides comme l'*ajo blanco* (à l'ail blanc et aux amandes) sont à l'honneur. Autres spécialités : le *revuelto* (œufs brouillés aux asperges, langoustines, civelles et jambon) et le perdreau. ▤ ♿
Cartes : AE, DC, MC, V — ● | ■ | ● | –

Légende des symboles, voir rabat de couverture

Prix moyen par personne pour un dîner comprenant trois plats et une demi-bouteille de vin de la maison, taxe et service compris :

€ moins de 20 euros
€€ de 20 à 30 euros
€€€ de 30 à 40 euros
€€€€ plus de 40 euros

Bar à tapas
Outre la salle principale, un bar sert des tapas *(p. 574-575)* et des *raciones* (portions plus importantes).

Menu à prix fixe
Menu en général composé de trois plats, proposé au déjeuner et/ou au dîner. Bon rapport qualité-prix.

Bonne carte des vins
Le restaurant propose un vaste choix de bons vins ou une sélection particulière de vins locaux.

Repas à l'extérieur
Possibilité de manger en terrasse, dans un jardin, une cour ou un patio, souvent avec une belle vue.

	Cartes bancaires	Bar à tapas	Menu à prix fixe	Bonne carte des vins	Tables en terrasse
Los Barrios : *Mesón El Copo.* €€€ Autovia Cádiz - Malaga, Salida 111 / 112, Palmones (Cádiz). *956 67 77 10.* Excellents produits de la mer : anchois frits, homard, bar, etc. Prenez quelques plats de crustacés *para picar* (pour partager en entrée), puis une *dorada al borno* (dorade en cocotte avec des pommes de terre). ● *dim.*	AE DC MC V	●	■	●	■
Bubión : *Villa Turística de Bubión.* € Calle Barrio Alto (Granada). *958 76 31 11.* Restaurant dans les Alpujarras. Plats de la montagne comme le *plato alpujarreño* (pommes de terre, œufs, saucisse, jambon et échine de porc).	AE DC MC V		■	●	■
Cádiz : *El Aljibe.* €€ Calle Plocia 25. *956 26 66 56.* Ce restaurant est réputé pour la qualité de ses produits et sa cuisine imaginative. Les clams sont délicieux.	AE DC MC V	●		●	■
Cadix : *El Faro.* €€€ Calle San Félix 15. *956 21 10 68.* La carte, aux plats modernes et traditionnels, change chaque jour, mais propose toujours des produits de la mer locaux comme dans les *tortillitas de camarones* (beignets de petites crevettes). Atmosphère chaleureuse.	AE DC MC V	●	■	●	
Cadix : *Ventorillo del Chato.* €€€ Carretera Cádiz–San Fernando km 684. *956 25 00 25.* Vieille auberge servant des produits de la mer, du chevreuil et du ragoût comme la *berza* (légumes et saucisse) ou le *menudo* (tripes). ● *dim.*	AE DC MC V			●	
Cordoue : *Federación de Peñas.* € Calle Conde y Luque 8. *957 47 54 27.* Plats locaux bon marché, dont le *rabo de toro* (queue de taureau braisée), spécialité maison, et les *cardos* (cardons) aux clams.	AE MC V		■	●	■
Cordoue : *Almudaina.* €€ Jardines de los Santos Mártires 1. *957 47 43 42.* Ancien palais de l'évêque Léopold d'Autriche. On y sert des plats de la sierra Morena, notamment du chevreuil et du sanglier.	AE DC MC V		■	●	
Cordoue : *El Churrasco.* €€ Calle Romero 16. *957 29 08 19.* Sa spécialité est la viande grillée au charbon de bois. Bons plats de légumes, dont le *salmorejo* (soupe à la tomate servie avec des tranches croustillantes d'aubergine). Apéritif dans les caves à vins tout près de là. ● *août.*	AE DC MC V	●	■	●	■
Cordoue : *Taberna Pepe de la Judería.* €€€ Calle Romero 1. *957 20 07 44.* Taverne ornée de photographies de clients célèbres. Le gaspacho et le *flamenquín* (rouleaux frits de veau et de jambon) sont conseillés.	AE DC MC V	●	■	●	■
Cordoue : *El Blasón.* €€€ Calle José Zorilla 11 (Córdoba). *957 48 06 25.* Café dans une belle maison ancienne, près du principal quartier commerçant de Cordoue. Idéal pour prendre un repas léger.	AE DC MC V	●	■	●	■
Cordoue : *Caballo Rojo.* €€€ Calle Cardenal Herrero 28 (Córdoba). *957 47 53 75.* caballorojo@teleline.es Joli restaurant. Plats traditionnels souvent inspirés de recettes maures et séfarades. L'agneau au miel et la salade *sefardi* (champignons sauvages, asperges, poivrons rôtis et morue salée) sont délicieux.	AE DC MC V	●	■	●	■
Estepona : *La Alborada.* €€ Puerto Deportivo de Estepona (Málaga). *952 80 20 47.* Café-restaurant sur les quais. Paella et plats de riz excellents comme l'*arroz a la banda* (risotto au poisson), poissons et steaks. ● *mer., week-end en hiver.*	AE DC MC V			●	■

FUENGIROLA : *Portofino.* €€
Edificio Perla 1, Paseo Marítimo 29 (Málaga). *952 47 06 43.*
Restaurant du bord de mer apprécié pour son service et ses plats italiens comme les brochettes de poisson et fruits de mer. *mi-juil.-mi-sept. à midi, lun., début juil.*

AE DC MC V — ■

GRENADE : *Carmen de San Miguel* €€
Plaza Torres Bermejas 3. *958 22 67 23.*
Les spécialités de ce restaurant sont les salades aux fruits de mer et les desserts sont à base de fraises et d'amandes. Vue sur l'Albaicín. *dim.*

AE DC MC V — ■ ● ■

GRENADE : *Don Giovanni.* €
Avenida de Cádiz Zaidin 65. *958 81 87 51.*
Prix quasiment imbattables pour ses pizzas au four et sa grande variété de pâtes, plats de viandes et salades. *mer. et 1 week-end en août.*

V — ■ ■

GRENADE : *Casa Bienvenido.* €€
Calle San José 1, Monachil. *958 50 05 03.*
Cuisine familiale avec des produits (légumes et viande) de la ferme. Plats du jour, dont les lentilles au riz et aux saucisses. *lun.*

DC MC V — ● ■ ● ■

GRENADE : *Chikito.* €€
Plaza Campillo 9. *958 22 33 64.*
Bâti à l'emplacement d'un café où se réunissaient Lorca et ses contemporains, le Chikito a pour spécialités les fèves au jambon et l'omelette Sacromonte. Bon *piononos* (gâteau parfumé à l'anis). *mer.*

AE DC MC V — ● ■ ● ■

GRENADE : *Mirador de Morayma.* €€
Calle Pianista García Carillo 2. *958 22 82 90.*
Restaurant situé dans l'Albaicín avec vue sur l'Alhambra. Il est spécialisé dans les plats grenadins typiques comme le *remojón* (salade d'oranges et de morue) et le *choto albaicinero* (cabri frit à l'ail).

AE MC V — ● ■

GRENADE : *Velázquez.* €€
Calle Emilio Orozco 1. *958 28 01 09.*
Cuisine inventive aux plats inspirés de recettes maures, dont la *bstella* (chausson à la viande avec pignons et amandes), et une soupe à la crème et aux amandes. Ambiance chaleureuse. *dim. et août.*

AE DC MC V — ■ ●

GRENADE : *Ruta del Veleta.* €€€
Carretera Sierra Nevada 50, Cenes de la Vega. *958 48 61 34.*
Tissus et cruches des Alpujarras ornent cet intérieur aussi traditionnel que la cuisine (jeune cabri rôti et bons produits de la mer).

AE DC MC V — ●

HUELVA : *El Estero.* €
Avenida Martín Alonso Pinzón 13. *959 25 65 72.*
Restaurant central servant des plats locaux. La seiche aux haricots *(chocos con habas)* et la sole farcie aux huîtres sont délicieuses.

AE DC MC V — ● ■ ● ■

ISLA CRISTINA : *Casa Rufino.* €€
Avenida de la Playa (Huelva). *959 33 08 10.*
Restaurant apprécié, sur la plage. Le *menu el tonteo* (pour quatre) comprend huit plats de poisson, dont la baudroie à la sauce aux raisins secs. *nov.*

AE DC MC V — ■ ● ■

JABUGO : *Mesón Sánchez Romero Carvajal.* €€
Carretera San Juan del Puerto s / n (Huelva). *959 12 10 71.*
Vous pourrez goûter dans le bar-restaurant attenant les bons jambons de Jabugo fabriqués ici. Les plats au jambon et à la saucisse et ceux au porc *ibérico*, comme la *presa de paletilla al mesón*, ne vous décevront pas.

MC V — ● ● ■

JAÉN : *Casa Vicente.* €€
Calle Francisco Martín Mora 1. *953 23 28 16.*
Plats typiques de Jaén : ragoût d'agneau, épinards en cocotte et artichauts en sauce. Restaurant au cadre classique, avec un patio central.

DC MC V — ● ■ ● ■

JEREZ DE LA FRONTERA : *Gaitán.* €€€
Calle Gaitán 3 (Cádiz). *956 34 58 59.*
Son chef imaginatif mêle les influences basque et andalouse pour créer des plats comme le confit de colin aux légumes rôtis et au laurier ou le blanc de poulet au foie gras et aux pignons.

AE DC MC V — ■ ●

JEREZ DE LA FRONTERA : *La Mesa Redonda.* €€
Calle Manuel de la Quintana 3 (Cádiz). *956 34 00 69.*
Petit restaurant charmant où l'on est manifestement attaché à la bonne cuisine. La *mojama* (thon) est une entrée délicieuse. *dim. et jours fériés.*

AE DC MC V — ■ ●

Légende des symboles, voir rabat de couverture

Prix moyen par personne pour un dîner comprenant trois plats et une demi-bouteille de vin de la maison, taxe et service compris :

€ moins de 20 euros
€€ de 20 à 30 euros
€€€ de 30 à 40 euros
€€€€ plus de 40 euros

Bar à tapas
Outre la salle principale, un bar sert des tapas *(p. 574-575)* et des *raciones* (portions plus importantes).

Menu à prix fixe
Menu en général composé de trois plats, proposé au déjeuner et/ou au dîner. Bon rapport qualité-prix.

Bonne carte des vins
Le restaurant propose un vaste choix de bons vins ou une sélection particulière de vins locaux.

Repas à l'extérieur
Possibilité de manger en terrasse, dans un jardin, une cour ou un patio, souvent avec une belle vue.

	Cartes bancaires	Bar à tapas	Menu à prix fixe	Bonne carte des vins	Tables en terrasse
Loja : *La Finca.* €€€€ Hotel La Bobadilla, Autovía Granada–Sevilla (Granada). ☎ *958 32 18 61.* Restaurant exceptionnel méritant que l'on sorte de l'*autovia*. Son chef accommode de façon originale légumes frais, chapon et porc de la ferme, fruits de mer et gibier (en saison). ▤	AE DC MC V		■	●	■
Málaga : *Marisquería Santa Paula.* €€ Avenida de los Guindos, Barriada Santa Paula. ☎ *952 23 65 57.* Un des bars locaux traditionnels servant des produits de la mer : *fritura* (friture de poissons) et *mariscada* (sélection de fruits de mer). ▤ ♿	AE DC MC V	●	■	●	■
Málaga : *Mesón Astorga.* €€ Calle Gerona 11. ☎ *952 34 68 32.* Table appréciée pour sa cuisine inventive, à base de bons produits de Málaga : aubergines frites à la mélasse, salade de thon frais assaisonnée au xérès et au vinaigre. Bar à tapas animé. ● *dim.* ▤ ♿	AE DC MC V	●		●	■
Manilva : *Macues.* €€ Puerto Deportivo de la Duquesa Local, 13 (Málaga). ☎ *952 89 03 95.* Dans ce restaurant, dont la terrasse couverte donne sur le port, les poissons sont choisis avec soin. La spécialité maison est le poisson au sel, cuit au four. Les viandes aussi sont bonnes. ● *lun. et fév.* ▤ ♿	AE DC MC V			●	■
Marbella : *Triana.* €€€ Calle Gloria 11 (Málaga). ☎ *952 77 99 62.* Restaurant intime de la vieille ville, spécialisé dans les plats de riz à la valencienne. Outre la paella, on y sert du *caldoso con langosta* (riz à la langouste avec beaucoup de sauce). ● *lun.* ▤	AE DC MC V			●	
Marbella : *Santiago.* €€€ Paseo Maritimo 5 (Málaga). ☎ *952 77 43 39.* Probablement le meilleur restaurant de la Costa del Sol pour ses poissons et fruits de mer, dont il propose chaque jour 40 à 50 plats, y compris la paella. Bonnes viandes comme le porc et l'agneau de lait. ● *nov.* ▤ ♿	AE DC MC V		■	●	■
Marbella : *Toni Dalli.* €€€ El Oasis, Carretera de Cádiz km 176 (Málaga). ☎ *952 77 00 35.* Sur la plage, bel édifice blanc à l'ombre de palmiers, idéal pour un grand dîner. Cuisine d'influence italienne avec ses pâtes maison, poissons et viandes. La musique est parfois jouée par Toni en personne. ♿	AE DC MC V		■	●	■
Marbella : *La Hacienda.* €€€€ Urbanización Hacienda Las Chapas, Ctra Cádiz km 193 (Málaga). ☎ *952 83 12 67.* Restaurant dans une belle villa, avec jardins donnant sur la mer. Cuisine andalouse avec des petites touches françaises. Spécialités, dont la pintade à la sauce aux raisins. Gibier en saison. ● *de mi-nov. à mi-déc.* ♿	AE DC MC V		■	●	■
Marbella : *La Meridiana.* €€€€ Camino de la Cruz (Málaga). ☎ *952 77 76 25.* Sur les hauteurs de la ville, ce beau restaurant agrémenté de plantes dispose d'un bar dans le patio. La carte propose des plats comme le *carpaccio* d'espadon, les artichauts au foie gras et du gibier en saison. ● *jan.* ▤	AE DC MC V	●	■	●	■
Mijas : *El Castillo.* €€ Plaza de la Constitución, Pasaje de los Pescadores 2 (Málaga). ☎ *952 48 53 48.* Ce restaurant rustique sert des plats traditionnels andalous et internationaux. Une démonstration de flamenco vous est proposée le week-end. ● *ven.*	DC MC V			●	■
Motril : *Tropical.* €€€ Avenida Rodríguez Acosta 23 (Granada). ☎ *958 60 04 50.* Spécialités de produits de la mer comme le bar à l'*ajo verde* (ail vert) et de viandes comme le *choto a la brasa* (jeune cabri rôti). ● *dim.* ▤	AE DC MC V		■	●	

PALMA DEL RÍO : *Hospedería de San Francisco.* €€ MC V
Avenida Pío XII 35 (Córdoba). ☎ 957 71 01 83.
Ancien monastère retiré. Dans ses cloîtres on savoure les spécialités basques d'une carte qui change sans cesse. 🍴

EL PUERTO DE SANTA MARÍA : *El Faro del Puerto.* €€€ AE DC MC V
Carretera de Rota km 0,5 (Cádiz). ☎ 956 87 09 52.
Sa carte propose des interprétations raffinées de plats modernes. Ne pas manquer les desserts, notamment la glace au xérès oloroso. 🍴 ♿

EL PUERTO DE SANTA MARÍA : *Las Bóvedas.* €€€ AE DC MC V
Monasterio de San Miguel, Calle Larga 27 (Cádiz). ☎ 956 54 04 40.
Restaurant doté de voûtes en brique, dans un ancien monastère. On y sert des poissons, des crustacés et le *tocino de cielo* ou « lard du ciel », dessert à base de jaunes d'œufs, fait par des religieuses. 🍴 ♿

LA RÁBIDA : *Hostería de la Rábida.* €€ AE DC MC V
Paraje de la Rábida (Huelva). ☎ 959 35 03 12.
Restaurant proche d'un monastère du XIVᵉ siècle où réside Christophe Colomb. Spécialités de viande et de produits de la mer. 🍴

RONDA : *Pedro Romero.* €€ AE DC MC V
Calle Virgen de la Paz 18 (Málaga). ☎ 952 87 11 10.
Restaurant face aux arènes servant une bonne cuisine du pays. Le lapin au thym et la queue de taureau braisée sont délicieux. 🍴 ♿

SAN FERNANDO : *Venta Vargas.* €€ AE DC MC V
Avenida Puente Zuazo (Cádiz). ☎ 956 88 16 22.
Café-restaurant à l'ambiance flamenco. Prenez des *raciones* de classiques comme la salade de pommes de terre *(aliñadas)*. ● *lun.* 🍴 ♿

SAN ROQUE : *Los Remas en Villa Victoria.* €€€ AE DC MC V
Ctra San Roque–La Línea 351 Km 2,8, Gibraltar Campamento (Cádiz). ☎ 956 69 84 12.
Établissement sis dans une demeure restaurée, à la décoration méditerranéenne. Produits de la mer de premier choix. Menu de dégustation proposant des algues et des beignets de crevettes. ● *dim.* 🍴

SANLÚCAR DE BARRAMEDA : *Casa Bigote.* €€€ AE DC MC V
Bajo de Guía (Cádiz). ☎ 956 36 26 96.
À l'embouchure du Guadalquivir, cette *taberna* de marins est idéale pour déguster des *langostinos de Sanlúcar* (langoustines douces au goût) et du poisson frais comme les jeunes anguilles. ● *dim.* 🍴 ♿

SANLÚCAR LA MAYOR : *La Alquería.* €€€€ AE DC MC V
Hacienda de Benazuza, Virgen de las Nieves (Sevilla). ☎ 955 70 33 44.
Belle hacienda à la campagne. Son chef propose des plats simples et originaux, tous à base de produits de qualité. ● *de mi-juil. à sept.* 🍴

TORREMOLINOS : *Bar Restaurante Casa Juan.* €€ AE DC MC V
Calle Mar 14, La Carihuela (Málaga). ☎ 952 38 41 06.
Restaurant apprécié, sur la plage, servant poissons dans une croûte de sel, cuits au four, et *fritura malagueña* (friture de poissons). ● *lun. et déc.-mi-janv.* 🍴 ♿

TORREMOLINOS : *Frutos.* €€€ AE DC MC V
Urbanización Los Álamos, Carretera a Cádiz km 228 (Málaga). ☎ 952 38 14 50.
Table illustre de la Costa del Sol. Viandes et poissons de qualité. Le cochon de lait et l'*arroz con leche* (gâteau au riz) sont exquis. 🍴

VERA : *Terraza Carmona.* €€ AE DC MC V
Calle Manuel Giménez 1 (Almería). ☎ 950 39 07 60.
Excellents produits de la mer et plats régionaux inhabituels comme les *gurullos con conejo* (pâtes avec du lapin). ● *lun.* 🍴 ♿

BALÉARES

FORMENTERA, ES PUJOLS : *Sa Palmera.* €€ AE MC V
Playa Es Pujols. ☎ 971 32 83 56.
Restaurant du bord de mer. La paella aux poissons et les fruits de mer en cocotte *(zarzuela de mariscos)* sont bons. Produits frais. ● *nov.-fév.* ♿

IBIZA (EIVISSA), IBIZA : *Ca'n Alfredo.* €€ AE DC MC V
Paseo Vara de Rey 16. ☎ 971 31 12 74.
Établissement apprécié servant des plats régionaux. Nombreux plats de riz et bonne *borrida de ratjada* (ragoût de raie). ● *lun.* 🍴 ♿

Légende des symboles, voir rabat de couverture

Prix moyen par personne pour un dîner comprenant trois plats et une demi-bouteille de vin de la maison, taxe et service compris :

€ moins de 20 euros
€€ de 20 à 30 euros
€€€ de 30 à 40 euros
€€€€ plus de 40 euros

Bar à tapas
Outre la salle principale, un bar sert des tapas *(p. 574-575)* et des *raciones* (portions plus importantes).
Menu à prix fixe
Menu en général composé de trois plats, proposé au déjeuner et/ou au dîner. Bon rapport qualité-prix.
Bonne carte des vins
Le restaurant propose un vaste choix de bons vins ou une sélection particulière de vins locaux.
Repas à l'extérieur
Possibilité de manger en terrasse, dans un jardin, une cour ou un patio, souvent avec une belle vue.

	Cartes bancaires	Bar à tapas	Menu à prix fixe	Bonne carte des vins	Tables en terrasse
Ibiza (Eivissa), Sant Eulària d'es Riu : *Doña Margarita.* €€€ Puerto Deportivo. ☎ *971 33 22 00.* Restaurant sur le port. Poissons frais, parfaitement préparés, et délicieuse mousse au yaourt avec une sauce à la framboise. ● *lun., déc. et janv.* ▤ ♿	AE DC MC V			●	■
Ibiza (Eivissa), Ibiza : *El Cigarral.* €€€ Calle Fray Vicente Nicolás 9. ☎ *971 31 12 46.* Restaurant tenu par une famille. La carte change selon ce qu'il y a de frais au marché. Délicieux steaks et poissons grillés. Une des plus grandes sélections de vins d'Ibiza. ● *dim.* ▤ ♿	AE DC MC V			●	
Ibiza (Eivissa), Sant Antoni : *Sa Capella.* €€€ Carretera Can Germà km 1. ☎ *971 34 00 57.* Restaurant dans une ancienne chapelle. Carte internationale avec des steaks et des poissons de qualité. Dîner uniquement. ● *de nov. à mars.* ♿	MC V			●	■
Ibiza (Eivissa), Sant Josep : *Cana Joana.* €€€ Carretera Ibiza–Sant Josep Km 10. ☎ *971 80 01 58.* Une des tables les plus intéressantes de l'île. Son menu de saison, aux influences catalanes et méditerranéennes, propose des plats comme les pommes de terre aux fruits de mer. ● *nov.-jan. ; juin-oct. : le soir ; fév.-mai : dim. soir, lun.* ♿	AE MC V			●	■
Ibiza (Eivissa), Santa Gertrudis : *Ca'n Pau.* €€€ Carretera de Sant Miquel. ☎ *971 19 70 07.* Cette *masía* (ferme) rustique typique d'Ibiza sert une bonne cuisine catalane et méditerranéenne. Le cabri rôti et le lapin sont quelques-unes de ses spécialités. Bonne sélection de vins catalans. ● *lun., mar. midi.* ♿	AE MC V			●	■
Majorque, Alcúdia : *Mesón Los Patos.* €€ Carretera Sa Pobla–Alcúdia. ☎ *971 89 02 65.* Restaurant familial, bien décoré, avec un jardin et une aire de jeux pour les enfants. Plats typiques de Majorque, dont l'*arroz brut* (riz en sauce servi avec de la viande). ● *mar. et de mi-jan. à fév.* ▤ ♿	AE DC MC V	●	■	●	■
Majorque, Cala d'Or : *Port Petit.* €€€ Avenida Cala Llonga. ☎ *971 64 30 39.* Restaurant donnant sur une marina. Cuisine méditerranéenne inventive avec des classiques : *carpaccio* de saumon et de lotte, turbot à la sauce à la moutarde, fondue au chocolat. Dîner seulement. ● *de nov. à avril.*	AE DC MC V		■	●	■
Majorque, Cala Ratjada : *Ses Rotges.* €€€€ Calle Rafael Blanes 21. ☎ *971 56 31 08.* À l'ombre des palmiers, cette vieille demeure entourée d'azalées est le cadre idéal pour savourer une cuisine française raffinée à base de produits locaux. Bons vins locaux. ● *de nov. à mars.* ♿	AE DC MC V		■	●	■
Majorque, Deià : *Bens d'Avall.* €€€€ Urbanización Costa Deià. ☎ *971 63 23 81.* Perché sur une falaise, ce restaurant offre une belle vue de la côte. Il sert des plats régionaux traditionnels, légèrement modernisés, comme le *carpaccio* de crevettes au pistou et au parmesan. ● *dim. soir, lun. ; de nov. à mars.* ♿	AE DC MC V		■	●	■
Majorque, Deià : *El Olivo.* €€€€ Hotel la Residencia, Finca Son Canals. ☎ *971 63 93 92.* Jolie décoration pour ce restaurant, un des meilleurs de l'île, donnant sur les montagnes. Nouvelle cuisine, délicieuse, aux influences méditerranéennes avec des plats comme l'agneau aux olives cuit au four. ▤ ♿	AE DC MC V		■	●	■
Majorque, Inca : *Celler Ca'n Amer.* €€ Calle Pau 39. ☎ *971 50 12 61.* Vieille cave à vins, superbe. On y sert les plats régionaux les plus authentiques de l'île comme la *sopa mallorquina* (soupe de pain et de légumes). Les plats de riz et le cochon de lait rôti sont bons. ● *dim. ; mai-sept. : sam. et dim.* ▤	AE DC MC V			●	

MAJORQUE, PAGUERA : *La Gran Tortuga.* €€€
Aldea Cala Fornells 1. ☎ *971 68 60 23.*
Belle vue sur la mer de la terrasse où vous pouvez goûter le foie gras maison ou la lotte farcie au saumon fumé avec une sauce aux épinards. L'ambiance est agréable, le service efficace. ● *lun. de déc. à jan.*

MAJORQUE, PALMA DE MAJORQUE : *Ca'n Carlos.* €€
Calle del Agua 5. ☎ *971 71 38 69.*
Ce restaurant a remis à la mode de vieilles recettes des Baléares. On y savoure des plats insulaires authentiques comme l'agneau de lait rôti au four ou le mérou au chou. ● *dim. et jours fériés.* ▤

MAJORQUE, PALMA DE MAJORQUE : *Porto Pí.* €€€€
Calle Garita 25. ☎ *971 40 00 87.*
Vieille maison élégante, entourée de jardins. On y déguste une cuisine méditerranéenne, à base d'ingrédients de premier choix. ● *dim.* ▤

MAJORQUE, POLLENÇA : *Celler Ca Vostra.* €€
Carretera Alcúdia–Port de Pollença. ☎ *971 86 55 46.*
Ancien bar à vins, décoré de vieux tonneaux. Cuisine régionale typique : poissons frais et *escudella* (ragoût de légumes). ● *mar.* ▤ ♿

MAJORQUE, PORT D'ANDRATX : *Layn.* €€
Calle Almirante Riera Alemany 19. ☎ *971 67 18 55.*
Le Layn, grâce à son bateau de pêche, sert les produits les plus frais qui soient. Il propose aussi des spécialités de viande (cochon de lait rôti, bœuf au chou, etc.). Terrasse sur la mer. ● *lun., déc.-mi-jan.*

MAJORQUE, PORT D'ANDRATX : *Miramar.* €€
Avenida Mateo Bosch 22. ☎ *971 67 16 17.*
Restaurant donnant sur une marina. La famille qui le tient sert de bons produits de la mer et des spécialités comme l'*arroz negro* (riz à l'encre de calmar) et les crevettes dans le gros sel. Service impeccable. ● *de mi-déc. à mi-jan.*

MAJORQUE, SÓLLER : *El Guía.* €€€
Calle Castañer 2. ☎ *971 63 02 27.*
On vient de loin pour les artichauts farcis aux épinards de l'El Guía. Cuisine familiale savoureuse à des prix très intéressants. ● *lun. soir de nov. à avr.* ▤ ♿

MAJORQUE, SON SERVERA : *S'Era de Pula.* €€€
Carretera Son Servera–Capdepera. ☎ *971 56 79 40.*
Maison rustique dans un lieu paisible avec vue sur les montagnes. Le mélange intéressant des cuisines continentale et locale donne des plats comme la morue à l'ail. ● *lun. et jan.* ▤ ♿

MINORQUE, CIUTADELLA : *Club Nautico Ca's Quintu.* €€
Cami Baex 8, Puerto. ☎ *971 38 10 02.*
Table du centre-ville proposant des plats minorquins traditionnels et particulièrement du poisson frais. Spécialité maison : la *caldera de langosta* (langouste en cocotte). Bonne *caldera de mariscos* (aux fruits de mer).

MINORQUE, CIUTADELLA : *Casa Manolo.* €€€€
Calle Marina 117. ☎ *971 38 00 03.*
Restaurant animé du port, dont la belle terrasse donne sur la marina. On y sert des plats régionaux comme la grillade de poissons minorquins, le riz aux produits de la mer et la langouste en cocotte. ● *nov.-avr.* ▤ ♿

MINORQUE, FORNELLS : *Es Cranc.* €€€
Calle Escoles 31. ☎ *971 37 64 42.*
Établissement réputé, avec raison, dans toute l'île pour la fraîcheur de ses produits de la mer et leur préparation. La *calderata* de langouste et les crevettes grillées sont délicieuses. ● *mer. et de déc. à fév.* ▤ ♿

MINORQUE, MAHON : *Jágaro.* €€
Moll de Levant 334. ☎ *971 36 23 90.*
Le Jágaro offre une vue magnifique sur le port. L'été, on y sert surtout des poissons et des fruits de mer, l'hiver des ragoûts. La tarte aux pommes de terre et celle aux amandes sont des desserts appréciés. ● *fév., dim. soir et lun. soir.* ▤ ♿

MINORQUE, ES MERCADAL : *Ca'n Aguedet.* €€
Calle Lepanto 23–30. ☎ *971 37 53 91.*
Vrais plats minorquins comme le lapin aux figues, la seiche aux crevettes et aux pignons ou l'*arroz de tierra* (plat de riz et de viande) de l'époque maure. Bon vin produit par le propriétaire. ▤

La Gran Tortuga	AE DC MC V			●	■
Ca'n Carlos	AE MC V			●	
Porto Pí	AE DC MC V		■	●	■
Celler Ca Vostra	MC V		■	●	■
Layn	AE DC MC V		■		●
Miramar	AE DC MC V		■	●	■
El Guía	AE DC MC V		■	●	
S'Era de Pula	AE DC MC V	●	■	●	■
Club Nautico Ca's Quintu	AE MC V	●	■	●	■
Casa Manolo	AE DC MC V			●	■
Es Cranc	MC V		■	●	
Jágaro	AE DC MC V		■	●	■
Ca'n Aguedet	AE DC MC V		■	●	

Légende des symboles, voir rabat de couverture

Prix moyen par personne pour un dîner comprenant trois plats et une demi-bouteille de vin de la maison, taxe et service compris :

€ moins de 20 euros
€€ de 20 à 30 euros
€€€ de 30 à 40 euros
€€€€ plus de 40 euros

Bar à tapas
Outre la salle principale, un bar sert des tapas *(p. 574-575)* et des *raciones* (portions plus importantes).

Menu à prix fixe
Menu en général composé de trois plats, proposé au déjeuner et/ou au dîner. Bon rapport qualité-prix.

Bonne carte des vins
Le restaurant propose un vaste choix de bons vins ou une sélection particulière de vins locaux.

Repas à l'extérieur
Possibilité de manger en terrasse, dans un jardin, une cour ou un patio, souvent avec une belle vue.

Canaries

Restaurant	Prix	Cartes bancaires	Bar à tapas	Menu à prix fixe	Bonne carte des vins	Tables en terrasse
Fuerteventura, Puerto del Rosario : *Benjamín.* Calle León y Castillo 139. *928 85 17 48.* Cuisine des Canaries inventive, à base de produits locaux uniquement. Les pommes de terre au *mojo* (sauce épicée), le fromage de chèvre et le sorbet de figues de Barbarie sont conseillés. *dim. et jours fériés.*	€€	MC V		■	●	
Fuerteventura, Puerto del Rosario : *La Casa del Jamón.* La Asomada. *928 53 00 64.* Restaurant décoré comme un *mesón* espagnol traditionnel. La famille qui le tient sert des plats basques et régionaux, dont le cabri rôti. Bon choix de fromages et de viandes froides ibériques. *lun., dim. soir.*	€€	DC MC V		■	●	
La Gomera, San Sebastián de la Gomera : *Casa del Mar.* Avenida Fred Olsen 2. *922 87 12 19.* Restaurant de style familial, proche du port, servant des plats simples de produits de la mer. Marmite, grillade et paella de poisson. *dim.*	€	AE DC MC V	●			
Gran Canaria, Cruz de Tejeda : *El Refugio.* Cruz de Tejeda. *928 66 65 13.* Cet hôtel-restaurant domine les belles montagnes du centre de l'île. Le cabri rôti traditionnel ne vous décevra pas.	€€	AE DC MC V	●	■	●	■
Gran Canaria, Maspalomas : *Orangerie.* Hotel Palm Beach, Avenida Oasis. *928 14 08 06.* Cadre tropical luxueux. Cuisine inventive, haut de gamme, à savourer à l'intérieur ou à l'extérieur. Dîner seulement. *jeu., dim., juin.-juil.*	€€€€	AE DC MC V		■	●	
Gran Canaria, Las Palmas : *Casa Carmelo.* Paseo de las Canteras 2. *928 46 90 56.* La salle du premier étage offre une vue superbe sur Las Palmas et la mer. La nuit, le spectacle est plus beau encore. Spécialités de viandes grillées au charbon de bois et de poissons frais.	€€	AE DC MC V		■	●	
Gran Canaria, Las Palmas : *Mesón La Cuadra.* Calle General Mas de Gaminde 32. *928 24 33 80.* Vous avez le choix entre les tapas variées et alléchantes, au bar, ou la carte « de la ferme » du propriétaire. Elle propose de l'agneau de lait, du fromage de chèvre et un dessert au lait caillé. *lun.*	€€	AE DC MC V	●	■	●	
Gran Canaria, Playa del Inglés : *Tenderete II.* Avenida Tirajana 5. *928 76 14 60.* Cuisine typique dans un restaurant privilégiant les produits de la mer. Le poisson au gros sel et le *potaje de berros* (soupe au cresson) sont des spécialités maison. Goûtez la *manga* locale, sorte de mangue. *dim.*	€€	AE DC MC V	●		●	■
Gran Canaria, Santa Brígida : *Las Grutas de Artiles.* Las Meleguinas. *928 64 05 75.* Restaurant dans des grottes. Spécialités des Canaries et grillades de viande. Les jardins et la piscine enchantent les enfants.	€€	AE DC MC V	●	■	●	■
Gran Canaria, Vega de San Mateo : *Museo Cho-Zacarías.* Avenida de Tinamar. *928 66 06 27.* Restaurant dans de vieilles maisons de fermiers. Plats traditionnels des Canaries comme le *cherne* (poisson local) à la sauce à la coriandre et la soupe au cresson. Déjeuner uniquement. *lun.*	€	AE MC V			●	■
El Hierro, La Restinga : *Casa Juan.* Calle Juan Gutiérrez Monteverde 23. *922 55 71 02.* Restaurant peu cher, sans fioritures, où les familles viennent en nombre. Délicieux poissons comme la *vieja* et le *cherne* à la sauce *mojo.* *mer.*	€	MC V	●			

LANZAROTE, ARRECIFE : *Castillo de San José.* €€ Castillo de San José. ☎ *928 81 23 21.* Cette forteresse du XVIe siècle abrite désormais une galerie d'art contemporain et un restaurant. Spécialités internationales et régionales à savourer en contemplant les œuvres d'art aux murs et le port. ▤	AE MC V	●	■	●	
LANZAROTE, COSTA TEGUISE : *Mesón La Jordana.* €€ Centro Comercial de Lanzarote, Golfe de Lanzarote. ☎ *928 59 03 28.* Jolie auberge très appréciée. Plats locaux avec une petite touche française. Le *cherne* frais et le cabri rôti sont très bons. ● *dim. et sept.* ▤ ♿	AE MC V	●		●	■
LANZAROTE, ARRECIFE : *Colón.* €€€ Cuidad jardin, playa del Cable. ☎ *928 80 56 49.* Ce restaurant à la décoration nautique propose une cuisine internationale et régionale. Sa carte comporte du foie gras frais de canard et des plats de poisson de la meilleure qualité. Excellente carte des vins. ▤ ♿	AE DC MC V	●	■	●	■
LANZAROTE, YAIZA : *Casa Salvador.* €€ Avenida Playa Blanca. ☎ *928 51 70 25.* Établissement sur la plage servant des poissons et des crustacés venant d'être pêchés. Steaks grillés et paellas savoureux.	DC MC V			●	■
LANZAROTE, YAIZA : *La Era.* €€ Calle El Barranco 3. ☎ *928 83 00 16.* La Era est dans une des rares maisons de campagne épargnées par les éruptions entre 1730 et 1736. Spécialités régionales comme l'agneau, le cabri ou le ragoût de lentilles. Jolies salles rustiques. ♿	AE DC MC V	●	■	●	
LA PALMA, SANTA CRUZ DE LA PALMA : *Chipi Chipi.* € Calle Juan Mayor 42. ☎ *922 41 10 24.* À 6 km à peine de la ville, ce restaurant possède des salles donnant sur un joli patio. Ses spécialités sont les grillades de viandes et les plats locaux, dont la soupe aux pois chiches. Bonne sélection de vins de l'île. ● *mer., dim. et d'oct. à mi-nov.* ♿	AE DC MC V	●	■	●	■
TENERIFE, ADEJE : *El Patio.* €€€€ Hotel Jardín Tropical, Urbanización San Eugenio. ☎ *922 74 60 00.* Ce restaurant au cadre enchanteur possède un adorable patio fleuri, idéal pour les douces nuits d'été. Cuisine moderne, inventive, à base de produits locaux. Dîner uniquement.	AE DC MC V			●	■
TENERIFE, ARONA : *Los Corales.* €€ Carretera General del Norte 130, Santa Úrsula. ☎ *922 30 19 18.* La vraie cuisine des Canaries, avec des touches originales, à savourer en contemplant la vallée. Le *carpaccio* de viande ou de poisson et le traditionnel *conejo en salmorejo* (terrine de lapin) sont recommandés. ● *lun.* ♿	AE DC MC V		■	●	
TENERIFE, PUERTO DE LA CRUZ : *Magnolia « Felipe el Payés ».* €€€ Avenida Marqués de Villanueva del Prado. ☎ *922 38 56 14.* Cuisine catalane garantie, dont le traditionnel *pan con tomate* (pain avec de la tomate) et le *suquet* (poisson en cocotte), servie dans une superbe salle moderne ou dans les jardins. ● *mar.* ▤ ♿	AE DC MC V	●	■	●	■
TENERIFE, PUERTO DE LA CRUZ : *Regulo.* €€ Calle Perez Zamora 16. ☎ *922 38 45 06.* Une ancienne demeure du XVIe siecle, près du centre et du vieux port, avec un agréable patio. Le menu fait la part belle au poisson frais. ● *dim, juil.* ▤ ♿	AE DC MC V	●		●	■
TENERIFE, SANTA CRUZ DE TENERIFE : *Café del Príncipe.* € Plaza del Príncipe de Asturias. ☎ *922 27 88 10.* Bons plats locaux dans un joli restaurant donnant sur la place du centre-ville. ● *lun.* ♿	MC V	●	■	●	■
TENERIFE, SANTA CRUZ DE TENERIFE : *El Coto de Antonio.* €€€ Calle General Goded 13. ☎ *922 27 21 05.* Excellentes spécialités régionales dans ce restaurant simple, près des arènes. La salade de pommes de terre, morue et poivrons, à l'huile d'olive, est un des plats favoris, ainsi que la *vieja* à la sauce à la coriandre. ● *dim. et août.* ▤ ♿	AE DC MC V			●	
TENERIFE, TEGUESTE : *El Drago.* €€€ Urbanización San Gonzálo 1. ☎ *922 54 30 01.* Dans cette ravissante ferme rustique du XVIIIe siècle, on savoure d'excellents plats des Canaries comme la traditionnelle soupe au cresson, le *puchero* (soupe de légumes et de viande) et le poisson en cocotte. ● *lun., mar.-jeu. et dim. soir, 15 j. en août.* ♿	AE DC MC V		■	●	

Légende des symboles, voir rabat de couverture

JUAN

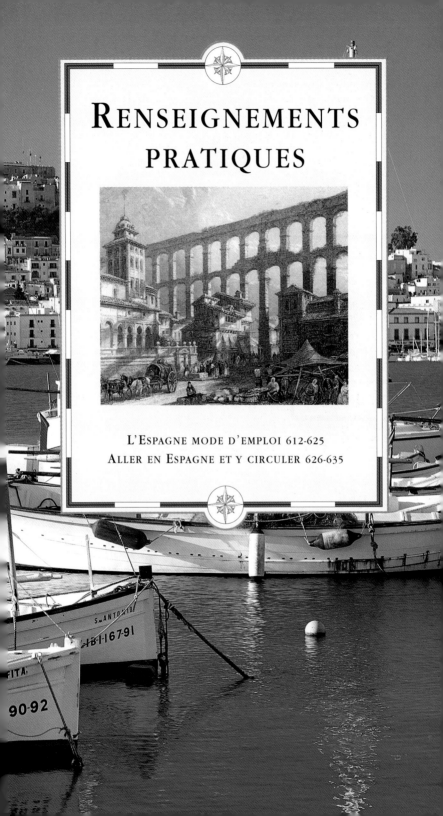

RENSEIGNEMENTS PRATIQUES

MODE D'EMPLOI

L'Espagne a enfin commencé à promouvoir le tourisme ailleurs que sur ses côtes. Elle possède désormais une solide infrastructure d'information : offices du tourisme nationaux dans les grandes villes, régionaux dans les autres. Ils aident à découvrir les activités locales, à trouver logements et restaurants. Nombre d'entreprises ferment en août, la plupart des Espagnols prenant alors leurs congés. Les routes sont donc encombrées au début et à la fin du mois. Quelle que soit la date de votre séjour, vérifiez s'il coïncide avec des fêtes locales. Elles attirent certes du monde, mais entraînent la fermeture de nombreux commerces. Presque toute activité cesse en Espagne de 14 h à 17 h ; aussi, prenez votre temps pour déjeuner.

Panneaux anciens

Panneau de parking en basque et en castillan

Les langues

Le *castellano* (castillan), principale langue d'Espagne, est parlé par presque tout le monde. Les trois grandes langues régionales sont le catalan, le *gallego* (galicien) et l'*euskera* (basque). Des langues proches du catalan sont parlées dans la région de Valence et aux Baléares.

Vous trouverez souvent des personnes parlant français dans les endroits fréquentés par les touristes.

Les us et coutumes

Ne soyez pas surpris de voir les Espagnols dire bonjour et au revoir à des inconnus aux arrêts de bus, dans les ascenseurs et autres lieux publics. Ils abordent facilement des gens qu'ils ne connaissent pas, sans aucune intention de les importuner. N'hésitez donc pas à leur demander un renseignement, ils feront tout pour vous aider.

Visas et passeports

Les visas ne sont pas nécessaires pour les ressortissants de l'Union européenne. Il leur suffit d'une carte d'identité ou d'un passeport, même périmé depuis moins de cinq ans.

La liste des formalités d'entrée en Espagne est fournie par les ambassades d'Espagne. Elle indique 35 autres pays, notamment le Canada et la Suisse, dont les citoyens n'ont pas besoin de visa pour un séjour de moins de 90 jours. S'ils veulent le prolonger, ils peuvent s'adresser sur place au *gobierno civil* (représentation du gouvernement à l'échelon local). Il faut habituellement fournir la preuve qu'on a un emploi ou des fonds suffisants pour subvenir à ses besoins au cours d'un long séjour.

Si vous comptez rester longtemps en Espagne, contactez l'ambassade d'Espagne plusieurs mois à l'avance pour savoir quelles sont les conditions requises dans votre cas.

La douane et les produits détaxés

Qui n'appartient pas à l'UE peut demander le remboursement de l'*IVA* (TVA) sur les articles de plus de 90 euros chacun, achetés dans les magasins indiquant « détaxe pour touristes » (nourriture, boissons, tabac, voitures, motos et médicaments sont exemptés). Il faut payer la totalité, demander au vendeur un *formulario* (formulaire d'exemption de taxe) et le faire tamponner (il doit dater de moins de six mois) par le douanier en quittant l'Espagne. On est remboursé par le Banco Exterior dans les aéroports de Barcelone, Madrid, Majorque, Malaga, Oviedo, Santander et Séville sur présentation des *formularios* tamponnés, ou plus tard par courrier ou virement.

L'information touristique

Les grandes et petites villes proposent des *oficinas de turismo* qui fournissent des plans de la ville, la liste des hôtels et restaurants, des informations sur la localité, ses activités, ses fêtes, etc.

À l'étranger, chaque grande ville possède un **office espagnol du tourisme**.

Les heures d'ouverture

La plupart des monuments et musées sont fermés le lundi. Les autres jours, ils ouvrent en général de 10 h à 14 h, ferment de 14 h à 17 h, et rouvrent parfois de 17 h à 20 h. Les églises suivent ces horaires ou n'ouvrent que pour les messes. Musées et monuments sont en général payants.

Dans les petites villes,

Enseigne des offices du tourisme avec un « i » pour logo

◁ **La vieille ville d'Ibiza et ses remparts du XVIe siècle vus depuis le port**

Les étudiants bénéficient de réductions dans les musées

églises, châteaux, etc., sont souvent fermés. Il faut alors demander la clé au gardien vivant à côté, à la mairie, voire au bar local.

Les aménagements pour handicapés

L'association nationale d'Espagne pour les handicapés, ou Confederación Coordinadora Estatal de Minusválidos Fisicos de España (COCEMFE), possède un tour-opérateur, Servi-COCEMFE *(p. 533)*. Il publie des guides des hébergements adaptés en Espagne et aide les handicapés à organiser leurs vacances selon leurs besoins individuels. Offices du tourisme, services sociaux des mairies peuvent vous renseigner sur les conditions et les hébergements locaux. L'agence de voyages **Viajes 2000** est spécialisée dans les vacances pour les personnes handicapées. IDH France *(p. 533)* se charge entre autres du transport des handicapés vers l'Espagne.

Le signe de COCEMFE pour l'accès des handicapés

L'heure locale

Été comme hiver, l'Espagne vit à la même heure que la France. Seules les îles Canaries ont toujours une heure de moins que la France. En Espagne, si vous désirez obtenir l'horloge parlante, composez le 093.

La journée est divisée en quatre moments. *La madrugada* désigne l'aube. *La mañana* (matin) dure jusqu'au déjeuner qui, en Espagne, n'a lieu qu'aux alentours de 14 h. Le *mediodía* (midi) va de 13 h à 16 h. *La tarde* comprend l'après-midi et le soir.

Les facilités pour étudiants

La carte internationale d'étudiant donne droit à certaines réductions sur les voyages et les entrées dans les musées et les expositions. En France, informez-vous auprès du **Centre Régional des Œuvres Universitaires et Scolaires (CROUS)**. Dans les grandes villes espagnoles, adressez-vous aux **Centros de Información Juvenil (CIJ)**. **Turismo y Viajes Educativos (TIVE)** est spécialisé dans les voyages pour étudiants.

Les adaptateurs électriques

En Espagne, l'électricité est en 220 volts, mais de vieux immeubles ont encore du 125 volts. Les prises pour les deux systèmes ont des broches rondes. Pensez à apporter un adaptateur, notamment si vos appareils ont des broches plates. N'utilisez les radiateurs qu'avec du 220 volts.

Carnet d'adresses

Ambassades

Belgique
Paseo Castellana 18, 28046 Madrid. *915 77 63 00.*

Canada
Nuñez de Balboa 35, 28001 Madrid. *914 31 43 00.*

France
Salustiano Olozaga 9, 28001 Madrid. *914 23 89 00.*

Suisse
Nuñez de Balboa 35, 28001 Madrid. *914 36 39 60.*

Offices espagnols du tourisme

Madrid
Calle Duque de Medinaceli 2, 28014 Madrid. *914 29 49 51.*

Barcelone
Palau Robert, Paseo de Gracia 107, 08008 Barcelone.
932 38 40 00.
www.gencat.es/probert

Belgique
Avenue des Arts, 21, 1000 Bruxelles. *(2) 280 19 26.*

Canada
102 Bloor Street West 14th Floor, Toronto, Ont. M5S 1M8.
416 961 31 31.

France
43, rue Descamps, 75016 Paris.
01 45 03 82 50.

Suisse
15, rue Ami-Levrier, 1201 Genève. *22 731 11 33.*

Handicapés

Viajes 2000
Paseo de la Castellana 228-230 28046 Madrid. *913 23 10 29.*
www.viages2000.com

Jeunes et étudiants

CIJ
Gran Via 10, 28013 Madrid.
915 80 42 42.
www.comadrid.es/infojoven

TIVE
Calle Fernando el Católico 88, 28015 Madrid. *915 43 74 12.*
www.comadrid.es

Santé et sécurité

En Espagne, les campagnes sont en général sûres, mais certains quartiers des grandes villes le sont moins. Portez donc cartes et argent dans une ceinture et ne laissez rien dans votre voiture. Si vous perdez vos papiers, contactez votre consulat ou la police.

Si vous êtes malade, les pharmaciens espagnols peuvent conseiller et parfois prescrire des médicaments. Les numéros d'urgence varient selon les régions. Les principaux sont cités à la page suivante.

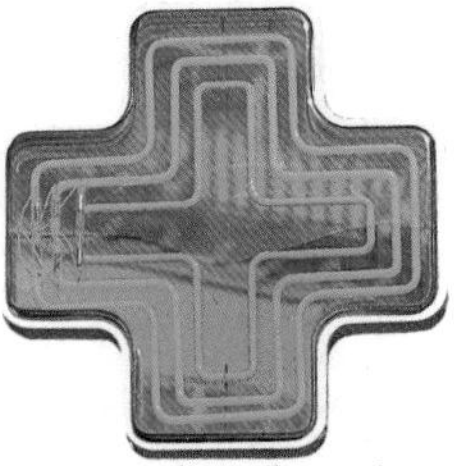

Enseigne d'une pharmacie

En cas d'urgence

Seule la *policía nacional* a un numéro d'urgence pour tout le pays. Même si vous avez besoin d'un autre service, composez-le et on vous dira où trouver de l'aide. Les numéros d'urgence locaux sont dans l'annuaire, à la rubrique *Servicios de Urgencia*, et sur les plans et dépliants touristiques.

Pour les urgences médicales, appelez la *Cruz Roja* (Croix-Rouge) ou les *ambulancias* indiquées dans l'annuaire, ou allez aux urgences *(urgencias)* de l'hôpital.

Les soins médicaux

Les ressortissants de l'UE sont couverts en Espagne s'ils sont munis du formulaire E 111, disponible dans leur propre centre de sécurité sociale. Faites-en des photocopies, car vous devrez en donner un exemplaire à qui vous soignera. Il est accompagné d'une notice précisant vos droits. Vous aurez peut-être à payer et serez remboursé ultérieurement.

Tous les traitements ne sont pas couverts par le formulaire E 111 et certains coûtent cher. Arrangez-vous pour avoir une couverture médicale avant de voyager.

Pour les consulations privées, demandez à un office du tourisme, à votre ambassade ou à l'hôtel les coordonnées d'un médecin qui parle le français si besoin est.

Panneau indiquant un centre d'urgence de la Cruz Roja (Croix-Rouge)

Les pharmacies

Les pharmaciens espagnols peuvent prescrire des médicaments sans avis du médecin. S'il n'y a pas urgence, voyez d'abord un *farmacéutico*. Beaucoup parlent l'anglais ou le français.

Les *farmacias* sont signalées par une croix rouge ou verte. En ville, celles ouvertes la nuit sont indiquées sur la vitrine des autres pharmacies. Ne les confondez pas avec les *perfumerías* qui ne vendent que des produits de beauté.

La sécurité des personnes

En Espagne comme partout, mieux vaut ne pas traîner seul dans les coins mal famés et porter sacs et appareils-photos en bandoulière. Par ailleurs, les hommes font souvent des compliments *(piropos)* aux femmes dans la rue. Ce n'est qu'une habitude et il n'y a pas lieu de s'en formaliser.

La police

Il y a trois grandes polices en Espagne. La *guardia civil* (garde nationale), en uniforme vert olive avec des variantes locales, intervient surtout en zone rurale. Elle donne des amendes en cas d'infraction au code de la route.

La *policía nacional*, en uniforme bleu, opère dans les villes de plus de 30 000 habitants. Elle a été remplacée par l'*ertzaintza* au Pays basque et la *mossos d'esquadra* en Catalogne, reconnaissables à leur béret respectivement rouge et bleu.

La *policía local*, dite *policía municipal* ou *guardia urbana*, est vêtue de bleu. Elle agit de manière indépendante dans chaque ville et a une section chargée de la circulation urbaine.

Guardia civil **Policía nacional** **Policía local**

CARNET D'ADRESSES

NUMÉROS D'URGENCE

Urgences : tous services
112 (villes principales).

Policía Nacional
091 (pour toute l'Espagne).

Pompiers (Bomberos)
080 (Madrid, Barcelone et Séville).

Ambulance : (Croix-Rouge, Cruz Roja)
91 522 22 22 (ce numéro est celui de la Croix-Rouge pour toute l'Espagne).

La voiture de la Policía nacional, la plus importante police urbaine

La voiture de la Policía local qu'on voit surtout dans les petites villes

L'ambulance de la Cruz Roja (Croix-Rouge)

Le numéro des pompiers inscrit sur leur camion varie selon la région

Ces trois polices vous guideront vers l'autorité compétente en cas d'incident nécessitant l'aide de la police.

L'AIDE JURIDIQUE

Certaines assurances couvrent les frais juridiques, après un accident par exemple. Si vous n'êtes pas couvert, appelez votre consulat local ou l'association d'avocats *(colegio de abogados)* la plus proche ; elle vous indiquera où obtenir des conseils juridiques ou vous recommandera un avocat. S'il vous faut un interprète, cherchez la rubrique *Traductores* ou *Intérpretes* dans les *páginas amarillas* (pages jaunes) de l'annuaire régional. Seuls les *traductores oficiales* et *traductores jurados* peuvent traduire les documents légaux ou officiels.

LES BIENS PERSONNELS

L'assurance vacances vous protège financièrement en cas de perte ou de vol, mais le mieux est toujours de prendre ses précautions.

Si vous devez porter de grosses sommes, prenez des chèques de voyage. Ne transportez pas deux cartes bancaires ensemble. Veillez à vos bagages et à votre sac à main où que vous soyez, notamment dans les cafés. En cas de vol ou de perte, allez au commissariat dès que vous vous en rendez compte. Pour de nombreuses compagnies d'assurance, vous n'êtes plus couvert si vous ne l'avez pas fait dans les 24 heures ! Demandez à la police une *denuncia* (déclaration) ; il la faut pour votre compagnie d'assurance. Si votre passeport a été volé ou perdu, informez aussi votre consulat.

TOILETTES PUBLIQUES

Les toilettes publiques (en général appelées *los servicios*) sont rarement payantes en Espagne, mais le papier hygiénique n'est pas toujours fourni. Il vous faudra parfois demander la clef *(la llave)* dans les stations-service et dans certains bars de village.

LES IMPRÉVUS

L'Espagne est en proie chaque été à des feux qu'attisent les vents et qu'alimente une végétation très sèche. Ne jetez donc pas de mégot par la fenêtre de votre voiture et n'oubliez pas vos bouteilles vides.

En forêt, le panneau *coto de caza* indique une réserve de chasse réglementée. *Toro bravo* signifie « taureau de combat » ; n'approchez surtout pas. Le panneau *camino particular* indique une voie privée.

En montagne, grimpeurs et randonneurs doivent être équipés et prévenir à quelle heure ils pensent rentrer.

Banques et monnaie

On peut introduire en Espagne n'importe quelle somme d'argent, mais pour sortir plus de 6 000 euros, il faut faire une déclaration. Les Eurochèques sont largement acceptés. Les chèques de voyage peuvent être échangés dans certains hôtels et magasins, les *cajas de cambio* (bureaux de change) et les banques. Ces dernières offrent en général le meilleur taux. Le plus avantageux est parfois de tirer de l'argent avec sa carte bancaire dans un distributeur automatique portant le sigle approprié.

Les horaires des banques

Les grandes agences bancaires des villes restent ouvertes de plus en plus longtemps. En général, elles ouvrent de 8 h à 14 h en semaine. Certaines sont ouvertes jusqu'à 13 h le samedi. En août, la plupart ferment ce jour-là. Dans certaines villes, elles sont aussi fermées le samedi de mai à septembre.

Bureau de change

Le change

La plupart des banques ont un bureau de change (*cambio* ou *extranjero*). Apportez votre passeport pour toute transaction.

Dans une banque, on peut retirer jusqu'à 300 euros avec les principales cartes de paiement. Certaines banques françaises comme la Banque Nationale de Paris et le Crédit Lyonnais ont des agences en Espagne.

Les bureaux de change (*caja de cambio* ou « change ») prennent une commission plus élevée que les banques, mais ouvrent souvent plus longtemps. En ville, ils sont situés près des sites touristiques.

Vous pouvez aussi échanger vos devises dans les *cajas de aborro* (caisses d'épargne). Elles ouvrent de 8 h 30 à 14 h en semaine et le jeudi après-midi de 16 h 30 à 19 h 45.

Chèques et cartes

Les chèques de voyage peuvent être achetés auprès de toutes les banques, d'American Express et de Thomas Cook. Tous sont acceptés. Si vous échangez des American Express dans un bureau du même nom, vous ne payez pas de commission.

Pour encaisser des chèques de plus de 3000 , il faut prévenir la banque 24 heures à l'avance. Pour retirer plus de 600 en chèques de voyage, l'établissement demandera le certificat d'achat de vos chèques. La carte la plus acceptée en Espagne est la **Visa**. La **Mastercard** (Access)/Eurocard et l'**American Express** sont aussi fort utiles. Les principales banques acceptent les retraits de liquide avec les cartes de paiement différé.

Quand vous payez par carte, les caissiers utilisent une machine, parfois reliée à un petit boîtier sur lequel il faut taper son code secret.

Machine pour cartes bancaires

Distributeur automatique (24 h/24)

Les distributeurs automatiques

Pour tirer de l'argent sur votre compte en France, il suffit d'utiliser les distributeurs automatiques. Ils sont répandus et acceptent presque tous la Visa ou la Mastercard (Access).

Quand vous tapez votre code secret, les instructions sont données en français, en espagnol et en anglais. Beaucoup de distributeurs sont dans un local fermé. Pour y entrer, glissez votre carte dans la fente près de la porte.

Les cartes avec les logos Cirrus et Maestro sont acceptées dans de nombreux distributeurs.

Carnet d'adresses

Banques françaises

Banque Nationale de Paris
Jenova 27, 28004 Madrid.
913 49 11 00.

Crédit Lyonnais
Paseo de la Castellana 35, 28046 Madrid. *913 49 20 00.*

Cartes et chèques de voyage perdus

American Express
(00 44) 1273 696933 (appel international gratuit).

Diners Club
(00 44) 1252 513500 (appel international gratuit).

Mastercard (Access)
913 62 62 00 (Espagne).

Visa
900 99 11 24 (Espagne).

L'Euro

Douze pays ont remplacé leur monnaie nationale par une monnaie unique européenne, l'euro : l'Allemagne, l'Autriche, la Belgique, l'Espagne, la Finlande, la France, la Grèce, l'Irlande, le Luxembourg, les pays-Bas, le Portugal et l'Italie. Le Royaume-Uni, le Danemark et la Suède, ne font pour l'instant pas partie de la zone euro. Les pièces et les billets ont été mis en circulation le 1er janvier 2002. En Espagne, une période de transition a permis d'utiliser les pesetas et les euros simultanément, et la peseta a disparu au second semestre 2002 (avec des décalages selon les régions). Toutes les pièces et les billets de la monnaie unique sont utilisables partout dans les pays de la zone euro.

Les billets

Les billets en euros existent en 7 coupures. Leur taille et leur couleur sont différentes selon leur valeur. Le billet de 5 (de couleur grise) est le plus petit, le billet de 10 est rouge, le billet de 20 est bleu, le billet de 50 est orange, le billet de 100 est vert, le billet de 200 est brun-jaune et celui de 500 est violet.

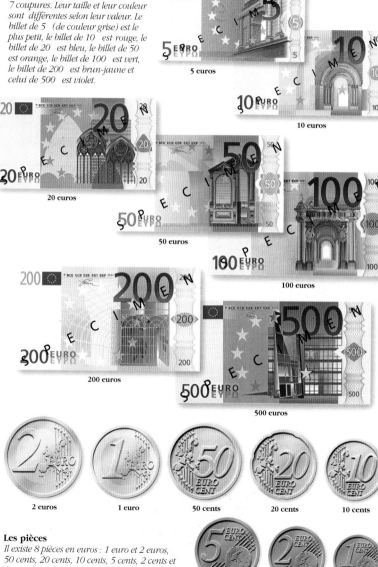

5 euros

10 euros

20 euros

50 euros

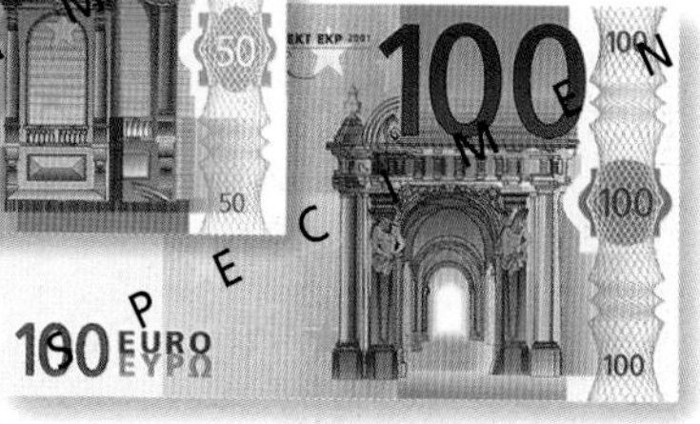

100 euros

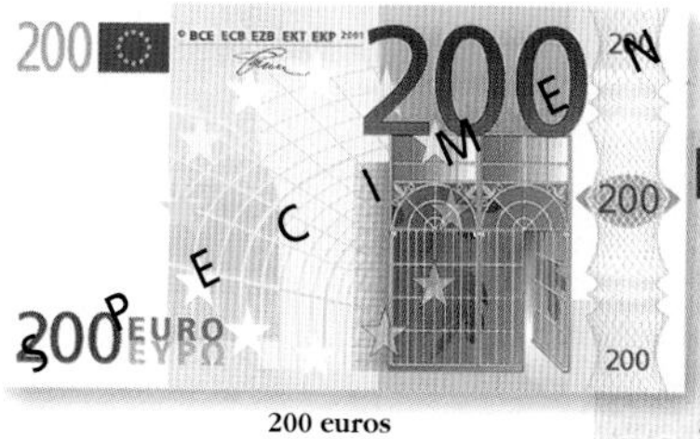

200 euros

500 euros

2 euros

1 euro

50 cents

20 cents

10 cents

Les pièces

Il existe 8 pièces en euros : 1 euro et 2 euros, 50 cents, 20 cents, 10 cents, 5 cents, 2 cents et 1 cent. Les pièces de 1 et de 2 euros sont dorées et argentées. Les pièces de 5, 2 et 1 cents sont de couleur bronze.

5 cents

2 cents

1 cent

Les magasins et les marchés

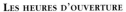

Cruche ou *porrón* de verre

Il est plaisant de faire des achats en Espagne, surtout pour ceux qui ne sont pas pressés et s'accordent souvent des pauses café. Dans les petites boutiques, tenues par des familles, les commerçants se mettront en quatre pour satisfaire vos moindres demandes. Les marchés proposent les produits les plus frais et presque tous les épiciers vendent des vins de qualité. Le cuir reste un des artisanats les plus prisés d'Espagne. Le design occupe une place prépondérante dans la décoration et la mode. Vous trouverez ci-dessous quelques conseils pour faire au mieux vos emplettes en Espagne.

Produits frais sur un marché de Pollença (Majorque)

Les heures d'ouverture

Les boutiques ouvrent de 10 h à 14 h et de 17 h à 20 h, mais boulangeries et bars sont ouverts dès 8 h. Hypermarchés et grands magasins ne ferment pas à l'heure du déjeuner. Les marchés n'ont lieu que le matin. Les commerces restent ouverts le dimanche dans de nombreux lieux de vacances. Ailleurs, seuls les boulangeries, *pastelerías* et kiosques ouvrent ce jour-là.

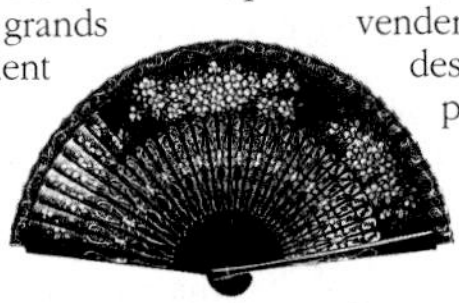

L'éventail, objet usuel et accessoire de costume

Comment payer

En Espagne, on paye surtout en espèces ou par carte bancaire. On peut demander le remboursement de l'*IVA* (TVA) pour tout achat, sauf la nourriture, les boissons, les véhicules à moteur et les médicaments *(p. 612)*. Pour le change et la monnaie, voir pages 616 et 617.

Les grands magasins

Les *hipermercados* sont hors des villes. On y parvient en suivant les panneaux *centro commercial*. Les principaux sont Alcampo, Carrefour et Hipercor. El Corte Inglés, le grand magasin le plus connu du pays, a des boutiques dans toutes les villes importantes.

Les soldes importants sont annoncés par le mot *Rebajas* inscrit dans les vitrines.

Les magasins d'alimentation

Ces boutiques sont tenues de père en fils. Les *panaderías* (ou *hornos*) vendent du pain, des *bollos* (petits pains) et des viennoiseries ; les *pastelerías*, des gâteaux et souvent des chocolats. Vous pouvez acheter de la viande fraîche à la *carnicería*, mais les meilleures viandes froides se trouvent dans les *charcuterías*, qui proposent aussi du fromage. Elles sont souvent dans les marchés ou à côté. Les *pescaderías* vendent poissons et fruits de mer, mais les meilleurs s'achètent sur les marchés. Les *fruterías* et *verdulerías* ont d'excellents fruits et légumes car elles ne vendent que des primeurs. Les quincailleries sont appelées *ferreterías*. Les *librerias* sont des librairies, les *papelerias* des papeteries. Si vous voulez offrir un *regalo* (présent), un paquet cadeau vous sera fait à la demande. Quand vous achetez des fleurs à la *floristería*, le vendeur vous confectionne un bouquet.

Les marchés

Dans chaque grande ville, le marché *(mercado)* se tient chaque jour, de 9 h à 14 h. Dans les petites villes, il a lieu une ou plusieurs fois par semaine. Ce guide indique les jours de marché pour toutes les villes.

D'habitude, on y trouve les meilleurs produits frais ou de saison, tels les champignons, les petits fruits et le gibier, et toutes sortes d'aliments comme les *frutos secos* (fruits secs). En général, on y vend aussi d'autres types d'articles :

Céramiques peintes à la main à Tolède

fleurs, ustensiles ménagers, vêtements, etc.

Les marchés aux puces *(rastros)* ont lieu dans toute l'Espagne, mais le principal se trouve à Madrid *(p. 292)*.

LES PRODUITS RÉGIONAUX

Les spécialités régionales sont souvent moins chères quand elles sont vendues sur place. Chaque région a un type particulier de saucisse : la *morcilla* (boudin) à Burgos ; le chorizo rouge vif à Guijuelo, en Estrémadure. L'Andalousie est connue pour ses olives et son huile, la Galice pour ses fromages. Les *rovellons* (gros champignons dorés) de Catalogne et les *pimientos de Padrón*, en Galice, petits piments très forts, sont de bons produits de saison.

Certaines techniques artisanales comme celles du métal filigrané de Tolède et des *azulejos* (carreaux de céramique) d'Andalousie ont été héritées des Maures. Les villes de Paterna et de Manises, près de Valence, et celle de Talavera de la Reina en Castille-La Manche sont connues pour leurs céramiques. Les dentelles des villages de la sierra de Gata, en Estrémadure, et de la Costa do Morte, en Galice, sont très prisées. Les violons et les sabots sculptés sont des spécialités cantabriques. Quant aux objets typiquement espagnols (guitares, éventails, castagnettes, chaussures de flamenco, etc.), ils sont vendus dans les grandes villes.

Paniers en vente dans toute l'Espagne

LE VIN ET LES AUTRES BOISSONS

Les épiceries et les supermarchés vendent du vin, mais seuls les vendeurs spécialisés font honneur aux nombreuses régions vinicoles d'Espagne. Les vins peuvent être achetés au litre dans les caves (bodegas) des bourgs et villages ou encore dans les vignobles (aussi appelés bodegas), mais il faut prendre rendez-vous pour les visiter.

Les grandes régions viticoles sont La Rioja et la Navarre *(p. 74-75)*, celles de Valdepeñas *(p. 322-323)*, de Ribera del Duero *(p. 322-323)*. La région de Penedès produit du *cava* *(p. 192-193)* et celle de Jerez du xérès *(p. 402-403)*.

Les liqueurs espagnoles comme le *Pacharán (p. 577)* à base de prunelles ou la *licor de bellota*, faite à partir de glands, sont variées et d'excellente qualité.

Olives, dont certaines parfumées aux herbes, sur l'étal d'un marché

ARTICLES MÉNAGERS ET USTENSILES DE CUISINE

Les grands magasins proposent évidemment un choix important d'articles ménagers, mais, pour en trouver de plus authentiques, mieux vaut se rendre dans les *ferreterias* (petites quincailleries). Les poteries traditionnelles, comme les *cazuelas* (plats) en argile rouge pouvant passer au four ou sur les plaques de cuisson, sont bon marché. Les plats à paella, qui étaient jadis en fer ou en émail, sont désormais en inox ou recouverts d'un revêtement anti-adhésif. Le linge de table vendu sur les marchés offre souvent un bon rapport qualité-prix. Les luminaires espagnols, admirés pour leur beauté, s'achètent dans les *Tienda de Illuminacion*. Les articles traditionnels en fer forgé comme les chandeliers et les ferronneries pour les portes sont très prisés.

LES VÊTEMENTS ET LES CHAUSSURES

Les magasins de vêtements sont légion dans les grandes villes, mais même dans les petites vous pouvez trouver de grandes marques espagnoles.

Les tailles espagnoles sont les mêmes que les tailles françaises, mais il est toujours préférable d'essayer le vêtement que l'on compte acheter. Si celui-ci nécessite quelques retouches, n'hésitez pas à en faire part au vendeur. En effet, les boutiques proposent pour une somme modique les services d'une couturière. La plupart des retoucheuses accepteront, si vous le leur demandez, d'effectuer ce travail dans un délai de deux jours.

Les chaussures et les accessoires de cuir peuvent être bon marché, mais vous en trouverez de qualités diverses et par conséquent à différents prix. Dans les boutiques, l'usage veut que le client choisisse son article en vitrine et donne au vendeur le numéro correspondant. Bien sûr, il lui indiquera aussi sa *talla* (pointure). Les pointures espagnoles correspondent aux pointures françaises, et vous n'avez pas à vous faire de souci de ce côté-là. Si vous désirez acheter des chaussures entièrement en cuir, vérifiez qu'elles portent bien l'indication *cuero*. Les vêtements en cuir, eux aussi, sont élégants et de bonne qualité.

Communications et médias

Telefónica, l'entreprise de télécommunication espagnole, est très performante depuis qu'elle a numérisé son réseau en 1995. Les téléphones publics, nombreux, fonctionnent avec une carte ou des pièces. Le prix des communications internationales est élevé.

La poste, ou Correos, est reconnaissable à sa couronne rouge ou blanche sur fond jaune. Lettres en recommandé et télégrammes peuvent être envoyés des bureaux Correos *(p. 622-623)*. On y vend des timbres, de même que dans les *estancos* (tabacs). Il n'y a pas de cabines téléphoniques dans les Correos.

Mode d'emploi d'un téléphone à pièces et à carte

1 Décrochez, attendez la tonalité et que l'écran affiche *Inserte monedas o tarjeta*.

2 Insérez les pièces *(monedas)* grâce au bouton en haut à droite ou une carte *(tarjeta)*.

3 Composez le numéro, en appuyant bien sur les touches, mais pas trop vite. Mieux vaut faire une petite pause entre chaque chiffre.

4 Tandis que vous appuyez sur les touches, le numéro que vous composez apparaît à l'écran. Sont aussi indiqués combien d'argent ou d'unités il vous reste et le moment de rajouter des pièces.

5 Une fois l'appel terminé, raccrochez. La carte ressort automatiquement. Les pièces non utilisées vous sont rendues.

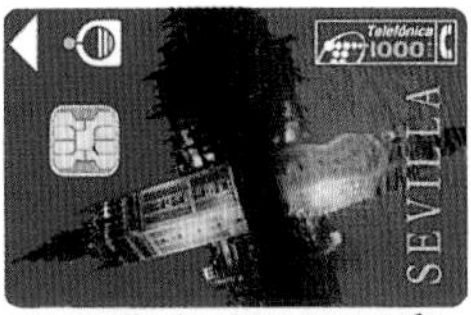

Carte téléphonique espagnole

Logo de la compagnie espagnole de téléphone

Téléphoner en Espagne

Outre les cabines publiques *(cabinas)*, on trouve presque toujours des téléphones dans les bars. Tous acceptent des pièces. Prévoyez de la monnaie, en quantité, surtout pour les appels internationaux, car généralement, vous aurez à payer une connection minimum assez chère.

Les cartes de téléphone, vendues dans les kiosques et *estancos*, sont plus pratiques. Certains téléphones offrent des instructions fournies par affichage électronique en plusieurs langues.

Dans les *locutorios*, locaux dotés de téléphones publics, on peut téléphoner et payer ensuite. On y est beaucoup plus tranquille que dans les cabines et il n'est pas nécessaire de prévoir de la monnaie. Les téléphones les moins onéreux sont ceux gérés par Telefónica. Les autres, privés et plus chers, se trouvent souvent dans des boutiques.

Il existe quatre catégories de prix pour les appels internationaux : pays de l'UE ; pays hors de l'UE et Afrique du Nord-Ouest ; Amérique

Codes téléphoniques espagnols utiles

- Pour appeler à l'intérieur d'une province, faites directement le numéro.
- Pour appeler dans une autre province, faites l'indicatif régional (il commence par 9).
- Les indicatifs sont dans l'annuaire (de A à K) ou peuvent être fournis par le service des renseignements.
- Pour appeler à l'étranger, faites le 00, faites l'indicatif du pays, l'indicatif régional, puis le numéro.
- Les indicatifs nationaux sont pour la Belgique le 32, le Canada le 1, la France le 33, la Suisse le 41. Il faut parfois omettre le premier chiffre du code régional de destination.
- Pour le service opératrice/renseignements, composez le 1003.
- Pour les renseignements internationaux, faites le 025.
- Pour les appels en PCV dans l'UE, faites 08 00 99 00, puis l'indicatif du pays. Faites le même numéro, puis le 15 pour le Canada et le 41 pour la Suisse. Les numéros pour les autres pays sont au début de l'annuaire (de A à K).
- En cas de dérangements, faites le 1002.
- Pour l'horloge parlante faites le 093, la météo le 094 et le service du réveil le 096.

du Nord et du Sud ; et le reste du monde.

Hormis les appels locaux, les télécommunications peuvent être assez chères, surtout celles passées depuis les hôtels faisant payer un supplément. Appeler depuis une *cabina* ou un *locutorios* coûte 35% plus cher que depuis une habitation privée. Pour la plupart des appels en PCV, il faut passer par l'opératrice, mais ce n'est pas nécessaire pour les pays appartenant à l'Union européenne.

En Espagne, les indicatifs régionaux commencent tous par 9, le deuxième chiffre variant selon la région (93 pour Barcelone). Si vous appelez en Espagne depuis l'étranger, faites l'indicatif du pays (le 34), puis le numéro en entier.

Cabine téléphonique, facilement repérable dans les rues des villes

La télévision et la radio

Television Española, entreprise publique de télévision, a deux chaînes, TVE1 et TVE2.

Plusieurs des *comunidades* *(p. 622-623)* ont leurs propres chaînes de télévision émettant dans la langue locale.

Il existe trois chaînes nationales indépendantes, Antena 3, Tele-5 (Telecinco) et Canal Plus.

La plupart des films

Quotidiens espagnols

Magazines espagnols

étrangers passant à la télévision (et au cinéma) sont doublés ; mais il y en a de sous-titrés.

Plusieurs chaînes par satellites, comme CNN, Eurosport et Cinemanía, sont reçues dans toute l'Espagne.

La radio de service public est Radio Nacional de España avec quatre stations plus la station internationale (R4). La radio des spectacles est sur R1, la musique classique sur R2, la Pop Music sur R3, les informations sur R5. Radio France International peut être écoutée dans toute l'Espagne et Radio Mon Amie, à Benidorm, propose des émissions en français.

Logo de Radio Nacional de España

Les journaux et les magazines

Pour trouver des journaux et des magazines en français, mieux vaut aller dans les kiosques situés près des gares ou au centre des villes. Certains quotidiens, dont *Le Figaro* et *Libération*, sont distribués le même jour en France et dans les grandes villes espagnoles. D'autres titres, comme *Le Monde* ou *France-Soir*, sont vendus le lendemain de leur parution dans l'Hexagone.

Les journaux espagnols les plus lus sont dans l'ordre *El País, El Mundo, ABC, La Razon, Dario 16* et *La Vanguardia* (en Catalogne). *El Mundo* relate les événements principaux de l'actualité et s'adresse à un lectorat plus jeune que les trois autres publications qui traitent plus en détail l'actualité internationale. Des hebdomadaires sur les arts et les événements sont publiés à Barcelone *(p. 184)*, Madrid *(p. 306)* et Séville. Il s'agit du *Guía del Ocio* à Barcelone et Madrid et d'*El Giraldillo* à Séville. D'autres villes ont aussi des publications similaires.

Les journaux locaux en espagnol comme *Levante* à Valence et *La Gaceta de Canarias* aux Canaries sont de bonnes sources d'informations sur les manifestations locales et régionales.

La Chambre française de commerce et d'industrie publie le magazine *Perspectives.*

Il existe quelques publications en anglais, telles *Sur* sur la Costa del Sol ou le *Mallorca Daily Bulletin,* qui peuvent offrir de précieuses informations.

***Prensa* indique un marchand de journaux**

Le service postal

Le service postal espagnol (Correos) est assez lent. Une lettre envoyée dans la ville où elle a été postée peut mettre trois ou quatre jours pour arriver. Le courrier national ou international peut prendre plus d'une semaine. Le courrier peut être envoyé en *urgente* (express), en *certificado* (recommandé), ou livré rapidement par une entreprise privée.

Logo indiquant la vente de timbres

Les télégrammes peuvent être envoyés de tous les Correos. Pour acheter des timbres, mieux vaut aller dans un tabac *(estanco)*. Les tarifs postaux correspondent à quatre catégories : l'UE ; le reste de l'Europe ; les États-Unis ; le reste du monde. Les colis doivent être pesés et affranchis par les Correos et fermés par vous avec une ficelle.

Les principaux Correos ouvrent de 8 h à 21 h du lundi au vendredi, et de 9 h à 19 h le samedi. Ceux des banlieues et des villages ouvrent de 9 h à 14 h du lundi au vendredi, et de 9 h à 13 h le samedi. Ces horaires peuvent varier dans les zones rurales.

Boîte aux lettres

Les loteries espagnoles

La fièvre de la loterie est plus forte en Espagne qu'ailleurs en Europe. La Lotería Nacional organise des tirages presque tous les samedis, et quelques tirages spéciaux, les *extraordinarios*, dont le plus gros, El Gordo (« le gros »), a lieu à Noël *(p. 39)*. Il est courant d'acheter un *décimo* (un dixième d'un nombre) plutôt qu'un billet entier. On peut aussi jouer à la loterie quotidienne ONCE, à la Lotería Primitiva le jeudi et le samedi ou au Bono-Loto (quatre tirages par semaine).

Loterie Once

Lettres et télécopies

Le courrier posté dans une grande poste arrive en général plus vite que celui mis dans les boîtes aux lettres *(buzón)*. Dans les villes, elles sont grandes et jaunes ; dans les bourgs et les villages, elles sont en général petites et fixées à un mur. Les lettres en poste restante doivent porter la mention *Lista de Correos* et le nom de la ville. Vous pouvez aller les chercher dans les principaux bureaux de poste. Le *giro internacional* permet d'envoyer ou de recevoir de l'argent par la poste.

Vous trouverez parfois des télécopieurs dans les *locutorios (p. 620)*, les hôtels et nombre de boutiques privées indiquant *telefax*.

Le gouvernement local

L'Espagne est un des États européens les plus décentralisés. De nombreux pouvoirs ont été attribués aux 17 régions *(comunidades autónomas)* qui élisent leur propre parlement. Ces régions sont plus ou moins indépendantes de Madrid ; le Pays basque et la Catalogne sont celles qui ont la plus grande autonomie.

Les *comunidades* sont chargées de missions, comme la promotion du tourisme, jadis effectuées par le gouvernement.

Le pays est divisé en 50 provinces ayant chacune une *diputación* (conseil). Chaque île des Baléares et des Canaries a un conseil gérant ses affaires.

Chaque ville, ou groupe de villages, est administrée par un *ayuntamiento* (conseil de ville – le terme désigne aussi la mairie).

Timbres espagnols

Les adresses

Dans les adresses, le nom de la rue précède le numéro de la maison. Pour les appartements, l'étage est indiqué après un tiret. Ainsi, 4-2° signifie deuxième étage de l'immeuble situé au numéro 4. Les codes postaux ont cinq chiffres.

Mairie de Murcie (*ayuntamiento* ou *Casa Consistorial*)

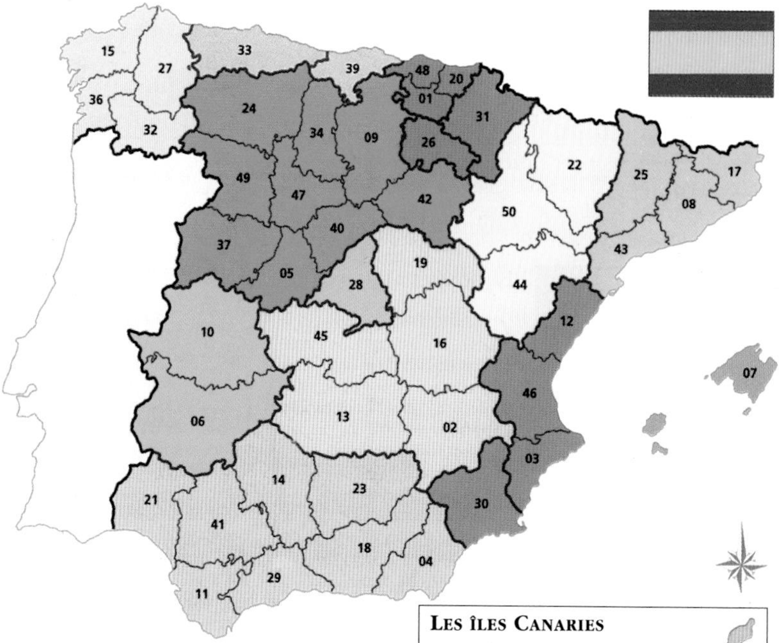

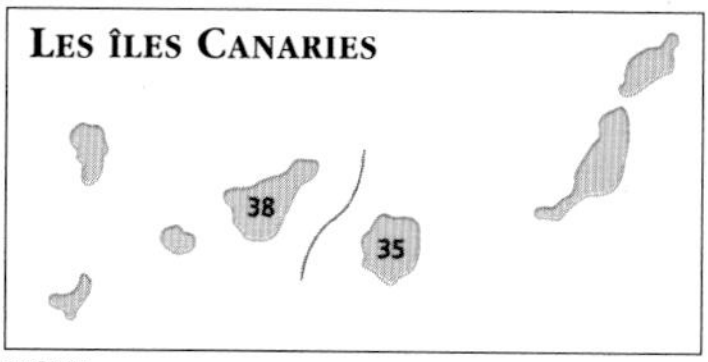

Les provinces d'Espagne
Elles sont groupées en 17 comunidades autónomas *et 2* ciudades autónomas *(cités autonomes) : Ceuta et Melilla en Afrique du Nord.*

Les comunidades d'Espagne et leurs provinces

Espagne du Nord

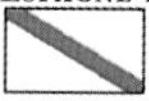

Galice
15 La Corogne
27 Lugo
32 Orense
36 Pontevedra

Asturies **Cantabrie**
33 Asturies
39 Cantabrie

Pays basque **Navarre** **La Rioja**
Pays basque (Euskadi)
01 Álava
20 Guipúzcoa
48 Biscaye
Comunidad Foral de Navarra
31 Navarre
La Rioja
26 La Rioja

Espagne orientale

Catalogne
08 Barcelone
17 Gérone
25 Lleida
43 Tarragone

Aragon
22 Huesca
44 Teruel
50 Saragosse

Valence **Murcie**
Comunidad Valenciana
03 Alicante
12 Castellón
46 Valence
Murcie
30 Murcie

Espagne centrale

Madrid
28 Comunidad de Madrid

Castille-La Manche
02 Albacete
13 Ciudad Real
16 Cuenca
19 Guadalajara
45 Tolède

Estrémadure
06 Badajoz
10 Cáceres

Castille et León
05 Ávila
09 Burgos
24 León
34 Palencia
37 Salamanque
40 Ségovie
42 Soria
47 Valladolid
49 Zamora

Espagne méridionale

Andalousie
04 Almería
11 Cadix
14 Cordoue
18 Grenade
21 Huelva
23 Jaén
29 Málaga
41 Séville

Îles espagnoles

Les îles Baléares (Islas Baleares)
07 Baléares

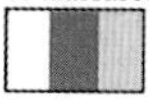

Les îles Canaries (Islas Canarias)
35 Las Palmas
38 Santa Cruz de Tenerife

Sports et activités de plein air

L'Espagne est un des pays européens dont la géographie est la plus variée. Outre ses plages, elle est riche de monts, forêts et deltas propices aux excursions et aux vacances sportives. L'Espagne offre un calendrier riche en manifestations et en activités *(p. 36-39)*. Les offices du tourisme vous renseigneront sur les loisirs et les sports de leur région. Ces pages recensent quelques-unes des diverses activités praticables en Espagne.

Partie de golf sur un terrain d'Ibiza, aux îles Baléares

Vacances thématiques

Les offices du tourisme espagnols vous informeront sur les séjours à thèmes. Ceux consacrés à la cuisine, au vin, à la peinture connaissent un succès croissant, ainsi que les excursions dirigées par des historiens et des archéologues. Passionnés de nature et photographes apprécieront notamment les nombreux parcs nationaux.

L'**Instituto Cervantes** à Paris et à Madrid vous informera sur les cours de culture et de langue espagnoles.

Le golf et le tennis

Certains des nombreux terrains de golf d'Espagne offrent des activités aux non-golfeurs. Pour plus de détails, contactez la **Real Federación Española de Golf**. La plupart des sites touristiques et certains hôtels *(p. 536-571)* possèdent des courts de tennis. Les agences de voyages proposent des séjours pour passionnés de tennis. Pour en savoir plus, contactez la **Real Federación Española de Tenis**.

À pied, à cheval, à vélo

Nombre de tours-opérateurs sont spécialisés dans les vacances en plein air. La **Federación Hípica Española** et les offices du tourisme espagnols vous informeront sur les promenades à cheval dans les différentes régions. Le chemin de Compostelle *(p. 78-79)* est l'itinéraire le plus connu d'Espagne. Certains parcs nationaux *(p. 26-27)* offrent de superbes parcours de randonnée. Les routes pittoresques sont idéales pour les balades à vélo.

Parapente au-dessus de la Vall d'Aran, dans les Pyrénées catalanes

Ballade le long du río Cares dans les Pics d'Europe (Asturies)

Sports de montagne

Les stations les plus appréciées pour le ski alpin sont situées dans la Vall d'Aran en Catalogne *(p. 200-201)* et dans la sierra Nevada, près de Grenade *(p. 461)*. Souvent, on peut aussi skier dans la sierra de Guadarrama, au nord de Madrid, et faire du ski de fond dans d'autres régions.

Chaque région de montagne possède une association d'escalade. La **Federación Española de Montañismo** vous fournira des détails. Cette organisation nationale procure des informations sur l'escalade et sur de nombreux autres sports de montagne.

Les sports aériens

Un brevet de pilote est valable 6 mois en Espagne. La **Federación Nacional de Deportes Aéreos** vous informera sur les terrains d'aviation et sur les clubs espagnols où voler *(volar)*, faire du vol à voile *(vuelo sin motor)* ou du parachute *(salto en paracaídas)*.

Elle vous indiquera aussi les lieux où voler en ballon *(volar en globo)*, faire du deltaplane *(ala delta)* et du parapente *(parapente)*. Certaines régions de Castille et León et de Castille-La Manche sont réputées pour le deltaplane, et la Valle de Abdalajis, au nord de Màlaga, est connue pour le parapente.

Rafting dans les Pyrénées espagnoles

Les sports aquatiques

On peut faire du rafting et du canoë en Catalogne, en Aragon et dans diverses régions. Sort, dans les Pyrénées catalanes, est un des meilleurs sites d'Europe pour les sports de rivière.

Canotage, voile et planche à voile sont très pratiqués. Les offices du tourisme des côtes et des îles vous informeront sur les locations de bateaux et de planches à voile. Les véliplanchistes expérimentés se rendent à Tarifa *(p. 444)*, une des capitales européennes de la planche à voile. Des informations sur la voile sont disponibles auprès de la **Real Federación Española de Vela**.

Les plages, marinas et ports répondant aux normes européennes de propreté et de sécurité sont autorisés à hisser la *bandera azul* (le drapeau bleu).

Véliplanchiste au large de Fuerteventura, aux Canaries

Le naturisme

Contactez la **Asociacion Naturista de Almeria y Murcia** pour savoir sur quelle plage faire du nudisme.

Pêche dans les rivières de Castille et León, connues pour leurs truites

La chasse et la pêche

Si vous voulez chasser en Espagne, il faut d'abord que vous obteniez un permis et que vous soyez bien assuré. Pour l'obtenir, adressez-vous à la *comunidad* de la région où vous voulez chasser. Les tarifs sont plutôt chers.

Quelle que soit leur durée de validité, les permis pour les concours de pêche, pour pêcher en eau douce ou en mer, sont délivrés par les *comunidades*. La **Federación Española de Caza** (chasse) et la **Federación Española de Pesca** (pêche) vous informeront sur l'obtention du permis et sur les lieux et les périodes de pêche et de chasse. Les agences de voyages et les hôtels spécialisés procureront ces permis à leurs clients.

Carnet d'adresses

Federación Española de Caza
Calle Francos Rodriguez 70-2°, 28039 Madrid.
☎ *913 11 14 11.*
W www.fedecaza.com

Federación Española de Montañismo
Calle Floridablanca 75, 08015 Barcelone.
☎ *93 426 42 67.*

Asociacion Naturista de Almeria y Murcia
Apartado 301, Almería.
☎ *950 25 40 44.*

Federación Española de Pesca
Calle Navas de Tolosa 3-1°, 28013 Madrid.
☎ *915 32 83 52.*

Federación Hípica Española
Plaza del Marqués de Salamanca 2, 28006 Madrid.
☎ *915 77 78 92.*
W www.frhe.es

Federación Nacional de Deportes Aéreos
Calle Ferraz 16, 28008 Madrid.
☎ *915 11 03 10.*

Instituto Cervantes
Calle Libreros 23, 28801 Alcalá de Henares (Madrid).
☎ *918 85 61 00.*
W www. cervantes.es

Real Federación Española de Golf
Calle Capitán Haya 9-5°, 28020 Madrid.
☎ *915 55 26 82.*
W www.golfspainfederacion.com

Real Federación Española de Tenis
Avinguda Diagonal 618-2°B, 08021 Barcelona.
☎ *93 200 53 55.*

Real Federación Española de Vela
Calle Luis Salazar 9, 28002 Madrid.
☎ *91 519 50 08.*
W www.rfev.es

ALLER EN ESPAGNE ET Y CIRCULER

L'Espagne a un système de transports de plus en plus efficace. De nombreuses compagnies aériennes internationales proposent des vols vers les aéroports de Madrid et Barcelone. Les réseaux routier et ferroviaire ont connu de sensibles améliorations dans les années 1980 et avant l'Exposition universelle et les Jeux olympiques. Le train est pratique pour aller d'une grande ville à l'autre. Entre les villes de moindre importance, les cars sont plus fréquents et plus rapides. Dans la plus grande partie de l'Espagne rurale, la voiture est le moyen de transport le plus commode pour circuler.

Panneau indiquant un aéroport

Shopping à l'aéroport El Prat de Barcelone

ARRIVER EN AVION

Les aéroports de Barajas à Madrid et d'El Prat à Barcelone sont les plus importants d'Espagne. Le pays est desservi par la plupart des compagnies aériennes internationales. La compagnie espagnole, **Iberia**, propose des vols quotidiens pour Madrid et Barcelone au départ de toutes les capitales d'Europe de l'Ouest, et une ou deux fois par semaine depuis la plupart de celles d'Europe de l'Est.

Air France assure tous les jours des vols pour Madrid, Barcelone et Málaga depuis Paris. Il existe également des vols partant de Lille, Marseille, Bordeaux, Nice, Strasbourg et Toulouse.

Sabena propose des vols quotidiens pour Barcelone et Madrid depuis Bruxelles. **Swissair** assure des liaisons quotidiennes entre Genève et les principales villes espagnoles.

AÉROPORT BARAJAS DE MADRID

Il est situé à 13 km du centre-ville. Le terminal international est le Terminal 1, sauf pour les vols entre l'Espagne et l'UE, depuis le Traité de Schengen, qui sont au Terminal 2 (Allemagne, Autriche, Belgique, France, Hollande, Italie, Luxembourg et Portugal). Les vols nationaux sont aux Terminaux 2 et 3. Il faut 12 mn en métro pour atteindre la station de Nuevos Ministerios où plusieurs compagnies ont un comptoir d'enregistrement. Une navette part toutes les 12 mn pour le centre de Madrid. On peut aussi prendre un taxi.

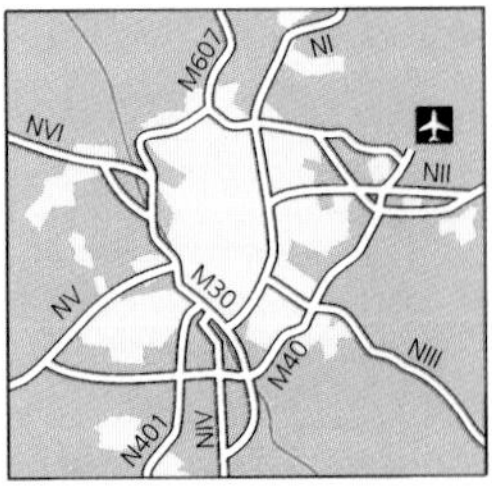

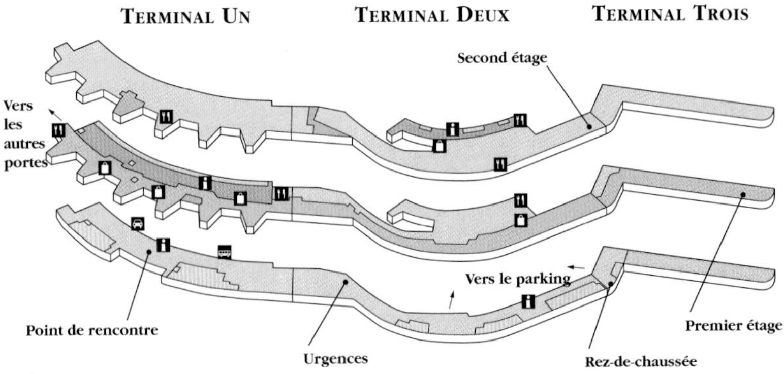

LÉGENDE

- Départs
- Arrivées
- Enregistrement
- Contrôle des passeports
- Accès du public
- Ventes de billets
- Accès privé
- Accès réservé

Les aéroports internationaux

Les liaisons internationales avec Madrid, Barcelone et Málaga sont les plus régulières. Les autres grands aéroports internationaux d'Espagne figurent sur la carte *(p. 10-11).*

Ceux de Palma de Majorque, Tenerife Sur, Las Palmas (Canaries) et Málaga sont très fréquentés (19 millions de passagers à Palma en 1999), surtout l'été, par des touristes venant principalement d'Europe du Nord. Aussi, ces aéroports sont-ils parfois bondés en été. Des informations sur les transports publics desservant les principaux aéroports d'Espagne sont fournies page 628. Les îles des Baléares et des Canaries ont toutes un aéroport international, sauf Hierro et La Gomera (vols intérieurs seulement). Ceuta et Melilla ne sont desservies que par des vols intérieurs.

Iberia plane on the tarmac of Seville airport

Les tarifs

Les prix des vols pour l'Espagne varient, pendant l'année, selon la demande. C'est l'été qu'ils sont le plus chers. L'hiver, des tarifs spéciaux incluant parfois des nuits d'hôtel sont proposés, surtout pour des week-ends dans certaines villes. Les tarifs « Bravo » d'Iberia et les promotions de **GO** sont intéressants. Pour Noël et Pâques, il est préférable de réserver longtemps à l'avance.

Les nombreuses compagnies françaises de charters desservent nombre de villes espagnoles. Les tarifs sont souvent avantageux, mais les horaires des vols ne sont pas toujours pratiques. Dans certains aéroports espagnols, vous pouvez louer une voiture à un prix avantageux, mais lisez soigneusement le contrat.

Aéroport El Prat de Barcelone

Cet aéroport est situé à 12 km du centre-ville. Arrivées internationales et départs des compagnies étrangères au terminal A. Aux terminaux B et C, départs des compagnies espagnoles et arrivées des pays de l'Union européenne. Des trains partent toutes les 30 mn pour la plaça de Catalunya, dans le centre-ville. Pour la correspondance avec les grandes lignes, descendez à la gare de Sants. Une navette, l'Aerobús, part toutes les 15 mn et s'arrête aussi plaça de Catalunya.

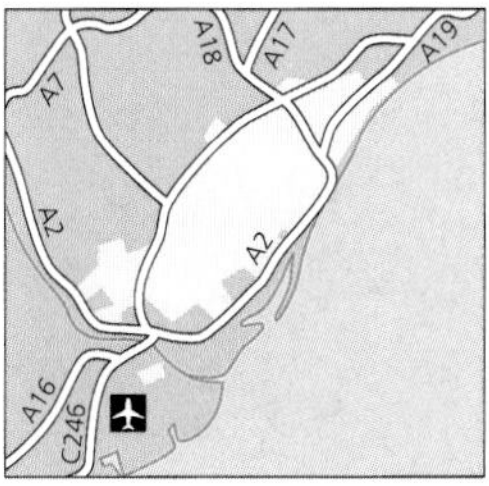

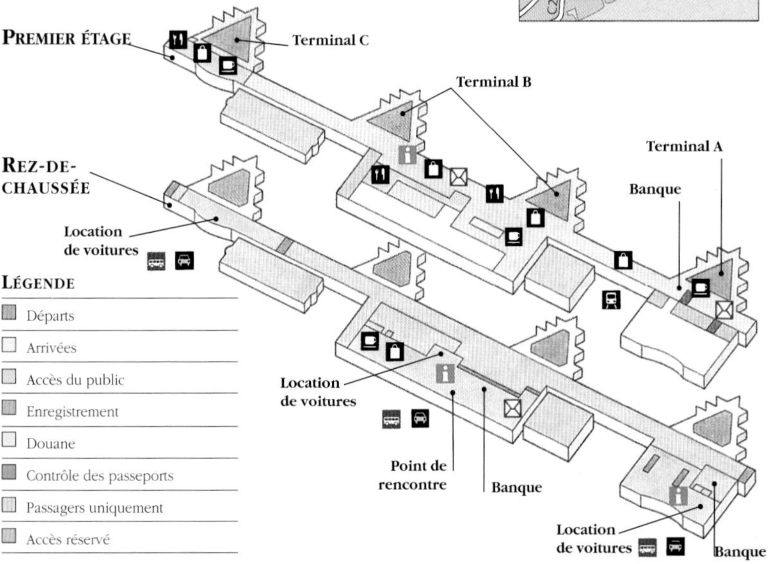

Légende

- Départs
- Arrivées
- Accès du public
- Enregistrement
- Douane
- Contrôle des passeports
- Passagers uniquement
- Accès réservé

Enseigne d'Iberia

Les vols intérieurs

La plupart des vols intérieurs en Espagne étaient autrefois proposés par **Iberia**. Ce monopole a été brisé récemment pour encourager la concurrence. Les deux autres grandes compagnies sont **Air Europa** et **Spanair**.

Les avions faisant le plus fréquemment la navette entre Barcelone et Madrid sont ceux de Puente Aéreo, filiale d'Iberia. Ils décollent toutes les 15 mn, aux heures de pointe, et toutes les 60 mn le reste du temps. Un distributeur automatique permet d'acheter des billets jusqu'à 15 mn avant le départ. Lorsqu'un vol est complet, on propose toujours, aux passagers qui attendent, une place sur le prochain avion disponible.

Air-Nostrum, Air Europa et Spanair entre Madrid et les capitales régionales sont moins fréquents que le Puente Aéreo, mais généralement un peu moins chers. Ils fonctionnent comme les billets Apex. Plus on réserve tôt, plus la remise est importante. Le billet le moins cher, qui doit être réservé une semaine à l'avance, peut faire économiser jusqu'au tiers du prix. Les vols pour les villes de province ont lieu en général le matin et le soir. Ils peuvent être chers (jusqu'à 120 euros pour un aller simple). La concurrence du train peut éventuellement faire baisser les prix.

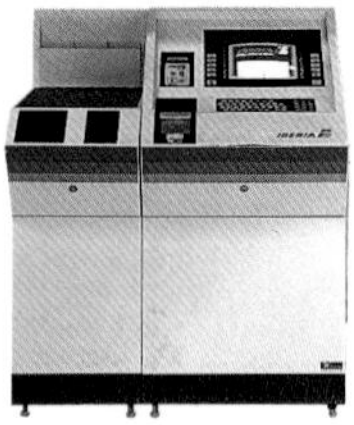
Distributeur de billets

Les vols pour les Baléares et les Canaries et les vols d'île à île sont proposés par une entreprise affiliée à Iberia : **Binter**. Les agences de voyages offrent souvent des tarifs spéciaux sur les vols intérieurs pouvant inclure une nuit ou plus à l'hôtel. Ces tarifs font l'objet de publicités dans la presse espagnole. Attention, car il peut y avoir certains vols internationaux qui comportent une escale à Madrid ou à Barcelone.

Tableau des départs à l'aéroport de Séville

Aéroport	Informations	Distance du centre-ville	Transport public vers le centre-ville
Alicante	96 691 94 00	13 km	Bus : 20 mn
Barcelone	93 298 38 38	12 km	Train : 20 mn Bus : 25 mn
Bilbao	94 486 96 64	10 km	Bus : 30 mn
Madrid	91 305 83 43	13 km	Bus : 30 mn
Málaga	95 204 88 38	10 km	Train : 15 mn Bus : 20 mn
Palma de Majorque	971 78 90 00	9 km	Bus : 30 mn
Las Palmas de Gran Canaria	928 57 90 00	20 km	Bus : 30 mn
Saint-Jacques-de-Compostelle	981 54 75 00	10 km	Bus : 30 mn
Séville	95 444 90 00	10 km	Train : 15 mn Bus : 30 mn
Tenerife Sur – Reina Sofia	922 75 90 00	64 km pour Santa Cruz	Bus : 60 mn
Valence	963 70 95 00	9 km	Train : 20 mn Bus : 30 mn

Arriver en bateau

Des ferries relient l'Espagne aux Baléares, aux Canaries et à l'Afrique du Nord. Les ferries effectuent tous les trajets importants. Mieux vaut réserver à l'avance, surtout pour les traversées d'été.

Ferries pour les îles

Nombreuses sont les traversées au départ de Barcelone et Valence pour les trois principales îles des Baléares. Les traversées sur les ferries de **Trasmediterránea** prennent environ huit heures. Cette compagnie assure aussi des liaisons interinsulaires fréquentes. De petites compagnies proposent des voyages d'une journée (passagers uniquement) d'Ibiza à Formentera. Les tempêtes sont rares dans cette partie de la Méditerranée ; les traversées sont en général calmes et confortables.

Trasmediterránea assure une traversée hebdomadaire de Cadix en Andalousie aux principaux ports des Canaries : Las Palmas de Gran Canaria et Santa Cruz de Tenerife. Les traversées durent normalement 39 heures. Des ferries relient les îles entre elles. Trasmediterránea assure des traversées pour passagers uniquement entre les îles de Gran Canaria, Tenerife et Fuerteventura, ainsi qu'entre Tenerife et La Gomera.

Ferry amarré à Los Cristianos (Tenerife) aux îles Canaries

Les ferries pour les îles espagnoles sont dotés de cabines, cafés, restaurants, bars, boutiques, cinémas, piscines et de ponts où l'on peut bronzer l'été. Ils sont aussi équipés d'ascenseurs et d'autres équipements pour les personnes ayant des besoins particuliers, et sont même dotés de chenils. Toutes sortes de divertissements (films, discothèques) sont proposés au cours des longues traversées entre le continent et les Canaries.

Logo des ferries Trasmediterránea

Ferries pour l'Afrique

Les ferries de Trasmediterránea relient chaque jour l'Espagne à l'Afrique du Nord : de Málaga et Almería à Melilla, et d'Algésiras à Ceuta. Des ferries partent aussi d'Algésiras pour Tanger, au Maroc.

Dans le port de Barcelone, un ferry pour les Baléares

Carnet d'adresses

Iberia

Vols internationaux et intérieurs
☎ *902 400 500 en Espagne.*
W www.iberia.com

France
☎ *0802 075 075.*

Belgique
☎ *02 548 94 90.*

Autres compagnies aériennes

Air Europa
☎ *902 401 501 en Espagne.*
W www.air-europa.com

British Airways
☎ *902 111 333 en Espagne.*
W www.british-airways.com

Spanair
☎ *902 13 14 15 en Espagne.*
W www.spanair.com

Air France
☎ *913 3 00 440 en Espagne.*
☎ *0 820 820 820 en France.*
W www.airfrance.fr

Nouvelles Frontières
☎ *915 47 42 00 à Madrid.*
☎ *932 80 27 00 à Barcelone.*
☎ *0 825 000 825 en France.*

Sabena
☎ *915 40 18 50 en Espagne.*

Swissair
☎ *906 30 12 75 en Espagne.*

Trasmediterránea

Barcelone
☎ *932 95 91 00.*

Valence
☎ *963 67 65 12.*

Cadix
☎ *956 22 74 21.*

Algésiras
☎ *956 58 34 00.*

Almería
☎ *950 23 61 55.*

Palma de Majorque
☎ *971 70 73 77.*

Santa Cruz de Tenerife
☎ *922 84 22 46.*

Circuler en train

Logo des chemins de fer espagnols

Les chemins de fer espagnols, **RENFE** *(Red Nacional de Ferrocarriles Españoles)*, offrent un service en amélioration constante, surtout entre les villes. Les liaisons interurbaines les plus rapides sont effectuées par le TALGO et l'AVE, l'équivalent du train à grande vitesse français. Les trains *largo recorrido* (longue distance) et *regionales y cercanías* (régionaux et locaux) sont très lents ; beaucoup sont d'ailleurs des omnibus. Toutefois, ils sont bien moins chers que les trains à grande vitesse.

Arriver en train

Les trains pour l'Espagne empruntent différents trajets depuis Paris. Ceux pour Saint-Sébastien, à l'ouest, traversent Hendaye. Ceux pour Barcelone, à l'est, passent par Cerbère et Port-Bou. Les trains pour Barcelone au départ d'Amsterdam, Bruxelles, Genève, Londres, Milan et Zurich s'arrêtent tous à Cerbère. Là, on peut prendre le TALGO ou les trains *largo recorrido* (longue distance) pour Valence, Málaga, Séville et Madrid et autres destinations importantes. Si vous avez réservé une couchette dans le TALGO depuis Paris, vous n'aurez pas à changer de train.

Trains à grande vitesse AVE dans la gare Santa Justa de Séville

Visiter l'Espagne en train

Ces dix dernières années, les chemins de fer espagnols ont perdu leur réputation d'inefficacité grâce aux trains à grande vitesse TALGO. On peut désormais parcourir très vite les longues distances séparant les grandes villes.

Les places dans les trains à grande vitesse sont moins chères que dans maints pays d'Europe. L'AVE est celui qui va de Madrid à Séville, *via* Cordoue, en un peu moins de trois heures.

Les trains *largo recorrido* (longue distance) sont si lents qu'on prend en général ceux de nuit. Vous avez le choix entre la *cochecama* (compartiment avec deux *camas* ou couchettes) ou la *litera*, un des six sièges de compartiment transformables en couchettes. Il faut payer un supplément quand vous les réservez. Faites-le au moins un mois à l'avance, mais n'oubliez pas qu'il est difficile de changer un billet déjà acheté.

Les trains *regionales y cercanías* (régionaux et locaux) sont fréquents et peu chers. Vous pouvez acheter votre billet dans un distributeur, à la gare. Les principales gares de Madrid pour les trains régionaux et longue distance sont Atocha, Chamartín et Norte. Le TALGO part des trois, l'AVE d'Atocha seulement. Barcelone possède deux grandes gares, Sants et Francia. Séville n'en a qu'une, Santa Justa, pour les trains régionaux et internationaux.

Logo d'un train à grande vitesse

Les tarifs

La RENFE offre une réduction de 10 % lors des *días azules* (jours bleus), indiqués en bleu dans les horaires.

En Espagne, les prix dépendent de la brièveté du voyage et de la qualité du service. Les places de TALGO et d'AVE sont les plus chères.

Les billets Interrail et Eurodomino, respectivement pour les moins et les plus de 26 ans, se vendent dans les grandes agences de voyages d'Europe et les bureaux de la RENFE en Espagne. Pour réserver, se munir d'une pièce d'identité.

Deux trains de luxe circulent, chers, mais d'un grand confort.

Les chemins de fer régionaux

Trois *comunidades autónomas* ont leur propre chemin de fer. La Catalogne et Valence ont chacune leur *Ferrocarils de la Generalitat* (respectivement **FGC** et **FGV**). Le chemin de fer basque est l'**ET** *(Eusko*

Carnet d'adresses

Informations et réservations RENFE

RENFE
☎ *902 24 02 02*
W www.renfe.es

Chemins de fer régionaux

ET
☎ *943 45 01 31.*
W www.euskotren.es

FEVE
☎ *902 10 08 18*
W www.feve.es.

FGC
☎ *932 05 15 15.*
W www.fgc.catalunya.net

FGV
☎ *965 26 27 31.*
W www.fgv.es

PRINCIPALES LIGNES DE LA RENFE

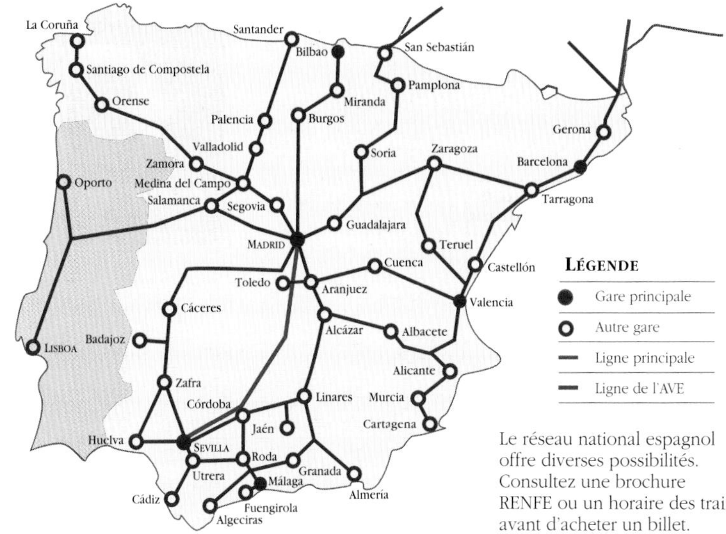

Le réseau national espagnol offre diverses possibilités. Consultez une brochure RENFE ou un horaire des trains avant d'acheter un billet.

Trenbideak). Iberrail vend des billets pour deux trains semblables à l'Orient-Express. L'un, l'Andalus Expres, parcourt l'Andalousie. Il s'arrête à Séville, Cordoue, Grenade, Jerez et Ronda. L'autre, le Transcantabríco, dépend des **FEVE** *(Ferrocarriles de Vía Estrecha).* Il va de Saint-Sébastien à Compostelle en longeant la côte nord de l'Espagne. Les passagers voyagent dans 14 wagons restaurés, datant de 1900 à 1930.

Les offices du tourisme régionaux recommandent les trains inhabituels, tels ceux roulant sur des voies étroites vers Inca et Sóller, à Majorque.

LES RÉSERVATIONS

On peut réserver ou acheter des billets pour le TALGO, l'AVE et les trains *largo recorrido* à la *taquilla* (guichet) des grandes gares. Les agences de voyages d'Espagne en vendent, mais prennent une commission. Les billets de la RENFE sont parfois vendus par des agents de voyages à l'étranger. Vous pouvez réserver en téléphonant à la RENFE et en donnant votre numéro de carte bancaire. On peut réserver 59 jours avant le départ. Les billets pour les liaisons locales et régionales sont vendus à la *taquilla* de la gare. Dans les grandes gares, ils peuvent être achetés dans des distributeurs automatiques (ils n'acceptent que les pièces). Il n'y a pas de réservations pour les trains *cercanías* (locaux). Un aller simple est une *ida*, un aller-retour une *ida y vuelta*.

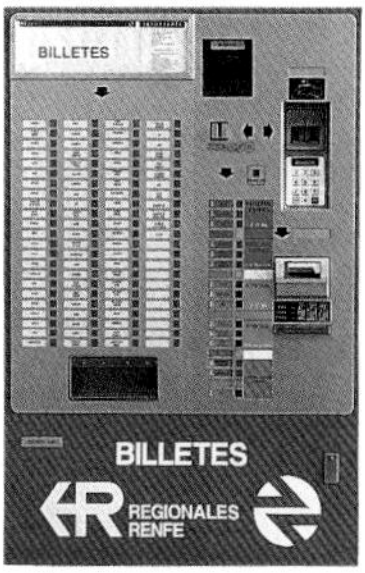

Distributeur de billets de trains

LES HORAIRES

Les horaires de la RENFE changent en mai et en octobre. Ils sont difficiles à obtenir hors d'Espagne, mais votre agent de voyages pourra vous renseigner. Sur place, ils sont disponibles aux bureaux de la RENFE. La plupart sont présentés sous forme de feuillets et sont répartis selon différents types de voyages : interurbain, *largo recorrido* et *regionales*. Les horaires pour les *cercanías* sont indiqués sur les panneaux dans les gares.

Atocha, une des plus importantes gares de Madrid

Circuler en voiture

Les routes les plus rapides sont les *autopistas* à quatre voies et à *peajes* (péages). Les *autovías*, elles, n'ont pas de péage. La *carretera nacional* est le réseau national des routes principales et des autoroutes signalées par le préfixe N. Les routes plus petites sont en général moins bien entretenues, mais c'est un moyen agréable pour visiter la campagne espagnole. Vous trouverez ci-dessous des renseignements sur les routes, péages, parcmètres, carburants et le code de la route.

Panneau pour l'autoroute nationale N 110

Cambio de sentido **(demi-tour) dans 300 m**

Arriver en voiture

Nombreux sont ceux qui utilisent l'autoroute pour aller en Espagne. Le moyen le plus rapide est de prendre celles qui franchissent les Pyrénées en passant à l'ouest par Hendaye et à l'est par Port-Bou. On peut aussi emprunter des routes pittoresques, mais tortueuses, comme, par exemple, celle qui part de Toulouse et passe par la Vall d'Aran.

Les obligations administratives

Il vous faut un certificat d'assurance (carte verte) pour être couvert aussi en Espagne. Si le propriétaire n'est pas dans le véhicule, le conducteur doit avoir une autorisation de sa part. UAP Assistance et Europe Assistance ont des services d'assistance téléphoniques et des polices avec une couverture européenne.

Selon la loi espagnole, il faut toujours avoir sur soi son passeport ou sa carte d'identité, son permis, sa carte grise et un certificat d'assurance en cours de validité. Il faut aussi mettre à l'arrière de son véhicule un autocollant indiquant le pays d'immatriculation.

Vous risquez d'être verbalisé si vous n'avez pas de triangle rouge, d'ampoules électriques de rechange et de trousse à pharmacie.

L'hiver, mieux vaut prendre des chaînes pour conduire en montagne. L'été, pensez à emporter de l'eau potable si vous allez dans des zones retirées.

Le carburant

Le *gasóleo* (diesel), la *gasolina* (essence) et la *gasolina sin plomo* (sans plomb) sont en vente partout. Leur prix est plus élevé dans les stations-service des *autopistas*. Aux pompes où l'on vous sert, l'employé vous demandera *¿cuanto?* (combien ?). Vous pouvez répondre *lleno* (le plein) ou indiquer un montant en euros, par exemple *dos euros por favor*. Les stations en libre-service sont très répandues. Les plus modernes disposent de machines pour le paiement automatique. Il faut, en premier lieu, y insérer sa carte bancaire, puis taper la somme en pesetas correspondant à la quantité de carburant désirée, enfin il suffit de se servir.

Les cartes bancaires, parfois refusées dans les petites stations d'essence, sont acceptées sur présentation d'une pièce d'identité dans celles en bordure d'autoroute.

Vitesse limitée à 50 km/h

Passage pour piétons

Le code de la route

En Espagne, seuls quelques panneaux et indications ne sont pas familiers aux étrangers.

Pour tourner à gauche à un carrefour important ou pour traverser une voie où les voitures roulent en sens inverse, il faut parfois tourner d'abord à droite et traverser une route principale, souvent au moyen de feux rouges, d'un pont ou d'un passage souterrain. Si vous avez pris par erreur une autoroute ou une grande route avec une ligne blanche continue, faites demi-tour là où vous voyez un panneau *cambio de sentido*.

La priorité est à droite sauf si un panneau indique le contraire. La ceinture de sécurité est obligatoire à l'avant et à l'arrière s'il y en a.

Les conducteurs venant en sens inverse peuvent faire des appels de phares pour dire « allez-y », « danger », « vos phares sont allumés » ou (la plupart du temps) « radar ».

Une des nombreuses stations-service Campsa d'Espagne

Les limitations de vitesse et les amendes

Les limitations de vitesse pour les voitures sans remorque sont de :

- 120 km/h sur les *autopistas* (autoroutes à péage) ;
- 100 km/h sur les *autovías* (autoroutes sans péage) ;
- 90 km/h sur les *carreteras nacionales* (routes principales) et les *carreteras comarcales* (routes secondaires) ;
- 50 km/h dans les agglomérations.

Les amendes pour excès de vitesse sont données sur-le-champ. Chaque kilomètre/heure au-dessus de la limite coûte 6 euros. Les amendes pour les autres infractions dépendent de la gravité de l'infraction et de l'humeur du policier.

On donne fréquemment dans tout le pays des amendes pour ceux qui ont dépassé le taux légal d'alcoolémie (qui est de 30 mg par ml).

Panneau indiquant l'*autopista* (autoroute) A 6

Les autoroutes

L'Espagne compte pour l'instant plus de 2 000 kilomètres d'*autopistas*. Ces routes à péage sont assez chères. Les prix sont calculés au kilomètre et varient d'une région à l'autre. L'A 7, qui longe la côte sud jusqu'à Alicante, et l'A 68 Bilbao-Saragosse sont parmi les plus fréquentées et les plus chères.

On trouve des stations-service tous les 40 km environ sur les *autopistas*. Elles sont signalées par un panneau bleu et blanc avec un P pour parking ou un panneau indiquant les services disponibles. À environ 1 km d'une station-service, un panneau annonce la distance jusqu'à la suivante et les services qu'elle offre. La plupart ont des toilettes et proposent, outre le carburant, cartes, boissons chaudes et fraîches et repas.

Le long des *autopistas*, il y a des téléphones pour les urgences tous les 2 km.

Dans la Sierra Nevada passe une des plus hautes routes d'Europe

Les péages

Si vous devez parcourir une longue distance sur une *autopista*, prenez un ticket au péage *(peaje)* à l'entrée et rendez-le à un péage quand vous la quittez. Le prix varie selon la distance parcourue, mais il est fixe pour de petites portions d'autoroutes près des villes. Vous pouvez payer en liquide ou par carte bancaire.

Vous devez prendre au *peaje* une des trois voies qui mènent aux différentes cabines. Évitez le *telepago*, système de crédit nécessitant un pare-brise équipé d'une puce. L'*automático* a des machines permettant de payer en faisant l'appoint ou par carte bancaire. L'employé du *manual* prend votre ticket et votre argent.

Péage d'*autopista*

Employée du *peaje manual*

Les autres routes

Les routes principales, ou *carreteras nacionales*, ont des panneaux blancs et noirs et sont indiquées par un N *(Nacional)* suivi d'un chiffre. Celles dotées de chiffres romains (N III) ont des bornes signalant la distance depuis la Puerta del Sol, à Madrid *(p. 262)*. Les *autopistas* à chiffres arabes (N 6) ont des bornes indiquant la distance depuis la capitale de la province. Certaines *carreteras nacionales* ont quatre voies, mais la plupart n'en ont qu'une et la circulation y est lente. Elles sont moins fréquentées de 14 h à 17 h, quand les camionneurs s'arrêtent pour déjeuner.

Les *autovías* sont des autoroutes construites récemment pour remplacer les routes N. Elles sont indiquées par des panneaux bleus comme les *autopistas*, mais sont gratuites et donc plus fréquentées.

Les *carreteras comarcales* sont des routes secondaires signalées par un C suivi d'un chiffre. D'autres routes ont des lettres correspondant au nom de la province, comme la LE 1313 pour Lleida. L'hiver, les panneaux indiquent si un col est ouvert *(abierto)* ou fermé *(cerrado)*.

Location de voitures

Des sociétés internationales et espagnoles, comme **Atesa**, louent des voitures dans tout le pays. Le plus intéressant est de s'adresser en France à une firme internationale. Il existe aussi différentes formules pour louer un véhicule, certaines incluant le prix de l'avion.

Les agences de location ont des guichets dans les aéroports et des bureaux en ville. Sur place, si l'on veut louer une voiture pour une semaine au plus, on peut s'adresser à une agence de voyages. Une voiture de location se dit *coche de alquiler*.

Pour les voitures avec chauffeur, **Avis** offre des formules depuis les grandes villes. Le prix et les conditions d'une location varient selon la région et la localité.

AVIS Hertz

ATESA

Quelques-uns des loueurs de voitures opérant en Espagne

Les cartes routières

Aéroports, ferries et offices du tourisme proposent des cartes routières dépliantes. Celle du ministère espagnol des Transports, très complète, est présentée sous forme de livre : la *Mapa Oficial de Carreteras*. La société de carburants Campsa édite le *Guía Campsa*, un guide des restaurants comprenant une carte routière. Les cartes Michelin à couverture orange, numérotées de 440 à 448, portent sur l'Espagne et ses îles (1 cm = 4 km). Elles sont vendues dans les librairies et les stations d'essence.

Des cartes plus précises (1 cm = 2 km) pour cyclistes, randonneurs, etc., sont publiées par Plaza y Janés. Les cartes militaires (1 cm = 500 m et 1 cm = 1 km) s'achètent dans les librairies spécialisées en France et chez certains libraires espagnols. Les offices du tourisme procurent en général des plans de leur ville indiquant les principaux sites.

Ce guide fournit des plans détaillés du centre de Barcelone *(p. 176-181)*, de Madrid *(p. 298-303)* et de Séville *(p. 430-433)*.

Taxis de ville avec leur logo et leurs numéros officiels

Stationner

En Espagne, le stationnement est payant de 8 h à 14 h et de 16 h à 20 h du lundi au samedi. Il ne faut pas se garer le long des trottoirs dont le bord est peint en jaune ou dans une zone interdite au stationnement. Vous verrez parfois des panneaux de chaque côté de la chaussée, certains indiquant « 1-15 », les autres « 16-30 ». Vous ne pouvez stationner d'un côté de la rue que pendant les quinze jours indiqués sur le panneau.

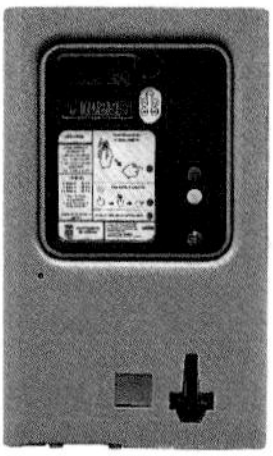

Parcmètre

En ville, les rues sans parcmètres sont rares. Il existe un autre système pour payer sa place : il faut acheter un disque en vente dans les postes et les tabacs que l'on place derrière son pare-brise.

Le prix varie, mais il est en moyenne de 1-2 euros par heure. En général, vous pouvez rester garé à la même place pendant deux heures. Attention ! les amendes varient d'une ville à l'autre.

Interdiction de stationner

Les grandes villes sont équipées de grands parcs de stationnement souterrains. Gardez le ticket que vous avez pris en entrant et payez le gardien en sortant.

Les taxis

Il n'existe pas de système central pour les taxis espagnols. Chaque ville et/ou région a une structure et des prix qui lui sont propres. Tous les taxis ont une lumière verte allumée lorsqu'ils sont libres. La plupart ont un compteur et affichent une somme minimum au début de la course. Dans les petits villages, le chauffeur est parfois un habitant qui possède une voiture sans compteur. Mieux vaut négocier le prix de la course avant le départ. En ville, on trouve de nombreux taxis aux aéroports, aux gares et arrêts de bus et dans les principaux quartiers commerçants. Vous pouvez laisser un pourboire d'environ 1 euro.

L'état des routes et la météorologie

Pour obtenir des informations enregistrées sur les routes et la circulation, composez le numéro national gratuit pour l'**Informacíon de Tráfico de Carreteras**. Ce service est uniquement en espagnol. Si vous ne le comprenez pas, demandez au réceptionniste de votre hôtel s'il peut vous le traduire. Un service téléphonique de météorologie, **Teletiempo**, donne des prévisions pour les différentes régions et provinces d'Espagne, et pour le reste du monde.

Arriver en car

Le car est le moyen le moins cher pour aller et circuler en Espagne. Ceux d'**Eurolines**, au départ de Paris, desservent chaque jour Madrid (19 heures de trajet) et Barcelone (15 heures).

À Paris, les cars partent de la gare de Paris-Gallieni. Eurolines et les agences de voyages vendent des places. On peut réserver par téléphone en donnant son numéro de carte bancaire.

Circuler en car

En Espagne, il n'y a que des entreprises régionales de cars, mais ceux-ci sillonnent tout le pays. La principale, **Autocares Juliá**, est le représentant d'Eurolines. Elle propose trajets, vacances en car et excursions dans tout le pays. Certaines entreprises s'occupent de régions précises ; Alsina Graells, par exemple, couvre presque tout le sud et l'est de l'Espagne. Billets et informations pour les longs trajets sont fournis par les grandes gares routières et les agences de voyages, mais les réservations ne sont pas toujours possibles. À Madrid, il existe plusieurs gares routières. Les principales sont **Estación Sur** (cars pour toute l'Espagne), **Terminal Auto Res** (cars pour Valence, l'Estrémadure et l'Andalousie) et **Intercambiador des Autobuses** (cars pour le nord du pays).

Car de la compagnie régionale Alsina Graells

À bicyclette

L'Espagne se prête bien aux balades à vélo

On loue des vélos dans de nombreux lieux touristiques, mais les pistes cyclables sont rares, même dans les villes. Les vélos peuvent être transportés dans les trains *cercanías* du vendredi à 14 h jusqu'au samedi soir par le dernier train, par les trains régionaux ayant un wagon de marchandises et les trains de nuit des grandes lignes. Si vous devez faire un long voyage à un autre moment, enregistrez votre vélo une heure avant le départ. Si vous l'envoyez comme bagage, le prix à payer dépendra du poids. Vous ne pourrez peut-être pas voyager avec lui ; il faudra le récupérer à l'arrivée.

L'autobus

Trajets et horaires sont affichés aux terminus et aux arrêts. On paye dans le bus ou on achète des carnets de 10 tickets dits *billetes bonobus* dans les *estancos* (tabacs).

Trajets de bus à Séville

Carnet d'adresses

Location de voitures

Atesa
☎ 902 10 01 01
W www.atesa.com

Avis
☎ 902 13 55 31
W www.avis.com

Europcar
☎ 902 10 50 30
W www.europcar.com

Hertz
☎ *901 10 10 01 appel gratuit en Espagne.*
W www.hertz.es

Compagnies de cars

Autocares Juliá
☎ 93 402 69 00
(Barcelone).
W www.julia.net

Eurolines
☎ 934 90 40 00
(Barcelone).
☎ 915 06 33 60
(Madrid).
W www.eurolines.es

Gares routières

Madrid
Estación Sur
Calle Méndez Alvaro.
☎ 91 468 42 00.

Terminal Auto Res
Calle Fernández Shaw 1.
☎ 902 02 09 99.

Intercambiador de Autobuses
Avenida de América.
☎ 917 45 63 00.

Barcelone
Estació del Nord
Calle Ali Bei 80.
☎ 932 65 65 08.

Estació de Sants
Calle Viriato.
☎ 934 90 40 00.

Séville
Estación Plaza de Armas
Avenide Marqués de Parada.
☎ 954 90 80 40.

Cartes

Altair S.A.
Gran Via 616,
08007 Barcelona.
☎ 933 42 71 71.

Instituto Geográfico Nacional
C/ General Ibáñez Ibero 3,
28003 Madrid.
☎ 91 554 14 50.
W www.cnig.ign.es

Météorologie

Teletiempo Nacional
☎ 906 36 53 65

Teletiempo Provincial
☎ 906 36 53 + *les deux premiers chiffres du code postal régional.*

Circulation et état des routes

Información de Tráfico de Carreteras
☎ 900 12 35 05
appel gratuit.

Index

Les numéros de page en **gras** renvoient aux principales entrées.

A

C

D

G

N

O

P

Q

R

U

V

Remerciements

L'éditeur remercie les organismes, les institutions et les particuliers suivants dont la contribution a permis la préparation de cet ouvrage.

AUTEURS

JOHN ARDAGH est journaliste et écrivain. Il est l'auteur de plusieurs livres sur l'Europe moderne.

DAVID BAIRD, qui a vécu en Andalousie de 1971 à 1995, est l'auteur d'*Inside Andalusia*.

VICKY HAYWARD, écrivain, journaliste et éditeur, habite Madrid et a voyagé dans toute l'Espagne.

ADAM HOPKINS, auteur de nombreux récits de voyages, est l'auteur de *Spanish Journeys : A Portrait of Spain*.

LINDSAY HUNT a beaucoup voyagé et a apporté sa contribution à plusieurs *Guides Voir*.

NICK INMAN écrit régulièrement sur l'Espagne pour des livres et des magazines.

PAUL RICHARDSON est l'auteur de *Not Part of the Package*, un livre sur Ibiza où il réside.

MARTIN SYMINGTON apporte régulièrement sa contribution au *Daily Telegraph*. Il a aussi participé au *Guide Voir Grande-Bretagne*.

NIGEL TISDALL, qui a apporté sa contribution à la rédaction du *Guide Voir France*, est l'auteur de *Insight Pocket Guide to Seville*.

ROGER WILLIAMS a participé aux *Insight Guides* sur Barcelone et la Catalogne. En outre, il a été le principal collaborateur du *Guide Voir Provence-Côte d'Azur*.

AUTRES COLLABORATEURS

Mary Jane Aladren, Pepita Aris, Emma Dent Coad, Rebecca Doulton, Harry Eyres, Josefina Fernández, Anne Hersh, Nick Rider, Mercedes Ruiz Ochoa, David Stone, Clara Villanueva, Christopher Woodward, Patricia Wright.

ILLUSTRATIONS D'APPOINT

Arcana Studio, Richard Bonson, Louise Boulton, Martine Collings, Brian Craker, Jared Gilbey (Kevin Jones Associates), Paul Guest, Steven Gyapay, Claire Littlejohn.

PHOTOGRAPHIES D'APPOINT

Tina Chambers, Geoff Dann, Phillip Dowell, Mike Dunning, Neil Fletcher, Steve Gorton, Frank Greenaway, Derek Hall, Colin Keates, Alan Keohane, Dave King, D. Murray, Cyril Laubsouer, Stephen Oliver, J. Selves, Mathew Ward.

RECHERCHE CARTOGRAPHIQUE

Lovell Johns Ltd (Oxford), ERA-Maptec Ltd.

COLLABORATION ARTISTIQUE ET ÉDITORIALE

Sam Atkinson, Pilar Ayerbe, Cristina Barrallo, Jill Benjamin, Chris Branfield, Daniel Brett, Rosemary Bailey, Vicky Barber, Teresa Barea, Gretta Britton, Lola Carbonell, Peter Casterton, Elspeth Collier, Carey Combe, Jonathan Cox, Martin Cropper, Linda Doyle, Helena González, Des Hemsley, Tim Hollis, Michael Lake, Erika Lang, Rebecca Lister, Sarah Martin, Jane Oliver, Simon Oon, Mike Osborn, Malcolm Parchment, Anna Pirie, Zoë Rass, Anna Streiffert, Helen Townsend, Andy Wilkinson, Robert Zonenblick.

LECTEUR

Stewart J. Wild.

RESPONSABLE DE L'INDEX

Hilary Bird.

AVEC LE CONCOURS SPÉCIAL DE :

L'éditeur exprime sa reconnaissance à tous les offices de tourisme régionaux et locaux, *ayuntamientos*, magasins, hôtels, restaurants et autres organisations d'Espagne pour leur aide précieuse. Il tient également à remercier Giray Ablay (Université de Bristol) ; María Eugenia Alonso et María Dolores Delgado Peña (Museo Thyssen-Bornemisza) ; Ramón Álvarez (Consejería de Educación y Cultura, Castilla y León) ; Señor Ballesteros (Office du tourisme de Saint-Jacques-de-Compostelle) ; Carmen Brieva, Javier Campos et Luis Esteruelas (Ambassade d'Espagne, Londres) ; Javier Caballero Arranz ; Fernando Cañada López ; Le Club Taurino de Londres ; Consejería de Turismo, Castilla-La Mancha ; Consejería de Turismo et Consejería de Cultura, Junta de Extremadura ; Mònica Colomer et Montse Planas (Office du tourisme de Barcelone) ; María José Docal et Carmen Cardona (Patronato de Turismo, Lanzarote) ; Edilesa ; Klaus Ehrlich ; Juan Fernández, Lola Moreno et autres à El País-Aguilar ; Belén Galán (Centro de Arte Reina Sofía) ; Amparo Garrido ; Adolfo Díaz Gómez (Office du tourisme d'Albacete) ; le professor Nigel Glendinning (Queen Mary et Westfield College, Université de Londres) ; Pedro Hernández ; Insituto de Cervantes, Londres ; Victor Jolín (SOTUR) ; Joaquim Juan Cabanilles (Servicio de Investigación Prehistórica, Valence) ; Richard Kelly ; Mark Little (Lookout Magazine) ; Carmen López de Tejada et Inma Felipe (Office national du tourisme d'Espagne, Londres) ; Caterine López et Ana Roig Mundi (ITVA) ; Julia López de la Torre (Patrimonio Nacional, Madrid) ; Lovell Johns Ltd (Oxford) ; Josefina Maestre (Ministerio de Agricultura, Pesca y Alimentación) ; Juan Malavia García et Antonio Abarca (Office du tourisme de Cuenca) ; Mario (Promoción Turismo, Tenerife) ; Janet Mendel ; Javier Morata (Acanto Arquitectura y Urbanismo. Madrid) ; Juan Carlos Murillo ; Sonia Ortega et Bettina Krücken (Spain Gourmetour) ; Royal Society for the Protection of Birds (UK) ; Alícia Ribas Sos ; Katusa Salazar-Sandoval (Fomento de Turismo, Ibiza) ; María Ángeles Sánchez et Marcos ; Ana Sarrieri (Departamento de Comercio, Consumo y Turismo, Gobierno Vasco) ; Klaas Schenk ; María José Sevilla (Foods From Spain) ; The Sherry Institute of Spain (Londres) ; Anna Skidmore (Fomento de

Turismo, Mallorca) ; Philip Sweeney ; Rupert Thomas ; Mercedes Trujillo et Antonio Cruz Caballero (Patronato de Turismo, Gran Canaria) ; Gerardo Uarte (Gobierno de Navarra) ; Fermín Unzue (Dirección General de Turismo, Cantabria) ; Puri Villanueva.

Références artistiques
Sr. Joan Bassegoda, Catedral Gaudí (Barcelone) ; José Luis Mosquera Muller (Mérida) ; Jorge Palazón, Paisajes Españoles (Madrid).

Autorisation de photographier
L'éditeur remercie les responsables qui ont autorisé la prise de vues dans leur établissement : © Patrimonio Nacional, Madrid ; Palacio de la Almudaina, Palma de Majorque ; El Escorial, Madrid ; La Granja de San Ildefonso ; Convento de Santa Clara, Tordesillas ; Las Huelgas Reales, Burgos ; Palacio Real, Madrid ; Monasterio de las Descalzas ; Bananera « El Guanche S.L. » ; Museo Arqueológico de Tenerife-OACIMC del Excmo, Cavildo Insular de Tenerife ; Asociación de Encajeras de Acebo-Cáceres ; Museo de Arte Abstracto Español, Cuenca ; Fundación Juan March ; Pepita Alia Lagartera ; Museo Naval de Madrid ; © Catedral de Zamora ; Museo de Burgos ; Claustro San Juan de Duero, Museo Numantino, Soria ; San Telmo Museoa Donostia-San Sebastián ; Hotel de la Reconquista, Oviedo ; Catedral de Jaca ; Museo de Cera, Barcelone ; Museu D'Història de la Ciutat, Barcelone ; © Capitol Catedral de Lleida ; Jardí Botànic Marimurtra, Estació Internacional de Biologia Mediterrània, Gérone ; Museo Arqueológico Sagunto (Teatro Romano-Castillo) ; Museo Municipal y Ermita de San Antonio de la Florida, Madrid. L'éditeur exprime également sa reconnaissance à tous ceux qui ont autorisé la prise de vues dans les églises, musées, hôtels, restaurants, magasins, galeries et sites trop nombreux pour être tous cités.

Crédit photographique
b = en bas ; bc = en bas au centre ; bd = en bas à droite ; bg = en bas à gauche ; c = au centre ; cb = au centre en bas ; cbd = au centre en bas à droite ; cbg = au centre en bas à gauche ; cd = au centre à droite ; cg = au centre à gauche ; ch = au centre en haut ; chd = au centre en haut à droite ; chg = au centre en haut à gauche ; h = en haut ; hc = en haut au centre ; hd = en haut à droite ; hg = en haut à gauche ; (d) = détail.

Nous prions par avance les propriétaires des droits photographiques de bien vouloir excuser toute erreur ou omission subsistant dans cette liste en dépit de nos soins. La correction appropriée serait effectuée à la prochaine édition de cet ouvrage.

Les œuvres d'art ont été reproduites avec l'aimable autorisation des organismes suivants : *Dona i Ocell* Joan Miró © ADAGP, Paris & DACS, London 172hg ; *Guernica* Pablo Ruiz Picasso 1937 © DACS 1996 289cb ; *Matin* George Kolbe © DACS 1996 ; *Peine de los Vientos* Eduardo Chillida 118b ; Travaux de Joaquín Sorolla © DACS 1996 295h ; *Taxi pluvieux* Salvador Dalí © DEMART PRO ARTE BV/DACS 1996 205hd ; Tapisserie de la Fondation Joan Miró 1975 © ADAGP, Paris & DACS, London ; *Trois jeunes gitans* © Joan Rebull 1976 140bl.

L'éditeur exprime également sa reconnaissance aux particuliers, sociétés et bibliothèques qui ont autorisé la reproduction de leurs photographies : Ace Photo Agency : Bob Masters 22b ; Mauritius 19h ; Bill Wassman 306b ; Aisa Archivo Iconografico, Barcelone : 18h, 32bg, 42g, 44ch, 44cb, 45bg, 45bd, 46chd, 46cb, 47hg, 48chg, 48bg(d), 50bg, 50bd, 50chg, 50–51, 51cg, 51chd, 51bg, 52bg, 57bd, 61hd, 63hg, 63b, 264h, 293b, 337bg, 405bg, 405bd, 406cg, 465bd ; Biblioteca Nacional, Madrid *Felipe V* Luis Meléndez 67bg ; Catedral de Sevilla *Ignacio de Loyola* Alonso Vázquez 120bg(d) ; *Camilo José Cela* Álvaro Delgado 1916 © DACS 1996 31bd (d) ; *La Tertulia del Pombo* José Gutiérrez Solana 1920 © DACS 1996 289h ; Museo de América, Madrid *Vista de Sevilla* Alonso Sánchez Coello 54cb ; Museo de Bellas Artes, Seville *Sancho Panza y El Rucio* Moreno Carbonero 56ch ; Museo de Bellas Artes, Valence *Ecce Homo* Juan de Juanes 242bd ; Museo Frankfurt *La Armada* 55hg ; Museo de Historia de México *Hernán Cortés* S.E. Colane 54bg(d) ; Museo Histórico Militar, Saint-Sébastien *Guerra Carlista* 59bd(d) ; Museo Lázaro Galdiano, Madrid *Lope de Vega* Caxes 280hd ; Museo Nacional del Teatro *Affiche pour « Yerma »* (F.G. Lorca) Juan Antonio Morales y José Caballero © DACS 1996 31hd ; Museo del Prado, Madrid *La Rendición de Breda* Diego Velázquez 57cb, *El Tres de Mayo de 1808 en Madrid* Francisco de Goya y Lucientes 58-59(d), *La Reina María Luisa María* Francisco de Goya 58chg, *Carlos IV* Francisco de Goya 67bc, *Los Borrachos* Diego de Velázquez 282h, *Saturno devorando a un hijo* Francisco de Goya 284hd, *El Descendimiento* Van der Weyden 285b ; Real Academia de Bellas Artes de San Fernando, Madrid *El Sueño del Caballero* Antonio de Pereda 56–57(d) ; AKG, London : 63cd ; Allsport : Stephen Munday 38cd ; Aquila : Adrian Hoskins 200chg, 200cbg ; Mike Lane 325cbg ; James Pearce 195bg ; Arcaid : Paul Raftery 116 bg ; Arxiu Mas : 32bd, 33bg, 47cbd, 52hg, 53cg, 53bd(d) ; Museo del Prado, Madrid *Felipe II* Sánchez Coello 66bd(d) ; Patrimonio Nacional 55cg,55b(d).

Jaume Balanya : 1634 cbd ; Biofotos : Heather Angel 76chg, 76bg ; Bridgeman Art Library : *L'intronisation de saint Dominique Silos* Bartolomé Bermejo 284hg ; Index/Museo del Prado, Madrid *Autodafé sur la Plaza Mayor* Francisco Rizi 264c ; Musée des Beaux Artes, Berne *Colosse de Rhodes* Salvador Dalí 1954 DEMART PRO ARTE BV/DACS 1996 29hd ; Museo del Prado, Madrid *La Famille du Charles IV* Francisco de Goya y Lucientes 29cb, *L'Adoration des bergers* 282hc, *L'Annonciation* Fra Angelico 282cb, *La Maja vestida* Francisco de Goya y Lucientes 283h, *La Maja desnuda* Francisco de Goya y Lucientes 283ch, *Les Trois Grâces* Peter

Paul Rubens 283cb, *Le Martyre de saint Philippe* José de Ribera 283b ; Museo Picasso, Barcelone *Las Meninas, Infanta Margarita* Pablo Ruiz Picasso 1957 © DACS 1996 28hg ; *Enfants sur la plage* Joaquin y Bastida Sorolla © DACS 1996 285h ; Phoenix Galleries, London *Rooftops, Fortna Luxt, Mallorca* Frederick Gore 8-9 ; Michael Busselle : 197r, 199b, 200h.

Centro de Arte Reina Sofia : *Bertsolaris* Zubiaurre © DACS 1996 121cb, *Paisaje de Cadaqués* Salvador Dalí 1923 © DEMART PRO ARTE BV/DACS 1996 288cb, *Accidente* Ponce de León 288b ; Toki-Egin (Homenaje a San Juan de la Cruz) Eduardo Chillida 1952 © DACS 2002 289bg ; Cephas : Mick Rock 25bg, 38h, 74h, 192hd, 192cg, 193hd, 322hd, 402hd, 403bd, 403cd ; Roy Stedall 403hd ; Cocomfe : 613b ; Bruce Coleman : Eric Crichton 194hd ; José Luis González Grande 195hd ; Werner Layer 325hg ; Andy Purcell 27ch ; Hans Reinhard 76cbd ; Norbert Schwirtz 195hg ; Colin Varndell 195cbd ; Dee Conway : 407cg, 407cd ; Sylvia Cordaiy Photo Library : Chris North 34hg ; Joe Cornish : 24ch, 328, 346b, 354hd ; Giancarlo Costa : 33bc ; Cover : Genin Andrada 36b, 39b ; Angel Bocalandro 624hg ; Austin Catalan 64bg ; Juan Echeverria 27chd, 37bd, 521bg ; Pepe Franco 182c ; Quim Llenas 121ch, 305hg ; Matías Nieto 39c ; José R. Platón 624hd ; F.J. Rodríguez 121bg.

J.D. Dallet : 65hd,440hg, 575bd.

Edex : 47bg, 387b ; Edilesa : 334b ; El Deseo : Pedro Almodóvar 295b ; Paco Elvira : 26cbd ; EMI : Hispavox 358b ; Equipo 28 : 407h ; ET Archive : 48bd ; Europa Press : 19c, 64hg, 65ch ; Mary Evans Picture Library : 9h, 52chg, 59bg, 69h, 133d, 187h, 255d, 264bg, 317, 397r, 447b, 479, 529h, 611r ; Explorer 406h ; Eye Ubiquitous : James Davis Travel Photography 17h, 208bd.

Firo Foto : 153c ; 509h ; Fototeca : IFEMA : Philipe Imbault 304bd ; Fundacion César Manrique : 524bd ; Fundacion Coleccion Thyssen-Bornemisza : *Vierge d'humilité* Fra Angelico 173h, *La Virgen del Árbol* Petrus Christus 278hd, *Arlequin au miroir* Pablo Ruiz Picasso 1923 © DACS 1996 278c, *Chambre d'hôtel* © Edward Hopper 1931 278bg, *Portrait du baron H.H. Thyssen-Bornemisza* © Lucian Freud 1981–82 278bd, *Vénus et Cupidon* Peter Paul Rubens (après 1629) 279hg, *Saint Jérôme au désert* Titien c. 1575 279hd, *Santa Casilda* Francisco de Zurbarán 1640–1645 279c, *Paysage d'Automne en Oldenburg* Karl Schmidt-Rottluff 1907 © DACS 1996 279b ; Fundacio Joan Miro, Barcelone : *Flama en L'espai i dona nua* Joan Miró 1932 © ADAGP, Paris et DACS, London 1996 168h.

Godo Foto : 210b, 211h, 215h, 239b, 245h, 315bg ; Ronald Grant Archive : *Pour quelques dollars de plus* © United Artists 476b. FMGB Guggenheim Bilbao Museoa : London 1999. Erica Barahona Ede. Tous droits réservés partiellement ou totalement 116h, 116bd, 117h, 117b.
Robert Harding Picture Library : 15h, 137hd, 156ch, 168b, 169b, 239h, 293h, 487bd ; Julia Bayne 186–187 ; Nigel Blythe 15b, 145c ; Bob Cousins 22cbg ; Robert Frerck 439hd ; James Strachan 270hg ; Maria Victoria Hernandez : 509b ; Hulton Deutsch Collection : 62b, 373bd. Iberdiapo : Triangle 500-501 ; The Image Bank, London : Andra Pistolesi 170 ; Mark Romanelli 136bg ; Mathew Weinreb 157b ; Images Colour Library : 629b ; A.G.E Fotostock 24hd, 25hd, 26chd, 26ch, 26bd, 32hd, 33ch, 36c, 38cg, 118b, 164, 183h, 183c, 201bd, 223ch, 223bd, 304h, 307c, 325chg, 331hd, 403cg, 406bd, 442b, 473h, 507h, 533hd, 625c, 625b ; Horizon International 32-33, 136cb ; Incafo : J. A. Fernández & C. De Noriega 71bg, 121bd ; Juan Carlos Muñoz 378b, 473b ; A. Ortega 26bg ; Index : 30hg, 44c, 44b, 45c, 45cb, 46hg, 49b, 50chd, 52bd (d), 55hd, *Los Moriscos suplicando al rey Felipe III* 57c, 60–61, 61b, 63cg, *Carlos I* 66hc, 66 bg, 67bd, 467ch ; Bridgeman, London 54chd ; CCJ 19b ; X. Correa 44hg ; *Garrote Vil* José Gutiérrez Solana 1931 © DACS 1996 61cbg(d) ; Galería del Ateneo, Madrid *Lucio Anneo Seneca* Villodas 46chg (d) ; Galeria Illustres Catalonia, Barcelone *Joan Prim I Prats* J. Cusachs 59ch(d) ; Image *José Zorilla* 31bg ; Instituto Valencia de Don Juan, Madrid *Carlos V* Simón Bening 55cbd ; Iranzo 52chd ; Mithra 48cbg, 54bd (d), 60hg ; Museo de América, Madrid *Indio Yumbo y Frutas Tropicales* 55chd ; Museo Lázaro Galdiano, Madrid *Lope de Vega* Anonyme 30c, *Félix Lope de Vega* Francisco Pacheco 56bd(d) ; Museo Municipal, Madrid *Fiesta en la Plaza Mayor de Madrid* Juan de la Corte 57hg ; Museo del Prado, Madrid *Ascensión de un globo Montgolfier en Madrid* Antonio Carnicero 58chd(d), *José Moreño Conde de Floridablanca* Francisco de Goya 58bd(d), *Flota del Rey Carlos III de España* A. Joli 59h(d) ; National Maritime Museum, Greenwich *Batalla de Trafalgar* Chalmers 58cb ; A. Noé 52cb ; Palacio del Senado, Madrid *Alfonso X « El Sabio »* Matías Moreno 30b(d), *Rendición de Granada* Francisco Pradilla 52–53(d) ; Patrimonio Nacional 47bd ; Collection particulière, Madrid *Pedro Calderón de la Barca* Antonio de Pereda 57bg(d) ; Real Academia de Bellas Artes de San Fernando, Madrid *San Diego de Alcalá dando de comer a los pobres* Bartolomé Esteban Murillo 57ch(d), *Fernando VII* Francisco de Goya 67hg(d), *Isabel II* 67hc, *Autoportrait* Francisco de Goya 229b ; A. Tovy 65cb ; Nick Inman : 194bc, 243hd, 612h, 615cb, 622hd, 631b ; Institut Turistic Valencià : 235bd.

César Justel : 335b.

Anthony King : 281h.

Office du tourisme de L'Estartit : 207c ; Life File Photographic : 207c ; Tony Abbott 324chg ; Xavier Catalan 137cb ; Emma Lee 137chd, 402hg, 635hd ; Neil Lukas : 440cb, 440b.

Magnum : S. Franklin 64cb ; Jean Gaumy 64bd, 65hg ; Imagen mas, Leon : 337hd ; John Miller : 196g, 478-479, 481cb, 505d, 514b, 519b, 524h, 525b ; Museo Arqueológico De Villena : 44-45 ; Museu

Nacional D'Art De Catalunya : Museu d'Art Modern *El Tombant del Loing* Alfred Sisley 151h ; Museo Nacional Del Prado : *El Jardín de las Delicias* 282b ; Museu Arqueologic De Barcelona : 167c ; Museu Picasso Barcelona : *Auto Retrato* Pablo Ruiz Picasso 1899–1900 © DACS 1996 148b ; *Las Meninas* Pablo Ruiz Picasso 1957 © DACS 1996 149b.

Naturpress : Oriol Alamany 27bg ; J. L. Calvo & J. R. Montero 325cbd ; José Luis Grande 441b ; Walter Kwaternik 26cbg, 27bc, 324chd, 325chd ; Francisco Márquez 441cb, 398bg ; Aurelio Martín 27bd, Sebastián Martín 325bc ; José A. Martínez 76hd, 197b, 324cbg, 324cbd ; © National Maritime Museum : 54-55 ; Network : Bilderberg/W. Kunz 403hg ; NHPA : Laurie Campbell 76chd ; Stephen Dalton 77cg ; Vicente García Canseco 27chg, 441ch ; Manfred Daneggar 76bd, 77bd ; Natural Science Photos : Nigel Charles 104hg ; C. Dani & I. Jeske 100b, 325bd ; J. Plant 222cb ; Richard Revels 324bd ; Brian Sutton 324bg ; W. Tarboton 324hg ; P. & S. Ward 222bd.

Omega Foto : 106hg, Manuel Pinilla 38b, 119b ; Oronoz : 4, 29bd, 32cg, 33bd, 43b, 45h, 46b, 49h, 49cbg, 49cbd, 50hg, 50cb, 51h, 51bd, 54hg, 54chg, 56cb, 61hg, 64ch, 65c, 78hg, 108h, 295cd, 337bd, 345bd, 352b, 416bg, 423bg, 443hg, 455h, 456g, 465bg ; Biblioteca Nacional, Madrid *Isabel la Católica* Luis Madrazo 66hg(d) ; *El Espíritu de los Pájaros o Pájaros Volando* Eduardo Chillida 1953 © DACS 1996 289b ; Iglesia Santo Tomé, Tolède *El Entierro del Conde de Orgaz* El Greco 28ch ; *Portrait II* Joan Miró 1938 © ADAGP, Paris et DACS, London 1996 288h ; Monasterio Santa Maria, Barcelone *Virgen con Niño* Ferrer Bassa 28cbg(d) ; Museo de Bellas Artes, Cadix *San Bruno en Éxtasis* Zurbarán 443hd ; Museo Casa Gredo, Tolède *Carlos II* Miranda Correño 66hd(d) ; Museo del Ejército, Madrid *Isabel II* Madrazo 58hg ; Museo Municipal de Bellas Artes, Tenerife *Retrato de Boabdil o Abu Abdala* 53hd(d) ; Museo Nacional de Escultura, Valladolid *Natividad* Berruguete 349hd ; Museo Naval, Madrid *Desembarco de Colón* José Garnelo 53hg ; Museo Naval Laminas, Madrid *Carabelas de Colón* Monleón 53bg(d) ; Museo del Prado, Madrid *El Salvador* José de Ribera 28cbd, *Las Meninas o Familia de Felipe V* Diego Velázquez 28–29, *Felipe III* Pedro A. Vidal 56bg, *Felipe V* 58bg, *Guernica* Pablo Ruiz Picasso 1937 © DACS 1996, 62–63, *Felipe IV* Diego Velázquez 66bc(d), *Bodegón* Zurbarán 284b, *David Vencedor de Goliat* Le Caravage 285c ; Palacio Moncloa *Interior de la Catedral de Santiago* Villaamil Pérez 78-79 ; *Mujer en Azul* Pablo Ruiz Picasso 1901 © DACS 1996 288ch ; collection particulière, Palma *Oleo Sobre Lienzo* Joan Miró 1932 © ADAGP, Paris et DACS, London 29ch ; Real Academia de Bellas Artes de San Fernando *Fray Pedro Machado* Zurbarán 271hd.

Panos Pictures : Adrian Evans 64–65 ;
José M. Pérez De Ayala : 26cd, 440hd, 440ch, 441h, 441ch ; The Photographers Library : 499hd ; Pictures Colour Library : 18b, 26hd, 158-159, 248b, 398cg ; Prisma : 60ch, 61cbd, 62ch, 62cb, 63hd, 93h, 136bd, 229c, 240h, 307h, 435, 492bd, 508cg, 515cbg, 515cb, 515cbd, 515bg, 519h, 527bg, 527bd ; Franco Aguiar 67hd ; *El ingenioso hidalgo Don Quixote de la Mancha* 1605 Ricardo Balaca 377bd ; Diputación de Madrid *Francisco Bahamonde Franco* Enrique Segura 62hg ; Domenech & Azpiliqueta 114h ; Albert Heras 182b ; Marcel Jaquet 507b, 517b ; Hans Lohr 459b ; *Los Niños de la Concha* Bartolomé Esteban Murillo 29bg(d) ; Museo de Arte Moderno, Barcelona *Pío Baroja* Ramón Casas 60cb(d) ; Museo de Bellas Artes, Bilbao *Condesa Mathieu de Noailles* Ignacio Zuloaga y Zubaleta © DACS 1996 114b ; Museo de Bellas Artes, Saragosse *Príncipe de Viana* José Moreno Carbonero 126b(d) ; Mateu 185c ; Palacio del Senado, Madrid *Alfonso XIII* Aquino © DACS 1996 67cd ; Patrimonio Nacional Palacio de Riofrío, Ségovie : 60bd ; *Auto Retrato* Pablo Ruiz Picasso 1907 © Succession Picasso DACS 1996 61ch ; Marta Povo 626h ; Real Academia de Bellas Artes de San Fernando, Madrid *Las Bodas de Camacho* José Moreno Carbonero 31hg(d), *La Procession des Flagellants* Francisco de Goya 264bd(d) ; *Emilio Castelar* Joaquin Sorolla © DACS 1996 60bg.

Rex Features : Sipa Press 205cb ; © Royal Museum Of Scotland : Michel Zabé 43h.

Maria Ángeles Sanchez : 34hd, 35b, 39h, 75h, 94cg, 14g, 280hg, 294b, 369c, 387hd, 508h, 508cd, 508b, 512c, 523h ; Science Photo Library : Geospace 19h ; 6 Toros 6 : 33cb ; Office espagnol du tourisme : 245c ; Spectrum Colour Library : 132–133, 136hd, 528–529 ; Stockphotos, Madrid : Marcelo Brodsky 36h ; Campillo 625h ; Heinz Hebeisen 37bg ; Mikael Helsing 624b, 314hg ; David Hornback 17b ; Javier Sánchez 314hg ; Werner Otto Reisefotografie 629h ; James Strachan : 281b, 292h, 292c, 294h ; Tony Stone Worldwide : Doug Armand 16b ; Jon Bradley 304bg ; Robert Everts 422ch.

Visions of Andalucia : Michelle Chaplow 406–407 ; J.D. Dallet 379hd ; VU : Christina García Rodero 2–3, 16c, 34b, 35c, 35h, 128cg, 246–247, 350g, 413cd.

Charlie Waite : 470–471 ; Werner Forman Archive : Museo de Arte Hispanomusulmán 48h ; Musée d'Art catalan, Barcelone 326hg ; National Maritime Museum, Greenwich 48cd ; Alan Williams : 74b ; Peter Wilson : 254–255, 272, 444b, 445c, 451h, 457h ; World Pictures : 305c, 488h ; Zefa : 1.

Première page de garde : photos de commande, à l'exception de Joe Cornish cbg ; John Miller hd ; Spectrum Colour Library ch ; Peter Wilson cbd.

Couverture : photos de commande, à l'exception de Index : 4e de couverture cb ; Oronoz : 1re de couverture cbg ; Zefa : 1re de couverture h. Autres images © Dorling Kindersley. Renseignements : www.DKimages.com